Das Kursbuch Religion 1

Ein Arbeitsbuch für den Religionsunterricht
im 5./6. Schuljahr

Lehrermaterialien

Herausgegeben von Dieter Petri und Jörg Thierfelder

Erarbeitet von Katja Baur, Elvira Feil-Götz, Jürgen Heuschele, Dieter Petri,
Dagmar Ruder-Aichelin, Hartmut Rupp, Eva Schmieder, Jörg Thierfelder,
Joachim Trautwein und Andreas Wittmann

Calwer Verlag
Diesterweg

Druck A[1] / Jahr 2006

Alle Drucke der Serie A sind im Unterricht parallel verwendbar.

Redaktion: Holger Höcke
Herstellung: Corinna Herrmann
Layout und Umschlaggestaltung: thom bahr GRAFIK, Mainz
Satz: UMP Utesch Media Processing GmbH, Hamburg
Reproduktion, Druck und Bindung: westermann druck GmbH, Braunschweig

ISBN 978-3-7668-3898-8 (Calwer)
alt: 3-7668-3898-9

ISBN 978-3-425-00875-2 (Diesterweg)
alt: 3-425-00875-7

Inhaltsverzeichnis

Abkürzungen

AB Arbeitsblatt
AV Audiovisuell
EA Einzelarbeit
DS Doppelseite
EG Evangelisches Gesangbuch
GA Gruppenarbeit
HA Hausaufgabe
HE Hefteintrag
KB Das Kursbuch Religion 1 (Schülerband)
L. Lehrer/-in
LHB „Lehrerhandbuch“ KB 1 (Querverweis innerhalb des Buches)
LJ Liederbuch für die Jugend
PA Partnerarbeit
RU Religionsunterricht
Sch. Schülerinnen und Schüler
TA Tafelanschrieb
UE Unterrichtseinheit
UG Unterrichtsgespräch

Einführung

1. „Das Kursbuch Religion 1" – Grundlegung

Das vorliegende Kursbuch Religion 1 (KB) stellt eine Fortentwicklung von Kursbuch Religion 2000 5/6 dar. Es nimmt die neuere pädagogischen Diskussion auf, die durch die Stichworte „kompetenzorientiertes Unterrichten“ oder „guter Unterricht“ gekennzeichnet werden können.
Hierbei bleibt in Geltung, was im Vorwort zum LHB KB Religion 2000 5/6 (S. 5) gesagt ist: Das Buch will den Sch. „bei der Erfahrung, Deutung und Bewältigung des Lebens Hilfe leisten. Es bringt die Sch. in die spannungsvolle Beziehung zwischen ihrer Erfahrungswelt und der biblisch-christlichen Tradition.“ Wie das Vorgängerbuch bietet auch das vorliegende KB an, die Vielfalt religiöser Traditionen, wie sie im Alltag begegnen, verstehen zu lernen und für die Fragen in der Lebenswelt der Sch. eine biblisch begründete ethische Orientierung zu finden. Immer wieder wird auf Kirche und Gemeinde als Orte gelebten christlichen Glaubens Bezug genommen. So werden beispielsweise die Sch. an mehreren Stellen des Buches auf ihre Taufe hin angesprochen (KB S. 124, 152, 164, 170, 213).
Auch Kursbuch Religion 1 ist ein Arbeitsbuch. Es unterscheidet sich damit von einem Lese- und Bilderbuch. Es kann als Leit- oder als Begleitbuch eingesetzt werden. Zu empfehlen ist, es immer wieder als Leitbuch einzusetzen, um sich bei Unterrichtsvorbereitungen zu entlasten und die gewonnene Zeit für die Erarbeitung neuer Themen einzusetzen.

Acht Großkapitel mit 29 Kapiteln

Wie das Vorgängerbuch ist auch Kursbuch 1 nicht nach einzelnen Unterrichtseinheiten aufgebaut, vielmehr sind hier 29 Unterrichtseinheiten bzw. Kapitel in acht Großkapiteln zusammengefasst. Die Kapitel – meist pro Großkapitel 4 Unterkapitel – bestehen in der Regel aus je sechs Seiten:
Diese sind:

1. Wir leben miteinander (Ich – du – wir • Kinder hier und anderswo • Streiten und sich versöhnen • Regeln, die gut tun)
2. Die Welt als Gottes Schöpfung sehen (Geschaffen an sieben Tagen • Geschichten vom Anfang • Leben im Garten Gottes • Miteinander in der Schöpfung: Tiere und Menschen)
3. Menschen vor Gott (Ich bin einmalig • Andere Menschen, fremde Menschen • David – ein Vorbild?)
4. Gott ist für uns da (Abraham: Unterwegs im Vertrauen • Mose: Unterwegs in die Freiheit • Du hörst mein Weinen • Bilder von Gott)
5. Jesus Christus (So lebte Jesus • Der Weg Jesu • Gleichnisse Jesu)
6. Die Bibel – Urkunde des Glaubens (Das Alte Testament • Das Neue Testament • Bibel heute)
7. Den Glauben leben (Christen kommen zusammen • Christen lebten im Römischen Reich • Christen gehen aufeinander zu • Christen feiern das ganze Jahr)
8. Abrahams Kinder (Die Wurzel: Das Judentum • Der Islam • Juden – Christen – Muslime • Symbole – Bilder des Glaubens)

Module/Bausteine

Wie schon KB 2000 ist der neue Schülerband nach dem (Doppel-) Seiten-Prinzip mit Modulcharakter (Bausteincharakter) aufgebaut. D.h., dass auf jeder (Doppel-) Seite ein Thema in sich geschlossen abgehandelt wird. Es bildet somit ein Modul, das jeweils auch bei anderen Kapiteln oder bei einer neu zu konzipierenden UE, die nicht explizit im KB ausgewiesen ist, eingesetzt werden kann.
So kann z.B. KB S. 29 (Das Gleichnis vom Schalksknecht), aus dem Kapitel „Streiten und Sich Versöhnen“ bei dem Kapitel „Gleichnisse“ (KB S. 130ff.) eingebracht werden. Andererseits kann beispielsweise das Modul „Vom verlorenen Sohn“ (KB S. 133) beim Thema „Bilder von Gott“ (insbesondere KB S. 110/111) eingebaut werden. Das Thema Sabbat kann beim Judentum bzw. bei den Zehn Geboten eingesetzt werden. (KB S. 35 u. S. 190f.). Die Beispiele ließen sich fortsetzen.

Eine Einheit zum Thema Tod und Sterben findet sich im KB nicht. Das Buch bietet aber Module an, die zu einer solchen Einheit zusammengefügt werden können. Als Einstieg kann beispielsweise das Modul „Endlich wieder zu Hause“ (KB S. 106) dienen, das Krebserkrankungen von Kindern thematisiert. Weitere Module können sein:
- „Klageworte: Worte der Angst“ (KB S. 102) – dieses Modul kann dadurch erweitert werden, dass weitere Psalmworte, die Tod und Sterben thematisieren, herangezogen werden, z.B. auch das Modul „Psalm 22: Ein Klagegebet“ (KB S. 104).
- Das Modul „Leben angesichts des Todes“ (KB S. 171) kann aufzeigen, dass das Thema Tod und Sterben ein Thema ist, das für das Christsein von Anfang an wesentlich war.
- Für die christliche Auferstehungshoffnung stellt das KB mehrere Module zur Verfügung: „Ostern bei den griechisch-orthodoxen Christen“ (KB S. 184/185); „Die Auferstehung“ (KB S. 129); „Vertrauensworte: Worte gegen die Angst“ (KB S. 103).

In ähnlicher Weise kann eine UE zum Thema „Diakonie“ konzipiert werden: „Reiche arme Kinder“ (KB S. 21), „Der alte Großvater und sein Enkel“ (KB S. 69); „Nach seinem Bilde geschaffen“ (KB S.72/73); „Vom barmherzigen Samariter“ (KB S. 135); „Die Vesperkirche“, eingeschlossen Elisabeth v. Thüringen (KB S. 166/167).
Ebenso lassen sich z.B. UEn zum Thema „Beten“ oder „Frauen (und Männer) in der Bibel“ konzipieren.
Im KB finden sich auf dem Rand immer wieder Querverweise auf andere Seiten, wo ein ähnliches Thema behandelt wird. Diese können den Sch. dazu helfen, eigene Lernwege durch das Buch zu finden.

Pragmatischer Bildungsbegriff

Sowohl hinter dem Kursbuch Religion 2000 als auch dem vorliegenden Kursbuch steht ein pragmatischer Bildungsbegriff, wie er auch für die PISA-Studie leitend war. Danach hat Bildung die eigenständige Bewältigung von Lebenssituationen zum Ziel, was schon vor Jahren in der Curriculumtheorie herausgestellt wurde. „Die Schule hat die Aufgabe, jene Kompetenzen zu ermöglichen, die in modernen Gesellschaften für eine befriedigende Lebensführung in persönlicher und wirtschaftlicher Hinsicht sowie für eine aktive Teilnahme am gesellschaftlichen Leben notwendig sind.“ (Deutsche PISA 2001, 29).
Auch der RU muss sich fragen lassen, was er in diesem Zusammenhang „bringt“. Kann ein Schüler die Tafeln am Ortsbeginn lesen (KB S. 176)? Kennen die Sch. den Unterschied von Sonntag und Werktag (KB S. 34)? Können die Sch. Inhalt und Struk-

tur des Kirchenjahres darstellen (KB S.181) und mit der Ferienordnung verbinden? Was ist eigentlich eine Moschee und worin unterscheidet sie sich von einer Kirche (KB S. 198)?

Religiöses Wissen ist zum einen *Verfügungswissen:* Die Sch. sollen über bestimmte Sachverhalte aus dem Bereich Religion Bescheid wissen und Begriffe richtig anwenden. Hierzu bietet das KB eine Fülle von Sachtexten (z.B. KB S. 76 „Die Waldenser" oder KB S. 146 „Die vier Evangelien und das ganze Neue Testament").
Davon zu unterscheiden ist das *Orientierungswissen:* Dieses Wissen versetzt in die Lage, sich in der modernen und pluralen Welt zurechtzufinden und ethisch verantwortlich zu handeln. Hier sind u. a. zu nennen: der Dekalog (KB S. 30, 100), der Schöpfungsauftrag (KB S. 56f.), die Kinderrechte und Kinderpflichten (KB S. 22f.), die Nächstenliebe (KB S. 135) sowie der Einsatz für Gerechtigkeit und das Verständnis von Gerechtigkeit (KB S. 134). Dazu gehören jeweils auch die Erzählzusammenhänge.
Von diesem Orientierungswissen kann man noch einmal ein *Lebenswissen* abheben: Bei der Bewältigung von Lebenssituationen spielt eine wichtige Rolle, wie ich mich selbst einschätze. Dazu gehören: das Aussehen, die Begabung, die Wirkung auf andere, das Leistungsvermögen oder der Umgang mit Emotionen sowie die Zukunftserwartungen. Gerade hier will der RU – und das KB – hilfreiche Perspektiven anbieten:
KB S. 12: Ich bin einzigartig; KB S. 12: Engel; KB S. 68-73: Ich bin einmalig; KB S. 72: Ebenbild Gottes; KB S. 44: Diese Welt und ich sind gewollt, wir sind für Gott wichtig; KB S. 45: Ich habe Aufgaben; KB S. 103, 109: Der Herr ist mein Hirte; KB S. 110f.: Gott ist wie ein guter Vater und eine Mutter; KB S. 152: Taufsprüche; KB S. 210: Spuren im Sand, Befiehl dem Herrn deine Wege; KB S. 68: Jesus und die Kinder; KB S. 98: Lied „Ich bin für euch da".

An Änderungen, die im KB auf dem Hintergrund neuerer pädagogischer Diskussionen nötig geworden sind, sind folgende Punkte zu nennen:

1. Orientierung an Kompetenzen
Leitend für die Neubearbeitung des Kursbuchs Religion war das Anliegen, der gewandelten Sicht des RU Rechnung zu tragen und einen kompetenzorientierten RU zu unterstützen. Deshalb wird immer wieder von Kompetenzen ausgegangen und auf sie hingewiesen (dazu ausführlicher unten S. 6).

2. Förderung fächerübergreifender Kompetenzen
Ganz selbstverständlich leistet der RU einen Beitrag zur Allgemeinbildung der Sch. wie z.B. der Lesefähigkeit, aber auch der Fähigkeit zur Selbstregulierung und Kooperation.

3. Grundwissen Religion
Zu diesem Stichwort finden sich im KB immer wieder kurze Sachtexte zu wichtigen Sachverhalten. Diese Texte zielen auf Nachhaltigkeit und eignen sich dazu, auf Lernkarten festgehalten zu werden (S. dazu unten S. 7)

4. Werkstatt Religion
Am Ende jedes Großkapitels findet sich eine DS mit Tipps zu grundlegenden Arbeitsmethoden. Diese Seiten sollen den Sch. helfen, wichtige Methoden einzuüben. S. dazu unten den Abschnitt „Werkstatt Religion" (S. 8 ff.).

5. Bildkonzeption
Wo es möglich war, liegt den Kapiteln je eine einheitliche Bildkonzeption zugrunde. „Der Weg Jesu" (KB S. 124ff.) wie auch „Christen feiern das ganze Jahr" (180ff.) (jedenfalls, z.T.) bringen kerygmatische Bilder aus der mittelalterlichen Kunst. Andere Einheiten arbeiten vor allem mit Fotos, z.B. Leben im Garten Gottes (KB S. 52ff.) und Kinder hier und anderswo (KB S.18 ff.). Im Unterricht kann darüber nachgedacht werden, warum sich diese „Bildsorte" vor allem hier eignet. Reizvoll kann es sein, dass Sch. zu einer UE eine andere Bildkonzeption entwerfen.
Immer wieder leben einzelne DS von einprägsamen Bildern einer Gattung. So bringt z.B. KB S. 62/63 zwei Farbholzschnitte von HAP Grieshaber, KB S. 94/95 bietet zwei großformatige Schwarz-weiß-Holzschnitte, KB S. 102/103 abstrakte Bilder; auf KB S. 18/19 stehen sich zwei Fotos gegenüber, die das Glücklichsein und die Krankheit von Kindern eindrücklich ins Bild setzen.
Die jeweiligen Titeldoppelseiten zu den Großkapiteln weisen eine besondere Bildkonzeption auf: Es werden jeweils zwei Bilder ganz unterschiedlichen Charakters einander gegenüber gestellt, um so eine fruchtbare Spannung zu erzeugen.
Im Kapitel „Gott ist für uns da" (KB S. 88/89) stehen sich z.B. ein abstraktes Bild (Ostersonne) und eine figürliche Darstellung (Abraham) gegenüber; auf den Titelseiten des Kapitel „Jesus Christus" (KB S. 116/117) finden sich eine moderne und eine mittelalterliche Darstellung der Geburt Jesu, die zugleich die lukanische und matthäische Version des Weihnachtsevangelium in Szene setzen.

6. Evaluation
Das KB bietet Ansätze zur Selbstevaluation. Hinzuweisen ist hier vor allem auf den „Lern-Check" KB S. 216/217.

Das vorliegende LHB will die oben angeführten Punkte im Blick auf die einzelnen Inhalte konkretisieren. Der Aufbau wurde im Vergleich zum Kursbuch 2000 entsprechend den neuen pädagogischen Herausforderungen modifiziert.

2. Der Aufbau der Lehrermaterialien

Einführung
Jedem Großkapitel ist eine Einführung mit der Erläuterung der beiden Titelbilder und unterrichtspraktischen Hinweisen dazu vorangestellt.

Zielsetzung, Aufbau und Kompetenzen
Der Einführung folgt die Erläuterung der dem Unterkapitel zugrunde gelegten Intentionen und des Aufbaus der einzelnen Kapitel entsprechend der Seitenabfolge im Schülerband. Unter der Überschrift „Welche Lernchancen werden angeboten?" werden jeweils die Kompetenzen genannt, die in dem entsprechenden Kapitel erworben werden können. Weitere wichtige Sachverhalte, die in diesem Abschnitt angesprochen werden, sind „Lernstandsdiagnose", „informierender Unterrichtseinstieg", „Selbstregulierung", „Leitmedium" und „Ideen zum Wiederholen". Diese Stichworte sind für alle Unterkapitel wichtig, auch wenn sie nicht immer explizit genannt werden.

Didaktisch-methodische Hinweise

Dieser Abschnitt nimmt den größten Umfang innerhalb des Kommentarteils ein. Die einzelnen Überschriften sind wortgleich mit denen des Schülerbuchs. Sie können sich auf eine DS oder auf eine einzelne KB-Seite beziehen. Zusammen mit den entsprechenden Seitenzahlen des Schülerbuches ist eine rasche Orientierung gewährleistet.
Im Anschluss an die Seitenüberschrift werden die Texte und Bilder der betreffenden Seite/DS beschrieben. Anschließend wird (meist) eine mögliche Eingangssituation vorgeschlagen, danach verschiedene Erschließungsmöglichkeiten und mögliche Schlusssituation(en). All dies sind Vorschläge für die Unterrichtsgestaltung, aus denen frei auszuwählen ist.
Innerhalb dieses Teiles finden sich neben den Hinweisen auf Materialien (M 1, M 2 usw.) gelegentlich auch kleinere Texte und Skizzen für TA, Kopiervorlagen u. a.

Empfohlene Literatur und Medien

Es werden wenige wichtige Bücher und AV-Medien genannt und (teilweise) charakterisiert, die für die Vorbereitung und Durchführung des Unterrichts von Bedeutung sind. Außerdem gibt es gelegentlich Hinweise auf Bücher, die die Sch. im Zusammenhang des Kapitels lesen können.
Die sonstige (in Kurzform) zitierte und verwendete Literatur ist im Literaturverzeichnis am Ende des LHB zu finden.

Materialien/Lernkarten

Am Ende des jeweiligen Kapitels finden sich Hinweise zu den Lernkarten (s. u.) und die Aufzählung der Zusatzmaterialien (M 1, M 2 usw.). Die zur entsprechenden UE erarbeiteten kopierfähigen Materialien (zusätzliche Arbeitsblätter, Texte und Bilder) werden nach Nummer und Titel aufgelistet. Besonderheit: Die Farbseiten sind am Schluss des Bandes en bloc zusammengefasst. Bibelkundliche Lernkarten finden sich beim Kapitel Bibel.

3. Zur Arbeit mit den Lehrermaterialien

Immer wieder werden in den Einleitungen zu den (Unter-) Kapiteln bestimmte Aspekte angesprochen, die zu einem „guten" Unterricht verhelfen wollen und nachhaltiges Lernen möglich machen. Auch dort, wo sie nicht explizit ausgewiesen sind, ist es sinnvoll, dass L. sie (wenn möglich zusammen mit den Sch.) vor Beginn einer Unterrichtssequenz bedenkt und dann entsprechend entscheidet:

Kompetenzorientierung

In dem Abschnitt „Zielsetzung, Aufbau und Kompetenzen" wird immer wieder auf ein kompetenzorientiertes Unterrichten abgehoben. Unter der Überschrift „Welche Lernchancen werden angeboten?" wird jeweils aufgezeigt, welche Kompetenzen mit den Materialien des Unterkapitels erworben werden können. Dabei werden unter Kompetenzen Bündel von Kenntnissen, Fertigkeiten, Fähigkeiten und Haltungen verstanden.
Häufig wird im RU nicht ausreichend darüber nachgedacht, was denn beim Unterricht „herauskommen" soll bzw. was die Sch. tatsächlich können sollen. Vor allem durch die PISA-Studie wurde deutlich, dass es auch für den RU entscheidend ist, was Schülerinnen und Schüler am Ende einer Lernstrecke wissen, können und wozu sie bereit sind (Kenntnisse, Fähigkeiten, Fertigkeiten und Einstellungen). Können sie z. B. am Ende der 6. Klasse die drei Gleichnisse nacherzählen? Können sie den Festen des Kirchenjahres Jesusgeschichten zuordnen? Das ist nicht einfach Christentums- oder Kirchenwissen, das ist gleichzeitig Kulturwissen.
Allerdings kann für den RU nicht einfach nur das zählen, was am Ende „herauskommt" (Output). Daneben bleiben selbstverständlich für den RU nach wie vor die Lernwege und der Diskurs über die Inhalte wichtig.

Als Beitrag des RU zur Grundbildung der Sch. ist vor allem die Lesefähigkeit zu nennen, aber auch die Fähigkeit zur Selbstregulierung sowie zur Kooperation. Gerade auch im RU geht es um „sinnentnehmendes" Lesen und damit um hermeneutische Kompetenz. Das KB bietet daher viele Möglichkeiten zu intensiver Text- und Spracharbeit. Beispielhaft hingewiesen sei hier auf folgende Seiten in Kursbuch 1: KB S. 144/145: Psalm 23 in heutiges Deutsch übersetzen; KB S. 104: Struktur eines Klageliedes; KB S. 105: Struktur eines Lobliedes. Darüber hinaus bietet das Kursbuch z. B. auf S. 64, „Mit Texten arbeiten"; und KB S. 158: „Information erwerben" Hilfen zur Beherrschung von Lernstrategien, z. B. zur Informationsgewinnung und Informationsverarbeitung.
Auch zum Erwerb sozialer Kompetenzen kann der RU wichtige Beiträge leisten. Hier sei besonders auf die Kapitel „Kinder hier und anderswo" (KB S. 18-21) und „Andere Menschen – fremde Menschen" (KB S. 74-79) hingewiesen
Auch emotionale Aspekte wie Empathie (KB S. 63, vgl. auch KB S. 61: Tiere) und Werthaltungen (KB S. 22f.: Kinder haben Rechte; Jeder ist einmalig/Ein Ebenbild Gottes, KB S. 70) sind für den RU unabdingbar. Dazu gehört auch der Erwerb einer methodische Kompetenz wie „Miteinander kommunizieren" (KB S. 214).
Für alle Kapitel im KB ist es wichtig (auch dort, wo im LHB nicht explizit darauf eingegangen wird), sich bei den zu erwerbenden Kompetenzen deren Lebensbedeutsamkeit und die darin aufgenommenen elementaren Fragen vor Augen zu stellen.

Lernstandsdiagnose (Evaluation)

Wenn im Unterricht dem Lernergebnis (dem Output) eine stärkere Bedeutung zukommt, dann muss sich L. darüber klar werden, ob er dieses Ziel erreicht und ob er auf dem rechten Weg ist. Evaluation dient also der Selbstvergewisserung, der Rechenschaftslegung, aber natürlich auch der Steuerung professionellen Lehrens.
Die Evaluation dient aber auch dazu herauszufinden, wo die Sch. stehen. Dazu hilft eine „Lernstandsdiagnose" (z. B. mit Bildern KB S. 116/117: Was weiß ich schon von Jesus; oder mit Schlüsselfragen KB S. 216). Zum anderen geht es darum, den Lernfortschritt in den Blick zu nehmen (KB S. 216/217). Das kann z. B. auch darin bestehen, den Eltern oder Freunden über den Islam oder das Judentum zu erzählen.
Sowohl Überforderung als auch Unterforderung beeinträchtigen kompetenzorientiertes Lehren. In beiden Fällen schalten Sch. ab und steigen aus dem Lernprozess aus. Gerade in Religionsgruppen, die aus unterschiedlichen Klassen zusammengesetzt sind, und deren Sch. aus ganz unterschiedlichen Kontexten kommen (können), ist es wichtig, bei einem Thema mit einer Lernstandsdiagnose einzusteigen und die Möglichkeit zu geben, den Lernfortschritt festzustellen. Dazu gehören auch Kon-

trollstrategien, in denen die Sch. selbst herausfinden können, was sie noch nicht verstanden haben.
Auch wo dies im LHB nicht explizit ausgeführt wird, sollte die Lehrperson sich fragen, an welcher Stelle es wichtig ist, dass die Sch. ihr Vorwissen einbringen können. Dies kann z. B. mit Hilfe eines Bildes realisiert werden. So können etwa die Sch. anhand der beiden Weihnachtsbilder (KB S. 116/117) ihr Vorwissen artikulieren, indem sie zu den beiden Bildern je eine Geschichte erzählen.

Informierender Unterrichtseinstieg

Die Lernmotivation steigt, wenn Sch. den Eindruck haben können, dass sie nicht nur passiv, sondern aktiv am Lernprozess beteiligt sind und über Teilziele, Inhalte und Lernwege mitbestimmen können. Deshalb ist es wichtig, die Sch. an der Planung des Unterrichts und realistischer Lernziele zu beteiligen. Dazu hilft ein „informierender Unterrichtseinstieg", der einen knappen Überblick über Aufgabenstellung und Ablaufplanung der Unterrichtseinheit oder der Stunde gibt. Dies sollte auch dort geschehen, wo es im LHB nicht explizit vorgeschlagen wird.
Denkbar sind „Sinnkonferenzen", d.h. Unterrichtsgespräche, in denen L. und Sch. eine Verständigung von Zielen, Inhalten, Methoden herbeiführen, aber auch Zielvereinbarungen treffen.
Was wollen wir erreichen? – z. B.: Ich kann ein Gleichnis nacherzählen oder: Am Ende der UE kann ich sagen, dass ... weiß ich, warum ... (z. B. in den meisten Völkern Geschichten vom Anfang erzählt werden).

Leitmedium

Zu einem guten RU gehören klare Aufgabenstellungen, eine deutliche Markierung der Unterrichtsschritte, ein gutes Timing und ein pünktlicher Unterrichtsbeginn. Dazu gehören auch transparente Leistungserwartungen sowie die Einführung von Unterrichtsritualen (vgl. KB S. 14). Ziel sollte sein, dass die Sch. jederzeit in der Lage sind zu erläutern, was sie tun und welches Ziel sie verfolgen.
Hilfreich sind in diesem Zusammenhang Leitmedien. Im LHB werden daher immer wieder solche Leitmedien vorgeschlagen, die es erlauben, die zu erlernenden Inhalte einzuordnen und den Unterrichtsgang zu rekonstruieren. Z.B. kann der Zeitstrahl, der von der Zeit des Alten Testaments bis in die Spätantike reicht, in Form eines Plakat als Leitmedium für die Behandlung des Themas „Bibel" dienen.

Wiederholung und Übung – Lernkarten – Nachhaltigkeit

Die Wirksamkeit des Unterrichts ist vor allem auch abhängig von durchdachter Wiederholung und intelligentem Üben. Inhalte ohne Wiederholung und Übung werden bald vergessen.
Im LHB wird deshalb für jedes Unterkapitel vorgeschlagen, das Gelernte in Lernkarten festzuhalten und immer wieder wiederholend aufzunehmen.
Die im LHB vorgeschlagenen Lernkarten enthalten auf der Vorderseite Fragen, denen jeweils ein Bild zugeordnet ist. Bewusst ist darauf verzichtet, die „Lösungen" der Aufgabestellungen und Fragen der Lernkarten vorzuformulieren. Die zu formulierenden Inhalte lassen sich aus dem jeweiligen Kapitel entnehmen. Dazu gehören immer auch die Texte „Grundwissen Religion". In einzelnen Fällen werden im LHB auch Hinweise zum Ausfüllen der Lernkarten gegeben.
Um einigermaßen eine Einheitlichkeit in einer Lerngruppe zu erzielen, kann folgendes Vorgehen gewählt werden: In Gruppen formulieren die Sch. ihre Lösungen für die Lernkarten und notieren sie mit Bleistift. Die Ergebnisse werden zusammengetragen und dann eine gemeinsame Lösung formuliert, die die Sch. auf ihren Lernkarten eintragen.
Über die vorgeschlagenen Lernkarten hinaus können und sollen die Sch. weitere Lernkarten entwerfen.
Die Lernkarten im LHB entsprechen aus technischen Gründen keinem DIN-Format. Sind in einer Klasse Lernkarten im DIN-Format eingeführt, so können die kopierten Vorlagen ausgeschnitten und auf Kärtchen im DIN-Format aufgeklebt werden.
Je nach Situation in einer Klasse muss entschieden werden, ob jede/r Sch. sich eine Lernkartei anlegt oder ob eine Klassenlernkartei erstellt wird. Im letzteren Fall empfiehlt es sich, die (ausgefüllten) Lernkarten zu laminieren.
Neben den Lernkarten, die den einzelnen Kapiteln zugeordnet sind, finden sich im LHB noch kapitelübergreifende bibelkundliche Lernkarten. Sie orientieren sich an den biblischen Geschichten, die im KB besprochen werden. Rein äußerlich unterscheiden sie sich von den übrigen Lernkarten dadurch, dass sie keine Bildelemente enthalten. Ziel der Arbeit mit diesen Lernkarten ist es, dass die Sch. sich ein bibelkundliches Grundwissen erwerben. Wird mit diesen Lernkarten konsequent und kontinuierlich gearbeitet, so können sich die Sch. dann in der Bibel besser zurechtfinden und sie werden biblische Grundtexte ohne zusätzliche Hilfen in der Bibel auffinden können.
Nähere Hinweise zu diesen Lernkarten und ihrem Einsatz im Unterricht finden sich bei der Einführung zum Kapitel „Die Bibel – Urkunde des Glaubens" (LHB S. 114 ff.).

Methodenvielfalt

Bereits der Schülerband bietet mit den Impulsen und Fragen zu den einzelnen Unterrichtssequenzen eine reiche methodische Vielfalt. Die Methodenseiten („Werkstatt Religion") regen darüber hinaus dazu an, gemeinsam systematisch über Methoden nachzudenken und sie einzuüben.
Vorgeschlagen wird, bei neuen Lernsituationen immer wieder das Methodenkarussell in Gang zu setzen und möglichst vielfältige und abwechslungsreiche Lernwege anzubieten.

Hinweis zu den Arbeitsaufträgen („Impulsen") des Schülerbandes: Sie sind im LHB konsequent jeweils pro Seite durchgezählt.

4. Verwendete und empfohlene Literatur

Seel, Norbert M., Psychologie des Lernens, 2. Auflage München/Basel 2003.
Mietzel, Gerd, Pädagogische Psychologie des Lernens und Lehrens, Göttingen u. a. 7. Auflage 2003.
Meyer, Hilbert, Was ist guter Unterricht, Berlin 2004 (Cornelsen Scriptor).
Meyer, Hilbert, Zehn Merkmale guten Unterrichts, Empirische Befunde, In: Didaktische Ratschläge, Pädagogik 10/03, S. 36-41.
Bovet, Gislinde/Huwendiek, Volker (Hg.), Leitfaden Schulpraxis, Pädagogik und Psychologie für den Lehrberuf, Berlin 4. Auflage 2004 (Cornelsen Scriptor).

Einführung: Ohne Methoden geht es nicht

In Schule und Unterricht geht es neben der Förderung von Einstellungen und der Vermittlung von Kenntnissen auch um das Erlernen von Fähigkeiten. Hierbei spielt die methodische Kompetenz „als Fähigkeit, Aufgaben zu erfassen, Sachverhalte zu recherchieren, Inhalte zu erschließen, Lernprozesse selbstständig zu organisieren sowie Erkenntnisse und Ergebnisse zu präsentieren“[1] eine entscheidende Rolle.
Die methodische Kompetenz als Kern handlungsorientierten Unterrichts zielt auf die Strukturierung des eigenen Lernprozesses, indem Grundtechniken des Umgangs mit Informationen und Ereignissen gelernt werden. Dabei geht es immer auch um die Entwicklung der eigenen Persönlichkeit der Sch. So können ansprechende Methoden die Sch. motivieren und sie zu eigener Auseinandersetzung mit den Inhalten des Unterrichts veranlassen.
Methoden sind nicht inhaltsneutral einsetzbar, vielmehr müssen bei ihrer Anwendung die Lerngruppe und die zu vermittelnden Inhalte und Ziele in den Blick genommen werden.

Im Kursbuch Religion 1 werden folgende Methoden vorgestellt:
- Ein Heft führen
- Mit Mindmaps arbeiten
- Mit Texten arbeiten
- Ein Thema präsentieren
- Bilder betrachten
- Rollenspiele machen
- Informationen erwerben
- Einzelarbeit - Partnerarbeit - Gruppenarbeit
- Miteinander kommunizieren

Dabei sind die Methodenseiten der „Werkstatt Religion“ jeweils folgendermaßen aufgebaut: Nach einer Einführung probieren die Zwillinge Pia und Tim, die Klassenkameraden der Sch. sein könnten, diese Methode aus. Mit dem Hinweis „Jetzt bist du dran“ sind schließlich die Sch. selbst aufgefordert, das Gelernte anzuwenden.

Umgang mit der „Werkstatt Religion“: Zwei Unterrichtseinheiten Methodentraining
Die Methoden sind zwar einzelnen Kapiteln des KB zugeordnet, jedoch können sie grundsätzlich in jedem Kapitel eingeführt, geübt oder immer wieder herangezogen werden.
In Klasse 5 und 6 befassen sich auch die Kolleginnen und Kollegen der anderen Fächer mit Methodentraining. Das Fach Evangelische Religionslehre leistet hierzu seinen Beitrag, der für die anderen Fächer von Nutzen sein kann, jedoch sind Absprachen der in der Klassenstufe unterrichtenden Lehrer/-innen hilfreich und sinnvoll, um mögliche Dopplungen zu vermeiden.
Im Folgenden werden zwei Unterrichtseinheiten Methodentraining beschrieben, die den Blick der Sch. für den eigenen Wert methodischer Kompetenz schärfen sollen.

[1] Ministerium für Kultus, Jugend und Sport Baden-Württemberg (Hrsg.), Bildungsplan 2004 Allgemein bildendes Gymnasium, Leitgedanken zum Kompetenzerwerb für Evangelische Religionslehre, S. 26.

Erstes Methodentraining

Das erste Methodentraining, das zu Beginn der Klasse 5 eingeplant werden sollte, vermittelt Grundkenntnisse der Heftführung, Textarbeit und Bildbetrachtung. Je nach zeitlichem Rahmen kann auch schon auf die Arbeit mit Mindmaps und den Informationserwerb eingegangen werden.

I.1 Ein Heft führen (KB S. 36)

Sind die Sch. gewohnt, ihre Hefte mit Verstand und Sorgfalt zu führen, fällt es ihnen auch leichter, ihren eigenen Lernprozess besser zu organisieren.

Erschließungsmöglichkeiten
• L. bespricht mit der Klasse, wie schöne Hefte aussehen. Möglicherweise bringt L. schöne und weniger schöne Hefte mit, um sie in der Klasse beurteilen zu lassen. Die Klasse diskutiert Regeln, nach denen alle die Hefte zu führen haben. Die Vorschläge aus dem KB (S. 36) können dazu herangezogen werden.
• Die besprochenen Regeln werden auf einem großen Plakat festgehalten und im Klassenzimmer aufgehängt.
• Häufig möchten die Sch. auch einen einheitlichen Einband der Religionshefte haben. Er kann auch selbst gestaltet werden, wozu L. Packpapier, Zeitschriften, Scheren und Klebestifte mitbringt bzw. mitbringen lässt.
• Die Hefte werden vor der ersten Unterrichtseinheit entsprechend vorbereitet: Anlage eines Inhaltsverzeichnisses, die ersten Heftseiten werden nummeriert usw.
• Nun beginnt die erste UE. Es stellt sich die Frage nach dem Titelblatt: Um was geht es bei dem Thema? (Hierzu könnte auch schon die Methode „Mit Mindmaps arbeiten“ - im KB S. 37/im LHB Nr. II.6 - eingeführt werden.) Wie kann Wichtiges des Themas auf dem Titelblatt dargestellt werden? Manchmal bietet es sich an, das Titelblatt nicht gleich zu Anfang der Unterrichtseinheit erstellen zu lassen, weil den Sch. der nötige Überblick fehlt, um ein prägnantes Bild zum Thema zu gestalten.

I.2 Mit Texten arbeiten (KB S. 64/65)

Die Arbeit mit Texten spielt im RU eine entscheidende Rolle. Sie kann an vielen Stellen im KB geübt werden.

Erschließungsmöglichkeiten
• Die 5-Schritt-Lesemethode (KB S. 64) wird laut vorgelesen. Zu jedem Schritt denken sich die Sch. ein Symbol aus (z.B. Überfliegen: Flugzeug; Fragen: Fragezeichen; Genaues Lesen: Lupe; Zusammenfassen: Hand nimmt viel Papier in eine Faust; Wiederholung: Spirale).
• Die Sch. malen die Symbole in ihr Heft und notieren zwei bis drei wichtige Informationen dazu.
• Die Sch. lesen die Geschichte von Pia und Tim. Im Anschluss sollen sie erklären, wie Pia die 5-Schritt-Lesemethode vollzieht.

• Gemeinsam werden die Regeln über das richtige Anstreichen im KB S. 64 gelesen und besprochen. Welche Farbe soll für was verwendet werden? Die entsprechende Farbgebung wird an der Tafel und im Heft festgehalten. Eventuell kann dazu auch ein Klassenplakat gestaltet werden.
• L. lässt einen Text im KB aufschlagen, den er auch auf Folie mitgebracht hat. Alle Sch. sollen nun die 5-Schritt-Lesemethode an diesem Text üben. Hierfür bekommen sie Folien und Folienstifte ausgehändigt, um auch das richtige Anstreichen zu üben. Sie legen die Folien auf den Text und schreiben mit Folienstiften auf die Folie. Zur Besprechung legt L. den Text auf den Overheadprojektor und bittet die Sch. ihre Anstreichungen darüber zu legen und zu erklären.

I.3 Bilder betrachten (KB S. 114/115)

Ebenso wie mit Texten arbeitet das KB mit einer Vielzahl von Bildern, die ihren eigenen Zugang zu einem Thema eröffnen und daher gedeutet werden müssen.

■ **Erschließungsmöglichkeiten**
• L. bringt ein Bild aus dem KB auf Folie und als Kopie mit.
• Die Sch. erhalten eine Kopie des Bildes, die sie in ihr Heft kleben.
• Die Sch. betrachten das an die Wand projizierte Bild und schlagen dann im KB S. 114 auf, um es genauer zu deuten. Sie lesen jeweils einen Schritt und vollziehen ihn an dem von L. mitgebrachten Bild nach, indem sie ihn erst in der Klasse besprechen und dann in ihr Heft zu dem Bild notieren.
• Zum 4. Schritt (Versprachlichen) finden alle Sch. in Einzelarbeit einen Namen für das Bild und schreiben einen Text dazu.
• Die Namen werden an der Tafel gesammelt und die Texte vorgelesen.
• Nachdem die eigenen Gedanken der Sch. besprochen wurden, informiert L. über den Titel des Bildes und nennt den Namen des Künstlers/der Künstlerin.
• Die Sch. überlegen, wie sie sich Informationen über den Künstler/die Künsterlin und das Bild beschaffen können.
• Hier könnte sich die Besprechung der Methode „Informationen erwerben" (KB S. 158 f./LHB Nr. II.3) anschließen.

Eine weitere Methode, die bei „Bilder betrachten" nicht erwähnt wird, ist die Museumsmethode „Werkstattgespräch mit dem Künstler". Bei dieser Methode werden Bilder, die die Sch. selbst gestaltet haben, in der Klasse vorgestellt und erarbeitet. In vereinfachter Weise kann diese Methode aber auch auf Kunstwerke, die nicht von den Sch. stammen, angewendet werden. Hier kann man folgendermaßen vorgehen:
• Die Sch bringen Bilder mit, die sie in der letzten Zeit im RU gemalt haben.
• Wie in einer Museumsaustellung werden die Kunstwerke nach Gemeinsamkeiten geordnet und Ähnliches zusammengestellt.
• Die Sch. finden zu den einzelnen „Kunstgruppen" Überschriften.
• Alle „Besucher der Galerie" erhalten die Chance, sich frei zu bewegen und die Werke anzuschauen. Für die didaktische Gestaltung empfiehlt es sich, zu jedem Bild Kärtchen zu legen, auf denen die Mitschüler ihre Fragen, Anmerkungen oder auch Impulse zum Kunstwerk aufschreiben können.
• Nach einer Weile tritt nun jeder Künstler an sein Werk, liest sich die dort liegenden Kärtchen durch, findet Antworten darauf und erklärt dann, wenn er an der Reihe ist, dem Publikum (der Klasse) sein Werk. Er antwortet auf Fragen bzw. tritt in Dialog mit den Mitschülern.

Zweites Methodentraining

Beim zweiten Methodentraining liegt der Schwerpunkt auf der Erarbeitung kommunikativer und sozialer Kompetenzen.

II.1 Miteinander kommunizieren (KB S. 214/215)

Die Sch. erleben sehr häufig missglückte Kommunikation. Menschen lassen sich nicht ausreden, sprechen immer lauter, hören sich gegenseitig nicht zu oder drücken sich missverständlich aus. Viele reagieren dann mit Beleidigungen und Verletzungen.
Der RU lebt vom Gespräch miteinander, doch das will nun einmal gelernt sein.

■ **Erschließungsmöglichkeiten**

a) Kommunikationsregeln:
• Die Sch. lesen die Regeln zum richtigen Kommunizieren im KB S. 214 und besprechen sie gemeinsam mit L.
• Die Sch. malen in ihr Heft vier Ohren mit der jeweiligen inhaltlichen Umschreibung jedes Ohrs (Selbstmitteilung: Ich höre ..., Beziehung: Ich höre ... usw.).
• Zur Konkretisierung wird die Geschichte von Pia und Tim laut vorgelesen. Was hört welches Ohr der Mutter?
• Die Sch. erzählen eigene Geschichten, in denen ihnen Ähnliches passiert ist. Sie sollen dabei die eben gelesenen Kommunikationsregeln beachten.
• Zur Vertiefung erstellen die Sch. in PA eine Tabelle in ihrem Heft, wobei sie in die erste Spalte beleidigende und verletzende Du-Botschaften, die sie selbst schon gesagt haben, notieren. In die zweite Spalte schreiben sie die Ich-Botschaft, die sie eigentlich sagen wollten.
• Das in die Tabellen Notierte wird vorgetragen und in der Klasse besprochen.

b) Körpersprache:
Der Anteil der Körpersprache an der gesamten menschlichen Kommunikation umfasst ungefähr 70 bis 80 %; Grund genug, auch darauf viel Sorgfalt zu verwenden.
• Die Sch. sollen verschiedene Situationen (siehe KB S. 215) nur durch ihre Mimik, Gestik und Körperhaltung ausdrücken.
• Jeweils drei Sch. (Pia, Tim, Mutter) spielen die Geschichte von Pia und Tim (KB S. 214) der Klasse vor. Dabei sollen sie besonders auf die Körpersprache achten. Hierbei kann auch die Methode „Rollenspiele machen" (KB S. 136f./LHB Nr. II.2.) eingeführt werden.

c) Schreibmeditation/Schreibdiskussion:
Zwei besondere Formen der Kommunikation, die eng miteinander verwandt sind, sind die Schreibmeditation und die Schreibdiskussion. Beide Methoden laufen zunächst ab, ohne dass dazu geredet wird, wodurch auch in unruhigen Klassen eine konzentrierte Atmosphäre entstehen kann. Die Sch. schreiben bei beiden Methoden zu einem vorgegebenen Stichwort oder einer Problemstellung ihre Meinung stichwortartig an die Tafel. Bei der Schreibmeditation nehmen sie dabei keine Rücksicht auf die anderen bereits an der Tafel stehenden Statements. Bei der Schreibdiskussion gehen sie auf eine oder mehrere bereits an der Tafel stehenden Meinungen ein.
Hier kann man folgendermaßen vorgehen:
- L. gibt eine Problemstellung als stummen Impuls vor und schreibt diese an die Tafel.
- Die Sch. äußern sich – ohne zu reden – schriftlich dazu an der Tafel.
- Zum Abschluss werden die Statements in einem Rundgespräch besprochen.

II.2 Rollenspiele machen (KB S. 136/137)

Indem sich die Sch. in Rollenspielen in andere Personen hineinversetzen, lernen sie auch viel über sich und ihr eigenes Leben. So sind Rollenspiele hilfreich, um den Umgang mit Konflikten zu üben. Auch hier bedarf es der sorgfältigen Planung, damit ein Rollenspiel gelingt. Diese Methode kann sehr gut gemeinsam mit der Methode „Miteinander kommunizieren" (KB S. 214f./LHB Nr. II.1.) eingeführt werden.

■ Erschließungsmöglichkeiten

- L. liest den Text über Tim und Pia im KB S. 136 vor und fragt im Anschluss die Klasse nach ihren Erfahrungen mit Rollenspielen.
- Wie Pia und Tim nimmt sich nun die Klasse das Gleichnis vom barmherzigen Samariter vor.
- Die Regeln 1 und 2 für ein Rollenspiel werden im KB S. 136 gemeinsam gelesen und auf das Gleichnis bezogen: Welche Szenen sollen gespielt werden? Wie lang soll das Rollenspiel dauern?
- L. teilt Kleingruppen in der Größe der zu besetzenden Rollen ein (vgl. auch „Einzelarbeit – Partnerarbeit – Teamarbeit" im KB S. 186f./LHB Nr. II.5).
- Die Gruppen besprechen das Rollenspiel entsprechend der Regeln 3 bis 5 im KB S. 136.
- Jede Gruppe spielt ihre Szene vor.
- Die Zuschauer/-innen sind Schiedsrichter-/innen, die sich das Rollenspiel sorgfältig anschauen und dabei die Fragen im KB S. 136 beantworten.

Eine besondere Form des Rollenspiels ist die Methode des Entscheidungsspiels (einschließlich Doppeln). Diese ist auch in ungeübten Klassen leicht durchführbar, sofern eine klare Alternative zur Entscheidung steht. Beim Spiel sitzen drei Personen auf Stühlen nebeneinander. Eine Person trägt die Argumente „PRO", die andere die Argumente „CONTRA" vor. Die Person in der Mitte ist das „ICH", das zum Schluss die Argumente abwägt und endgültig über das Handeln entscheidet: „Soll ich oder soll ich nicht ....? – Ich entscheide mich für ..." Die hier zusätzlich mögliche Methode des „Doppelns" hat den Vorteil, dass sehr viele Sch. einer Lerngruppe einbezogen werden können. Die Sch., die ein Argument vorbringen möchten, stellen sich hinter eine der drei Personen (PRO, CONTRA oder ICH) und tragen ein entsprechendes Argument vor. Sie „doppeln" die einzelnen Personen auf den Stühlen.
Das Entscheidungsspiel wird dadurch vorbereitet, dass die Sch. in EA, PA oder GA Pro- und/oder Contra-Argumente sammeln, die sie dann beim Spiel vortragen. Eine vereinfachte Form des Entscheidungsspiels besteht darin, dass die entsprechenden Argumente – auf Kärtchen geschrieben – in Pro- und Contra-Spalten an die Tafel geheftet werden (vgl. dazu U. Bubenheimer, Spielen im Religionsunterricht, in: entwurf 2/81, S. 6ff.).

II.3 Informationen erwerben (KB S. 158/159)

Manche Sch. sind mit der örtlichen Bibliothek vertraut, sodass sie dort ihre gewünschten Bücher zu einem Thema finden und ausleihen können. Oft wird im Rahmen des Deutschunterrichts eine Bibliotheksführung organisiert, für die die Klasse auch eine Rechercheaufgabe aus dem RU mit auf den Weg bekommen kann. Der Informationserwerb über Suchmaschinen im Internet kann für die Sch. der Klassenstufe 5/6 schnell frustrierend sein, da die Suchmaschinen rein formal arbeiten und somit eine Fülle von Seiten zum eingetippten Suchbegriff auflisten. Es ist daher sinnvoll, gezielte Adressen zur Recherche anzugeben.

■ Erschließungsmöglichkeiten

- L. teilt der Klasse mit, dass es heute um Informationserwerb gehen soll. Dabei ermittelt L., wie gut die Sch. schon Bescheid wissen: Wie gehe ich vor, wenn ich Informationen zu einem Thema suche? Wo finde ich Informationen zu einem Thema? (Lexikon, Bibliothek, Internet).
- L. bringt Bücher aus verschiedenen Bereichen mit; die Sch. sollen sie sich anschauen und überlegen, wie sie sich schnell über den jeweiligen Inhalt informieren können (Inhaltsverzeichnis, Klappentext).
- L. geht mit der Klasse in den Computerraum der Schule.
- Eine Schülerin oder ein Schüler liest die Regeln zur Internetrecherche im KB S. 158 vor.
- Die Klasse soll Tim und Pia bei ihrer Aufgabe helfen (KB S. 158); hierfür muss sie Material zum Thema Buchmalerei im Internet finden.
- Im Anschluss an die Recherche sprechen die Sch. über ihre Erfahrungen.
- Es kann sich nun die Methode „Ein Thema präsentieren" (KB S. 86f./LHB Nr. II.4) anschließen; hier stellen die Sch. nun ihr Material zum Thema Buchmalerei der Klasse vor.

II.4 Ein Thema präsentieren (KB S. 86/87)

Die Präsentation ist eine zusammenhängende und medienunterstützte sprachliche Darbietung mit dem Ziel die Klasse zu informieren, zu überzeugen und auch zu unterhalten. Somit ist jede Präsentation ein Kommunikationsprozess, der dann erfolgreich ist, wenn es gelingt, die Gefühls- und die Sachebene

ausgewogen aufeinander abzustimmen. Im Sinne des erweiterten Lernbegriffs erhöht eine Präsentation die fachliche, kommunikative, methodische und soziale Kompetenz der Sch.
Die Sch. der Klassen 5 und 6 lernen, dass es verschiedene Präsentationsformen gibt, mit denen sie im Laufe der Schuljahre ihre Erfahrungen machen werden. Ein Thema kann mündlich (z. B. durch Vorträge oder Referate), schriftlich (z. B. durch Aufsätze oder Thesenpapiere), visuell (z. B. durch Schaubilder oder Mindmaps) und interaktiv (z. B. durch Rollenspiele oder Diskussionen) präsentiert werden.
Präsentationen müssen immer wieder geübt werden; sie funktionieren beim ersten Mal nicht perfekt, daher ist es wichtig, sie sorgfältig einzuführen und nachzubesprechen.

■ Erschließungsmöglichkeiten

• Eine Schülerin/ein Schüler liest den Text zur Methode „Ein Thema präsentieren“ (KB S. 86) laut vor.
• Jeder Tipp für eine gute Präsentation wird sorgfältig besprochen:
Zu 1.: Hier kann auf die Methode „Informationen erwerben“ (KB S. 158f./LHB Nr. II.3) zurückgegriffen werden.
Zu 2.: Die Sch. sollen sich drei Stichworte zu ihrem Hobby überlegen, die sie auf eine Karteikarte schreiben würden. Freiwillige Sch. schreiben ihr Hobby und ihre drei Stichworte an die Tafel und begründen ihre Auswahl; die Mitschüler/-innen beurteilen.
Zu 3 bis 5.: Kleine Rhetorikübung: Einzelne, freiwillige Sch. kommen nach vorn und erzählen ein wichtiges Ereignis aus ihrem Leben oder tragen einen Text (z. B. Psalm 23) vor. Die Mitschüler/-innen beobachten genau und geben Feedback.
Zu 6.: Die Sch. überlegen gemeinsam, welche Möglichkeiten der Verdeutlichung und Veranschaulichung es gibt, und beurteilen sie.
• Die Sch. präsentieren ihre Ergebnisse zum Thema Buchmalerei (s.o. Nr. II.4).
• Jede Präsentation wird sorgfältig besprochen, wofür L. Spielregeln für eine konstruktive Kritik festlegt, die wie folgt aussehen können:
– Teilt möglichst genau eure Beobachtungen mit, bewertet nicht pauschal.
– Beginnt mit dem Positiven und benennt dann die Schwachpunkte.
– Sprecht in Ich-Botschaften (Siehe „Miteinander kommunizieren, oben Nr. II.1).
– Gebt realistische Ratschläge, die eine Hilfe sind.

II.5 Einzelarbeit – Partnerarbeit – Teamarbeit (KB S. 186/187)

Einzel- und Partnerarbeit haben einerseits ihre eigenständige Berechtigung im Unterricht, andererseits sind sie sinnvolle Formen der Vorbereitung auf die Teamarbeit.
Die *Einzelarbeit* findet vor allem zu Hause bei der Erledigung von Hausaufgaben statt, hat aber auch in der Klasse ihren Platz, wo individuelle Lösungen dem Charakter der Aufgabe entsprechen, so beispielsweise beim stillen Lesen, bei persönlichen schriftlichen Äußerungen, bei der Vorbereitung persönlicher Aussagen und bei schriftlichen Übungen zu einem Thema, wo eine eindeutige Lösung möglich ist und eine partnerschaftliche Erörterung keinen Lernzuwachs verspricht.
Die *Partnerarbeit* ist oft einfacher zu organisieren als die Gruppenarbeit, da die Paarbildung auch ohne Veränderung der Sitzordnung möglich ist, es sei denn, es erscheint L. sinnvoller, die Paare nach anderen Kriterien zusammenzustellen. Wie bei der Gruppenarbeit gibt es auch hier die Möglichkeit der arbeitsgleichen und der arbeitsteiligen Arbeit. Je nach Aufgabenstellung ist es sinnvoll, der Partnerarbeit eine vorbereitende Einzelarbeit voranzustellen. Grundsätzlich eignet sich Partnerarbeit bei Aufgaben, bei denen durch gemeinsames konzentriertes Nachdenken ein Ergebnis oder eine richtige Lösung gefunden werden kann, und bei Aufgaben, wo es um die Arbeit am Detail geht, so beispielsweise bei partnerschaftlicher Fehlerbesprechung und -korrektur, beim Ordnen und Klassifizieren von Aspekten und bei gemeinsamer Herstellung schriftlicher Texte.
Die *Gruppen- oder Teamarbeit* sollte immer da eingesetzt werden, wo die Zusammenarbeit von mehr als zwei Sch. ein besseres Lern- und Arbeitsergebnis als andere Sozialformen erwarten lässt. Dies sind Aufgaben, bei denen beispielsweise die Kreativität im Vordergrund steht, eine Vielzahl von Ideen gefragt ist oder bei denen es um divergentes Denken, d. h. um Denken in verschiedene Richtungen mit der Möglichkeit alternativer Lösungen geht. Eine sinnvoll arbeitende Gruppe sollte zwischen vier und sieben Sch. umfassen, damit einerseits ausreichend Ideen vorhanden sind, andererseits die Diskussionen nicht zu lange dauern und ein gemeinsames Resultat erzielt werden kann. Das Zusammensetzen der Gruppe kann auf verschiedene Art und Weise geschehen:
• L. setzt heterogene Gruppen aus leistungsschwächeren und -stärkeren Sch. zusammen.
• Die Sch. wählen aus einem von L. vorgegebenen Themenkatalog ein Thema aus, das dann mit Gleichgesinnten bearbeitet wird.
• Das Los bzw. der Zufall bestimmt die Zusammensetzung der Gruppen.
• Den Sch. wird die Freiheit gelassen, die eigene Gruppe selbst zusammenzustellen.

In einer in Teamarbeit ungeübten Klasse sollte L. die Zusammensetzung der Gruppe vorgeben und mit arbeitsgleicher Aufgabenstellung beginnen. Um die Teamarbeit in diesem Methodentraining einzuführen, kann wie folgt vorgegangen werden:

■ Erschließungsmöglichkeiten

• L. informiert die Klasse, dass es heute um Teamarbeit gehen soll. Hierfür sind genaue Regeln wichtig.
• Die Sch. lesen gemeinsam die Regeln zur Teamarbeit im KB S. 186 und besprechen sie.
• L. teilt die Klasse in mindestens 5er-Gruppen ein.
• Die Sch. stellen Stühle und Tische zurecht, sodass sie als Team zusammensitzen, und legen Stifte und Papier bereit.
• L. schreibt das Thema, das jede Gruppe zu bearbeiten hat, an die Tafel (z. B.: „Was ist guter Religionsunterricht?“) L. erläutert die Arbeitsschritte der einzelnen Teams:
– Brainstorming – Was fällt mir zu den Thema ein? Was muss bearbeitet werden?
– Arbeitsaufteilung – Welche Informationen müssen wir uns beschaffen? Wer macht was?
– Präsentation vor der Klasse – Wie soll das Ergebnis den anderen mitgeteilt werden?

• L. legt den zeitlichen Rahmen (eventuell zwei Schulstunden) fest.
• Die Teams besprechen die Aufgabenstellung und machen sich Notizen.
• L. beobachtet genau und steht für Fragen zu Verfügung.
• Nach der Teamarbeit und abschließenden Präsentation (siehe KB S. 86f./LHB Nr. II.4) wird jedes Team bezüglich seiner Arbeit befragt:
– Hat jeder und jede gleichermaßen gearbeitet und sich eingebracht?
– Wann und warum hat es gut geklappt, wann und warum hat es weniger gut geklappt?
– Was können wir besser machen? (z.B. Einführung eines Diskussionsleiters/einer Diskussionsleiterin)
– L. bringt dabei auch eigene Beobachtungen mit ein.

II.6 Mit Mindmaps arbeiten (KB S. 37)

Mindmaps zur Systematisierung des Lernstoffs haben sich mittlerweile sehr bewährt und können auch für die Sch. hilfreich sein, um Themen zu gliedern und sie sich einzuprägen. Dabei können Mindmaps am Anfang einer UE eingesetzt werden, um mögliche Teilaspekte eines Themas zu visualisieren, Ideen zu entwickeln, zu ordnen und übersichtlich darzustellen (Was weiß ich schon von dem Thema? Was interessiert mich an dem Thema? Was muss bearbeitet werden, um das Thema zu erfassen?) oder am Ende zur Wiederholung dessen, was nun alles erarbeitet wurde (Was habe ich im Unterricht gelernt? Wie hängt es miteinander zusammen?). Je nach Thema sollte der Zeitpunkt der Gestaltung einer Mindmap gemeinsam mit den Sch. der Klasse 5 bzw. 6 gewählt werden. Wenn die Sch. schon eine Vorstellung von der UE haben, so ist es hilfreich eine Mindmap am Anfang der UE erstellen zu lassen (z.B. zum Thema „Ich – du – wir", KB S. 12-17). Wenn die Klasse hingegen nur wenig bzw. gar nicht weiß, was auf sie zukommt, könnte eine Mindmap am Ende sinnvoll sein (z.B. zum Thema „Du hörst mein Weinen", KB S. 102-107).

■ Erschließungsmöglichkeiten

• Eine Schülerin/ein Schüler liest den erläuternden Text im KB S. 37 laut vor.
• Die Sch. vollziehen die vier Schritte an der Mindmap zum Thema Pferde[2] im KB S. 37 nach: Was ist hier der Baumstamm? Welche Äste gibt es hier? Was sind die Zweige? Welche Äste könnten ergänzt werden? Welche Verbindungslinien könnten eingezeichnet werden?
• Falls die Klasse noch unsicher ist, wird eine Mindmap zu einer anderen Tierart oder einem Hobby einer Schülerin oder eines Schülers gemeinsam an der Tafel erstellt oder als Hausaufgabe aufgegeben.
• Die Sch. setzen sich zu Vierergruppen zusammen (vgl. Einführung in die Teamarbeit im KB S. 186f./LHB Nr. 5).
• L. gibt die Aufgabe, Mindmaps zum Thema ‚Religionsunterricht' („Baumstamm") zu gestalten.
• Hierzu sollen die Sch. in ihren Gruppen zuerst beraten und ihre Gedanken auf einem Notizblatt festhalten. Auch das Inhaltsverzeichnis des Kursbuches Religion kann herangezogen werden (Mögliche Teilbereiche könnten sein: Inhalte des RU, Wünsche für den RU, die Religionsgruppe (Anzahl der Mädchen und Jungen), Besonderheiten (konfessionelle Trennung, fremdes Klassenzimmer usw.).
• Die Gruppe überlegt nun, welche Teilbereiche des Themas für sie wichtig sind, also welche „Äste" von dem „Baumstamm" und – noch konkreter – welche „Zweige" gezeichnet werden sollen.
• Jede Gruppe bekommt ein großes leeres Blatt Papier und überträgt ihre erarbeitete Mindmap.
• Die Ergebnisse werden in der Klasse vorgestellt (siehe hierzu auch die Methode „Ein Thema präsentieren" im Kursbuch S. 86f./LHB Nr. 4) und im Klassenzimmer aufgehängt, um sie möglicherweise im Laufe des Schuljahres ergänzen bzw. verbessern zu können.

[2] Es wurde bewusst kein Thema aus dem Religionsunterricht gewählt, da Kinder die Methode „Mit Mindmaps arbeiten" an einem Beispiel aus ihrem Alltag kennen lernen sollen. Tiere spielen in diesem Alter für Kinder eine große Rolle, sodass sie schnell die Struktur von Mindmaps erfassen und schließlich ohne Probleme im Religionsunterricht anwenden können.

Wir leben miteinander

Einführung

Beides gehört zum Menschsein, das Leben als Einzelner und das Leben in Gemeinschaft. Ohne andere Menschen kann der Mensch nicht aufwachsen. Der Satz „Es ist nicht gut, dass der Mensch allein sei“ (1. Mose 2,18) gilt nicht nur für die Gemeinschaft zwischen Mann und Frau, sondern generell: Der Mensch braucht die Gemeinschaft mit anderen Menschen. Leben als Einzelner und Leben in Gemeinschaft sind zwei Pole unseres Menschseins. Der Mensch verkümmert, wenn er sich extrem auf sich selbst zurückzieht oder ganz in der Gemeinschaft aufgeht. Das Kapitel „Wir leben miteinander“ stellt vor allem den Gemeinschaftsaspekt des menschlichen Lebens heraus. Wie Sch. miteinander leben sollen, muss heute verstärkt eingeübt werden. In Zeiten, in denen die Familien noch größer und intakt waren, erlebte der Einzelne von Geburt an die Gemeinschaft. Heute wachsen viele Kinder mit ihren Eltern als Einzelkinder auf. Patchworkfamilien, in denen Kinder aus früheren Beziehungen der Partner leben, sind keine Seltenheit. Es gibt nicht wenige allein erziehende Mütter, gelegentlich auch Väter. Das Thema ist besonders in den Klassen 5/6 wichtig, weil die Sch. sich in den weiterführenden Schulen erst neu orientieren müssen. Auf diese Situation geht das Großkapitel „Wir leben miteinander“ ein. Es sollte daher möglichst am Anfang des 5. Schuljahres behandelt werden.

Das Großkapitel ist folgendermaßen aufgebaut:
1. „Ich – du – wir“ (KB S. 12-17) nimmt den einzelnen Schüler/die einzelne Schülerin in seinen/ihren vielfältigen Beziehungen in den Blick.
2. „Wir leben miteinander“ gilt in einer zunehmend enger zusammenrückenden Welt auch im globalen Sinn. Das Kapitel „Kinder – hier und anderswo“ (KB S. 18-23) zeigt, wie Kinder hier bei uns leben, eröffnet aber auch die Möglichkeit, sich in das Leben fremder Menschen dort einzufühlen.
3. „Streiten und sich versöhnen“ (KB S. 24-29) thematisiert den Umgang mit Aggression und Gewalt.
4. Keine Gemeinschaft kann existieren ohne Vereinbarungen, Gebote und Verbote. Darauf geht das Kapitel „Regeln, die gut tun“ (KB S. 30-37) ein. Hier ist insbesondere die Frage „Immer die Wahrheit sagen?!“ wichtig: Gemeinschaft lebt von der Wahrheit. Wo Lüge herrscht, wird Gemeinschaft zerstört.

Die Themen aller vier Kapitel sind in den Lehrplänen für die Klassen 5/6 der meisten Bundesländer vorgesehen.
Im Blick auf das gesamte Großkapitel können die Sch. folgende Fähigkeiten erwerben:
- Sie können über ihre Fähigkeiten und Möglichkeiten, Stärken und Schwächen sprechen.
- Sie kennen Geschichten von Kindern aus der ganzen Welt, die zeigen, dass Kinder verletzbar und auf solidarische Hilfe angewiesen sind.
- Sie wissen, dass Kinder Rechte, aber auch Verantwortung, d. h. Pflichten haben.

KB S. 10/11 Die Titelseiten

Die Titelseiten leben von der Spannung zwischen den beiden modernen Bildern. Das Bild des schwedischen Malers Peter Tillberg, „Wirst du wohl mal Nutzen bringen, Kleiner“, zeigt einen Schulsaal: Alle sitzen diszipliniert an Einzeltischen, alle sind gleich. Der Unterricht ist frontaler Unterricht. Alles ist funktionalisiert und geordnet: Die Fenster haben keinen Griff zum Öffnen. Die Pinnwände mit den Schülerbildern unterstreichen das Funktionale des Raums. Das kleine Landschaftsbild hängt verloren an der großen kahlen Wand. Die Schüler blicken stumpf und ausdruckslos. Doch die meisten folgen aufmerksam dem Geschehen, das sich an der Tafel abzuspielen scheint. Die Schule ist wohlgeordnet; hier herrscht Disziplin. Das Lernen folgt unterrichtsökonomischen und fachlichen Prinzipien, aber soziale, praktische und ästhetische Erfahrungen bleiben auf der Strecke: Wirst du wohl mal Nutzen bringen?
Der Amerikaner Keith Haring (1958-1990) gilt als einer der Hauptvertreter der Pop Art. Das Bild „Ohne Titel“ entstand in seiner Hauptschaffensperiode, in der sein Leben zum einen geprägt war durch zunehmende weltweite Popularität, zum anderen durch seine Aids-Erkrankung, an der er zwei Jahre später starb. Zu sehen ist das Miteinander einer erwachsenen Person und eines Kindes. Die bunten Farben und die Bewegung verbreiten eine fröhliche Stimmung.
Typisch für Keith Haring ist die symbolische Darstellung einer alltäglichen Lebenssituation, d. h., es geht dabei nicht um ein bestimmtes dargestelltes Individuum, sondern um für den Betrachter offene Projektionsflächen. Zentrale Aussage ist: Da ist jemand, den ich tragen kann bzw. der mich trägt.

Möglicher Umgang mit den Titelbildern

Die Sch. betrachten das Bild von Tillberg. Erschließungsfragen können sein:
Welche Stimmung herrscht im Klassenzimmer und welche Gefühle haben die Sch.? Was für ein Lehrer passt zu dem Bild? Was wird gerade unterrichtet?
Die Sch. betrachten dann das Bild von Keith Haring. Sie geben dem Bild einen Namen. Schließlich gestalten sie eine Seite mit einem Bild und mit Texten: Meine Wunschschule im Stil von Keith Haring.
Erschließungsfragen können sein:
Welche Situation hat Keith Haring dargestellt? Wenn die blaue Person ein Lehrer wäre, wie würdet ihr ihn beschreiben? Welchen Titel würdet ihr dem Bild geben?
Was bedeutet „bei der Hand nehmen“, „getragen werden“, „ein Herz haben“?

Ich – du – wir

1. Zielsetzung, Aufbau und Kompetenzen

Dieses Kapitel will den Fünftklässlern helfen, sich in der neuen Lernsituation zurechtzufinden. Manche Sch. kennen sich bereits aus der Grundschule, in der Regel ist aber zu erwarten, dass die Fünftklässler viel Neues erfahren: neue Mitschüler/-innen, neue L., neue Fächer … Je nach Schulsituation hat ein erstes Kennenlernen bereits durch die/den Klassen-L. stattgefunden. In der Religionsklasse sind aber meist wieder andere

Gruppenzusammensetzungen zu erwarten: seien es Sch. aus verschiedenen Klassen, die hier zusammenkommen oder sei es ein Teil der Stammklasse. Die ersten Stunden sollen helfen, das Ankommen in der neuen Lernsituation zu thematisieren und zu erleichtern. Sie spielen dabei eine große Rolle für die weitere Unterrichtsatmosphäre.

■ Welche Lernchancen werden angeboten?

Die Sch. der neuen Klasse in Sek I kommen in der Regel aus verschiedenen Grundschulen und haben dort unterschiedliche Erfahrungen mit Mitschüler/-innen, Lehrer/-innen und Organisationsformen gemacht. Es ist sinnvoll, die Sch. von diesen unterschiedlichen Erfahrungen erzählen zu lassen: Was war gut, was war eher belastend? Welche Regeln und Formen können in die neue Klassengemeinschaft übernommen werden, was sollte auf jeden Fall vermieden werden?

Die Sch. können über ihre Fähigkeiten und Möglichkeiten, Stärken und Schwächen sprechen. Sie erfahren sich dabei als Person, die von den anderen verschieden ist. Sie können ihre eigenen Anliegen ausdrücken. Jungen und Mädchen werden ermutigt, sich selbst als Geschöpfe Gottes mit individuellen Gaben und Grenzen anzunehmen und zu stärken.

Sie werden sich dabei der neuen Lernsituation bewusst und können über ihre Erwartungen, aber auch Ängste reden.

Sie erfahren, dass Identitätsentwicklung in der Begegnung mit einem Gegenüber geschieht, und wissen, dass Freundschaft nicht erkauft werden kann.

Sie kennen verschiedene Anfangsrituale wie Gebet, Lied und können einen Stundenanfang selbst gestalten.

Sie sind in der Lage, durch ihr Verhalten den Umgang in ihren Lerngruppen zu fördern.

Das Kapitel ist folgendermaßen konzipiert:

Mit Hilfe von KB S. 12-15 sollen die Fünftklässler in ihrer neuen Situation abgeholt werden.

Auf S. 12/13 steht unter dem Thema „Ich bin einzigartig" der einzelne Schüler/die einzelne Schülerin im Mittelpunkt.

S. 14 thematisiert unter der Überschrift „Neue Anfänge" die Situation der Sch. in der neuen Klassengemeinschaft. S. 15 bringt das biblische Bild des Bootes („Wir sitzen alle im selben Boot") ins Spiel.

Die Seiten 16 und 17 greifen das für diese Altersstufe wichtige Thema Freundschaft auf.

Zur Bildkonzeption

Hier werden ausschließlich künstlerische Bilder der (klassischen) Moderne angeboten, die zur Interpretation einladen und es ermöglichen, dass die Sch. sich selbst in die Bilder einbringen.

■ Leitmedium/Förderung der Nachhaltigkeit

Die Bilder können als Leitmedium dienen: Als Einstieg in das Kapitel betrachten die Sch. in PA oder GA die vier Bilder und schreiben dazu eine Geschichte unter dem Titel „Ich – du – wir", die z. B. das Mädchen auf dem Bild S. 12 erzählt. Als Vorübung ist es sinnvoll, dass sie das Thema jedes Bildes kurz beschreiben. Die Sch. lesen ihre Geschichten vor. Im UG wird erhoben, welche Gemeinsamkeiten und welche Unterschiede sich finden.

Am Schluss überdenken die Sch. ihre Geschichte noch einmal und schreiben sie gegebenenfalls aufgrund der zurückliegenden Behandlung des Themas um.

2. Didaktisch-methodische Hinweise

KB S. 12/13 Ich bin einzigartig

Ins Auge fallen auf der DS vor allem die beiden Bilder, „Schutzengel" von Beate Heinen und „Das Schlafzimmer" von van Gogh.

Zum Bild „Schutzengel"

Im Zentrum des 1984 entstandenen Bildes steht ein Mädchen. Der Fluchtpunkt des Bildes liegt am Ende der Straße. Die Straße, die durch profillose Häuserwände eingesäumt ist, wirkt lang und bedrohlich. Am Schluss der Straße stehen drei Hochhäuser. Bis auf ihren Stoffhasen ist das Mädchen allein. Umhüllt wird es durch einen unsichtbaren Schutzengel.

Im AT wie im NT ist der Engelglaube ein wichtiger Bestandteil der Rede von Gott. Vor allem im AT wird von Engeln als Boten Gottes gesprochen. Gott bedient sich dabei durchaus menschlicher Boten, wie etwa der Propheten. Die Bibel spricht immer da von Engeln, wo sie sich scheut, anthropomorph von Gott selbst zu sprechen, d. h. wenn es um die verhüllte Gegenwart Gottes geht. Das Bild greift die Vorstellung des Schutzengels auf. Immer wieder haben Menschen das bestimmte Gefühl, von Gott oder seinen Boten beschützt, begleitet und gestärkt worden zu sein.

Trotz der Selbstverständlichkeit des Engelglaubens in AT und NT haben Engel weder in der protestantischen Theologie noch in Predigt oder Seelsorge jemals eine große Rolle gespielt. Tradiert wurde der Engelglaube vielmehr durch die schöngeistige Literatur, durch Lyrik, bildende Kunst, Film und Musik – allesamt Bereiche, die von konkreten Vorstellungen und Bildern leben. Nicht wegzudenken sind die Geistwesen Engel aus der Anthroposophie; dort hat man eine ausgebaute Engellehre und Engelhierarchie entwickelt. In letzter Zeit erleben Engelvorstellungen einen Boom, vor allem bei weltanschaulichen Richtungen, die sich im weitesten Sinne dem New-Age, der Esoterik oder dem modernen Spiritismus zuordnen lassen.

AT und NT gehen ganz selbstverständlich von der Existenz von Engeln aus, entwickeln aber keine reflektierte Engellehre (Angelologie). Beide Testamente stimmen in ihren Aussagen über die Engel im Wesentlichen überein. In Hebräer 1,14 heißt es über die Engel: „Sind sie nicht allesamt dienstbare Geister, ausgesandt zum Dienst um derer willen, die das Heil ererben sollen?" Diese Aussage enthält eine doppelte Erkenntnis:

1. Engel sind *Geister.* Sie gehören nicht zur materiellen Welt, sondern zur geistigen, zur himmlischen. Sie können daher auch nur mit dem geistigen Auge geschaut werden.
2. Sie sind dienstbare Geister, ausgesandt zum Dienst. D. h., sie haben einen Auftrag und dieser Auftrag lautet: den Menschen dienen. Sie sind ausschließlich durch ihren Auftrag definiert, sie sind nichts aus sich selbst. Das bedeutet: Engel sind Geschöpfe Gottes. Eine Anbetung der Engel ist aus biblischer Sicht nicht möglich, es wäre Götzendienst.

Der Auftraggeber ist Gott; das Ziel des Auftrags der Mensch. Insofern sind sie Bindeglied zwischen Gott und Mensch.

Das Bild vom Schutzengel war zur Zeit Jesu eine verbreitete Vorstellung. Im NT wird dieses Bild jedoch direkt nur an einer Stelle erwähnt: In Mt 18,10-12 heißt es: „Seht zu, dass ihr nicht einen von diesen Kleinen verachtet. Denn ich sage euch: Ihre Engel im Himmel sehen allezeit das Angesicht meines Vaters

im Himmel. Was meint ihr? Wenn ein Mensch hundert Schafe hätte und eins unter ihnen sich verirrte: lässt er nicht die neunundneunzig auf den Bergen, geht hin und sucht das verirrte?“ Jesus wandelt die volkstümliche Vorstellung bemerkenswert ab. Diese besagt: Jedes Kind wird von seinem Schutzengel begleitet. Sein Schutzengel ist ihm nahe und behütet und beschützt es vor Gefahr. Jesus dagegen sagt: Die Schutzengel der Kleinen (auch: der Armen) haben das Vorrecht, Gottes Angesicht zu schauen. Der Schutz der Kinder besteht darin, dass sie über ihren Engel in Verbindung mit Gott stehen. Deutlich ist dabei, dass der Schutz nicht vom Engel ausgeht, sondern von Gott. Der Schutzengel bedeutet die Konkretisierung des Schutzes, den Gott uns bietet.
Auch wenn es in der Bibel nur diese eine Stelle gibt, in der direkt vom Schutzengel geredet wird, so finden sich viele Stellen, in denen sinngemäß von Engeln gesprochen wird, die den Menschen beschützen bzw. ihn begleiten, so z. B. Ps 34,8 und besonders Ps 91,11. Diese Stelle ist Ausgangspunkt der Vorstellung, dass dem Menschen ein Engel zur Seite steht und beschützt.

Van Gogh, Das Schlafzimmer (1889)
Das Bild „Das Schlafzimmer“ des holländischen Malers Vincent van Gogh (1853-1890) zeigt dessen Schlafzimmer in Arles. Es ist eines der bekanntesten Bilder des Malers, auch deshalb, weil es fünf Varianten davon gibt: drei Ölgemälde und zwei Skizzen in Briefen.
Im Frühjahr 1888 zieht Van Gogh nach Arles. Gründe dafür sind die Flucht vor dem hektischen Leben in Paris, aber auch die Sehnsucht nach der Sonne der Provence. Seinem Bruder Theo, der ihn finanziell unterstützt, schickt er mit dem Bild einen Eindruck von seinem neuen Leben in Arles. Das Zimmer ist Teil des „Gelben Hauses“, seines neuen Ateliers und Wohnraums. Im Bild zeigt sich die Sehnsucht des Künstlers nach Ruhe und Schlaf, zugleich drückt es auch die Sehnsucht nach Freundschaft aus. In dem Bett liegen zwei Kissen, weiterhin finden sich zwei Stühle, zwei Karaffen, zwei Flaschen, zwei Türen. Dreimal zwei Bilder hängen an den Wänden und der Dachschräge, eines davon ein Selbstbildnis.
Van Gogh malt die Anhäufung von Paaren in Erwartung seines Freundes Paul Gauguin, mit dem er wenig später in Arles ein Künstlerzentrum gründen will.

■ Mögliche Eingangssituationen

• Kennenlernspiele: Nach einer kurzen Vorstellung (Name, Wohnort) bietet sich ein spielerischer Unterrichtsanfang an. Ziel ist es dabei, die Anspannung des Neuen zu lösen. *Kletterpartie:* Stuhlkreis; alle Sch. und L. stehen auf ihren Stühlen. Nun sollen sich alle nach den Vornamen alphabetisch ordnen. Niemand darf den Boden berühren. Ziel: Diese Übung gelingt nur, wenn einer dem anderen hilft. Durch das Festhalten beim Helfen werden körperliche Barrieren abgebaut und eine Auflockerung findet statt.
Am Ende kann thematisiert werden: Weshalb gelingt die Übung? Weshalb gelingt sie nicht? Welche Situation von Unterricht wird erwartet (vgl. Bilder KB S. 10/11)?
Plätze tauschen: Die Gruppe sitzt im Stuhlkreis. Ein Stuhl fehlt, deshalb steht ein Sch. in der Mitte. Schnell ruft er die Namen von zwei Mitsch., die daraufhin die Plätze tauschen müssen. Er selbst versucht, einen freien Platz zu erwischen.
Geschichtennetz knüpfen: Stuhlkreis: L. hält ein Wollknäuel in der Hand und gibt den ersten Satz einer Geschichte vor, die nun gemeinsam erfunden werden soll. L. wirft einem Sch. das Wollknäuel zu und dieser muss weitererzählen.
Religionskerze gestalten: Mitzubringen sind eine große Kerze und Wachsplatten. Jeder Sch. gestaltet ein Symbol für sich oder schneidet seine Initialen aus. Diese werden auf der Kerze befestigt. Die Kerze kann zum Stundenbeginn angezündet werden (vgl. KB S. 14). Bei großen Klassen mehrere Kerzen gestalten.

■ Erschließungsmöglichkeiten

• Beate Heinen, Schutzengel.
– Kurze Bildbeschreibung (Was ist zu sehen? Was hat das Mädchen erlebt? Wohin geht es? Was denkt es? Wie fühlt es sich?)
– L. liest Text „Einzigartig und wunderbar“ vor. Es schließt sich eine Erzählrunde zum Thema „Als ich einmal beschützt wurde“ an.
– Die Sch. erhalten M 1 und zeichnen sich selbst in das Bild ein. Sie können sich so als ein vom Schutzengel behütetes Kind verstehen.
– Sie schreiben nacheinander Hoffnungen, die sie mit dem Schulbeginn verbinden, in einer Farbe (grün) und Ängste mit einer anderen Farbe um das Engelsbild herum (Impuls 3).
– In einer besonderen Schrift schreiben die Sch. nun den Vers aus Psalm 139, der sie am meisten anspricht, unter das Bild (Impuls 4).
• „Ich bin einzigartig“. Erzählrunde: Was macht mich einzigartig? L. führt kurz die Methode Mindmap ein (s. auch „Werkstatt Religion“, KB S. 37). Sch. gestalten eine Mindmap zu sich. Diese werden eingesammelt; dann wird geraten, welche Mindmap zu wem gehört.
• Seite im Heft gestalten: Entweder vor der Arbeit oder nach der Arbeit bietet sich eine Reflexionsphase zum Thema „Heftführung“ (vgl. KB S. 36) an.
• Religions-Steckbrief-Formular: Gemeinsam wird ein Religions-Steckbrief-Formular entworfen (Impuls 3). Zu überlegen ist, was das Besondere eines solchen Formulars ist (z. B. mein Taufdatum, meine Lieblingsbibelgeschichte, meine Konfession ...)
• Mein Name: Zu den Buchstaben des Namens eine Eigenschaft oder einen gut passenden Satz schreiben oder den eigenen Namen auf schöne Weise im Heft gestalten, eventuell auch als Namensschild.
• Einen Klassenblumenstrauß binden: Jeder Sch. malt eine Blüte einer Phantasieblume (DIN A4) und schneidet sie aus. In die Blütenblätter notiert er eigene Stärken und Schwächen. Die Blüte wird ausgeschnitten und auf die Rückseite der Name notiert. Nun werden die Blüten eingesammelt und jeder erhält eine Blüte eines Mitschülers. In die Blüte soll er nun einen guten Wunsch für den anderen schreiben. Zum Schluss werden alle Blüten zum Klassenblumenstrauß zusammengebunden, d. h. auf ein Plakat geklebt.
• Mein Markenzeichen: Die Sch. gestalten einen Button (DIN A4) zu ihrem besonderen Markenzeichen und stellen sich damit der Klasse vor.
• Van Gogh, Das Schlafzimmer: Zur Erschließung bietet sich ein Quiz an. Die Sch. schauen sich das Bild gut an und beantworten bei geschlossenem Buch folgende Fragen: Welche Farbe hat das Bett? Wie viele Bilder hängen an der rechten Wand über dem Bett? Wo hängt der Hut? Wie viele Stühle stehen in diesem Zimmer? Stehen die Stühle am Tisch? Ist das Fenster geöffnet? Von welchen Gegenständen gibt es jeweils zwei, von welchen jeweils nur einen?

Als Abschluss kann L. den Impuls geben: Auf dem Bild sind keine Menschen abgebildet, es gibt aber Hinweise auf den/die Bewohner. Oder: Der Bewohner des Zimmers will nicht allein sein, er erwartet Besuch. Wer könnte der Besucher/die Besucherin sein?
Zur Vertiefung malen die Sch. ihr eigenes Zimmer bzw. ihr Zimmer, wie sie es sich wünschen. Diese Aufgabe kann auch vor die Besprechung des Bildes gesetzt werden.

■ Mögliche Schlusssituationen
- Zur Abrundung kann der Psalm 139 oder Auszüge (V. 1-14) daraus gelesen werden. Die Sch. gestalten den Vers, der sie am meisten anspricht, in ihrem Heft (Impuls 4, KB S. 12).
- Lied: He's got the whole world in his hand.

KB S. 14/15 Neue Anfänge / Wir sitzen alle im selben Boot

Ziel der DS ist es das „Wir" von „Wir leben miteinander" ganzheitlich zu erfahren. Die unterschiedlichen Anregungen und Elemente zur Gestaltung eines Stundenanfangs können hierbei einmal ausprobiert werden. Ziel sollte es aber sein, feste Gruppenrituale einzuführen. Rituale leben von der Wiederholung, ihre befreiende Wirkung entwickeln sie dabei nur, wenn sie nicht zum Gesetz werden und sich weiterentwickeln.

Sieger Köder, Sturm auf dem See
Das Bild „Sturm auf dem See" von Sieger Köder zeigt die Sturmstillung Jesu. Man blickt in das Boot, als würde man mit darin sitzen. Das Meer tobt, die Wellen sind riesig und drohen das Boot umzuwerfen und zu zerstören. Ein Ruder ist zerbrochen, ebenso der Mast. Drei Männer kämpfen gegen die Fluten. Der eine schöpft Wasser und ist gedanklich aber bei den hereinbrechenden Wogen, der andere hat mit dem Ruder gegen die Fluten gekämpft, aber entsetzt sieht er, dass es zerbrochen ist. Der dritte wendet sich Jesus zu, wird aber von einer Flutwelle erwischt. Kreidebleich ruft er um Hilfe. Hinten im Boot sitzt Jesus und schläft.

■ Mögliche Eingangssituationen
- Wie fangen wir an? Es bietet sich an, mit einem Ritual zu beginnen. Dies kann eine Stilleübung, wie z. B. das Nachhören eines Gongs oder ein Lied oder ein Gebet sein. Aufwändiger ist das Einstudieren eines Tanzes. Es kann aber auch das Einpflanzen von Kresse sein. Gemeinsam kann besprochen werden, weshalb die Religionslehrerin, Frau Gediehn, Kresse einsät.
- Eine schönes Ritual ist das *Wunschkerzenritual:* Bei der Wunschkerze handelt es sich um ein Teelicht in einem das Licht umschließenden besonderen Kerzenständer. Im Stuhlkreis reicht jeder Sch. die Kerze weiter und flüstert seinem Nachbarn einen wohlgemeinten Wunsch ins Ohr.
- *Konzentrationsspiel Gemeinsam bis 20 zählen:* Die Sch. sitzen mit geschlossenen Augen im Kreis und sollen bis 20 zählen. Einer beginnt. Eine Zahl darf immer nur von einer Person gesagt werden, keine von zwei Personen zugleich. Wenn dies geschieht, dann muss wieder bei eins angefangen werden. Um ein einfaches Reihumzählen zu vermeiden, darf nie der Nachbar desjenigen, der eine Zahl gesagt hat, weiterzählen.
- *Sammlung, Spannungsabbau: Löwenschrei:* Die Sch. knien sich hin oder setzen sich auf die Fersen. Die Hände werden zu Fäusten geballt und auf die Knie gelegt. Impuls: Atmet tief ein. Richtet euch innerlich auf. Beim Ausatmen streckt ihr die Zunge heraus und spreizt eure Finger. Gleichzeitig brüllt ihr wie ein Löwe, tief aus dem Bauch. Mehrmalige Wiederholung der Übung.

■ Erschließungsmöglichkeiten
- Neuer Anfang in der Schule: Die Sch. identifizieren sich mit dem Mädchen Julia, dessen beste Freundin Annika weggezogen ist. Sie berichtet ihr von ihren ersten Schultagen. Die Sch. schreiben nun einen eigenen Brief an eine ihnen wichtige Person. Dieser soll auch abgeschickt werden.
- Wie fangen wir an? „Habt ihr dazu eine Idee?" Diese Frage von Frau Gediehn soll nun Thema sein. Gemeinsam wird mit Hilfe des fiktiven Unterrichtsgesprächs besprochen, wie die Religionsstunde begonnen werden soll bzw. wie sie in der Grundschule begonnen wurde. Die eingeführten Rituale leben von ihrer Wiederholung, sei es zum Beginn jeder Religionsstunde oder bei wichtigen Festen des Kirchenjahrs.
- Wir sitzen alle im selben Boot: Was beim Besprechen der Rituale bereits indirekt thematisiert wurde, wird jetzt zum Thema: Biblische Worte können als Metapher, d. h. als Sprachbilder verwendet werden.
- Bildbetrachtung Sturm auf dem See: Fragen dazu: Was siehst du? Was fällt dir besonders auf? Welche Person spricht dich besonders an? Wenn die Personen sprechen würden, was würden sie sagen? Gib dem Bild eine neue Überschrift (siehe auch „Werkstatt Religion: Bilder betrachten", KB S. 114/115). Mit Hilfe des ersten Impulses wird dann geklärt, was es bedeutet in einem Boot zu sitzen.
- Jeder zeichnet sich selbst. Auf einem größeren Plakat ist das Boot vorgezeichnet (Impuls 2). Jeder bringt sich nun in dem Boot unter. Alternativ kann auch ein Foto von sich eingeklebt werden. Es wird nun besprochen, weshalb man sich wo platziert hat.
- Phantasiereise – szenisches Spiel: Die Sch. bilden ein Boot. Dies kann z. B. eine Decke oder ein Teppich sein. Ein Sch. ist der Mastbaum, die anderen die Bootsbesatzung. L. gibt nun verschiedene Impulse, die die Sch. szenisch umsetzen sollen. Je nach Gruppengröße bietet es sich an, die Gruppe zu teilen in eine Sturm- und Wellengruppe, die mit Hilfe von Tüchern oder Müllsäcken den Sturm spielt, und in die Bootsbesatzung. Es ist sinnvoll, vor dem Spiel mit der Sturmgruppe zu besprechen, wie man einen Sturm mit Hilfe von Geräuschen und Tüchern darstellen kann, z. B. kann man schnippen mit den Fingern für leichten Regen, klatschen für starken Regen und auf den Boden stampfen als starkes Unwetter. Entsprechend kann die Stimme eingesetzt werden.

Die Sch. sprechen im UG über ihre Empfindungen während der Bootsfahrt.

Phantasiereise für das szenische Spiel

Die Sonne scheint. Du hast einen anstrengenden Tag hinter dir und freust dich auf die Ruhe des Sees. Du besteigst ein Segelboot. Du begrüßt deine Mitreisenden, und blickst über die weite, ruhige Wasserfläche. Ein laues Lüftchen weht, gerade richtig für eine Bootsfahrt auf dem See. Ihr legt ab. Es ist herrlich hier draußen zu sein, die Sonne wärmt euer Gesicht, du genießt die Ruhe auf dem Wasser. Nur wenige Wolken sind am Himmel zu sehen. Ihr rudert ein wenig weiter hinaus und hisst die Segel. Alles scheint in Ordnung zu sein.

Aber da: Langsam ziehen am Horizont dunkle Wolken auf. Du merkst, wie der Wind langsam zunimmt, die Segel sind gespannt, der Mast steht noch fest. Doch die Wolken werden mehr. Dunkle, schwarze Wolken ziehen am Horizont auf. Die Sonne wird von ihnen verdeckt. Der Wind bläst stärker. Jetzt fängt es auch noch an zu regnen. „Wir werden nass." Die Wellen werden höher und höher. Mit Mühe gelingt es gerade noch die Segel einzuholen. Jetzt stürmt es fürchterlich. Der Mast biegt sich im Sturm. Wasser spritzt in euer Boot. „Raus damit oder wir kentern." Die Wellen sind riesig. Es donnert und blitzt. Es regnet heftig. Das Gewitter tobt.
Dann ganz langsam legt sich der Sturm. Das Meer beruhigt sich. Der Regen lässt nach. Die Sonne blinzelt durch die Wolken. Du schaust dich nach den anderen Bootsinsassen um.

- Lektüre von Mk 4,35-41 (Impuls 4). Erschließungsfrage: Weshalb bleibt Jesus so ruhig? Alternativ ist dazu eine L.-Erzählung möglich. Die Sch. klären die Metapher „Sturm" und tauschen sich über stürmische Erfahrungen in ihrer Klasse oder in ihren Familien aus. Haben sich diese Stürme wieder gelegt? Erfahrungsgemäß sollte für dieses Gespräch genug Zeit eingeplant werden. Als stürmische Situationen zu Hause werden beispielsweise die Scheidung der Eltern, der Arbeitsplatzverlust, die Krankheit eines Familienmitglieds oder der Wohnortswechsel empfunden.
- Lied „Ein Schiff das sich Gemeinde nennt" (Impuls 6). Singen und Besprechen des Liedes. Wie übersetzt das Lied den Bibeltext? Die Gemeinde wird als Schiffsbesatzung beschrieben.
- Klassenlied: Vertiefend kann ein eigenes Klassenlied gedichtet werden (Impuls 7). Dazu wird als Struktur der Refrain des Liedes „Ein Schiff, das sich Gemeinde nennt" übernommen. Zuerst bietet sich eine Stoffsammlung zu den ersten Schultagen der Klasse an. Dann können in Gruppenarbeit einzelne Verse getextet werden. Alternativ dazu kann das Lied als Lückentext ausgeteilt werden.

■ Mögliche Schlusssituation

- Erneute Bildbetrachtung mit anschließendem Psalmschreiben: Betrachte das Bild nochmals in Ruhe. Überlege, welche Person im Bild bin ich, der Wasserschöpfer, der Ruderer, der um Hilfe Rufende? Schreibe dazu einen Text (niemand wird gezwungen, anschließend vorzulesen). Folgende Einleitung kann dir helfen: Ich bin der Jünger, mit dem Ruder. Ich sitze … (Was tue ich? Wo bin ich?) Ich fühle mich … Du aber, Jesus … Jesus, ich danke dir, ich bitte dich …

KB S. 16/17 Was macht einen Freund zum Freund? / Freundschaft verbindet

Das Thema „Freundschaft" spielt für die jungen Heranwachsenden eine sehr wichtige Rolle. Sich in der Klasse zurechtzufinden heißt auch neue Freunde zu finden. Oft ist Freundschaft ein Prestigeproblem. Wer am meisten Freunde hat, gilt auch am meisten. Oder Freundschaft wird als Schlüssel zu einer Gruppe gesehen. Nur wenn ich mit *dem/der* befreundet bin, werde ich auch in der Klasse akzeptiert. Eine beste Freundin zu haben, ist vor allem für Mädchen wichtig. Beim Ringen um die Gunst des anderen kann dies schon zu skurrilen Verhaltensweisen führen, etwa zum Erkaufen von Freundschaft, indem man beispielsweise die anderen einlädt. Neben dem Gefühl, mit anderen befreundet zu sein, kennen die Heranwachsenden aber auch das Gefühl, bei einer Freundschaft nur Mitläufer zu sein. Freundschaft kann sich verändern und ist von daher auch gefährdet. Freundschaft kann auch belastend sein.

August Macke, Landschaft mit drei Mädchen (1911)
August Macke (1887-1914) gehört zu den deutschen Expressionisten. Mackes Bilder wirken harmonisch und zeigen eine positive Sicht des Lebens. Typisch für ihn sind die Darstellungen von Menschen ohne individuelle Merkmale, ebenso die Verwendung ausdrucksstarker leuchtender Farben. Bei dem vorliegenden Bild ist im Vordergrund eine Gruppe von drei Mädchen dargestellt. Sie stehen dicht beieinander und blicken sich an. Die Umarmung als Symbol der Freundschaft verbindet sie. Dabei bleibt offen, wer von wem umarmt wird: Schließt sich der Arm um zwei Mädchen oder nur um das Mädchen in der Mitte? Wem gehört der Arm, dem links gemalten oder dem rechts gemalten Mädchen? Das Mädchen in der Mitte wirkt errötet.
Perspektivisch wird der Blick des Betrachters in die Mitte des Bildes gelenkt, wo ein Paar sich umarmt. Diese Wirkung entsteht durch das Mehrfamilienhaus auf dem Hügel links und die angedeutete Häuserzeile rechts, aber auch durch die Bäume, die von Macke oft als Rahmen eingesetzt werden. Das angedeutete erwachsene Paar steht in Spannung zu der Mädchenfreundschaft im Vordergrund: Wie wird sich diese verändern, wenn die Mädchen später einen Partner kennen lernen?

■ Mögliche Eingangssituation

- Schreibdiskussion: L. schreibt das Wort „Freundschaft" an die Tafel. Die Sch. äußern sich dazu in einer Schreibdiskussion. Ein Sch. hält das Ergebnis auf einer Folie fest. Dieses Ergebnis kann nach der Behandlung der beiden Seiten noch einmal zum Vergleich herangezogen werden (s. u.).

■ Erschließungsmöglichkeiten

- Abschied von der kleinen Eule: Dass man Freunde nicht zaubern kann und dass Freundschaft ein Geben und Nehmen ist, ein Sich Entdecken im Gegenüber, thematisiert die Erzählung von Gina Ruck-Pauquèt.

L. liest die Geschichte vor. Dann lesen die Sch. den Text nochmals und markieren auf einer Folie die Textstellen, die Antworten auf die ersten drei Impulse geben.
Impuls 1: Er fühlt sich allein, sucht jemand zum Teilen und Spaß haben.
Impuls 2: Ein Freund soll groß sein, die Eule ist aber klein, ein Freund soll cool und „in" sein.
Impuls 3: Der Freund entspricht in keiner Weise seinem Bild eines Freundes.
Die Eule konfrontiert den Zauberer damit, dass man Freundschaft nicht einfach herzaubern kann, sondern dass man einen Freund gewinnen muss, durch gemeinsames Singen, Tanzen, Aufeinander Rücksichtnehmen; man muss dem anderen Freiheit lassen sich zu entwickeln, wie es zu ihm passt.

- Partnerinterview: Die Sch. tauschen sich im Partnerinterview darüber aus, in welchen Situationen sie froh sind, einen Freund zu haben (Impuls 4). Anschließend überlegen sie sich, welche fünf Eigenschaften ein Freund haben sollte und welche auf keinen Fall. Diese werden an der Tafel gesammelt. Als Vertiefung bewerten die Sch. in Kleingruppenarbeit die gesammelten

Äußerungen. Als Ergänzung kann die Liste M 2 eingesetzt werden. Als Ergebnis stellt jede Gruppe die fünf wichtigsten und fünf am schwersten zu ertragenden Eigenschaften vor. Zum Abschluss wird die Frage, weshalb die Freundschaft zwischen Eule und Zauberer gelingt, besprochen.

- Bildbetrachtung: „Landschaft mit drei Mädchen" von August Macke. Nach einer ersten Bildbetrachtung können die Sch. in Gedankenblasen formulieren, was die Mädchen denken (Impuls 1). Sind die drei Mädchen Freundinnen? Weshalb stehen sie so nahe beieinander? Wer umarmt wen auf dem Bild? Welche Gedanken gehen den Mädchen durch den Kopf? Wie fühlen sich die Mädchen? Welche Gedanken kommen den Mädchen, wenn sie das Paar sehen? Könnte statt einem Mädchen auch ein Junge dabeistehen? Wo würde er stehen? Wie würden drei Jungen dastehen? Eventuell als Standbild stellen lassen.

Ist eine Freundschaft zu dritt möglich (Impuls 2)? Gibt es Unterschiede zwischen Jungen- und Mädchenfreundschaften (Impuls 3)?

■ Mögliche Schlusssituationen

- Text „Zwei Freunde ..." und „Grundwissen Religion: Symbole". Der Text stellt eindrücklich dar, dass Freundschaften längere Trennungen überdauern können. Eine Trennung, z. B. durch einen Schulwechsel oder einen Umzug, stellt eine Bewährungsprobe für eine Freundschaft dar. Gemeinsam kann darüber nachgedacht werden, welche Gründe es für das Zerbrechen von Freundschaften gibt. Was ist notwendig, damit eine Freundschaft überdauert?
- Gemeinsam wird gesammelt, welche Möglichkeiten der gemeinsamen Erkennung es gibt: Freundschaftsketten, Freundschaftsbänder, Geheimschrift ... Die Sch. können selbst solche Freundschaftssymbole mitbringen oder anfertigen (Impulse 4 und 5).
- „Freundschaft bedeutet für mich ..." (Impuls 6): Die Sch. können den Satz „Freundschaft bedeutet für mich ..." ergänzen, die damit gemachten Erfahrungen versprachlichen und in einer Schmuckschrift gestalten. In Kleingruppen können die Sätze auf einem Plakat als Gedicht festgehalten und ausgestellt werden.
- Schreibdiskussion zum Thema „Freundschaft". Wurde als Eingangssituation eine Schreibdiskussion zum Thema „Freundschaft" gewählt, so kann diese (Overheadfolie) hier noch einmal eingebracht werden. Die Sch. vergleichen ihre Beiträge vom Anfang mit den Ergebnissen des Unterrichts: Was haben wir dazugelernt? Würden wir jetzt anders argumentieren?

■ Zum Abschluss des Kapitels

- Am Schluss überdenken die Sch. ihre Geschichten zu den Bildern vom Anfang noch einmal und schreiben sie gegebenenfalls auf Grund der zurückliegenden Behandlung des Themas um.

3. Lernkarten

1 Was sind Engel?
2 Was ist ein Symbol?
3 Erkläre in wenigen Worten, was Psalm 139 über die Beziehung Gottes zu den Menschen aussagt.
4 Mit dem Wort „Boot" kann zweierlei gemeint sein.

4. Empfohlene Literatur und Medien

Groeben, A. v. d., Was sind und wozu brauchen Schulen „gute" Rituale? In: Groeben, Annemarie von der (Hg.), Rituale in Schule und Unterricht, Hamburg 2000 (Bergmann und Helbig), S. 11-18.

Marggraf, Eckhardt u. a. (Hg): Unterrichtsideen 5, Stuttgart 1996 (Calwer).

Löbbecke, Almut: Miteinander leben – Ich und die anderen, Berlin 2002 (Cornelsen Verlag Scriptor).

entwurf. Religionspädagogische Mitteilungen, Themenheft Engel 3/2001.

Veit, Reinhard, Engel. Unterrichtsentwürfe für die Primar- und die Sekundarstufe, AV-Religion 2003.

Merkens, Karin: Kinderfreundschaften, Bedeutung, Probleme, Diskussion, Münster 2000 (LIT-Verlag).

Wermke, Michael (Hg.), Rituale und Inszenierungen in Schule und Unterricht. Münster, 2. Aufl. 2000 (LIT-Verlag).

5. Materialien

M 1 Schutzengel
M 2 So wünsche ich mir meine Freunde

Kinder hier und anderswo

1. Zielsetzung, Aufbau und Kompetenzen

In der Grundschule haben die Sch. die ersten Geschichten von Kindern aus anderen Ländern und Kulturen gehört und erkannt, dass die Lebensumstände von Kindern ganz verschieden sein können.

In den weiterführenden Schularten werden diese ersten Begegnungen mit Kindern aus anderen Ländern weiter vertieft. Die Sch. lernen weitere Lebensgeschichten kennen, die zeigen, dass Kinder verletzbar und auf solidarische Hilfe angewiesen sind. Sie erkennen dabei, dass Kindheit sowohl in ihrer unmittelbaren Umgebung als auch in fernen Ländern Bedrohungen ausgesetzt ist. Sie lernen, dass sich Menschen im Gebet an Gott wenden können, um in Notsituationen zu klagen und zu bitten. Dabei sind sie imstande, ein eigenes Gebet zu formulieren.

■ Welche Lernchancen werden angeboten?

Die Sch. sollen wissen, dass Kinder Rechte haben, die für alle Kinder auf der Welt gelten, aber auch, dass Kinder Verantwortung übernehmen können und müssen. Sie sind zunehmend in der Lage, ihr Leben mit dem Leben und dem Alltag von Kindern in fremden Ländern zu vergleichen.

Bei der Verwirklichung der Kinderrechte erfahren sie sich als solidarisch mit anderen Kindern auf der Welt. Die Sch. sollen erkennen, dass sie mit ihren eigenen Möglichkeiten anderen Kindern viel helfen können. Methodisch sollen die Sch. eine Aktion zum Thema Kinderrechte planen können, Sachverhalte zunehmend selbständig recherchieren, Inhalte erschließen und die erworbenen Erkenntnisse und Ergebnisse präsentieren können.

Das Kapitel ist folgendermaßen aufgebaut:
Kinder hier: KB S. 18/19 kommen Kinder hier bei uns mit ihren Begabungen und Problemen in den Blick.
Kinder anderswo: KB S. 20/21 werden Probleme von Kindern in anderen Ländern dargestellt.
Kinder haben Rechte: KB S. 22/23 wird deutlich, dass alle Kinder – ob hier oder in anderen Ländern – die gleichen Rechte haben, aber auch Pflichten!

Zur Bildkonzeption/Förderung der Nachhaltigkeit

Durchgängig wird hier mit Fotos von Kindern gearbeitet. Damit werden den Sch. Identifikationsmöglichkeiten angeboten. Diese Bildkonzeption kann dazu anregen, dass die Sch. zur Vertiefung und zur Förderung der Nachhaltigkeit zu jedem der angesprochenen Themen Bilder sammeln und in ihr Heft einkleben. Sie können darüber hinaus zu jeder der sechs Seiten im Buch eine eigene Seite (oder DS) in ihrem Heft gestalten und dazu schreiben, was ihnen bei der Behandlung der Seite besonders wichtig war. Im Folgenden wird unter dem Stichwort Nachhaltigkeit jeweils auf diese Möglichkeit verwiesen.
Im Sinne der eigenen Auseinandersetzung mit dem Thema ist es dabei sinnvoll, jeweils Bilder von sich selbst einzubeziehen.

2. Didaktisch-methodische Hinweise

Mögliche Eingangssituation zum gesamten Kapitel

- Brainstorming an der Tafel: Kinder in Deutschland sind … Finde möglichst viele Beschreibungen. Ergänzung: Kinder in anderen Ländern …

Die Ergebnisse werden von L. oder einem Sch. festgehalten und am Schluss der Einheit noch einmal diskutiert. Haben sich unsere ersten Einfälle bestätigt, verstärkt, wurden sie widerlegt, kamen neue Erkenntnisse hinzu?

KB S. 18/19 Kinder hier

„Kinder in Deutschland sind heute eine Minderheit, deren Stimme wenig zählt. Kinder werden in unserer Gesellschaft zugleich verwöhnt und vernachlässigt, sie leiden gleichzeitig unter zu hohen Erwartungen und wachsenden sozialen Problemen" (Jörg Maywald, Sprecher der National Coalition, einer Mitgliedsgesellschaft aus rund 90 deutschen Organisationen, darunter auch der UNICEF).
Kindsein unterscheidet sich je nach Lebenssituation. Dabei wachsen Kinder in Deutschland ganz unterschiedlich auf. Die Erfahrungen „Glücklich sein", „Begabt sein", „Traurig sein" und „Krank sein", geben vier wichtige Impulse, um über das Kindsein in Deutschland ins Gespräch zu kommen.
Die DS lebt von der Spannung der beiden Schwarzweißfotografien: das stolze Mädchen und der kranke Junge.

Mögliche Eingangssituation zur DS

- Bildbetrachtung: Was denken die beiden Kinder? Schreibe in eine Denkblase.

Bild „Das Mädchen mit der Geige": Mimik und Gestik des Mädchens verraten: Ich bin stolz auf das, was ich kann, und das zu Recht. Den Hals nach oben gereckt, die Arme in die Hüfte gestemmt, aufrecht dastehend strotzt das Mädchen vor Selbstbewusstsein: „Ich stehe im Rampenlicht und ich fühle mich pudelwohl dabei."
Gesprächsimpulse für die Betrachtung des Bildes können sein: Mit Hilfe des Körpers kann man sprechen, was spricht dieses Mädchen? Stellt euch so wie das Mädchen hin, welche Gedanken kommen euch dabei? In welchen Situationen wart ihr schon einmal stolz auf euch?
Bild „David": Die Aufnahme zeigt den Jungen David, wie er sich am Krankenbett festhält. Sein rechter Arm ist bandagiert. Daran ist die Nadel eines Tropfs festgemacht. Der erste Blick des Betrachters bleibt an Davids weit geöffnetem Auge hängen, der zweite an der am Arm befestigten Nadel.
Nach einer Zeit der stillen Betrachtung des Bildes folgt ein Gespräch zum Thema „Was könnte passiert sein? Wie geht es weiter?" Das Bild dient dabei als Anlass, über eigene Erfahrungen zu sprechen.

Erschließungsmöglichkeiten KB S. 18

- Glücklich sein: L. trägt die Erzählung von dem Außenseiter Steffen, der einmal der Größte war, vor: Gemeinsam wird nun besprochen, weshalb Steffen sich nun so groß und gut fühlt. Hat dieses Erlebnis sein Verhältnis zur Klasse verändert? Anschließend sammelt jeder Stichwörter zu Erlebnissen zum Thema „Glücklich sein". Je nach Klassensituation können diese im Partnerinterview oder im Erzählkreis berichtet werden.
- Wer ist bei Jesus groß? L. schreibt den Satz „Die Letzten werden die Ersten sein" als stummen Impuls an die Tafel. Was meint Jesus damit? Dann wird Markus 9,33-37 gelesen und besprochen. Wie verhält sich jemand der nach Jesu Maßstäben groß ist? Beim Fußballspiel? In der Klassengemeinschaft?

Alternativ kann der Text in GA in eine heutige Situation übersetzt werden. Mögliche Rahmenhandlungen können sein: im Sportunterricht, beim Tanzen, in der Clique …

- Begabt sein: Die Erzählung „Begabt sein" greift das Thema des Bildes auf. In Anlehnung an die Lebensgeschichte der berühmten Geigerin Anne-Sophie Mutter wird erzählt, wie ein musikalisch hochbegabtes Mädchen seinen Weg geht. Folgende Fragen können helfen, den Text zu erschließen: Was erfährt man über das Mädchen? Wie sieht ihr Tagesablauf aus? Könnt ihr euch vorstellen, dass das Mädchen Schwierigkeiten in der Schule bekommt? Wie verhalten sich die Eltern? Weshalb wohl? Das Mädchen besucht die Schule nicht mehr, wie findet ihr das? Wollt ihr mit solch einem Mädchen befreundet sein?
- Klassenwettbewerb „Begabt sein": Jeder kann etwas besonders gut. Gemeinsam wird in der vorangehenden Stunde geplant, wie der Klassenwettbewerb stattfinden soll. Als erster Schritt werden Kategorien festgelegt. Dann wird durch Beifall oder durch eine Jury, die Punkte gibt, festgelegt, wer die Klassen-Superstars sind.

Erschließungsmöglichkeiten KB S. 19

- Gebet formulieren: Die Sch. schreiben in EA ein Gebet. Sie übernehmen die vorgegebene Struktur: „Du, Gott, ich bin …, mir ist passiert, ich fühle…, ich wünsche mir …" (Impuls 2)

Überlegungen, wie man David trösten könnte, leiten zu den Impulsen 3 und 4 über:

- Malen eines Trostbildes (Impuls 3): Mit Hilfe einer Bilderausstellung können die Bilder präsentiert werden. Kurzer Austausch: Welches Bild spricht euch besonders an? Weshalb?
- Planung eines Krankenbesuchs (Impuls 4): In GA überlegen die Sch. wie sie einen solchen Krankenbesuch durchführen würden. Im Rollenspiel kann dies vorgespielt und besprochen werden.

• „Traurig sein“: Der Text ist ein Buchauszug aus „Schön und traurig zugleich“ von Siegrid Zeevaert (1997). Das Thema Scheidung ist für viele Kinder ein aktuelles Thema. Die traditionelle Familie hat Konkurrenz durch die unterschiedlichsten Formen des Familienzusammenlebens wie Alleinerziehende oder so genannte „Patchworkfamilie“ bekommen. Sich in diesen neuen Situationen zurechtzufinden und die gemachten Erfahrungen zu besprechen, dazu will dieser Unterrichtsschritt Angebote machen.
Lenes Vater ist ausgezogen. Trotz ernster Aussprachen schaffen es die Eltern nicht mehr zusammenzuleben. Die Wünsche der Kinder spielen jetzt keine Rolle. Die elfjährige Lene, Älteste von vier Geschwistern, erfährt sich dabei als sehr ohnmächtig. Viele Befürchtungen und Ängste begleiten ihre Situation: dass sie als Geschwister getrennt werden, dass entweder Vater oder Mutter sich ihnen entfremdet, dass eine Stiefmutter oder ein Stiefvater oder gar eine „Stiefoma“ in ihr Leben treten.
• Brief an den Vater: Die Sch. versetzen sich in Lene und schreiben einen Brief an den Vater, in dem sie auf die Befürchtungen Lenes eingehen (Impuls 6).
• Die Sch. malen ihre Familie als Tiere (Impuls 7). Dieses ganzheitliche Vorgehen erfordert Einfühlungsvermögen. Einzuleiten ist zunächst über eine Phantasiereise „Meine Familie“ (s. u.). Dann malen die Sch. ihre Familie als Tiere. Sie schreiben die Tiere und die Familienmitglieder in ihr Bild. Sch., die über ihr Bild nicht sprechen wollen, ist dies freigestellt. Das Gespräch ist nach einer exemplarischen Besprechung im Stuhlkreis am besten in Gruppen möglich. Fragen für die Auswertung können sein: Magst du dein Bild vorstellen? Magst du, dass die Gruppe sagt, was sie auf dem Bild sieht? Was könnten die Tiere zueinander sagen? Wenn du der .... bist, was würdest du/würdet ihr euch vom ... wünschen? In den Bildern sprechen die Sch. über sich selbst, Ziel darf es dabei nicht sein, dies klarzumachen. Ziel ist, für Lebenssituationen Sprache zu finden (aufschlussreiche Beispiele in Rendle, Ganzheitliche Methoden, S. 17-19).
• Phantasiereise Familie. Bei dem folgenden Vorschlag ist zu beachten, dass es in vielen Klassen Sch. gibt, die aus nicht intakten Familien kommen. Je nach Klassensituation wird L. darauf eingehen.

„Du machst es dir bequem. Du bist jetzt ganz ruhig. Deine Hände und Arme sind ganz schwer. Dein Nacken und deine Schultern sind ganz schwer. Deine Füße und Beine sind ganz schwer. Dein ganzer Körper ist angenehm warm. Deine Atmung ist ruhig und gleichmäßig. Dein Gesicht ist ganz entspannt und gelöst. Es ist ein ganz normaler Morgen, der Wecker klingelt – du willst eigentlich noch etwas liegen bleiben. Du musst aber bald los. Etwas verschlafen gehst du ins Bad. Danach gehst du in die Küche zum Frühstück. Wer ist noch im Raum? Deine Mutter, vielleicht Geschwister, dein Vater oder bist du allein? Wie läuft das Frühstück ab? Wie fühlst du dich dabei? Jetzt ist es aber Zeit, dass du dich auf den Weg machst. Draußen strahlt dir die Sonne entgegen. An wen musst du auf dem Weg denken? Wie ist dein Tagesablauf? Die Zeit in der Schule vergeht wie im Nu und so machst du dich wieder auf den Nachhauseweg: Viele Gedanken gehen dir durch den Kopf. Erwartet dich jemand? Wie wirst du begrüßt? Was denken sie über dich? Wie sprechen sie von dir? Freust du dich auf zu Hause? Alle sind da – die ganze Familie. Du begrüßt jeden mit einem kleinen Lächeln: deine Mutter, deinen Vater, vielleicht deine Geschwister, vielleicht deine Großeltern ... alle die, die zur Familie gehören. Dann lässt du sie zurück. Du möchtest allein sein. Du spürst deinen Atem, ruhig und gleichmäßig. du bist ganz ruhig – gelöst – entspannt. Du genießt, wie die Sonne zum Fenster herein scheint. Du fühlst dich warm und wohl. Langsam kommst du wieder hier zurück. Du reckst und streckst dich und atmest tief ein.“

• Weihnachten –„das Fest der Familie“ ist für Lene nun ein Fest des Hin- und Hergerissenseins. Nach einem kurzen Austausch, weshalb Weihnachten für Lene kein schönes Fest sein könnte, machen die Sch. Lene Vorschläge, wie sie Weihnachten feiern kann, sodass es ein schönes Fest wird (Impuls 8).

Mögliche Schlusssituationen zur DS 18/19

• Nachhaltigkeit: Die Sch. gestalten je eine Heftseite zu den Themen „Glücklich sein“ und „Begabt sein“, „Krank sein“ und „Traurig sein“. Dabei halten sie in Bildern und Texten fest, was sich ihnen bei der Behandlung dieser Themen als besonders wichtig gezeigt hat. Im Sinne der eigenen Auseinandersetzung mit dem Thema ist es dabei sinnvoll, Bilder von sich selbst einzubeziehen.
• Das Mädchen mit der Geige und der Junge „David“ treffen sich vier Wochen nach den jeweiligen Ereignissen und erzählen sich, was ihnen passiert ist und was für sie das Wichtigste in ihrem Leben ist. Die Sch. bereiten das Rollenspiel vor. Lene und Steffen können als Rollen einbezogen werden.
• Die Sch. schreiben aus der Sicht eines der betroffenen Kinder einen Brief an ein anderes Kind, in dem sie auf ihre Erlebnisse eingehen. Die Sch. verschicken dann ihren Brief an einen Mitschüler, der einen Antwortbrief formuliert.
• Kurzfilm „Overdose“ auf FWU – VHS 42 10482. Ein Junge wird morgens geweckt, geht in die Schule, arbeitet fleißig im Unterricht, spielt Tennis, übt Klavier. Sein Tag ist völlig durchstrukturiert. Andere Kinder sieht er nur im Vorbeigehen. Kurz vor dem Ende wird der Film gestoppt und die Sch. überlegen, wie die Geschichte ausgeht. Was unterscheidet den Jungen und das Mädchen im Film?

KB S. 20/21 Kinder anderswo

Es bietet sich an, das Thema „Kinder anderswo“ projektartig zu unterrichten: Zum einen kann das Thema „Kindheit in Afghanistan“ vertieft besprochen und dabei auch auf die Situation von Kindern in Krieggebieten eingegangen werden. Ferner bieten sich die Themen „Kindersoldaten“ und „Landminen“ an. Zum anderen kann aber auch die faszinierende und gleichzeitig schockierende Vielfalt von Kindsein weltweit thematisiert werden.
Mittlerweile haben viele der großen Hilfsorganisationen eigene Kinderseiten im Internet aufgebaut, die den Sch. helfen, sich Informationen zu beschaffen (siehe dazu „Werkstatt Religion: Informationen erwerben“, KB S. 158/159). Diese auszuwerten („Werkstatt Religion: Mit Texten arbeiten“, KB S. 64/65) und zu präsentieren („Werkstatt Religion: Ein Thema präsentieren“, KB S. 86/87), muss geübt und gelernt werden.
Problematisch bleibt die Behandlung dieses Themas, wenn man beim Zuschauen und Vorstellen stehen bleibt. Aktionen wie zum Tag der Kinderrechte „Ein Tag als Straßenkind“ (terre des

hommes) oder das Unterstützen eines Kinderhilfsprojekts z. B. durch Spenden (siehe hierzu Ideen bei unicef) oder Mitarbeit (z. B. Briefe schreiben) erzeugen Betroffenheit und beabsichtigen Handeln. Zu vermeiden ist ein distanzierter Zooblick auf das Leben in der Einen Welt.

Kinder in Kriegsgebieten: Afghanistan (KB S. 20)
Unser Bild von Afghanistan ist geprägt von Berichten der Medien über Armut und Gewalt. Seit 1979, als die Rote Armee einmarschierte, haben die Menschen 23 Jahre lang im Kriegszustand gelebt. Nach dem Abzug der Roten Armee kämpften die verschiedenen rivalisierenden ethnischen und religiösen Gruppierungen der Mudschaheddin um die Herrschaft in Kabul. Afghanistan drohte zu zerfallen. Ab 1996 übernahm die Gruppe der Taliban die Macht in Kabul und über einen Großteil Afghanistans. Taliban bedeutet „Koranschüler". Die meisten von ihnen waren in pakistanischen Flüchtlingslagern aufgewachsen und hatten dort Koranschulen besucht. Die Taliban befreiten die Bevölkerung zwar von der Willkür vieler Kriegsherren, begingen ihrerseits aber Menschenrechtsverletzungen, insbesondere gegenüber Frauen. Ihnen wurde jegliche Bildung und jede Arbeit außerhalb des Hauses verboten. In der Öffentlichkeit durften sie sich nur mit einem männlichen Verwandten und vollständig verschleiert zeigen. Weil die Taliban dem Terroristen Osama Bin Laden Unterschlupf gewährten, bombardierte die US-Armee 2001 Afghanistan und vertrieb das Taliban-Regime mit Hilfe seiner politischen Gegner. Trotz der ersten Wahlen im Jahre 2004 und der Stationierung der internationalen Sicherheitstruppe ISAF gibt es noch viele Gegenden mit einer sehr instabilen Sicherheitslage. So liegen nach UN-Angaben noch immer ca. 10 Millionen Minen und Blindgänger in Afghanistan verstreut. Afghanistan gehört damit zu den gefährdetsten Ländern der Welt.
Zahlreiche Hilfsorganisationen engagieren sich in Afghanistan, erleben aber auch Rückschläge.

KB S. 21 erfahren die Sch. in Text und Bild wie Bewire, ein 12-jähriger afrikanischer Junge, sich ein Spielzeug aus Altmaterialien selbst herstellt. Der Fall zeigt, wie Kinder trotz schlimmer Lebensumstände Hoffnung haben können. Im Medienpaket Einfälle statt Abfälle (s. Literatur) gibt es Dias von Spielzeug, das in den Ländern der „Dritten Welt" aus Altmaterialien erstellt wurde. Die Bild- und Textmedien von KB S. 20/21 können als Teil eines Projekts eingebracht werden.

■ Erschließungsmöglichkeiten KB S. 20

• L. erzählt den Buchausschnitt. Die Erzählung ist ein Ausschnitt aus einem Buch von Deborah Ellis: Die Sonne im Gesicht (2000). Es handelt von der elfjährigen Parvana, die zur Zeit der Taliban-Herrschaft in Kabul aufwächst. Ihr Vater, der Ernährer der Familie, wird eines Tages von den Taliban-Soldaten verhaftet und verschleppt. Der folgende Band „Allein nach Mazar-e Sharif" spielt nach dem Sturz des Taliban-Regimes. Parvana macht sich auf die Suche nach ihrer Familie und vor allem ihrem Vater, den sie schließlich schwer krank in einem Flüchtlingslager im Norden Afghanistans wiederfindet.
Parvana ist nach der Verhaftung ihres Vaters dafür verantwortlich die Familie zu versorgen. Ohne Begleitung eines Mannes darf aber keine Frau auf die Straße: Wer soll also jetzt einkaufen? Wer soll arbeiten gehen? Die Familie beschließt, Parvana als Junge zu verkleiden.

• Rollenspiel (Impuls 1): Als Mädchen einen Jungen zu spielen, als Junge ein Mädchen zu spielen, ist für viele Sch. ein abwegiger Gedanke. Sie formulieren die Gedanken Parvanas als Vorbereitung eines Rollenspiels. Mit Hilfe der Rollenspieltechnik „Doppeln" überlegen die Sch., wie sie sich entscheiden, und begründen dies.

• Recherche: Afghanistan nach dem Sturz der Taliban. Die Sch. beschaffen sich Informationen über das aktuelle Leben in Afghanistan (Impuls 2). Erste Informationen bietet M 3. Gemeinsam wird auf einer Karte Afghanistan gesucht. Alternativ dazu eine L.-Erzählung.

• Experteninterview (Impuls 3): Von 1979 bis 1989 flüchteten rund ein Drittel der afghanischen Bevölkerung, zu einem großen Teil nach Pakistan, aber auch nach Europa und in die USA. In Deutschland leben heute noch ca. 80.000 Afghanen. 63.000 müssen eine Abschiebung wegen ihres unsicheren Rechtsstatus befürchten. Der Bericht eines Betroffenen verdeutlicht die Lage von Kindern in Kriegsgebieten. Die Sch. bereiten das Interview vor: Wie leben Kinder in Afghanistan? Weshalb leben sie in Deutschland und nicht in Afghanistan? Welche Wünsche und Ängste haben sie?

■ Mögliche Schlusssituation KB S. 20 – Nachhaltigkeit

• Die Sch. gestalten eine Heftseite zum Thema „Kinder in Krisengebieten". Dabei halten sie in Bildern und Texten fest, was sich ihnen bei der Behandlung dieses Themas als besonders wichtig gezeigt hat. Möglicherweise können sie Bilder und Berichte ihrer Großeltern aus der Nachkriegszeit in Deutschland (z. B. Krieg, Flüchtlingsschicksal o.Ä.) einbringen.

■ Mögliche Eingangssituation KB S. 21

• Die Sch. erzählen davon, welches Spielzeug sie selbst, ihre Geschwister oder Freunde haben. Sie bringen ihr Lieblingsspielzeug mit und erzählen dazu. Reizvoll kann es sein, wenn sie Spielzeug aus ihrer Kindergartenzeit mitbringen.

■ Erschließungsmöglichkeiten KB S. 21

• Die Sch. lesen die Geschichte. Im UG wird bewertet, welchen „Wert" Spielzeug hat.

• L. schreibt die Überschrift „Reiche arme Kinder" an die Tafel. Die Form einer Schreibmeditation gibt Stoff für ein UG. Die Sch. tragen kommentarlos ihre Ideen zu dieser Behauptung unter dem genannten Titel in ihr Heft ein.

• Die Überschrift kann anregen, eine Geschichte aus dem Lebensbereich mit dem Thema „Arme reiche Kinder" zu schreiben oder zu erzählen.

• UNICEF-Film: „Afghanistan. Lernen bis wir jemand sind" oder UNICEF-Film „Die geraubte Kindheit. Kindersoldaten".

• „Hilfe für Kinder" ist auch als Schulprofil denkbar: Die Sch. informieren sich über Schulen, die sich für Kinder in Afghanistan einsetzen. Beispiele für Schulpartnerschaften findet man z. B. unter www.deutsch-afghanische-initiative.de

• Zu dem Vorschlag Kinderspielzeug herzustellen siehe M 4 Anleitung zum Bau von Musikinstrumenten.

■ Mögliche Schlusssituation KB S. 21 – Nachhaltigkeit

• Die Sch. gestalten eine Heftseite zum Thema „Reiche arme Kinder". Dabei halten sie in Bildern und Texten fest, was sich ihnen bei der Behandlung dieses Themas als besonders wichtig gezeigt hat. Sinnvoll ist es, dass hier Bilder und Texte von der Situation armer Kinder bei uns eingebracht werden.

Mögliche Schlusssituation zur DS 20/21
- Vergleich der Lebenssituationen von Parvana und Bewire mit der Situation von Kindern in Deutschland (Impuls 1, KB S. 21).

KB S. 22/23 Kinder haben Rechte

Am 20. November 1989 wurde nach 10-jähriger Vorbereitungszeit die UN-Kinderrechtskonvention verabschiedet. Sie wurde bisher von 190 Staaten ratifiziert, bis auf die USA und Somalia haben alle Länder der Welt sie akzeptiert.
Die Kinderrechtskonvention ist eines der zentralen Dokumente des internationalen Menschenrechtsschutzes. Sie sichert Kindern das Recht auf Überleben, Schutz, Entwicklung und Mitbestimmung zu und ist damit der universale Maßstab für die Beurteilung der Lebensbedingungen von Kindern auf der ganzen Welt. Kinder gelten gemäß der UN-Kinderrechtskonvention als eigenständige Persönlichkeiten mit besonderen Bedürfnissen und Rechten. Dies bekannt zu machen haben sich zahlreiche Hilfsorganisationen zur Aufgabe gemacht.
Deutschland gehört mit zu den Staaten, die die Konvention nur unter Vorbehalten ratifiziert haben: Diese Einschränkungen beziehen sich auf die Rechte von Kindern innerhalb des Ausländer- und Asylrechts. So werden z. B. unbegleitete Flüchtlinge im Asylverfahren schon mit 16 Jahren wie Erwachsene behandelt und haben nur eingeschränkten Zugang zu Bildung und Gesundheitsdiensten.
Aber auch Kinder mit einem deutschen Pass haben keine Garantie für eine unbelastete Kindheit. Immer mehr Kinder landen in Deutschland im Verlauf ihrer Kindheit im sozialen Abseits. Der durchschnittliche Sozialhilfeempfänger in Deutschland ist heute acht Jahre alt und hat eine allein erziehende Mutter. Kinderreichtum zahlt sich in Deutschland nicht aus. Im Gegenteil – mit jedem weiteren Kind wächst das Armutsrisiko einer Familie.
Die DS möchte auf die Rechte der Kinder aufmerksam machen: Bilder und Zitate klären über den Inhalt der Rechtsvereinbarung auf. Anhand der Identifikationsfigur Marian Brehmer, der sich in einer Kinderrechtsgruppe von terre des hommes engagiert und der mit 11 Jahren der jüngste Teilnehmer des Kinderrechtsgipfels in New York 2002 war, erfahren die Sch., dass Kinder Rechte haben, für die es sich einzusetzen gilt.

Zu einzelnen Rechten:
Kinderarbeit: Weltweit verrichten rund 171 Millionen Kinder und Jugendliche gefährliche Arbeiten, die die Gesundheit und Entwicklung schädigen.
Bildung: In Deutschland ist es für Kinder Pflicht zur Schule zu gehen. Das ist aber nicht in allen Ländern so. $\frac{1}{5}$ aller Kinder auf der ganzen Welt, das sind rund 130 Millionen Kinder, gehen nicht zur Schule. Der Anteil ist in den einzelnen Ländern der Erde unterschiedlich hoch.
Medizinische Versorgung: Jedes Jahr sterben noch immer fast elf Millionen Kinder vor ihrem fünften Geburtstag. Gründe sind Infektionen und gefährlichen Durchfallerkrankungen. Vor allem in Afrika kommt die Immunschwäche Aids hinzu. Erfolge sind möglich durch billige Medikamente: So hat sich die Kindersterblichkeit in den letzten 30 Jahren halbiert.
Recht auf Freizeit: Kinder brauchen Zeit. Zeit, ihre Bedürfnisse zu erkennen und zu äußern, Zeit, ihre Talente zu entdecken und zu entwickeln. Die Angst etwas zu versäumen oder den Anschluss zu verpassen führt heute bei vielen Kindern zu Freizeitstress: Musikschule, Training für den Sport, Ballett, Tanzschule, Englisch für Grundschulkinder, Reiten, Malschule …
Kindersoldaten: Die Zahl der Kindersoldaten wird weltweit auf 300.000 geschätzt. Minderjährige werden sowohl von regulären Armeen wie auch von Rebellengruppen rekrutiert. In den meisten Fällen handelt es sich um Zwangsrekrutierungen.

Mögliche Eingangssituation
- Betrachtung der Bilder: Was ist zu sehen? Die Sch. vergleichen ihre Lebenssituation mit den abgebildeten Kinderrechten.

Erschließungsmöglichkeiten
- „Kinderrechtsgipfel der Klasse" (Impuls 1, KB S. 22): Das Bild zeigt die Gruppe der vier deutschen Kinderdelegierten Marian Brehmer (11), Elena Schubert (17), Konstantin Stern (16) und Dominque Hitz (17) am 13. Juni 2002 bei Bundeskanzler Gerhard Schröder. Bei einem Bundestreffen kamen vom 13. bis 16. Juni 2002 100 Kinder und Jugendliche zusammen und beratschlagten, wie das beschlossene Abschlussdokument des Weltkindergipfels „Eine kindgerechte Welt" verbindlich in einem nationalen Aktionsplan umgesetzt werden kann.
Anhand des Rahmentextes und des Bildes wird besprochen, was das Anliegen der Kinderrechtskonvention ist und was man darunter versteht. Außerdem wird der Begriff „Kinderrechtsgipfel" besprochen. Die Sch. bereiten in GA eine Sammlung von Kinderrechten auf einem Plakat vor und überlegen sich Begründungen dafür. Die Gruppen präsentieren ihre Ergebnisse beim „Kinderrechtsgipfel" der Klasse. „Wir fordern … weil …"
- Die Sch. vergleichen ihre gesammelten Rechte mit einer Auswahl an Rechten, die in der Kinderrechtskonvention festgeschrieben sind. Zusätzlich können alle 54 Artikel hinzugezogen werden (z. B. www.kindersache.de/kinderrechte/index) Sie erstellen mit Hilfe einer Folie eine Rangfolge der Kinderrechte. Dann legen sie die wichtigsten Rechte fest und schreiben sie in ihr Heft.
- Mit Hilfe des Ballonsspiels (M 5) setzen sich die Sch. mit den Inhalten der Kinderrechte auseinander und erstellen eine Bewertung hinsichtlich der Frage, für welches Recht sie sich engagieren würden. Die Sch. setzen sich zu Kleingruppen zusammen. Benötigt wird ein Würfel pro Gruppe, die Spielanleitung M 5a, Spielkarten M 5b für jeden Sch.
- Wie kann ich mich für Kinderrechte einsetzen? Mit Hilfe einer Internetrecherche erfahren die Sch., wie man sich für Kinderrechte engagieren kann. Besonders empfehlenswert: www.unicef.de/kinderrechte; www.kindersache.de; www.tdh.de. Um zu Marian Brehmers Erfahrungsbericht zu gelangen, bietet es sich an, www.kindersache.de/politik/wkt-broschuere-inhalt.pdf zu Rate zu ziehen. Begeistert von der Arbeitsatmosphäre in New York waren die Kinderdelegierten vor allem davon enttäuscht, dass im Abschlussdokument klare Formulierungen verwässert wurden.
- Aus den Kinderrechten lassen sich nicht automatisch auch Kinderpflichten ableiten. Wem aber Verantwortung übertragen wird, der hat auch Pflichten. In GA werden diese formuliert und dann präsentiert (Impuls 2, KB S. 23).
- Inhalt der Kinderrechtskonvention: Die Sch. suchen weitere Bilder oder Situationen, auf bzw. bei denen die Kinderrechte verwirklicht oder missachtet werden. Sie vergleichen die Bilder

mit den geforderten Rechten hinsichtlich eines Verstoßes oder der Umsetzung. Sie überlegen sich, ob an ihrer Schule die Kinderrechte umgesetzt werden, und entwerfen eine Schule, in der alle Kinderrechte gelten (Impuls 3, KB S. 23).

• Die Filmreihen „Die Rechte der Kinder" von terre des hommes in Zusammenarbeit mit dem ZDF und von FUW die „Kurzfilmreihe zur UN-Kinderrechtskonvention" bieten sich an, um bestimmte Themen zu vertiefen.

Mögliche Schlusssituationen

• Die Sch. lesen Mk 10,13-16 und besprechen, weshalb Jesus die Kinder besonders wichtig waren (Impuls 4). Sie erstellen eine Collage mit Kinderfotos von Kindern hier und anderswo. In die Mitte wird eine Jesusdarstellung geklebt oder gemalt.

• Die Sch. malen ein Piktogramm zu den Kinderrechten, die ihnen am meisten bedeuten, im Stil von Keith Haring.

• Die Sch. lernen das Lied „ Es müssen Rechte her" (M 6).

• Nachhaltigkeit: Die Sch. gestalten im Heft eine DS zum Thema „Kinder haben Rechte und Pflichten".

Mögliche Schlusssituation zum gesamten Kapitel

• Das Brainstorming an der Tafel vom Anfang (Kinder in Deutschland sind ... Ergänzung: Kinder in anderen Ländern ...) wird noch einmal aufgenommen. Haben sich unsere ersten Einfälle bestätigt, verstärkt, wurden sie widerlegt, kamen neue Erkenntnisse hinzu?

Projektideen

Die Aktionen sollen eine Brücke sein, über die es zu Kontakten zwischen Kindern in Deutschland und Kindern in einem anderen Land kommt. Erstes Ziel muss es sein, dass die Aktionen den Kindern Spaß machen, zum Beispiel indem sie kreativ sind und etwas gestalten können.

• Wettbewerb: Unicef schreibt seit 2 Jahren den Junior Botschafter für Kinderrechte für die beste Aktion zum Thema Kinderrechte aus: www.unicef.de/botschafter/

• Die Sch. stellen verschiedene Kinderrechtsorganisationen vor und entscheiden sich für ein Projekt, das sie näher kennen lernen und für das sie sich engagieren wollen. Aktion: Gemeinsam wird überlegt, wie ein Kinderprojekt unterstützt werden kann. Die Seiten der Kinderhilfsorganisationen geben hier tolle Ideen: Kindernothilfe, Brot für die Welt, terre des hommes, Unicef, Misereor.

• Projekte haben immer das Ziel, auch handlungsorientierte Elemente einzubauen, sei das ein gemeinsames Essen mit ausländischen Speisen oder Spiele der Länder zu spielen. Ideen hierzu in: „So leben sie" – Fotoporträts von Familien aus 16 Ländern, Verlag an der Ruhr 2001.

• An einem „Thementag" (20. November) wird „Kinderarbeit" in einer Klasse, einem Jahrgang oder allen Klassen in jedem Unterrichtsfach behandelt.

• Information: Es können Experten eingeladen werden, die über ihre Arbeit berichten.

• Einen Schulgottesdienst, eine Feier zum Thema veranstalten: Die Kinder gestalten Szenen mit Arbeitssituationen von Kindern aus einem armen Land und entwickeln Lösungsvorschläge (terre des hommes und Brot für die Welt bieten hierfür Spielszenen an). Die Szenen können vor anderen Kindern, aber auch vor den Eltern gespielt werden.

• Das Thema „Kinderarbeit" kann innerhalb der Lehrpläne nahezu in jedem Unterrichtsfach thematisiert werden. In Deutsch können Texte gelesen, selbst verfasst und szenisch (Angebote von „terre des hommes" und „Brot für die Welt") dargestellt werden. Fächerverbindend kann die Lebenssituation der Kinder in der Welt untersucht und der eigenen Erfahrung zugänglich gemacht werden. In Mathematik kann berechnet werden, wie viel Geld Kinder in den unterschiedlichen Ländern verdienen und was sie damit finanzieren können bzw. müssen. In Kunst können Collagen und Bilder hergestellt werden u. a.m.

3. Lernkarten

5 Nenne drei Rechte der Kinderrechtskonvention der Vereinten Nationen, die in Deutschland erfüllt werden, nicht aber in anderen Ländern.

6 Nenne fünf Ideen, wie man sich für andere Kinder auf der Welt einsetzen kann.

7 Wie verhält sich jemand, der nach Jesu Maßstäben groß ist?

8 Formuliere drei Kinderpflichten für eure Klassengemeinschaft.

4. Empfohlene Literatur und Medien

Büttner, Gerhard u. a. (Hg.), Einfälle statt Abfälle. Ein Medienpaket für die evangelische und katholische Religionslehre der Primarstufe und Sekundarstufe I, 22 Dias, Tonkassetten und Lehrerheft, Offenbach 1993 (Jünger). *Bringt viele Beispiele, wie aus Abfällen neue Dinge entstehen können.*

Carle, Ursula/Kaiser, Astrid (Hg.), Rechte der Kinder, Hohengehren 1998 (Schneider Verlag).

„So leben sie" – Fotoporträts von Familien aus 16 Ländern. Ein Erkundungsprojekt rund um die Welt. Mühlheim 2001 (Verlag an der Ruhr).

Brot für die Welt: Kinder haben Rechte. Unterrichtsbausteine zum Thema „Kinderrechtskonvention"

Kurzfilm „Overdose" auf FWU – VHS 42 10482.

UNICEF-Film: „Afghanistan. Lernen bis wir jemand sind "15 min. Köln 2002 (Bestell-Nr. VI 041) *Ab 10/11 J. Der Film zeigt, wie sich Unicef für Kinder in Afghanistan einsetzt. Vor allem das Gründen neuer Schulen steht im Vordergrund.*

UNICEF-Film „Die geraubte Kindheit. Kindersoldaten". 6 min. Köln, 2000 (Bestell-Nr. VI 035) *Ab 13 J.; ist eher am Ende der 6. Klasse einsetzbar.*
Alternativ dazu der Film: „Ex-Child" auf FWU 42 10482

Adressen im Netz:

www.kindersache.de/kinderrechte/index (Kinderseite des Deutschen Kinderhilfswerk)
www.dksb.de (Deutscher Kinderschutzbund)
www.tdh.de (terre des hommes)
www.unicef.de (UNICEF)

5. Materialien

M 3 Kinder in Afghanistan
M 4 Bastelanleitung für Musikinstrumente
M 5a/b Ballonspiel
M 6 Lied der Kinderrechte

Streiten und sich versöhnen

1. Zielsetzung, Aufbau und Kompetenzen

Der RU beteiligt sich mit dem vorliegenden Kapitel an einer primären Stufe der Gewaltprävention. Er übernimmt dabei die Aufgabe, Aspekte der Konfliktlösung zu erarbeiten und einzuüben. Eine primäre Gewaltprävention ist aber auch Aufgabe der gesamten Schulgemeinde.
Nicht erst seit verschiedenen, teilweise spektakulären Vorfällen wird das Thema Gewalt sensibler in den Schulen wahrgenommen. Während die Anwendung von schwerer physischer Gewalt auf nur etwa 2 % fast ausschließlich männlicher Schüler beschränkt scheint, nehmen Erscheinungsformen wie verbale Gewalt, Verrohung des Umgangstons und Gewaltausübung mit leichten Körperverletzungen an Schulen zu.
Zunehmend konzentriert man sich daher auf die Frage, in welchem Ausmaß Schule der Entstehung und Entwicklung von Aggressionen und Gewalt mit erzieherischen bzw. pädagogischen Mitteln begegnen kann. Ziel ist es, Konflikte, die in der Schule auftreten, anzusprechen und ein konfliktärmeres Zusammenleben zu ermöglichen. Die Sch. sollen dabei Strategien kennen lernen, wie sie Streit ohne Gewalt lösen können. Die Ausbildung von Streitschlichtern ist ein Weg, die frühzeitige Einbindung von außerschulischen Projektpartnern wie Polizei und Jugendeinrichtungen ein anderer. Ganz eng damit verbunden ist das Erlernen von Schlüsselqualifikationen wie Empathie, Kommunikationsfähigkeit und Frustrationstoleranz. Eine effektive Gewaltprävention muss hierbei den ganzen Menschen im Blick haben: Wichtige Elemente sind die Förderung des Selbstbewusstseins, die Vermittlung von Toleranz und Akzeptanz gegenüber anderen sowie die Erweiterung der Ausdrucksfähigkeit in Bezug auf Gefühle und Aggression.

Die Bibel geht auf das Ringen des Menschen, realistische Konfliktlösungen zu finden, ein. Sprichwörter wie „Wie du mir, so ich dir“ oder „Was du nicht willst, das man dir tu, das füg auch keinem anderen zu“ haben ihre Wurzeln in der biblischen Tradition. Das oft zu Unrecht verschmähte bzw. missverstandene „Auge um Auge“ oder die jesuanischen Provokationen in der Bergpredigt geben Antworten, wie mit Gewalt umgegangen werden soll. Theologie im Sinne Jesu orientiert sich dabei daran, Gewalt aus der Sicht der Opfer wahrzunehmen. „Selig sind die Friedenstifter“ fordert das mutige Eintreten gegen Unrecht und Gewalt. „Das erfordert Mut – und Erziehung zum Mut, auch erkennbaren Mut von Lehrer/-innen. Es erfordert auch eine Vision, nämlich dass nicht alles immer so bleiben muss, wie es ist.“ (Fikenscher, Glaube und Gewalt, S. 11).

Welche Lernchancen werden angeboten?

Die Sch. kennen biblische Geschichten, in denen Streit und Versöhnung als menschliches Verhalten gedeutet wird. Beispiele sind hierfür die Brüder Esau und Jakob, aber auch Josef und seine Brüder. Dabei greifen die Sch. auf Vorwissen aus der Grundschule zurück.
Die Sch. kennen Konfliktsituationen und Lösungsmöglichkeiten. Sie kennen die Regeln der Streitschlichtung. Sie sind fähig Zeugnisse früherer Generationen zum Thema Konflikte zu verstehen und auf die Gegenwart hin auszulegen.
Sie sind in der Lage, Merkmale und Absichten von Mobbing, verbaler und körperlicher Gewalt zu erkennen. Sie sind fähig, mit anderen rücksichtsvoll umzugehen und für andere, insbesondere für Schwache einzutreten (Toleranzbereitschaft).
Sie sind in der Lage, durch ihr Verhalten den Umgang in ihrer Lerngruppe zu fördern, indem sie ein Einstellungs- und Verhaltensrepertoire aufbauen, das sich an einer gewaltfreien Konfliktlösung orientiert.

Zur Bildkonzeption
Im gesamten Kapitel wird bei den Bildern ausschließlich mit Zeichnungen (Comics) gearbeitet. Diese bei den Sch. sehr beliebten Bilder unterstützen die Aktualität des Themas und inspirieren auch zu eigenen Versuchen. Dieses Bildkonzept wird bei der Sicherung der Nachhaltigkeit eingesetzt. Die Sch. suchen oder zeichnen selbst Comics zu den verschiedenen Themen Streiten, Streit schlichten, Sich versöhnen.

Das Kapitel ist nach dem Doppelseitenprinzip aufgebaut. Auch wenn jede Seite ihre eigene Überschrift und damit ihr eigenes Thema hat, so gehören dennoch jeweils eine linke und rechte Seite inhaltlich zusammen.
KB S. 24/25 thematisiert Formen der Gewalt unter den Überschriften „Gewalt hat viele Gesichter“ (S. 24) und „Mobbing“ (S. 25).
Thema der DS 26/27 ist Versöhnung.
KB S. 28/29 zeigt den Wechsel zwischen Streiten und Sich versöhnen. Vorgestellt werden das Streitschlichterprogramm (S. 28) und das Gleichnis vom Schalksknecht (S. 29).

Lernstandsdiagnose/Nachhaltigkeit

Die Überschriften der sechs Seiten können als Einstieg in die gesamte Einheit und zum Abschluss der Einheit dienen. Die Sch. erhalten (bei geschlossenem KB) die sechs Überschriften auf einem Blatt Papier: 1. Gewalt hat viele Gesichter; 2. Mobbing; 3. Streiten ist nicht schwer – sich versöhnen umso mehr; 4. Gewalt begegnen – Versöhnung wagen; 5. Streit schlichten; 6. Das Gleichnis vom Schalksknecht. In PA formulieren sie Sätze zu den Aussagen der Überschriften. Sie können dabei auch Fragen formulieren. Die Ergebnisse werden vor der Klasse vorgelesen, aber nicht diskutiert und kommentiert. Dadurch können die Sch. einerseits ihr Vorwissen einbringen. Andererseits können sie mit Hilfe ihrer Formulierungen vom Anfang dann am Ende der Einheit den Lernzuwachs erkennen.

2. Didaktisch-methodische Hinweise

Thema der ersten DS (KB S. 24/25) sind verschiedene Formen der Gewalt. Kinder erleben Gewalt in den vielfältigen Formen des Streitens: Während bei Jungen eher die körperliche, offene Gewalt vorhanden ist, spielen bei Mädchen mehr die verbalen, versteckteren Formen eine Rolle.

KB S. 24 Gewalt hat viele Gesichter

Hier stehen zwei Medien nebeneinander, die das Thema Gewalt in ironischer Weise aufnehmen: der Comic und das Gedicht. Mit den Impulsen werden Sprichwörter und ihre biblischen Hintergründe ins Spiel gebracht.

Die Sch. können biblische Geschichten, in denen es um Streiten und Versöhnen geht, anhand von Sprichwörtern nacherzählen, u. a. das Gebot der Feindesliebe bzw. den Grundsatz „Auge um Auge, Zahn um Zahn". Beim Thema „Auge um Auge" muss man behutsam vorgehen. Vielfach wird dieses Prinzip antijudaistisch instrumentalisiert und als Beispiel für jüdische Rachsucht gedeutet. Demgegenüber ist festzustellen, dass dieses Prinzip bereits in der Bibel die Einschränkung maßloser Gewalt meint: Es zielt auf die Verhältnismäßigkeit der Mittel (vgl. Lohrbächer, Was Christen vom Judentum lernen können, S. 118 f.). Die falsche Auslegung führt häufig dazu, dass man dem „ius talionis" des AT das angeblich ausschließlich neutestamentlichen Gebot der Feindsliebe entgegengestellt. Nun findet sich zwar das Gebot der Feindesliebe so im AT nicht. Jesus bleibt jedoch mit diesem Gebot der Feindesliebe durchaus in der jüdischen Tradition (vgl. 2. Mose 23,1–5). Bemerkenswert ist auch, dass das „Du sollst deinen Feind hassen" (Mt 5,43) nicht alttestamentlich ist, sondern aus der Tradition von Qumran stammt.

Mögliche Eingangssituationen

- Sch. erzählen eigene Streiterlebnisse (Impuls 1). L. fragt nach, wie der Streit beigelegt wurde und ob sie mit der Lösung zufrieden waren. Was hättet ihr euch als Lösung gewünscht?
- Es können Karten gezogen werden mit den im KB (Impuls 2) genannten Sprichwörtern. In Kleingruppen suchen die Sch. Sprichwörter, die auf ihr Streiterlebnis passen. Welche Lösung wird angeboten? L. hält die Lösungen an der Tafel fest.
- Mit Hilfe der Bibelkonkordanz werden die biblischen Hintergründe der Sprichwörter erarbeitet.
- L. schreibt den Satz „Gewalt hat viele Gesichter" als stummen Impuls an die Tafel. Brainstorming oder Schreibgespräch als erste Stoffsammlung und Sammlung des Vorwissens.

Erschließungsmöglichkeiten

- Comic „Sandburg": Der Comic kann in folgenden Schritten erschlossen werden:

– Zwei Sch. bauen vor der Klasse Türme mit Klötzen, ein Sch. erhält den Auftrag, sobald die Türme stehen, die Türme des anderen Sch. zu zerstören. L. fragt: Was ist passiert? Was empfindet der Sch., dessen Türme zerstört wurde? Die Klasse stellt Vermutungen an. Sch. berichtet.

– Beschreibung der Situation anhand der Bildergeschichte im Buch. Die Sch. überlegen, wie das Kind nun auf die Zerstörung seiner Sandburg reagieren soll. Sie zeichnen dies als viertes Bild in ihr Heft. Die Lösungen werden gesammelt: die andere Burg gänzlich zerstören, durch die Burg durchrennen, über die andere Burg pinkeln, die andere Person ins Wasser drücken, die andere Person verprügeln, die andere Person beschimpfen, lachen, weinen, allein die Türme wieder aufbauen, miteinander reden …

– L. ordnet die Antworten nach dem Schema Reaktion „körperlich – mit Worten" (s. Tafelbild). Den Sch. soll bewusst werden, dass es grundsätzlich zwei Möglichkeiten gibt, diesen Streit zu lösen: mit und ohne Gewalt. Die Sch. sollen und begründen, weshalb sie sich für eine Lösung mit oder ohne Gewalt entschieden haben.

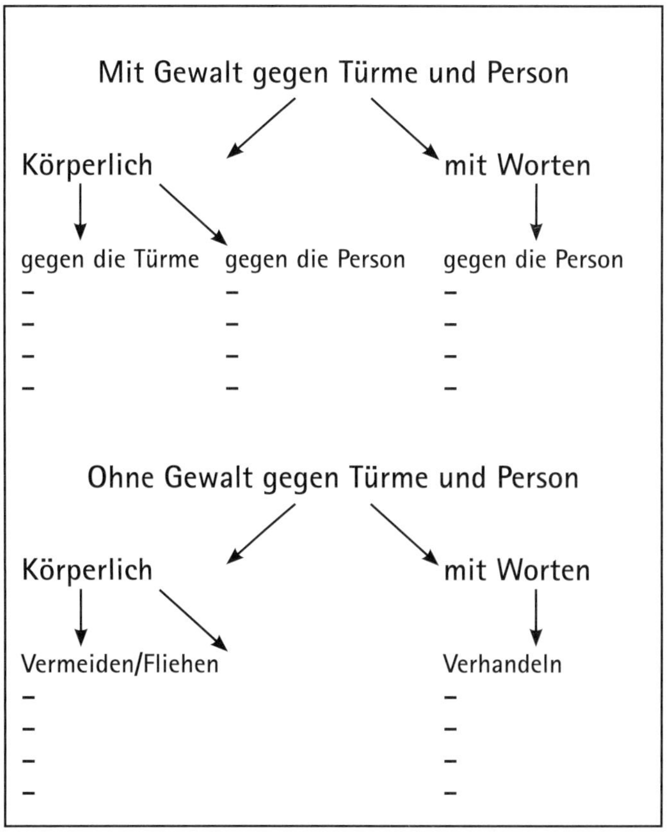

– L. spinnt die Bildergeschichte weiter:
Der Bademeister sieht die Szene und fordert nun die beiden Kinder auf, eine gewaltfreie Lösung des Streits zu finden, mit der beide zufrieden sind. Wenn das nicht gelinge, dürften sie nicht mehr am Strand spielen. Dazu kommt, dass es dunkel wird und keine Zeit mehr besteht, die Türme aufzubauen. Je zwei Sch. suchen eine Lösung, mit der beide zufrieden sind, d. h., sie müssen ein gutes Gefühl mit der Lösung haben. Die Sch.-Paare werden ausgelost.

– Gemeinsam wird besprochen wie eine Streitschlichtung ablaufen soll oder muss: Hat der Junge, dem die Burg zerstört wurde, das Recht auf eine Entschädigung? Was soll die Entschädigung bewirken? Was wäre eine angemessene Entschädigung? An der Tafel kann festgehalten werden: „Streit schlichten ohne Gewalt, aber mit dem Recht auf Wiedergutmachung, Ersatz, Entschädigung." (Tafelbild und Idee von Andreas Kessler in RL – Zeitschrift für Religion und Lebenskunde, Theologischer Verlag Zürich 2/2002, S. 9–11).

- Der Igel und das Stachelschwein:

– L. liest die Fabel vor. Besprechen des Inhalts. Die Textgattung Fabel war schon immer eine lehrreiche Erzählung, mit der verschlüsselt Kritik geübt wurde. Für wen stehen die Tiere? Für welches menschliche Verhalten steht das Verhalten des Frosches? Was wird kritisiert?

– Verdeutlichung des Satzes „Gewalt hat viele Gesichter" anhand der Fabel. Markiere die verschiedenen Formen (verbal – körperlich) mit verschiedenen Farben auf einer Folie.

– Die Sch. spielen die Fabel in Vierer-Gruppen als Erzählpantomime.

– Die Sch. spielen oder schreiben eine Schlichtungssituation. Welche Lösungen gibt es?

– Die Sch. schreiben eine eigene Fabel zum Thema „Auf dem Schulhof" (Impuls 6).

• Kurzfilmreihe „Abseits" – „Auf dem Schulhof" (Thema ist verbale Aggression), „Der Wandertag" (Mobbing); „Die Turnstunde" (Körperliche Aggression) – zu beziehen unter www.polizei.propk.de Email: zgs@polizei.propk.de
Nach dem Zeigen des Films „Auf dem Schulhof" äußern sich die Sch. spontan. Danach spielen sie die Filme mit verteilten Rollen nach. Anschließendes UG: Wie fühlen sich die Beteiligten? Warum fühlen sie sich gut/schlecht? Möchtest du so behandelt werden wie das Mädchen, das als Streberin beschimpft wird? Warum sucht sich die „Streberin" keine Hilfe? Ist Hilfe holen, z. B. einen Lehrer informieren, „petzen"?

■ **Mögliche Schlusssituation**
• Die Sch. zeichnen eine Streitsituation aus ihrem Leben als Comic. Sie überlegen sich dazu eine Lösung, bei der alle Beteiligten ein gutes Gefühl haben. Sie überlegen: Was bin ich für die Lösung des Konflikts bereit zu tun? Was erwarte ich von meinem Gegenüber?
Sie ergänzen die Mindmap „Streiten und sich versöhnen" (vgl. M 7).

KB S. 25 Mobbing

■ **Mögliche Eingangssituation**
• Bildbetrachtung (Impuls 6): Das Bild ist ein Auszug eines Bildes aus dem Manga-Comic „Card Captor Sakura", zu dem es auch Zeichentrickfilme gibt. Sakura Kinomoto ist ein ungefähr 10-jähriges Mädchen. Der Junge ist Eriol, ein Klassenkamerad von Sakura. Das zweite Mädchen auf dem Bild ist Akizuki. Sie besucht die Klasse von Sakuras großem Bruder Toya Kinomoto.
Das Bild zeigt eine aktuelle Situation, vor allem für Mädchen. Das Mädchen Akizuki zeigt Sakura die kalte Schulter: „Ich wusste doch, dass Sakura nicht dein Niveau hat, Eriol", spricht sie zu Eriol und greift dabei die Erfahrung von Sch. auf, dass über sie hinter ihrem Rücken gesprochen und gelästert wird.
Der Ausdruck „nicht dein Niveau haben" ist vorab zu klären. Vergleiche mit den verschiedenen Leistungsniveaus in einer Klasse bieten sich an. Die Sch. beschreiben das Bild: Was ist zu sehen? Was bedeutet die Körperhaltung von Akizuki? Wie fühlt sich Sakura? Was hätte Akizuki noch über Sakura sagen können? L. fasst die verbalen Verletzungen zusammen und verstärkt so die Gefühle Sakuras. Die Sch. besprechen in PA, was in Sakura jetzt vorgeht. Anschließend wird besprochen, was man unter Mobbing versteht (siehe Glossar).

■ **Erschließungsmöglichkeiten**
• Lesen der Erzählung. Die Sch. identifizieren sich mit Franziska und schreiben einen Tagebucheintrag (Impuls 1).
• Gespräch: Franziska möchte die Schule wechseln. Weshalb? Ist das eine gute Lösung? (Impuls 2). Wer ist an der Situation schuld? Was sollen die Eltern machen? Was der Lehrer? (Impuls 3) Die Sch. sammeln erst in Kleingruppenarbeit stichwortartig Lösungen und stellen diese dann vor.
• Die Sch. üben in Gruppen das Schlichtungsgespräch als Rollenspiel ein.
• Streitgespräch: Mobben Jungen anders als Mädchen?
• Kurzfilmreihe „Abseits" – „Der Wandertag" (Mobbing); Ein Mädchen lädt zur Geburtstagsparty ein, die anderen Mädchen verschwören sich aber gegen sie. Inhalt besprechen: Welche Personen sind beteiligt? Wie verhalten sich die Personen? Welche Gründe haben sie für ihr Verhalten? Warum ist das Mädchen traurig? Wie könnte das Mädchen seine Situation verändern? Wer könnte ihr helfen?
• Die Geschichte von den zwei Brüllstieren (M 8): Die Stiere wollen den Kühen zeigen, wer von ihnen der Größte ist: Dabei beschimpfen sie sich immer brutaler. Am Schluss kehren ihnen die Kühe gelangweilt den Rücken. Erschließungsfragen: Was geht den Stieren durch den Kopf, als sich die Kühe abwenden? Weshalb wenden sich die Kühe ab? Wie endet die Geschichte?

■ **Mögliche Schlusssituationen/Nachhaltigkeit:**
• Die Sch. gestalten einen eigenen Comic zum Thema Mobbing.
• Sie ergänzen die Mindmap „Streiten und sich versöhnen" (vgl. M 7), dazu können sie unter www.kindernetz.de/thema/mobbing Tipps zum Umgang mit Mobbing nachlesen.

KB S. 26/27 Streiten ist nicht schwer .../ Gewalt begegnen ...

Thema der DS ist die Tatsache, dass die Beendigung des Streitens Versöhnung erfordert.
Anhand der Josefsgeschichte (KB S. 26) und der Franziskus-Legende von dem Wolf (KB S. 27) überlegen die Sch., wie es zur Versöhnung kommen kann. Die Josefsgeschichte kennen die Sch. bereits aus der Grundschule. Sie wird hier in Form eines Comics vorgestellt.
Die Legende von Franziskus zeigt, wie der Hunger nach sozialer Nähe zu tödlicher „wölfischer" Aggression eskalieren kann. Aufgrund der Offenheit und Furchtlosigkeit des Franz von Assisi spüren die Leute und „Tiere", wie unbedroht sie sind, und geben ihre ganze Aggressivität auf. Im Umgang mit einem ausgegrenzten „wölfischen" Menschen wird diesem zum Ausdruck gebracht, dass er keine Bedrohung zu erwarten hat. Franziskus vermeidet alles, was dem Gegenüber Angst machen könnte. Auch die andere Seite, die Bewohner in der Stadt, haben Angst: Sie haben sich in ihrer Stadt verschanzt, die Unverwundbarkeit verspricht, aber gleichzeitig ihren Lebensraum einengt. Nur wenn beide – die Bürger in der Stadt und der aus dem sozialen Zusammenhang Ausgrenzte auf ihre Angst und ihre Gewalttätigkeit verzichten, können sie offen und frei leben. So wird aus dem Feind ein Freund, ein Bruder bzw. eine Schwester.

■ **Mögliche Eingangssituationen KB S. 26**
• Blitzlicht zur Überschrift: Stimmt das?
• Bildbetrachtung der Comiczeichnungen: Die Sch. versuchen aufgrund ihres Vorwissens aus der Grundschule mit Hilfe der Comic-Zeichnungen die Josefsgeschichte nachzuerzählen.

■ **Erschließungsmöglichkeiten KB S. 26**
• Die Sch. lesen in sechs Kleingruppen die einzelnen Bibelabschnitte zu den Bildern. Sie besprechen Unklares. Durch die Vergabe von farbigen Punkten entstehen neue Erzählgruppen, in denen je ein Mitglied der ersten sechs Stammgruppen ist. Gemeinsam erzählen die Sch. nun ihren Teil der Josefsgeschichte in ihren Erzählgruppen. Alternative: Die ganze Gruppe präsentiert ihren Teil der Handlung vor der ganzen Klasse.

- L. erzählt die Situation der Wiederbegegnung von Josef und seinen Brüdern. Mit Hilfe eines Rollenspiels überlegen sich die Sch., wie es zur Versöhnung kommt. Was passiert zwischen dem 5. und dem 6. Bild? Die Sch. lesen in der Bibel nach, mit der Fragestellung, ob die Versöhnung gelingt. Technisch versierte Sch. können mit Hilfe des Programms Powerpoint einen einfachen Zeichentrickfilm bzw. eine Bilderfolge herstellen. Die Bilder des Buches sollten als Rohgerüst vorgegeben werden.

■ Mögliche Schlusssituationen KB S. 26

- Singen des Liedes „ So ist Versöhnung“ (M 9). Die Sch. malen ein Bild zum Lied.
- Die Sch. vervollständigen den Satz „Versöhnung ist für mich …“ (Impuls 4). Sie gestalten dazu ein Schmuckblatt.

■ Mögliche Eingangssituation KB S. 27

- Die Sch. tragen zusammen, was sie über Franz von Assisi wissen. Sie können weitere Informationen im Internet besorgen.

■ Erschließungsmöglichkeiten KB S. 27

- L. erzählt den ersten Satz der Legende. Wie könnten die Menschen reagieren? Sammlung an der Tafel. Wie verhält man sich, wenn man bedroht wird?
- Tafelbild: Gewalt begegnen? – Versöhnung wagen! L. erarbeitet das Tafelbild:

Schritt 1: Überschrift als stummer Impuls: Gewalt begegnen?
Schritt 2: Sammlung. Was kann ich tun, wenn ich bedroht werde? In welcher Situation sind die Reaktionen sinnvoll? (Situationen evtl. als Strichmännchen darstellen)
Schritt 3: Sch. lesen die Legende zu Ende: Wie wird der Wolf zum Freund des Menschen? Was ist das Besondere an Franziskus’ Verhalten?
Schritt 4: Was bewirkt sein Verhalten bei den Menschen der Stadt? Beim Wolf? Der Wolf hat nicht nur Hunger auf Nahrung …
Schritt 5: L. zeichnet die Brücke ein, auf der „Versöhnung“ steht und ergänzt in der Überschrift „Versöhnung wagen!“
Schritt 6: Lesen und Besprechen des Impulstextes „Versöhnung“.

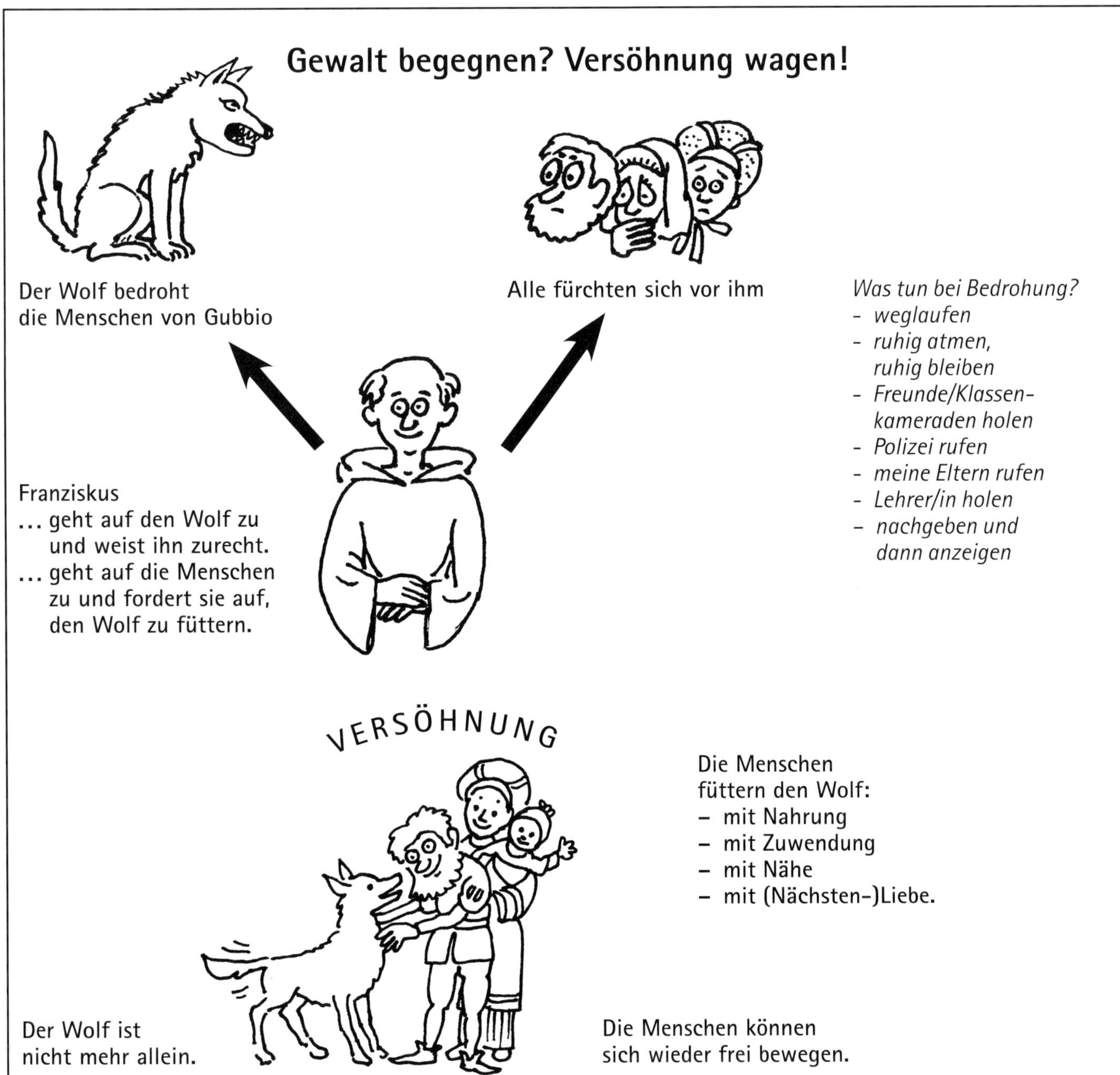

■ Mögliche Schlusssituationen KB S. 27

• Die Legende in die heutige Zeit übersetzen (Impuls 3): In einer Fabel stehen Tiere für Menschen. Für welche Art von Menschen könnte der Wolf stehen? Für welche Franziskus? Wo könnte die Geschichte heute spielen? Die Sch. schreiben in EA oder Kleingruppenarbeit die Legende um und stellen sie dann vor.

• Die Sch. malen ein Bild zu der Szene, die sie am meisten beeindruckt hat.

• Bildbetrachtung des Comics: Ein älterer Schüler erpresst einen jüngeren Schüler. Wie könnte die Szene ausgehen? Die Sch. sammeln verschiedene Möglichkeiten und stellen diese als Rollenspiel dar.

KB S. 28/29 Streit schlichten / Das Gleichnis vom Schalksknecht

Die DS zeigt den Wechsel zwischen Streiten und Sich-Versöhnen. Im Mittelpunkt stehen die Comiczeichnungen von Asterix und Obelix.
Streitschlichterprogramme spielen im Schulleben eine immer größere Rolle. Dabei ist das Programm nicht von einem Fach allein zu leisten, aber einzelne Fächer können Bausteine für die Verankerung eines solchen Profils liefern. Die Einführung des Schüler-Streitschlichter-Programms fordert die Zusammenarbeit und Motivation der ganzen Schulgemeinschaft, im optimalen Fall unter Anleitung von Fachleuten.
Das Gleichnis vom Schalksknecht (Mt 18,23–35) besteht aus drei Szenen: Der Schalksknecht bittet um Zahlungsaufschub und bekommt unerwartet seine immense Schuld vollständig erlassen (V. 24–27). In der zweiten Szene trifft der Knecht seinen Mitknecht, der diesem eine geringe Summe schuldet und ebenfalls um Aufschub bittet. Diese Bitte wird ihm nicht gewährt (V. 28–30). In der dritten Szene zitiert der König den Schalksknecht wieder zu sich und stellt ihn zur Rede. Er muss ins Gefängnis, bis er die ganze Schuld bezahlt hat (V. 32–34). Die heutige Exegese geht davon aus, dass die ursprüngliche Geschichte mit V. 33 endet. Der Gerichtsgedanke V. 32–43 relativiert die zuvor bezeugte Barmherzigkeit Gottes. Wesentlich für das Verständnis des Gleichnisses ist der scharfe Kontrast zwischen der riesigen Summe, die der Schalksknecht dem König schuldet, und dem geringen Betrag des Mitknechtes. Die Schulden des Mitknechts entsprechen dem 600.000sten Teil der Schulden des Schalksknechts. „Damit wird deutlich: Die Vergebung des Königs ist überwältigend, ja eigentlich unfassbar. Im Gegenzug erscheint die Verweigerung des Schuldenerlasses ... unbegreiflich.“ (Roose, Schuld, S. 21).

■ Mögliche Eingangssituation KB S. 28

• Die Sch. lesen und besprechen die Geschichte „Streit schlichten“. Sie überlegen sich in Kleingruppen, wie die Schlichtung ablaufen soll, und spielen diese vor. Ein Schlichtungsformular kann hier als Hilfe dienen.

■ Erschließungsmöglichkeiten KB S. 28

• Gemeinsam wird erarbeitet, welche Regeln in einem Schlichtungsgespräch eine Rolle spielen. Dann wird ein weiterer Durchlauf des Schlichtungsgesprächs gespielt.

• Ein Schlichtungsgespräch wird hinsichtlich seines Aufbaus analysiert. Die einzelnen Schritte am Rand von M 10 werden beim Kopieren abgedeckt.

• Welche Voraussetzungen muss ein Schlichter erfüllen?

• Betrachten der Bilderfolge „Konstruktive Konfliktbehandlung“ (M 11) von Jamie Walker: Erzählt eine Geschichte zu dem Bild.

■ Mögliche Schlusssituationen KB S. 28

• Die Sch. ergänzen die Mindmap „Streiten und sich versöhnen“ (vgl. M 7) und zeichnen ein eigenes Bild zum Thema „Streitschlichtung“.

• In Kleingruppen schreiben sie ein Schlichtungsgespräch zu den Bildern von Asterix und Obelix und spielen es vor (Impuls 1).

■ Mögliche Eingangssituation KB S. 29

• Die Sch. klären, was ein Schalksknecht ist, und lesen dann das Gleichnis. Sie berechnen, wie viel Schulden jeweils eine Rolle spielen. Was geht wohl in den Mitknechten vor?

■ Erschließungsmöglichkeiten KB S. 29

• Rollenspiel des Gesprächs in Kleingruppen. Wie handelt der König? (Impuls 1)

• Lesen von Mt 18,21-35

• Gespräch: Soll man einem Schuldigen 7-mal 70-mal vergeben?

■ Mögliche Schlusssituationen KB S. 29

• Die Sch. ergänzen die Mindmap „Streiten und sich versöhnen“ (vgl. M 7) und greifen dazu KB S. 27 auf: „Grundwissen Religion: Versöhnung“.

• Die Sch. informieren sich über das Fest Jom Kippur und seine Aussage. Ist solch ein Tag der Erinnerung sinnvoll? L. ergänzt. Am Ende des Schuljahres wird ein Tag festgelegt, an dem eine Versöhnungsfeier stattfinden soll. Erste Ideen werden dafür gesammelt.

■ Mögliche Schlusssituationen zum gesamten Kapitel

• Die Sch. zeichnen einen Comic zu einem der abgebildeten Bilder oder zu einem der Texte. Sie zeichnen dabei die Situationen: Konflikt/Streit – Schlichtung/Lösung – Versöhnungstag/Feier mit anderen. Beim letzten Bild sollen weitere Streitpaare der vorangegangenen Seiten ergänzt werden.

• Die Überschriften der sechs Seiten, zu denen die Sch. als Einstieg in PA Sätze formuliert haben, werden abschließend noch einmal in PA und dann im UG erörtert. Die Sch. überprüfen ihre Aussagen vom Anfang und erheben den Lernzuwachs.

3. Lernkarten

9 Welche Formen von Gewalt kennst du?
Nenne zwei Sprichwörter, die eine Lösungsmöglichkeit anbieten.

10 Was versteht man unter Mobbing? Was kannst du tun, wenn du gemobbt wirst?

11 Erkläre den Ablauf einer Streitschlichtung.

12 Was sagt der christliche Glaube über Versöhnung?

4. Empfohlene Literatur und Medien

Bründel, Heidrun u. a., Schlichter-Schulung in der Schule, Dortmund 1999 (Borgmann).

Jeffrey-Duden, Karin, Das Streitschlichter-Programm, Weinheim/Basel 1999 (Beltz).

Jeffreys-Duden, Karin, Konfliktlösung und Streitschlichtung. Das Sekundarstufenprogramm, Weinheim/Basel 2000 (Beltz).

Kaletsch, Christa, Konstruktive Konfliktkultur, Förderprogramm für die Klassen 5 und 6, Beltz Praxis, Weinheim/Basel 2003 (Beltz).

Roose, Hanna, „Deine ganze Schuld habe ich dir erlassen, und du...?" Die Parabel vom gnadenlosen Schuldner, in: entwurf 4/2004, S. 21 ff.

Wittmann, Andreas, Dann sind wir gerne bereit, denen zu helfen. In entwurf 2/2002, S. 22–24.

Wichtige Internet-Adressen:
Schüler Mobbing: www.schueler-mobbing.de
Arbeitsgemeinschaft Friedenpädagogik e.V.: www.fassmich-nichtan.de
SWR-Kindernetz : www.kindernetz.de/thema/mobbing

5. Materialien

M 7 Mindmap Streiten und sich versöhnen
M 8 Die Geschichte von den Brüllstieren
M 9 Lied: Wie ein Fest nach langer Trauer
M 10 Streit schlichten
M 11 Konstruktive Konfliktbehandlung

Regeln, die gut tun

1. Zielsetzung, Aufbau und Kompetenzen

Das Thema „Regeln" setzt bei Sch. der 5. und 6. Klasse ambivalente Reaktionen frei: Auf der einen Seite werden Normen als Zwang empfunden, den sie gerne abschütteln wollen, auf der anderen Seite spielen Regeln und Grenzziehungen eine wichtige Rolle für die eigene Identitätsentwicklung. Regeln geben einen festen Rahmen, innerhalb dessen Kinder und Jugendliche sich auf der Suche nach dem Eigenen bewegen können. Ein solcher Rahmen tut gut, weil er nicht nur einengt, sondern Halt gibt, d. h. Zuverlässigkeiten im Umgang miteinander schafft.
Die Suche nach einer stimmigen Identität geschieht sowohl in Abgrenzung von Autoritäten wie den Eltern oder der Kirche, aber auch in der Suche nach Vorbildern. Vor allem die häufigsten „moralischen Verfehlungen" – das Lügen und das Stehlen – zeigen, dass Kinder und Jugendliche oft zu Werten und Haltungen erzogen werden sollen, die auch viele Erwachsene nicht besitzen.
Nach Kohlberg befinden sich die Sch. in diesem Alter am Beginn eines konventionellen Niveaus der moralischen Entwicklung: Gesellschaftliche Normen werden als nicht begründungsbedürftig angesehen, individuelle Interessen wie das Vermeiden einer Strafe werden weniger wichtig. Das Individuum weiß, dass es in Beziehung zu anderen Individuen steht. Etwa mit zehn Jahren unterscheiden Kinder zwischen dem, was ein Mensch tun „sollte" oder „muss", und dem, was der persönlichen Entscheidung jedes Einzelnen, je nach Neigung und Lebensgeschichte, überlassen bleibt.
Im Kapitel „Regeln, die gut tun" sollen die Sch. behutsam und lebensnah mit den Zehn Geboten der Bibel als einem Kern der jüdisch-christlichen Ethik in Berührung kommen. Die ausgewählten Situationen greifen alle Situationen aus dem Schulalltag der Kinder und Jugendlichen auf. Neben der Festigung des vorhandenen Vorwissens sollen sie helfen, eine friedfertige und gerechte Schulkultur auszubilden. Damit sollen die Zehn Gebote als ein Regelwerk verstanden werden, das hilft, die Lebenswirklichkeit der Sch. zu prägen. Damit dies möglich ist, müssen die Sch. diese als sinnvoll und hilfreich für ihr eigenes Leben annehmen können. Die Hilfe zur Lebensbewältigung soll dabei im Vordergrund stehen und nicht in erster Linie die gleichmäßige Vermittlung aller Gebote. Die Zehn Gebote in ihrem biblischen Kontext werden vertiefend in der Klassenstufe 7/8 aufgegriffen.

Das Kapitel ist wie folgt aufgebaut:
KB S. 30 „Was passiert, wenn es keine Regeln gibt?" stehen die 10 Gebote im Mittelpunkt.
KB S. 31 wird unter der Überschrift „Bleib cool und werd nicht zum Dieb" das 7. Gebot thematisiert.
Auf der DS 32/33 „Wer einmal lügt, dem glaubt man nicht" ist das Thema „Wahrheit und Lüge".
KB S. 34 und 35 wird das 3. Gebot „Du sollst den Feiertag heiligen" mit Sabbat und Sonntag vorgestellt.

■ Welche Lernchancen werden angeboten?
Die Sch. werden in die Lage versetzt, ethische Probleme wie „Klauen" und Lügen zu erkennen. Sie können Handlungsalternativen aufzeigen, Lösungsvorschläge beurteilen, ein eigenes Urteil begründen und auf dieser Grundlage verantwortlich handeln.
Die Sch. kennen den Wert des Sonntags für das persönliche und gemeinschaftliche Leben. Sie können die Bedeutung von Sonntag und Sabbat erklären

■ Mögliches Leitmedium/Förderung der Nachhaltigkeit
Zur Förderung der Nachhaltigkeit können als Leitmedium die Zehn Gebote und Luthers Erklärungen zu den Zehn Geboten dienen, die sich u. a. im Anhang des EG finden. Bei jedem der im Kapitel behandelten Aspekte fragen die Sch. nach dem Zusammenhang mit den Zehn Geboten und notieren dies in ihr Heft. Sie überlegen, ob Luthers Erklärung zum jeweiligen Gebot ihnen etwas sagt. Sie können versuchen, eigene Erklärungen im Sinne Luthers zu den Geboten zu schreiben. Dies kann am Ende der Einheit stehen.

2. Didaktisch-methodische Hinweise

KB S. 30 Was passiert, wenn es keine Regeln gibt?

■ Mögliche Eingangssituationen
- Blitzlicht, alle Sch. äußern sich spontan: Was passiert, wenn es keine Regeln gibt?
- Kooperationsspiel „Stoßdämpfer": Die einzige Regel heißt: „Niemanden berühren! (...) Die Spieler halten ihre Arme im

rechten Winkel nach vorne. Die Handflächen, die Stoßdämpfer, zeigen nach vorne. (Dieselbe Haltung nehmen Menschen automatisch zum Schutz ein, wenn sie sich blind vorwärts bewegen sollen. Bei diesem Spiel bleiben die Augen jedoch geöffnet!) Auf „Kommando" gehen alle durcheinander und wechseln abrupt die Richtung ohne einander zu berühren. Langsam wird die Geschwindigkeit gesteigert, bis alle durcheinander rennen. Während des Spieles können verschiedene Anweisungen gegeben werden: z. B. langsam (verkehrsberuhigte Zone); schnell (Autobahn); scharfe Kurve, lange Kurve, Stopp (rote Ampel), Verfolgung, Flucht, Zeitlupe, einem Hindernis ausweichen, blind …
Nach ausreichender Zeit wird die Übung unterbrochen und nach „Unfällen", d. h. Berührungen und Anrempelungen gefragt. (...)" (In: Senninger, Tom: Abenteuer leiten – in Abenteuern lernen, ISBN 3-931902-53-6, 3. Auflage, Ökotopia Verlag, Münster 2000, S. 126).
Bei dieser Übung zeigt sich sehr schnell, wie rücksichtvoll Sch. miteinander umgehen. Wird aufeinander Acht gegeben und werden die Regeln eingehalten? In jedem Fall sollte die Spielleitung das Spiel sofort abbrechen, wenn es zu turbulent wird.

Erschließungsmöglichkeiten

- Verkehrsschilder: Die Sch. stellen die Bedeutung der Verkehrschilder fest. Sie verfassen in GA eine Geschichte mit dem Thema: Der Tag, an dem alle Regeln außer Kraft waren ... (Impuls 1)
- Weitere Regeln: In welchen Bereichen außer im Verkehr gibt es noch wichtige Regeln? (in der Schule, in der Klasse, beim Spielen, bei der Arbeit, beim Eigentum ...) Wen schützen die Regeln? Für wen sind sie wichtig?
- Die Zehn Gebote: Die Sch. lesen die Zehn Gebote. Sie bewerten diese. Sind das Regeln, die gut tun?
- Sie zeichnen zu den Geboten Warnschilder (Impuls 2). Die Sch. verlockt vor allem, das 5. Gebot kreativ umzusetzen. Eventuell können die Sch. auch mehrere Warnschilder gestalten.
- Comic: „Du sollst nicht töten von Gregor Gilg" (**M 12**). Mit Hilfe des Comics kann das Gebot „Du sollst nicht töten" vertieft besprochen werden. Zum Inhalt: Ein Erwachsener fährt einen Vogel an. Ein Junge und ein Mädchen bleiben entsetzt stehen. Derweil preist der Erwachsene die neueste militärische Ausrüstung an. Er begeistert die Zuhörer für die Kriegsführung. Ein dritter Junge kommt zu dem toten Vogel. Die Jungen spielen mit dem toten Vogel. Der Mann, der den Vogel totgefahren hat, befindet sich auf der Heimfahrt und ist froh, gute Geschäfte gemacht zuhaben. Als er die spielenden Kinder sieht, steigt er aus und weist die Kinder zurecht.

Mögliche Schlusssituation

- Sch. schreiben die Zehn Gebote in Schönschrift in ihr Heft und lernen sie im Verlauf der Einheit auswendig (Impuls 3).

KB S. 31 Bleib cool und werd nicht zum Dieb

Thema ist das siebte Gebot: Du sollst nicht stehlen. Viele Kinder und Jugendliche sind schon einmal bestohlen worden, viele haben auch schon einmal etwas gestohlen. Das Bild verdeutlicht dies. Die Seite möchte zeigen, dass das einfache Wegnehmen von etwas einen Glücksgewinn mit sich bringen kann, gleichzeitig aber jemand anderen unglücklich macht. „Du sollst nicht stehlen" bedeutet: Ich habe Respekt vor deinem Eigentum und somit auch vor dir.

Mögliche Eingangssituation

- Die Sch. lesen den Text. Alternativ dazu erzählt L. die Geschichte. Die Sch. äußern sich spontan, ob ihnen schon einmal etwas Ähnliches passiert ist? Sie erzählen im Stuhlkreis (Impuls 1).

Erschließungsmöglichkeiten

- Die Sch. versetzen sich in Lea und Johannes. Sie formulieren einen inneren Monolog für einen der beiden Schüler: Vorgegeben wird: „Ja, kann man da nichts machen?" Schreibe Leas/ Johannes' Gedanken auf.
- Erstellen einer Mindmap zum Thema „Weshalb klauen Kinder und Jugendliche?" (als Mutprobe; aus Geldnot; weil es für sie eine Sucht ist, um jemanden zu schaden; als Hilferuf; um etwas zu besitzen, was andere haben …)
- In Kleingruppen sammeln die Sch. Ideen, wie man Diebstähle vermeiden kann: nichts Teures mit in die Schule nehmen, einschließen, … Eventuell kann auch ein Polizeibeamter eingeladen werden.

Mögliche Schlusssituation

- Luthers Erklärung zum 7. Gebot: Die Sch. lernen diese Erklärung auswendig und/oder formulieren eine eigene Erklärung. UG über Luthers Erklärung, der das Gebot positiv wendet: dem Nächsten „sein Gut und Nahrung helfen bessern und behüten."

KB S. 32/33 Wer einmal lügt, dem glaubt man nicht

Es gibt kein Gebot „Du sollst nicht lügen"! Dieser Aussage, nicht zu lügen kommt aber das 8. Gebot („Du sollst kein falsch Zeugnis reden") am nächsten. Dies ist das Thema der DS.
Die Geschichte von Ursula Wölfel kann die Sch. dazu motivieren, das Thema Lügen anzugehen. Zugleich führt sie mitten in die Problematik hinein: Wie sieht die Erziehung der Kinder zum rechten Umgang mit der Wahrheit eigentlich aus? Welche Auswirkungen hat die Lüge?

Mögliche Eingangssituationen

- Was versteht man unter einer Zwickmühle? Kennt ihr solche Situationen?
- Als Vermittlung kann das Känguru dienen, das zwischen zwei Stühlen sitzt. Setzt euch zwischen zwei Stühle: Wie ist das?
- Sammlung von Situationen, in denen ich schon mal gelogen habe, sowie Situationen, in denen ich schon einmal angelogen wurde. Wie fühlt man sich, wenn man angelogen wurde? Wie fühlt man sich, wenn man gelogen hat? (Impuls 6)

Erschließungsmöglichkeiten

Sch. lesen den Text bis „Das Kind erschrickt." Nach einem ersten Austausch, welche Möglichkeiten das Kind hat sich zu entscheiden, schreiben die Sch. in EA die Geschichte zu Ende.

- Die Sch. vergleichen den Originalschluss der Geschichte mit ihren Überlegungen (s. dazu **M 13**).
- Die Sch. erarbeiten ein Schaubild/Entscheidungsdiagramm

mit den Fragen: Welche Möglichkeiten hat das Kind, die Frage zu beantworten? Wie würden jeweils die Eltern reagieren? Welche Folgen haben diese Möglichkeiten für die Beteiligten?
• Die Sch. sammeln Situationen, in denen Menschen sich in einer„Zwickmühle" befinden, und lösen diese mit Hilfe der Rollenspieltechnik „Doppeln" (Impuls 3). Dazu können auch die Fälle und Rollenspielkarten (M 14) herangezogen werden.
• Warum lügen Menschen manchmal? Die Sch. bewerten und ordnen die einzelnen Lügen in EA, dann erster Austausch in PA. Sie erstellen dazu eine Mindmap (Impulse 4 und 5).
• Bildbetrachtung: „Das Gerücht" von A. Paul Weber. Wie eine Schlange schlängelt sich mit einer hässlichen Fratze in großer Eile das Gerücht an den Fenstern der Menschen vorbei. Mit seinen großen, steil aufgestellten Ohren nimmt es alles bereitwillig auf und streut das Gehörte aus. Die auseinanderstiebenden Federn, die es hinterlässt, zeigen an, dass die Folgen eines Gerüchts nicht mehr kontrollierbar sind. Zur Interpretation des Bildes lesen die Sch. die Geschichte von den Federn, die sich nicht mehr einfangen lassen (M 15).
• Ich sehe ... Ich denke bei dem Bild an ... Beschreibt das Gerücht. Was versteht man unter einem Gerücht? Was denken die Zuschauer? Stelle dich in das Bild. Wo würdest du gerne sein? Können sich die Zuschauer wehren? Wie?
• Falsche Gerüchte sind eine Form der Lüge. Die Sch. erzählen eigene Erfahrungen: Wurde über euch schon ein Gerücht erzählt? Habt ihr schon Gerüchte erzählt? Warum erzählen Menschen Gerüchte? Schreibe eine Geschichte zu dem Bild.
Wer ständig lügt, dem glaubt man nicht. Beschreibe mit eigenen Worten, was das Sprichwort sagen will, und sammle Beispiele dafür. Von welchen Menschen erwarte ich, dass sie mir die Wahrheit sagen? Begründe.

■ Mögliche Schlusssituation

• Die Sch. lernen Luthers Erklärung zum 8. Gebot auswendig und vergleichen sie mit dem Gelernten. Möglicherweise formulieren sie eigene Sätze für einen Katechismus.

S. 34/35 Ohne Sonntage gibt es nur noch Werktage / Den Sabbat begrüßen

Inhalt dieser DS ist das 3. Gebot: „Du sollst den Feiertag heiligen". Anthropologisch geht es um das Thema „Arbeiten und Ruhen". KB S. 34 handelt davon, welche Bedeutung der Sonntag für die Ordnung des Alltags und der Gesellschaft als Lebensrhythmus haben kann, aber auch, wie dieses „Begehen" des Sonntags zunehmend u. a. aufgrund von ökonomischen Gesichtspunkten ausgehöhlt wird. KB S. 35 geht dagegen mit dem Sabbat auf die jüdischen Wurzeln des Sonntags bzw. des 3. Gebotes ein.
Das uralte Wissen, dass Zeit immer eingeteilte, geordnete Zeit ist, verdichtet sich in den ersten Zeilen der Bibel. Und Gott sah, dass es gut war. Und so ruhte er. Der Sabbat ist der Ruhetag nach der Arbeit. Im Arbeiten an sechs Tagen und im Ruhen am siebten Tag ahmt der Mensch Gottes Wirken nach. Das Christentum feiert am Sonntag den ersten Tag der Woche, die Auferstehung und Neuschöpfung der Welt. Am Sabbat sind insgesamt 39 Hauptarbeiten mit ihren Untergruppen verboten. Dazu gehören z. B. Auto fahren, Kochen, einkaufen ... Das Arbeitsverbot endet im Falle einer Lebensbedrohung. „Der siebte Tag aber ist der Ruhetag dem Herrn, deinem Gott geweiht. Da sollst du keinerlei Arbeit verrichten, weder du noch dein Sohn oder deine Tochter, dein Knecht und deine Magd und dein Vieh und dein Fremder, der in deinen Toren ist." (2. Mose 20,10). Zum Sabbat vgl. auch KB S. 190 und die dazu gehörenden LHB-Erläuterungen.
Den Sch. wie vielen Erwachsenen mangelt es an Bewusstsein für den Sonntag. Der Sonntag ist für viele Menschen ein Teil des Wochenendes: für manche ein schöner Tag, wenn die Familie zusammen ist, wenn die Eltern Zeit haben, wenn man etwas gemeinsam unternimmt. Für manche ist der Sonntag aber auch ein Krisentag: eine Zeit des Freizeitstresses oder eine Zeit, in der ich nicht weiß, was ich mit mir anfangen soll, die Zeit des Fernsehens und der Computerspiele, die Zeit, in der ich mich mit meinen Eltern, meiner Familie auseinander setzen muss ...
Kinder bringen unterschiedliche Erfahrungen mit dem Sonntag, dem Tag des Ausatmens, mit. Gleichzeitig sind sie Opfer einer Entwicklung, die den Sonntag immer mehr aufweicht. Neben Menschen, die sonntags arbeiten müssen, wie Ärzte oder Pfarrer, wird der Sonntag zunehmend zum Werktag (verkaufsoffene Sonntage, aber auch Sonntagsschichten in der Industrie ...)
Um diese Entwicklung zu verdeutlichen, sollte man die Sch. dort abholen, wo sie gerade stehen: Man wählt die Einführung der Schule am Sonntag, einer „Sonntagsschule", als Einstieg.

Das im KB S. 35 angebotene Material kann auch im Rahmen des Kapitels „Die Wurzel: Das Judentum" (KB S. 190 ff.), wo das Thema Sabbat nur ansatzweise behandelt wird, besprochen werden. Über das im KB angebotene Material hinaus finden sich wichtige Erklärungen und Materialien im zweibändigen Grundkurs Judentum von Petri/Thierfelder.

■ Mögliche Eingangssituationen

• L. verkündet, dass ab nächsten Sonntag aufgrund der schlechten Leistungen der deutschen Schüler in internationalen Tests Schulunterricht sonntags eingeführt wird. Jede Schule entscheidet dies für sich, die Schulleitung habe sich dazu entschlossen, bei einem Pilotversuch mitzuarbeiten. Verdeutlicht kann dies noch durch ein schriftliches Dokument werden. Reaktionen der Schüler abwarten.
• Bildbetrachtung „Sonntagskonzert". Auf dem Bild ist ein Presslufthammer zu sehen. Von dem bedienenden Menschen sieht man nur Hände und Beine. Als Rahmen des Plakates steht das Wort: Sonntags-konzert. Das Plakat arbeitet mit dem Stilmittel der Paradoxie: Bild und Text stehen im Widerspruch. Die Sch. betrachten das Bild und sollen sich Geräusche zum Bild vorstellen (Impuls 1). In einem Blitzlicht sagt jeder Sch. „Ich sehe ..., ich höre ..." Gemeinsam kann versucht werden, das Geräusch mit Gegenständen nachzumachen. Ist das ein Sonntagskonzert? Wo finden normalerweise Sonntagskonzerte statt? Warum? Mit welchen Instrumenten?

■ Erschließungsmöglichkeiten

• Geschichte von Katarinas Vater
– Sch. lesen den Text oder L. erzählt: Katarinas Vater möchte für den Besuch am Abend kochen. Leider hat er wichtige Zutaten vergessen einzukaufen, weil er es aus Amerika gewohnt war, dass die Läden offen haben. Lena, Katarinas Schwester, sitzt derweil vor dem Fernseher, Katarinas Mutter ist im Fitnessstudio. Lena berichtet, dass der Vater ihrer Freundin jetzt auch sonntags arbeiten muss, damit die Maschinen voll ausge-

lastet sind. Katharina erwidert darauf, dass sie jetzt bald auch sonntags zur Schule müsse.
– Die Sch. formulieren in GA die Gedanken Katarinas, Lenas, der Mutter, des Vaters, der Freundin Manuela, der Lehrerin zu der Tatsache, dass die Schule am Sonntag eingeführt werden soll.
– Weshalb ärgert sich Katarinas Vater? Wie verbringen die einzelnen Familienmitglieder den Sonntag? Wie wäre es, wenn sonntags Schule ist? Wie verbringe ich meinen Sonntag? Dazu können die Sch. einen Tagesplan erstellen und/oder ein Partnerinterview führen. Ein solcher Tagesplan kann drei Spalten enthalten: 1. Uhrzeit im Zweistundentakt von 7.00 bis 23.00 Uhr; 2. Was?; 3. Mit wem? – Sie markieren mit + und –, was für sie der Höhepunkt bzw. der Tiefpunkt des Tages war.
• Schreibmeditation zum Thema: „Ohne Sonntag gibt es nur noch Werktage". Die Sch. führen ohne zu reden ein schriftliches Gespräch auf einem großen Plakat oder an der Tafel. Entspannende Musik kann dazu gehört werden.
• Die Sch. lesen 1. Mose 2,1-4. Weshalb macht Gott eine Pause? In welchen Situationen sind Pausen wichtig? Warum? Die Sch. erarbeiten dazu ein Cluster. Vorschlag:

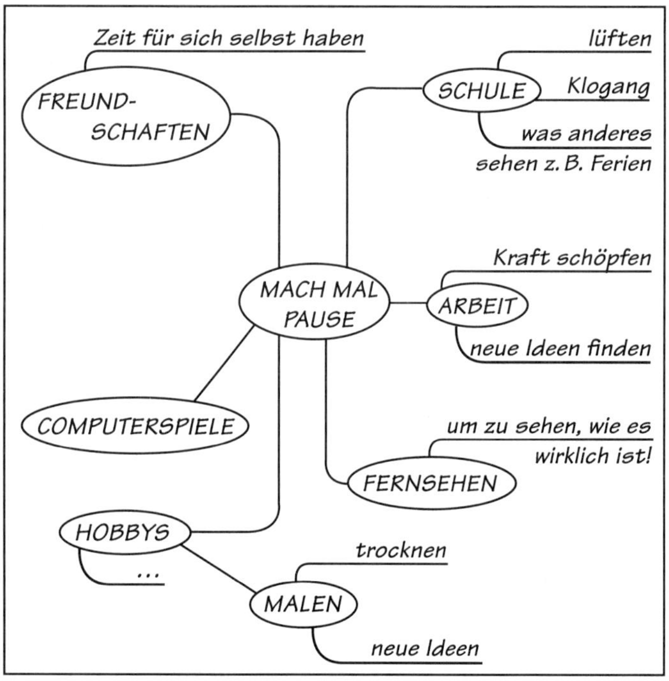

• Die Sch. fragen ihre Großeltern, wie diese als Kind den Sonntag gefeiert haben bzw. wie deren Eltern den Sonntag gefeiert haben (Impuls 4). In einem Erzählkreis berichtet jeder davon.
• Die Sch. lesen die Fabel **M 16**. Was bedeutet es: Sonntag ist dann, wenn man zu Gott wie mit einem Freund spricht. Aufgegriffen wird hier der Gedanke vom Sonntag als Geschenk Gottes an den Menschen.
• Die Sch. malen ein Bild oder gestalten eine Collage zum Thema: Wie sieht mein Traumsonntag aus (Impuls 5, KB S. 35).
• Die Sch. lesen die Geschichte „Den Sabbat begrüßen". Zwei Jungen werden von ihrem jüdischen Mitschüler eingeladen, mit seiner Familie den Sabbat zu feiern. Sie begleiten ihn in die Synagoge. Die Sch. gestalten ein Lernplakat zum Ablauf des Sabbats. Dazu können sie sich Informationen im Internet beschaffen (z. B. www.talmud.de). Ausführliches Material hierzu findet sich auch in Petri/Thierfelder, Grundkurs Judentum.
• Sie markieren Besonderheiten des Sabbats mit Hilfe einer Folie im Text. Mit Hilfe des Internet bzw. von Materialien aus dem Grundkurs Judentum erarbeiten sie, was am Sabbat erlaubt ist und was nicht. Daraus erstellen sie ein Lernplakat (Impuls 2).

■ Mögliche Schlusssituationen

• Die Sch. bringen Noten und Instrumente mit und nehmen eine Sonntagsmusik auf (Impuls 2, KB S. 34). Mehrere Räume für verschiedene Gruppen sind hier sinnvoll. Alternativ kann die Klasse als ein Ganzes das Orchester darstellen. Wichtig ist zu sagen, dass es sich um eine Musik handeln soll, die gut tut.
• Die Sch. lernen Luthers Erklärung zum 3. Gebot und vergleichen sie mit ihren Überlegungen.
• Die Sch. informieren sich darüber, wie Christen in den USA und in Nigeria Sonntag feiern. Vgl. dazu Herrmann, Sonntagsschule und Fetzner, 5th-Avenue-Kirche (siehe Literaturverzeichnis). Sie fragen, ob so etwas auch in Deutschland vorstellbar ist.

■ Mögliche Schlusssituation zum Kapitel

• Die Sch. vergewissern sich anhand der Zehn Gebote noch einmal des Gelernten. Sie ziehen dazu ihre Notizen und Luthers Erklärungen heran. Sie formulieren und gestalten sich ihren „kleinen Katechismus" zu ausgewählten Geboten.

3. Lernkarten

13 Schreibe in Stichworten die Zehn Gebote in der richtigen Reihenfolge auf.
14 Erkläre das 7. Gebot mit eigenen Worten.
15 Warum lügen Menschen manchmal?
16 Christen können von Juden lernen, wie man Sonntag feiert. Begründe diese Behauptung.

4. Empfohlene Literatur und Medien

Haberer, Johanna, Rhythmus des Lebens, in: Andere Zeiten: Magazin zum Kirchenjahr Heft 2/2002, S. 8f
Meier-Böhme, Bodo: Der verlorene Sonntag: Sechs Freunde und die Zehn Gebote, Stuttgart 1999 (Calwer).
Petri, Dieter/Thierfelder, Jörg, Grundkurs Judentum, Zwei Bände, völlig neu bearbeitete Auflage, Stuttgart 2002 (Calwer).
Schwartz, Linda, Und jetzt? Moralische Zwickmühlen im Alltag. Verantwortlich handeln lernen, Mühlheim 2002 (Verlag an der Ruhr).

Internetadresse:
www.ekd.de/EKD-Texte/sonntag/sonntagstext.html

5. Materialien

M 12 Du sollst nicht töten
M 13 Ursula Wölfel: In der Zwickmühle
M 14 Rollenspielkarten „Entscheidungen treffen"
M 15 Ein Gleichnis
M 16 Der Sonntag – eine afrikanische Fabel

Die Welt als Gottes Schöpfung sehen

Einführung

Das Großkapitel will zu einer neuen Sicht von Natur und Umwelt helfen. Die Sch. sollen lernen, die Natur und Umwelt als Werk des guten Schöpfergottes zu sehen, das es zu bebauen und zu bewahren gilt.
Mit der Überschrift wird ein Thema positiv besetzt, das für viele Menschen heute fast nur negative Assoziationen weckt. Schon die Sch. in der Grundschule plagen apokalyptische Ängste davor, dass der Mensch seine eigenen Lebensgrundlagen zerstört. Solche Ängste können lähmen. Demgegenüber hebt das Großkapitel das Lob des Schöpfers hervor, das uns frei macht, uns im Dienst des Schöpfers im „Bebauen und Bewahren" (1. Mose 2,15) zu üben.
Andererseits soll das Großkapitel die Sch. vor dem Hintergrund der Globalisierung für die Erkenntnis sensibilisieren, dass die Ressourcen der Erde beschränkt sind und der Mensch mit ihnen pfleglich umgehen muss.
Mit der Betonung des Schöpfungsglaubens soll einer Verkürzung der Theologie gewehrt werden. „Wenn die Theologie und die Verkündigung der Kirche es nur mit dem Heil zu tun hat, wenn das Handeln Gottes an den Menschen auf die Sündenvergebung oder Rechtfertigung beschränkt wird, dann folgt daraus, dass der Mensch es nur in diesem Zusammenhang mit Gott zu tun hat." Andere Bereiche, auch der, den wir mit Schöpfung bezeichnen, hätten dann mit ihm nichts zu tun. Westermann sieht darin den Grund dafür, dass viele Menschen nichts mehr mit Gott anfangen können. „Die Entscheidung fällt bei der Frage, ob Gott es mit unserer ganzen Wirklichkeit zu tun hat oder nicht, ob er der Schöpfer ist oder nicht" (Westermann, Schöpfung, S.12f.).
In diese Richtung geht auch die Unterscheidung zwischen Rettungsspiritualität und Schöpfungsspiritualität in der Bibel. Bei der Rettungsspiritualität steht das Ereignishafte, Spektakuläre mit einer ausgeprägt kontrastierenden Sprache (Gefangenschaft – Befreiung, Unglaube – Glaube, Schuld – Vergebung ...) im Leben des einzelnen Menschen oder des Gottesvolkes im Mittelpunkt. Die Schöpfungsspiritualität meint dagegen: Gottes Wirken findet fortwährend und unspektakulär statt. Kontinuierlich zyklische Abläufe (wachsen, gedeihen, entfalten, entwickeln ...) kennzeichnen sie. Anders ausgedrückt, Gottes stetiges, segnendes Handeln an der Welt kommt hier zum Ausdruck. Diese Vertrauen schaffende Grunderfahrung gilt neben den Menschen auch der Mitschöpfung. „Gottes Segen bewirkt, dass alles Leben wachsen und sich entfalten („blühen") will. Leben will sich festigen, will fruchtbar sein und reif werden. Das ist im gesamten vegetativen Bereich so und auch beim Menschen" (vgl. dazu: Zimmer, Stellenwert und Merkmale einer psychisch gesunden christlichen Erziehung, S. 203f.).
Ein weiterer Grund für die intensive Bearbeitung der Schöpfungsthematik in den Klassen 5/6 liegt darin, dass die Sch. hier gerade für dieses Thema ganz besonders ansprechbar sind. Sehr viele Sch. dieses Alters zeigen großes Interesse an (Haus-) Tieren und Pflanzen; sie sind stark sensibilisiert für die Bedrohungen der Schöpfung. Auch die Frage nach der Entstehung der unbelebten und belebten Welt stößt bei ihnen auf großes Interesse. Die Lehrpläne aller Bundesländer ohne Ausnahme sehen darum für die Klassen 5/6 das Thema Schöpfung in der einen oder anderen Form vor.

Vorwissen der Sch.
Zum Thema Schöpfung verfügen die Sch. über Vorwissen aus der Grundschule und aus Sachbüchern und/oder Sendungen im Fernsehen. Bei den einzelnen Kapiteln wird es wichtig sein, dieses Vorwissen ins Spiel zu bringen.
Ebenso ist es wichtig, dass sich die Lehrkraft klar macht, wie sich die Behandlung der jeweiligen Themen von der Behandlung in der Grundschule unterscheidet. Dort stand vor allem das Staunen über Gottes Schöpfung im Mittelpunkt. Demgegenüber wird sich die Behandlung des Themas in Sek I systematischer mit den Aspekten des Themas befassen.

Die Welt als Gottes Schöpfung sehen" entfaltet den Schöpfungsglauben in vierfacher Weise:
1. „Geschaffen an sieben Tagen" bringt das Thema „Weltentstehung und Schöpfung" zur Sprache. Die Sch. werden dazu angeregt, sich auch mit der Frage auseinander zu setzen, wie die biblischen Aussagen angesichts der wissenschaftlichen Erkenntnisse einzuordnen sind.
2. Die „Geschichten vom Anfang" machen deutlich, dass hinter den in allen Religionen und Kulturen erzählten Schöpfungsmythen in erster Linie nicht die intellektuelle Frage nach dem Anfang der Welt steht, sondern „die Frage des bedrohten Menschen nach dem Anfang als dem Grund und Halt des Existierens in der Gegenwart" (Westermann, Schöpfung, S. 27).
3. Das Kapitel „Leben im Garten Gottes" zeigt, was nötig ist, damit Gottes Schöpfung bebaut und bewahrt wird. Dabei sind stärker die Pflanzen – auch sie Mitgeschöpfe des Menschen – im Blick.
4. Dagegen rücken in „Miteinander in der Schöpfung: Tiere und Menschen" die Tiere als Mitgeschöpfe des Menschen in den Mittelpunkt.

Durchgang durch das gesamte Kapitel
Als ersten Durchgang für besonders interessierte Klassen durch das gesamte Kapitel Schöpfung kann man folgenden Weg wählen: Die Sch. blättern das Kapitel durch und betrachten die Bilder. Sie notieren sich: Was erfahre ich aus dem jeweiligen Bild über das Thema „Die Welt als Gottes Schöpfung sehen"? Im anschließenden UG berichten die Sch. über ihre Erfahrungen. In einem weiteren Arbeitsgang können sie dann selbst bestimmen, wie sie das Lernen innerhalb des Kapitels angehen wollen: Was interessiert mich am meisten? Womit möchte ich einsteigen? Was möchte ich lernen?

KB S. 38/39 Die Titelseiten

Die Titelseiten leben von der Spannung zwischen den beiden Bildern.
Das Tafelbild „Die Schöpfung" von Adolf A. Osterider (geb. 1924 in Graz, künstlerische Ausbildung 1938-1942 und 1946-1951; verschiedene Lehrtätigkeiten und zahlreiche Arbeiten im öffentlichen Raum, Glasfenster und Fresken; Ausstellungen und Sammlungen im In- und Ausland, Publikationen, bedeutende Auszeichnungen) ist 1986 für das Pfarrheim Groß-St. Florian/Stmk. entstanden. Dieses Bild und die Darstellung aus der Este-Bibel (Miniatur aus der ersten Hälfte des 15. Jahrhunderts) mit dem Titel „Gott erschafft die Welt" stehen in Span-

nung zueinander, beinhalten aber gemeinsame Elemente. Beide nehmen den ersten Schöpfungsbericht auf. In beiden Bildern ist die Erde bzw. der Schöpfungsvorgang in Kreis- bzw. Ellipsenform dargestellt. Während jedoch im Bild von Osterider Gott im Zentrum des Bildes bzw. seiner Schöpfung steht, steht er im Bild der Prachtbibel außerhalb der Welt, die er erschafft. Während im Bild von Osterider ein lebhaftes Werden bzw. Gewordensein der Schöpfung dargestellt ist, legt Gott im zweiten Bild ruhig Hand an sein Werk an.

Die mittelalterliche Miniatur stammt aus der so genannten Este-Bibel aus dem 15. Jh. (Die Schöpfungsgeschichte: Nacherzählt in Bildern aus der Biblioteca Apostolica Vaticana, Stuttgart, Zürich: Belser 1995, S. 44).
Die abgebildete Miniatur stellt den 3. Schöpfungstag dar. Allerdings setzt der Künstler diese beiden Verse 1. Mose 1,9.10 nicht einfach wörtlich um. Vielmehr unterteilt er die Scheibe Erde in vier voneinander getrennte Segmente, die die vier Elemente Feuer, Wasser, Luft und Erde darstellen, die so ihren jeweiligen festgefügten Platz zugewiesen erhalten. Gott ist dabei der Baumeister der Welt, worauf das Werkzeug, eine Art Hacke, hinweist.
Mit diesen vier Elementen benennt der Künstler vier Grundbausteine, die notwendig sind, damit Leben entstehen und bestehen kann: Feuer steht für Wärme und Licht. Luft steht für Sauerstoff und Atmen sowie den Lebensraum der Vögel. Wasser steht für das Element, aus dem Leben wurde, und zugleich als für das Wachsen notwendiges Element, weiterhin für den Lebensraum der Fische und Meertiere. Erde steht zum einen für den Lebensraum des Menschen und der Landtiere, zum andern als Grundlage für das Wachsen von Pflanzen, die Tieren und Menschen als Nahrung dienen.

Bestimmende Strukturen des Schöpfungsbildes von Adolf A. Osterider sind die Ellipse und Kreise.
Hinweis: Das Bild ist im KB in einem Teil der Auflage spiegelverkehrt abgebildet; hier ist es als Zusatzmaterial seitenrichtig abgedruckt (Farbseite M 17 am Schluss des Bandes).
In einem Gespräch äußert sich Adolf A. Osterider zu seinem Werk:
„Bewusst habe ich die Eiform gewählt ... Denn das Ei ist nicht nur symbolisch, sondern auch organisch für uns der Inbegriff alles Lebens: Die Urzelle, der Keim ...
Im Uhrzeigersinn habe ich das Werk ... entwickelt. Das Uhrzeigersystem zeigt einen Kreislauf auf. Der Kreis ist das Symbol des Ewigen ...
Der Aufbau des Tafelbildes nimmt seinen Ausgangspunkt rechts mit einem schwarzen Kern. Dieser Kern ist die Finsternis. Nun ist das Werk genau dem Ablauf des biblischen Schöpfungsberichtes entsprechend aufgebaut. Es gibt eine tiefe Finsternis mitten drinnen. Außen ist es zuerst noch dunkel, und dann entsteht Schritt für Schritt eine immer heller werdende Atmosphäre. Wolken, Himmel, Erde ... werden sichtbar. Eine zarte Farbigkeit, die von Weißtönen ausgehend ins Blaue übergeht. Aus dem Weiß wird dann die Erde. Diese Erde will nicht geografisch verstanden werden, sondern es ist ein Ball, der Leben, Erde und Wasser zum Ausdruck bringen will ... Wenn wir nun im Uhrzeigersinn weiterschauen, dann sehen wir, wie sich das Wasser vom Land teilt. Es wird langsam Vegetation. Es entsteht Leben auf der Erde. Es beginnt alles zu wachsen und zu blühen. In einem weiteren Schritt entwickeln sich die Gestirne: Sonne, Mond und Sterne ...
Nun entstehen die Lebewesen: die Fische im Wasser, die Vögel in der Luft, die Tiere am Land ...
Die Tiere verhalten sich sehr frei und ungezwungen. Sie schwimmen oder laufen oder fliegen in alle Richtungen. Es wird Freiheit spürbar ... Sie führen hier gleichsam ein paradiesisches Leben ... Jetzt wird der Mensch von Gott erschaffen. Man kann deutlich den Mann (Adam) erkennen. Aus dem Mann heraus wird die Frau (Eva). Hier soll vor allem das Zueinander von Mann und Frau dargestellt werden. Beide sind füreinander und zueinander erschaffen worden ..."
Auf den Hinweis, dass es neben Adam und Eva wieder dunkel wird:
„Das ist ganz richtig bemerkt. Denn hier soll der Bruch zwischen Mensch und Gott dargestellt werden. Der Mensch hat sich von Gott abgewandt. Er hat von den Früchten des verbotenen Baumes gegessen ... Er wollte Herr über Gut und Böse sein. So wollte er Gott gleich sein ...
Am letzten Tag ruht Gott. Das habe ich folgendermaßen versucht zu deuten: Die Dynamik geht in das Zentrum, denn Gott ist das Zentrum, er ist die Mitte. So findet man im Inneren dieses Tafelbildes eine goldene Kugel. Die Kugel ist die vollendetste Form, die wir kennen. ... Eine figurale Darstellung wäre hier nicht denkbar. Denn im Zentrum will ich ganz bewusst vom Bildhaften wegrücken, weil ich meine, dass Gott überall ist. Überall sind Gottes Spuren zu finden. Durch die Schöpfung hindurch blicken wir auf Gott ..."
Zur Frage, wie der Künstler Schülern dieses Tafelbild zugänglich machen würde:
„Ich würde die Schüler das Bild einmal so drehen lassen, wie sie ganz persönlich meinen, dass es ihnen am besten gefällt. Denn dieses Werk kann man drehen. So entsteht ein erstes Schauen. Dieses Schauen wird dann Schritt für Schritt, Blick für Blick zum Sehen ...
Es entsteht etwas ... Ich kann das Bild von der Mitte heraus oder von Außen nach Innen erarbeiten und die Blicke der Schüler leiten ..." (Aus einem Informationsblatt des Behelfsdienstes der Diözese Linz, 4020 Linz, Kapuzinergasse 84; das Bild ist als Poster ebenfalls von dort zu beziehen).

Möglicher Umgang mit den Titelbildern

Mögliche Eingangssituation

- Die Sch. können sich zunächst spontan zu beiden Bildern äußern. Sie entdecken Gemeinsamkeiten und Unterschiede. Die Ergebnisse werden von einem Protokollanten festgehalten.

Erschließungsmöglichkeiten

Zur mittelalterlichen Miniatur

- Die Sch. äußern sich zum Aufbau und zur Farbgebung des Bildes. Was stellen die vier Segmente dar? In einem UG wird erörtert, inwiefern die vier Elemente Grundlagen des Lebens darstellen.
- Die Sch. gestalten ein AB, in dem sie die vier Elemente der mittelalterlichen Miniatur abzeichnen und kolorieren. Sie ordnen den vier Elementen Bilder und Texte zu, die deutlich machen, dass diese Elemente Grundlage des Lebens sind. Die Gestaltung kann in EA als Hefteintrag oder (besser) in GA als Plakat geschehen.

Zum Schöpfungsbild von Adolf A. Osterider

- Bearbeitung des Bildes nach dem Vorschlag des Künstlers. Die Sch. erhalten das Bild als Farb- oder Schwarzweiß-Kopie.

Sie drehen es in EA in verschiedenen Richtungen und erhalten so einen ersten Eindruck von dem Bild. Sie betrachten das Bild von innen nach außen und/oder von außen nach innen. Sie achten dabei auf Hell und Dunkel. Was ist konkret zu erkennen? Im UG äußern sie ihre Entdeckungen.

• Spaziergang durch das Bild: Die Sch. gehen in einem Spaziergang durch das Bild von Osterider. Sie beschreiben, was sie sehen, deuten das Schöpfungsgeschehen und ordnen es dem biblischen Text zu. Leitfragen können sein:
- Was ist dargestellt?
- Wo sind „Anfang" und „Ende" des Bildes?
- Welchen Titel würde ich dem Bild geben?
- Gefällt mir der Platz des Menschen im Bild, oder würde ich gerne an einer anderen Stelle vorkommen?
- Gott ist das Zentrum des Bildes, kann ich diese Darstellung verstehen, hätte ich genauso gezeichnet?

Mögliche Schlusssituation

• Die Sch. betrachten noch einmal die beiden Bilder unter folgenden zwei Fragestellungen:
1. (Die Sch. vertiefen die Fragen der Eingangssituation:) Worin bestehen die Gemeinsamkeiten, worin die Unterschiede? Im UG werden die Ergebnisse mit dem Protokoll der Eingangssituation verglichen.
2. Im UG erörtern die Sch. die Frage, inwieweit ihre eigenen Vorstellungen in den Bildern vorkommen.

Materialien

M 17 Adolf A. Osterider, Die Schöpfung (Farbseite)

Geschaffen an sieben Tagen

1. Zielsetzung, Aufbau und Kompetenzen

Das Kapitel erörtert Probleme, die sich für die Sch. aus der Spannung zwischen naturwissenschaftlichem Weltbild und biblischer Sicht ergeben. Es macht deutlich, dass die biblischen Autoren das ihnen verfügbare Wissen über die Weltentstehung in ihre Glaubensaussagen integrierten. Für uns hingegen treten heute naturwissenschaftliche Erkenntnis (Weltentstehung) und Glaubensaussagen (Schöpfung) auseinander.

Die Schwierigkeit für die Sch. besteht darin, dass die biblischen Autoren „theologische" und „naturwissenschaftliche" Erkenntnisse untrennbar ineinander verwoben haben. Eine weitere Schwierigkeit kann sich daraus ergeben, dass im 5./6. Schuljahr einzelne Sch. noch keinerlei Probleme mit der biblischen Weltsicht haben, andere – angeregt durch Sachbücher und Fernsehsendungen – die naturwissenschaftliche Welterklärung als alleingültig betrachten und nicht bereit sind, sich auf die „veralteten" Aussagen der Bibel einzulassen. Eine besondere Gruppe bilden die Sch., die aus fundamentalistisch geprägten Elternhäusern kommen, die die Wahrheit der Bibel gegen das moderne Weltbild ausspielen.

Für die Sch. gehören die angesprochenen Aspekte zu den Fragen, an denen sich entscheidet, ob sie den christlichen Glauben als Lebensmöglichkeit übernehmen können oder nicht.

Das Kapitel ist folgendermaßen aufgebaut:
KB S. 40/41 behandelt die beiden biblischen Schöpfungsgeschichten Genesis 1 und 2.
KB 42/43 hat die Evolutionslehre, wie sie von Charles Darwin entwickelt wurde, zum Inhalt.
KB S. 44/45 erörtert unter der Überschrift „Schöpfung und Weltentstehung" grundsätzliche Fragen über das Verhältnis dieser beiden Größen.
KB S. 46/47 zeigt unter dem Thema „Universum im Universum" Wege auf, wie heutige Menschen angesichts der naturwissenschaftlichen Erkenntnisse von Gottes Schöpfung reden können.

Welche Lernchancen werden angeboten?

Angesichts der oben geschilderten Situation der Sch. ist es wichtig, dass sie die Fähigkeit erwerben, zum einen die Probleme zu benennen, die es bei der Gegenüberstellung von biblischen und naturwissenschaftlichen Aussagen geben kann (Sachkompetenz). Zum andern können sie die Einsicht gewinnen, dass es sich hier nicht um unüberbrückbare Gegensätze handelt. Vielmehr geht es um unterschiedliche Sichtweisen, die sich durchaus ergänzen können. Dies kann ihnen in ihrer persönlichen Glaubensentwicklung hilfreich sein.

Wichtig ist die Erkenntnis, dass es sich bei den biblischen Schöpfungserzählungen um Dokumente der Glaubenserfahrung Israels handelt. Es soll deutlich werden, dass es ihnen nicht primär um naturwissenschaftliche Aussagen geht, sondern dass sie Lob und Dank gegenüber dem Schöpfer zum Ausdruck bringen. Die biblischen Schriftsteller loben Gott als den Schöpfer und Erhalter der Welt. In den Schöpfungserzählungen kommt in besonderer Weise Gottes Beziehung zu den Menschen zum Ausdruck. Dies soll und kann den Sch. in der beginnenden Pubertät Orientierungshilfe bieten.

An den biblischen Schöpfungserzählungen können die Sch. lernen, die Zeugnisse früherer Generationen zu verstehen und auf die heutige Wirklichkeit hin auszulegen (hermeneutische Kompetenz).

Die Arbeit mit den Schöpfungserzählungen fördert die bessere Kenntnis biblischer Texte; die verschiedenen Zugänge regen zu einer kreativen Bearbeitung an. Am Anfang kann auch ein informierender Unterrichtseinstieg stehen: Die Sch. erörtern im Klassengespräch oder in GA die Fragen: Was interessiert uns am Thema? Worüber wollen wir Bescheid wissen? Am Ende kann dann zusammen mit den Sch. geklärt werden, ob die gesetzten Ziele erreicht wurden.

Die Behandlung des Themas im vorliegenden Kapitel unterscheidet sich von der Behandlung in der Grundschule. Dort geht es schwerpunktmäßig um das Wahrnehmen der Erscheinungen von Gottes Schöpfung. Die Sch. haben gelernt, sich an Gottes Schöpfung zu freuen und über die Schönheiten der Natur zu staunen. In Sek. I geht es um eine vor allem intellektuelle Bearbeitung des Themas auf dem Hintergrund der naturwissenschaftlichen Erkenntnisse.

Mögliche Leitmedien

• 1. Mose 1,2-4a. Als Leitmedium für „Geschaffen an sieben Tagen" (aber auch „Geschichten vom Anfang") kann, wie der Titel der Einheit andeutet, die Schöpfungsgeschichte 1. Mose 1-2,4a dienen. Hier wird das Geschehen der Schöpfung als eine Abfolge von einzelnen Schöpfungsakten gesehen; dabei kann man das Schöpfungsbild von Osterider KB S. 38 heranziehen (s. dazu oben „Einführung"). Es stellt die Abfolge der Schöpfung in Form einer Ellipse dar. Diese Art der Darstellung wiederholt sich im Schöpfungsfenster KB S. 40 und der dazugehörenden Aufgabe, selbst ein solches Schöpfungsfenster zu gestalten. Die Abfolge der Schöpfung findet sich dann auch wieder KB S. 47 „Wie auf einer Töpferscheibe". Aber auch die jüdische bildliche Darstellung der Schöpfungsgeschichte KB S. 48 (Kap. „Geschichten vom Anfang") gehört hierher.

• Schöpfung und Weltentstehung: Alternativ kann auch „Grundwissen Religion: Schöpfung und Weltentstehung" (KB S. 44) als Leitfaden durch das gesamte Kapitel dienen. Am Ende jeder Seite bzw. jedes Aspekts des Themas kann die Frage Schöpfung und/oder Weltentstehung gestellt werden.

■ Einstiegsmöglichkeit in das gesamte Kapitel (Lernstandsdiagnose)

Aufgrund des Interesses der Sch. und vor allem weil das Thema Schöpfung in der Grundschule bereits angesprochen wurde, verfügen die Sch. bereits über Vorwissen zum Thema. Folgendes Vorgehen ist denkbar: L. schreibt an die Tafel: Die Erschaffung/Entstehung der Welt:

In einer Schreibmeditation äußern sich die Sch. dazu an der Tafel. In dem anschließenden UG kann L. auf Folgendes hinweisen: Wir wollen lernen, was Bibel und Naturwissenschaft über die Entstehung bzw. die Erschaffung der Welt sagen.

Wir wollen erfahren: Lassen sich biblische und naturwissenschaftliche Aussagen vereinbaren oder sind das unversöhnliche Widersprüche?

2. Didaktisch-methodische Hinweise

KB S. 40/41 Das Schöpfungsfenster/ Die biblischen Schöpfungsberichte

Die DS hat die beiden Schöpfungsgeschichten am Anfang der Bibel (1. Mose 1 und 2) zum Inhalt und bietet unterschiedliche Möglichkeiten ihrer Behandlung an. Es soll gezeigt werden, dass die Bibel zu unterschiedlichen Zeiten in unterschiedlicher Weise von Gott dem Schöpfer spricht. In beiden vergewissert sich das Volk Israel seines Standpunktes.

Der Glaube an Gott den Schöpfer steht nicht am Anfang der Glaubensgeschichte Israels. Der Gott des Volkes Israel war in erster Linie ein Gott der Geschichte, wie sich dies im israelitischen Glaubensbekenntnis (vgl. 5. Mose 6,20-25) zeigt: Gott hat das Volk aus der Sklaverei in Ägypten befreit (siehe auch Einführung). Die Sesshaftwerdung im Lande führte zur Begegnung mit der kanaanäischen Fruchtbarkeitsreligion und zur Notwendigkeit, über Gott als Schöpfer nachzudenken: Auch der Bereich der Natur gehört zum Herrschaftsbereich Jahwes. Die beiden biblischen Schöpfungserzählungen 1. Mose 1 und 2 sind in unterschiedlichen historischen Situationen entstanden (s. den Vergleich **M 18**): In 1. Mose 1 findet sich der so genannte priesterschriftliche Schöpfungsbericht, der wahrscheinlich in der Zeit des babylonischen Exils von priesterlichen Kreisen, wohl in Auseinandersetzung mit dem babylonischen Schöpfungsmythos, aufgeschrieben wurde.

In 1. Mose 2,4b ff. findet sich der sogenannte jahwistische Schöpfungsbericht, der wahrscheinlich in der Zeit des Großreiches Davids und Salomos schriftlich fixiert wurde. In ihm spiegelt sich als soziokultureller Hintergrund das halbnomadische Leben der Sippen am Rande der Wüste. Im wasserarmen Land wird Wasser als etwas Nützliches erlebt: Das Wasser schafft Leben (vgl. KB S. 213).

Auf diesen beiden Seiten geht es um eine inhaltliche Annäherung an die beiden Schöpfungsberichte. Das Schöpfungsfenster (KB S. 40) regt zu einer eigenen Gestaltung an, ferner zu einer vertieften Auseinandersetzung und zum Lob der guten Schöpfung. Durch die spielerische Annäherung und zugleich intensive Arbeit mit den biblischen Schöpfungsgeschichten (KB S. 41) werden die Sch. mit den Texten vertraut. Im UG sollen die Unterschiede erarbeitet werden und Hintergründe der beiden Berichte aufgenommen werden.

■ Mögliche Eingangssituationen zur DS

• Die Sch. tragen ihr Vorwissen zusammen: Was die Bibel über die Schöpfung erzählt. Sie schreiben in EA, PA oder GA „ihren" biblischen Schöpfungsbericht. Im Verlauf der Arbeit mit den Seiten 40 und 41 werden sie erkennen, inwieweit sie die biblischen Aussagen getroffen haben und ob bzw. wie sie die unterschiedlichen Geschichten der Bibel „vermischt" haben.

• Bilder zum Thema: Die Sch. malen als Einstieg ins Thema Bilder, die ihre eigenen Vorstellungen wiedergeben. Diese werden eingesammelt und zum Ende wieder an die Sch. ausgegeben. Im Gespräch sollte geklärt werden, wie die Sch. jetzt zu ihren Bildern stehen. Würden sie sie wieder so gestalten? Was würden sie anders zeichnen?

■ Erschließungsmöglichkeiten KB S. 40

• Das Schöpfungsfenster: Entsprechend Impuls 1 beschreiben die Sch., was sie auf dem Bild sehen. Wird diese Aufgabe in GA erledigt, so findet ein Austausch im UG statt.

• Gestaltung: Für die eigene Gestaltung eines Schöpfungsfensters finden sich Vorlagen unter **M 19**. Die Sch. wählen ein Fenster aus und gestalten es nach ihren Vorstellungen. Hierzu müssen sie sich in einem ersten Durchgang mit 1. Mose 1,1ff. vertraut machen. Im Klassenzimmer oder Schulgebäude kann eine Ausstellung erfolgen. Diese Ausstellung könnte auch ergänzt werden durch eine Gegenüberstellung „Gottes gute Schöpfung – Unsere Umwelt heute" anhand von Fotografien aus dem unmittelbaren Umfeld (Müllkippe, überquellende Papierkörbe, Kraftwerke, Bodenerosion, Tierheime ...) oder mit realen Ausstellungsobjekten. Es besteht auch die Möglichkeit, Digitalaufnahmen herzustellen und eine Präsentation zu gestalten.

• Lieder: Das Lob der guten Schöpfung kann unterstrichen werden mit Liedern, z.B. „Gott gab uns Atem", „Gott schuf die Sonne" oder „Laudato si". Es kann Psalm 104 eingesetzt werden oder moderne Schöpfungspsalmen wie sie beispielsweise im Liederbuch für die Jugend S. 689-691, 694-695 und 698-700 abgedruckt sind.

■ Mögliche Eingangssituation KB S. 41

• Die Sch. lesen mit verteilten Rollen die Texte des Textpuzzles (in beliebiger) Reihenfolge vor. Sie erörtern: Was liegt hier vor? Was ist hier geschehen? Als Abschluss und als Übergang zur Erarbeitung lesen sie den Impuls.

■ Erschließungsmöglichkeiten KB S. 41

• L. erstellt aus S. 41 ein Arbeitsblatt. Die Sch. schneiden die Kärtchen aus und ordnen die Texte den beiden Schöpfungsberichten mithilfe von 1. Mose 1 und 2 zu.

• Schöpfungsfenster und Texte: Die Sch. ordnen die Bibelverse aus 1. Mose 1 den Bildern KB S. 40 oder ihrem eigenen Schöpfungsfenster zu. Günstig ist es, wenn ein großes Schöpfungsfenster gestaltet wurde, dieses in die Mitte auf den Boden zu legen und dann die einzelnen Kärtchen zum jeweiligen Segment dazuzulegen.
• Ergänzungsmöglichkeit: Hilfreich ist auch die Einbeziehung des Zeitstrahls KB S. 142-143 und die hebräische Darstellung von 1. Mose 1 im KB S. 144.
• Für interessierte Klassen kann mit Hilfe von **M 18** ein Vergleich zwischen dem ersten und zweiten Schöpfungsbericht angestellt werden. Ausgehend von markanten Unterschieden in beiden Schöpfungsgeschichten wird im UG der Frage des Entstehungsortes (wasserarmes Gebiet/wasserreiches Gebiet) nachgegangen. L. erklärt, dass die beiden Schöpfungserzählungen zu verschiedenen Zeiten und in verschiedenen Situationen entstanden sind.

■ Mögliche Schlusssituationen/Sicherung des Gelernten

• Vorlesen der Kärtchen: Die Texte der Kärtchen KB S. 41 werden an jeweils einen Sch. vergeben. Die Aufgabe besteht nun darin, die Texte in der richtigen Reihenfolge vorzulesen. Dies kann auch in GA vorher eingeübt und als Wettbewerb gestaltet werden.
• Leitmedium: Als Abschluss der DS 40/41 kann das Leitmedium 1. Mose 1ff. bzw. „Die Schöpfung" von Adolf A. Osterider (KB S. 38) eingeführt und mit dem Schöpfungsfenster verglichen werden.

KB S. 42/43 Charles Darwin

Diese DS hat die Evolutionslehre, wie sie von Charles Darwin entwickelt wurde, zum Inhalt. Das fiktive Interview mit Charles Darwin geht auf die Evolutionstheorie und den möglichen Konflikt mit dem biblischen Schöpfungsglauben ein.
Im Interview spiegelt sich der Konflikt der Menschen wider, sich mit der damals revolutionären Entdeckung der Evolution auseinanderzusetzen. Für die Menschen zur Zeit Darwins war es eine Selbstverständlichkeit, dass Menschen und Tiere von Gott in vergangener Zeit so geschaffen wurden, wie sie sind. Man hat die Entstehung der Welt und des Menschen anhand der biblischen Geschichten zurückdatiert. Durch Darwins Theorie war die gesamte wohlgeordnete Welt gefährdet und es stand letztlich die Identität des Menschen überhaupt in Frage. Die Karikatur spielt auf die Frage an: „Unterscheidet sich der Mensch nur durch den menschlichen Kopf vom Affen? Ist er nicht mehr?" In der Karikatur des Affen ist Darwins Kopf deutlich erkennbar.

■ Mögliche Eingangssituation

• Die Sch. betrachten das Porträt von Charles Darwin und tauschen im UG ihr Vorwissen über die wissenschaftlichen Erkenntnisse der Entwicklung des Menschen aus. L. kann hier den Namen Darwin einführen. Sicher haben einige Sch. diesen Namen schon gehört und können davon berichten.

■ Erschließungsmöglichkeiten

• Tonbandaufnahme (Impuls 1): Eine Möglichkeit zur Erschließung des Interviews besteht darin, den Text von besonders geübten Sch. auf Kassette sprechen zu lassen und ihn den Mitschülern vorzuspielen. Ebenso kann man den Text in der Klasse mit verteilten Rollen vortragen lassen. Die beteiligten Sch. sollten das Vorlesen des Textes geübt haben, um den anderen Sch. ein konzentriertes Zuhören zu ermöglichen
• Besprechung der Impulse 2 bis 4: Die Diskussion über „Schöpfung oder Weltentstehung" wird zeigen: Bei Darwin ging es um Weltentstehung. Frage: Wollte Darwin damit die biblischen Aussagen ihres Wertes entkleiden?
• Karikatur von Charles Darwin (Impuls 4): Die Karikatur kann in ihrer ganzen Bandbreite von Sch. der 5./6. Klassen sicher nicht ausgewertet werden. Wichtig ist die Verbindung des Darwin-Bildes mit dem Affenkörper. Die Sch. erkennen den Kopf Darwins auf dem Affenkörper und können damit die polemische Aussage der Karikatur zumindest ansatzweise erkennen.

■ Mögliche Schlusssituationen

• UG zum Thema „Affe – Mensch": Für das UG können interessierte Sch. zum Thema „Affe und Mensch haben einen gemeinsamen Vorfahren" eigene Recherchen durchführen. Sie bringen das Material mit und stellen es der Klasse vor. Ein weiterer Aspekt könnten neben den Gemeinsamkeiten auch die Unterschiede zwischen Mensch und Affen sein.
Als Hilfe kann hier **M 20** (Stammbaum des Menschen) und **M 21** (Entwicklung des Menschen) herangezogen werden.
• Leitmedium: Als Abschluss der DS 42/43 kann das Leitmedium 1. Mose 1ff. bzw. „Die Schöpfung" von Adolf A. Osterider (KB S. 38) angeführt und mit dem Interview verglichen werden. Alternative: Fragestellung „Schöpfung oder/und Weltentstehung".

KB S. 44/45 Schöpfung oder Weltentstehung

Diese DS erörtert unter der Überschrift „Schöpfung oder Weltentstehung" grundsätzliche Fragen über das Verhältnis der genannten beiden Größen. Die Thematik soll die unterschiedlichen Vorstellungen der Sch. aufnehmen und behutsam weiterführen. Deshalb sind im Eingangstext alle Positionen integriert. Der Einstiegsimpuls und der Antwortbrief soll die Sch. anregen, sich ihre eigenen Vorstellungen bewusst zu machen und über die Lösungsvorschläge für den Konflikt der Geschwister nachzudenken.
Im UG sollte auch der Kasten „Schöpfung und Weltentstehung" einbezogen werden. Der Text kann dazu ausgegeben werden, die Sch. unterstreichen farbig die Unterschiede oder erstellen eine Tabelle.
Die beiden Briefe mit ihren vorangestellten Fragen wurden im Unterricht so gestellt und beantwortet, und für das KB nur leicht geglättet. Die Sch., die sich daran beteiligt hatten, waren sehr motiviert; sie haben teilweise weiterführende Fragebriefe erstellt oder sind mit neuen Fragen gekommen. Der Aufwand dieser Art der Kommunikation ist zwar nicht unerheblich, aber über eine begrenzte Phase durchaus lohnenswert.
Während in dem ersten Antwortbrief („Lieber Fabian") die Frage der Weltentstehung im Mittelpunkt steht, wird auf KB S. 45 durch das Chagallbild und den Lehrerbrief (Liebe Lisa") die Frage der Entstehung des Menschen thematisiert.
Das Bild KB S. 45 stellt den Inhalt des Textes teilweise dar. Es ist ein Ausschnitt aus Chagalls Ölgemälde „Das Paradies". In diesem Bildteil ist die Schöpfung bereits vollzogen, Adam und

Eva stehen im Zentrum des Bildes, hinter ihnen der schöne Paradiesbaum, über den sich ein Bote Gottes erhebt und freut. Das Menschenpaar stellt eine Einheit dar, die umgeben wird von Vögeln, Schafen, Ziege und Löwe. Neben ihnen ist aber bereits die Schlange zu sehen, durch deren Einflüsterung das paradiesische Leben aufs Spiel gesetzt wird und das in den Sündenfall (1. Mose 3,1f.) überführt. Wichtig im Bild ist das üppige Spiel mit Farben, die das Thema unterstreichen sollen: Im Paradies herrscht eine prächtige Fülle.

■ **Mögliche Eingangssituation KB S. 44**
- L. schreibt die beiden Begriffe „Schöpfung“ und „Weltentstehung“ an die Tafel. Die Sch. nehmen mit der Methode der Schreibdiskussion Stellung. Diese mündet in ein UG.

■ **Erschließungsmöglichkeiten KB S. 44**
- Der Text wird mit Hilfe der dazu gehörenden Impulse erschlossen, am besten geschieht dies in GA. Die Ergebnisse werden in der Klasse vorgetragen und diskutiert. In dieses UG wird der Inhalt des Kastens (Basiswissen Religion) einbezogen. Möglich ist es auch, den Streit in der Familie Sommer in der Klasse zu spielen, um die gegensätzlichen Positionen klar herauszustellen.
- „Lieber Fabian“: Der erste der beiden L.-Briefe bezieht sich auf die Frage nach der Entstehung der Welt und der Rolle Gottes in diesem Prozess. L. schreibt die Sch.frage „Ich möchte wissen, wie die Welt angefangen hat, wo Gott noch nicht auf der Welt war“ an die Tafel. Die Sch. „spielen“ L. und entwerfen einen Antwortbrief. Dies kann in PA oder GA geschehen. Die Briefe werden vorgelesen und mit dem Antwortbrief im KB verglichen. Im UG werden die Fragen vertieft.

■ **Mögliche Eingangssituation KB S. 45**
- Chagall: Mit Hilfe des Chagall-Bildes rufen sich die Sch. noch einmal die biblische Geschichte 1. Mose 2 ins Gedächtnis: Was weiß ich schon über das auf dem Bild Dargestellte? Die Erschließung des Bildes erfolgt mit Hilfe der im KB aufgeführten beiden Impulse. Der zweite Impuls führt über den biblischen Schöpfungsbericht hinaus: Was sagt die Naturwissenschaft?
- Der Stammbaum des Menschen: Mit Hilfe von M 20 (Stammbaum des Menschen) und M 21 (Entwicklung des Menschen) kann der Werdegang des Menschen aus naturwissenschaftlicher Sicht an den Anfang gestellt werden.

■ **Erschließungsmöglichkeiten KB S. 45**
- Die Sch. schreiben einen „Lehrerbrief“: Hier kann in gleicher Weise wie beim ersten L.-Brief vorgegangen werden. Die Sch. schreiben als L. einen Brief auf die Schülerfrage „Wer war der erste Mensch auf der Welt?“ Einbezogen werden kann hier Impuls 5: L. antwortet (schriftlich) auf die noch offenen Fragen der Sch.
- Erschließung des Textes mit Hilfe der Impulse 3 und 4 (S. 45 unten), Erörterung im UG.

■ **Mögliche Schlusssituation KB S. 45**
- Impuls 4 bildet die Grundlage eines abschließenden UG. Als Anfangsimpuls kann L. an die Tafel schreiben: „Wir leben jenseits von Eden“.

■ **Mögliche Schlusssituation zur DS 18/19**
- Als Abschluss der DS kann noch einmal die Schöpfungsgeschichte 1. Mose 1-2,4a herangezogen und mit den Aussagen der beiden Seiten verglichen werden.

Alternative: Fragestellung: Schöpfung oder/und Weltentstehung.

KB S. 46/47 Universum im Universum

Diese DS zeigt Wege auf, wie heutige Menschen angesichts der naturwissenschaftlichen Erkenntnisse von Gottes Schöpfung reden können.

Das Kapitel endet mit dem (gekürzten) Schöpfungspsalm von Ernesto Cardenal, der moderne wissenschaftliche Erkenntnisse mit dem Lobpreis Gottes des Schöpfers verbindet.

Der nicaraguanische Priester und Schriftsteller Ernesto Cardenal wurde 1925 in Granada (Nicaragua) geboren. Er besuchte eine Jesuitenschule und legte dort auch sein Abitur ab. Im Anschluss daran studierte er Philosophie und Literatur an der Universität von Mexiko. Danach hielt er sich in New York und dann in Europa auf. In dieser Zeit begann in seiner Heimat die Diktatur des Anastasio Somoza. Als Cardenal nach Nicaragua zurückkehrte, schloss er sich der später so genannten Sandinistischen Befreiungsfront an. Zwischen 1956 und 1957 hielt sich Cardenal – er hatte in dieser Zeit eine tiefe Krise durchzumachen – in einem amerikanischen Trappistenkloster auf. Schließlich studierte er Theologie und wurde Priester. Zwölf Jahre lang lebte Cardenal zusammen mit Freunden auf der Insel Solentiname und gründete dort eine christliche Kommune. Hier entstanden mehrere dichterische Werke. Bekannt geworden ist sein „Evangelium der Bauern von Solentiname“. Die Kommune wurde vom Somoza-Regime bespitzelt. Cardenal bekannte sich nun offen zum Widerstand gegen dieses Regime. Er ging ins Exil, um für den Befreiungskampf zu werben. Nach dem Sieg der Sandinisten über Somoza wurde Cardenal Kultusminister in der neuen Regierung.

Bei seiner „Umdichtung“ der Psalmen verband Cardenal die Sprache der Psalmen mit Erfahrungen der Gegenwart. Unter dem Titel „Zerschneide den Stacheldraht, Südamerikanische Psalmen“ erschienen diese Dichtungen in deutscher Sprache. Daraus ist der vorliegende Psalm 104 „Wie auf einer Töpferscheibe“ entnommen, der im KB in stark gekürzter Fassung abgedruckt ist. Es ist ein Loblied der Schöpfung, ein Schöpfungshymnus. Zu Beginn und am Ende steht der Lobpreis des Schöpfers. Im Mittelteil „übersetzt“ Cardenal die Aussagen von Psalm 104 in die Erkenntnisse der modernen Naturwissenschaft.

■ **Mögliche Eingangssituation KB S. 46**
- Weltentstehung: Der Text „Weltentstehung“ kann als Bilderfolge gestaltet werden (Plakate, Dias, OHP-Folien ...). Im anschließenden UG kann die Verbindung zu den Schöpfungsfenstern hergestellt werden. An dieser Stelle gibt es meist auch genügend Experten in den Klassen, die eigene Wissensbücher oder Material aus der Bücherei gerne mitbringen und vorstellen.
- Ergänzung: Ergänzend kann das AB M 22 (Weltentstehung) herangezogen werden.

■ Erschließungsmöglichkeit KB S. 46
• Der Impuls, der auf eine Umsetzung im Rollenspiel zielt, regt dazu an, den Text und die verhandelten Probleme nachzuempfinden.

■ Erschließungsmöglichkeiten KB S. 47
• Bearbeitung des Psalms: Es empfiehlt sich, zunächst den Schöpfungspsalm von Cardenal als Ganzes durch L. oder gut vorlesende Sch. zu Gehör zu bringen. Dann werden unbekannte Begriffe herausgeschrieben und geklärt. Es kann der am Rande angedeutete Zeitstrahl vergrößert und mit Hilfe von Sachbüchern vervollständigt werden. Der Psalm kann auf Tonband gesprochen und dabei mit Orffschen Instrumenten untermalt werden. Das UG über den Text von Cardenal sollte zeigen, wie hier der Dank an den Schöpfer mit modernen wissenschaftlichen Aussagen verbunden wird.
• Entsprechend Impuls 3 vergleichen die Sch. die Aussagen Cardenals mit den L.-Briefen.
• Bearbeitung der Zeitleiste: Experten oder Expertenteams der Klasse beschäftigen sich mit der Zeitleiste und recherchieren mit Hilfe von Sachbüchern und Internet. Sie präsentieren ihre Ergebnisse der Klasse.

■ Mögliche Schlusssituation KB S. 47
• Hier kann noch einmal das Leitmedium (Schöpfungsgeschichte 1. Mose 1,1f. (bzw. das Bild von Osterider KB S. 38) herangezogen werden. Wie finden sich auf dem Bild von Osterider die von Cardenal geschilderten und auf dem Zeitstrahl abgebildeten Erdepochen? Hierfür können Text oder Bilder dem Bild von Osterider zugeordnet werden.

■ Mögliche Schlusssituation zur DS 46/47
• Als Abschluss der DS kann noch einmal die Schöpfungsgeschichte 1. Mose 1 – 2,4a herangezogen und mit den Aussagen der beiden Seiten verglichen werden.
• Alternative: Fragestellung: Schöpfung oder/und Weltentstehung.

■ Abschluss des Kapitels
• Zum Abschluss des Kapitels kann die Aufgabe gestellt werden, in GA moderne Schöpfungsfenster zu gestalten, in denen die Sch. Aussagen der Bibel und der Naturwissenschaft verbinden (dazu M 19). Diese Aufgabe dient zur Überprüfung des Gelernten und zur Sicherung nachhaltigen Wissens.

3. Lernkarten

17 Nach 1. Mose 1 hat Gott die Welt in sieben Tagen erschaffen. Schreibe die Reihenfolge auf, in der Gott die einzelnen Werke erschaffen hat.
18 Was ist der Sinn des 7. Schöpfungstages in 1. Mose 1?
19 Beschreibe, was mit dem Wort „Weltentstehung" und was mit dem Wort „Schöpfung" gemeint ist.
20 Die Bibel und die Naturwissenschaft machen unterschiedliche Aussagen darüber, wie der Mensch entstanden ist. Jemand sagt: „Das sind unüberbrückbare Gegensätze. Für mich ist klar: Die Naturwissenschaft hat Recht; die Aussagen der Bibel sind veraltet."
Nimm Stellung!

4. Empfohlene Literatur und Medien

Steinwede, Dietrich, Von der Schöpfung. Ein Sachbilderbuch für Kinder, Lahr/Düsseldorf 1972 (Kaufmann/Patmos). *Dieses Sachbilderbuch bietet schülergemäße Texte und interessante Bilder zum Thema Schöpfung und Weltentstehung.*

Westermann, Claus, Schöpfung, Themen der Theologie Band 12, Stuttgart, 2. Aufl. 1976 (Kreuz). *Claus Westermann legt die beiden ersten Kapitel der Bibel im Blick auf heutige Fragestellungen aus.*

Rad, Gerhard von, Das Erste Buch Mose, Genesis, ATD 2/4, Göttingen 11. Aufl. 1981 (Vandenhoeck & Ruprecht). *Dieses Buch enthält eine ausführliche Exegese der beiden biblischen Schöpfungsberichte.*

Oberthür, Rainer, Neles Buch der großen Fragen. Eine Entdeckungsreise zu den Geheimnissen des Lebens, München 2002 (Kösel). *In kindgemäßer Weise wird hier über die Geheimnisse der Welt erzählt, u. a. über die Entstehung der Erde und des Menschen.*

Domay, Erhard, Vorlesebuch „Leben in Gemeinschaft mit der Schöpfung", Lahr 1994 (Kaufmann).

5. Materialien

M 18 1. Mose 1 und 2 – ein Vergleich
M 19 Schöpfungsfenster – vier Vorlagen
M 20 Der Stammbaum des Menschen
M 21 Die Entwicklung des Menschen
M 22 Weltentstehung

Geschichten vom Anfang

1. Zielsetzung, Aufbau und Kompetenzen

Im Unterschied zum Kursbuch 2000 bringt der vorliegende Schülerband vor allem Geschichten aus dem Judentum und dem Islam, um so der engen Verknüpfung des Christentums mit diesen beiden Buchreligionen Rechnung zu tragen. Dazu kommt die Schöpfungserzählung der Babylonier. Sie ist deshalb wichtig, weil sie enge Bezüge zur Bibel aufweist.
Eine Schöpfungserzählung von den Philippinen wird hier als Zusatzmaterial (M 23) angeboten. Zusätzlich oder alternativ kann L. weitere Geschichten vom Anfang heranziehen.
Geschichten vom Anfang werden in allen Kulturkreisen erzählt. Alle Völker erzählen von der Urzeit und der Entstehung des Lebens. Offenbar ist es so, „dass in den Erzählungen von der Urzeit etwas den Menschen Gemeinsames vorliegt". Man kann sagen, „dass das Reden von Schöpfer und Schöpfung im Zusammenhang der Urzeitmythen ursprünglich das Reden des bedrohten Menschen in einer bedrohten Welt war. Die Schöpfungsmythen hatten einmal die Funktion der Welterhaltung und der Daseinssicherung" (Westermann, Schöpfung, S. 22f.). Dabei bringen die Völker jeweils ihre eigenen Erfahrungen ein: In den Geschichten spiegeln sich die soziokulturellen Verhältnisse der jeweiligen Kultur. Die Geschichten zeigen, wie die einzelnen Völker die Natur erleben. Sie zeigen in je spezieller

Weise, dass hinter der Natur und dem Leben des Menschen eine höhere Macht steht, die dem menschlichen Dasein und der ganzen Schöpfung Sinn gibt.
Die Berichte von Naturkatastrophen (z. B. das Seebeben in Südostasien mit seinen katastrophalen Folgen Ende 2004) zeigen, dass auch heute noch Menschen von den Kräften der Natur bedroht sind. Auf die Frage, wie dies mit Gottes gutem Schöpferwillen vereinbart werden kann, gibt es letztlich keine Antwort.

Welche Lernchancen werden angeboten?
Bei der Behandlung dieser Geschichten können die Sch. entdecken, dass, bei aller Verschiedenheit der Sicht der Welt, hinter diesen Geschichten die alten, immer gleichen Fragen der Menschheit stehen: Wem verdankt sich der Mensch, wozu lebt der Mensch? Die Geschichten machen in ihren Übereinstimmungen und Unterschieden deutlich, dass es bei Geschichten vom Anfang um mehr als nur um äußere Abläufe geht. Die Frage nach der tieferen Wahrheit solcher Geschichten ist auch für die Behandlung der biblischen Schöpfungsgeschichten wichtig. Allerdings erfordert diese Fragestellung bei den Sch. ein gewisses Vermögen, metaphorisches Reden als solches zu verstehen. Es wird darauf ankommen, dass die Sch. diesen Transfer leisten können. Von daher ist es sinnvoll, diese Geschichten erst in der Klasse 6 zu behandeln.

2. Didaktisch-methodische Hinweise

KB S. 49/50 So erzählen Juden

Auf der DS fallen zunächst die beiden Bilder ins Auge. Die jüdische Buchmalerei KB S. 48 thematisiert die Erschaffung der Welt, die christliche Buchmalerei hat die Erschaffung des Menschen bzw. der Eva zum Inhalt. Die beiden Geschichten aus dem Judentum enthalten neben den biblischen Bezügen der Erschaffung der Welt und des Menschen auch eine stark deutende Komponente. Im Text „Tausende Vorwelten" haben Menschen, Tiere, Bäume und Pflanzen die Funktion, der Einsamkeit der Erde entgegenzutreten. Sie sind es, die Leben bringen und damit Sinn stiftend sind.
„Die Erschaffung Adams" stellt die Erschaffung des Menschen in den Mittelpunkt. Auf sehr einfache Art wird mit den dahinter stehenden Erfahrungen zum Wesen des Menschen „gespielt": seinem Hang sich mit „fremden Federn zu schmücken", sich aufzuspielen und über andere zu erheben. In einem gekonnten Spannungsbogen wird aber doch die besondere Stellung des Menschen aufgezeigt: Er allein wird durch Gottes Hand und nicht durch sein Wort erschaffen. Dass der Mensch nach Gottes Ebenbild geschaffen wird, liegt begründet in seiner Aufgabe: An der Welt weiterzubauen und die Arbeit zu verrichten, die Gott vor ihm verrichtet hat. Beide Geschichten sind dem Buch „Jüdische Märchen", Fischer TB, 1977, Frankfurt a.M. entnommen.

Die jüdische Buchmalerei stammt aus Katalonien (14. Jh.). Sie dient hier als Beispiel dafür, wie ein jüdischer Künstler des Mittelalters die Abfolge der sieben Schöpfungstage darstellt.
Trotz des Bilderverbots gibt es mittelalterliche jüdische bildliche Darstellungen, vor allem in Prachtausgaben der Pessach-Haggada. Die Abbildung im KB S. 48 gibt eine der 34 meist ganzseitigen Miniaturen der sog. Sarajewo-Haggada wieder. Diese Haggada gehört zu den schönsten und wichtigsten mittelalterlichen hebräischen Handschriften. Ihren Namen hat sie davon, dass sie nach der Vertreibung der Juden aus Spanien 1492 nach Sarajewo in den Besitz einer jüdischen Familie und dann in den Besitz des bosnischen Nationalmuseums gelangte. Die Schöpfungsminiatur stellt die sieben Tage der Schöpfung dar, abgebildet sind die drei ersten Tage (1. Mose 1,1-12). Allerdings sind die Bilder nicht exakt nach den Tagen geordnet, sondern nach den Schöpfungswerken, wobei dem ersten Tag zwei Bilder zugeordnet sind.
Folgendes ist auf der Bilderfolge im KB zu erkennen: Oben rechts: Der Geist Gottes schwebt über den Wassern (1. Mose 1,2). Oben links: die Scheidung von Licht und Finsternis bzw. Tag und Nacht (1. Mose 1,3-5) = erster Schöpfungstag. Unten rechts: Die Schöpfung des Firmaments und die Sammlung des Wassers an besonderen Orten (1. Mose 1,6–8 bzw. 10) = zweiter Tag, wobei allerdings bereits Elemente des dritten Schöpfungstages (Sammlung des Wassers) einbezogen werden. Unten links: Die Erschaffung der Pflanzen (1. Mose 1,11-13) = dritter Schöpfungstag.

Die Miniatur KB S. 49 stammt aus der Bibel des Mateo de Planisio. Er war der Abt des Cölestinerklosters San Michele in Neapel, gab eine dreibändige Bibelhandschrift in Auftrag, deren Text 1362 vollendet wurde. (vgl. Die Schöpfungsgeschichte: nacherzählt in Bildern aus der Biblioteca Apostolica Vaticana, Stuttgart, Zürich, Belser 1995, S. 43). Der erste Band dieser Bibelhandschrift ist mit gotischen Bildern in Deckfarben auf Goldgrund ausgestattet. Die Abbildung KB S. 49 ist ein Detail einer ganzseitigen Miniatur, die in 12 Bildern die Schöpfung darstellt, wobei sowohl 1. Mose 1 als auch 1. Mose 2 die Vorlage bilden. Die vorliegende Interpretation muss manche Fragen offen lassen. Gott ist mit zwei Köpfen und einer Taube (auf der Abb. im Buch schwer erkennbar) abgebildet, d.h., er wird als der Dreieinige dargestellt. Die Figur des Erlösers trägt weibliche Züge. Ob hier ein Bezug zur weiblichen Sophia (Weisheit) vorliegt, die in jüdischen Texten begegnet, muss offen bleiben. Unserem Bild liegt die zweite Schöpfungserzählung (1. Mose 2,4ff.) zu Grunde. Zu sehen ist in der Mitte die Erschaffung Adams, den Gott mit einem Stab berührt. Möglicherweise ist dargestellt, wie Gott den aus Erde gebildeten Adam zum Leben erweckt (1. Mose 2,7). Vorn ist die Erschaffung Evas aus der Rippe Adams zu sehen (Gen 2,21). Adam steht vor Gott und sagt: Das ist Fleisch von meinem Fleisch (1. Mose 2, 22). Möglicherweise ist hier die Reaktion Adams auf die Erschaffung gezeigt (1. Mose 2,22). Es sind Tiere zu sehen, denen der Mensch den Namen gegeben hat (1. Mose 2,20). Die Tiere schauen dem Schöpfungshandeln Gottes neugierig zu. Weiterhin ist der Baum der Erkenntnis von Gut und Böse zu sehen (1. Mose 2,17).

Mögliche Eingangssituationen
- Die Sch. tragen zusammen, was sie bereits über das Judentum gelernt haben.
- Die Sch. spielen Schöpfer: Gott hat sich dazu entschlossen, die Erde zu schaffen. Bevor er seinen Plan umsetzt, denkt er sorgfältig darüber nach, wie dieser große Kraftakt sinnvoll und gut ablaufen soll. Er überlegt sich

a) die Menschen als erstes zu schaffen,
b) viele Menschen gleichzeitig in die Welt zu setzen,

c) nur den Menschen zu schaffen und ihm den Auftrag zu geben, für den Rest selber zu sorgen.

• Die Sch. schreiben in Einzel- oder Partnerarbeit eine eigene Geschichte. Die Geschichten werden vorgetragen, anschließend wird das Märchen vorgelesen und im UG die Gemeinsamkeiten oder Unterschiede erarbeitet. Vielleicht stoßen die Sch. auf ähnliche Problemfelder oder aber finden neue kreative Lösungen.

• Betrachtung der beiden Bilder: Die Sch. erschließen die beiden Bilder mit Hilfe der im KB angegebenen Impulse. Sie stellen fest, dass die jüdische Buchmalerei 1. Mose 1 darstellt, während die christliche Buchmalerei (KB S. 49) 1. Mose 2 abbildet. Diese beiden Bilder können auch jeweils als Eingangssituation für die einzelnen Seiten Verwendung finden.

Die jüdische Buchmalerei: Durch Zuordnung der Bibelverse zum Bild können die Sch. entdecken, dass der Künstler eigenständig mit der Zuordnung der Schöpfungswerke zu den Schöpfungstagen umgeht. Die Sch. können das Schöpfungsfenster KB S. 40 und gegebenenfalls das selbst gestaltete Schöpfungsfenster mit der jüdischen Darstellung vergleichen.

Die christliche Miniatur: Dieses Bild regt dazu an, mit den Augen auf Entdeckungsreise zu gehen. Die Sch. entdecken einen Baum, Tiere, Menschen sowie Gott. Gott ist in besonderer Weise gezeichnet (zwei Köpfe, Taube auf der Schulter, Heiligenschein). Die Menschen (Adam und Eva) sind als Abfolge in Art eines Comics dargestellt. Die Tiere schauen der Erschaffung der Eva interessiert zu

■ Erschließungsmöglichkeiten

• Tausende Vorwelten: Die Sch. diskutieren, welche Aufgaben Menschen und Tiere, Bäume und Pflanzen nach dieser Geschichte haben. Was ist danach der Schöpfungsauftrag des Menschen?

• Jüdische Buchmalerei: Die Buchmalerei kann mit Hilfe der Impulse erschlossen werden. Die Sch. können Elemente aus der Geschichte „Tausende Vorwelten" in dem Bild entdecken (zur Erschließung des Bildes s.o.).

• Die Erschaffung Adams und Evas: Diese Geschichte wird mit Hilfe der im KB angeführten Impulse in GA erschlossen. Danach werden die Ergebnisse im Plenum zusammengetragen und diskutiert.

Impuls 1 regt die Sch. dazu an, sich klarzumachen, dass dieses jüdische Märchen vor dem Hintergrund der biblischen Schöpfungstexte der Tora zu lesen ist. Sie stellen fest, wo die beiden Texte übereinstimmen und wo der Text KB S. 49 über den biblischen Text hinausgeht.

■ Mögliche Schlusssituationen (Nachhaltigkeit)

• Die Sch. vergleichen ihre Ergebnisse. Sie spielen Schöpfer" mit den beiden jüdischen Geschichten.

• Die Sch. antworten den Sch. in Tel Aviv (Impuls 3, KB S. 49).

KB S. 50 So erzählen Muslime

Die muslimische Sicht der Schöpfung fußt ganz deutlich auf den jüdischen Schöpfungserzählungen. In der muslimischen Schöpfungserzählung werden die Welt, der Himmel, die Gestirne, Geschöpfe und Pflanzen durch Gottes Wort geschaffen. Auch die Engel gehören zu Gottes Schöpferhandeln und sie werden auf die Erde geschickt, um sieben Hand voll Erde in verschiedenen Farben zu bringen. Daraus wird der Mensch geschaffen. Sein Zuhause ist das Paradies. Gott erschuf aus Adams Flanke Eva und gibt ihnen einen Garten im Paradies als Lebensraum. Adam und Eva halten sich nicht an Gottes Regeln; sie werden nach dem Sündenfall aus dem Paradies vertrieben und auf die Erde geschickt.

Doch Gott erweist sich als barmherzig, indem er die Erde so ausstattet, dass den Menschen ein gutes Leben möglich wird. Die Ordnung tritt in Kraft, die Erde soll den Menschen und der Mensch soll Gott dienen und seinem Willen gehorchen.

■ Mögliche Eingangssituation

• Wiederholender bzw. informierender Unterrichtseinstieg: Die Sch. tragen zusammen, was sie bereits über den Islam wissen. Dabei kann besonders herausgestellt werden, dass und in welcher Weise der Islam mit Judentum und Christentum zusammenhängt.

■ Erschließungsmöglichkeiten

• Impuls 1: Im UG sollte über den Begriff Barmherzigkeit im Kontext der Geschichte gesprochen werden. Es ist auch sinnvoll, an die biblische Geschichte vom Sündenfall anzuknüpfen. Parallelen und Unterschiede können herausgearbeitet werden.

• Die Koransuren: Für die Arbeit mit den Koransuren kann an KB S. 206 angeknüpft werden. Da die Sprache des Koran für unsere Schüler noch schwerer verständlich ist als die biblischen Texte, empfiehlt es sich, sie zur Arbeit zu ermuntern. Kleinschrittige Bearbeitung ist sinnvoll. Hilfreich sind auch die Seiten 64-65 im KB „Mit Texten arbeiten": Kernaussagen zur Schöpfung farbig markieren; die einzelnen Schöpfungsakte herausschreiben – dabei auch auf Dopplungen achten; Beziehungen zu den biblischen Schöpfungsgeschichten herstellen. Wie wird von Gott gesprochen, auch in Beziehung zur Geschichte im Buch? Als **M 24** finden sich die entsprechenden Suren in der Übersetzung von Adel Theodor Khoury. Diese Suren können mit besonders motivierten Klassen bearbeitet werden. Die Suren zeigen, wie stark der Koran von der hebräischen Bibel abhängig ist, andererseits aber doch immer wieder eigenständige Gedanken einbringt. Die Sch. können die Koransuren mit dem im KB abgedruckten Text vergleichen.

KB S. 51 Die Babylonier erzählten

Der Text fasst kurz den babylonischen Schöpfungsmythos zusammen, wie er im Enumaelisch („Als droben ...") überliefert ist. In den Personen der Götter sind die bedrohlichen Mächte der Natur dargestellt (z.B. Tiamat = Salzwasserozean), die gebändigt werden. Marduk kämpft gegen die Chaosmächte, die alles zu verschlingen drohen. Es gelingt ihm unter Aufbietung aller Kräfte und Mächte, einen geregelten Wechsel zwischen Feuchtigkeit und Trockenheit herzustellen. Die Welt, die er baut, ist für die Natur gleichsam ein schützendes Haus. In diesem Kampf ist ausgedrückt, was die Menschen im Kampf gegen die sie oft bedrohenden Kräfte der Natur erleben: Die zerstörenden Kräfte können gebändigt und dem Menschen nutzbar gemacht werden. In diesem Sinne ist das Wasser für die Babylonier eine bedrohliche und gleichzeitig eine lebensspendende Kraft: Die Wasserfluten können die Lebensgrundlagen des Menschen zerstören; Wasser ist andererseits – wenn es gebändigt ist – Lebensspender.

In der babylonischen Geschichte ist zugleich das damalige Weltbild abgebildet: Aus dem Leib der Tiamat wird das Himmelsgewölbe (1. Mose 1,6: die Feste) gebildet, mit dessen Hilfe die Wassermassen zurückgehalten werden. Der Schöpfungsmythos vom siegreichen Kampf Marduks gegen die Chaosmächte wurde in Babylonien jedes Frühjahr in einem großen Fest gefeiert. In einer Prozession schleppte Marduk die besiegte Tiamat davon. Der Sieg Marduks gegen die Chaosmächte war gleichzeitig auch das Vorbild für den Sieg der Babylonier über die feindlichen Völker. Die Götter(bilder) dieser Völker, die Marduk besiegt hatte, wurden in der Prozession mitgeführt.
Die biblische Erzählung von der Schöpfung in 1. Mose 1 weist viele Parallelen, zugleich aber auch auffallende Unterschiede zum babylonischen Schöpfungsmythos auf. Die Wasser, über denen der Geist Gottes schwebt (V. 2), heißen im Hebräischen „tehom"; dies ist der Singular von Tiamat. Die Feste bzw. das Firmament, das die Wassermassen zurückhält, entspricht dem als Himmelsgewölbe verwendeten Leib der Tiamat. Die wichtigsten Unterschiede zum babylonischen Mythos sind darin zu sehen, dass Gott in 1. Mose 1 nicht wie Marduk unter Aufbietung aller Kräfte und Hilfsmittel die Welt erschafft, sondern mit großer Leichtigkeit, indem er spricht „Es werde!" Dass dem Schreiber von 1. Mose 1 (im babylonischen Exil) der babylonische Mythos vertraut war, sieht man u.a. daran, dass er sehr abfällig von den Gestirnen redet, die in der babylonischen Religion Götter repräsentieren: Sie haben nach 1. Mose 1 nur eine dienende Funktion (sie „scheiden Tag und Nacht und geben Zeichen, Zeiten, Tage und Jahre", V. 14) und werden von Gott kurzerhand an das Himmelsgewölbe geheftet.
Das Bild ist ein Ausschnitt aus der 2,25 Meter hohen Dioritstele, auf der das Gesetzbuch des Hammurapi mit über 250 Gesetzen abgebildet ist; das Original befindet sich heute im Louvre. König Hammurapi erhält aus der Hand seines Gottes das Gesetzbuch. Wesentlicher Inhalt der Gesetze ist: Maßstab des rechten Lebens vor Gott ist die Achtung des Rechtes des Mitmenschen. Hammurapi regierte wahrscheinlich von 1793 bis 1750 v. Chr. in Babylonien. Auf religiösem Gebiet machte er den babylonischen Stadtgott Marduk zum Haupt des Pantheons.
Erfahrungsgemäß haben die Sch. Schwierigkeiten, die Zusammenhänge zwischen den erwähnten Götterpersonen zu erfassen. Deshalb werden diese in KB S. 51 am Rand kurz charakterisiert.

■ Mögliche Eingangssituation

• Drohende Naturkatastrophen: Die Sch. erheben im UG Gefahren, die von der Natur drohen. Dazu können sie Bilder und Berichte von Naturkatastrophen heranziehen. Das Seebeben vor Sumatra mit seinen tödlichen Folgen für ca. 150.000 Menschen Ende 2004 dürfte auch den Sch. für lange Zeit im Gedächtnis bleiben. Was kann der Mensch zur Abwehr tun? Wo ist er den Naturgewalten chancenlos ausgeliefert. Zu diesen Gefahren gehört auch die Bedrohung des menschlichen Lebens durch Krankheit und Tod. Ein solches UG kann die Sch. dazu sensibilisieren, der Natur als Gottes Schöpfung mit Respekt zu begegnen und zu erkennen, dass im Blick auf die Natur nicht alles machbar ist.

■ Erschließungsmöglichkeit

• Szenen der Geschichte: Zur Erschließung der Geschichte kann man die Sch. die einzelnen Szenen auf einen Filmstreifen zeichnen lassen. In ähnlicher Weise können sie eine Diashow erstellen. Das Folgende kann als Kopiervorlage benutzt werden.

• Ergänzungen: Wie eingangs erwähnt, können an dieser Stelle auch weitere Geschichten vom Anfang besprochen und auf Ähnlichkeiten und Unterschiede hin untersucht werden. M 23 bringt die Geschichte von den Philippinen (s. dazu unten).

■ Mögliche Schlusssituation

• Erörtern, wie die Babylonier mit ihrer Schöpfungserzählung versuchten, ihrer Angst vor Naturgewalten zu begegnen.

M 23 Auf den Philippinen erzählt man

Diese Geschichte erzählt von der Erschaffung der Menschen durch die mächtigen Wesen Tuglay (männlich) und Tuglibon (weiblich). Die Menschen, als Mann und Frau erschaffen, sollen sich an der schönen Welt erfreuen. Tuglay macht sich ans Werk und formt den Menschen aus Maismehl, aber sein Werk misslingt: Seine Menschen haben keine Gelenke. Auch sonst haben seine Menschen einige Fehler. Tuglibon ist entsetzt über die Hässlichkeit der Menschen, aber Tuglay ist mit seinem Werk

zufrieden und lehnt es ab, neue Menschen zu schaffen. Tuglibon streut ihrem Mann Maismehl in die Augen, damit er nicht sehen kann, was sie tut. Dann formt sie aus Maismehlteig schöne, gelenkige Menschen. Sie sind dazu bestimmt, sich zu lieben und auf der Welt zu herrschen. Tuglay, von seiner Blindheit befreit, ist zunächst wütend auf seine Frau. Als er aber das gelungene Werk sieht, freut er sich, und Tuglay und Tuglibon lächeln den Menschen zu.
Impulse zum Text siehe bei M 23.

■ Erschließungsmöglichkeiten

• Gestalten von Knetfiguren: Bei der Herstellung und Gestaltung der Knetfiguren können die Sch. selbst „Schöpfer" wie Tuglay und Tuglibon werden und die Erfahrungen der beiden beim Formen ihrer Geschöpfe nacherleben. Tuglay formte Menschen, vergaß aber, ihnen Gelenke zu geben. Darum werden in die Figuren Zahnstocher eingearbeitet (M 23, Impuls 1). Sie sind starr und unbeweglich; die Augen, Nase und Ohren sind sehr klein. Die Sch. erleben die Steifheit und Unbeweglichkeit der Figuren: Vieles, was Menschen tun, ist für sie nicht möglich (z. B. sitzen, sich hinlegen ohne hinzufallen, sich umarmen, festhalten). Wesentliche menschliche Eigenschaften (gut sehen, hören, riechen) besitzen sie nicht. Ihr Aussehen ähnelt mehr Kriechtieren als Menschen. Anders bei Tuglibon: Ihre Figuren sind geschmeidig, anmutiger und lebensfähiger. Außerdem stattet sie diese auch mit einem Herzen aus. Im Spiel mit den Figuren können die Sch. die Verschiedenartigkeit der Geschöpfe erleben (M 23, Impuls 2). Sinnvoll erscheint es auch, die Sch. dazu anzuregen, Tuglibons Erschaffung von Menschen mit Herzen in ihren Arbeiten umzusetzen (z. B. durch sich umarmende Figuren oder auch durch Kinder, die Tuglibon bekommt).

• Standbilder: Sollte die Arbeit mit Knetfiguren nicht möglich sein, kann die Geschichte auch durch Standbilder dargestellt werden. Dabei können die Sch. jeweils in zwei Gruppen Erbauer und Statuen sein (M 23, Impuls 3).

■ Mögliche Schlusssituation zum gesamten Kapitel (zugleich Lernerfolgskontrolle)

• Ihr könnt die verschiedenen Geschichten vom Anfang miteinander vergleichen. Überlegt: Wie hängen die Geschichten mit den Ländern und ihren geographischen Gegebenheiten (und Religionen?) zusammen, in denen sie erzählt wurden. Welcher Platz wird Menschen, Tieren und Pflanzen zugewiesen? In welchem Verhältnis stehen sie zueinander? Kann man durchgehende Gemeinsamkeiten entdecken?

• Alle Geschichten sind Geschichten gegen die Angst vor dem Chaos. Vergleicht, wie diese Geschichten sich gegen die Angst vor dem Chaos wenden.

• Führt ein Streitgespräch: Einer vertritt die Meinung: Wir brauchen keine Angst mehr vor der Natur zu haben. Wir haben alles im Griff. Ein anderer sagt: Das Seebeben von Sumatra hat gezeigt, wie ohnmächtig wir auch heute noch gegenüber der Natur sind. Ein dritter sagt: Hätten wir Respekt vor der Natur, dann würden wir nicht solche Eingriffe in die Natur vornehmen.

3. Lernkarten

21 In fast allen Kulturen und Religionen werden „Geschichten vom Anfang" erzählt. Warum erzählen sich die Menschen solche Geschichten?

22 Die muslimischen Schöpfungsaussagen ähneln denen des AT stark. Erkläre, woher das kommt.

4. Empfohlene Literatur und Medien

Siehe dazu auch die Literatur unter „Geschaffen an sieben Tagen".

Steinwede, Dietrich, Wo die Sonne übernachtet. Schöpfungsmärchen der Völker, Gütersloher Taschenbücher/Siebenstern 880, Gütersloh 1982 (Gütersloher Verlagshaus).

Bisset, Esther: Die Regenbogenschlange, Bern 2. Aufl. 1990 (Verlag Zytglogge/WWF). *Geschichten vom Anfang der Welt aus verschiedenen Kulturen und Religionen.*

5. Materialien

M 23 Auf den Philippinen erzählt man
M 24 Aus dem Koran: Suren zur Schöpfung

Leben im Garten Gottes

1. Zielsetzung, Aufbau und Kompetenzen

Das Kapitel zeigt, was zum Bebauen und Bewahren von Gottes Schöpfung nötig ist. Dabei sind im Unterschied zum folgenden Kapitel „Miteinander in der Schöpfung: Tiere und Menschen" stärker die Pflanzen – auch sie Mitgeschöpfe des Menschen – im Blick.
Den Hintergrund bildet die jahwistische Schöpfungsgeschichte 1. Mose 2, auch wenn diese nach außen hin nur im 5. Impuls KB S. 52 direkt benannt wird. Es soll einerseits deutlich werden, dass der Mensch Teil der Natur ist und er andererseits die Natur so verändern darf, dass sie zu einem Lebensraum wird, in dem er leben kann. Wir erleben unsere Umwelt selten als natürliche Umwelt, sondern fast ausschließlich als Kulturlandschaft, d.h. als vom Menschen gestaltete Natur. Der Veränderung und Nutzung der Natur durch den Menschen sind allerdings dort Grenzen gesetzt, wo diese Veränderungen zu einer Zerstörung der natürlichen Lebensgrundlagen führen.
Die Sch. dieses Alters haben ein großes Interesse an der Erhaltung ihrer Umwelt. Doch tragen auch sie – wie wir alle – durch ihren Lebensstil zur Bedrohung dieser Umwelt bei. So gleichen die Sch. in vielem dem Verhalten von Erwachsenen, die nach der Devise leben: „Wasch mir den Pelz, aber mach mich nicht nass." Oft bleiben eben die vielen guten Vorschläge, wenn es um die Realisierung geht, im Verbalen stecken. Menschen sind z. B. sehr einverstanden, dass ökologisch zu verantwortendes Gemüse verzehrt wird. Doch dann entscheiden sie sich trotzdem für die Billigangebote aus dem Supermarkt. Hier wird es

darauf ankommen, die Sch. zu befähigen, das in ihrem Bereich Machbare zu erkennen und umzusetzen.
Menschen erleben Natur heute häufig nur noch medial vermittelt. Angesichts dieser Beobachtung ist es wichtig, Natur nicht nur ins Klassenzimmer hereinzuholen, sondern auch in die Natur hinauszugehen. Dabei können die Sch. „Lebensräume entdecken" (vgl. KB S. 52), die dem Menschen zur Gestaltung übergeben sind. Mit Hilfe von KB S. 53 und der dort angeführten Gestaltungsaufgaben sollen die Sch. nachempfinden, dass Phänomene der Natur als Wunder aus Gottes Schöpferhand gesehen werden können. Die angemessene Haltung diesen Erscheinungen gegenüber ist Achtung und Staunen. Die beiden Seiten 52 und 53 gehören inhaltlich zusammen: Schon der flüchtige Blick zeigt – das machen die Bilder deutlich – dass das Thema dieser beiden Seiten das Betrachten der Natur ist. Dabei geht es aber immer darum, Welt und Natur als Gottes Schöpfung zu sehen, es kann nicht einfach um die Betrachtung der Natur gehen.
KB S. 54 konkretisiert das Thema Lebensraum am Beispiel Baum: Der Baum bildet einen Lebensraum für viele Tiere. Auch hier kommt nicht in erster Linie der Baum als ein biologisches oder ökologisches Phänomen in den Blick, sondern der Lebensraum Baum als Gabe und Werk Gottes.
Auch KB S. 55 „Die Schatztruhe der Natur" hat zum Ziel, die Welt bewusst als Gottes Schöpfung wahrzunehmen.
Die DS 56/57 „Bebauen und Bewahren" thematisiert den Schöpfungsauftrag des Menschen: die Erde zu bebauen und zu bewahren. Die Sch. sollen dazu angeleitet werden, die Gefährdungen der Natur zu erkennen und eigene Beiträge zur Erhaltung der Natur zu erörtern und in ihrem Rahmen umzusetzen.
Inhaltlich besteht ein Zusammenhang zwischen dem vorliegenden Kapitel und „Miteinander in der Schöpfung: Tiere und Menschen" sowie „Ich bin einmalig", dort vor allem mit der Thematik der Gottesebenbildlichkeit des Menschen. Immer geht es um Schöpfung.

■ Möglichkeiten zur Förderung der Nachhaltigkeit/ Leitmedium

• Gestaltung eines Gartens Eden: Am Ende der Einheit kann die Aufgabe stehen, einen Garten Eden zu gestalten (s. u.). Diese Gestaltungsaufgabe kann als Leitmedium für das gesamte Kapitel dienen. In diesem Fall überlegen sich die Sch. nach jeder Unterrichtssequenz, was sie entsprechend dem angesprochenen Thema an Pflanzen und Gegenständen in ihren Garten Eden einbringen können.
• Gestalten einer Ausstellung zum Thema „Die Welt ist voller Wunder": Auch diese Gestaltungsaufgabe kann als Leitmedium dienen. Hier halten die Sch. nach jeder Unterrichtsstunde (oder Unterrichtssequenz) fest, welche Gegenstände, Bilder usw. für die Ausstellung geeignet sind.
• Gestalten eines Gottesdienstes: Zum Thema „Leben im Garten Gottes" (oder: „Die Welt ist voller Wunder") kann ein Schulgottesdienst gestaltet werden, in den Elemente des Kapitels (aber auch von „Miteinander in der Schöpfung") eingebracht werden können. Wird dies von vornherein geplant, so werden die Sch. im Vollzug des Unterrichts immer wieder Elemente sammeln, die sich für einen Gottesdienst eignen.
• Lied und Psalm: **M 25** bietet das Lied „Gott gab uns Atem". Es eignet sich als Begleitlied für die ganze Einheit. Das Lied kann jeweils am Anfang einer Unterrichtsstunde stehen. Zusätzlich oder alternativ zu dem Lied kann der Psalm 104 in Auszügen gebetet werden (zur Auswahl s. u.)

Die Sch. entscheiden zu Beginn des Kapitels zusammen mit L., ob und ggf. welche der die ganze Unterrichtseinheit betreffenden Gestaltungsaufgaben sie umsetzen wollen.

2. Didaktisch-methodische Hinweise

KB S. 52 Lebensräume entdecken

1. Mose 2,4b ff. beschreibt die Welt als Garten Gottes, der dem Menschen und den Tieren als Lebensraum gegeben ist. Dabei bildet die Wüste den Hintergrund dieser Schöpfungserzählung: „Es war zu der Zeit, da Gott der HERR Erde und Himmel machte. Und alle die Sträucher auf dem Felde waren noch nicht auf Erden und all das Kraut auf dem Felde war noch nicht gewachsen; denn Gott der HERR hatte noch nicht regnen lassen auf Erden und kein Mensch war da, der das Land bebaute; aber ein Nebel stieg auf von der Erde und feuchtete alles Land."
Die Fotos sind beide in der Sinaiwüste aufgenommen worden. Das obige Bild zeigt ein typisches dunkles Beduinenzelt. Das untere zeigt einen Beduinengarten, der der Wüste abgerungen wurde. Zentrum und Grundlage solcher Beduinengärten, wie sie sich z.B. in der Umgebung des Katharinenklosters finden, ist jeweils ein Brunnen.
Schwerpunktmäßig sollen die Sch. nach Behandlung der Seite über diese beiden Lebensräume Wüste und Garten vor dem Hintergrund der zweiten Schöpfungserzählungen Auskunft geben können.
Sie können formulieren, wie von diesen beiden Lebensräumen in 1. Mose 2,4b ff. geredet wird. Ihnen soll dabei die Wichtigkeit des Wassers als Grundlage für das Leben deutlich werden. Sie werden dazu sensibilisiert, auch andere Lebensräume zu erkennen.

■ Mögliche Eingangssituationen

• Die Sch. erzählen von Gärten oder bringen Bilder von Gärten und Wüsten mit. Sie erörtern das Wesen eines Gartens.
• Sie betrachten die beiden Bilder und beschreiben sie. Dazu finden sie für beide Bilder Gegensatzpaare (fruchtbar/unfruchtbar – sonnig/schattig – trocken/feucht – eintönig/abwechslungsreich – tot/lebendig – gelb/grün – bearbeitet/unbearbeitet ...)

■ Erschließungsmöglichkeiten

• **M 26** Der zerhackte Garten von Hans Peterson. L. liest die Geschichte vor. Aufgabe: Schreibe an den Hausmeister im Namen von Matthias einen Brief, in dem du erzählst, was der Garten Matthias bedeutet hat und wie es ihm nun geht.
• Behandlung von Impuls 2: Die fünf Dinge werden zunächst in der Gruppe geklärt; die Ergebnisse werden der Klasse vorgestellt. Das sich anschließende UG trägt zur Klärung der Frage bei „Was braucht der Mensch zum Leben?" Erfahrungsgemäß sind den Sch. hier nicht nur materielle Dinge wichtig.
• Impuls 3: „Durststrecken im Leben": L. kann als Impuls den Begriff „Durststrecken" an die Tafel schreiben. Es folgt ein UG oder eine Schreibdiskussion, an die sich ein UG anschließt. Das Thema „Durstrecken" eignet sich auch zur Gestaltung eines Schülergottesdienstes.
• „Zeichnet oder malt euren Garten" (Impuls 6): Ziel ist es, dass die Sch. ihre Phantasien und Wünsche zu einem eigenen Garten zum Ausdruck bringen und diese ihren Mitschülern vorstellen. Möglich ist ein Gartenwettbewerb: Der schönste Garten wird nach einer Wahl in der Klasse prämiert. Die Sch.

entscheiden selbst, ob sie die Methode des Zeichnens oder des Malens wählen.
Dies kann auch eine Vorübung zu der die Einheit abschließenden Gestaltung eines Gartens Eden sein. Wenn es einen Schulgarten gibt, dann ist selbstverständlich am sinnvollsten, diese Aufgabenstellung so weit wie möglich in den realen Garten zu verlegen.

- Gestaltung eines „Gartens Eden": In Ergänzung des 6. Impulses oder als Alternative dazu kann auch die (allerdings mehrere Stunden in Anspruch nehmende) Aufgabe gestellt werden, den Garten Eden in GA zu gestalten. 1. Mose 2,4-15 kann hierzu als Bauplan dienen.

Diese Aufgabe kann bereits hier erarbeitet oder als Leitmedium eingesetzt werden. Wird sie als Leitmedium gewählt, so überlegen sich die Sch. am Ende der Behandlung von KB S. 52, welche Gegenstände und Pflanzen sich aus der Behandlung für den Garten Eden ergeben. Ganz sicher wird hier z. B. der Einbau eines Brunnens oder einer Quelle genannt werden. Ziel dieser Gestaltungsaufgabe ist es zu zeigen: Wir dürfen unsere Umwelt umgestalten, sie aber nicht zerstören.
Zur Gestaltung des Gartens Eden sollten den Sch. folgende Materialien bereitgestellt werden: Erde (am besten Blumenerde); Zweige; Rindenstücke; Wurzeln; Moos; evtl. kleine Steine; Muscheln; Schneckenhäuser; Knetmasse für Tiere; Pflanzen und Menschen; evtl. Holzbausteine; Papier. Sinnvoll ist es, die „Gärten" in Deckeln von großen Kartons anzulegen; sie lassen sich leichter transportieren. Als erster Arbeitsschritt kann das Material auch von den Sch. selbst gesammelt werden; dies ist allerdings zeitaufwendiger.

KB S. 53 Staunen können

Die Seite bietet zwei Arten von Medien an: Zum einen sind es vergrößerte Ausschnitte von Gegenständen der Natur. Diese Bilder sollen den Blick für die Schönheiten der Natur schärfen und dazu anregen, weitere schöne Naturphänomene zu entdecken. Auch die Phantasiereise zielt in diese Richtung.
Zum andern wird dazu angeregt, eine Phantasiereise zu unternehmen. Die abgedruckte Phantasiereise hat die Natur so, wie wir sie erleben können, im Blick. Phantasiereisen geben den Sch. die Möglichkeit, ihre inneren Bilder zum Ausdruck zu bringen. Durch die ruhige, nach innen gerichtete Atmosphäre wird es möglich, sich seiner inneren Bilder bewusst zu werden. Nach Behandlung dieser Seite können die Sch. verstehen, warum Menschen von Wundern der Natur sprechen.

■ Mögliche Eingangssituationen

- Die Sch. benennen die Bilder. Die Ausschnitte stellen Folgendes dar (v.l.n.r.): 1. Muschel, 2. Seeigel, 3. Blaukraut, 4. Zwiebel, 5. Kiwi, 6. Granatapfel, 7. Flügel einer Libelle, 8. Kristall.
- Eine Phantasiereise: Phantasiereisen brauchen ein gewisses Einüben. Manchen Sch. fällt es schwer, ruhig zu sein und die Augen zu schließen. Man sollte in solchen Fällen mit kurzen Übungen, evtl. auch Konzentrationsübungen, beginnen. Nach dem Vorlesen der Phantasiereise malen die Sch., welche Vorstellungen bei ihnen entstanden sind.
- Die Sch. betrachten das Schöpfungsbild aus der Cranach-Bibel. Falls hierzu die SW-Vorlage gewählt wird (M 27), können die Sch. diese zunächst farbig ausmalen.

Möglicherweise werden die Sch. gewisse Ähnlichkeiten zwischen ihren Arbeiten im Anschluss an die Phantasiereise und dem Bild (Weltbild) aus der Lutherbibel von 1534 (Cranach-Werkstatt) entdecken. In der Auswertung sollte darauf geachtet werden, dieses „Weltbild der Sinne" nicht gegen das Weltbild der Naturwissenschaften auszuspielen. Es geht um keine Bewertung und Kategorisierung in Früher und Heute. Vielmehr nehmen wir auch heute noch mit unseren Sinnen die Welt als Fläche wahr, über die sich das Firmament spannt. Die Erde bietet uns Lebensmöglichkeiten; der Himmel ist über uns wie eine schützende Glocke, die uns Sicherheit bietet. So stellt sich die Welt unserem unbefangenen Blick dar.
Zur Ergänzung können die Sch. Satellitenaufnahmen von der Erde mitbringen und mit dem „Weltbild der Sinne" vergleichen.

■ Mögliche Schlusssituationen

- Eigene Bilder: Entsprechend Impuls 3 scannen die Sch. weitere Bilder ein und stellen die Ergebnisse der Klasse vor. Interessant ist es, dies als Rätselspiel zu gestalten. Die Bilder können auch zur Gestaltung von Plakaten zum Thema „Staunen" verwendet werden. Statt Bilder einzuscannen können Gegenstände auch mit der Digitalkamera (Makro-Funktion) fotografiert werden.
- Leitmedium: Zum Abschluss der Seite wird ggf. gemeinsam überlegt, was sich aus der Behandlung der Seite für das gewählte Leitmedium (s.o.) ergibt.

KB S. 54 Mein Freund, der Baum

Thema von KB S. 54 ist der Baum als Ökosystem. Bäume sind die größten, bestangepassten und ältesten Lebewesen. Der wohl älteste lebende Organismus der Erde ist ein Mammutbaum in Nevada, dessen Alter man auf 4900 Jahre schätzt.
Dass Bäume schon immer einen großen Symbolwert hatten, liegt daran, dass im Baum, vor allem dann, wenn er im Winter seine Blätter verloren hat, Leben und Tod, Werden und Vergehen anschaulich werden (vgl. auch Familienstammbaum). Es ist darum verständlich, dass sich das Motiv des Lebensbaumes in fast allen Kulturen findet. Bäume werden erlebt als Personen, als Quelle und Symbol des Lebens. Im Baum offenbart sich Leben. Der Baum gilt in verschiedenen Religionen als Enthüller der Wahrheit. Er ist Wohnung der Götter, die aus ihm zu den Menschen sprechen. In dieser Traditionslinie stehen auch der brennende Dornbusch, aus dem heraus Mose die Stimme Gottes vernimmt (vgl. KB S. 98), und die Eiche im Hain von Mamre, unter der Abraham eine Offenbarung Gottes empfängt.
Aber auch der Baum der Erkenntnis des Guten und des Bösen gehört in diesen Zusammenhang. Indem die Menschen von der Frucht des Baumes essen, gewinnen sie Erkenntnis. Möglicherweise gehen der Baum der Erkenntnis und der Baum des Lebens traditionsgeschichtlich auf die gleiche Wurzel zurück. Deutlich ist auf jeden Fall, dass zwischen beiden ein innerer Zusammenhang besteht. In der mittelalterlichen Kunst erscheinen beide Bäume häufig als Motiv. Dabei ist der Baum sowohl Symbol des Todes, der die Folge des Essens vom Baum der Erkenntnis ist, als auch Symbol des Lebens. In der christlichen Kunst werden diese beiden Motivstränge weiterentwickelt bis hin zum Kreuz, das oft als neuer Lebensbaum dargestellt wird.
Kompetenzen: Aufgrund der Behandlung des Themas „Mein Freund, der Baum" können die Sch. darüber Auskunft geben,

dass Lebensräume als ein Werk Gottes gesehen werden können. Sie können den Baum als Lebensraum beschreiben.

Mögliche Eingangsituationen

• Die Sch. bringen Bilder von Bäumen mit. Alternative: Bildkartei Baum – von L. erstellt.

• Die Sch. suchen sich je ein Baumbild aus und sprechen miteinander über ihre Beziehungen zu und Erfahrungen mit Bäumen.

Erschließungsmöglichkeiten

• Unterrichtsvorschlag: Im Folgenden wird ein mehrfach erprobter Vorschlag vorgestellt, der drei Unterrichtsstunden in Anspruch nimmt. Sinn dieses Vorschlags ist es, die Sch. schrittweise mit der Thematik Baum vertraut zu machen und sie so zu befähigen, z.B. ein Dankgebet zu formulieren.

1. Stunde:
1. Vorbereitung einer Phantasiereise zu einem Apfel
Zur Vorbereitung bringt jeder Sch. einen Apfel mit und legt ihn vor sich auf den Tisch. L. kann einige Äpfel als Reserve mitbringen.
2. Phantasiereise (s. M 28)
3. Mein Apfelbaum
Durch die Phantasiereise haben die Sch. eine Vorstellung von ihrem Baum bekommen. Sie sind jetzt in der Lage, ihren Baum zu malen. Ihren Apfel malen sie in den Baum hinein.
Ob die Sch. ihren Apfel dann essen oder für später aufbewahren, bleibt ihnen überlassen.

2. Stunde:
4. Würdigung der Arbeiten: Die Arbeiten werden ausgelegt und können in einem Rundgang betrachtet werden. Je nach Situation der Klasse kann darüber gesprochen werden, welche Bäume besonders gefallen.
5. Lesen des Baumtextes: Der Text im Baum KB S. 54 wird durch mehrere Sch. vorgelesen. Die Sch. geben mit eigenen Worten wieder, was von den Informationen über den Baum sie am meisten beeindruckt (UG).
6. Dank an den Schöpfer: Hier sollen die Sch. ihren Dank an den Schöpfer formulieren; dies kann auch so geschehen, dass sie ihren Dank an das Geschöpf Baum und damit indirekt an den Schöpfer richten.
Möglicher Impuls: Weil Bäume so wichtig sind für unser Leben, sollt ihr einen Dank an den Baum oder an den Schöpfer des Baumes formulieren.
Dazu erstellen die Sch. zunächst eine Umrisszeichnung und schreiben ihren Dank in diesen Baum hinein.
7. Besprechung der Ergebnisse im UG: Hiermit kann man das Thema abschließen oder auch in einer weiteren Unterrichtsstunde das Thema vertiefen:

3. Stunde:
8. Ein Schöpfungspsalm: Psalm 104 (in Auswahl)
Der folgende Auszug hat sich als sinnvoll erwiesen:
Verse 1, 10 und 11, 12, 13, 14, 15, 16 und 17, 18, 19, 20, 21 und 22, 23, 24, 25, 26, 27, 28.
L. weist auf den Beter des Psalms hin, der seine Beobachtungen der Natur als Dank an den Schöpfer formuliert. Der Beter des Psalms nimmt uns mit auf einen Spaziergang; in jedem der ausgewählten Verse führt er uns an eine Stelle in der Natur und beschreibt, was er sieht und worüber er staunt.
Die ausgewählten Verse des Psalms, die die Sch. als Kopie erhalten, werden reihum gelesen.
Jeder liest noch einmal den Psalm still für sich und markiert den Vers, der ihn am meisten anspricht.
L. liest den Psalm (in Auswahl) noch einmal vor; bei den Versen, die die Sch. ausgewählt haben, stimmen sie in das Vorlesen mit ein.
Danach äußern sich die Sch. zu ihrem Vers.
9. Zum Abschluss kleben die Sch. den Psalm in ihre Hefte (Doppelseite) und gestalten die Heftseiten entsprechend ihrem ausgewählten Vers.
Hat sich die Klasse vorgenommen, zum Kapitel eine Ausstellung zu gestalten, so können diese Arbeiten in der Ausstellung präsentiert werden. Auch bei der Gestaltung eines Gottesdienstes können sie Verwendung finden.

Weitere Erschließungsmöglichkeiten

• Lerngang: Der in Baumform gedruckte Text versucht die Zusammenhänge des Ökosystems Baum aufzuzeigen. Zu empfehlen ist vor der Betrachtung des Bildes KB S. 54 ein Lerngang zusammen mit der Biologielehrerin bzw. dem Biologielehrer. So können die im Bild aufgezeigten Zusammenhänge in der Natur entdeckt werden.

• Gestaltung eines Plakats: Für die Gestaltung eines Plakats dient der Textbaum „Ich bin eine Buche" (KB S. 54) ohne Bildunterlage (M 29). Die Sch. gestalten das Plakat ähnlich wie im KB durch Zeichnungen und/oder durch eingeklebte Bilder aus Zeitschriften.

• Gestaltung eines Baumbuches: Will man in das Thema Baum tiefer einsteigen, empfiehlt sich die Gestaltung eines Baumbuches mithilfe von Bildern und Texten. Anregend ist dazu das Buch von Gerda Gollwitzer: Botschaft der Bäume.

• Schülergottesdienst: Das Thema Baum eignet sich auch sehr gut zur Gestaltung eines Schülergottesdienstes, z.B. unter dem Thema „Mein Freund der Baum". Die Sch. können mithilfe verschiedener Liederbücher Lieder zum Thema Baum zusammenstellen. Das bekannte Lied von Alexandra, „Mein Freund, der Baum", findet sich in Fontäne Nr. 184 (vgl. auch den fächerübergreifenden Unterrichtsvorschlag „Die Botschaft des Baumes" von Kalusche/Petri/Simon, in: entwurf 2/91, S. 46ff.).

Mögliche Schlusssituation

• Baumbilder: Die Sch. können selbst Baumbilder suchen (vgl. dazu oben: Eingangssituation) und dazu entsprechende Texte formulieren. Ein Beispiel hierfür ist die Körpermeditation Baum (M 30). Die Sch. können sich so in einen Baum hineinfühlen und zugleich ein Gefühl für den eigenen Körper entwickeln.

• Leitmedium: Zum Abschluss der Seite wird ggf. gemeinsam überlegt, was sich aus der Behandlung der Seite für das gewählte Leitmedium (s.o.) ergibt. Wird als Leitmedium die Gestaltung einer Ausstellung gewählt, so überlegen die Sch., welche Materialien, Bilder usw. zum Thema Baum sich für die Ausstellung eignen. So kann z.B. die Entstehung des Apfels für die Ausstellung aufbereitet werden.

KB S. 55 Die Schatztruhe der Natur

Ziel dieser Seite ist es (wie des ganzen Kapitels), dass die Sch. erkennen, dass Christen die Natur bewusst als Gottes Schöpfung wahrnehmen und sie mit den Augen Gottes sehen können. Mit Hilfe der Seite können die Sch. lernen, auch Kleinigkeiten in der Natur als Wunder Gottes wahrzunehmen. Sie können eine Ausstellung zum Thema „Die Welt ist voller Wunder" gestalten (s.o. zur Nachhaltigkeit). Der Text „Das Geheimnis der Eulen" ist eine sehr gekürzte Fassung des Bilderbuchs „Eulenglück" von Celestino Piatti. In dieser Geschichte stehen sich die Hühner und die beiden Eulen gegenüber. Die Hühner verlieren sich im Streit um die alltäglichen Probleme und Unzulänglichkeiten. Die Eulen strahlen demgegenüber Ruhe und Zufriedenheit aus. Ihr Geheimnis: Sie sehen in der Welt eine Schatztruhe voll kleiner Wunder. Dazu braucht es „wache Augen, ein feines Gehör und ein offenes Herz". Die Hühner können dieses Geheimnis nicht verstehen.

■ Mögliche Eingangssituation

• L. bringt als stummen Impuls eine leere aus einer Schachtel oder Kiste gestaltete „Schatztruhe der Natur" mit. Er kann diese auch durch Sch. vorher gestalten lassen. UG zum Thema: Was soll in die Kiste gelegt werden?
• Lesen und Besprechen der Geschichte im KB S. 55 entsprechend Impuls 1. Wenn Zeit und Interesse vorhanden ist, kann auch das Bilderbuch selbst gelesen werden. Die Bilder können als Farbfolien gezeigt werden.
• Gegenstände aus der Schatzkiste der Natur: Nach dem Sammeln von Gegenständen aus der „Schatzkiste der Natur" (Impuls 3) erzählen die Sch. zu ihrem Gegenstand eine Phantasiegeschichte und legen sie in die Schatzkiste. Dadurch wird das „Sehen mit anderen Augen" eingeübt.

■ Mögliche Schlusssituation

• Gestaltung einer Ausstellung: Falls die Gestaltung einer Ausstellung nicht als Möglichkeit zum Abschluss der gesamten Einheit gewählt wird, kann hier eine „Sonderausstellung" zum Thema Die Welt ist voller Wunder gestaltet werden.
• Leitmedium: Falls eine Ausstellung geplant ist, dienen die Gegenstände aus der Schatztruhe der Natur als Objekte der Ausstellung; sie können ebenso bei einem Gottesdienst eingesetzt werden: Im Verlauf des Gottesdienstes wird die Schatzkiste geöffnet. Ausgewählte Stücke können auch bei der Gestaltung des Gartens Eden Verwendung finden.

KB S. 56/57 Bebauen und Bewahren

Die beiden Seiten zeigen die Ambivalenz des Schöpfungsauftrags des Menschen, die Erde zu bebauen und zu bewahren (1. Mose 2,15). An den Beispielen Verkehr und Landschaftsverbrauch wird diese Ambivalenz deutlich.
Das Problem dieses Themas besteht in der großen Kluft zwischen der Einsicht der Menschen, auch der Sch., dass sie sich bei der Bewahrung der Schöpfung engagieren müssten, und der mangelnden Realisierung dieser Einsicht, weil sich der Einzelne überfordert sieht. Die Impulse auf den beiden Seiten versuchen daher zum einen Aufgaben zu formulieren, die von den Sch. leicht bewältigt werden können. Zum andern geht es vor allem darum, die Sch. für die Probleme zu sensibilisieren.

Nach der Behandlung der beiden Seiten sollten die Sch. über folgende Fähigkeiten verfügen:
Sie können den Schöpfungsbericht als Auftrag Gottes an den Menschen verstehen, die Erde zu bebauen und zu bewahren.
Sie können über die Gefährdungen der Natur und Möglichkeiten zur Bewahrung der Schöpfung Auskunft geben und eigene kleine Beiträge leisten.
Sie sind in der Lage, Gestaltungsaufgaben wahrzunehmen, die zeigen, dass es sich lohnt, Gottes gute Schöpfung zu erhalten.

■ Mögliche Eingangssituation

• Das Bild KB S. 56 dient als Gesprächsimpuls zum Thema: Der technische Fortschritt – Nutzen oder Gefahr?

■ Erschließungsmöglichkeiten

• Bearbeiten des Textes KB S. 56. L. liest den ersten Abschnitt des Textes. Er endet mit der Frage: „Was hat der Mensch bisher getan, um die Erde wohnlicher zu gestalten?" Zu dieser Frage kann ein Rundgespräch stattfinden. Alternativ dazu können die Sch. in Gruppen Collagen gestalten. Für die Auswertung lesen die Sch. den Rest des Textes und unterstreichen darin die „Maßnahmen", die die Menschen geschaffen haben, um die Erde wohnlicher zu gestalten. Sie vergleichen ihre Vorschläge mit denen des Textes und überlegen, welche Maßnahmen gut für Erde und Menschen sind und welche Gefahren sie in sich bergen (Impuls 1).
Anschließend überlegen sie in Gruppen, welche Aufgaben noch zu bewältigen sind (Impuls 2)
• Der Schöpfungsauftrag des Menschen. Die Sch. lesen „Grundwissen Religion: Der Schöpfungsauftrag des Menschen" mehrmals jeder für sich durch, bis sie den Inhalt in eigenen Worten wiedergeben können.
• Und wo sollen wir wohnen (KB S. 57): Die Sch. spielen die Szene, die sich bei Familie Tross ereignet hat, als Entscheidungsspiel, wobei die Methode des Doppelns angewendet werden kann (Impuls 1).
• Gott gab uns Atem (**M 25**): Das Lied eignet sich als Begleitlied für das ganze Kapitel.
• Eigene Beiträge zur Erhaltung der Natur: Impuls 2 auf KB S. 57 nennt verschiedene Möglichkeiten, wie die Sch. selbst zur Erhaltung von Gottes Schöpfung beitragen können. Die Sch. wählen die eine oder andere Aufgabe aus. Die Bearbeitung kann auch in (arbeitsteiliger) GA geschehen.
• Umsteigen aufs Fahrrad: Als Beleg, wie Umsteigen vom Auto auf das Fahrrad die Umwelt schont, kann das Schaubild KB S. 57 dienen. Die eingesparten volkswirtschaftlichen Kosten belaufen sich auf ca. 10 Millionen Euro im Jahr.
Die Sch. können sich bei örtlichen Umweltorganisationen ähnliches Vergleichsmaterial besorgen. In jeder größeren Stadt werden bei längerfristigen Verkehrsplanungen derartige Ökostudien erstellt. Die Ergebnisse der Arbeitsgruppen werden vorgestellt und im UG erörtert.

■ Mögliche Schlusssituation zum gesamten Kapitel/ Nachhaltigkeit

• Gestaltung eines Kalenders (Impuls 3, KB S. 57).
• Gestaltung eines Gartens Eden.
• Gestalten einer Ausstellung zum Thema „Die Welt ist voller Wunder".
• Gestaltung eines Gottesdienstes (s. dazu oben zum Thema „Leben im Garten Gottes").

3. Lernkarten

23 Wie lautet der Schöpfungsauftrag des Menschen in 1. Mose 1 und 1. Mose 2?
24 In 1. Mose 2,4 b ff. wird die Erde mit einem Garten verglichen. Was bietet dieser Garten dem Menschen? Was muss der Mensch tun?
25 Was könnt ihr tun, um Gottes Schöpfung zu bewahren?

4. Empfohlene Literatur und Medien

Siehe dazu auch die Literatur unter „Geschaffen an sieben Tagen" und „Geschichten vom Anfang".

Gollwitzer, Gerda, Botschaft der Bäume gestern – heute – morgen? Köln 2. Aufl. 1985 (DuMont). *Dieses Buch bietet eine reiche Auswahl von Bildern und Texten zum Thema Baum.*

Kalusche, Dietmar/Petri, Dieter/Simon, Karlheinz, Die Botschaft des Baumes, in: entwurf 2/91, S. 46-56. *Der Beitrag enthält Materialien und konkrete Vorschläge für fächerverbindendes Arbeiten zum Thema Baum für die Fächer Biologie, Kunst und Religion in Sek. 1.*

Piatti, Celestino, Eulenglück, Gossau/Zürich/Hamburg 1993 (Nord-Süd). *Der Text in KB S. 55 basiert auf diesem Bilderbuch. Die Bilder und Texte eignen sich für Sch. der Klassenstufe 5/6.*

Liedke, Gerhard, Im Bauch des Fisches, Ökologische Theologie, Stuttgart 2. Aufl. 1989 (Kreuz). *Liedke gewinnt durch die Einbeziehung der Umweltproblematik ganz neue Einsichten in die biblische Urgeschichte 1. Mose 1-11. Er zeigt u. a. die ökologische Struktur des ersten Schöpfungsberichtes auf.*

Für Schüler/-innen:

„Rettungsaktion Planet Erde, Kinder der Welt zum Umweltgipfel von Rio", Kinderausgabe der Agenda 21, Bibliographisches Institut Mannheim 1994.

Wachtmeister, Rosina, Die Schöpfung, München 1998 (Pattloch Verlag).

In der Reihe „Was ist was?" des Tessloff-Verlags gibt es eine Reihe von Bänden, die die Schöpfungsthematik berühren, z. B.: Band 1 Unsere Erde, Band 2 Der Mensch, Band 6 Die Sterne, Band 9 Der Urmensch, Band 15 Dinosaurier, Band 16 Planeten und Raumfahrt, Band 48 Luft und Wasser, Band 65 Die Eiszeit, Band 74 Naturkatastrophen.

5. Materialien

M 25 Lied: Gott gab uns Atem
M 26 Der zerhackte Garten
M 27 Schöpfungsbild aus der Lutherbibel (1534)
M 28 Phantasiereise Apfel
M 29 Ich bin eine Buche
M 30 Körpermeditation Baum

Miteinander in der Schöpfung: Tiere und Menschen

1. Zielsetzung, Aufbau und Kompetenzen

Den Hintergrund dieses Kapitels bildet – wie schon beim vorangehenden Kapitel „Leben im Garten Gottes" – der jahwistische Schöpfungsbericht 1. Mose 2, insbesondere die Verse 7. 18-25. In diesen Versen wird über die Erschaffung der ersten Menschen und der Tiere erzählt. Dieses Miteinander bildet den Inhalt des Kapitels.

Ein Ziel des Kapitels ist es, dass die Sch. erkennen, dass die biblischen Geschichten nicht Tatsachenberichte sind, sondern von den Erfahrungen Israels mit Gott erzählen. Hinter 1. Mose 2 steht die Erfahrung, dass der Mensch einerseits gegenüber den Tieren eine besondere Stellung einnimmt, dass er andererseits aber – wie die Tiere aus Erde – erschaffen ist. Nur durch die besondere Beziehung zu Gott gewinnt er sein wahres Menschsein. Hinzu kommt die Erfahrung, dass der Mensch nicht für das Alleinsein geschaffen wurde, sondern als ein Wesen, das auf Beziehungen angewiesen ist.

In 1. Mose 2 zeigt sich Gottes „väterliche Fürsorge für den Menschen" (Weiser, ATD Genesis, S. 66). Der Garten wird dem Menschen als Lebensgrundlage übergeben. Die Tiere und die Frau sind zum Wohle des Menschen (Adam) erschaffen. Hier wird – was für Sch. schwer zu vermitteln ist – patriarchalisch vom Menschen als Mann aus gedacht.

Dass der Mensch aus Erde geschaffen ist und nur durch den Atem Gottes zu einem lebendigen Wesen wird, ist auch von Sch. der Klassenstufe 5/6 in seinem Symbolgehalt nachvollziehbar. Der aus Erde (hebr.: adama) geformte Mensch muss wieder zu Erde werden, was allerdings erst in 1. Mose 3 thematisiert wird.

In den Versen 18-25 kommt zum Ausdruck, dass der Mensch sein Menschsein nicht als Einzelwesen verwirklichen kann. Gott entschließt sich, dem Menschen (Adam) zu einer Partnerin zu verhelfen. Die Übersetzung der Lutherbibel (Gehilfin) kann in die Irre führen. Die richtige Übersetzung lautet „eine Hilfe, ihm entsprechend". Die Hilfe besteht zunächst darin, dass der Mensch nicht einsam ist; wäre der Mensch einsam, wäre er hilflos. In dem hebräischen Wort ‚ihm entsprechend' ist der Begriff des Gleichgearteten wie der der Ergänzung enthalten. „Man darf jedoch den Begriff ‚Hilfe' nicht schon im Hinblick auf die spätere Erschaffung des Weibes personifiziert als ‚Gehilfin' übersetzen. Es ist zunächst nur von einem Beistand geredet, von dem, was dem Menschen Inbegriff innerer und äußerer Förderung werden soll." (Weiser, ATD Genesis, S. 66). „‚Hilfe' ist dabei im weitesten Sinn gemeint, nicht nur bei der Arbeit oder nur bei der Erzeugung von Nachkommen, sondern in gegenseitigem Helfen in allen Bereichen des Menschseins." (Westermann, Am Anfang, S. 36). Wie eine Auslegung zu dieser Stelle klingt Pred. 4,9-12, vor allem 9f.: Zwei sind besser als einer; ... denn fallen sie, so hilft einer dem anderen auf."

Der Entschluss Gottes, dem Menschen (Adam) eine Partnerin bzw. ein Gegenüber als Hilfe zu verschaffen, führt zunächst nicht zum gewünschten Erfolg: Zwar sind die Tiere aus demselben Material – Erde – wie der Mensch, und sie stellen für den Menschen auch eine Hilfe dar, aber sie sind nicht das entscheidende Gegenüber.

Dass der Mensch den Tieren ihren Namen gibt, zeigt eine Herrscherstellung des Menschen den Tieren gegenüber. Indem der Mensch den Tieren ihren Namen gibt, gewinnt er (zumindest grundsätzlich) Macht über sie. „Zwar haben die ‚Lebewesen' (V. 17-19) Tier und Mensch Gemeinsames, doch menschliches Leben steht auf höherer Stufe. Das besagt der Hoheitsakt der Tierbenennung. Ein Wesen mit Namen benennen können, bedeutet in alten Kulturen, es beherrschen." (Die Bibel mit Erklärungen, S. 34). Die Frau als das wirkliche Gegenüber wird nicht direkt aus Erde erschaffen, sie ist Teil des Mannes. Diese in einer patriarchalischen Welt geprägte Erkenntnis kann man unpatriarchalisch etwa so ausdrücken: Erst Mann und Frau ergeben den wahren Menschen, je für sich genommen ist weder Frau noch Mann ganz Mensch.

Standen in „Leben im Garten Gottes" die Pflanzen im Zentrum, so rücken in diesem Kapitel die Tiere als Mitgeschöpfe des Menschen in den Mittelpunkt. Am Verhältnis von Menschen und Tieren wird das Miteinander in der Schöpfung angesprochen. In 1. Mose 1 und Psalm 8 wird die besondere Verantwortung des Menschen für die Schöpfung im Besonderen auf die Tiere bezogen.

Tiere spielen im Leben der 11/12-Jährigen eine ganz wichtige Rolle. Meerschweinchen, Hamster, Katze und Hund können gerade für die Kinder zu Partnern werden, denen man alles sagen kann. So haben die Sch. der Klassenstufe 5/6 ein besonderes Verhältnis zu (Haus-)Tieren und sind interessiert an „Tiergeschichten". An dieses Interesse knüpft das Kapitel mit Bildern und Texten an.

Zum Aufbau:

Den Auftakt bildet S. 58 „Gott liebt die Tiere." Ziel dieser Seite ist das Wissen um das Lebensrecht der Tiere als Geschöpfe Gottes.

Im Unterschied zu S. 58 thematisieren die Seiten 59 bis 61 das Verhältnis der Menschen zu den Haustieren unter verschiedenen Aspekten: S. 59 „Menschen und Tiere – ein besonderes Verhältnis" zeigt, dass Menschen und Tiere Geschöpfe Gottes sind, wobei auf dieser Seite die Haustiere im Mittelpunkt stehen. KB S. 60 thematisiert, wie Tiere für Menschen eine Hilfe sein können. KB S. 61 weist darauf hin, dass Tiere nicht einseitig Ausbeutungsobjekte des Menschen sein dürfen. Als Mitgeschöpfe leiden sie, wie auch Menschen leiden.

Auf den abschließenden Seiten 62 und 63 steht das unterschiedliche Verhältnis Mensch -Tier und Mensch – Mensch im Mittelpunkt: Diese Seiten greifen die Verse 18-25 des jahwistischen Schöpfungsgeschichte auf: „Es ist nicht gut, dass der Mensch allein sei."

Nachhaltigkeit/Mögliches Leitmedium

- Die Sch. können zum ganzen Kapitel ein „Tierbuch" gestalten, das Bilder enthält, die den biblischen und anderen Texten zugeordnet sind. Ziel dieses Tierbuches sollte es sein, den Zusammenhang des Miteinander in der Schöpfung zu zeigen. Die Gestaltung des Tierbuches kann eine Leitlinie für das gesamte Kapitel sein. Nach jeder Sequenz können die Sch. eine oder mehrere Seiten ihres Tierbuches gestalten.

2. Didaktisch-methodische Hinweise

KB S. 58 Gott liebt die Tiere

Ins Auge fällt auf dieser Seite das Tafelbild von Meister Bertram, Die Erschaffung der Tiere von 1380. Auf den ersten Blick scheint hier 1. Mose 1,20-25 abgebildet; Gott erschafft die Tiere durch sein Wort. Gott „spricht zu den Tieren mit den Gesten seiner Hände, die sagen: Kommt! Es ist Raum für euch. Ich will, dass ihr da seid! Und sie kommen. Von allen Seiten kommen sie und drängen sich in lebendiger Vielfalt um ihn." (Zink, Bildwerk zur Bibel, S. 63).

Gottes Hände drücken ein Doppeltes aus: Er ruft die Tiere ins Leben und segnet sie. Diese doppelte Zuwendung wird durch die Körperhaltung Gottes unterstrichen.

Das Bild ist durch die übergroße Gestalt Gottes in zwei Hälften geteilt. Man kann drei Gruppen von Tieren erkennen: a) Die Landtiere nehmen fast die ganze linke Hälfte ein. b) Rechts oben und links oben die Vögel. c) Rechts unten die Meerestiere. Der Schwan bildet die Brücke zwischen den Vögeln des Himmels und den Wassertieren.

Zu den einzelnen Tieren: Zu erkennen sind links oben zwei Eulen, darunter eine Hasenfamilie, dann untereinander: Schaf, Wolf, Reh und Hirsch, ein Esel, ein Pferd, ein Schwein, ein Bär und ein Stier; rechts oben ein Stieglitz, darunter: ein Pfau, ein Hahn, ein Schwan, fünf unterschiedlich große Fische.

Am jeweils offenen Mund ist zu erkennen, dass einige Tiere zu reden scheinen: Fuchs, Hirsch, Pferd, Schwein, Hahn, der oberste kleine Fisch, der Hecht und der Raubfisch am unteren Bildrand. „Es ist, als ob nicht nur Gott mit ihnen allen redete, als ob sie selber mit Gott sprächen und Ja sagten: ‚Ja, wir wollen da sein.'" (Zink, Bildwerk zur Bibel, S. 63).

Das Bild vermittelt insgesamt einen friedlichen Eindruck. Das würde ja auch 1. Mose 1 entsprechen, wo ein friedliches Nebeneinander der Tiere (und von Mensch und Tier) vorausgesetzt wird. Menschen und Tiere sind nach der priesterschriftlichen Überlieferung Vegetarier. Erst nach der Sintflut zeigt sich eine neue Wirklichkeit. Der Bund Gottes mit Noah beinhaltet, dass den Menschen Tiere als Nahrung zugewiesen sind. Daraus kann geschlossen werden, dass auch Tiere sich gegenseitig als Nahrung dienen (1. Mose 9,1-6).

Bei genauerem Hinsehen zeigt das Bild von Meister Bertram bereits diese Wirklichkeit: „Aber der Friede täuscht. Das Spielerische täuscht. Mit der Erschaffung der Tiere will Gott auch den Kampf ums Leben, das Töten und Fressen. Deshalb hat Meister Bertram ganz dicht neben die Hand Gottes den Wolf gestellt, der dem Schaf die Kehle zerbeißt, und dem Chor der Tiere, die Gott antworten, die Klage eingefügt, mit der das Schaf sich an seinen Schöpfer wendet. Denn Gott ist kein romantischer Gott. Alles – auch Hunger und Schmerzen, Angst und Raub, Kampf und Tod – ist nach seinem Willen, jedenfalls hier, wo er die Tiere schafft. Es hat keinen Sinn, Gott nur den zarten Häschen und den frommen Lämmern zuzuordnen und dabei zu übersehen, nach welch harten und strengen Gesetzen er das Leben seiner Schöpfung geordnet hat." (Zink, Bildwerk zur Bibel, S. 63) Möglicherweise weist auch der Raubfisch rechts unten mit seinen gefährlichen Zähnen auf denselben Sachverhalt hin.

In der Überschrift „Gott liebt die Tiere" ist bereits enthalten, welche Kenntnisse und Fähigkeiten die Sch. bei Behandlung dieser Seite erwerben können: Sie können erfahren, dass nach Aussage der Bibel auch die Tiere Gottes Geschöpfe sind, denen er sich liebend zuwendet. Dabei ist allerdings das Miteinander der Tiere nicht ohne tödliche Konflikte. Dasselbe gilt auch für das Verhältnis von Mensch und Tier (vgl. 1. Mose 9,1ff.).

■ **Mögliche Eingangssituation**

• Die Sch. äußern sich spontan zu dem Bild von Meister Bertram. Möglicher Impuls: Beschreibt die Stimmung, die das Bild ausstrahlt.

■ **Erschließungsmöglichkeiten**

• Die Sch. malen **M 31** aus und benennen die Tiere, die zu erkennen sind. Das Ausmalen der Umrisszeichnung stellt bereits eine Vorbereitung zur Bearbeitung des zweiten Impulses dar.

• Bodenbild: Zur Bearbeitung von Impuls 2 kann folgende Aktion helfen: Die Sch. bringen Bilder von (Wild-) Tieren mit, die sie mögen oder interessant finden. Jeder Sch. wählt dann ein Tier aus. Auf den Boden wird ein Symbol für Gott gelegt. Hierzu können – ausgehend von dem Bild – Hände gewählt werden, die das Segnen und Herbeirufen ausdrücken. Wählt man hierzu Gesten von KB S. 68, so ist damit eine Verbindung zur Kindersegnung Jesu gegeben.

Zur „Körpersprache" Gottes lesen sie 1. Mose 1,20-25. Kernaussage: Gott ruft die Tiere ins Leben und segnet sie. Diese beiden Aussagen bringen die Hände Gottes zum Ausdruck.

Um das Symbol für Gott legen nun die Sch. ihre Tiere. Zum Abschluss des Bildes formuliert jeder Sch. zu seinem Tier Dankbarkeit und Sorgen. Die Sätze können jeweils so beginnen. Ich freue mich, dass .../Ich habe Sorge, dass ... Ich fürchte mich vor ... Ich habe Angst; dass ... Andere Möglichkeit: Die Sch. schreiben die Sorgen und Freuden in Sprechblasen und legen sie zu den einzelnen Tieren. Insgesamt kann so gemeinsam ein interessantes Rollenspiel gestaltet werden. Wichtig ist, dass hierbei zunächst keine Haustiere gewählt werden, da diese erst KB S. 59 thematisiert werden.

Das Bodenbild kann auch als Plakat und/oder als Hefteintrag gestaltet werden, wobei die Sch. die Freuden und Ängste der Tiere jeweils in Sprechblasen schreiben können. Ebenso kann dies als ein Teil des Tierbuches verwendet werden.

• Die Aufgabenstellung von Impuls 4, Bibelstellen mit eigenen Worten wiederzugeben, kann alternativ zu dem Bodenbild oder in arbeitsteiliger GA bearbeitet werden. Die Wiedergaben in eigenen Worten können als Texte für das Tierbuch Verwendung finden.

• Der Konflikt unter den Tieren: Erfahrungsgemäß stoßen die Sch. bei den vorgeschlagenen Bearbeitungsmöglichkeiten des Bildes an irgendeiner Stelle auf den Konflikt unter den Tieren, der mit dem Wolf und dem Schaf auf dem Bild angesprochen wird. Dieser Konflikt sollte dann thematisiert werden. Möglich ist dann auch die Erwähnung der Vision eines Friedensreichs bei den Propheten, wo die Tiere friedlich miteinander leben (Jes 11,6).

KB S. 59 Menschen und Tiere – ein besonderes Verhältnis

Im Unterschied zu Seite 58 thematisieren die Seiten 59 bis 61 das Verhältnis des Menschen zu den Haustieren. Dabei wird insofern auf den Erfahrungshorizont der Sch. eingegangen, als sich gerade in diesem Alter Jugendliche Haustiere wünschen und sehr häufig Tierbücher und Tierzeitschriften lesen, die sie in den Unterricht mitbringen können.

■ **Mögliche Eingangssituation**

• Der dritte Impuls, ein Haustier zu malen, eignet sich sehr gut dazu, in die Problematik einzusteigen: Die Sch. erzählen von eigenen Erfahrungen mit Haustieren.

■ **Erschließungsmöglichkeiten**

• Bild Kind mit Hund: Die Sch. betrachten das Bild, suchen eine Bildunterschrift und erzählen Erlebnissen mit Hunden. Als vertiefendes Medium zu dem Bild kann die Geschichte „Pit bekommt einen Hund" (**M 32**) vorgelesen werden. Sie nimmt die Erfahrungen der Sch. auf, dass sich Eltern häufig dem Wunsch der Kinder nach einem Haustier widersetzen. Die Geschichte zeigt die Bedeutung der Tiere als Wunschpartner der Sch. dieser Altersstufe. Sie macht aber auch deutlich, welche Probleme Haustiere bereiten können.

• Expertengruppen (Impuls 5): Die „Expertengruppen" werden nach den Tierwünschen der Sch. zusammengestellt. Zur Gestaltung der Schautafel: Jede Gruppe erhält einen DIN A 3-Bogen und ein DIN A 4-Blatt. Auf dem DIN A 4-Blatt formulieren die Sch. die Ratschläge entsprechend den im KB aufgelisteten Fragen und Anregungen. Dieses Blatt wird Teil einer Collage auf dem DIN A 3-Bogen, die mit Zeichnungen und Ausschnitten aus Zeitschriften, Fotos des eigenen Tieres u. a. gestaltet wird. Statt eines Plakates kann auch ein kleines Heft als „Haustierratgeber" angefertigt werden. Eine Alternativgruppe kann Impuls 6 „Welche frei lebenden Tiere habt ihr schon einmal beobachtet? Sammelt Bilder und erzählt davon" bearbeiten und eine entsprechende Collage gestalten. Anschließend stellen die Gruppen sich gegenseitig ihre Ergebnisse vor.

• Wenn Tiere sterben: Die Arbeit mit dem Bild und den dazugehörenden Impulsen zeigt die traurige Seite des Umgangs mit Haustieren. Sch. der Altersgruppe Klasse 5/6 werden nicht so gerne zugeben, wie stark sie der Tod eines Tieres beunruhigen kann. Hier kann helfen, die Sch. dazu aufzufordern, von Erlebnissen mit dem Tod von Tieren zu erzählen, als sie noch kleinere Kinder waren.

• Besuch eines Tierfriedhofs: Die Sch. können einen Tierfriedhof besuchen und davon eine Bilddokumentation erstellen. Vielleicht treffen sie dort auch „Angehörige" von verstorbenen Tieren und können sich von ihnen über ihr Tier erzählen lassen.

■ **Mögliche Schlusssituation**

• Die Sch. überlegen, was sie aus der Behandlung von KB S. 59 für ihr Tierbuch übernehmen können, und gestalten eine entsprechende Seite.

KB S. 60 Tiere helfen Menschen

Auf dieser Seite wird durch die kleine Erzählung und das Bild thematisiert, dass oft gerade ältere Menschen in Tieren wichtige Ansprechpartner finden.

■ **Mögliche Eingangssituation**

• Die Bilder KB S. 60 und 61: Sch. betrachten die drei Bilder und vergleichen sie. Sie arbeiten heraus, in welchem Verhältnis jeweils die Tiere zu den Menschen stehen und wie sie ihnen nützlich sind.

■ **Erschließungsmöglichkeiten**

• Frau Bergers Katze. Die Sch. lesen die Geschichte KB S. 60 „Frau Bergers Katze" und bearbeiten die dazu gehörenden Impulse. Zum Impuls 1 „Schreibt auf, was Frau Berger den Kindern erzählt" hier ein möglicher Schluss der Geschichte. Dieser Schluss kann – von L. vorgelesen – den Sch. helfen, die Geschichte aus der Sicht von Frau Berger zu erzählen.

Im Laufe der nächsten Wochen freundete ich mich sogar mit Oma Berger an. Oft war ich bei ihr im Garten und wir unterhielten uns bei einer Tasse Schokolade. Sie erzählte, dass das Leben nach dem Tod ihres Mannes eintönig und einsam für sie geworden war. Da war niemand mehr gewesen, für den es sich zu leben gelohnt hätte. Für wen sollte sie den Haushalt und sich selber in Ordnung halten? Aber dann war das Kätzchen zu ihr gekommen und mit ihm ein lebendiges Wesen, das jeden Morgen seine Milch und etwas zum Fressen verlangte. Nun musste sie wieder regelmäßig aufstehen, um das Kätzchen zu versorgen. Aber der kleine Tiger wollte nicht nur sein Fressen, sondern er wollte auch auf den Arm genommen und gestreichelt werden.
Und sie erzählte, dass sie mit ihrer Katze auch Gespräche führte. Natürlich antwortete der kleine Tiger nicht mit verständlichen Worten, aber sie hatte den Eindruck, dass er vieles von dem, was sie sagte, wortlos verstand. Und so war mit der kleinen Katze etwas in ihr Leben getreten, für das es sich wieder zu leben lohnte.

• Betrachtung des Bildes: Impuls 2 und das Bild (Impulse 3 und 4) können helfen, bei den Sch. ein vertieftes Verständnis dafür wecken, dass Menschen Tiere als Ansprechpartner brauchen. Hierzu kann auch folgender Auszug aus der Zeitschrift „Das Tier" herangezogen werden:

Gesünder mit Heimtieren
Nicht nur Hunde, auch Katzen, Wellensittiche und sogar Aquarienfische helfen mit, dass Kranke körperliche und psychische Beschwerden schneller überwinden, dass alte Menschen ihr Leben wieder als lebenswert betrachten. Heimtiere als Therapiehelfer sind in den USA, in Australien, England und Schweden seit Jahren im Einsatz. Vor allem bei Langzeitpatienten, bei Personen mit schweren Depressionen, bei Epileptikern, aber auch bei alten Menschen mit Alzheimerkrankheit und bei autistischen Kindern wirken Hunde, Katzen, Kaninchen oder Ziervögel Wunder. Zahlreiche Studien belegen darüber hinaus, dass sich Tiere auch vorbeugend einsetzen lassen. Heimtierhalter sind nämlich eindeutig seltener krank. Die Gründe liegen auf der Hand: Heimtiere lassen die Sorgen des Alltags vergessen, sind geduldige und stets präsente Zuhörer, fordern zum Spiel und zum Spaziergang an frischer Luft auf. Sittiche oder Meerschweinchen fördern bei Kindern Verantwortungsgefühl und Selbstvertrauen und selbst das kleinste Aquarium im Büro eines Managers sorgt bereits für stressfreiere Stunden.
(Aus: Das Tier, Nr. 7/1994)

• M 33 „Ein kleiner Hund als große Hilfe – Tiere als wertvoller Beitrag zur Dementententherapie" bietet einen Zeitungsartikel, der diesen Einsatz von Tieren in Altenpflegeheimen anschaulich schildert.

• Die Sch. können zu diesem Thema auch im Internet recherchieren. Unter dem Suchwort „Tiere helfen Menschen" finden sich viele interessante Artikel und Bilder, u. a. auch zu Pferden und Delfinen. Die Sch. können auch zu dem Verein „Tiere helfen Menschen" (http://www.thmev.de/) Kontakt aufnehmen.

KB S. 61 Auch Tiere leiden

Die Geschichte „Waldis Herrchen" zeigt die negative Seite der Tierhaltung. Gerade für Sch. der Klassen 5/6 ist die Erkenntnis wichtig, dass Haustiere keine Sachen sind, die man beliebig in die Hand nehmen und wieder weglegen kann. Die Seite will auf den verantwortlichen Umgang mit Tieren aufmerksam machen. Regelmäßig in der Ferienzeit häufen sich die Berichte über ausgesetzte Tiere. Insofern sind die Warnungen, die zu Weihnachten von Tierschutzverbänden ausgesprochen werden, den Kindern keine Tiere zu kaufen, berechtigt. Allerdings kann man die Kinder nicht einseitig zu Schuldigen erklären. Entscheidend ist die Frage, ob genügend Raum und Zeit für die Betreuung eines Haustieres zur Verfügung stehen. An diesem Punkt setzt die Geschichte von Waldis Herrchen an.
Die beiden Bilder zur Hühnerhaltung wollen das Dilemma bewusst machen, in dem sich viele Verbraucher befinden: Nahrungsmittel (hier werden die Hühnereier als Beispiel angeführt) sollen möglichst billig sein. Viele tierische Nahrungsmittel sind aber nur billig produzierbar, wenn Tiere nicht artgerecht gehalten werden.

■ **Erschließungsmöglichkeiten**

• Waldis Herrchen: Die Geschichte wird gelesen und entsprechend dem ersten Impuls bearbeitet. Dieser regt dazu an, darüber nachzudenken, wie es Waldi wohl ergangen ist. Dass aus der Sicht von Waldi erzählt werden soll, kann dazu helfen, tieferes Verständnis für sein Schicksal und seine Bedürfnisse zu wecken.
Zu den weiteren Impulsen: Es müssen nicht alle Impulse bearbeitet werden. Statt ein Tierheim zu besuchen, kann auch ein Mitarbeiter eines Tierheims in den Unterricht eingeladen werden.

• Käfighaltung: Zusätzlich zu dem angeregten Rollenspiel können die Sch. in Supermärkten über Preise von ökologisch erzeugten Lebensmitteln im Vergleich zu Lebensmitteln aus Massenproduktion recherchieren.
Sie können ferner im Internet viele interessante Berichte zum Thema „Käfighaltung" finden. U. a. bietet hier auch die Homepage der Tierschutzorganisation „Vier Pfoten e.V." vielfältiges Material (www.vier-pfoten.de).

■ **Mögliche Schlusssituation**

• Die Sch. erheben, was sie aus der Behandlung der beiden Seiten für ihr Tierbuch nutzen können, und gestalten entsprechende Seiten.

KB S. 62/63 Es ist nicht gut, dass der Mensch allein sei

Hintergrund dieser beiden Seiten ist 1. Mose 2,18-23: Und Gott der HERR sprach: Es ist nicht gut, dass der Mensch allein sei; ich will ihm eine Gehilfin machen, die um ihn sei ...

Die beiden Seiten leben von den Farbholzschnitten von HAP Grieshaber, die auf die Erschaffung der Tiere und des Menschen in 1. Mose 2 bezogen werden können. Während auf S. 62 die Verse 19 und 20 anklingen, setzt Seite 63 eher Vers 23 ins Bild.
Erfahrungen im Unterricht zeigen, dass beide Bilder für die Klassenstufe 5/6 gut geeignet sind. Es hat sich gezeigt, dass der Hinweis auf die Art der beiden Holzschnitte, der in Impuls 1 (S. 62) zum Ausdruck kommt, sehr hilfreich ist.
Ebenfalls hat sich im Unterricht gezeigt, dass die Erschließung der beiden Bilder mit Hilfe der dazugehörenden Impulse leicht gelingen kann.

HAP Grieshaber (1909-1981) war der wohl bekannteste deutschen Holzschneider des 20. Jh. Grieshabers umfangreiches Werk, in dessen Zentrum der Holzschnitt steht, umfasst neben großformatigen handabgezogenen Holzschnitten eine Fülle von Mappenwerken mit z.T. hohen Auflagen. Was ihn als Menschen betraf und bewegte, veranlasste ihn als Künstler zum Schaffen. Zeitlebens war er hierbei ein engagierter Zeitgenosse: „Auch durch Kunst, durch Poesie kann die Welt verändert werden, solange man sie macht" (aus einem Interview von 1965). Sein Engagement für den Umweltschutz, den Frieden oder für Demokratie weltweit sind häufig Themen seiner Grafiken. Daneben tauchen immer wieder Stationen seines eigenen Lebens als Motive seiner Holzschnitte auf.

Koppel, Farbholzschnitt 1950 (Fürst-Werkverzeichnis 50/3)
Der Mensch in seinem Verhältnis zur Natur, der Mensch als Teil der Natur oder die Natur des Menschen – immer wieder beschäftigte sich Grieshaber mit diesen Themen in seinen Bildern.
Menschen und Tiere teilen denselben Lebensraum, einen Lebensraum, der Nahrung für Mensch und Tier bereit hält und den die Sonne behaglich werden lässt. Die Menschen sind Hüter und Hirten der Schafe. Die Tiere sind zutraulich, gerade die jungen Tiere suchen die Nähe der Hirten. Dabei lebt der Mensch nicht nur mit den Tieren, sondern auch von ihnen: Milch, Wolle, Fleisch und Fett erhält er durch sie. Auch verwischen durch das Zusammensein von Mensch und Tier in dieser traulichen Szene nicht die Grenzen ihres jeweiligen Wesens. Gerade der rechte Hirte hebt sich durch seine Gestalt ab von den ihn umgebenden Tieren. Es scheint, er thront über der Gruppe und sein ausgestreckter Arm sind Zeichen der Herrschaft und schützende Geste zugleich.
„Was ist der Mensch, dass du seiner gedenkst, und des Menschen Kind, dass du dich seiner annimmst? ... Du hast ihn zum Herrn gemacht über deiner Hände Werk, alles hast du unter seine Füße getan: Schafe und Rinder allzumal, dazu auch die wilden Tiere." (Psalm 8, 5.7-8)
Eine ausführlichere Bildbetrachtung ist zu finden in: Die Bibel nach der Übersetzung Martin Luthers mit Bildern von HAP Grieshaber, Deutsche Bibelgesellschaft, Stuttgart, 1999, S. 397.

Paar, Farbholzschnitt 1937 (Fürst-Werkverzeichnis 37/1)
Trotz des durch die NS-Reichskulturkammer verhängten Tätigkeitsverbotes als Künstler entsteht 1937 der Farbholzschnitt „Paar". Paare durchziehen Grieshabers Werk von seinen Anfängen an. Sie sind ein zentrales Thema seines Schaffens und seines Lebens. Im „Paar" von 1937 ergänzen sich die Gestalt des Mannes und der Frau zu einer geschlossenen Einheit, die zu einer neuen Form wird. Doch die Einheit von Mann und Frau führt nicht zur Vereinheitlichung der beiden Personen. Neben der Zusammengehörigkeit und Harmonie bringt das Bild auch die spannungsreiche Beziehung, die Eigenheit, sogar die Gegensätzlichkeit der beiden zum Ausdruck, so z.B. durch den Farbkontrast zwischen dem kühlen Blau des Mannes und dem warmen Rot der Frau.

Bei der Arbeit mit den beiden Bildern im Unterricht zeigte sich, dass die Sch. trotz der Fremdheit der Formen sehr gut auf diese Holzschnitte ansprachen

■ Mögliche Eingangssituation

- L. oder ein interessierter Schüler, der sich über Literatur oder das Internet informiert, berichtet über den Holzschneider HAP Grieshaber und seine Holzschnitttechnik.

■ Erschließungsmöglichkeiten

- HAP Grieshaber, Koppel: Erschließung des Bildes KB S. 62 mit Hilfe der Impulse. Die Impulse sind in Inhalt und Reihenfolge so angelegt, dass sie eine schrittweise Erschließung des Bildes ermöglichen: Nach einem ersten intensiven Betrachten formulieren die Sch. ihre Eindrücke, wobei sie sich möglicherweise befremdet über die Art der Darstellung der Figuren äußern. Erfahrungsgemäß sehen sich die Sch. aber sehr rasch in das Bild ein.
Impuls 2 und 3 helfen den Sch., sich in dem Bild zurechtzufinden und Einzelheiten zu entdecken. Die Äußerung einer Schülerin zeigt, dass sich das vorgeschlagene Verfahren sehr gut bewährt hat: Sie hat als Überschrift formuliert „Der gute Hirte!" und das linke Schaf angezeichnet, das der Hirte (die Hirtin?) auf dem Arm trägt und dazu formuliert: „Als Schaf würde ich mich auf den Armen des Hirten am wohlsten fühlen. Das Zusammensein strahlt Liebe und Geborgenheit aus."
- HAP Grieshaber, Paar: Auch dieses Bild kann mit Hilfe der Impulse gut schrittweise erschlossen werden. Die einfacheren Formen gegenüber „Koppel" ermöglichen, das Bild ins Heft zu übertragen. Die Sch. können aber durchaus auch das Bild groß an die Tafel oder auf ein Plakat übertragen. Das Übertragen des Bildes kann – bei entsprechender Aufgabenstellung – auch ein Bestandteil des Tierbuches werden. Durch dieses Übertragen des Bildes können die Sch. sehr gut Formen und Farben des Bildes nachvollziehen.
Durch das Auswählen der geeignetsten Begriffe (Impuls 3) nähern sich die Sch. den inhaltlichen Aussagen des Bildes. Die Erfahrung mit dieser Aufgabenstellung zeigt, dass es sinnvoll ist, die Begriffe auf drei zu beschränken. Eine Schülerin hat als Überschrift folgende Formulierung gewählt: „Menschen passen besser zusammen als Mensch und Tier." Als Stichworte hat sie aufgeschrieben: Ergänzung, Liebe, Hilfe, Trost, Zuneigung, Stütze, Wärme, Gleichberechtigung, Nähe. Mit Impuls 4 wird der biblische Bezug hergestellt. Beim Auswählen eines Titels können die Sch. auf die ausgewählten Begriffe und die Bibelstellen zurückgreifen.

■ Mögliche Schlusssituation zum Kapitel/Nachhaltigkeit

- Zum Abschluss des Kapitels können die Sch. ihr Tierbuch fertig stellen. Dazu gehen sie die Seiten des Kapitels noch einmal durch.

3. Lernkarten

26 Nach 1. Mose 2 erschafft Gott zunächst Adam, danach die Tiere und Eva.
Beschreibe, in welchem Verhältnis Tiere und Menschen nach 1. Mose 2 zueinander stehen.

27 „Es ist nicht gut, dass der Mensch allein sei." Wo stehen diese Worte und was bedeuten sie?

28 Nenne Beispiele für das Leiden von Tieren.

4. Empfohlene Literatur und Medien

Siehe dazu die Literatur unter „Geschaffen an sieben Tagen", „Geschichten vom Anfang" und „Leben im Garten Gottes".

5. Materialien

M 31 Meister Bertram, Die Erschaffung der Tiere
M 32 Pit kommt zu einem Hund
M 33 Ein kleiner Hund als große Hilfe

Menschen vor Gott

Einführung

Das Kapitel zeigt, dass ein Christ seine Ichstärke aus der Erfahrung der bedingungslosen Zuwendung Gottes zu jedem Einzelnen gewinnt. Von dieser Zuwendung her kann er aber auch Schwächen eingestehen. Er gewinnt so ein realistisches Verhältnis zu sich selbst und kann mit anderen respektvoll umgehen.

Diese Thematik wird in drei Kapiteln konkretisiert:
1. Ich bin einmalig (KB S. 68-73). Hier wird die Gottesebenbildlichkeit des Menschen thematisiert: Alle Menschen mit ihren Stärken und Schwächen sind von Gott nach seinem Ebenbild als einmalige Individuen erschaffen.
2. Andere Menschen, fremde Menschen (KB S. 74-79). Als Motto dieses Kapitels könnte man formulieren: „Fremde Menschen finden Heimat!"
3. David – ein Vorbild? (KB S. 80-85). Dieses Kapitel stellt den biblischen „Helden" David mit seinen Stärken und Schwächen vor.

Damit werden drei Ebenen angesprochen:
Die erste Ebene betrifft die Beziehung des Menschen zu sich selbst. Der Mensch mit seinen Fähigkeiten und Mängeln, mit seinen Schwächen und Stärken, ist von Gott als Gegenüber, als Ebenbild erschaffen. Angesichts von Kindern/Jugendlichen der Klassenstufe 5/6, die meist auf ihrer Suche nach sich selbst unsicher sind, ist es wichtig, dass die Sch. zunächst ein Verhältnis zu sich selbst gewinnen, wozu auch ein gesundes Selbstbewusstsein gehört. Zu einem solchen Selbstbewusstsein kann das Wissen um Gottes Liebe zu jedem Einzelnen beitragen.
Die zweite Ebene nimmt die Beziehung zum Nächsten in den Blick. Exemplarische Begegnungsräume, wie sie die Schule darstellt, in der die Sch. mit Menschen in Kontakt kommen, die ihnen fremd sind und die sie sich nicht ausgesucht haben, sind angesichts einer multikulturellen Gesellschaft und im Hinblick auf die Globalisierung außerordentlich wichtig.
Auf der dritten Begegnungsebene, der Beziehung zu Gott, steht die Beziehung des jungen David zu Gott im Zentrum. Da für Jugendliche die Frage von Leistung und Erfolg ein Kriterium für die Bewertung von Freundschaften und Idolen ist, wird das Thema: „Vor Gott etwas leisten und versagen können" ins Zentrum der Auseinandersetzung gestellt. Somit wird auch hier vernetzend an der Gottesbildthematik gearbeitet und die Frage der Talente von KB S. 70 theologisch weitergeführt.
Vorrangig kommt im David-Kapitel zum Ausdruck, dass er seinen Weg letztlich immer mit Gott zusammen plante und gestaltete. Gerade in dieser Bezogenheit auf Gott reifte er in seiner Persönlichkeit, seinem Gewissen und seiner Fähigkeit, Verantwortung zu übernehmen. Mit David können Jugendliche entdecken, dass Gott etwas mit uns Menschen zu tun haben möchte, dass er sich nicht als „Außenstehender" einmischt, sondern sein Wirken mitten in unserer Person und unseren Beziehungen offenbart.

KB S. 66/67 Die Titelseiten

Die Titelseiten bieten zum einen das Motiv des Spiegels, womit das Verhältnis des Menschen zu sich selbst, implizit aber bereits auch das Verhältnis des Menschen zu Gott angedeutet und damit die Gottesebenbildlichkeit des Menschen angesprochen wird, die auf S. 70 und 72 noch einmal thematisiert ist. Mit der Herzform des Spiegels wird angedeutet, dass der Mensch auf Partnerschaft angelegt ist. Der leichte Sprung im Spiegel weist darauf hin, dass das Verhältnis des Menschen zu sich selbst und zu Gott immer ein gebrochenes Verhältnis ist.
Zum andern zeigt „Das Paradies" von Marc Chagall Adam und Eva in ihrer Zusammengehörigkeit. Es handelt sich um eine Bleistiftzeichnung auf granuliertem Papier aus dem Jahr 1958/59. Chagall nimmt hier Bezug auf 1. Mose 2,25: „Und sie waren beide nackt, Adam und seine Frau, und schämten sich nicht." Man kann dabei aber durchaus auch an 1. Mose 1,27 denken: „Und Gott schuf den Menschen zu seinem Bilde, zum Bilde Gottes schuf er ihn; und schuf sie als Mann und Frau." Es ist auffallend, dass die Köpfe der beiden zusammengewachsen sind. Nicht gemeint ist jedoch der androgyne Mensch, der Mann und Frau zugleich ist. Deutlich ist dagegen, dass der Mensch auf Zweisamkeit angelegt ist.
Adam und Eva befinden sich im Paradies, darauf weist allein schon der auf der Rückseite der Zeichnung handgeschriebene Vermerk: „Paradis". Adam und Eva leben inmitten von Pflanzen und Tieren, die sparsam angedeutet werden. Den oberen Bildteil fast vollständig ausfüllend, ist eine Taube zu sehen. Sie weist auf das friedliche Miteinander im Paradies hin. Paradiesisch auch die Nacktheit der beiden Menschen, die sich ohne Scham zeigen. Allerdings gibt es im Bild Hinweise darauf, dass die Zeit im Paradies zu Ende geht: Links ist ein großer Baum zu sehen, wohl der Baum der Erkenntnis. Adam und Eva halten in ihren Händen eine Frucht. Oben rechts im Bild ein Kopf, der aus den Blättern des Baumes hervorschaut. Es handelt sich wohl um die Schlange, den Versucher, der den paradiesischen Frieden zerstört. Der Körper deutet das Motiv Schlange an.
So zeigt das Bild den Menschen, der als Mann und Frau Ebenbild Gottes ist, allerdings ist diese Gottesebenbildlichkeit nicht ungebrochen.

Die beiden Bilder stehen in Spannung zueinander: Auf der einen Seite eine Fotografie, auf der anderen eine Zeichnung von Marc Chagall. Einerseits ein einzelnes Mädchen, das aus einem herzförmigen Spiegel, der einen Riss hat, schaut, andererseits Adam und Eva im Paradies, eng verbunden, ja zusammengewachsen.

Die Titelseiten laden die Sch. dazu ein, sich im Spiegel wahrzunehmen (linke Seite) und ihr Selbst in einem Beziehungsgeflecht zu verorten (Chagall). Der Mensch vor Gott ist einmal der Einzelne, auch wenn er immer schon auf Gemeinsamkeit angelegt ist. Und er ist zugleich der Mensch in Gemeinschaft, der freilich auch in der Gemeinschaft nicht aufgeht, nicht verschmilzt, sondern ein Einzelner bleibt.

Möglicher Umgang mit den Titelbildern

Marc Chagall, Das Paradies
Die Sch. betrachten jeder für sich einige Zeit lang das Bild und äußern sich dann, was sie entdecken. Diese Entdeckungen können sie mit den Bibeltexten in Verbindung bringen:
Adam und Eva: 1. Mose 2,25, ergänzend: 1, Mose 1,27. Die Frucht in den Händen, der Baum der Erkenntnis: 1. Mose 3,6. Der Versucher: 1. Mose 3,1-5.
Als erstes wird der Blick der Sch. wohl auf die beiden nackten Menschen fallen. Sie entdecken, dass die Nacktheit unverhüllt gezeigt wird, wobei die Geschlechtsteile deutlich zu sehen sind. Offensichtlich kennen diese beiden Menschen keine Scham („... und sie schämten sich nicht"). Im Gegensatz dazu genieren sich Sch. der Klassenstufe 5/6, ihren Körper unverhüllt zu zeigen. Möglicherweise reagieren sie auf den Anblick der beiden nackten Menschen verunsichert. Dabei kann es sein, dass die Jungen ihre Unsicherheit hinter markigen Sprüchen verbergen, während die Mädchen eher gar nichts sagen werden. Hier wird es darauf ankommen, dass L. durch entsprechende Impulse die Sch. auf das hinweist, was der Künstler ausdrücken will. Die beiden befinden sich in der Phase der „Unschuld". Das Bild stellt den Augenblick kurz vor dem „Sündenfall" dar. Darauf weist die Frucht in der Hand der Eva und die Frucht, nach der Adam greift, hin.

Mädchen im Spiegel
Das Mädchen im Spiegel trifft eher die Situation der Sch. Verunsichert schauen sie in den Spiegel: Welches Gesicht schaut mich an?
Interessant an dem Bild ist zum einen, dass der Spiegel einen Riss hat, zum andern, dass das Bild, das da aus dem Spiegel schaut, verschwommen ist. Beim Blick in den Spiegel bleibt die Frage: Wer bin ich? Zum Umgang mit dem Spiegel-Bild siehe unten zu KB S. 70/71.

Ich bin einmalig

1. Zielsetzung, Aufbau und Kompetenzen

Dieses Kapitel ist – auch wenn dies im Einzelnen nicht immer auf den ersten Blick zu erkennen ist – durchgängig aus der Perspektive der Sch. konzipiert. In allen Bildern und Texten kommen Kinder und Jugendliche zur Sprache bzw. werden ins Bild gesetzt. Dies gilt in modifizierter Weise auch für die Aufgabenstellungen, so z. B. wenn die Sch. Gesten nachahmen (KB S. 68) oder eine Geschichte aus der Sicht eines Kindes erzählen sollen.
Die Bildkonzeption des Kapitels – durchgängig Fotografien – unterstreicht, dass es hier um die Realität von Kindern und Jugendlichen geht. Die realen oder fiktiven Personen der Texte und Bilder laden die Sch. dazu ein, sich mit ihnen auseinander zu setzen, sich mit ihnen zu identifizieren bzw. sich von ihnen abzugrenzen.
In dieser Einheit wird das In-Beziehung-Sein des Jugendlichen zu sich selbst, seinen ursprünglichen Begabungen und Beziehungen, näher betrachtet. Der Gedanke der Gottebenbildlichkeit als theologischer Ausdruck der Gottesbeziehung (vgl. Du bist ein Abbild Gottes, KB S. 70) hilft dem Jugendlichen, sich mit all seinen Stärken und Schwächen als von Gott wertgeschätztes Menschenkind zu verstehen und anzunehmen. Im Segen findet dieses seinen erfahrbaren theologischen Ort (vgl. Jesus segnet, KB S. 68f.).

Das Kapitel ist wie folgt gegliedert:
Auf der ersten DS wird zum einen die biblische Geschichte von der Kindersegnung durch Jesus vorgestellt (KB S. 68). Zum andern wird gezeigt, dass dieser Segen auch alten Menschen gilt (KB S. 69).
Unter den Überschriften „Was ich kann/Wenn's mal schief geht" (KB S. 70/71) geht es um Fähigkeiten und Versagen junger Menschen. Es wird gezeigt, dass das Angenommensein gerade auch in Situationen des Versagens gilt.
Die Einheit hat ihr Ziel in den Seiten 72/73, wo exemplarisch gezeigt wird, dass alle Menschen nach dem Ebenbild Gottes geschaffen sind. Dies wird am Beispiel von Andreas, einem Jungen mit Down-Syndrom, konkretisiert.

Welche Lernchancen werden angeboten?
Schwerpunktmäßig können die Sch. hier das Wissen um die Würde aller Lebewesen, um ihr gegenseitiges Aufeinander-angewiesen-Sein und um ihr gemeinsames Lebensrecht als Geschöpfe Gottes erwerben und dafür Sensibilität entwickeln. Sie erfahren vom christlichen Verständnis, dass sie als Geschöpfe Gottes einzigartig geschaffen sind, ohne Gegenleistung von Gott geliebt werden, eine Würde als Geschöpf Gottes besitzen und einzigartig in den Augen Gottes sind. All dies sollen sie in ihrer Sprache formulieren können.

2. Didaktisch-methodische Hinweise

KB S. 68/69 Jesus segnet

Hauptmedium der DS 68/69 bildet jeweils eine Geschichte. S. 68 bietet die den meisten Sch. wohl bekannte Geschichte von der Kindersegnung Jesu; S. 69 bietet ein Märchen der Gebrüder Grimm. Beide Geschichten stehen in fruchtbarer Spannung zueinander: Zum einen handelt es sich um eine biblische Geschichte, zum anderen um ein Märchen, das – wenn auch in altertümlicher Sprache – deutlich auf das Heute zielt.
Aber auch die Bilder stehen in Beziehung zueinander: einmal die Hände, die verschiedene Gesten zeigen, und zum andern das Bild eines Großvaters, der mit seinem Enkel den Strand entlang geht. Das Bild von Großvater und Enkel nimmt das Motiv der Gesten auf: Der Großvater nimmt den Enkel bei der Hand.
Die Hände sind hier nicht zufällig gewählt. Der Schlüsselsatz der Geschichte lautet: Und er herzte sie und legte die Hände auf sie und segnete sie (Mk 10,16). Das Symbol der Hand ist in der Bibel ein wichtiges Symbol, ein Symbol für das Handeln des Menschen, aber auch vor allem für Gottes Handeln (vgl. dazu das Kapitel „Symbole"). Er wird bezeugt als der, der schützend und segnend seine Hand über einen jeden und eine jede von uns hält, der seine Hand ausstreckt und den Menschen bei der Hand nimmt (vgl. Ps 139). In der christlichen Kunst wird vor allem Gottes Schöpferhandeln mit dem Symbol der Hand dargestellt (vgl. Meister Bertram, KB S. 58). Auch im NT – im Handeln Jesu – spielt die Hand eine wichtige Rolle.

Aus den Jesusgeschichten kann man sehen: Jesu Hände segnen und Jesu Hände heilen. Das Segnen der Hände Jesu wird in der vorliegenden Geschichte von der Kindersegnung besonders deutlich. Jesus ruft die Kinder zu sich. Das war nicht selbstverständlich. Die Kinder sollten nicht zu Jesus kommen können, sie stören, sie sind zu jung, haben nicht genug Verstand. Er ruft sie, er segnet sie, er hält schützend seine Hände über sie. In diesem Segen liegt Wärme, Geborgenheit, Schutz.
Jesu Hände heilen: Zu denken ist z.B. an die vielen Heilungsgeschichten im NT: Da heißt es immer wieder: Jesus streckte seine Hand aus; Jesus ergriff die Hand des Kranken.

■ Mögliche Eingangssituationen

• Die Sch. lesen verschiedene Texte im NT, in denen beim Handeln Jesu seine Hände besonders betont werden. Folgende Geschichten können ausgewählt werden:
Mt 8,1-4/Mk 1,40-44/Lk 5,12-14: Heilung eines Aussätzigen
Mt 8,14-17/Mk 1,29-34/Lk 4,38-41: Heilung der Schwiegermutter des Petrus,
Mt 9,18.25-26/Mk 5,21ff./Lk 8,40ff.: Auferweckung der Tochter des Jairus,
Mk 7,31-37: Heilung eines Taubstummen,
Mk 8,22-26: Heilung eines Blinden,
Lk 4,40: Heilung vieler Kranker durch Auflegen der Hände
Lk 13,10-13: Heilung einer verkrümmten Frau am Sabbat.
Die Sch. können diese Geschichten mit Hilfe einer Konkordanz selbst suchen (Stichworte „Hand" bzw. „Hände". Sie können die eine oder andere dieser Geschichten pantomimisch darstellen und dabei besonderen Wert auf die Hände legen.
• Schreibmeditation Hand: L. schreibt das Wort „Hand" an die Tafel; die Sch. äußern sich dazu in einer Schreibmeditation oder einer Schreibdiskussion.

■ Erschließungsmöglichkeiten

• Geschichten zu den Gesten: Die Sch. erzählen Geschichten oder berichten von Erlebnissen, zu denen einzelne Gesten passen (Impuls 2).
• Kindersegnung: Die Sch. lesen die Geschichte von der Kindersegnung (Impuls 3). Sie ordnen die abgebildeten Gesten der Geschichte zu (Nummerierung 1-9 von oben links nach rechts): Und sie brachten Kinder zu ihm (1), damit er sie anrühre (4). Die Jünger aber fuhren sie an (7). Als es aber Jesus sah, wurde er unwillig (2) und sprach zu ihnen: Lasst die Kinder zu mir kommen (5) und wehret ihnen nicht; denn solchen gehört das Reich Gottes (3). Wahrlich, ich sage euch: Wer das Reich Gottes nicht empfängt wie ein Kind (8), der wird nicht hineinkommen. Und er herzte sie (6) und legte die Hände auf sie und segnete sie (9).
• Pantomime: Die Sch. bearbeiten die biblische Geschichte von der Kindersegnung kreativ, indem sie diese pantomimisch darstellen.
• Brief: Die Sch. schreiben einen Brief über die Begegnung mit Jesus (Impuls 4).

KB S. 69 Der alte Großvater und sein Enkel

Diese Seite steht in fruchtbarer Spannung zu S. 68: Standen dort die Kinder im Mittelpunkt, so sind es hier ältere Menschen. Das Märchen der Gebrüder Grimm „Der alte Großvater und sein Enkel" ist das Hauptmedium dieser Seite, das dazu anregt, über den Umgang mit älteren Menschen nachzudenken.

■ Mögliche Eingangssituation

• Die Sch. erzählen von ihren Großeltern (Impuls 3).
• Die Sch. betrachten das Bild und vergleichen es mit den Gesten von KB S. 68.

■ Erschließungsmöglichkeiten.

• Der alte Großvater und sein Enkel: Die Sch. erhalten die Aufgabe, den Text für sich mehrmals durchzulesen. Ein Teil der Klasse erzählt dann die Geschichte nach. Ein anderer Teil erzählt aus der Sicht des Großvaters, ein weiterer aus der Sicht der (beschämten) Eltern (Impulse 1 und 2).
• Das Bild „Großvater und Enkel am Strand": Die Sch. erzählen eine Geschichte zu dem Bild (Impuls 5).
• Ein Kind an der Hand: Die Sch. suchen weitere Bilder zum Stichwort „an der Hand nehmen". Hier kann das Bild von Anniès „Ein Kind an der Hand" (M 34) herangezogen und in zwei Schritten erschlossen werden: Zunächst betrachten die Sch. das reduzierte Bild ohne die haltende Hand des Erwachsenen. Sie denken sich in das Hilfe suchende Kind hinein (M 34a). Die Gedanken können in Gedankenblasen dazugeschrieben werden. Danach wird das vollständige Bild gezeigt (M 34b). Auch hierzu formulieren die Sch. die Gedanken des Kindes, das jetzt an der Hand gehalten wird.
Folgende Sätze zu den Bildern können im UG hilfreich sein:
M34a: Ein Kind – alleingelassen im Dunkel – Hilfe suchend streckt es seine Hand aus. Es sucht nach Orientierung: Welchen Weg soll es gehen? Es sucht nach Halt! Die Schritte im Dunkeln können gefährlich sein. Nacht kann Kindern Angst einflößen. Dunkel kann bedrohlich sein. Wie viele Kinder auf der Welt strecken ihre Hand aus, aber ihre Hand greift ins Leere. Keine Hand ist da, die sie ergreifen können. Kinder brauchen Menschen, die die ausgestreckte Hand der Kinder ergreifen können.
M 34b: Die kleine Hand des Kindes in der Hand des Erwachsenen. Das Kind schmiegt seinen Kopf an den Arm. Es fühlt sich geborgen, begleitet, sicher geführt. Die Dunkelheit hat ihre Macht verloren. Es spürt handgreiflich: Da ist jemand bei mir; jemand hält mich. Die heilende Hand der Mutter. Das Kind ist getröstet.

■ Mögliche Schlusssituation

• Die Segnung der Alten: Die Sch. erzählen Mk 10,13-16 als Altensegnung (Impuls 4); diese Aufgabe kann auch als Eingangssituation gewählt werden.
• Gestaltung eines Gottesdienstes zum Thema Hand: Das Symbol der Hand eignet sich für einen Schülergottesdienst. Thema könnte sein: „Jesu Hände". Dabei können die Überlegungen zu den Handgeschichten (s.o.) herangezogen werden, ebenso die biblischen Heilungsgeschichten.

KB S. 70/71 Was ich alles kann / Wenn's mal schief geht

Diese beiden Seiten nehmen in besonderer Weise die Situation der Sch. der Klassenstufe 5/6 auf: Viele leiden darunter, dass sie oft nicht über die Fähigkeiten verfügen, die sie bei anderen bewundern. Wichtig ist in dieser Situation, dass die Sch. in ihrem Ich gestärkt werden. Sie können entdecken, über welche Fähigkeiten sie verfügen, aber ebenso akzeptieren, dass sie auch Schwächen haben. Dies bezieht sich häufig in erster Linie

auf die schulischen Leistungen, aber nicht ausschließlich. Wichtig ist dabei, dass sie sich von ihren Eltern und ihren L. so angenommen fühlen, wie sie sind.
Das Bild von dem Jungen, der in den Spiegel schaut, nimmt das Bild des Mädchens im Spiegel auf der ersten Titelseite auf. Damit klingt bereits auf dieser Seite das dann auf S. 72 aus anderer Sicht behandelte Thema der Gottesebenbildlichkeit an.

■ Mögliche Eingangssituation

• Ich schaue in den Spiegel: Die Sch. schreiben einen Text zu dem Thema „Ich schaue in den Spiegel". Anschließend wird das Bild KB S. 70 betrachtet und der dazugehörende Text gelesen. So, wie ich bin, hat mich Gott gewollt. Was lerne ich daraus? Ich nutze meine Gaben!
An dieser Stelle, aber auch an anderer Stelle des Unterrichts (z. B. bei der Auftaktseite), kann das Motiv des Spiegels vertiefend behandelt werden. Hierzu kann **M 35** („I love you") herangezogen werden (vgl. dazu unten).

■ Erschließungsmöglichkeiten

• Mit Hilfe des AB **M 36** geben sich die Sch. Rechenschaft über ihre Gaben und Schwächen.
• Zeugnistag: Das Lied von Reinhard Mey lesen und/oder anhören (Melodie auf „Keine ruhige Minute", Intercord 1979, IMT 460.21).
• Die Sch. bearbeiten die Impulse auf S. 71. Sie suchen den Satz heraus, der ihnen am besten gefällt (Impuls 1). Möglicherweise wählen sie die beiden letzten Sätze der vorletzten Strophe. Impuls 3 ist wichtig, um zu verhindern, dass die Sch. den Betrug des Sohnes als normal akzeptieren. Impuls 4 macht deutlich, dass Reinhard Mey einen eminent biblischen Impuls aufgenommen hat. Die Sch. suchen Geschichten aus der Bibel. Auch die Kirchengeschichte bietet entsprechende Impulse, z. B. mit Luthers reformatorischer Entdeckung. Reinhard Mey bringt in säkularisierter Form Martin Luthers Rechtfertigungslehre zur Sprache.

■ Mögliche Schlusssituation

• Aus dem Luther-Spielfilm (DVD educativ Luther, Matthias-Film, Stuttgart, 121 min., 2004) können zur Thematik der Rechtfertigungslehre zwei Szenen ausgewählt und gezeigt werden:
1. Martin Luther beerdigt entgegen der kirchlichen Praxis den Selbstmörder Thomas und predigt anschließend der Gemeinde von der barmherzigen Zuwendung Gottes (Titel 4, Kapitel 1, ab 5 Min., 38 Sek. bis zum Ende des ersten Kapitels).
2. Martin Luther erzählt Kindern vom barmherzigen Vater (ab Titel 17, Kapitel 1, 2 Min., 39 Sekunden).
Es empfiehlt sich vor der Vorführung des Films den Beginn dieser Szenen mit dem Lesezeichen zu markieren, sodass dann jeweils exakt der Film ab der gewählten Szene eingesetzt werden kann.
Die Sch. erörtern im UG den Zusammenhang zwischen Luthers Botschaft und der „Botschaft" des Liedes Zeugnistag.

KB S. 72/73 Nach seinem Bilde geschaffen

Die beiden Seiten machen die Gottesebenbildlichkeit des Menschen, die bereits KB S. 70 angesprochen wurde, zum Thema. Den Segen teilt der Mensch nach 1. Mose 1 mit den Tieren. Seine besondere Stellung wird durch die Gottesebenbildlichkeit ausgedrückt: 1. Mose 1,27: „Und Gott schuf den Menschen zu seinem Bilde, zum Bilde Gottes schuf er ihn; und er schuf sie als Mann und Frau". Gottesebenbildlichkeit bedeutet: Ich bin für Gott ein wichtiges Gegenüber, und dies gilt für alle Menschen. Ich werde in meiner Besonderheit und Andersartigkeit akzeptiert, so, wie ich bin, und akzeptiere andere Menschen in gleicher Weise.
Als Beispiel wurde eine reale Person gewählt: Andreas, ein Junge mit Down-Syndrom. Die christlich geprägten Eltern hatten sich, nachdem sie von der zu erwartenden Behinderung erfahren hatten, klar entschieden, dass sie den Jungen als Geschenk Gottes annehmen wollen. Davon zeugen die Aussagen der Mutter und des Vaters, die im KB – stark verkürzt – wiedergegeben werden. Sie waren sich bewusst, dass sie mit Andreas eine besondere Aufgabe übernahmen, die viel von ihnen forderte.
Andreas besuchte sehr bald einen Hort, zusammen mit nichtbehinderten Kindern, und fand dort sehr viele Freunde; er genoss eine überdurchschnittliche Förderung. Die Eltern entschlossen sich, Andreas in eine „normale" Grundschule zu schicken, und setzten dies auch bei den Schulbehörden durch. Damit soll keineswegs gesagt werden, dass der Besuch der Regelschule für Kinder mit Down-Syndrom der übliche Weg wäre. Im Fall von Andreas war dieser Besuch nur möglich und erfolgreich, weil sich die Eltern – vor allem die Mutter – überdurchschnittlich viel Zeit für Andreas und seine Förderung nahmen.

Zur Abrundung des Bildes hier noch zwei Aussagen, die im KB nur anklingen:
Die Lehrerin in Klasse 1 und 2: Am Anfang war es für Andreas schwierig, sich auf den Schulbetrieb einzustellen, es war hart für ihn. Für uns aber war es eine gute Erfahrung: Er hatte eine so humorvolle Art und machte Sprüche, wo wir nicht über ihn, sondern mit ihm lachen mussten. Auf der anderen Seite war er von einer Ernsthaftigkeit, dass er eigentlich nie gehänselt wurde. Ich bin ganz sicher, dass die Mitschüler sehr viel für den Umgang mit Behinderten gelernt haben.
Einmal wurde er im Schulhof von einem andern Schüler wegen seines anderen Aussehens angepöbelt. Ein Mitschüler: „Warum tust du das? Lass das doch, Andreas ist mein Freund." Wohlgemerkt, er sagte nicht: „Andreas ist doch behindert."
Andreas hat vor allem gelernt, sich im Alltag zurechtzufinden und er hat Selbstbewusstein gelernt: Ich bin wer, ich muss mich nicht verstecken! Frei und selbstbewusst zu sein, das ist für ihn vielleicht wichtiger als Rechnen und Lesen. Beim Einführen der Verben haben die Kinder das Tun pantomimisch dargestellt; da kam Andreas ganz groß raus; z. B. bei dem Verb „schwimmen". Da stellte er sich (im Klassenzimmer) an den Rand des Beckens, machte einen Kopfsprung ins „Wasserbecken" und führte die Schwimmbewegungen aus. Man glaubte wahrhaftig, man befinde sich im Schwimmbad.
Natürlich war das mit den Inhalten schwierig. Aber er lernte mit den andern die Buchstaben und lesen (allerdings nie so flüssig). Den Zahlenraum bis 20 beherrschte er.
Es war ein guter Weg für ihn und die Klasse.

Die Lehrerin in Klasse 3 und 4: Am Anfang hatte er Berührungsängste, nicht gegenüber der Klasse, die kannte er ja schon, sondern dem neuen Klassenzimmer gegenüber und mir, der neuen Klassenlehrerin. Die ersten drei Tage stand er vor der Tür und hat immer mal wieder reingeguckt. Dann hat er sich in die

offene Tür gesetzt, bis er dann – es hat eine Woche gedauert – seinen Platz gefunden hat.
Er hat eine ausgesprochen dramatische Begabung: Er verstand es, sich in Szene zu setzen: Wenn er vorlas (stockend zwar, aber immerhin!), dann musste das immer wie ein Theaterstück mit „Vorhang auf" inszeniert werden, so auch beim Vorsingen. Erstaunlich war, dass die anderen dann immer still waren und ihm aufmerksam zugehört haben.
Er hat von Anfang an mitgemacht; die andern haben ihm geholfen, so weit sie konnten.

Mögliche Eingangssituationen

• Die Sch. unterhalten sich über ihre Erfahrungen mit behinderten Kindern und Erwachsenen.
• Die Sch. bringen ihre Geburtsanzeigen mit und vergleichen sie mit der Geburtsanzeige von Andreas.

Erschließungsmöglichkeiten

• Das Wort-Puzzle: Die Sch. formulieren Sätze aus den farbig gedruckten Wörtern. Sie können Psalm 8 in die Mitte eines Blattes schreiben und die Sätze darum herum gruppieren. Ein UG über die unterschiedliche Bedeutung der Sätze schließt sich an. Alternative: L. schreibt (druckt) auf A5-Blätter die Wörter in unterschiedlicher Farbe aus (jeweils fünffach). In die Mitte werden Bilder der Kinder oder ein Klassenbild gelegt. Die Sch. gruppieren um diese Mitte herum mit Hilfe der Wort-Karten die verschiedenen Sätze.
Die Sätze können in verschiedener Schrift folgendermaßen formuliert werden:
Mich hat Gott so wunderbar gemacht – **ich** bin für Gott wichtig, ich stehe im Mittelpunkt.
Gott hat mich so wunderbar gemacht – dass ich so bin, wie ich bin, das ist **Gottes** Wille.
So **wunderbar** hat mich Gott gemacht – ich bin etwas **Besonderes**.
So wunderbar hat mich Gott gemacht – ich bin kein Zufall, sondern ich bin so, wie ich bin, von Gott gewollt.
Gemacht hat mich Gott so wunderbar – ich bin nicht aus mir selbst etwas, sondern durch Gott.
Im Anschluss daran kann „Grundwissen Religion: „Gottesebenbildlichkeit" besprochen werden.
• Die Geburtsanzeige: Bearbeitung der Geburtsanzeige mit Hilfe der beiden Impulse.
• Das Gebet von Mirjam: Dieses Gebet kann dazu anregen, eigene Gebete im Blick auf Eltern, Geschwister oder Verwandte zu formulieren.
• Die Aussagen über Andreas auf S. 73: Die Aussagen der Mutter, der Klassenlehrerin sowie der Mitschülerin können erschlossen werden, indem die Sch. ein Zwiegespräch zwischen einer Lehrerin und der Mutter spielen. Die Lehrerin hat Bedenken, dass Andreas die Regelschule besuchen kann. Alternative: Ein Sch. einer anderen Klasse unterhält sich mit einem Sch. der Klasse von Andreas. Der andere Sch. meint: Der kann doch in eurer Klasse nur stören!
Für das Rollenspiel kann L. noch weitere Aussagen der Grundschullehrerinnen (s.o.) einspielen.

Zum Abschluss des Kapitels

Zum Abschluss kann ein Gottesdienst zum Thema „Hand" (s.o.) oder zum Thema „Spiegel" gestaltet werden. Bei der Gestaltung eines Gottesdienstes zum Thema „Spiegel" kann **M 35** („I love you") eingesetzt werden). Das Foto zeigt ein Mädchen auf dem Suk in Hebron. Beeindruckend ist die Fröhlichkeit dieses Kindes und die tiefe Symbolik. Immer wenn man in diesen Spiegel schaut, kann man lesen: „I love you!" Dahinter steht nicht einfach Selbstliebe, sondern auch „Ich werde geliebt".
Kontrastierend kann auf das Märchen vom Schneewittchen Bezug genommen werden, wo die böse Königin jeden Morgen ihren Spiegel befragt, ob sie auch wirklich die Schönste im ganzen Land sei.
Man kann die schöne Königin verstehen: Von Neid und Hass zerfressen, kann sie es nicht ertragen, nur die Zweitschönste zu sein. Im Märchen wird nicht erzählt, ob und wie sich das Gesicht der Königin verändert, das sich im Spiegel zeigt. Man kann sich vorstellen, dass der schönen Königin von Tag zu Tag ein immer hässlicheres Gesicht aus dem Spiegel entgegenschaut. Denn Neid und Hass verzerren die Mienen und Seelen. Woran liegt es beim Blick in den Spiegel, ob uns da ein hässliches, mürrisches Gesicht anschaut oder ob mich ein schönes und fröhliches Gesicht anlacht? Vor dem Hintergrund der Gottesebenbildlichkeit des Menschen kann man formulieren: Es liegt daran, ob ich mich im Spiegel als Ebenbild Gottes erkenne, dem Gottes liebende Zuwendung gilt: „I love you!" Ich bin von Gott so geliebt, wie ich bin. In den Augen Gottes ist jeder Mensch etwas Besonderes, Einmaliges mit seinen Fähigkeiten und Mängeln, mit seinen Schwächen und Stärken.

3. Lernkarten

29 In 1. Mose 1,27 wird der Mensch als Ebenbild Gottes bezeichnet. Was bedeutet das?
30 Halte die Geschichte von der Kindersegnung Jesu in Stichworten fest und schreibe den wichtigsten Vers auf.
31 Was will Jesus mit der Geschichte von den anvertrauten Talenten sagen?
32 Schreibe in Stichworten eine Geschichte aus der Bibel auf, in denen Menschen mit Schwächen und Fehlern von Jesus angenommen werden.

4. Empfohlene Literatur und Medien

Heil, Ruth, Du bist etwas Besonderes. Lahr 1999 (Kaufmann). *Für Sch. geeignete Bilder und Texte zu den Themen Identität und Ebenbildlichkeit.*
Kearns, Rollin, Art. Ebenbild, in: Calwer Bibellexikon, Band 1, S. 259f., Stuttgart 2003. *Leicht lesbare, knapp gefasste informative Einführung in das Thema.*
Müller-Friese, Anita, Miteinander der Verschiedenen. Theologische Überlegungen zu einem integrativen Bildungsverständnis, Weinheim 1996 (Deutscher Studienverlag).
Westermann, Claus, Schöpfung, Themen der Theologie Bd. 12, Stuttgart 2. Aufl. 1976 (Kreuz). *Hier wird die Bedeutung der Gottesebenbildlichkeit herausgestellt.*

5. Materialien

M 34a und b Ein Kind an der Hand (Hans-Georg Anniès)
M 35 I love you
M 36 Meine Talente und Schwächen

Andere Menschen, fremde Menschen

1. Zielsetzung, Aufbau und Kompetenzen

Im Unterschied zum Kapitel „Ich bin einmalig“, wo die Beziehung des Menschen zu sich selbst im Mittelpunkt steht, nimmt das vorliegende Kapitel die Beziehung zum Nächsten in den Blick.
Viele Jugendliche kommen heute vor allem in der Schule mit Menschen in Kontakt, die ihnen fremd sind und die sie sich nicht ausgesucht haben. Solche exemplarischen Begegnungsräume mit dem fremden Nächsten sind angesichts einer multikulturellen Gesellschaft und der Globalisierung außerordentlich wichtig. Die Sch. können erkennen, dass es zur christlichen Verantwortung gehört, Menschen, die am Rande stehen und zunächst fremd sind, wahr- und anzunehmen. Dabei steht das Einüben einer empathischen Grundhaltung dem Nächsten gegenüber als eine Voraussetzung für das Einüben von Solidarität im Mittelpunkt.
In der Begegnung mit fremden Menschen setzen die Sch. sich mit Eigenarten auseinander, die ihnen selbst fremd sind, und machen sich mit Andersartigem vertraut. Christliche Nächstenliebe wird gegenüber dem Fremden konkret, denn der Nächste ist eben gerade der Mensch, den man sich nicht ausgesucht hat, der sich aber in der Nähe aufhält.
Im Kontext der Globalisierung leistet der RU seinen spezifischen Beitrag dazu, der Menschenwürde aller Menschen Rechnung zu tragen. Es geht nicht an, dass Reiche auf Kosten von Armen leben oder dass Menschen missbraucht und „verzweckt“ werden.
Unter entwicklungspsychologischen Aspekten bleibt zu fragen, wie das Thema: „fremd – beheimatet“ die Lebenswelt der Jugendlichen berührt. In einer Schulklasse kommen in der Regel Sch. unterschiedlicher Prägungen zusammen, und die Jugendlichen erleben, wie Traditionen, Werte und Rollen neu zu finden sind.

Das Kapitel ist wie folgt aufgebaut:
Die DS 74/75 thematisiert das In-der-Fremde-Sein von Menschen, indem zum einen Vorurteile gegen Fremde benannt und reflektiert werden, zum andern an einer konkreten Geschichte gezeigt wird, wie Fremde bei uns Heimat finden können.
Die DS 76/77 führt dasselbe Thema „Wie Fremde Heimat finden“ an dem historischen Beispiel der Waldenser in Deutschland aus.
Die DS 78/79 greift dieses Thema mit Hilfe der alttestamentlichen Rut-Geschichte auf.

Die drei DS bilden je eine kleine Einheit und können deshalb auch jeweils für sich behandelt bzw. anderen Themen zugeordnet werden. So kann z. B. im Anschluss an die Behandlung des Buches Rut auf das Kapitel David eingegangen werden. Die beiden Seiten „In der Fremde“ können in den Zusammenhang von „Kinder hier und anderswo“ (KB S. 18ff.) gestellt werden. Die DS über die Waldenser lässt sich in das Großkapitel „Den Glauben leben“ (KB S. 160ff.) einordnen und kann dem Kapitel „Christen gehen aufeinander zu“ vorgeschaltet werden.

2. Didaktisch-methodische Hinweise

KB S. 74/75 In der Fremde?

Menschen aus anderen Ländern und Kulturkreisen begegnen den Sch. täglich. Deshalb knüpft die DS an „originale Begegnungen“ mit Fremden an. Die Sch. sollen sich auf Spurensuche nach ihren eigenen Wurzeln machen, dabei Bezugspersonen, aber auch Zuwanderer in ihrer Umgebung interviewen. Die Sch. entdecken, dass man sich dem Fremden in „originaler Begegnung“ nähern muss, um wirklich betroffen zu werden. Indem sie deren Familien und ihre Schicksale kennen lernen, wird die personale Kompetenz gestärkt. Sie lernen die Begriffe „Heimat“ und „Fremde“, „Ausländer“ und „Inländer“ von Klischees zu befreien und als subjektive Sichtweisen darzustellen und zu deuten. Häufig können Mädchen mehr über ihre Familie, Traditionen und Werte aussagen als Jungen. Ausländische Mädchen sind meist häuslicher als ihre deutschen Altersgenossinnen und mehr in den Prozess der Familienarbeit eingebunden. Deshalb werden hier die Mädchen als „Spezialistinnen für Heimat- und Tradition“ wie für das Gestalten von Beziehungsarbeit ins Zentrum gestellt.
Die Geschichte Katharinas steht für viele russische Jugendliche, die von ihrem Elternhaus her mit russisch-orthodoxen Traditionen aufwachsen, aber in evangelischen Gemeinden beheimatet sind. Diese Jugendlichen könnten Brückenbauer zwischen Kulturen und Konfessionen sein.

■ Mögliche Eingangssituationen KB S. 74/75

- Thema „Heimat und Fremde“ – eine Schreibmeditation: L. schreibt die Worte „Heimat“ und „Fremde“ an die Tafel und fordert die Sch. auf, sich an der Tafel dazu schriftlich zu äußern.
- Was nehme ich mit? Die Sch. spielen „Kofferpacken“. Als fiktive Ausgangssituation ist denkbar: Nehmt an, ihr müsst auswandern. Ihr dürft nur einen Koffer mitnehmen. Was packt ihr ein? Je nach Klassensituation kann dieses Spiel so gespielt werden, dass die Sch. ihre Gegenstände auf Kärtchen schreiben oder die Gegenstände mit in den Unterricht bringen. Sie stellen sich gegenseitig vor, was sie mitnehmen, und begründen ihre Auswahl. Eine interessante Variante dieses Spiels besteht darin, dass die Aufgabe lautet: Ihr müsst schnell aufbrechen und dürft nur drei Gegenstände mitnehmen.

■ Erschließungsmöglichkeiten KB S. 74

- Sprüche: Die Sch. schreiben die Sprüche von S. 74 in zwei Spalten: „ausländerfeindlich“ und „ausländerfreundlich“. Im UG wird die Liste ergänzt (TA). Evtl. Plakat gestalten, Hefteintrag. Im UG wird erörtert, welche Ängste hinter der Ablehnung von Ausländern stehen.
- Ergänzt werden die Überlegungen durch die Frage: „Was sind Gründe für eine positive Haltung gegenüber Ausländern? Das Beispiel von ausländischen Spitzensportlern in der Bundesliga zeigt, dass Ausländer besonders dann geachtet werden, wenn sie positive Leistungen bringen. Im UG können die Sch. Beispiele zusammentragen. L. kann aktuelle Fotos als Impuls einbringen.
- Was die Mädchen denken ... (Impuls 1): Zur Bearbeitung kann das AB **M 37** (Mädchen mit Denkblasen) herangezogen werden, das in EA bearbeitet wird. Die Ergebnisse werden zusammengetragen und an der Tafel festgehalten. Sie bilden den Ausgangspunkt für ein UG zum Thema „Was empfinden die

drei Mädchen für Deutschland? Was bedeutet für mich Deutschland als Heimat?"

- Rollenspiel (Impuls 2): Das Rollenspiel kann so gestaltet werden, dass mehrere Gruppen sich absprechen und nacheinander das Rollenspiel vorspielen.

■ Mögliche Schlusssituation KB S. 74

- Erkundungsaufgabe: Die Sch. können (evtl. in GA) einen russischen und/oder einen türkischen Laden in ihrer Nähe aufsuchen und dort erfragen, was in Russland/Türkei gegessen wird, was aus der Heimat das Zuhause in Deutschland schmückt, wie die Religion oder der Glaube hier gelebt und evtl. in Gegenständen in der Wohnung sichtbar werden. Sie können erfragen, was „guten Appetit" in der jeweiligen Sprache heißt, wonach die Menschen Heimweh haben und was ihnen hier Heimat geworden ist. Sie können dort für etwa zwei Euro etwas Typisches für eine russische bzw. türkische Tafel einkaufen. Sie bringen die gekauften Sachen mit in den Unterricht und berichten über ihre Erlebnisse. Von den Besuchen kann eine Fotoserie erstellt werden.

■ Erschließungsmöglichkeiten KB S. 75

- Stammbaum (Impuls 1): Die Sch. zeichnen einen Stammbaum von sich, der bis auf die Urgroßeltern zurückgeht. Sie tragen zu jeder Person den Geburts- und Sterbeort und -land samt Religion/Konfession ein und malen Typisches von Landschaft, Brauchtum und Religion zum jeweiligen Ort. Dazu erfragen sie ihre eigene Familiengeschichte daheim und lokalisieren sie im Atlas. Falls möglich, können auch noch Fotos oder besondere Verse (z.B. Trausprüche) in den Stammbaum eingefügt werden. Die Sch. vergleichen ihre Stammbäume miteinander, indem sie herausfinden, welche „fremden Einflüsse" ihre eigene Geschichte geprägt haben. Darauf erstellen sie in gleicher Weise anhand des Textes den Stammbaum für Katharina, indem sie zunächst im Text Passendes zu Geburts- und Heimatorten, Personen und Religionen unterstreichen.
- Lebenswege (Impuls 2): Je nach Klassensituation können die Sch. Zuwanderer interviewen und deren Lebensgeschichte der Klasse vortragen. Alternativ zu dem Vorschlag, ein Buch zu gestalten, kann auch eine Wandzeitung mit Bildern und Texten zum Thema „Neue Heimat Deutschland" gestaltet werden. Hierzu können auch Texte und Bilder aus Zeitschriften verwendet werden.
- Poesiealbum (Impuls 3): Poesiealben werden besonders von Mädchen zwischen 9 und 12 Jahren als Beziehungsbücher gepflegt. In ihnen finden sich Freundschaftsworte und -bilder. Anhand einiger Poesiealbenverse sollen die Sch. nun Verse finden oder texten, die zu Anna, Katharina und Mireme passen und dabei ein Gefühl von Verbundenheit in Verschiedenheit ausdrücken. Dazu dient auch die ästhetisch-kunstvolle Gestaltung mit Schmuckrahmen, sauberer Handschrift, selbstgemalten Bildern usw.

■ Mögliche Schlusssituation KB S. 74/75

- Die Sch. übertragen die ausländerfeindlichen Sprüche, die sie gesammelt haben, auf je einen Karton und schreiben auf weitere Kartons ausländerfreundliche Sätze. Diese Kartons bauen sie so zusammen, dass daraus eine Brücke entsteht, die den Weg zu neuen Ufern beschreibt.

KB S. 76/77 Fremde finden Heimat

Mit dem Beispiel der Ansiedlung der Waldenser in Württemberg und ihrer erfolgreichen Integration wird ein Beispiel aus der Kirchengeschichte vorgestellt, das zeigt, wie Fremde trotz anfänglich erheblicher Schwierigkeiten eine neue Heimat fanden. Zu dem Sachtext im KB S. 76 hier noch einige ergänzende Angaben:

1. Zur Person des Petrus Waldes

Der Name Petrus Waldes wird oft auch mit Valdes oder in der lateinischen Form mit Petrus Waldus wiedergegeben. Er war ein reicher Textilkaufmann aus Lyon, der 1177/78 – angestoßen durch neutestamentliche Erzählungen von der Aussendung der Jünger – beschloss, sein Leben radikal zu ändern. Er gab seinen Reichtum auf und begann als Wanderprediger in seiner Heimatstadt und ihrer Umgebung zu wirken. Wie die Jünger Jesu wollten Petrus Waldes und seine Anhänger predigen; sie wollten nicht ansässig sein, nichts mitnehmen als einen Stab, kein Brot, keine Tasche und kein Geld (vgl. Mk 6,1-9).

2. Zum Konflikt mit der mittelalterlichen Kirche

Anstößig war für die offizielle Kirche des Mittelalters von Anfang an, dass die Waldenser, theologische Laien, predigten, ohne dazu von der Kirche den Auftrag oder die Erlaubnis bekommen zu haben. 1179 wurde Petrus Waldes auf dem 3. Laterankonzil einem Glaubensverhör unterzogen. Man machte sich über die theologische Unbildung der Waldenser lustig, erlaubte ihnen allerdings ein Leben in Armut. Sie sollten auch predigen dürfen, allerdings nur bei bestimmten Anlässen und mit Erlaubnis des örtlichen Klerus. Nach Lyon zurückgekehrt, bejahten Waldes und seine Anhänger noch einmal in einem eigens formulierten Glaubensbekenntnis ausdrücklich die Glaubenslehre der Kirche.

Jedoch schon drei Jahre später (1182/83) beendete dann der Erzbischof von Lyon ihre Tätigkeit. Er ließ sie exkommunizieren und aus seiner Diözese vertreiben. Man warf ihnen Ungehorsam gegenüber dem Klerus und eigenmächtige Inanspruchnahme des Predigtamtes vor. Nachdem 1215 das 4. Laterankonzil die Exkommunikation der Waldenser bestätigte, wurden diese zu einer Art „Untergrundkirche", die sich trotzdem vor allem in Frankreich, Italien, Spanien und Deutschland ausbreitete.

1231 begannen schwere Verfolgungen der Waldenser seitens Kirche und weltlicher Obrigkeit in Norditalien und Deutschland. Trotz dieser Verfolgungen gingen die Waldenser nicht unter; sie konnten sich vor allem in den schwer zugänglichen Tälern der westlichen Alpen halten.

3. Zum Thema „Waldenser und die Reformation"

Im Jahre 1532 – inzwischen hatte sich die reformatorische Bewegung in Europa ausgebreitet – schloss sich die Waldenserbewegung auf ihrer Synode von Chanforan der Reformation des Genfer Reformators Johannes Calvin an. Ein Teil der Waldenser lebte damals in Savoyen und bildeten eine eigene kleine Synode aus den Tälern wie Pellice und Pérouse. Ein anderer Teil lebte in Pragela in Frankreich und war Teil der Hugenottischen Kirche in Frankreich.

Die Jahre 1685/86 brachten die Waldenser in eine schwere Existenzkrise. 1685 hob der Franzosenkönig Ludwig XIV. das Toleranzedikt von Nantes auf, zu Anfang des Jahres 1686 ver-

bot auch der savoyische Herzog seinen evangelischen Untertanen ihren Glauben.
Der Widerstand der Waldenser wurde durch die französischen und savoyischen Truppen blutig gebrochen. 8000 Waldenser starben im Kampf und im Gefängnis. 1000 Kinder wurden weggenommen, um sie im katholischen Glauben zu erziehen. 2500 Waldenser schworen in der Not ihrem Glauben ab und wurden trotzdem verbannt. Die Überreste – keine 3000 Personen mehr – wurden 1687 in die Schweiz ausgewiesen. Der führende Pfarrer der Waldenser war Henri Arnaud.
Die nächsten Jahre waren bestimmt von Versuchen, in die Heimat zurückzukehren. Der dritte Rückkehrversuch hatte Erfolg. Es kam zur Glorieuse Rentrée (Glorreiche Rückkehr). Unter Führung von Henri Arnaud überquerte ein waldensisches Heer mit 1000 Männern die Alpen und eroberte die Heimattäler der Waldenser zurück. Die Lage der Heimgekehrten besserte sich rasch, weil der savoyische Herzog sich auf die Seite der Gegner Frankreichs gestellt hatte und deshalb mit den Waldensern Frieden schloss. Doch bereits 1696 schlossen Frankreich und Savoyen erneut Frieden. Savoyen verpflichtete sich 1698, alle in Frankreich geborenen Evangelischen innerhalb von zwei Monaten zum Verlassen des Landes zu zwingen. Ungefähr 3000 Personen waren von dieser Maßnahme betroffen, darunter auch Henri Arnaud. Sie zogen 1698 in sieben Gruppen über Genf in die Schweiz. Monatelang suchten Arnaud und andere Gesandte in Europa nach einer neuen Heimat für die Waldenser.

4. Zum Thema „Die Waldenser in Württemberg"
1698 trafen die Abgesandten in Stuttgart ein und baten um die Aufnahme von 3000 Waldensern. Im lutherischen Württemberg hatte man freilich zunächst Bedenken gegen die Aufnahme der reformierten Waldenser. Gestattete man ihnen freie Religionsausübung, so müsste man dies auch den Katholiken gestatten. Auch befürchtete man einen Konflikt mit König Ludwig XIV. Es bedurfte der Fürsprache protestantischer Mächte wie der Niederlande und Großbritanniens, damit der Zuzug schließlich genehmigt wurde. Als Ansiedlungsgebiet wurde das Gebiet um Maulbronn ausgesucht. Das Grenzgebiet gegenüber Baden hatte unter den Franzoseneinfällen (1688/89) ganz besonders gelitten. Ein weiterer Grund für die Wahl dieses Gebietes bestand wohl auch darin, dass hier eine Beeinflussung der lutherischen Untertanen am wenigsten zu befürchten war.
Im Frühjahr 1699 gelangten die Waldenser nach Deutschland. Nach Württemberg kamen Waldenser unter Führung von Henri Arnaud aus dem Val Perouse (aus den Orten Perouse, Pinache und Villar) sowie Hugenotten aus dem Dauphiné. Man gründete 5 Stammgemeinden: Großvillars mit Kleinvillars, Dürrmenz mit Schönenberg, Segnach und Corres, Pinache mit Serres, Wurmberg- Luzerne sowie Perouse. In diesen Orten, die teilweise Namen aus der alten Heimat erhielten, siedelten sich 1115 Waldenser und etwa 550 Hugenotten an. Später entstanden in Württemberg noch drei weitere Gemeinden, z.B. Nordhausen bei Brackenheim.
Am 15. September 1699 fand nach einer Ansprache Arnauds die Huldigung der Waldenser gegenüber dem Herzog statt. In seiner Aufnahmeurkunde versprach der Herzog den Waldensern Gleichberechtigung. Er sicherte ihnen das Recht der öffentlichen Religionsausübung zu. Pfarrer und Lehrer durften sie selbst berufen, ihre Kirchenordnung beibehalten. Ihrerseits sollten sie die im Land eingeführten Feiertage, auch die Buß- und Bettage, halten. Die Orte erhielten zunächst keine eigenen Markungen, doch wurden den Einwanderern die herrenlosen, durch den 30-jährigen Krieg und die Franzoseneinfälle verwüsteten Äcker, Wiesen und Weinberge „zu einem puren Geschenk" überlassen. Es war ihnen auch erlaubt, Gewerbebetriebe zu errichten. Mit der Seidenraupenzucht hatten sie allerdings keinen Erfolg.
Die recht armen Neusiedler machten sich mit großem Fleiß an die Rodung der Ansiedlungsgebiete. Den Umgang mit dem Pflug und die Viehhaltung – beides in den Alpentälern wenig bekannt – mussten die Waldenser erst lernen.

5. Zu den kirchlichen Verhältnissen
Die Waldenser sprachen untereinander das in den Waldensertälern übliche Patois, einen provençalischen Dialekt. Kirchen- und Schulsprache war die französische Schriftsprache.
Mit der Zeit besserte sich die wirtschaftliche Situation der Waldensergemeinden. Über ein Jahrhundert lang lebten die Waldenser in ihrer besonderen, durch den Herzog garantierten Existenz. Württemberg richtete für die Waldenser eine eigene Regierungsbehörde ein, die Waldenserdeputation.
Im Jahre 1806 hob der württembergische König die Waldenserdeputation auf und unterstellte die Gemeinden dem allgemeinen Landrecht. 1823 wurden die Waldensergemeinden mit der württembergischen Landeskirche vereinigt. Trotz der Zustimmung durch die Waldensersynode stieß vor allem die Abschaffung der französischen Sprache bei den Gemeindegliedern auf Widerstand. Überliefert ist der Seufzer eines waldensischen Pfarrers auf der Kanzel: „Wie schrecklich wird das sein, wenn der Herr am Jüngsten Tag rufen wird ‚Levez vous!' und alle bleiben liegen, weil keiner ihn versteht!" Allerdings soll ein anderer Pfarrer daraufhin geäußert haben: „Dann schicken wir euch am Tag vorher einen Dolmetscher."
Das Patois wurde allerdings noch etwa ein Jahrhundert lang gesprochen.

Mögliche Eingangssituation

- L. kopiert Ortsschild und Gedenkstein und legt sie den Sch. vor. Die Sch. können im Internet weitere waldensische Orts- und Familiennamen finden (z.B. Perouse, Großvillars, Kleinvillars, Dürrmenz, Pinache, Serres, Perouse u.a.), sie auf Papierstreifen schreiben und an die Tafel/Wand heften.

Die Sch. stellen Vermutungen an, was es mit den französischen Orts- und Familiennamen für eine Bewandtnis hat.

Erschließungsmöglichkeiten

- Glaubensflüchtlinge in Deutschland: Die Sch. ziehen Erkundigungen in ihrer Umgebung ein. Waldenser ließen sich auch in Baden und Hessen nieder. Hugenotten kamen nach Brandenburg-Preußen (z.B. Potsdam, Halle, Magdeburg). Glaubensflüchtlinge kamen im Zusammenhang der Gegenreformation aus Österreich und anderen habsburgischen Ländern nach Ostpreußen, auch nach Württemberg (Impuls 2).
- Schwierigkeiten der Waldenser: Die Sch. lesen den Text und bedenken die Schwierigkeiten der Neuankömmlinge (Impuls 1).
- Geschichte der Waldenser: Die Sch. recherchieren in Gruppen im Internet Herkunft und Geschichte der Waldenser (Impuls 3). Mit Hilfe einer Karte aus einem Atlas können die Wege der Waldenser rekonstruiert werden. L. kann die obigen Informationen kopieren und den Sch. in die Hand geben.
- Waldenserwappen: Die Sch. übertragen das Wappen ins Heft und lernen so seine Bedeutung kennen. Sie lesen dazu die Er-

klärung. Die Farbe Schwarz weist auf die vielfältigen Verfolgungen hin. Das Licht steht für das Evangelium, das Trost in der Situation der Angefochtenheit bringt. Die Bibel weist auf die zentrale Bedeutung der Bibel für die Waldenser hin.

Die Sch. antworten auf Fragen wie: In welcher Lage befinden sich Menschen, die ein solches Wappen wählen? Was hilft ihnen in ihrer Situation? (Impuls 1).

- Reaktionen der Einheimischen: Die Sch. lesen die Rollenbeschreibungen KB S. 77 und stellen Pro und Contra zusammen. Beim anschließenden Rollenspiel können noch weitere Personen mitspielen, wie z.B. ein herzoglicher Amtmann (Impulse 2 u. 3).

Mögliche Schlusssituationen

- Glaubensflüchtlinge heute: Die Sch. informieren sich über Menschen heute, die ähnliche Probleme haben wie die Waldenser, z.B. aramäische Christen aus der Türkei, dem Libanon und dem Irak. KB S. 74f. wurden die Zuwanderer und ihr Schicksal im Allgemeinen behandelt; hier kann vor allem das Schicksal von Glaubensflüchtlingen thematisiert werden (Impuls 4).
- Rollenspiel lesen: Als **M38** ist der Text eines Rollenspiels abgedruckt, das als Einleitung zu der im KB S. 77 beschriebenen Situation (Lehrer – Bauer – Küfer) vorgeschaltet werden kann. Dieses Rollenspiel kann mit verteilten Rollen gelesen werden. Sinnvoll ist es, dass die beteiligten Sch. das Rollenspiel zunächst einüben, bevor sie es der Klasse vortragen. Anschließend kann das Rollenspiel Lehrer – Bauer – Küfer durchgeführt werden (Impuls 3). Diese Rollenspiele können auch als Hörspiel gestaltet werden; hierzu sollte zusätzlich ein Sprecher/eine Sprecherin vorgesehen werden, der/die in das Hörspiel einführt und kommentierende Zwischentexte spricht.

KB S. 78/79 Rut – eine Fremde wird heimisch

Die Rutgeschichte zeigt beispielhaft den biblischen Umgang mit Fremden. Im AT wird einerseits der Fremde (zar, nokri und ben nekar), der nicht in Israel lebt, als etwas Bedrohliches angesehen, weil das Volk immer in der Gefahr stand „fremde" Götter zu verehren bzw. weil die Fremden als Eroberer erlebt werden. Andererseits wird der Fremdling, der in Israel lebt (ger) als jemand angesehen, der den Einheimischen zum Schutz befohlen ist. Grundsätzlich gilt, dass der Fremdling in Israel nicht unterdrückt werden darf; ihm gegenüber gilt das Gebot der Nächstenliebe (3. Mose 33f.) Dabei beruft man sich auf die eignen Erfahrungen in Ägypten. Weitgehend (vor allem in der Priesterschrift) werden Fremde als rechtlich und kultisch gleichberechtigt angesehen.

Insbesondere gilt der Sabbat als Ruhetag auch für die in Israel lebenden „Fremdlinge" (2. Mose 20,10). Selbst die großen Feste dürfen Fremde – wenn sie dies wollen – mitfeiern (4. Mose 9,14: Passahfest; 5. Mose 16,8: Wochenfest).

Desgleichen gilt das Recht der Nachlese in Weinbergen und auf Feldern – das ist für das Buch Rut wichtig – nicht nur für die Armen sondern auch für die in Israel lebenden Fremden (3. Mose 19,10; 5. Mose 24,19-22).

Insofern steht Rut, die Moabiterin, exemplarisch für die Behandlung von Fremden in Israel.

Wie andere Frauengeschichten der Bibel (z.B. die Geschichten um Rebekka, Debora und Thamar) zeigt auch die Ruterzählung, dass eine Frau trotz patriarchal geprägter Rollenzuweisung in der Lage ist, autonom zu handeln. Rut hat im entscheidenden Augenblick den Mut, männliche Denk- und Verhaltensmuster aufzugreifen und damit eine festgelegte Frauenrolle zu überschreiten. Ziel der DS ist es, Rut als Typus einer ausländischen, selbstsicheren, unabhängigen, zielorientierten, vertrauensvollen und gläubigen Frau kennen zu lernen. Rut ist freilich keine Feministin im heutigen Sinne. Am Schluss der Erzählung werden Rut und Noomi zu Objekten der Rechtsverhandlung unter Männern. Doch im Rahmen damaliger Lebensverhältnisse schöpft Rut die Fülle der für eine Frau möglichen Verhaltensweisen voll aus.

Das Buch Rut wurde auch in Frauenkreisen erzählt. Christian Frevel geht sogar davon aus, dass zumindest der erste Teil des Buches von einer Frau geschrieben wurde (Frevel, Buch Rut, S. 23 ff.). Es finden sich weibliche Redewendungen, wie z.B. die Rückkehr ins „Mutterhaus" statt wie sonst üblich ins „Vaterhaus" (Rut 1,8).

Das Buch Rut gehört seit dem 1. Jahrhundert zum Kanon. Als Komposition einzelner Fragmente zu einer Erntedankerzählung hat das Buch Rut in der jüdischen Tradition seinen festen Sitz im Zusammenhang des Wochenfestes (Schawuot, Erntefest). Es zählt in der hebräischen Bibel zu den „Schriften". Rut gehört zu den fünf Megillot (= Festrollen), die jeweils einem bestimmten Fest zugeordnet sind und dort im Synagogengottesdienst verlesen werden. Rut wird am Wochenfest verlesen. In der Septuaginta steht Rut zwischen dem Richterbuch und dem ersten Samuelbuch. Das Rutbuch markiert den Übergang von der Vorkönigszeit mit ihren anarchischen Zuständen (Richter 19-21) zur neuen Epoche des mit David beginnenden Königtums (vgl. Zenger, Rut, Sp. 706).

Umstritten ist die Entstehungszeit des Buches Rut. Gut möglich ist, dass der aktuelle Anlass dieses Buches die Forderung von orthodoxen Kreisen im 5. und 4. Jahrhundert darstellt, die Mischehen mit ausländischen Frauen für ungültig zu erklären und diese Frauen gar zu verstoßen (vgl. Esra 9-10) „Indem R. [das Buch Rut] am beispielhaften Einsatz gerade der Moabiterin Rut gegen diese pauschale Diskriminierung fremder Frauen protestiert, plädiert es gegen ethnische und für ethische Kriterien der Aufnahme in die Gemeinde." (Zenger, Rut, Sp. 706)

Wer sich in Rut spiegelt, wird einerseits in sich selbst Chancen entdecken, sich Fremdes vertraut zu machen und letztlich Heimat in der Fremde zu finden. Andererseits wird die Begegnung mit Rut als Prototyp der Heimatlosen, der Asylbewerber und Ausländer immer auch die Frage nach dem Glauben und Gottvertrauen dieser Heimatlosen aufwerfen. So kann es gelingen, mit Rut Gott neu zu entdecken als einen Gott, der sich auf die Seite der Fremden, der Heimatlosen und Vertriebenen stellt. Dieser Gott wendet sich Frauen in unterdrückten Lebensumständen in besonderer Weise und mit viel Weitherzigkeit zu. Erzählend wird berichtet, wie Menschen in der Nähe Gottes leben und handeln, wie sie Fremdheit erleiden und Heimat als äußerliches und inneres Zuhause suchen und finden. Das erklärt auch die Bedeutung, die dem Rutbuch z.B. in den Befreiungsbewegungen des 20. Jh. zukam, von der so genannten „Dritten Welt" bis zur feministischen Theologie. Sie fühlen sich mit der unkonventionellen Rut, die als Moabiterin einen Juden heiratet und sich an die Seite ihrer Schwiegermutter stellt, bestätigt.

Die Bilder im KB S. 78/79 sind Holzschnitte des Künstlers Robert Hammerstiel. Die enge Verknüpfung der biblischen Geschichten mit seinen eigenen Erfahrungen prägt das künstleri-

sche Schaffen Hammerstiels bis heute. Diese Verknüpfung wird besonders deutlich an den Holzschnitten zum Buch Rut, in dem er seine eigenen Erfahrungen von Heimat, Flucht und Vertreibung sowie Fremdsein in einem anderen Land wieder findet, ebenso wie das positive Moment des familiären Zusammenhaltes und schließlich des freundlichen Aufgenommenwerdens.
1933 wurde Robert Hammerstiel in Werschetz im Banat als Sohn eines Bäckers, der in seiner Freizeit als Ikonenmaler tätig war, geboren. Die deutsche Familie Hammerstiel lebte im serbischen Viertel dieser Stadt. Die Erlebnisse im Gefolge der russischen Besatzung 1944 – zahlreiche Männer im deutschen Viertel von Werschetz wurden getötet, die übrigen Männer sowie die arbeitsfähigen Frauen wurden nach Russland verschleppt – haben Robert Hammerstiel tief geprägt. Der elfjährige Robert kam zusammen mit seiner Mutter und seinem Bruder in ein Internierungslager. 1947 gelang den dreien dann die Flucht über Ungarn nach Österreich, wo Robert Hammerstiel bis heute lebt und wirkt.
Zum Buch Rut hat Robert Hammerstiel 1981 eine Serie kleinformatiger Holzschnitte geschaffen. Diese sechzehn Holzschnitte erzählen die ganze Rutgeschichte von der Auswanderung aus Bethlehem bis zur Geburt des Urgroßvaters von König David. 1992 entstanden die beiden großformatigen Holzschnitte „Die Auswanderer“ und der im KB S. 78 abgebildete Holzschnitt „Noomi und Rut“. Dieser setzt die Situation ins Bild, als Noomi ihre beiden Schwiegertöchter bittet, nach Moab zurückzukehren und sie allein nach Bethlehem, ihre alte Heimat, zurückkehren zu lassen: „Mein Los ist zu bitter für euch.“ Man sieht es der Haltung der drei Frauen an, dass sie großes Leid erlebt haben. Die Frau in der Mitte ist tief gebeugt vor Gram, gezeichnet von einem schweren Schicksal. Schließlich kehrt Orpa um zu ihrem Volk – wer wollte es ihr übel nehmen? Orpa erscheint auf dem Bild nur als schwarze Fläche, als Umriss, und doch erkennt man deutlich ihr Abgewandtsein, ihr Weggehen. Rut aber lässt sich nicht umstimmen. Auf dem Bild beugt sie sich herunter zu ihrer Schwiegermutter; sie hat ihre Arme um die alte Frau gelegt; liebevoll ruht ihr Blick auf ihr.
Der Holzschnitt ist ein gutes Beispiel für die reduzierte Art der Holzschnitte Hammerstiels, die die Vorstellungskraft des Betrachters nicht festlegt. Der Betrachter kann mehr erkennen, als ins Holz geschnitten ist. Einzig die Hände und die Gesichter von Noomi und Rut sind ausdrucksstark und detailliert ins Holz geschnitten. Das Spiel der Hände verstärkt den Eindruck, den die Haltung von Rut und Noomi vermitteln. Noomis Hände ruhen in ihrem Schoß und strahlen Ruhe aus, Zuversicht bei allem Leid, das sich in ihrer gebeugten, fast niedergedrückten Haltung zeigt. Ähnlich auch das Gesicht der Noomi, dessen eine Hälfte ganz im Dunkel liegt.
Es scheint, als habe Robert Hammerstiel in Noomi seine Großmutter abgebildet, die, gebeugt von der Last des Lebens, dennoch ihren Mitmenschen etwas von der Zuversicht, die sie aus ihrem Glauben empfing, weitergab. Ganz anders dagegen die Hände und das Gesicht von Rut. Ihre Hände sind kräftig ins Holz geschnitten. Die rechte Hand ruht tröstend auf der Schulter ihrer Schwiegermutter, mit der linken stützt sie die gebeugte Frau. Der Blick Ruts ruht liebevoll auf ihrer Schwiegermutter, die gezeichnet ist von der Bitternis des Lebens, niedergedrückt von der Last des Erlebten. In diese Situation gehören die berühmten Sätze von Rut, die sich von ihrer Schwiegermutter nicht nach Hause zurückschicken lässt: „Rede mir nicht ein, dass ich dich verlassen und von dir umkehren sollte. Wo du hin gehst, da will ich auch hin gehen; wo du bleibst, da bleibe ich auch. Dein Volk ist mein Volk, und dein Gott ist mein Gott. Wo du stirbst, da sterbe ich auch, da will ich auch begraben werden.“
Beides sind menschliche Grunderfahrungen: Einander verlassen und beieinander bleiben. Beides erleben Menschen immer wieder: dass Freunde und Verwandte zurückbleiben, nicht mitgehen können (im direkten oder im übertragenen Sinn). Aber auch, dass Menschen einander die Treue halten, bereit sind, beieinander zu bleiben, auch wenn man nicht weiß, was die Zukunft bringt, oder gerade deshalb!
Rut und Noomi erleben, wie Bethlehem ihnen wieder zu einer Heimat wird. Auch für Noomi, die ja ursprünglich aus Bethlehem kommt, war dieser Ort zur Fremde geworden. Er wird ihr wieder zur Heimat, dadurch, dass Rut, die Fremde, bei ihr bleibt, zu ihr steht. Und zu diesem „Bei ihr Bleiben“ gehört mehr als das äußere Beieinanderbleiben: „Dein Volk ist mein Volk, und dein Gott ist mein Gott.“ Wo Menschen im Glauben einander verbunden sind, da erleben sie Heimat, ganz gleich, wo sie leben, fern von ihrer ursprünglichen Heimat oder in der Nähe.
Der Holzschnitt von Robert Hammerstiel drückt die menschliche Grunderfahrung des Beieinanderbleibens und des Verlassens in großer Dichte aus. Er gewinnt seine Echtheit und Wahrheit, seine Ausdruckskraft auch daraus, dass er selbst erlebt hat, was es heißt, fliehen zu müssen in die Fremde, was es heißt, eine neue Heimat suchen und finden zu müssen. Die Erfahrung von Heimat und Fremde macht jedoch nicht nur jemand, der seine Heimat verlassen muss. Wo bin ich zu Hause? – das ist eine Grundfrage der menschlichen Existenz. Der Holzschnitt strahlt etwas aus von jener Geborgenheit, von jenem Trost, in dem menschliches Leben möglich ist. Sparsam in der Ausgestaltung der Details, erschließt er sich nicht auf den ersten Blick. Aber er lädt ein zum Betrachten, zum Verweilen, Sich-hinein-Denken, zum Meditieren.

Der Text über Rut im KB ist in drei ungleich lange Teile geteilt, die entsprechend den angegebenen Impulsen nacheinander bearbeitet werden können:
1. Der erste Teil des Textes (KB S. 78) schildert kurz die Gründe, warum Elimelech und Noomi erwägen, aus Bethlehem auszuwandern.
2. Der zweite Text, ebenfalls KB S. 78, erzählt vom Schicksal der Familie in Moab bis zu dem Punkt, an dem Orpa und Rut entscheiden müssen, ob sie ihre Schwiegermutter Noomi nach Bethlehem zurück begleiten sollen oder nicht. Diesem Abschnitt ist der Holzschnitt von Robert Hammerstiel zugeordnet.
Diese beiden Textabschnitte sind so formuliert, das sie jeweils mit einer Entscheidungssituation enden: a) Sollen Elimelech und Noomi Bethlehem verlassen? b) Sollen Rut und Orpa ihre Schwiegermutter nach Bethlehem begleiten?
3. Der dritte Teil der Erzählung (KB S. 79) schildert die Ereignisse in Bethlehem nach der Rückkehr von Noomi und Rut. Diesem Text sind drei weitere Holzschnitte von Robert Hammerstiel zugeordnet.

Mögliche Eingangssituation

- Es ist sinnvoll, das Vorwissen der Sch. über biblische Frauengestalten der Grundschulzeit in Erinnerung zu rufen. Folgendes Vorgehen ist denkbar: Bilder oder Textkarten von Hanna, Mirjam, Sara und Hagar, Maria, Maria Magdalena, Maria und Martha usw. in die Mitte legen. Die Sch. können die Bilder/

Textkarten nach AT- und NT-Frauengestalten sortieren. Sie arbeiten heraus, dass diese Frauen als „Glaubensmütter" einen besonderen Aspekt des Gottvertrauens veranschaulichen. Sie überlegen, inwieweit Rut eine „Sonderstellung" gegenüber den anderen biblischen Frauengestalten zukommt (Moabiterin mit fremder Religion).

■ **Erschließungsmöglichkeiten**

- Der erste Teil des Textes KB S. 78: Gründe, warum Elimelech und Noomi erwägen, aus Bethlehem auszuwandern. Die Sch. können die Aufgabe von Impuls 1 mit Hilfe des Ja- Nein Stuhles lösen. Sie sollen bei ihrer Argumentation besonders berücksichtigen, dass Noomi und Elimelech Israeliten sind, und überlegen, inwieweit der Glaube Israels ihre Entscheidung beeinflussen könnte: Sie verlassen das „verheißene Land", das Gott dem Stammvater Abraham zugesagt hat.
- Der zweite Teil des Textes KB S. 78: Auch dieser Abschnitt kann mit Hilfe des Entscheidungsspiels (Ja-Nein-Stuhl) bearbeitet werden. Mit Hilfe der Methode des Doppelns wägen die Sch. für Rut und Orpa Argumente gegeneinander ab und vergleichen diese mit Rut 1,12-18 (Impulse 2 und 3).
- Das Bild von Hammerstiel (KB S. 78, Impuls 4): Durch das Abzeichnen des Holzschnittes können sich die Sch. sehr gut in die Komposition des Bildes, die Stellung der drei Frauen zueinander und ihre Körperhaltungen einfühlen. Besonders aussagekräftig sind die Hände von Rut und Noomi. Man kann die Szene auch als Standbild gestalten oder die Personen mit Sprechblasen versehen und darin die entscheidenden Bibelverse aus dem Buch Rut eintragen.
- Abschiedsbriefe/Gebete: Die Sch. schreiben auf Briefpapier mögliche Abschiedsbriefe. Alternativ dazu können sie auf Karten Gedanken und Gebete schreiben, die Noomi und Rut beim Aufbruch nach Bethlehem auf dem Herzen liegen. Sie befestigen diese auf einer Gebetswand und kleben dazu entsprechende Bilder von heutigen Menschen, die aufbrechen. Herangezogen werden kann das Lied „Vertraut den neuen Wegen" (EG 395).
- Der dritte Teil der Erzählung (KB S. 79): Die Ereignisse in Bethlehem. Die Sch. lesen den Text jeder für sich mehrmals durch, sodass sie ihn nacherzählen können.
- Die Bilder von Robert Hammerstiel (KB S. 79): Die Sch. betrachten die Bilder und achten dabei auf die Körperhaltung und die Hände der Personen. Sie beschreiben diese Bilder. Wenn genügend Zeit zur Verfügung steht, kann man die Bilder nachzeichnen lassen. Dadurch kann es gelingen, das Wesentliche der Bilder besser zu erfassen. Die Sch. ordnen die Bilder der Rutgeschichte zu (Impuls 1).
- Stammbaum Jesu: Ausgehend vom letzten Satz des Textes und vom letzten Hammerstiel-Bild kann M 39 (Scherenschnitt: Der Stammbaum Jesu) herangezogen werden. Dort wird der Stammbaum Jesu auf folgende Stationen reduziert: 1. Boas und Rut; 2. David; 3. Geburt Jesu.

■ **Mögliche Schlusssituationen**

- Die Sch. gestalten eine „Diashow" zu Rut. Sie kratzen aus einem mit Ruß geschwärzten (oder mit Bronzefarbe bemalten) Dia mit einer Nadel Szenen des Buches Rut aus. Zu diesen Dias können sie Mutmach-Texte und -Musik (z. B. „Damit aus Fremden Freunde werden", EG 657) aussuchen und die Diashow in einen Schulgottesdienst oder eine Andacht einbringen.
- Gestalten eines Rut-Leporellos.

3. Lernkarten

33 Erkläre in Stichworten die Bedeutung des Waldenserwappens.

34 Bei welcher Gelegenheit sagt Rut zu ihrer Schwiegermutter: „Wo du hingehst ..."

35 „Achtung! Rumänen klauen!" „Türke ade! Ausländer geh!" „Ausländer nehmen uns die Arbeitsplätze weg!" Formuliere zu den ausländerfeindlichen Sätzen Gegen-Sätze.

36 Manche Menschen sagen: „Rut ist eine vorbildliche Frau." Für wen könnte Rut ein Vorbild sein?

Für Lernkarte 36 sind folgende Aspekte wichtig:
Rut ist ein Vorbild für Mädchen und Frauen: Sie hat sich mutig in der Männerwelt behauptet, weil sie sich zuvor auch mit der für sie fremden Welt ihres Mannes und der Israeliten vertraut gemacht hat. Sie hat eine besondere Freundschaft mit ihrer Schwiegermutter gepflegt und ist so auch ein Vorbild für (Schwieger)Mutter-Tochterbeziehungen. Ferner ist Rut auch ein Vorbild für Christen und Juden, denn sie hat Gott vertraut und damit Mut gefunden, ungewöhnliche Wege zu gehen.

4. Empfohlene Literatur und Medien

Büttner, Gerhard/Maier Joachim, Rut. Eine Unterrichtseinheit für Sek I, in: Schönberger Hefte 1/90, Hg. vom Religionspädagogisches Amt und Religionspädagogisches Studienzentrum der Evangelischen Kirche in Hessen und Nassau, 1990. *Hier wird das Buch sozialgeschichtlich eingeordnet und gezeigt, wie dieser Ansatz unterrichtlich umgesetzt werden kann.*

Dietz, Walter u.a., Das Buch Rut, Unterrichtsvorschlag Klasse 5/6, in: entwurf 1/1991, S. 58-74. *Stellt ausführlich grundlegende Fragen im Zusammenhang mit dem Buch Rut dar; mit Scherenschnitten zur Ruterzählung von Elisabeth Haack-Österle.*

Ego, Beate, Art. Rut (Buch), in: Calwer Bibellexikon, Band 2, S. 1149f., Stuttgart 2003. *Leicht lesbarer knapp gefasste Einführung in das Buch Rut; gut geeignet als erste Orientierung.*

Petri, Dieter/Thierfelder, Jörg, Rut – Die Fremde, in: entwurf 1/1991, S. 76 f. *Eine Spielgeschichte für Klasse 10, die aber leicht abgewandelt auch in Klasse 5/6 eingesetzt werden kann.*

Petri, Dieter, Von der Faszination der Bilder. In: Büttner, Gerhard/Petri, Dieter/Röhm, Eberhard (Hg.), Wegstrecken, Beiträge zur Religionspädagogik und Zeitgeschichte. Festschrift für Jörg Thierfelder zum 60. Geburtstag, Stuttgart 1998. *In diesem Beitrag wird u. a. auf die Holzschnitte von Robert Hammerstiel eingegangen.*

Petri, Dieter/Thierfelder, Jörg, Die Waldenser, Glaubensflüchtlinge in Württemberg (UE für Sek I), in: Praxis Geschichte 3, Glaubensflüchtlinge, Braunschweig 1992, S. 30–36

Roll, Eugen, Die Waldenser, Aufbruch in eine neue Zeit, Stuttgart 1982.

Jost, Renate, Freundin in der Fremde, Rut und Noomi, Stuttgart 1992. *Gut lesbare Informationen zum Bibeltext mit frauenpolitischem Akzent.*

5. Materialien

M 37 In der Fremde
M 38 Die Waldenser – ein Rollenspiel
M 39 Scherenschnitt: Der Stammbaum Jesu

David – ein Vorbild?

1. Zielsetzung, Aufbau und Kompetenzen

Ziel des Kapitels ist es, an einem Beispiel die verschiedenen Beziehungsebenen, in denen Menschen vor Gott stehen oder besser mit Gott leben können, in den drei Lebensdimensionen Ich – Du – Wir zu entfalten. Dazu wird das Thema zunächst in den Lebenserfahrungen der Sch. verortet und dann mit der Davidgestalt konfrontiert. Im Theologisieren mit den Sch. wird an verschiedenen Themen die Frage bearbeitet: Wie gestaltet sich ein Leben, das mit Gott rechnet?
Damit die religiöse Dimension nicht nur als Anhang zur Lebensorientierung geliefert wird, liegt dem ganzen Kapitel das didaktische Modell der Elementarisierung im Sinne von Friedrich Schweitzer zugrunde, das von einer gegenseitigen Verschränkung von Lebens- und Textbezug ausgeht. Ziel ist es auf allen Ebenen mit den Sch. die Frage zu stellen, wie der Selbstfindungsprozess und der eigene Lebensweg gegangen werden können: Als Weg, ohne Bindung an Menschen oder höhere Mächte und Gewalten oder als Weg an der Seite Gottes in Abhängigkeit und Freiheit.
Das Bild der Waage, mit dem das Verhalten Davids stets neu beurteilt wird, steht für diese dialektische Auseinandersetzung (s. dazu unten).
Der Aufbau des Kapitels folgt in konzentrischen Kreisen dem Lebensgefühl Jugendlicher: Zuerst steht die eigene Person im Zentrum (DS 80/81: Ich bin stark); dann fällt der Blick auf andere Menschen in der nahen und fernen Umgebung. Die Jugendlichen entwickeln für sich Bewertungsmuster nach dem Schema von Nähe und Distanz (DS 82/83: Ich habe Freunde); zuletzt stoßen sie an Grenzen (Streit, Lust, Gewissensfragen; S. 84: David als Vater). Diesem Dreischritt korrespondiert die Begegnung mit den Wirkweisen Gottes als Schöpfer (Gott hat David und allen Menschen Begabungen gegeben – damit gestaltet der Mensch die geschenkte Ebenbildlichkeit), Erlöser (Gott ist dem sündigen Menschen gnädig) und Heiligender (Gott stellt mich trotz all meiner Schwächen in ein neues Licht). Es empfiehlt sich eine Vernetzung mit dem Kapitel „Bilder von Gott“ KB S. 108ff.
In der Begegnung mit David entdecken die Sch., dass politisch agierende Menschen Verantwortung übernehmen. Königsmacht ist menschliche Macht; und auch die, die Verantwortung übernehmen, haben sich zu fragen, wo sie ihre Fehler und Schwächen aufgehoben wissen.

David lebte um die Wende vom 11. zum 10. Jh. Sein Vorgänger Saul regierte als Heer-König in Gibea. Die einzelnen David-Überlieferungen wurden später durch das deuteronomistische Geschichtswerk während des Exils bearbeitet und in einen theologischen Gesamtrahmen eingebettet.
Zum Verständnis der Intention der Daviderzählung werden in der Exegese verschiedene Akzente herausgestellt. Für Silvia Schroer stehen Königtum, Gesetz, Bund und Erwählung Israels im Vordergrund. Von Rad spricht von einer „theologischen Geschichtsschreibung“, die um den Gesalbten und die Messiasfrage kreist. Für Christine Reents steht das Phänomen der Jahwekriege in ihrer Bedeutung für die Davidverfassung im Zentrum. Sie stellt fest, dass Jahwe-Kriege und pazifistische Prophetenäußerungen schon in der Davidzeit nebeneinander auftreten. Das provoziert die bis heute brisante Frage nach Gottes All- oder Ohnmacht im Umgang mit Krieg und Gewalt. Letztlich wird an Machtfragen entschieden, wie Menschen mit Gott leben. Deshalb sind die David-Goliath-Perikope und die Nathanverheißung eine Art Basistexte, an denen Davids Person und Glaube als „Mensch, der vor Gott steht“, exemplarisch veranschaulicht wird. David wurde trotz aller persönlichen Schwächen ein Vorzeige-Israelit in seinem steten Bemühen, seine Lebensentscheidungen mit Gottes Rat und Hilfe zu treffen.

Unter *entwicklungspsychologischen* Gesichtspunkten ergibt es Sinn, das Menschsein vor Gott an Themen und Personen zu entfalten, in denen sich Konflikte der Pubertät spiegeln. Da die Sch. gerade in der Frühpubertät ein Wechselbad der Gefühle zwischen Liebe und Hass, Nähe und Distanz im Umgang mit sich selbst erleben, kann der biblische David insbesondere durch seine Ecken und Kanten dazu einladen, sich mit ihm zu identifizieren.
Wenn Jugendliche sich auf die in diesem Kapitel aufgeworfenen Fragen wirklich existentiell einlassen, können sie bei der Beantwortung der Fragen „Wer bin ich?“, „Wer gehört zu mir?“, „Wer hilft mir, so zu sein (werden), wie ich bin?“ Fortschritte machen. Durch die Beschäftigung mit den hier aufgeworfenen Fragen kann das Gottesbild der Sch., die sich im entwicklungsbedingten Übergang vom konkret-operationalen zum vieldimensional-symbolischen Denken befinden, erweitert und korrigiert werden. Gegenüber Einheiten zum Thema Gott in der Grundschule liegt der Zugewinn hier in der Fähigkeit, Gott weniger von seinem Wesen her (als mächtigen Gott, der über den Wolken im Himmel thront) als vielmehr von seinen in viele Lebensbereiche eindringenden Wirkweisen her als menschenfreundlichen Gott zu begreifen.

■ Nachhaltiges Lernen
Im Zuge nachhaltigen Lernens ist es wichtig, die Davidgeschichte immer wieder in den Zusammenhang der Zielsetzung des Großkapitels „Menschen vor Gott“ zu stellen, um auch mit dem Medium des Spiegels der Titelseite zu entdecken, wie sich die Wegbegleitung Gottes in der Biografie eines Menschen ganz unterschiedlich gestalten kann.
Eine *Evaluation* wird die Erweiterung des Gottesbildes in den Blick nehmen. Als Ausgangsmaterial werden Tätigkeitskarten auf den Boden gelegt (Gott erschafft – Gott straft – Gott liebt – Gott richtet – Gott vergibt – Gott macht stark ...). Die Sch. sollen die Karte wählen, die sie für die wichtigste halten und diese mit einer biblischen Geschichte oder einer Person aus der Kirchengeschichte in Verbindung bringen. Am Schluss werden die Karten mit David verknüpft (so legten Sch. z.B. David und Luther zusammen). Kriterium des Erkenntnisfortschrittes ist, wenn Sch. Verben benutzen, die Gottes Wirken nicht in der Jenseitigkeit suchen, sondern auf der Erde.

Leitsymbol: Hinsichtlich der Gestaltungsmöglichkeiten dient als Leitsymbol für die David-Einheit eine Waage, die als Bewertungsmedium benutzt wird, wobei immer zwei Kriterien ineinander fließen: Einerseits die Person des David und andererseits die Gottesbeziehung Davids. Wie wirkt beides zusammen bei der Beurteilung Davids?
Es empfiehlt sich, die Waage in verschiedenen Formen ins Spiel zu bringen, gebastelt oder gezeichnet im Heft jedes Schülers, um Meinungen für oder gegen etwas auf die Waagschale zu werfen, als reale Waage im Klassenzimmer, als Sprichwort (z. B. etwas abwägen, in die Waagschale werfen), als Kunstwerk usw. Durch diese anschauliche Dimension besteht die Hoffnung, dass die Sch. in der Auseinandersetzung mit David für sich klären können, warum ein Leben mit Gott ein Weg frei gewählter Abhängigkeit ist, der Menschen ihr wahres Selbst entfalten lässt.

- Das Symbol der Waage: Die Sch. schreiben auf verschiedenfarbige Kärtchen ihre Stärken und Schwächen (z. B. auf Grün die Stärken, auf Rot die Schwächen). Die Kärtchen werden eingesammelt und auf die (gezeichnete oder reale) Waage gelegt. Interessant wird sein, ob aus der Sicht der Sch. ihre Stärken oder ihre Schwächen überwiegen. Die Kärtchen werden (anonym) vorgelesen und besprochen.

2. Didaktisch-methodische Hinweise

KB S. 80/81 David, ein Superstar / Echt stark!

In den Sätzen „echt stark/echt cool" bringen Jugendliche ihre Wertschätzung für andere Menschen oder Sachverhalte zum Ausdruck. Die DS setzt bei einer positiven Sichtweise vom Menschen an und konzentriert sich auf die Stärken, die einen Menschen beachtens- oder liebenswert machen Der DS liegt eine Theologie zugrunde, die sich schöpfungstheologisch begründet. Sie freut sich an dem, was der Mensch mit Gottes Hilfe in der Lage ist zu schaffen und zu gestalten (creatio continua) und ordnet Schuld und Versagen diesem Lebensgefühl des ursprünglichen Angenommenseins zu. Entscheidend bleibt in der didaktischen Umsetzung für Kl. 5/6 die Hervorhebung und Beurteilung von Stärken und Begabungen sowie der Umgang mit Niederlagen, entfaltet am Aspekt: „Klein und schwach, aber dennoch stark".
Als Unterrichtseinstieg, der der Arbeit mit der DS voraus gehen kann, bietet es sich an, das Thema: „Stark-Sein" zu betrachten. Lebenswelt und theologischer Bezug sollten dabei von Anfang an miteinander verbunden werden. So kann über die Figur des David Zonzer eine Annäherung an den biblischen David erfolgen. Folgendes ist denkbar:

■ Mögliche Eingangssituationen

- Der auf Tonpapier geschriebene Satzteil „... echt stark" wird in die Mitte gelegt. Die Sch. ergänzen den Satzanfang. Diese Ergänzungen werden nach Eigenschaften, Personen, Dingen (Sachen, Medien, Essen usw.) mindmapartig sortiert. Dann finden die Sch. im Unterrichtsgespräch Kriterien, nach denen etwas als stark oder als schwach beurteilt wird, und überlegen, was oder wer das Stark- oder Schwachsein bewirkt. Als Abschluss kann der Satz folgende Ergänzung finden: „Mit ... bin ich echt stark". Hier ist alles vorstellbar von „meinen Freunden" über „meinem Mofa" bis zu „Gott", wobei Letzteres als L-Impuls eingebracht wird, falls nicht von den Sch. genannt.
- Die Sch. erhalten einen Batzen Ton, mit dem sie das Wort „stark" formen sollen. Alle Kunstwerke werden nach der Museumsmethode „Werkstattgespräch mit dem Künstler" betrachtet und verglichen und ein Bezug zum bibl. Schöpfungsbericht hergestellt: Macht Gottes Atem in mir mich stark?

■ Erschließungsmöglichkeiten KB S. 80

- David Zonzer: Die Sch. decken KB S. 80 so ab, dass nur noch das David-Zonzer-Bild zu sehen ist. Sie beschreiben das Bild, stellen es mit dem eigenen Köper nach und erzählen von vergleichbaren selbst erlebten Situationen. Sie können in Worten und Farben auf Sprechblasen aus Papier ausdrücken, wie der Junge sich fühlt, die Sprechblasen an der Tafel ordnen und eine Überschrift für das Bild finden, die als Schlagzeile einer Sportzeitschrift stehen könnte.
- Die Niederlage trainieren: Ergänzend kann das Bild von der Niederlage eines Sportlers herangezogen werden. Hier kann die religiöse Dimension geweitet werden, etwa mit dem Impuls: „Für meine Stärken brauche ich Gott nicht, aber die Niederlagen könnte ich ohne Gott nicht ertragen."
- Bedeutung von Namen: Die Sch. bearbeiten Impuls 3 und überlegen, ob der in den entsprechenden Namen enthaltene religiöse Anspruch den Namensträger beeinflusst.
- Computerbild: Die Computerrecherche zum König David (Impuls 4) wird erleichtert, wenn den Sch. folgende Kriterien vorgegeben werden: Aussehen/Familie/Beruf/Hobbys/Herkunft, Heimat/Zeit; für David wichtige Zeitereignisse/Freunde/Glaube. Alternativ zum Internet können auch Bücher herangezogen werden.
- Die Sch. gestalten ein David-T-Shirt (Impuls 7).

■ Mögliche Schlusssituation KB S. 80

- David künstlerisch gestalten: Nach ersten Recherchen haben die Sch. sich ein Bild von David gemacht. Sie sind eingeladen, „ihren" David zu malen, zu tonen oder mit einem Standbild zu gestalten. Die Werke werden nach der Museumsmethode ausgewertet. Darauf werden Davidkunstwerke namhafter Künstler zu den Schülerbildern dazugehängt (M 40) und unter der Frage: „Was wollen diese Künstler von David festhalten?" mit den eigenen Werken verglichen.

■ Erschließungsmöglichkeiten KB S. 81

- Bild David und Goliat: Das Bild von Josef Koranda steht typologisch für die bekannteste Kindheitslegende über David, die seinen späteren politischen Siegen Rechnung trägt. Auch

wenn strittig ist, ob David wirklich Goliat besiegt hat (da nach 2. Sam 21,19 Elhanan den Riesen Goliath erschlug), bleibt diese Geschichte gerade für Kinder und Jugendliche von höchster Bedeutung. Das archetypische Motiv des Kleinen, Schwachen, das über das scheinbar Große siegt, ist bis heute die Hoffnung vieler Unterdrückter. Sie findet sich in Korandas Bild wieder: Im linken unteren Bereich wird David mit den Accessoires eines biblischen Hirtenjungen dargestellt (Steinschleuder in der rechten Hand, einfache Kleidung, linke Hand wie eine Schwörhand gen Himmel gerichtet). Daneben liegt der große in Rüstung gekleidete Riese. Man erkennt in dem Bild deutlich die Initiale „U", die eine Art Rahmen bildet. In der „goldenen Mitte" sieht man den Jubel des Volkes beim Hineinbringen der Bundeslade nach Jerusalem. Darin sind gleichsam die „goldenen Zeiten" vorbereitet. In dieser Mitte befindet sich ein zweiter David, der in der Stadt Gottes das Zelt aufgestellt hat (den Tempel) und vor der Bundeslade mit seiner Harfe tanzt.
Die Sch. betrachten in EA das Bild und schreiten es dann vom linken unteren Rand her (von David) erst im Außen- dann im Innen-„U" mit den Augen ab, indem jeder Sch. das, was er sieht, in einem Satz beschreibt. Darauf erzählt L. in Anlehnung an 1. Sam 16,1-20 über Davids Kindheit (**M 41**); alternativ können die Texte aus **M 41** auch gelesen werden. Der Text KB S. 81 wird nun gemeinsam gelesen und das Bild genauer interpretiert. Impulsfragen: „Was möchte Koranda in seinem Bild über David und Gott aussagen? Achtet auf die Haltung, Farben, Andeutungen usw." Die Sch. arbeiten in Kleingruppen, indem sie anhand der Bildausschnitte a-c von **M 42** die Frage nach den Stärken, Schwächen und der Gottesbeziehung Davids beantworten und dann ihre Ergebnisse vortragen. Mit dem Ausschnitt d) werden die Ergebnisse zusammengefasst.
Eine andere Möglichkeit das Bild zu entdecken ist die Abdeckmethode. Dazu wird das Bild auf Folie kopiert und am OH-Projektor der Reihe nach einzelne Ausschnitte entsprechend **M 42** aufgedeckt.

- Das Bild mit anderen Kunstwerken (**M 40**) vergleichen.
- Unterschiedliche Sichtweisen (Impuls 1): Hilfreich für das Textverständnis könnte sein, wenn die Sch. jeweils als ein Israelit und ein Philister nach Hause schreiben. Die Bearbeitung des Impulses kann dadurch vorbereitet werden, dass die Sch. anhand des Textes Stärken und Schwächen von David und Goliat unterstreichen und diese dann vergleichend auf die Waagschale legen.
- Eine Mut-Mach-Geschichte (Impuls 2): Der zweite Impuls zielt auf Übertragung in unsere Zeit. Die Sch. können dazu in GA eine kurze ähnliche Szene entwerfen, in der David und Goliat durch heutige Personen ersetzt werden. Bei der Besprechung der verschiedenen Szenen soll deutlich werden, wieso eine Mut-Mach-Geschichte vorliegt. Dann kann man ein Augenmerk auf die Frage legen, ob das Gottvertrauen des David wichtig war, um Mut zu haben und stark sein zu können.
- Gottes Kraft ist in den Schwachen mächtig (3. und 4. Impuls): Der dritte Impuls zieht eine Linie von David zu Paulus, der Gottes Kraft gerade erfuhr, als er schwach war. (2. Kor 12,9). Das Erfinden einer eigenen Geschichte kann den Bezug des biblischen Satzes zum Erfahrungshorizont der Sch. herstellen.

■ Mögliche Schlusssituationen

- Eine neue Davidgeschichte (Impuls 5): Das Koranda-Bild weist auch auf die Geschichte hin, wie König David vor der Lade tanzt, als diese in das Jerusalemer Heiligtum gebracht wird. (2. Sam 6).
- Salbung Davids zum König (Impuls 6): Dieser Impuls deutet Davids Menschsein vor Gott als Gesalbtsein. Damit die Sch. eine Vorstellung vom Salben gewinnen, können sie das Wort zunächst in ihrem Sprachschatz verankern (Salbe, salbungsvoll reden usw.) und dann eine Stilleübung anschließen: Die Sch. schließen die Augen und bekommen von L. oder Mitschüler/-in etwas Rosenöl aufs Handgelenk gerieben. Sie entdecken, dass Salben etwas mit einem weihevollen Ritual, mit neuem Duft und spürbarer Berührung zu tun hat. Je echter und überzeugter L. dieses Salben als Begegnung gestaltet, umso leichter wird es den Schülern fallen, ihre Erfahrungen zu symbolisieren und zu theologisieren.

KB S. 82 Ein Freund, ein guter Freund

Thema dieser Seite ist Freundschaft, ausgehend von der Freundschaft zwischen David und Jonatan. Auf Freunde kann ich mich verlassen, vor ihnen Fehler eingestehen und mir ihrer Hilfe gewiss sein. Deshalb ist mit der David-Jonatan-Freundschaft der Blick geöffnet für die noch weiter reichende Freundschaft Gottes zu den Menschen. Auch auf Gott kann ich mich verlassen, ihm meine Fehler eingestehen und seiner Hilfe gewiss sein. Mit der David-Jonatan Freundschaft können die Sch. sowohl ihre Freundschaftsvorstellungen bedenken als auch Ansatzpunkte gewinnen, um das vielfach eher patriarchalische Gottesbild auf ein freundschaftliches hin zu weiten. Dazu werden den „väterlichen" Aspekten weibliche hinzugefügt. Die Sch. können dadurch Erfahrungen von Zärtlichkeit, Nähe, Vertrauen usw. zunehmend mit Gottes Beziehung zu uns Menschen in Verbindung bringen.
Ob es sich bei der Beziehung von David zu Jonatan um eine homoerotische Beziehung handelt oder nicht, bleibt umstritten. Im 5./6.Schuljahr ist ein Eingehen auf diesen Aspekt verfrüht.

Rembrandt, Davids Abschied von Jonatan
Das Ölgemälde auf Holz aus dem Jahr 1642 befindet sich in der Leningrader Eremitage und zeigt den Abschied Davids von Jonatan nach 1. Sam 20,35-42. Im Zentrum des Bildes stehen – hell erleuchtet – David und Jonatan. Prinz Jonatan ist die beherrschende Figur. David trägt eine Rüstung. Die Szene ist auf freiem Feld angesiedelt. Im Hintergrund sieht man eine Stadt, möglicherweise Gibea. Sowohl in Rembrandts Gemälden als auch in seinen Zeichnungen zu David und Jonatan ist Jonatan immer als der deutlich Ältere dargestellt, so auch hier. „Der jugendliche David mit seinen goldgelben Locken ist gerade aus seinem Versteck ‚neben dem Stein' zum Vorschein gekommen. Weinend stürzt er sich in Jonatans Arme, der ihn als ein starker Freund nicht nur umarmt, sondern auch stützt. In Davids glänzendem Gewand, dem prächtigen Schwert, das an seiner Seite hängt, dem Mantel, dem Bogen und den Pfeilen, die neben ihm auf dem Boden liegen, erkennen wir jene Geschenke, die er von Jonatan empfangen hatte, als sie Freundschaft geschlossen hatten. Der dunkle Wolkenhimmel über der Stadt im Hintergrund weist auf die Gefahr hin, die David von Saul droht, der ihm so bitterböse ist, dass er gegenüber Jonatan nicht einmal mehr seinen Namen auszusprechen wünscht und statt dessen vom ‚Sohn Isais' redet (siehe l. Sam 20,27 und 31)." (Hoekstra, Rembrandt, S. 114).

Mögliche Eingangssituation

• Erfahrungen der Sch. mit den Thema Freundschaft (Impuls 1). Die Sch. bringen ihre eigenen Erfahrungen mit dem Thema Freundschaft ein, indem sie Lieder der Pop- und Schlagerszene zum Thema „Freundschaft“ aus unserer Zeit hören (Texte und Hörbeispiele findet man in der Songdatenbank unter www.songtext.net). Die Sch. erhalten Tonpapierstreifen und sollen beim Hören aufschreiben, was dieser Song als besonderes Merkmal einer Freundschaft besingt. Die verschiedenen Aspekte werden unter der Überschrift „Was Freundschaften zusammenhält“ an der Tafel gesammelt. Die Sch. suchen Freundschaftssymbole, die für Mädchen- oder Jungenfreundschaften typisch sind. Sie können solche Freundschaftssymbole in die Mitte legen und davon erzählen. Dazu kann folgende Freundschaftsgeschichte gelesen werden.

Auf dem Skaterplatz lernt Peter einen türkischen Jungen kennen. Ahmed ist richtig gut auf seinem Skateboard. Er zeigt Peter auch ein paar Tricks. Peter möchte sich am nächsten Tag wieder mit ihm treffen, aber das geht nicht, denn es ist Freitag und Ahmed wird mit seiner Familie in die Moschee gehen. Ob Peter nicht mitkommen möchte? Klar will er. Etwas fremd wirkt das Gebet schon auf ihn. Doch weil Ahmed da ist, fühlt er sich nicht unwohl. Und er entdeckt etwas Bekanntes: Ketten mit Holzperlen, wie er sie auch in der katholischen Kirche beim Rosenkranzgebet gesehen hat. Anschließend lädt Ahmed ihn ein, mit ihm nach Hause zu kommen. Die Familie ist freundlich und Peter und Ahmed werden bald dicke Freunde. Ein paar von Peters Klassenkameraden machen sich darüber lustig: Was er denn mit so einem wolle, der sei erstens Türke und dann ja auch noch fromm. Peter verteidigt seinen Freund. Er selbst gehe ja auch in die Kirche. Früher war Peter nicht so mutig, aber jetzt weiß er, dass ein Freund wichtiger ist als fünf andere, die spotten. Doch dann kommt der Tag des Abschieds. Ahmeds Eltern haben vergeblich Arbeit in Deutschland gesucht. Sie haben beschlossen, in ihre Heimat, nach Anatolien, zurückzukehren. Ahmed und Peter sind traurig. Würde ihre Freundschaft weiter bestehen? Ja, da sind sich beide sicher. Peter schenkt Ahmed zum Abschied sein Board, etwas zerkratzt schon, aber in diesen Kratzern steckten ja gerade die gemeinsamen Erinnerungen an die Skaterzeit. Und Ahmed holt auch etwas aus seiner Tasche: eine muslimische Gebetskette. „Die möchte ich dir schenken“, sagt er. „Allah ist groß und er weiß, dass wir Freunde sind, wo immer wir leben.“

Erschließungsmöglichkeiten

• Rembrandt-Bild: Die Sch. fertigen eine Umrisszeichnung der beiden abgebildeten Personen an, sodass ihre Haltung zueinander deutlich wird. Sie können zum Abzeichnen Transparentpapier benutzen. Sie stellen Mutmaßungen darüber an, in welcher Beziehung die beiden Personen zueinander stehen und was die abgebildete Situation darstellt (Freundschaft, Zuneigung, Trost).
Die Sch. entdecken Einzelheiten des Bildes: Kopfbedeckung, Schwert, Stadt im Hintergrund ... Sie lesen 1. Sam 20,35-42; sie überlegen, welche Person David und welche Jonatan ist und warum der Künstler sie so darstellt. Sie lesen 1. Sam 18,3-4, um Davids Ausrüstung einordnen zu können. Sie können eine Kopie des Bildes mit Sprechblasen versehen und diese ausfüllen.

• Jonatan erweist sich als Freund: Der Text KB S. 82 wird gelesen und erschlossen. Dafür bieten sich folgende Möglichkeiten an:
– Die Sch. finden den in ihren Augen wichtigsten Satz heraus, den David über seinen Freund Jonatan sagt. Sie stellen diese Aussage als Standbild pantomimisch nach und legen dann David und Jonatan Freundschaftssätze in den Mund, die beide einander sagen oder schreiben könnten.
– Die Sch. erhalten den Text als Kopie und kolorieren ihn, indem sie den einzelnen Sätzen passende Farben hinterlegen. Im Vergleich werden die besonders eindrücklichen Sätze herausgearbeitet.

• Die Freundschaft zwischen David und Jonatan hält: Die Sch. lesen 1. Sam 18-20. Im Unterricht werden dann diese Kapitel entsprechend Impuls 2 besprochen.

• Bilder einer Freundschaft (Impuls 3): Impuls 3 kann in arbeitsteiliger GA bearbeitet werden. Die Gruppen stellen sich ihre Ergebnisse gegenseitig vor. Sie können den Personen auf den Bildern Sprechblasen mit David-Jonatan-Freundschaftssätzen in den Mund legen.

• Jonatan zwischen Saul und David (Impuls 4): Die Standbildmethode kann die Konstellation gut herausarbeiten. Möglich ist auch ein Entscheidungsspiel. Alle drei Personen sitzen auf Stühlen. Saul und David geben Statements ab. Jonatan muss sich entscheiden, zu wem er halten soll.

Mögliche Schlusssituation

• Impuls: „Es heißt: Gott ist ein Freund der Menschen.“ An echten Freundschaften zeigt sich, wie Gott es mit uns Menschen hält. Prüft die Aussage am Beispiel der Beziehung Davids zu Jonatan. Versuche einmal für dich, Gott mit einem Freundschaftswort zu beschreiben, z.B. als guter Kumpel; Fairer ... usw.“

• Einsatz der Waage: Was kann für David in die Waageschale geworfen werden?

KB S. 83 Ist alles erlaubt?

David hat Macht und schreckt nicht davor zurück, daraus persönliche Vorteile zu ziehen. Er hat mehrere Frauen und Nebenfrauen. In Hebron wurden ihm sechs, in Jerusalem elf Söhne geboren. Dass der von David betrogenen Ehemann der Batseba ein Hethiter und eben kein Israelit war, schützt auch David nicht vor der Verurteilung: Das aus dem Ehebruch hervorgegangene Kind muss sterben, doch paradoxerweise wird ein weiteres Kind von David und Batseba später Davids Nachfolger: Salomo.

Erschließungsmöglichkeiten

• David und Batseba (Impulse 1 u. 3): Die Sch. lesen „David und Batseba“ sowie den Text 2. Sam 11. In PA schreiben und gestalten sie einen Artikel für eine Zeitung, wobei sie den 2. Impuls (Verstoß gegen Gebote) mit einbeziehen. Hier kann evtl. zwischen verschiedenartigen Zeitungen differenziert werden: z.B. Bravo, eine Frauenzeitschrift, Playboy, Bild, Die Welt. Die Arbeit an einem solchen Artikel könnte für manche Sch. erst die Ungeheuerlichkeit von Davids Übertretung deutlich machen.

• Davids Verstöße (Impuls 2): Die Sch. prüfen anhand der Zehn Gebote, welche dieser Gebote er übertritt (vgl. auch KB S. 30: Regeln, die gut tun).

• Gerichtsverhandlung (4. Impuls): Die Sch. gestalten in GA eine Gerichtsverhandlung als Hörspiel (auf Kassette aufnehmen). Dabei soll deutlich werden, gegen welche Gebote David verstößt (vgl. Impuls 2). Das Hörspiel kann so enden, dass nach der Urteilsverkündigung einige Statements aus dem Publikum, das die Verhandlung verfolgt hat, zu Wort kommen.
• Das Gleichnis vom armen und vom reichen Mann (5. Impuls): Die Sch. überlegen, warum Nathan dem David ein Gleichnis erzählt. Die Lösung finden sie in 2. Sam 12,5-7a. Hier kann ein Bezug zum Kapitel „Gleichnisse Jesu“ hergestellt werden.
• David kehrt um (6. Impuls): Die Sch. unterstreichen in Psalm 51 (in Auswahl) alle Worte, die sie nicht kennen oder ihnen nicht gefallen, und begründen ihre Antwort. Sie „übersetzen“ nun den Psalm in ihre Sprache und Vorstellungswelt wie auch in ihre Körpersprache. Sie geben ihm einen Schauplatz und einen Sprecher, der diese Worte auch heute sprechen könnte. Darauf stellen sie ihre Übertragung erst einer Kleingruppe vor, lassen sich durch Rückmeldungen zur Korrektur anregen und stellen dann ihr Werk in der Großgruppe vor.
• Alternatives Verhalten (Impuls 7): Die Sch. erörtern, welche anderen Möglichkeiten David gehabt hätte.

■ Mögliche Schlusssituation

• David als König: Die Sch. vergleichen David als König mit einem Bild des englischen Königspaares oder mit Fotos von Königen unserer Zeit, die sich beim Regieren unter Gottes Segen stellen. Sie erfahren, dass in Ländern des Commonwealth jeder Schultag mit dem Singen der Nationalhymne oder dem Segenslied für die Queen beginnt. Sie hören oder singen das Lied „God save the Queen“ und überlegen, ob dieser Wunsch auch über Davids Leben stehen könnte. Dazu legen sie neu entdeckte Stärken und Schwächen von David in die Waagschale.

KB S. 84 David als Vater

Die Geschichte von David und Absalom stellt König David als Vater vor. Das Bild von Chagall zeigt, wie David den Tod seines aufständischen Sohnes betrauert. Auch hier ist ein Bezug zu Gott, dem Vater, möglich.
Hintergrund der Geschichte: Absalom ist ehrgeizig und machtbesessen. Damit gefährdet er nicht nur die Herrschaft seines Vaters, sondern scheut auch nicht davor zurück, seinen ältesten Bruder Amnon zu ermorden, um Thronfolger zu werden. In 2. Sam 15,1ff. wird in einem sicher nicht ganz historischen Text erzählt, wie Absalom gegen seinen Vater Stimmung macht (Verse 1-6) und sich in Hebron zum König ausrufen lassen will. David kann sich nur durch die Flucht aus Jerusalem ins Ostjordanland retten (2. Sam 15 und 16). Dies wird als späte Folge des Nathanfluches über David gedeutet. In der Schlacht gegen David bleibt Absalom mit seinen Haaren im Geäst eines Baumes hängen und stirbt. Auf persönlicher Ebene trauert David um seinen Sohn, auf Regierungsebene ist David dadurch am Ziel: alle Konkurrenten sind beseitigt.

■ Mögliche Eingangssituation

• Traumvater (Impulse 1 u. 2): Die Sch. entwickeln ein Idealbild von einem Vater. Dabei diskutieren sie auch, wie ein Traumvater mit Fehlern umgehen sollte. Sie übertragen diese Vatervorstellungen auf Gott und diskutieren, ob Gott ein Traumvater ist, wie er mit Fehlern umgeht usw.: Als guter Vater sollte Gott ... und nicht ... Bei der Auswertung ist auf unterschiedliche Aussagen von Mädchen und Jungen zu achten und zu fragen, ob das Bild vom Vater ein für Mädchen und Jungen passendes, oder evtl. zu ergänzendes Gottesbild ist.
• Echte Männer weinen nicht: An die Tafel geschrieben steht: „Echte Männer weinen nicht!?“ Die Sch. nehmen im Schreibgespräch in Vierergruppen dazu Stellung, indem sie je einen Satz auf ein Blatt Papier schreiben, diesen nach rechts weiterreichen, den ihnen zukommenden Satz lesen und dazu einen weiterführenden Gedanken aufschreiben, diesen wieder weitergeben usw. Am Schluss lesen sie sich ihr Gespräch vor und schreiben alle Argumente für oder gegen den Satz an die Tafel. Jede Gruppe sucht sich einen Gedanken aus und spielt der Gruppe eine Situation vor, in der einem echten Mann zum Heulen zumute ist.

■ Erschließungsmöglichkeiten

• Bildbetrachtung zu Chagall, David vor Jerusalem: Hier handelt es sich um eine Radierung aus der Sammlung Bible (Blatt 73, veröffentlicht 1957). Das Bild von David gehört zu den Bildzeichen, die Chagall häufig in einem doppelten Sinne gestaltet hat: Auf der einen Seite David als der kräftige, kriegerische Inhaber der Macht, auf der anderen Seite David als barmherziger, liebevoller, nach innen gekehrter Mensch. Für die Außenseite steht die Stadtmauer, die die Stärke der Herrschaft repräsentiert, die Sonne als Zeichen des Sieges und die zackige Krone als Hinweis auf die wieder gewonnene Macht. Für die Innenseite steht der Vordergrund, der trauernde, in sich gekehrte David (2. Sam 19,1).
Die Sch. kolorieren eine Kopie des Bildes und versetzen sich so in die Stimmungslage Davids. Dazu können sie Sätze in eine Denkblase schreiben. Sie bedenken, warum sich David nicht über den Tod Absaloms, der ihn ja bekämpft hat, freut.
• Darf Absalom getötet werden? (Impuls 3): Die Sch. lesen den Text und erfahren von Joabs Tat. Hier könnten Gruppen gebildet werden, die diese Gerichtsverhandlung (Rollenspiel) vorbereiten und dann der Klasse vorspielen. Mit der Methode des Ja-Nein Stuhles diskutieren die Sch., ob es Joab erlaubt war, Absalom zu töten.
• Rollenspiel zum Verhalten Absaloms (Impuls 5): Die Sch. spielen 2. Sam 15,1-12. Bei der Frage, warum es Absalom gelingt, so viele auf seine Seite zu ziehen, erkennen die Sch. Mechanismen von Manipulation.
• Die Sch. malen ein Bild vom Ende Absaloms (Impuls 4).

KB S. 85 Ein Sohn Davids

Diese Abschlussseite des David-Kapitels besteht aus zwei Teilen: Mit Hilfe der ersten vier Impulse wird noch einmal das Leben Davids in den Blick genommen. Diese Aufgabestellung kann als Schlusssituation der gesamten David-Einheit genutzt werden, während der zweite Teil der Seite den Blick weitet. Er bringt die Rezeption Davids im Neuen Testament ins Spiel: Jesus, der Sohn Davids.
An David wird exemplarisch deutlich, dass Schwachstellen und Machtmissbrauch zum Volk Gottes gehören, dass aber Gott das Volk stets auf den rechten Weg zurückführt. Diese Bereitschaft, sich korrigieren zu lassen, sich neu zu orientieren und dabei auf Gottes Hilfe zu setzen, ist letztlich das Kriterium dafür, ob ein

Volk und sein Regent gottgefällig leben und das Reich Gottes auf dieser Welt gestalten. Mit dieser Perspektive sind die Weichen für die Bedeutung von Davids Königtum gestellt. Als der erste „wirkliche" König Israels stirbt David nach 40-jähriger Regierungszeit. Auch wenn diese Zahl vermutlich symbolisch wie der 40-jährige Zug Israels durch die Wüste, die 40-tägige „Bergtour des Mose" oder die 40-tägige Versuchung Jesu eine Zeit des Aufbruchs und der Prüfung beschreibt, steht sie doch für Kontinuität und Zukunftsperspektive, die Davids Königtum begründet hat.
Durch Jahrhunderte wurden David als idealer König und das Reich Davids als Höhepunkt der israelitischen Machtentfaltung zu Leitbildern, deren Wiederkehr man erhoffte. Man hoffte, dass Gott seinem Volk einen neuen Retter wie David senden werde. „Der ideale König, der Israel von seinen Feinden retten und es weise und gerecht regieren wird, soll ein Nachkomme des großen Königs David, ein ‚Reis aus dem Stamm Isais' (Jes 11,1) sein und in der Davidstadt Bethlehem geboren werden (...) Der Nathanspruch bildete den Ausgangspunkt und Kern der M(essias)-Erwartung im Alten Israel und danach im frühen Judentum sowie – was bisher nicht richtig beachtet wurde – auch im NT." (Betz, Messias, S. 907). Für die neutestamentliche Überlieferung dient die davidische Abstammung Jesu als Hinweis für seine Messianität.

Robert Hammerstiel, Jesus heilt den Blinden
Bei dem Farbholzschnitt von Robert Hammerstiel sind die beiden Figuren im Vordergrund bestimmend: Zum einen Jesus, der den breiten, in freundlichem Rot gehaltenen Rücken dem Betrachter zuwendet. Diese Fläche, auf der keine Konturen für Schultern und Arme zu erkennen sind, wirkt wie ein Schutzmantel, der den Hilfe suchenden Blinden aufnimmt. Das freundliche Rot steht für das Licht, das von Jesus ausgeht. Die leicht geneigte Kopfhaltung Jesu zeigt deutlich seine Zuwendung zu dem Blinden.
Zum andern der Blinde: Sein Kopf ist Hilfe suchend nach oben gewandt. Die leeren Augen vermitteln deutlich den Eindruck der Blindheit, der leicht geöffnete, von einem Bart umrahmte Mund scheint um Hilfe zu bitten. Die Hand des Blinden klammert sich an Jesus. Das Gewand, das in dunklem Grün gehalten ist, verstärkt den Eindruck der Dunkelheit, in der der Blinde im wörtlichen und übertragenen Sinne lebt.
Die Figuren im Hintergrund strahlen trotz mancher dunkler Farbtöne freundliche Helligkeit aus. Hier ist die fröhliche Welt der Sehenden – Bäume und Früchte – abgebildet, von der der Blinde abgeschnitten ist.

■ Mögliche Schlusssituationen zur David-Einheit

• Warum gerade David? (Impulse 1-3): Die Sch. betrachten nochmals ihren künstlerisch gestalteten David (s. zu KB S. 80). Sie können begründen, welche Eigenschaften sie ergänzen möchten. Sie prüfen, warum jüdische und christliche Eltern ihrem Sohn auch aus religiösen Gründen den Namen David geben. Den Bericht über David schreiben sie als Text für einen „Vornamenratgeber" für junge Eltern und vergleichen diesen mit Büchern, in denen der Davidname erklärt wird. Die Sch. können begründen, warum sie ihren Sohn David nennen würden oder nicht. Interessant ist in diesem Zusammenhang: „Der Name David wurde seit 1970 immer häufiger vergeben, gehörte aber bisher nie zur Spitzengruppe der beliebtesten Vornamen in Deutschland. Seit kurzem ist der Vorname David aber besonders populär." (http://lexikon.beliebte-vornamen.de/david.htm).
• Weitere Davidsgeschichten (Impuls 4): Die Sch. lesen die im Impuls angegebenen Texte in GA. Jede Gruppe begründet anhand ihres Textes, für welche Menschen oder Berufsgruppen David ein Vorbild sein könnte: für Väter, Könige, L., Sch. von Kl. 5/6, Soldaten, Pfarrer ...? Das Bild der Waage wird nochmals verwendet, um Argumente zu gewichten.
• Davids Stärken und Schwächen abwägen: Was zum Abschluss jeder DS sinnvoll ist, sollte vor allem am Schluss nochmals stehen: das Abwägen einer Meinung über David. Dazu ergänzen die Sch. ihre farbigen Kärtchen mit Stärken und Schwächen von der Einstiegssituation (vgl. oben zu KB S. 80) durch weitere Kärtchen und wägen sie gegeneinander ab.

■ Erschließungsmöglichkeiten zu Jesus als Sohn Davids

• Die Sch. setzen sich nochmals (vgl. Impuls 6, KB S. 81) mit dem Salben auseinander. Impuls: „David wurde zu Beginn seiner Karriere zum König gesalbt, später wird Jesus „Sohn Davids" und auch „der Gesalbte" genannt. Anhand des David-T-Shirts finden die Sch. heraus, welche Eigenschaften Jesus und David gemeinsam sind. Sie beurteilen, ob die beiden Titel für Jesus angemessen sind.
• Messiashoffnung in Israel (Impulse 5 und 6): Psalm 2 wird mit verteilten Rollen gelesen. Die Sch. erfahren, dass der judäische König „Gesalbter" (= Messias) und Sohn Gottes genannt wurde. Sie können die Hoffnungen benennen, die mit der jeweiligen Einsetzung eines Königs in Jerusalem verbunden waren.
• David in der Krippe? Jemand entdeckt in einer Weihnachtskrippe, dass dort auch die Person des David mit einer Harfe als Krippenfigur geschnitzt ist. Er überlegt: Gehört David dort hin?
• Jesus der Davidsohn: Die Sch. lesen den Text KB S. 85 und ziehen dazu KB S. 126 heran (Bild und Text: Jesus, der Sohn Davids, zieht in Jerusalem ein): Welche Hoffnungen setzten die Menschen auf den Davidsohn Jesus?
• Die Heilung des Blinden durch den Davidsohn Jesus (Text und Bild): Man sollte zunächst mit dem Bild einsteigen. Es empfiehlt sich, das Bild bei geschlossenem Buch mithilfe einer OH-Folie zu betrachten. Dabei bleiben zunächst die Personen im Vordergrund abgedeckt, sodass nur die fröhliche Welt der Menschen im Hintergrund zu sehen ist. Die Sch. formulieren, welchen Eindruck die Menschen ihnen vermitteln. Danach wird der Blinde aufgedeckt. Ihm ist die bunte Welt der anderen verschlossen. Auch hier beschreiben die Sch., welchen Eindruck das Gesicht und die Hand auf sie machen: Blindheit, Verzweiflung, Hilfeschrei ... In einem dritten Schritt wird das Bild so abgedeckt, dass nur Jesus und der Blinde zu sehen sind; dadurch wird die Beziehung Jesu zum Blinden unterstrichen.
Die Sch. gehen anhand der Geschichte Mk 10,46-52 der Frage nach, was der Blinde von Jesus, dem Davidsohn, erwartet. Sie formulieren zu den im Bibeltext zitierten oder angesprochenen Redeteilen einen eigenen Wortlaut und schreiben dies auf Kärtchen. Sie ordnen die Kärtchen den Personen auf dem Bild zu. Hierzu kann eine Kopie des Bildes ins Heft geklebt werden. Eine andere Möglichkeit ist, dass das Bild vergrößert und auf den Boden gelegt und die Textkärtchen zugeordnet werden. Die folgende Tabelle bringt links die biblische Formulierungen (Luthertext) und rechts die möglichen Texte für die Textkärtchen; die Sch. können die Aussagen aber auch mit eigenen Worten formulieren:

Bibeltext	Text für die Kärtchen (Dialogteile)
fing er an, zu schreien und zu sagen: Jesus, du Sohn Davids, erbarme dich meiner!	hilf mir!
Und viele fuhren ihn an, er solle stillschweigen	halt's Maul!
Er aber schrie noch viel mehr: Du Sohn Davids, erbarme dich meiner!	hilf mir!
Und Jesus blieb stehen und sprach: Ruft ihn her!	komm her!
Und sie riefen den Blinden und sprachen zu ihm: Sei getrost, steh auf! Er ruft dich!	hab keine Angst! steh auf! er ruft dich.
Und Jesus antwortete und sprach zu ihm: Was willst du, dass ich für dich tun soll?	was soll ich für dich tun?
Der Blinde sprach zu ihm: Rabbuni, dass ich sehend werde	ich will gesund werden!
Geh hin, dein Glaube hat dir geholfen	geh! dein Glaube hat dir geholfen.

3. Lernkarten

37 David hatte Stärken und Schwächen: Schreibe sie auf und ordne sie jeweils einer David-Geschichte zu.
38 Schreibe zu den drei Geschichten von David, die dir am wichtigsten sind, je eine Überschrift.
39 Schreibe in Stichworten auf, welche Bedeutung David für das Volk Israel hat.
40 Was haben Jesus und David miteinander zu tun?

Hinweis zu Lernkarte 37: Es können folgende Stärken und Schwächen genannt werden:
Er sieht gut aus. Er hat Mut. Er wirkt auf Frauen. Er hat Gottvertrauen (David – Goliath). Er hat einen guten Freund (Jonatan). Er ist ein guter Freund. Er bereut seinen Fehler (Batseba, Absalom). Er nutzt seine Macht für persönliche Interessen (Batseba, Absalom). Er tötet skrupellos.

4. Empfohlene Literatur und Medien

Für Schüler/-innen:

Zitelmann, Arnulf, Jonatan. Prinz von Israel, Weinheim 1999.

Bollinger, Max, Ein Hirtenjunge wird König, Ravensburg 1965 (Ravensburger).

Jost, Renate, Freundinnen in der Fremde, Rut und Noomi, Stuttgart 1992.

Pfeffer, Rüdiger, David und Saul, Comic, Stuttgart 1995 (Deutsche Bibelgesellschaft).

Für Lehrer/-innen:

Von Rad, Gerhard, Theologie des Alten Testaments, Band 1 und 2, München 10. Aufl. 1992.

Johannsen, Friedrich/Reents, Christine, Alttestamentliches Arbeitsbuch für Religionspädagogen, München 1998 (Kohlhammer).

Schroer, Silvia, Saul – David – Jonatan, Eine Dreiecksgeschichte, in: Bibel und Kirche 1, 1996, S. 1ff.

Studer, Andreas, Destruktive Religion, in: Lämmermann, Godwin, Bibeldidaktik in der Postmoderne. Stuttgart.1999, S. 328ff.

5. Materialien

M 40 David in der Kunst (Farbseite)
M 41 Über Davids Kindheit
M 42 Bildausschnitte: Josef Koranda, David und Goliat

Gott ist für uns da

Einführung

Das Großkapitel „Gott ist für uns da" enthält vier Unterrichtseinheiten, die in den Lehrplänen fast aller Bundesländer zu den zentralen Themen für die Klassen 5 und 6 gehören:
1. Abrahamsgeschichten
2. Mosegeschichten
3. Klage und Lob in den Psalmen
4. Bilder von Gott

Das ganze Großkapitel lebt von der Korrelation der Glaubenserfahrungen Israels, wie sie uns in den Abrahams- und Mosegeschichten je verschieden begegnen („Gott ist für uns da"), und der Frage der Sch. „Wer ist für mich da?" Diese elementare Frage der Jugendlichen hat im Unterricht innerhalb aller vier Einheiten ihren Platz. Dabei muss aus theologischen, historischen, pädagogischen und psychologischen Gründen beachtet werden, dass das „Bekenntnis" von Juden und Christen („Gott ist für uns da") eine gesammelte „Erfahrungsgeschichte" ist.
Es kann im Unterricht nicht darum gehen, dass die Jugendlichen einfach etwas Vorgegebenes und Vorformuliertes übernehmen, sondern dass sie ihre Fragen, Zweifel, Ängste – aber auch ihre Wünsche und Sehnsüchte – formulieren können, ohne dass sie Lernziele erfüllen müssen. Gerade anhand der Sprache der Psalmen können Jugendliche eigene Erfahrungen und Gefühle ausdrücken und so spüren, dass sie mithilfe der elementaren Bilder der Psalmen sich selbst entdecken und Zugang zum elementaren Reden von Gott finden können.
Nachhaltigkeit wird im Unterricht dann erreicht, wenn die Korrelation der Frage „Wer ist für mich da?" mit dem Bekenntnis „Gott ist für uns da" sichtbar wird. Dabei darf auf keinen Fall für die Frage „Wer ist für mich da?" schon die pauschale Antwort („Gott ist für uns da!") festliegen. Im Gegenteil: Die Frage „Wer ist für mich da?" ist eine anthropologisch unaufgebbare Frage und es muss möglich sein, dass jeder Mensch darauf seine eigene Antwort findet. Und mehr noch: Auch das Bekenntnis Israels und der Christen („Gott ist für uns da") ist nicht etwas ontologisch Vorgegebenes, sondern die Erfahrung einer Geschichte des „Segens", der „Rettung", des „Erinnerns" und des „Immer-wieder-Verstehens".
Die Kapitelüberschrift „Gott ist für uns da" ist im alten Israel immer als Antwort auf die Frage verstanden worden: „Was sollen denn die Verordnungen und Grundsätze, die euch der Herr, unser Gott, geboten hat?" (5. Mose 6,20). Also übersetzt: „Warum tut ihr dies alles?", so fragt die nachfolgende Generation, und so soll sie auch fragen, weil sie sonst nicht in das gemeinsame Erfahrungsfeld Israels hinein genommen wird: Für Israel galt immer: „Weil Gott für uns da war und ist", deshalb stehen wir im Bund mit ihm, sind von ihm gesegnet und wenden uns in der Klage und im Lob an ihn.

KB S. 88/89 Die Titelseiten

Die beiden Titelbilder stehen in mehrfacher Spannung zueinander: Das Bild von Manessier mit dem Titel„Auferstehung" nimmt ein neutestamentliches Thema auf; Sieger Köder stellt mit dem Bild „Abraham" ein alttestamentliches Thema dar. Köder arbeitet sehr konkret, während Manessier stark abstrahiert.

Der französische Maler Alfred Manessier (1911–1993) hat das Bild „Auferstehung" als Teil einer siebenteiligen Serie über Ostern für eine Ausstellung in Paris im Jahr 1949 geschaffen. Diese Bilder, die alle eher abstrakt gehalten sind, wirken durch ihre Formen und Farben. Interessant ist im Blick auf das vorliegende Bild „Auferstehung" ein Vergleich mit dem Bild „Die Wächter am Grabe". Dieses Bild wird durch eine schwarze runde Schreibe beherrscht, die man als Stein vor dem Grab oder dunkle Grabhöhle deuten kann, davor in kalten Blautönen die spitzen Speere der Wächter.
Dem steht in unserem Bild die in weichen Farbtönen gehaltene, hell leuchtende goldgelbe Scheibe, die man als „Ostersonne" deuten kann, gegenüber. Nach der Nacht des Todes Jesu lässt sie neues Leben aufleuchten, das aus der zuvor dunklen Grabhöhle richtiggehend herausbricht.
Für Sch. ist es sehr hilfreich, wenn das Manessier-Bild „Die Wächter am Grabe" zum Vergleich herangezogen werden kann (siehe **M 43**, Farbseite am Schluss des Bandes).

Das Bild von Sieger Köder setzt 1. Mose 15,5 ins Bild: „Und er hieß ihn hinausgehen und sprach: Sieh gen Himmel und zähle die Sterne; kannst du sie zählen? Und sprach zu ihm: So zahlreich sollen deine Nachkommen sein!" Dem Betrachter fällt sofort der deutlich hellere Stern ins Auge, der mit seinem Schein das Gesicht Abrahams erleuchtet. Der Titel „Die Nacht von Hebron" deutet an, dass in das Dunkle des Lebens Abrahams, das durch die Kinderlosigkeit geprägt ist, das helle Licht der Verheißung Gottes scheint. Der helle Stern weist über den Text 1. Mose 15,1–6 hinaus: Er erinnert an den Stern, der aufgeht aus Jakobs Stamm (4. Mose 24,17), an den Stern von Bethlehem, also an den Messias. Damit bekommt das Bild noch einmal einen ganz neuen Sinn: das Licht der Verheißung Gottes, das in das Dunkel der Welt hineinscheint.
Die großen Hände Abrahams zeigen, dass er die Verheißung Gottes vertrauensvoll annimmt: „Abram glaubte dem HERRN, und das rechnete er ihm zur Gerechtigkeit." (1. Mose 15,6).
Beeindruckend an dem Bild ist, wie hier das göttliche Licht in das Dunkel der Welt hereinbricht. Das erinnert an Darstellungen vom „offenen Himmel" (Mk 1,18): Auch hier bricht das Göttliche ins Diesseits ein. Ähnlich die Bilder von Pfingsten, wo ebenfalls der Geist von oben (in Gestalt einer Taube) in die Welt hereinkommt. Ähnliches sagt das Bild von R. Hammerstiel, „Jakobs Traum" (KB S. 94 mit LHB-Kommentar) aus, aber auch das Bild von Zacharias, „Bundesschluss am Sinai" (KB S. 100 mit LHB-Kommentar) und das mittelalterliche Bild „Noah mit dem Regenbogen" (KB S. 109).

Im Zusammenhang des Kapitels „Gott ist für uns da" steht das Abraham-Bild dafür, dass Gott im AT die Menschen in seinen Dienst ruft. Das Manessier-Bild steht dafür, dass Gott im NT den Menschen in der Person Jesu begegnet.

Möglicher Umgang mit den Titelbildern

Die Sch. vergleichen die beiden Bilder und stellen Übereinstimmungen und Unterschiede fest (s.o.)
Sie überlegen, in welchem Zusammenhang diese Bilder zum Thema des Kapitels „Gott ist für uns da" stehen.
Es kann hilfreich sein, wenn die Sch. neben den oben erwähnten Bildern noch weitere Kunstwerke aus dem KB zum Ver-

gleich heranziehen: KB S. 124: Rogier van der Weyden, Taufe Christi; KB S. 161: Westfälischer Meister, Ausgießung des Heiligen Geistes; KB S. 182: Pfingsten, aber auch S. 116: Annegert Fuchshuber, Weihnachtsgeschichte. Die Sch. können bei einem Vergleich dieser (und ähnlicher Bilder) in Gruppen arbeiten und dabei feststellen, dass das Göttliche als Hoffnungslicht in das Diesseits der Welt einbricht.

Abraham: Unterwegs im Vertrauen

1. Zielsetzung, Aufbau und Kompetenzen

Das Thema „Abraham" wird in vielen Bundesländern bereits in der Primarstufe angesprochen. Insofern kann mit Vorwissen der Sch. gerechnet werden. In der Sekundarstufe kann der Erzählzyklus unter dem Gesichtspunkt der Glaubenserfahrungen vertieft werden.
Die „Vätergeschichten" des Volkes Israels – es sind auch „Müttergeschichten"! – erzählen von Wanderhirten, Kleinviehnomaden, die vor Urzeiten vom Zweistromland (Ur) über das syrische Haran bis ins Land Kanaan gekommen sind. Auch wenn historische Einzelheiten nicht mehr auszumachen sind, so darf man sich Abraham doch wohl als Teilnehmer der aramäischen Wanderung vom Zweistromland in Richtung Westen in der Zeit des 15. oder 14. Jh. v. Chr. vorstellen. Jene Halbnomaden wanderten im Zuge des Weidewechsels jedes Frühjahr nach der Regenzeit aus der Steppe in das Kulturland und wieder zurück. Sie waren im äußeren und inneren Sinn ein „wanderndes Gottesvolk". Irgendwann war die Not so groß, dass einige der Stämme weiterziehen mussten und so ins fruchtbare Niltal kamen. Ein einziger Satz genügt im kleinen geschichtlichen Credo, um diesen Sachverhalt und zugleich das Glaubensbewusstsein der Juden für alle Zeiten zu umschreiben: „Mein Vater war ein Aramäer, dem Umkommen nahe, und zog hinab nach Ägypten" (5. Mose 26,5). Bis heute wird dieses Bekenntnis in der Sederliturgie wiederholt. Damit ist gesagt, dass wir es in den Vätergeschichten nicht einfach mit der Frühgeschichte des Volkes Israel, sondern mit fundamentalen *Glaubensgeschichten* Israels zu tun haben.
In den biblischen Texten der ersten beiden Kapitel „Abraham" und „Mose" begegnen uns vor allem zwei Sprachformen: *Sagen* und *Bekenntnisse*. Diese beiden Sprachformen spiegeln die Situation der vorstaatlichen Zeit Israels wider. Zwar stehen die Sagen, die zunächst mündliche Einzelerzählungen waren, jetzt immer im Kontext der großen schriftlichen Werke, doch ist die einzelne Erzählung meist noch als Darstellung einer bestimmten Erfahrung aus der Sicht einer bestimmten Gruppe und Zeit erkennbar. Die verschiedenen Nomadengruppen, die sich nach und nach im Gebirge ansiedelten, hatten ihre verschiedenen Überlieferungen und Stammväter. Die Sippen verehrten so genannte Vätergottheiten. Diese offenbarten sich dem jeweiligen Stammvater und waren nicht an einen bestimmten Ort gebunden, sondern zogen mit der Sippe mit. „Die Erzählungen aus den Gemeinschaften der vorstaatlichen Zeit ... haben ... deutende, vergewissernde, legitimierende Funktion; sie dienen damit der Bewältigung der Welt, in der Erzähler und Hörer lebten. Daraus folgt bereits, dass solche Erzählungen Anspruch auf Glaubwürdigkeit erhoben, oder besser: dass sie Ausdruck und sprachliche Verdichtung der Wirklichkeit waren, wie sie in diesen Gemeinschaften erfahren wurde." „Die Erfahrungen und Probleme dieser Gemeinschaft geben nicht nur die Themen der Erzählung her, sondern sie prägen auch Sicht und Gestaltung der Dinge. Das Verhältnis der blutsverwandten Sippe als der fundamentalen Einheit der gemeinschaftlich zu einer Zeit Lebenden lässt z.B. Zusammengehörigkeit grundsätzlich als Blutsverwandschaft erscheinen auch da, wo keine Verwandtschaft besteht und z.B. verschiedene Gruppen in benachbarten Gebieten sesshaft werden. Die Erfahrung der vertikalen Zusammengehörigkeit der Generationen vom Urahn bis zum gegenwärtig lebenden Nachkommen ... lässt den Abstand zusammenschmelzen: daher die Anachronismen, d.h. die Möglichkeit, mit dem Ahnherrn gleichzeitig zu werden, und in den Erzählungen der Zug, dass gegenwärtige Verhältnisse, Zustände, Erfahrungen mit vergangenen Gestalten verbunden werden. Weil der Ahnherr im Bewusstsein der Sippe die ganze Gemeinschaft bis zur Gegenwart repräsentiert, darum können in Erzähungen über den Ahnherrn gegenwärtige geschichtliche Probleme ihre Lösung finden." (Hermisson, Altes Testament, S. 420f.)

Es ist sinnvoll, die Einheit geographisch und historisch zu erschließen. Das legt sich aus sachlichen Erwägungen nahe, weil die Geschichte Israels, also auch die Väter- und Exodusgeschichten, aber auch die Entstehung des Königtums und der Untergang der beiden Staaten Israel und Juda nur vor dem Hintergrund der historisch-geographischen Situation verstehbar ist. Theologisch bedeutsam ist, wie sich gerade aus den historischen Erfahrungen einzelner israelitischer Gruppen oder des ganzen Volkes der Glaube Israels aus- und weitergebildet hat. Und für die Nachhaltigkeit des Lernens ist es hilfreich, wenn historische, geographische, literarische, archäologische und theologische Aspekte so aufeinander bezogen werden können, dass Verknüpfungen sichtbar werden: So bleiben auch Glaubensaussagen nicht einfach Ideologien, Phantasien oder „vom Himmel gefallene" Wahrheiten, sondern im Kontext der jeweiligen Situation verstehbar. Erst dadurch kann es auch zu Identifikationsmöglichkeiten mit biblischen Personen kommen, die einer kritischen Prüfung standhalten.

Das Kapitel ist wie folgt aufgebaut:
KB S. 90 thematisiert unter der Überschrift „Abraham, zieh fort, zieh fort" den Aufbruch Abrahams aus Haran.
KB S. 91 wird unter der Überschrift „Nomaden unterwegs" zum einen das Nomadenleben angesprochen; zum andern wird der Konflikt, den es unter Nomaden über die Weideplätze geben kann, im Blick auf die Situation von Sch. heute thematisiert.
KB S. 92 hat die Verheißung eines Sohnes an Abraham zum Inhalt, KB S. 93 das Ringen Abrahams mit Gott (Lässt Gott mit sich handeln?)
KB S. 94 und 95 steht die Person des Jakob im Mittelpunkt: Auf S. 94 wird Jakobs Flucht, auf S. 95 Jakobs Heimkehr thematisiert.

2. Didaktisch-methodische Hinweise

KB S. 90 Abraham, zieh fort, zieh fort

KB S. 90 enthält zwei Teile, die auch im Unterricht je für sich behandelt werden sollten. Zum einen wird mit der Karte „Die Wanderung Abrahams vor über 3000 Jahren“ und dem dazu gehörenden Text in die geopolitische Situation des Vorderen Orients eingeführt.
Zum andern thematisiert der Bibeltext unter der Überschrift „Aufbruch und Segen“ den Aufbruch Abrahams, der in diesem geographischen Raum spielte.

Die Landkarte
Zur Karte in KB S. 90 kann auch **M 44** herangezogen werden. Ägypten und das Zweistromland sind neben dem Industal und China die wichtigsten Gebiete früher menschlicher Zivilisation: Hier haben sich Menschen zu größeren Gemeinschaftsformen zusammengeschlossen. Es gibt Städte, gemeinsame Regierungen, gemeinsame religiöse Formen, gemeinsame Bewässerungsanlagen. Die natürliche Gegebenheit der großen Ströme, die man entweder für Bewässerungsanlagen ausnutzt (Mesopotamien) oder die das Land regelmäßig überfluten (Nil), führt zur Bildung von größeren Organisationen. Auch das Land Kanaan, das spätere Land Israel, gehört zu den Gebieten früher menschlicher Zivilisation. Seine Besiedelung wurde nicht durch große Flüsse, sondern durch den Regen möglich, der hier an den Westhängen der Gebirge und auf den Ebenen fällt. Geschichte und Kultur des Landes sind durch die beiden Großräume, zwischen denen es liegt, bestimmt worden. Der wichtigste Handelsweg zwischen Mesopotamien (samt Syrien und Phönizien) und Ägypten verlief durch dieses Land.
Zwischen 1500 und 1000 v. Chr. ist im späteren Land Israel der ägyptische Einfluss vorherrschend; ab 860 (verstärkt ab 750) bis 330 liegt Palästina im Machtbereich der Assyrer, der Babylonier und der Perser, also der Reiche, die in Mesopotamien ihr Zentrum hatten. Ein eigenes Machtzentrum konnte sich hier nur in der Zeit entwickeln, in der die genannten Großmächte schwach waren und deshalb keine Kraft hatten, andere Gebiete zu erobern bzw. eroberte Gebiete zu halten; so konnte um 1000 v. Chr. das Großreich Davids und Salomos entstehen.

Text: Aufbruch und Segen
Mit 1. Mose 12,1ff. beginnen, nach der Urgeschichte, die Erzählungen über die Erfahrungen Israels von den Erzvätern über die Ägyptenzeit und die Einnahme des Landes Kanaan bis hin zur Zeit der Könige. Man kann annehmen, dass die einzelnen Teile erstmals in der Königzeit zu größeren Darstellungen zusammengeführt wurden. In den alten Erzählungen finden sich die Israeliten selbst, sie erlebten eine Gleichzeitigkeit der Situation, der Herausforderung und auch der notwendigen Antwort. Also, was Abraham, Jakob, Mose usw. erlebt haben, in dieser Situation stehen wir auch; und es gilt, in ihrem Sinne unsere Entscheidungen immer wieder neu zu fällen.
Die Vätergeschichten im 1. Mosebuch stehen unter dem Thema des *Segens* – im Gegensatz etwa zum 2. Mosebuch, wo es um die *Rettung* geht. Segen hat in sich die Stetigkeit, die ruhige Entwicklung, das langsame Reifen – aber nicht in jedem Fall eine ruhige Eindeutigkeit. Im Gegenteil: Abraham kommt als wandernder Nomade in ein Land, das den Kanaanäern gehört, er ist Fremdling dort, verneigt sich tief vor den Einwohnern – und baut dennoch einen Altar, wahrscheinlich in Sichtweite der kanaanäischen Kultorte. Auch damit ist das Neben-, Mit- und Gegeneinander verschiedener Frömmigkeitsformen angedeutet. Die ganze Geschichte Israels, die Entwicklung des religiösen Denkens und Handelns in der Auseinandersetzung mit der Fruchtbarkeitsreligion der Kanaanäer (Baal und Astarte) wird damit plastisch.

■ Mögliche Eingangssituation

• Mit der Folie/Karte „Vorderer Orient“ (**M 44** „Der fruchtbare Halbmond“), bei der L. die Beschriftung entfernt, wird das geographische und historische Vorwissen der Sch. erhoben und ergänzt. Die Sch. benennen im UG die Länder Ägypten, Babylonien, Israel usw., ferner Flüsse und Städte.

■ Erschließungsmöglichkeiten zur Karte

• L.-Erzählung: L. erzählt oder liest „Das Versprechen“ (Laubi, Geschichten zur Bibel, Bd. 3, S. 14–21) vor. Die Sch. erhalten zuvor für die GA Beobachtungs- bzw. Schreibaufgaben, die anschließend in UG besprochen werden: Familie, Essen, Kleidung, Wohnen, Wegstationen.
• Gestalten der Karte (Impuls 1): Die Sch. gestalten die Karte im Heft, als Wandteppich oder als Bodenbild. Bei einer Gestaltung als Bodenbild können aus Papier oder Stoff Nomadenzelte gebaut werden; zur Kennzeichnung der beiden bestimmenden Kulturen kann für Ägypten eine Pyramide aus Papier, für das Zweistromland ein Tempelturm von Babel gefaltet werden.
• Rollenspiel: Die Sch. spielen die Situation Israels als Volk in der Mitte zwischen zwei Großmächten. Es gilt herauszufinden, wie sich unterschiedliche politische Verhältnisse auf die Israeliten in der Mitte ausgewirkt haben: a) Eine Großmacht ist stark, die anderen schwach. b) Beide Großmächte sind relativ schwach und mit sich selbst beschäftigt (z. B. in der Zeit Davids). c) Beide Großmächte kämpfen gegeneinander um die Vorherrschaft.

■ Erschließungsmöglichkeiten zum Text

• Abraham und Sara ziehen aus: L. erzählt von Abrahams Wohnort, von Sara, seiner Frau, von der Kinderlosigkeit, dem Reichtum und von Gottes Aufforderung, sich auf den Weg zu machen (1. Mose 12,1–3); guter Vorlesetext, der auch als Erzählvorlage dienen kann, bei Laubi (Laubi, Geschichten zur Bibel, Bd. 3, S. 16–19).
L. schreibt als stummen Impuls an die Tafel: „Würde es dir etwas ausmachen, Sara, wenn wir Haran verlassen würden?“ Der Impuls dient als Ausgangspunkt für ein Entscheidungsspiel, bei dem die Methode des Doppelns angewendet wird. Die Sch. schreiben ohne vorhergehendes UG zur Vorbereitung des Entscheidungsspiels Bedenken und Hoffnungen auf Pro- und Contra-Kärtchen.
In gleicher Weise kann man die Situation für Lot durchspielen: Soll er mitgehen oder bleiben? L. erzählt oder liest die Geschichte zu Ende (Laubi, Geschichten zur Bibel, Bd. 3, S. 20).
• Der Weg Abrahams und Saras: Der Weg Abrahams und Saras wird auf der Karte verfolgt. Die Sch. erhalten einen auf die Reisestationen ausgerichteten Text nach Werner Laubi (Laubi, Geschichten zur Bibel, Bd. 3, S. 20 (**M 45**).

KB S. 91 Nomaden unterwegs

Auch KB S. 91 besteht aus zwei Elementen:
1. Die Wiedergabe einer ägyptischen Wandmalerei zeigt Nomaden, die in Ägypten Einlass begehren.
2. Die Geschichte vom Streit der Hirten Abrahams und Lots. Durch die Zeichnung wird ein Bezug zur Situation der Sch. hergestellt.

Das Bild von den Nomaden
Das Bild ist ein Ausschnitt aus der oftmals wiedergegebenen farbigen Wandmalerei im Grab des Chnumhotep bei Beni-Hassan, eines Gaufürsten (Verwaltungsbeamten) der östlichen Wüste Ägyptens. Auch wenn das Bild (insgesamt 49 cm breit), um 1890 v.Chr. entstanden, nicht die Sippe Abrahams darstellt, so ist es doch dazu geeignet, die Ankunft Abrahams und seiner Söhne in Ägypten zu veranschaulichen. Auf dem Gesamtbild sieht man eine aus 37 Personen bestehende Gruppe von „Semiten", die zum Gaufürsten kommt und ihm, wie eine Hieroglypheninschrift, die im KB nicht abgebildet ist, besagt, Schminke verkaufen will („Zurückgekehrt vom Holen schwarzer Augenfarbe, welche ihm Asiaten gebracht haben, 37 an der Zahl."). Die Semiten tragen bunte Gewänder (vgl. Josef, 1. Mose 37,23). Die Männer tragen Sandalen und einen bunten Hüftschurz. Die Frauen sind mit höherem Schuhwerk ausgestattet und tragen im langen Haar ein Kopfband sowie lange, bunte Kleider. Das vordere Tier ist ein Steinbock, die beiden anderen sind Lastesel. Sie sind mit Wassersäcken, Zelten und zwei Kindern beladen. Die Männer sind mit Speeren, Knüppeln sowie mit Pfeil und Bogen bewaffnet. Einer trägt eine achtsaitige Leier und einen Ziegenbalg mit Wasser auf dem Rücken (vgl. Grollenberg, Bildatlas, S. 38).

Nachgeben oder sich durchsetzen
Das Problem, größer werdende Herden und zu wenig Wasser dafür, ist realistisch – und gilt für Savannengebiete (z.B. Ostafrika) bis heute. Die Überschrift mit „entweder – oder" ist hier provokativ zu verstehen: Häufig gibt es nicht nur entweder – oder, sondern man muss geduldig adäquate Lösungen suchen.

Erschließungsmöglichkeiten

- Die Sch. betrachten das Bild (Impuls 1). Sie überlegen, warum der Gaufürst so groß dargestellt ist. Sie achten auf die Kleidung, die Schuhe und die Gegenstände., die man bei einer Wanderung durch Steppe und Wüste braucht (Pfeil und Bogen, Speer und Knüppel, Leier, Wasserschlauch).
- Text „Nachgeben oder sich durchsetzen" – Konfliktlösung: Entsprechend Impuls 2 werden verschiedenen Lösungsmöglichkeiten durchgespielt. Folgende Lösungswege sind denkbar:
  - Abraham und Lot kämpfen miteinander.
  - Sie werfen das Los.
  - Sie schlachten einen Teil der Tiere.
  - Sie graben einen Brunnen.
  - Abraham entscheidet als der Ältere und damit Ranghöhere, was geschehen soll.
- Nach dem Vorspielen der Lösungsmöglichkeiten vergleichen die Sch. ihre Lösungen mit der Lösung in 1. Mose 13,1–12 (Impuls 3).
- Streiten: Die Sch, betrachten das Bild von den beiden streitenden Jugendlichen und bearbeiten die Impulse 4–6.

Mögliche Schlusssituation für DS 90/91 (Nachhaltigkeit)

- Die Sch. können sich in GA Gedanken zu folgender Frage machen: Nehmt an, ihr würdet wie Abraham ausziehen. Was nehmt ihr mit? Bedenkt, dass ihr auf eine lange Reise nur das Wichtigste mitnehmen könnt. Der Schritt eignet sich auch als Eingangssituation zur DS.
- Rollenspiel. „Auszug – Verlassen der Heimat – Umzug?" Zur Vertiefung kann ein Rollenspiel gestaltet werden, das die Thematik in die heutige Zeit verlegt und einen Bezug zum Erfahrungshorizont der Sch. herstellt:

Einzelne Sch. erhalten Rollenkarten (Vater, Mutter, Tochter, Sohn, zwei Freunde, Großvater, Großmutter, zwei Nachbarn). Auf der Rollenkarte des Vaters steht: „Du musst deiner Familie mitteilen, dass sie umziehen muss, weil deine Firma dich in ein fremdes Land versetzt hat, das du noch nicht kennst."
Die übrigen Rollenkarten enthalten keine Spielanweisung.
L. übernimmt die Spielleitung und gliedert das Spiel in Szenen.
Die übrigen Sch. erhalten Beobachtungsaufgaben, wobei es sinnvoll ist, die einzelnen Spielerinnen und Spieler und deren Reaktion gesondert von je einem bestimmten Sch. beobachten zu lassen und sich dabei Notizen zu machen.
1. Szene: Der Vater teilt der Familie die Versetzung mit.
2. Szene: Die Kinder teilen ihren Freunden den bevorstehenden Umzug mit.
3. Szene: Die Eltern teilen den Großeltern, die am gleichen Ort wohnen, den Entschluss mit.
4. Szene: Die Mutter erzählt ihren Nachbarinnen von ihrem Weggang.
Im Anschluss an die vier Szenen berichten die Beobachter, was sie gesehen und gehört haben.
Danach erzählen die Betroffenen, wie sie sich gefühlt haben.
Es ist sinnvoll, die Ergebnisse unter den beiden Kategorien „Bedenken" und „Hoffnungen" festzuhalten.
(Nach: Haas, Bibel, S. 13)

KB S. 92 Eine unglaubliche Verheißung

1. Mose 18,1–15 bietet eine der wunderbarsten archaischen Erzählungen des Jahwisten. Es ist die Geschichte einer Gottesbegegnung. Der Höhepunkt der Geschichte liegt in der Botschaft: „Sollte dem HERRN etwas unmöglich sein?" (1. Mose 18,14).
Es ist eine Geschichte des sich wandelnden Lachens, was auch methodisch zum Ausdruck gebracht werden kann. Die Freude über die Erfüllung der Segensverheißung von 1. Mose 12,2 drückt sich zugleich in der Namensgebung „Isaak" („Gott lacht dich an", „er verschafft dir ein Lachen") aus. Lehrkräften, die sich intensiver mit der Erzählung wie überhaupt mit 1. Mose beschäftigen wollen, sei der Kommentar von Gerhard von Rad (Das erste Buch Mose", ATD,Teilband 2/4) nachdrücklich empfohlen.
Um die Erzählung in der Tiefe aufzunehmen, ist es bedeutsam, das Motiv der „Einkehr göttlicher Wesen bei Menschen" zu verstehen (vgl. v. Rad, Das erste Buch Mose, S. 174). Wichtig ist

dabei das Motiv der Gastfreundschaft, mit der Gott aufgenommen wird, die aber auch unter Menschen im alten Orient „heilig" ist: „Das Gastrecht ist das Feld, auf dem die Religion des Orientalen dem Menschen gegenüber zum Einsatz kommt als Liebe, nicht nur zum Stammes-, Haus- und Kampfgenossen, sondern zum Nächsten. Daher ist Gastfreundschaft Betätigung und Bewährung der Gottesfurcht dem Menschen gegenüber, der Gottesfurcht schlechthin." (H. Frey, zitiert nach G. von Rad, Das erste Buch Mose, S. 174).
In unserer Geschichte geht es also um das Motiv „Gott kommt zum Menschen", in diesem Fall, um Sara und Abraham die Geburt eines Sohnes in Jahresfrist anzukündigen. In unserem Kapitel ist es nun Sara, die über diese Ankündigung derb-verächtlich (hinter dem Vorhang) lacht. In 1. Mose 17,17 ist es dagegen Abraham, der über die Verheißung lacht, ja sie verlacht.
Das Motiv des „Lachens" hat also bei diesen Berichten eine zentrale Bedeutung. Es ist deshalb notwendig, dass L. die Berichte in der Bibel selbst gelesen hat, um die Zusammenfassung im KB interpretieren zu können.
In Kürze stellt sich das „sich wandelnde Lachen" der Sara so dar:

1. Verächtlich-resignierend-derbes Lachen: Was soll dieser Unsinn (1. Mose 18,12)?
2. Erschrocken-leugnend: Ich habe nicht gelacht (1. Mose 18,15)
3. Ein „Lachen hat Gott mir geschenkt" (1. Mose 21,6): Lachende, dankbare Annahme des größten Geschenks.
4. „Jeder, der davon hört, wird über mich lachen" (1. Mose 21,6): Ich werde zum Gelächter der anderen (vgl. 1. Mose 18,12).

Sara hat also das Geschenk, die Verheißung Gottes, der sie besucht hat, letztendlich dankbar-lachend angenommen.

Zum Bild von M. Chagall, Abraham und die drei Engel
Das Bild von Chagall hat einen starken roten Grundton. In der Mitte deuten Striche ein Zelt an. Abrahams Gewand korrespondiert in der Farbe Blau mit dem rechten Engel (vom Betrachter her gesehen), der sich seinerseits durch das Gold seiner Flügel und den Schein über dem Kopf von den anderen beiden unterscheidet.
Sara erscheint mit einer Schüssel (gefüllt mit köstlichem Essen) am linken Bildrand. Sie ist eine schöne Frau, sehr geschmackvoll gekleidet.
Am rechten oberen Bildrand sehen wir die Szene aus 1. Mose 18,16 ff. (siehe Kommentar zu KB S. 93/94), wie sie Chagall verstanden hat. Abraham, im blaugrünen Gewand, steht Gott (hier als Engel mit drei Flügeln) gegenüber. Über Abrahams Kopf ist die Farbe Weiß; und er wird von den zwei anderen Engeln gestützt – als ob Chagall sagen wollte, bei diesem Kampf um die Rettung einer Minderheit in Sodom steht Abraham nicht allein da. Und Gott selbst steht mit seinen Engeln hinter Abraham, weil gerade die Rettung der Gerechten, auch wenn es wenige sind, genau das aussagt, was Gott unter gerechtem Handeln versteht.

■ Mögliche Eingangssituation

- UG (evtl. anhand von Fallbeispielen) über die Fragen, warum Ehepaare sich heute Kinder wünschen und was Kinderlosigkeit für Ehepaare bedeuten kann. Impuls: Was hat Kinderlosigkeit zu Abrahams Zeit bedeutet? (Keine Erben, Ausgestoßensein der Frau, Strafe Gottes, kein Segen.)

■ Erschließungsmöglichkeiten

- Bildbetrachtung (Impuls 2): Die Sch. erzählen, ohne Vorgabe von L., was sie mit dem Bild und seinen Farben assoziieren.
- Lesen der Geschichte: Die Sch. lesen den Text (oder einen ungekürzten Text der Stelle) mit wechselnden Rollen. Jeder Satz, in dem das Lachen vorkommt, wird von den Sch. mit entsprechender Betonung gelesen (z. B. „Doch, du hast gelacht" – als fast vernichtende Feststellung der vorangegangenen Lüge). Die Sch. vergleichen den Inhalt der Geschichte mit den Aussagen des Chagall-Bildes (Impuls 3).
- Nachdem die Männer gegangen sind (Impuls 1): Die Sch. spielen die Unterhaltung Abrahams und Saras über den Besuch der drei Männer als Rollenspiel.

■ Mögliche Schlusssituation

- UG über die Frage, warum Chagall die Männer als Engel gemalt hat, und darüber, ob es Engel gibt.

KB S. 93 Lässt Gott so mit sich handeln?

Durch die Zeichnung wird die biblische Geschichte „Abraham verhandelt mit Gott" zur Situation der Sch. in Beziehung gesetzt. Vor einer Behandlung im Unterricht sollte L. die Stelle in einer guten Übersetzung lesen und darauf achten, dass der Sinn der Erzählung nicht verharmlost wird.
In dem Selbstgespräch Gottes 1. Mose 18,17–19 und in dem nachfolgenden Zwiegespräch mit Abraham (1. Mose 18,20–33) liegen keine alten geschlossenen Erzählstoffe vor, sondern theologische Reflexionen des Endredaktors über Recht und Gerechtigkeit. Gott will, dass Abraham, den er berufen hat, das Handeln Gottes (hier also das Gericht über Sodom) versteht und dies auch seinen Nachkommen vermitteln kann. Insofern wird Abraham wieder zum Segensvermittler für alle Völker der Erde (V. 17–19).
Faszinierend ist, wie hier die zwei handelnden Partner, Gott und Abraham, miteinander um Recht und Gerechtigkeit ringen. Dabei ist „Gerechtigkeit" im Alten Testament immer so zu verstehen, dass man sich dem jeweils vorgegebenen, vereinbarten Gemeinschaftsverhältnis gegenüber adäquat, also gemeinschaftskonform verhält. Die Bewohner von Sodom stellen sich in extremer Weise außerhalb eines adäquaten Gemeinschaftsverhaltens. Zu Gott ist der Klageruf gedrungen, und dieser als der Bewahrer des Rechts, muss das Gerichtsverfahren eröffnen.
Im Blick auf die Frage, welches Bild von Gott hier gezeichnet wird, kann man geradezu dramatische, ja revolutionäre Aspekte wahrnehmen: Rein äußerlich tritt Abraham gegenüber Gott demütig, ja ergeben, fast unterwürfig auf. Aber was geschieht wirklich? Abraham tritt dicht an Jahwe heran (V. 23), wie wenn er sagen würde: „Halt, ich lasse dich nicht einfach weitergehen", und dann greift er Gott an, indem er ihn mit dessen eigenen Grundsätzen konfrontiert: „Der Richter der ganzen Erde muss gerecht handeln, es kann doch nicht sein, dass du Fromme und Gottlose zusammen tötest!" „Das sei ferne von dir!" Je zwei Mal konfrontiert Abraham Gott mit diesen Sätzen. Abraham wird hier, in einer extremen Zuspitzung, als der Vertreter einer „tieferen Gerechtigkeit" gezeichnet, der Gott mit dessen eigenem Anspruch, Vertreter des Rechts zu sein, konfrontiert.
Und Gott lässt sich von Abraham überzeugen: Nicht eine Mehrheit der „Schuldigen", sondern eine kleine Minderheit der „Gerechten" soll entscheidend sein, ob Sodom zerstört wird: Hier

wird dokumentiert: Man kann mit Gott reden, kann ihn an seine eigenen Vorgaben erinnern und ihn überzeugen.
Im Unterricht wird es nun darum gehen, das Ringen von Abraham und Gott um das, was „Gerechtigkeit" bedeutet, mit dem zu konfrontieren, wie Menschen (auch Jugendliche) häufig mit Gott einen Handel machen wollen, ihn also z.B. „bestechen" wollen. Das soll nicht negativ gesehen werden, weil ein solches Handeln („Gott mit Opfern, Gebeten, Gelübden etc. für etwas gewinnen wollen") in allen Religionen, bei allen Menschen, millionenfach vorkommt und eine wichtige Triebfeder für die Entstehung von Religion überhaupt ist. In diesem Sinn ist Religion eine frühe Form von Versicherung gegen Krankheit, Tod usw. Es wird darauf ankommen, dass die Sch. einerseits zu ihren Motiven, wie sie mit Gott handeln („feilschen"), stehen können – und andererseits nicht damit aufzuhören, um „Gerechtigkeit" zu kämpfen.
Die Unterrichtsfrage „Lässt Gott mit sich handeln?" könnte in die weitergehende Reflexion führen: Auch wenn Sodom untergeht, ist das eindeutige Ziel Gottes der Erhalt dieser Erde und der Segen für alle Lebenden. Und die Welt braucht Menschen wie Abraham, die vor Gott und den Menschen darum leidenschaftlich kämpfen, dass die Welt nicht am Verbrechen zu Grunde geht: Wichtig ist, Fähigkeiten und Ausdauer üben in diesem Kampf.

■ Mögliche Eingangssituationen

- Schreibmeditation zu den beiden Aussprüchen in den Sprechblasen. Im anschließenden UG erzählen die Sch. Geschichten zu den beiden Aussprüchen. Um eine Rollenfestlegung zu vermeiden, können die Texte in den Denkblasen vertauscht werden.
- Die Sch. schreiben ihre Meinung zu der Frage „Lässt Gott mit sich handeln" (TA) anonym auf Kärtchen, die dann für das UG vorgelesen werden.

■ Erschließungsmöglichkeiten

- Abraham handelt mit Gott:

– Die Sch. lesen den Text im KB und erörtern im UG, wie sie in diesem Fall entscheiden würden (Impuls 3).
– Die Sch. lesen in GA mit verteilten Rollen (Abraham, Gott, Redaktor = er sprach) den vollständigen Bibeltext.
– Anschließend erzählt je ein Sch. aus jeder Gruppe der Klasse die Geschichte und verwendet dabei die Begriffe Gerechte, Gottlose, Fürbitte (Impuls 4). Alternativ dazu spielen die Sch. das dramatische Gespräch, wobei das vordergründig demütige Verhalten Abrahams im Kontrast mit seinem inhaltlichen Drängen und Fordern herauszufinden ist.

■ Mögliche Schlusssituation

- Im abschließenden UG wird die Frage erörtert, warum Abraham so mit Gott umgeht – und umgehen kann. Außerdem die weitere Frage, ob man heute so mit Gott handeln darf (Impuls 5). Hier ist es sinnvoll, auf die Eingangssituation (Äußerungen zu der Zeichnung) Bezug zu nehmen. Dabei soll jedoch keine moralische Überheblichkeit ins Spiel kommen. Eher ein Verstehen – und vielleicht ein Weiterdenken: Gott lässt sich befragen und bewegen, aber nicht bestechen.

KB S. 94/95 Jakobs Flucht/Jakobs Heimkehr

Wie die Abrahamsgeschichten, so sind auch die Jakobsgeschichten ursprünglich Einzelerzählungen, die aber später zu einem Erzählstrang zusammengefasst wurden. Trotz des disparaten ätiologischen Ursprungs gibt es jedoch einen erkennbaren Zusammenhalt, den der Erzähler dadurch hergestellt hat, dass diese „Geschichte unter besonderen göttlichen Zeichen steht und dass sich in ihr – freilich in tiefer Verborgenheit – ein Plan Gottes verwirklicht: Die paradoxe Bewahrung Jakobs und seine Segnung mit den zwölf Söhnen ... wie denn ja überhaupt dieses bewahrende Gotteshandeln an Jakob in einem weiteren Sinne doch das ist, das Israel im Ganzen widerfahren ist." Theologisch bedeutsam ist der „Einbau der beiden ehemaligen Kulterzählungen Kap 28,10ff. und 32,23ff. in die Komposition der anderen Erzählungen: „Hier steht Jakob ganz offen unter der Offenbarung Jahwes" (von Rad, ATD 2/4 S. 275). Beide Male wird die Verheißung des Segens für ihn und seine Nachkommen erneuert. Beide Erzählungen spielen in der Nacht, wobei es in 1. Mose 32,32 heißt: „Und als er [Jakob] an Pnuel vorüberkam, ging ihm die Sonne auf." Der eigentliche Wendepunkt der Erzählung ist im Gebet in der Nacht zu sehen: „Ich bin zu gering für alle Gnade und Treue ... Errette mich."
Versuche, die stereotype Feststellung der biblischen Erzähler, dass Jakob, ohne jede moralische Rücksicht betrogen hat, zu relativieren, sind der Erzählung gegenüber nicht angemessen. Solche Versuche nehmen auch unseren Sch. den Stachel zum eigenen Weiterdenken.
Um den Sch. die Schwere des Konflikts zu verdeutlichen, kann im Unterricht der ganze Text im 1. Mose 27,1–45 gelesen werden. Anschließend sollten (evtl. in Gruppen) die Motivationen, Gefühle, Handlungen und Worte („wörtliche Rede"!) der einzelnen Personen herausgearbeitet werden. In diesem Fall kann ein Spiel, das so lange geübt wird, bis sich die Spieler mit der jeweiligen Rolle identifizieren können, die Tiefendimensionen vermitteln.
Man kann den ganzen Text auch zunächst als einzelne, getrennte Szenen spielen. Wenn L. und Sch. am Text bleiben und die einzelnen Szenen nachempfinden, werden sie sicher verstehen, dass Esau Jakob umbringen will (V. 41f.). Es sollte im Unterricht deutlich werden, dass der einmal ausgesprochene Segen (im Orient!) gültig ist und für Esau nichts bleibt, obwohl alles durch Betrug erreicht wurde.
Bei der Geschichte vom Jakobskampf am Pnuel ist es wichtig, dass L. (und evtl. auch Sch.) den vollständigen Text kennen. L. sollte, so weit wie möglich, die Vielfalt der Geschichte in den Blick zu bekommen: die Angst des Jakob vor Esau, vor Isaak, evtl. vor Gott – beim Eintritt in das einst verlassene Gebiet; die Zwiespältigkeit des Jakob, der auch hier wieder einen Segen erzwingt („ich lasse dich nicht, du segnest mich denn"); die Tatsache, dass Jakob endlich einmal nicht ausgewichen ist, sondern sich Gott gestellt hat: „Du hast mit Gott und Menschen gekämpft" (V. 29). Und in diesem Ringen hat er seine alte, betrügerische Existenz hinter sich gelassen und ist wirklich zum Mann, zum Stammvater geworden. Allerdings nicht ohne Schmerzen und nicht ohne Verletzung. Und es gilt auch noch: Der Unbekannte entzieht sich dem Begehren Jakobs, seinen Namen zu sagen und damit für Jakob verfügbar zu sein! Und Jakob empfängt einen neuen Namen, damit auch den Abschied vom alten Betrug, und erhält aufs Neue den Segen. Ausdruck dieses neuen Jakobs ist auch das Gebet in Kap. 32,11–13.

Die Erzählung von Jakobs Kampf hat eine lange Vorgeschichte, die bis in die vorisraelitische Zeit zurückreicht. Viele Generationen haben an diesem Stoff „geformt und gedeutet" (von Rad S. 279). Dies macht verständlich, dass die Erzählung in ihrer heutigen Form Brüche aufweist. So bleibt z. B. unklar, wer eigentlich wen besiegt hat: Zum einen hat der „Mann" nach langem Ringen Jakob die Hüfte ausgerenkt, zum andern bittet er Jakob, ihn loszulassen.
Nicht ganz deutlich wird auch, um wen es sich bei dem „Mann" handelt. Hinter seiner Gestalt steht wohl ursprünglich die Vorstellung eines Flussdämons (einer Gottheit), der (die) in seinem (ihrem) Wirken an die Nachtzeit gebunden ist (von Rad S. 282). Für den Erzähler ist dabei klar, „dass in und hinter jenem ‚Mann', jenem nächtlichen Angreifer, Jahwe selbst aufs unmittelbarste an Jakob gehandelt hat". (von Rad S. 283, ausführlich auch Schmidt, Alttestamentlicher Glaube, S. 32ff.)

Im Blick auf die Nachhaltigkeit und den Kompetenzerwerb der Sch. ist zu beachten: Der Jakobzyklus ist eine Geschwistergeschichte. Er gibt Anstoß, eine Klärung für die eigene Rolle im Verhältnis zu Geschwistern, Eltern und Freunden zu finden. Bei Zwillingen ist die Beziehung besonders eng. Die Zwillingsgeschichte von Jakob und Esau kann ermutigen, Benachteiligungen zu entdecken und zu überwinden, Vorrechte aufzugeben und ein gerechtes Miteinander zu suchen.

Zu Robert Hammerstiel, Jakobs Traum
Das Bild „Jakobs Traum" ist ein Holzschnitt (Format 25,5 x 25,5 cm) des österreichischen Künstlers Robert Hammerstiel (zu Hammerstiel s. LHB oben zu KB S. 78/79). Ins Auge fällt zunächst die klobig wirkende Figur des schlafenden Jakob im Vordergrund. Von ihm aus strebt die „Himmelsleiter", die aus schemenhaften Engel-Figuren gestaltet ist, nach oben und verbindet so Himmel und Erde.
Der Holzschnitt lebt vom Gegensatz hell – dunkel: Das Licht bricht von oben her in das Dunkel der Nacht ein und umgibt die deutlichen Konturen Jakobs, dessen Figur ganz aus schwarzen Flächen mit sparsamen hellen Unterbrechungen besteht.
Über dem dunklen Schicksal des Jakob, der sich gegen seinen Bruder und Gott versündigt hat, bleibt es nicht ewig Nacht. Gottes Licht der Verheißung strahlt auch in das Dunkel menschlicher Schuld hinein. Der verschlossene Himmel öffnet sich einen Spalt breit über Jakob und zeigt ihm, dass er trotz seiner Schuld im Dunkel der Welt nicht allein gelassen ist, dass Gott trotz allem an seiner Verheißung festhält.

Zu Sigmunda May, Jakobs Kampf
Schwester Sigmunda May (geb. 1937) trat nach dem Abitur in die Kongregation der Franziskanerinnen in Sießen ein und studierte an der Kunstakademie Stuttgart zunächst mit dem Schwerpunkt Malerei. Sie wirkte an einem Stuttgarter Gymnasium als Kunsterzieherin. Durch mehrere Begegnungen mit HAP Grieshaber fand sie zu der künstlerischen Technik des Holzschnittes.
Die Details des Holzschnittes „Jakobs Kampf" erschließen sich dem Betrachter erst bei intensiverem Betrachten. Dem Motiv Kampf entsprechend ist eine Fülle verwirrender weißer Linien und Formen ins Holz geschnitten, die sich bei genauerem Hinsehen als Flügel des Engels, als Arme und Hände, als Beine und Füße sowie als Kleider und Haare der beiden Personen entwirren.
Der Mensch Jakob und der Engel bilden eine ineinander verschmelzende Einheit, streben jedoch in entgegengesetzte Richtungen. Beide Figuren sind entsprechend der Schwarzweiß-Holzschnitttechnik dunkel gezeichnet. Allerdings entwickelt sich das Bild von links nach rechts aus dem Dunkeln ins Hellere: Die Künstlerin erreicht dies dadurch, dass sie Jakob auf dem Hintergrund des (vom Betrachter aus) linken Engelflügels zeichnet, während der Engel mit dem deutlich geformten rechten Flügel frei gestellt ist. Jakob erscheint so als ein Mensch, der im Dunkeln steht und von dem Engel ins Helle gezogen wird. Während der Engel sich nach rechts bewegt und versucht, Jakob mit sich zu ziehen, strebt Jakob nach links. Dieses Geschehen kann man am besten nachvollziehen, wenn man auf die Hände und Füße der Personen achtet:
Im Zentrum des Bildes sind drei Hände zu sehen, etwas nach rechts gerückt eine weitere Hand. Es ist die rechte Hand des Engels, die deutlich die Richtung vorgibt. Seine linke Hand liegt schwer auf der Hüfte Jakobs, verdreht diese regelrecht und scheint Jakob mitziehen zu wollen. Die rechte Hand Jakobs hat sich um den Unterarm des Engels gelegt: Will er dem Engel in den Arm fallen oder will er sich an diesem Arm festhalten?
Schaut man auf die Beine und Füße, so strebt der Engel eindeutig nach rechts. Der rechte Fuß Jakobs strebt eindeutig nach links, während sein linker Fuß bereits die Richtung gewechselt hat, so als ob Jakob sich doch vom Engel in die andere Richtung ziehen ließe.
Der Holzschnitt macht anschaulich, wie Gott in das Leben eines Menschen im wahrsten Sinne des Wortes „eingreift", um ihn in die richtige Richtung zu ziehen.

■ Erschließungsmöglichkeiten KB S. 94

- Die Sch. gestalten als Linolschnitt oder Zeichnung den Bibeltext 1. Mose 28,10–19 („Jakobs Traum") und stellen sich ihre Werke gegenseitig vor (Museumsmethode).
- In einem zweiten Schritt beschreiben sie das Bild von Hammerstiel und vergleichen es mit ihrem Werk. Sie achten dabei besonders auf Hell und Dunkel und auf die am Boden liegende Gestalt (Impuls 3).
- Reporterspiel zum Konflikt Jakobs mit Esau (1. Mose 27,1–14):
  - Die Sch. bilden Gruppen zu den Personen: Rebekka, Isaak, Esau, Jakob. Sie bereiten sich mithilfe des Texts im KB und des Bibeltexts auf das Spiel vor. Sie überlegen, was sie auf die Frage des Reporters, wer für den Streit verantwortlich ist, antworten können.
  - Die „Reporter" interviewen die Personen.

■ Mögliche Eingangssituation KB S. 95

- Der Holzschnitt von Sigmunda May (Impulse 1 und 2): Die Sch. beschreiben das Bild und achten dabei besonders auf die Hände und Füße. Sie stellen das Bild als Standbild nach.

■ Erschließungsmöglichkeiten KB S. 95

- Die Erzählung: Die Sch. vertiefen sich in GA in den Text von Regine Schindler. Sie können dazu den Bibeltext 1. Mose 32–33 heranziehen und vergleichen. Ziel ist es, dass sie die Geschichte nacherzählen können. Sie überlegen, wie die Geschichte weitergehen könnte, und vergleichen ihre „Lösung" mit dem Bibeltext (Impulse 3 und 4).
- Israel: Die Sch. prägen sich die Informationen von „Grundwissen Religion: Israel" ein. Sie lesen den Text mehrfach durch, übertragen ihn ins Heft und schreiben ihn dann in der nächsten Stunde noch einmal auswendig auf.

■ **Mögliche Schlusssituation KB S. 95**

• Bild/Text-Vergleich: Die Sch. erörtern in GA, ob und in welcher Weise Sigmunda May den Bibeltext umgesetzt hat.

■ **Mögliche Schlusssituationen zur DS 94/95**

• Geschwistergeschichte: Mit Hilfe von M 46 (Jakob und Esau) wiederholen die Sch. noch einmal den Weg von Jakob und Esau.
• TA: „Pro und contra: Manchmal ist es schwer, Geschwister neben sich zu haben." Die Sch. erzählen von ihren Erfahrungen. Sie stellen Vergleiche mit der Geschichte von Jakob und Esau her.

■ **Mögliche Schlusssituationen zum Kapitel/Nachhaltigkeit**

• Bilder zu biblischen Geschichten gestalten: Das Kapitel arbeitet teilweise mit Bildern moderner Künstler. Von daher liegt es nahe, die Sch. eigene Bilder gestalten zu lassen. Die Sch. können einen Linolschnitt oder eine Zeichnung zu einer der Geschichten die hier behandelt wurden, gestalten. Dies bekommt auch im Blick auf das folgende Kapitel „Mose: Unterwegs in die Freiheit" Sinn. So kann ein „Klassenbilderbuch zu biblischen Geschichten" entstehen.

3. Lernkarten

41 Worin besteht Abrahams Glaube?
42 Was wird im Alten Testament unter Segen verstanden?
43 Wie kommt es zu dem Namen „Israel"? Was bedeutet dieser Name?
44 Was wird in der Geschichte von Jakobs Traum über Gott ausgesagt?

4. Empfohlene Literatur und Medien

Goldmann, Christoph, Kinder entdecken Gott mit Chagall, Göttingen/Freiburg i. Br. 1978 (Vandenhoeck & Ruprecht/Christophorus).

Haas, Dieter, Der Bibel anders begegnen, Spiel- und Handlungsideen für Schule und Gemeinde, Lahr 1994 (Kaufmann).

Hermisson, Hans-Jürgen, Altes Testament (alttest. Erzählungen, Sagen und Märchen). In: K. Ranke (Hg.), Enzyklopädie des Märchens, Berlin 1975 ff (de Gruyter).

Laubi, Werner, Geschichten zur Bibel, Bd. 3: Abraham, Jakob, Josef; Bd. 4: Mose, Mirjam, Aaron, Lahr/Zürich 1985/1994 (Kaufmann/CVK).

Rad, Gerhard von, Das Erste Buch Mose, Genesis, ATD 2/4, Göttingen, 11. Aufl. 1981 (Vandenhoeck & Ruprecht).

Marggraf, Eckhart/Polster, Martin (Hg.), Unterrichtsideen Religion 5. Schuljahr, Stuttgart 1996 (Calwer).

Wittmann, Andreas, Ich glaube, dass mich die Neugier am Leben hält. „Mein Glaubensleporello", in: entwurf 2/2000 S. 42–46.

5. Materialien

M 43 Manessier, Die Wächter am Grabe
M 44 Der fruchtbare Halbmond
M 45 Abraham und Sara auf dem Weg
M 46 Eine Geschwistergeschichte: Jakob und Esau

Mose: Unterwegs in die Freiheit

1. Zielsetzung, Aufbau und Kompetenzen

Historisch, theologisch und pädagogisch ist es von großer Bedeutung, dass in den Mosegeschichten (1. Mose 2) Gott den Menschen als Retter, sein Handeln als *rettendes Handeln* begegnet – im Unterschied etwa zu den Vätergeschichten in 1. Mose 1, in denen es viel stärker um das segnende Handeln geht. Historisch gesehen spielen die Vätergeschichten primär in einem Umfeld, in dem es für verschiedene Gruppen und Sippen, die sich z. B. nach Abraham und Isaak nannten, um das langsame Heimischwerden von einwandernden Kleinviehnomaden in Kanaan/Israel ging.
Den historischen Hintergrund der Moseüberlieferung bilden die Herausführung einer Gruppe (der Rahel-Gruppe = die Stämme Efraim, Manasse und Benjamin) unter der Führung von Mose und Josua, die Begegnung mit JHWH und später eine eher gewaltsame Eroberung von Gebieten um Sichem herum (vgl. dazu die Karte mit den eingezeichneten Stammesgebieten M 47). In späterer Zeit haben die Israeliten die Erfahrungen aller Nomadengruppen, die sich zu Israel zusammenschlossen, aufgenommen und sie kollektiv als dann gemeinsame Erfahrung verstanden, die nun für alle Israeliten gilt – auch wenn, historisch gesehen, zunächst nur einzelne Gruppen jeweils betroffen waren.
Im Blick auf die Großkapitel-Überschrift „Gott ist für uns da" (KB S. 88) ist es elementar wichtig, die Sch. nicht auf eine irreführende Fährte (z. B. „Wer ist Gott?") zu bringen. Davon handeln weder die Geschichten im 1. und 2. Buch Mose noch die Psalmen. Sondern es geht immer darum, wie Gott Menschen begegnet, wie Menschen berührt werden, wie sie antworten und wie sie im Dialog mit Gott Bedrohung, Angst und Rettung erleben.

Das Urbekenntnis der Geretteten
So wie der Zusammenschluss der verschiedenen Stämme zu dem „Volk Israel" aller Wahrscheinlichkeit nach auf die Initiative der Gruppe aus Ägypten erfolgte, so hat auch ihr Bekenntnis zu ihrem Gott als dem Retter aus der Sklaverei gemeinschaftsbildend gewirkt: Das Urbekenntnis der JHWH-Gruppe aus Ägypten ist sicherlich das Mirjam-Lied: „Singet dem Herrn (= Jahwe), denn hoch erhaben ist er, Ross und Reiter warf er ins Meer" (2. Mose 15,21, vgl. unten zu KB S. 99). In 5. Mose 6,21–25 und 5. Mose 26,5–10 finden wir eine spätere, immer noch knappe Zusammenfassung der Errettung und Landgabe. Jos 24 bietet, auf einer ebenfalls späteren Reflexionsstufe, das Ergebnis: Die Rettung aus Ägypten gilt nun ganz Israel. Zu diesem Bekenntnis zu Jahwe gehört gleichzeitig die Trennung von den anderen Göttern.
In all diesen Bekenntnissen spiegelt sich die Vergegenwärtigung von Jahwes Heilshandeln für die jeweilige Gegenwart: „Wir waren Sklaven in Ägypten, uns hat Jahwe gerettet, uns hat er das Land gegeben, uns gelten sein Angebot und seine Gebote, heute wollen wir gemeinsam zu ihm gehören." Die ehemaligen Vätergottheiten der einzelnen Stämme konnten deshalb in die Erfahrung Jahwes integriert werden, weil die Israeliten nun die einzelnen Erfahrungen und Wege aller Stämme vom Ende her, also vom Bekenntnis zu Jahwe, als Führung Jahwes verstanden.

Für die Nachhaltigkeit und den Erwerb von Kompetenzen ist in dieser Einheit Folgendes wichtig:

- Die Sch. können lernen, wie wichtig individuelle oder kollektive *Erfahrungen* sein können.
- Erfahrungen müssen immer wieder daraufhin überprüft werden, ob sie neue Freiheit des Lebens eröffnen oder Menschen in einen Kreislauf der Resignation führen.
- Die „Fleischtöpfe" Ägyptens sind ernst zu nehmen als Sehnsucht nach Sicherheit. Und dennoch erhebt sich die Frage, ob es noch Wichtigeres gibt.
- Die Frage „Wo begegnet mir Gott" – ist etwas anderes und Tiefgehenderes als „Wer ist Gott?"

2. Didaktisch-methodische Hinweise

KB S. 96/97 Fremdes Land Ägypten

Die DS bietet Materialien, mit denen die Sch. sich einem fremden Land und einer fremden Religion annähern können. Es ist elementar wichtig, sich von einem Land wie Ägypten mit seiner reichen Kultur, seinen einzigartigen Bauten und seiner religiösen Eindrücklichkeit zunächst einmal beeindrucken zu lassen. Vielleicht eröffnen sich für einen Unterricht, in dem die Frage gestellt wird, inwiefern die religiöse Dimension untrennbar mit der menschlichen Existenz verbunden ist, gerade mit nichtbiblischen Texten und Vorstellungen Möglichkeiten, die sonst nicht zugänglich sind. Die Sch. werden anhand der fernen ägyptischen Lebenswelt möglicherweise eher dazu bereit sein, die Frage nach der religiösen Dimension (Recht/Unrecht etc.) als etwas zu verstehen, wozu jeder Mensch selbst einen eigenständigen, kompetenten Zugang haben muss.

Informationen zu den Bildern

Ägypten lebt vom Nil. Ohne das Wasser des Stromes, der von Ostafrika kommt, gäbe es nur Wüste in Ägypten. Das wird im Niltal sichtbar: Auf das fruchtbare Land, das der Nil mit Wasser und Schlamm erreicht, folgt abrupt die Wüste, wenn beides fehlt. Im alten Ägypten wurde dem Nil Dank und Verehrung entgegengebracht. Im 1. Impuls auf S. 96 wird ein Danklied an den Nil zitiert. Eine ausführlichere, aber gekürzte Fassung dieses Liedes bringt **M 48**. Die ungekürzte Fassung findet sich in Adolf Erman, Die Literatur der Ägypter, Leipzig 1923, S. 193–195.

Der Hymnus, zusammen mit dem Foto der Nillandschaft, gibt eine Vorstellung davon, wie sehr man sich in Ägypten dessen bewusst war und noch ist, dass Leben und Fortschritt vom Wasser abhängen.

Die Pyramiden sind große, monumentale Königsgräber. Die hier abgebildete Pyramide des Pharaos Cheops ist die größte mit einer Höhe von 146,6 m und einer Seitenlänge von 230,4 m. Der Pharao ließ die Pyramide in seiner Regierungszeit ca. 2553–2530 v. Chr. erbauen. Die Cheopspyramide gilt als Weltwunder. Eine Pyramide war jedoch weit mehr als ein Königsgrab. Der jeweilige Pharao selbst galt als Inkarnation des Gottes Horus, der als Himmelsfalke seine Flügel schützend über Ägypten spannte und damit das Chaos verhinderte. Beim Tod des Pharaos geht der Gott Horus in den neuen Pharao über. Der verstorbene Pharao aber steigt zur Himmelskönigin Nut auf und vereinigt sich mit den Sternen. Der Ort des Aufstiegs und der Verwandlung ist für den König die Pyramide, wobei durch die Bewahrung und Verwandlung des geistigen Lichtes (im Pharao) diese göttliche Lebenskraft für die Untertanen im Reich erhalten blieb.

Die Sphinx ist eine Mischgestalt aus Löwenkörper und Menschenkopf. Die Ägypter symbolisierten damit das Wesen des Pharaos, nämlich die Verbindung von größter Kraft und höchster Intelligenz. Deutlich ist, wie mit der Sphinx eine Wächterfigur symbolisch dargestellt ist: der Pharao in der Gestalt des mächtigsten Tieres als Wächter vor der Pyramidenanlage.

208 km südlich von Assuan liegen die zwei Felsentempel von Abu Simbel. Vor der Fassade des größeren, südlicheren Tempels stehen vier aus Stein gehauene Statuen von Ramses II. (Höhe 20 m). Die zwei Statuen (10 m hoch) vor dem kleineren Tempel stellen Ramses II. und seine Gemahlin dar. Der Vergleich mit den Personen am Eingang zum Tempel gibt einen Eindruck von der riesigen Dimension dieses Wunderwerks der Architektur.

Das Totengericht, KB S. 97: In der Grabinschrift und auf dem Bild aus einem ägyptischen Totenbuch werden die ägyptischen Jenseitsvorstellungen angesprochen. Die Abbildung (Ausschnitt) des Totengerichts, das zwischen Tod und ewigem Leben steht, ist häufig auf Papyri, auf Mumienhüllen und/oder an den Wänden von Gräbern zu finden. Im KB S. 97 ist die Szene ausführlich beschrieben. Das Gleiche gilt für die Grabinschrift. Sie ist ein Bekenntnis des Verstorbenen vor den Totenrichtern in Altägypten und stellt einen äußerst verkürzten Auszug aus dem 125. Kapitel des Totenbuches aus der Zeit um 1580 bis 1100 v. Chr. dar. Der vollständige Text findet sich als **M 49**. Ein solcher Text wurde – auf Papyrus bzw. an die Wand des Grabes geschrieben – dem Toten mit in die Grabkammer gegeben. Er sollte ihm helfen, die Pforten des Todes zu überwinden und so in das „Gefilde des Friedens" zu gelangen. Nach ägyptischer Vorstellung musste der Verstorbene vor einem Gericht, dem der Totengott Osiris vorstand, über seine Taten im Leben und sein religiöses Verhalten Rechenschaft ablegen. Das Bild aus der Grabkammer zeigt die Vorstellung, dass auf einer Waage die Lebensbeichte des Betreffenden in Form eines Bekenntnisses, also seine Taten, der göttlichen Ordnung gegenübergestellt wurde.

Das Bild von den ägyptischen Bauarbeitern stammt aus dem Grab des Rechmire in Theben (um 1450 v. Chr.). Es zeigt Bauarbeiter und einen Sklavenaufseher, der an Stock und Peitsche, die er in Händen hält, erkennbar ist. Der vordere Bauarbeiter trägt einen Sack, die beiden anderen tragen Ziegelsteine aus Lehm. Es erinnert an die Fronarbeit der Israeliten in Ägypten.

■ Mögliche Eingangssituation

- Die Sch. tragen zusammen, was sie aus der Josefsgeschichte, die sie in der Grundschule behandelt haben, noch über das Nomadenleben der Israeliten und deren Aufenthalt in Ägypten wissen. Sie ziehen dazu 2. Mose 1 heran (vgl. Impuls 2, KB S. 97).

■ Erschließungsmöglichkeiten

- Die Sch. gestalten ein Plakat über Ägypten, aus dem deutlich wird, was für die einwandernden Israeliten fremd war (Impuls 2, KB S. 96). Sie informieren sich über die Bedeutung des Nils (Impuls 1, KB S. 96 – dazu können sie auch **M 48** heranziehen) und über den Bau der Pyramiden.
- Die Sch. überprüfen die Grabinschrift (ergänzt durch **M 49**) auf ihre Gültigkeit heute. Sie vergleichen sie mit den Zehn Geboten (Impuls 1, KB S. 97) – vgl. dazu auch KB S. 30.

■ Mögliche Schlusssituation (zugl. Eingangssituation für KB S. 98)
- Die Sch. bearbeiten die Impulse 3 und 4 und erstellen aufgrund von 2. Mose 2 ein Mose-Fahndungsplakat. Siehe dazu die Hinweise zur Eingangssituation KB S. 98.

KB S. 98 Wie heißt Gott?

Hier steht die Person des Mose, die bereits KB S. 97 eine Rolle spielte (Impulse 3 und 4), im Mittelpunkt. Es ist deutlich, dass die Moseüberlieferungen zunächst als Einzelüberlieferungen vorhanden waren. Und bis heute lässt sich historisch vieles nicht klären. Innerhalb der Moseüberlieferungen des 2. bis 5. Buches Mose lassen sich vier wichtige Bereiche unterscheiden: Herausführung aus Ägypten, Offenbarung am Sinai, Führung durch die Wüste und Sesshaftwerdung im Kulturland. Als historisches Urgestein, jenseits von langen Zeiten des Anwachsens von Überlieferungen, darf man Folgendes konkretisieren:
1. Mose ist ein ägyptischer Name, genauer die Kurzform eines zusammengesetzten ägyptischen Namens (vgl. den Namen des Pharaonen Thutmose, dazu Metzger, Grundriss, S. 34).
2. Mose hatte enge, verwandtschaftliche Beziehungen zu den Midianitern, einer Bevölkerungsgruppe im Sinai.
3. Mose hatte eine Führungsrolle bei der Flucht aus Ägypten.

Eindeutig ist auch, dass Mose den Gott JHWH bei den Midianitern auf der Sinaihalbinsel kennen gelernt hat. Dessen Verehrung war mit einem heiligen Berg (in der Bibel Sinai, aber auch Horeb oder Gottesberg) verbunden. Die Begegnung mit diesem JHWH wurde für die Gruppe, die aus Ägypten floh, zum entscheidenden Bezugspunkt.
In der Offenbarung Gottes im brennenden Dornbusch wurde aus einem nomadischen Stammesgott der Gott Israels (und der Christen), der sich enthüllt als „der, der da ist", als „der, der für euch da ist".

Zum Bild von Chagall, „Mose vor dem brennenden Dornbusch" (2. Mose 3,1–14)
Marc Chagall hat seit einer Reise nach Palästina 1930/31 biblische Geschichten dargestellt. Das Bild im KB S. 98 stammt aus dem 1956 in Paris erschienen Band „Bible" mit 105 Radierungen zur Bibel.
Keiner biblischen Gestalt hat Chagall so viele Bilder gewidmet wie Mose. Drei Themen/Bildelemente beherrschen das sehr einfach gehaltene Bild: 1. der Gottesname/Gott, 2. der Bote/Vermittler (Mose) und 3. das Licht/Schöpfung. Zu 1.: Der Gottesname bedeutet Befreiung aus jeglicher Gefangenschaft; Ägypten steht dafür nur als Symbol. Menschen, die in der Nähe dieses Gottes leben, befinden sich in einem Raum der Befreiung. Zu 2.: Die Gestalt des Boten Mose deutet darauf hin, dass Jahwe („Ich bin für euch da") Menschen für andere Menschen in Anspruch nimmt. Selbst Menschen wie Mose kann Gott in Dienst nehmen und gebrauchen. Mose liegt auf den Knien, ist klein, zeigt ein ängstlich-zerfurchtes Gesicht, das aber leuchtet, weil es das von Gott ausgehende Licht widerspiegelt. Die Mosegestalt ist hörend. Zu 3.: Das dritte Element, Licht, ist für Chagall ein Symbol für Schöpfung, die von Gott ins Leben gerufen wurde und die er ständig erhält. Das Licht ist also mehr als nur Zeichen für ein natürliches Phänomen wie Sonne und Mond, vielmehr ist mit jenem Licht unaufhebbare Hoffnung (ewig brennender Dornbusch) gemeint, für die in anderen Bildern Chagalls der Sabbat und die Sabbatkerze stehen. Es ist das Licht, das in übertragenem Sinn von außen kommt und die Dunkelheit der Menschen erhellt.
Mose ist auf dem vorliegenden Bild von göttlichem Lichtglanz umstrahlt. Auf manchen Darstellungen des Mose – z.B. auch bei der berühmten Plastik des Michelangelo – ähnelt jener Glanz zwei aufgesetzten Hörnern. Es handelt sich dabei um die Folge eines Übersetzungs- bzw. Punktationsfehlers, der in der Reformationszeit aufgeklärt wurde. Strahlen (Moses Angesicht „strahlt"), hebräisch k-r-n (punktiert „karan"), kann auch als „kärän" gelesen werden und bedeutet dann Horn. (Vgl. Goldmann, Bild-Zeichen, Bd. 1, S. 97; Goldmann, Kinder, S. 32f; Goldmann, Das Gelb, S. 32f.)

Soweit man weiß, gab es in der Wüste zwischen Ägypten und dem Land Kanaan als eine Besonderheit einen „brennenden Dornbusch", wohl so etwas wie das St. Elmsfeuer. Lokaltraditionen von „brennenden und doch nicht verbrennenden Bäumen" gab es in Syrien-Palästina relativ viele (vgl. M. Noth, Das zweite Buch Mose, S. 26). Die Erzählung vom brennenden Dornbusch in der Wüste, an einer heiligen Stätte, bildet nun den Hintergrund für die erste Gottesoffenbarung an Mose.

Bekanntlich liegen für eine „Biographie" des Mose keine verifizierbaren Berichte vor. Verschiedene Erzählungen im 2. Mosebuch versuchen in späterer Zeit, die wenigen Anhaltspunkte, die wir haben, etwas anzureichern. Z.B. wird der ägyptische Name durch die wunderbare Rettungslegende, die im Orient auch sonst nachweisbar ist, erklärt; gleichzeitig wird mit dieser Legende eine Verknüpfung mit der Unterdrückung (sprich Sklavenarbeit und Furcht der Ägypter) hergestellt (vgl. dazu u.a. Noth, Das zweite Buch Mose, S. 15; Gressmann, Altorientalische Texte, S. 234ff). Dennoch empfiehlt es sich, die Sch. selbst einiges entdecken zu lassen – am besten mit dem Fahndungsplakat (M 50).

■ Mögliche Eingangssituation (vgl. Schlusssituation zu S. 97)
- Die Sch. stellen ein Fahndungsplakat für Mose her. Dabei sollen neben dem Namen seine Herkunft, seine Tat, sein vermutlicher Aufenthaltsort und besondere Merkmale aufgeführt werden. Ein Muster bietet M 50. Im Internet finden sich dazu eine große Anzahl von Abbildungen des Mose, die die Sch. verwenden können (Suchwort: Moses). Sie können dazu 2. Mose 2 heranziehen.

■ Erschließungsmöglichkeiten
- Die Sch. beschreiben das Bild KB S. 98 entsprechend Impuls 1.
- Der Auftrag des Mose wird mit Hilfe von AB **M 51–53** erschlossen. Folgendes Vorgehen hat sich bewährt:
– Die Erzählung **M 51** wird von L. vorgetragen und/oder von den Sch. gelesen.
– Die Sch. erhalten **M 52** und tragen aufgrund der Erzählung die Sätze des Gesprächs zwischen Gott und Mose in die Flammen bzw. Sprechblasen ein.
– Bei schwächeren Sch. oder bei Zeitmangel können die Sch. auch die Flammen und Sprechblasen mit den Texten (**M 53**) ausschneiden und in das AB einkleben. Lösung: **M 54**.
– Es empfiehlt sich, dass L. **M 52** auf ein großes Plakat überträgt und die Flammen und Sprechblasen aus **M 53** (mit oder

ohne die Texte) entsprechend vorbereitet. Im Fortgang des Unterrichts werden dann die Flammen und Sprechblasen in das Plakat eingeheftet.

• Die Bedeutung des JHWH-Namens: Der Jahwename wird mit Hilfe von „Grundwissen Religion" und des Liedes erschlossen. Die Sch. können dabei entdecken, dass „Ich bin, der ich bin" und „Ich bin für euch da" kein Name ist, auf den man Gott festlegen kann. „Ich bin für euch da" bedeutet ein Mitgehen Gottes; gleichzeitig bedeutet dieser Name, dass der Mensch sich Gott nicht verfügbar machen kann. Das drückt sich auch darin aus, dass die Juden den Namen JHWH nicht aussprechen.

■ **Mögliche Schlusssituation**

• Die Sch. bearbeiten die Impulse 5 bis 7.

KB S. 99 Flucht und Rettung

Keine Geschichte ist im Judentum so lebendig wie die Geschichte der Befreiung aus Ägypten mit dem abschließenden wunderbaren Durchzug durch das Schilfmeer. Jedes Jahr einmal wird diese Geschichte (auch in vielen nichtreligiösen) jüdischen Familien in der Sederliturgie an Pessach wiederholt. Auch das KB geht auf diese Tradition ein (KB S. 192f., 195). Die verschiedenen medialen Formen im KB S. 99 erleichtern es, der Vorstellung entgegenzutreten, als handle es sich nur um ein historisches Ereignis. Das symbolische Bild von Annegert Fuchshuber ist nicht nur eine Hilfe zum Erinnern des Geschehens, sondern auch zur „Vergegenwärtigung" der alten Erzählung. Mitte der Erzählung ist die Erfahrung, dass die Alten, und damit auch deren Nachkommen (!), durch ein Wunder (die Hilfe Jahwes) der Vernichtung durch die Ägypter entronnen sind.

■ **Mögliche Eingangssituation**

• Die Sch. erzählen, was sie aus der Grundschulzeit noch über den Auszug des Volkes Israel und dessen Bedeutung für die Juden wissen (Impuls 1).

■ **Erschließungsmöglichkeiten**

• Die Sch. erheben, was man aus dem Mirjamlied (Impuls 2) über das Geschehen erfährt. Mit Hilfe einer L.-Erzählung (z.B. Laubi, Geschichten zur Bibel Bd. 4, S. 109–112) wird das Wissen der Sch. vertieft. Bei entsprechenden Klassen kann durch einen Vergleich mit dem Mirjamlied der atl. Überlieferungsprozess verdeutlicht werden.

• Die Sch. betrachten das Bild von Annegert Fuchshuber. An die Tafel wird eine stark vergrößerte Kopie desselben Bildes geheftet. Die Sch. geben den Tieren „Namen", die uns heute bedrohende Gefahren kennzeichnen (Impuls 3). Diese Namen kleben sie auf die Tiere an der Tafel. Die Ereignisse werden ins Heft übertragen.

• Die Sch. spielen das Bild von Fuchshuber nach (Impuls 4). Der größte Teil der Klasse spielt die Gasse, wobei die einzelnen Sch. entweder pantomimisch oder auch kombiniert mit Lauten (Schreien) die Gefahren darstellen. Jeweils einige wenige spielen die Israeliten (bzw. Menschen/Sch. der Gegenwart), die durch die Gasse gehen. Rollen wechseln, sodass alle Sch. mindestens einmal auf jeder Seite sind. Man kann die Situation dadurch noch eindrücklicher gestalten, dass zusätzlich Rhythmusinstrumente verwendet werden.

■ **Mögliche Schlusssituation**

• Die Sch. tanzen und singen das Mirjamlied. Sie setzen dabei auch Musikinstrumente ein (Impuls 5).

KB S. 100 Ich will euer Gott sein, ihr sollt mein Volk sein

Zu den Grundelementen der Sinaiüberlieferung gehören erstens eine Theophanie (= Gotteserscheinung) und zweitens ein anschließender Kultakt, der ein Gemeinschaftsverhältnis zwischen JHWH und den Kultteilnehmern begründete. Die Kultteilnehmer waren wahrscheinlich Sippen, die später im Volk Israel aufgingen und dort ihre Sinaierfahrung einbrachten (vgl. Metzger Grundriss, S. 26–29).
Dieses besondere Gemeinschaftsverhältnis wurde später als Bund bezeichnet. Wann dies war, ist umstritten. Die Bundesformel „Ich will euer Gott sein und ihr sollt mein Volk sein" (5. Mose 16,16–19) ist erst in deuteronomischer Zeit nachweisbar. Doch geht diese Formel gewiss auf ältere Traditionen zurück (vgl. Metzger, Grundriss, S. 71f.).
Das „Grundwissen Religion" beschreibt schülergemäß, was Bund im AT bedeutet.

Im Alten Testament gibt es verschiedene Auffassungen vom Bund Gottes mit Israel. Da gibt es zunächst den „Bund" als „Verhältnis zweier *ungleicher* Partner", in dem der Mächtigere dem Unterlegenen eine Abmachung „aufnötigt", indem er nachhaltig beschützt wird (vgl. Jos 9,6ff.; 1. Mose 6,18; 1. Mose 9,9ff.; 1. Mose 17,2 u.a.; dies und das Folgende nach v. Rad, Theologie des AT, Bd. 1, S. 135ff.). Der Bund ist ein „Rechtsverhältnis", das eine „starke Garantie" für ein „menschliches Gemeinschaftsverhältnis" enthält. Man bezeichnet dieses Gemeinschaftsverhältnis in seiner „Ganzheit" und „Unversehrtheit" als einen Zustand des „harmonischen Gleichgewichts", in dem zwischen zwei Partnern „Intaktheit" und „Rechtheit" herrscht. Dieses Bundesverhältnis wird häufig auch als „Schalom" unter den Partnern bezeichnet (1. Mose 26,30ff; 1. Kön 5,26 u.a.).
Dieses Verständnis von Bund hat sich im Laufe der Zeit so verändert, dass der schwächere Partner mehr Pflichten und Rechte erhielt, sodass der „Bund" mehr in Richtung eines zweiseitigen Vertrags verstanden wurde. „Die Bundesgewährung wurde zum Bundesvertrag". Im größeren Teil der Sinaiüberlieferung wird der Mensch „in die Pflicht" genommen und „erst auf Grund seiner Bereitwilligkeitserklärung" wird der Bund geschlossen (v. Rad, Theologie des AT, S. 137). Neben dem Gnadenangebot Gottes (Schutz) wird das rechte Handeln des Partners in das Blickfeld gerückt. „Gottesbund einerseits und die Offenbarung eines Rechtswillens an Israel" sind einander engstens zugeordnet. Die Zuwendung Gottes an Israel enthält die drei Verheißungen „Volkwerdung", „das neue Gottesverhältnis" (ich will dein Gott sein) und „Landbesitz". Und Israel verspricht, die neuen „Ordnungen" im Verhältnis zu Gott und untereinander einzuhalten. Und dadurch wird Israel zu Gottes Volk. Die enge Verbindung von Bund und Geboten, durch die Israel die Möglichkeit des Lebens gewährt wird, ist sichtbar: In der Annahme des Bundes hört und akzeptiert Israel den Rechtswillen Jahwes, der seinerseits zum Ziel hat, dass Gerechtigkeit in Israel herrscht. Was dies im Einzelnen bedeutet, muss jede Generation neu definieren. Grundlage aber ist, dass Jahwe mit Israel

eine „Geschichte" hat, in der mit der Herausführung aus Ägypten und mit dem „Bund" eine tiefe gegenseitige Kenntnis und Vertrautheit gewachsen sind (2. Mose 20,1ff.).

Zacharias, Bundesschluss am Sinai
Der Farbholzschnitt von Thomas Zacharias (geb. 1930) ist eine Interpretation der Geschichte vom „goldenen Kalb". Das Bild gehört zu einer Serie von 24 Farbholzschnitten zur Bibel, die Zacharias in den Jahren 1964 bis 1966 eigens für den Religionsunterricht geschaffen hat.
Das Bild ist deutlich in zwei Farbbereiche geteilt: Die schwarze Fläche des Berges hebt sich ab von der ihn umgebenden roten Fläche des Himmels. An der Spitze des Berges steht die einzelne, einsame Figur des Mose, der schützend die Hand vor das Gesicht hält. Es scheint, dass er sich gegen den weißen Spalt direkt über seinem Kopf und links von ihm, der den Einbruch des Göttlichen in die Sphäre des Menschlichen als eine Art „offener Himmel" symbolisiert, abschirmt. Das Rot ist insgesamt – wie häufig in den Farbholzschnitten von Zacharias – Zeichen für die göttliche Sphäre, hier den Himmel, der den dunklen Berg (der Erde) umschließt.
Dem Einbruch des Göttlichen am oberen Bildrand steht der übergroße gelbe (goldene) Stier am unteren Bildrand gegenüber, der einsamen Figur des Mose die in Grüntönen gehaltene nicht näher definierbaren Menschenmasse, die den Stier umgibt. Sowohl das Göttliche an der Spitze des Berges als auch der Stier am unteren Bildrand brechen als Licht in das Dunkel der Welt ein, um es zu erhellen. Dabei geht es – im Zuge der Erzählung Exodus 32 – um einen unüberbrückbaren Gegensatz: Was bringt Licht in das Dunkel der Welt? Vertraut Israel auf den unsichtbaren transzendenten Gott und seine lebenserhaltende Regeln oder gibt es sich dem Stier als Symbol der eigenen Kraft hin?

Die Bedeutung des Stierkultes in Israel und bei den Kanaanäern ist nicht in allen Details klar. Auf jeden Fall galt und gilt der Stier in vielen Religionen und Weltanschauungen als Symbol göttlicher und menschlicher Potenz. Soweit wir sehen können, wird in der Geschichte vom „goldenen Kalb" (so wird hier der junge Stier herabwürdigend genannt) tatsächlich der Stier als Abbild der Kraft Jahwes, mithin als Abbild Jahwes selbst verstanden. Auch bei den Stieren, die Jerobeam I. in Bethel und Dan aufstellen ließ, handelt es sich um Symbole für JHWH, seine Potenz und seine unsichtbare Anwesenheit am Kultort (vgl. dazu 1. Kön 12,28f. und die Ausführungen unten zu KB S. 141). Man versuchte also immer wieder, die ungeheure Kraft JHWHs bildlich darzustellen. Und natürlich gibt es auch sprachliche Vergleiche Jahwes mit Stieren, die für Israel akzeptabel waren (z.B. 4. Mose 23,22; 24,8f.; 1. Kön 7,23ff.; Ps. 118,27). Es ist auch für die Sch. wichtig, dass die Vorstellung eines Gottes, der sich am ehesten in der Gestalt eines mächtigen Stieres offenbart, nicht vorschnell abgetan werden kann. Ebenso war für Israel die Alternative *JHWH oder Baal* eine ernst zu nehmende Alternative, ein Wagnis.
Ursprünglich ist der Stier in der Baalsreligion wie auch die Goldenen Stiere in Dan und Bethel wohl als Postament gedacht, auf dem die Gottheit steht. So gibt es von Baal zahlreiche Darstellungen, bei denen er als eine Person (Blitze schleudernd) auf einem Stier steht. In der Volksfrömmigkeit wurde aber der Stier häufig als Abbild der Gottheit angesehen.
Der Stier war also das Kultsymbol Baals und ihm verdankten seine Verehrer Leben und Fruchtbarkeit. Baal war für die Kanaanäer also das Symbol für ein gesichertes Leben: Wenn wir ihn ehren, erhalten wir im Jahreszyklus das, was wir brauchen. Baal verleiht Sicherheit, er ist greifbar: *JHWH* entzieht sich dem Verlangen nach Sicherheit, er ist für das Volk nicht verfügbar und im Bild nicht greifbar. Er garantiert keine Sicherheit im Jahreszyklus.
Eine Religion, in der Gottheiten gut zugänglich, ja verfügbar sind und deren Kult sinnenhaft, eindrücklich und faszinierend ist, Sexualität, Fruchtbarkeit und Lebensfreude bejaht werden, war also eine lang andauernde, ernsthafte Konkurrenz zu JHWH.

■ Mögliche Eingangssituation

- Die Sch. sammeln einzeln, in Gruppen oder in der Klasse Assoziationen zu „Bund". Es ist gut, wenn die Sch. auch die Ehe als „Bund fürs Leben" benennen, weil gerade hier sichtbar ist, dass auch gut gemeinte „Bündnisse" scheitern können. Außerdem ist gerade bei der Ehe erkennbar, dass ein „Bund" davon lebt, dass beide Partner daran interessiert sind, ihn am Leben erhalten zu wollen, und damit ihn auch weiter entwickeln müssen. Die Frage nach der Gleichheit und Ungleichheit der Bundespartner lässt sich auch an verschiedenen Vorstellungen über die Ehe stellen (Impuls 1).

■ Erschließungsmöglichkeiten

- Die Sch. können (in GA) die Zehn Gebote daraufhin untersuchen, inwieweit in ihnen der Wille Gottes zum Ausdruck kommt, dass es den Menschen gut geht (vgl. dazu die Ausführungen zu KB S. 30).
- Erschließung des Bildes von Thomas Zacharias mithilfe der Impulse 5 und 6. Zuvor sollte mit den Sch. die Geschichte vom Goldenen Kalb gelesen werden.
- Die Sch. spielen ein Streitgespräch zwischen Mose und Aaron (Impuls 7).

■ Mögliche Schlusssituationen

- Die Klasse führt ein Rundgespräch über heutige „Goldene Kälber" und den Ausspruch Luthers „Woran die du dein Herz hängst, das ist dein Gott." Diese kann durch eine Schreibmeditation an der Tafel eingeleitet werden.
- Die Sch. diskutieren die Frage: „Was bringt Licht in die Finsternis der Welt?"

KB S. 101 Gott befreit sein Volk

Um die biblischen Geschichten richtig einordnen zu können, ist es wichtig, sich einige Grundzüge der Geschichte Israels, wie sie die alttestamentliche Wissenschaft erarbeitet hat, ins Gedächtnis zu rufen.
Zur Landnahme vgl. Petri/Thierfelder, Grundkurs Judentum Teil 1, S. 52.
Dass die Landnahme Israels ein einziges kriegerisches Unternehmen war, wie es den Anschein hat, wenn man die Bücher Josua und Richter liest, dürfte stark übertrieben sein. Die Archäologie hat keine Spuren von Kriegen in der Zeit um 1200 v. Chr. gefunden. Weitgehender Konsens ist heute, dass die Landnahme ein im Wesentlichen friedliches Unternehmen war. „Überwiegend viehzüchtende, aber auch Ackerbau treibende Nomaden unterschiedlicher Art und Herkunft gingen in einem länger andauernden Prozess vorwiegend in den Gebirgsgegen-

den zu sesshafter bäuerlicher Lebensweise über". (Donner, Geschichte, S. 126). Erst viel später ist dann die Landnahme als kriegerisches Unternehmen dargestellt worden. Wahrscheinlich ist dies in der Zeit des babylonischen Exils geschehen, in der Zeit der tiefsten Ohnmacht Israels. Die Israeliten wollen damit zum Ausdruck bringen, dass Gott die Verheißung des Landes an die Väter auch gegen eine Übermacht erfüllt hat. Die Israeliten stellten sich dabei die Eroberung Kanaans so vor, wie sie die Eroberung Israels und Judas durch die Assyrer und Babylonier erlebt haben. Vor allem hofften die nach Babylon Deportierten dass der Gott Israels sie erneut in das Gelobte Land zurückführen wird.

Die einzelnen Stämme Israels, die sich großenteils erst auf dem Boden des Kulturlands konstituierten, waren nach der Landnahme zunächst politisch selbständig. Martin Noth hat nach griechischen Analogien Israel in der Richterzeit als Amphiktyonie, als sakralen Zwölfstämmeverband verstanden, der durch die gemeinsame Verehrung des Gottes JHWH verbunden war (mit gemeinsamem Heiligtum und gemeinsamem Kultort). In den letzten Jahren ist man gegenüber dieser These Noths eher zurückhaltend geworden. Auf keinen Fall ist für die Frühzeit Israels mit einer „straff durchorganisierten zentral geleiteten Institution" zu rechnen (Metzger, Grundriss, S. 69). Crüsemann hat in Aufnahme eines Begriffs der Ethnologie Israel als „segmentäre Gesellschaft" bezeichnet (Crüsemann Widerstand, S. 201ff.), bei der Untergruppen wie Sippen und Stämme politisch gleichrangig sind und eine übergeordnete Zentralinstanz fehlt.

Eine zentrale Bedeutung für das Zusammenwachsen der Stämme spielten die mittelpalästinensischen Rahelstämme (Ephraim, Manasse und Benjamin), die aus Ägypten die Traditionen von JHWH, der aus der Knechtschaft, befreite, mitbrachten. Sie haben die übrigen Stämme auf das Bekenntnis zu Jahwe eingeschworen. Das steht möglicherweise hinter dem sog. Landtag von Sichem (Jos 24; vgl. dazu auch Hertzberg, ATD 9, S. 7ff.).

Im Richterbuch wird immer wieder von Rettern, charismatischen Führergestalten, berichtet, die auftraten, wenn die Israeliten bedrängt wurden, z.B. Ejud, Gideon und Jiftach. Man spricht von den sog. großen Richtern. Meistens handelt es sich um regional begrenzte Auseinandersetzungen. Bei Gideon geht es um eine Auseinandersetzung von Israeliten, die in der Jesreel-Ebene wohnen, mit midianitischen Kamelnomaden. Interessant ist dass die Feinde in der Gideonzeit Midianiter genannt werden – wie die Nomaden in der Sinaihalbinsel, die Mose aufnahmen (2. Mose 2,15ff.). Auch mit Abraham werden die Midianiter in Verbindung gebracht (1. Mose 25,2). Es wird also so sein, dass zu den „Midianitern" auf der Sinaihalbinsel gute Beziehungen vorhanden waren, zu den Midianiter-Beduinen im Ostjordanland (die möglicherweise verwandt waren mit den Midianitern im Sinai) aber ein sehr gespanntes Verhältnis bestand: Die Israeliten fühlten sich von den Beduinen aus dem Ostjordanland in ihrer Existenz bedroht.

Die großen Richter standen an der Spitze des Heerbanns. Sie wurden „vom Geist Jahwes ergriffen" und waren dadurch zu außerordentlichen kriegerischen Taten befähigt. Die Feldzüge, die sie führten, heißen Kriege JHWHs. Damit wird JHWH als der eigentliche Herr dieses Kriegs benannt. Sie als „Heilige Kriege" zu bezeichnen, ist nicht angebracht: „Wie alles und jedes im Leben war die Kriegsführung von religiösen Vorstellungen umwoben und von religiösen Riten begleitet. Doch dadurch wird sie ebenso wenig zu einem ‚heiligen' Krieg und zu einer sakralen Institution wie Geburt, Entwöhnung, Hochzeit, Tod und Schafschur, die mit religiösen Vorstellungen, Riten und Formeln umgeben waren." (G. Fohrer zit. nach Ebach, Erbe, S. 25)

Das, was hier als Jahwe-Krieg dargestellt wird, kann keine „Heiligen Kriege", also Kriege im Namen Gottes, um andere zu unterwerfen, rechtfertigen. Heilige Kriege, um so genannte „Ungläubige" zu unterwerfen, sind das Gegenteil von dem, was im Richterbuch geschildert wird. Die Bedrückung und Ausbeutung durch Kamelnomaden, die Bauern ausplündern, ist der Grund zum Einschreiten des rettenden JHWH. Hier gibt es also keinen Entschluss Kriege zu führen aus eigener Macht oder dem Bewusstsein, andere unterwerfen zu müssen. Hier geht es um Rettung aus tödlicher Bedrohung – und insofern wiederholt sich in den Jahwe-Kriegen der Richterzeit die Rettung aus Ägypten. Indem Gott selbst zum Krieg einschreitet, wird auch zum Ausdruck gebracht, dass der Krieg eigentlich kein Mittel menschlicher Politik ist (vgl. Ebach, Erbe, S. 22–30).

Das Gebiet, in dem sich die so genannten „Jahwekriege" abgespielt haben, ist das Gebiet der Mittelstämme. So wie die einzelnen Stämme sich in den Festen der Zuwendung Jahwes (Rettung), seiner Gabe (das Land), der Volkwerdung im Zusammenschluss der Stämme (durch den Glauben an Jahwe) vergewisserten und gelobten, dem Willen Jahwes entsprechend (gerecht = der Gemeinschaft entsprechend) zu leben – so erlebten sie auch die Rettung aus den Händen der Feinde als Tat Jahwes, der damit seine Bundesverpflichtung einhielt. Wie beim Thema *„Bund"* gibt es auch in der alten Tradition der Berichte von den *Jahwekriegen* die Betonung „Jahwe schlägt die Schlacht" (parallel Jahwe errichtet den „Bund") – die Israeliten „helfen" ihm dabei.

■ Mögliche Eingangssituation

- Mit Hilfe der Karte M 47 und einer topographischen Landkarte aus der Bibel kann die Situation der Israeliten verdeutlicht werden: Sie nehmen mit der Zeit auch die fruchtbaren Ebenen, z.B. die Jesreelebene, in Besitz. Die Sch. verstehen die besondere Bedrohung der israelitischen Bewohner in der Jesreelebene: Ihre hohen Ernteerträge locken Feinde an, die von Osten leicht ins Land kommen können.

■ Erschließungsmöglichkeiten

- Die Sch. erarbeiten den Text im KB S. 101 und den Bibeltext Richter 7,1–7 (Impuls 1 – vgl. Methodenseite Textarbeit, KB S. 64f.).
- Arbeitsteilige Gruppenarbeit zur Vertiefung des Textes „Gideon":

Gruppe 1 schreibt eine Erzählung aus der Sicht eines Israeliten, der bei Gideon bleibt.

Gruppe 2 entwirft eine Erzählung aus der Sicht eines Israeliten, der wegschickt wurde.

Gruppe 3 entwirft eine Erzählung aus der Sicht eines geflohenen Midianiters.

Gruppe 4 überlegt, wie die Geschichte auf Menschen wirkt, die unterdrückt werden (Impuls 4).

Gruppe 5 überlegt, wie die Geschichte auf Unterdrücker wirkt (Impuls 4).

Gruppe 6 gestaltet aus der Gideongeschichte ein Hörspiel (Impuls 5).

■ Mögliche Schlusssituation

- Im UG wird der Lobgesang der Maria im Blick auf das Thema „Kriege im Namen Gottes" erörtert. (Impuls 6).

3. Lernkarten

45 Was geschah nach den Vorstellungen der alten Ägypter mit den Menschen nach dem Tod?
46 Wie wird in der Geschichte vom brennenden Dornbusch der Name Gottes gedeutet?
47 Was bedeutet der Bund Gottes mit seinem Volk?
48 Welche Bedeutung haben Kriege in der Frühzeit des Volkes Israel?

4. Empfohlene Literatur und Medien

Brandenberg, Aliki, Mumien. Kulturgeschichte für Kinder, 1981 (Carlsen). *Dieses für Sch. gut geeignete Buch zeigt in bunten, den altägyptischen Malereien nachempfundenen Bildern und kurzen verständlichen Texten den Vorgang der Mumifizierung und Bestattung im alten Ägypten.*

Donner, Herbert, Geschichte des Volkes Israel und seiner Nachbarn in Grundzügen; Göttingen 1987 (Vandenhoeck & Ruprecht).

Ebach, Jürgen, Das Erbe der Gewalt. Eine biblische Realität und ihre Wirkungsgeschichte, GTB 378, Gütersloh 1980 (Gütersloher).

Hertzberg, Hans Wilhelm, Die Bücher Josua, Richter, Ruth, Das Alte Testament Deutsch, Bd. 9, Göttingen 2. Aufl. 1959 (Vandenhoeck & Ruprecht).

Hoffmann, Ginette/Sethus, Michel, Zur Zeit der Pharaonen, Fellbach 1990. *Kurz gefasstes Bilderbuch für Kinder zur Einführung in die altägyptische Kultur- und Religionsgeschichte.*

Laubi, Werner, Geschichten zur Bibel, Bd.4: Mose, Mirjam, Aaron, Lahr/Zürich 1994 (Kaufmann/CVK).

Noth, Martin, Das zweite Buch Mose, Das Alte Testament Deutsch, Bd. 5, Göttingen 1984 (Vandenhoeck & Ruprecht).

Metzger, Martin, Grundriss der Geschichte Israels, Neukirchen 10. Aufl. 1998 (Neukirchener).

von Rad, Gerhard, Theologie des Alten Testaments Band I. Die Theologie der geschichtlichen Überlieferungen Israels, München 1961 (Chr. Kaiser).

Sen-nefer, Die Grabkammer des Bürgermeisters von Theben, Katalog zu einer Ausstellung im Römisch-Germanischen Museum in Köln, Mainz 1986 (Verlag Philipp von Zabern). *Das für die Hand der Sch. geeignete Buch zeigt die Ausmalung des Grabes des Sennefer, in dem die Begräbnisriten der Ägypter dargestellt sind.*

Videofilm „Begegnung mit der Bibel", Teil 2: Exodus: Auszug aus der Sklaverei, Spieldauer 17'30", Stuttgart 1993 (Deutsche Bibelgesellschaft [Best. Nr. 6161] mit Begleitheft [ISBN 3-438-06261-5 bzw. -9]). *In den Spielfilm sind Szenen aus der heutigen Zeit (Sederfeier) eingeblendet. Der Film erzählt anschaulich und zugleich zurückhaltend die Geschichte vom Auszug. Das Begleitheft enthält gute Materialien, u. a. ein Arbeitsblatt zur Sederfeier und einen Ablauf der Sederfeier in gekürzter Form.*

Internet:
Zu Sen-nefer und insgesamt zu Ägypten finden sich im Internet zahlreiche interessante, teils reich bebilderte Beiträge. Hingewiesen sei auf folgende Adressen:
www.sennefer.de (Sennefer-Homepage)
www.chj.de/MyPictures/001_thumbs42-1.htm
www.semataui.de/home.htm *Bietet reichhaltiges Bild- und Textmaterial zu Ägypten als Wiege der Zivilisation.*

5. Materialien

M 47 Die Siedlungsgebiete der einzelnen Stämme in Kanaan
M 48 Dank an den Nil
M 49 Bekenntnis des Verstorbenen vor den Totenrichtern in Altägypten
M 50 Mose-Fahndungsplakat
M 51 Mose begegnet Gott am brennenden Dornbusch
M 52 Arbeitsblatt: Mose am brennenden Dornbusch
M 53 Puzzle: Mose am brennenden Dornbusch
M 54 Lösung: Mose am brennenden Dornbusch

Du hörst mein Weinen

1. Zielsetzung, Aufbau und Kompetenzen

Die dritte Einheit innerhalb des Großkapitels „Gott ist für uns da" führt die zentralen Inhalte von „Unterwegs im Vertrauen" und von „Unterwegs in die Freiheit" weiter. Ging es dort um das „segnende" bzw. „rettende" Handeln Gottes und um die Antwort der Menschen, so geht es in den Psalmen, die hier im Mittelpunkt stehen, vor allem um „Gebrauchstexte" (Baldermann), in denen Menschen ihre elementaren Erfahrungen ausdrücken. Im Rahmen des Unterrichts spielt die Frage nach dem ursprünglichen „Sitz im Leben" der Psalmen keine zentrale Rolle. Das soll nicht ausschließen, dass im Unterricht mit einer interessierten Klasse einzelne Psalmengattungen untersucht werden, um erfahrbar zu machen, dass einzelne Psalmen ursprünglich bestimmten Gottesdienstformen, bestimmten Anlässen (z. B. Sieg oder Niederlage), Einzel- oder Gruppensituationen, Situationen der Klage oder des Dankes usw. zuzuordnen sind. Wichtig bleibt auf jeden Fall, dass jeder Psalm seine eigene „Geschichte" hat. Für die Gegenwart, vor allem für die Schulsituation, geht es darum, dass in den Psalmen elementare Erfahrungen (Wut, Verfolgung, Angst, Krankheit – Rettung, Freude, Liebe) niedergeschrieben wurden und wir uns heute darin wiederfinden können, so wie dies für viele Menschen durch die Jahrhunderte gegolten hat.
In der Entstehungszeit der Psalmen war elementares, existenzielles Leben in der Tiefe immer auf Gott (oder die Götter) bezogen. Anders konnten Menschen ihre Erfahrungen nicht beschreiben. Im 21. Jahrhundert ist dagegen der Aspekt wichtig, dass Menschen, zumindest zunächst, ihre Erfahrungen von Leiden und Rettung, Not und Freude auch ohne religiösen Bezug erleben können. Das muss auch für den Unterricht gelten. Nichts wird für ein tieferes Verstehen und eine bleibende Nachhaltigkeit des Unterrichts schädlicher sein als ein Ergebnis-Fetischismus, in dem Sch. dazu überredet werden, ihre Erfahrungen – zumal wenn sie so viel Vertrauen haben, diese anzusprechen – mit einem Reden von Gott zu verbinden, sofern sie denn *nicht* in der Tiefe zustimmen.

Auf der anderen Seite bieten die Texte und Bilder des Kapitels die Möglichkeit für einen seelsorglichen Unterricht, in dem die Erfahrungen der Sch. im Mittelpunkt stehen. Und wie in einer guten therapeutischen Seelsorgesituation gilt auch hier, dass seelische Erfahrungen nicht von außen bewertet werden dürfen. Die unterrichtlichen Angebote des Kursbuches haben ihre eigene Dynamik; L. muss - gemeinsam mit der Klasse - für einen geschützten Raum sorgen, in dem Begegnungen und neue Erfahrungen möglich sind.

■ **Welche Lernchancen werden angeboten?**
Als Lernchancen lassen sich die folgenden „Annäherungen" nennen:
Die Sch. sehen, wie in den Psalmen existenzielle Grunderfahrungen höchster Intensität „beschrieben" (z.T. hinausgeschrien!) werden.
Sie können damit experimentieren, ob sie sich in den Formulierungen biblischer Texte wiederfinden.
Sie können im meditativen Verstehen der Psalmenverse und künstlerischen Werke versuchen, Formen gegenwärtiger Spiritualität zu erahnen.
Sie können, wenn sie so ihre eigenen Erfahrungen formulieren, möglicherweise biblische Inhalte in ihre eigene Biographie aufnehmen, weil sie damit sich selbst besser verstehen und annehmen lernen.
Die Sch. sollen ferner metaphorische Aussagen verstehen und eigenständig bilden können.

Das Kapitel bietet sechs Schritte an, die von einzelnen Äußerungen und metaphorischen Aussagen (Klagewort und Vertrauensworte) zu einem ganzen Psalm (Klagepsalm, Lob- und Dankpsalm) voranschreiten und dann Möglichkeiten eröffnen, eigene Erfahrungen sprachlich und gestisch zum Ausdruck zu bringen.

Die *Bildkonzeption* ist auf den ersten Blick uneinheitlich. Alle Bilder wollen jedoch dazu anregen, Gefühle und Erlebtes zum Ausdruck zu bringen: Es handelt sich um „Ausdrucks-Bilder".

Es ist davon auszugehen, dass in der Grundschule Psalmenworte und ganze Psalmen schon bearbeitet worden sind. Klage- und Vertrauensworte sind also durchaus bekannt. Hier wird bewusst über die Grundschule hinausgegangen, indem besonderer Wert auf metaphorische Aussagen und auf die Struktur von Psalmen gelegt wird. Als Lernstandsdiagnose bietet sich Psalm 23 an (KB S. 109). Die Sch. wiederholen diesen Psalm und berichten von der Auseinandersetzung mit anderen Psalmen. Ist Gott ein Hirte bzw. wie ein Hirte?

Leitmedium könnte der eigene Körper und die eigenen Hände (vgl. KB S. 68) sein, die auch in diesem Kapitel immer wieder vorkommen (vgl. KB S. 104, 105, 107 aber auch in vielen Bildern des Buches entdeckt werden können (z.B. KB S. 89, 98, 109, 212). Zu jedem Psalmwort und zu jedem Psalmabschnitt kann die entsprechende Körper- und Handhaltung gesucht werden.

Das Kapitel bietet vielfache Möglichkeiten zur *Wiederholung*. Metaphorische Sprache begegnet auch bei den Gleichnissen (KB S. 130–135). Die Psalmen haben auch Bezug zum Bibelkapitel (KB S. 138–157) und erlauben die Wiederholung des Aufbaus der Bibel (KB S. 140). Die metaphorischen Aussagen zu Gott (KB S. 103) weisen hin auf das Thema Gottesbilder (KB S. 108–113). Die Klageworte und der Klagepsalm lassen sich mit Ps 51 vergleichen und eröffnen einen Blick in die Geschichte von David (KB S. 83). Die Auseinandersetzung mit Psalm 104 erlaubt die Rekapitulation des Schöpfungskapitels (KB S. 38–47) und den Vergleich mit dem Psalm von Ernesto Cardenal (KB S. 47). Die Krankengeschichte auf KB S. 106 ermöglicht die Wiederholung von „Kinder hier" (KB S. 18f.) Passen das Bild und der Text von S. 19 zu dem Bild S. 106?
Die beiden Bilder aus der jüdischen Tradition (KB S. 104/105) weisen hin auf das Thema Judentum (KB S 190–197). Wie passt das Vaterunser zu dem Sch'ma (KB S. 197) und zu dem Gebet Mohammeds (KB S 203)? Das Vaterunser lässt sich mit den Gleichnissen Jesu verbinden (KB S. 130–135). Welches Gleichnis passt zu welcher Bitte? Psalm 22 begegnet wieder bei der Kreuzigung (KB S. 128) und ermöglicht, den Lebensweg Jesu zu wiederholen.

2. Didaktisch-methodische Hinweise

KB S. 102 Klageworte: Worte der Angst

Im Gegenzug zu der Einteilung der Psalmen in eine Vielzahl von Gattungen, Zuordnungen und Gruppierungen hat Claus Westermann die Psalmen von den beiden bestimmenden *gegensätzlichen Grundgattungen (Klage und Lob)* her verstanden. Ingo Baldermann hat in seinem bahnbrechenden Buch „Wer hört mein Weinen? Kinder entdecken sich selbst in den Psalmen" diese Grundeinteilung aufgenommen. Im Unterrichtsgeschehen mit Grundschülern hat er seine Absicht, Kindern, Schülern, Studenten und Lehrern einen „selbständigen Zugang zur Bibel zu erschließen", exemplarisch verifizieren und dokumentieren können. Für L., die sich mit Sch. intensiv und sensibel zugleich an die Arbeit mit Psalmen heranwagen, ist die Lektüre von Baldermann höchst empfehlenswert. Man findet dort eine Vielzahl von Überlegungen, Erfahrungen und Unterrichtsprotokollen, die zeigen, welche Möglichkeiten sich gerade in der Behandlung von Psalmversen eröffnen: Sch. erleben über Psalmen einen direkten Zugang zu eigenen Wahrnehmungen, die sie ihrerseits gleichberechtigt einbringen können.
Eine wichtige Vorüberlegung für L. ist auch die Klärung der Begriffe „Klage" und „Lob". Das Wort „Klage" hat in der Gegenwart, vor allem auch im psychologischen Bereich, einen negativen Klang: Der Klagende gilt als jemand, der sich beklagt, seinen Jammer, seine Opfersituation stereotyp und wortreich schildert, andere dazu aufruft, etwas für ihn zu tun - aber im Grunde selbst resignativ nichts ändern will, solange die Klage als tönende Waffe immer wieder Erfolg hat. Im Unterschied dazu enthält „Klage" in den Psalmen immer Protest, Aufbegehren, Kontaktaufnahme, Rückgriff auf gute Erfahrungen, dynamische Auseinandersetzung, Lebenswille und Ausbruch aus Depression und Resignation. Klage ist somit eine dynamische Kraft, die aus der Starre ins Leben zurückführen kann.

Zum Bild von Mark Rothko, Ohne Titel (1968)
Mark Rothko (1903–1970) ist einer der wichtigsten Künstler des letzten Jahrhunderts. In seinem Werk sind Dunkelheit und Licht als Gegensätze immer sichtbar. Es ist nicht eindeutig, ob in der äußersten Dunkelheit bei Rothko sich dessen latente Depression ausdrückt oder ob diese Dunkelheit einfach ein Aufschrei gegen Verletzungen ist. Auch kann sich in Dunkelheit und Licht jene

Ambivalenz ausdrücken, die wir schon in den Psalmen finden: Angst vor Einsamkeit und „Tod unter den Lebenden", weil die Einsamkeit vom Leben trennt. Lässt man diese Möglichkeit der Deutung zu, dann stellt sich auch die Frage nach Rothkos Suizid (1970), zumal er seinem Bekanntenkreis immer wieder die Frage stellte, wie man seine dunklen Bilder empfinde. Dennoch ist festzuhalten: Weil die Bilder von Mark Rothko „Seelen- und Meditationsbilder" sind, ist es besonders bei den „dunklen Bildern" wichtig, sie nicht zu reduzieren auf die Symbolik von Tod, Trauer und Leid. Durch das Hinführen in die geheimnisvolle Tiefe der Dunkelheit entsteht die Möglichkeit, sich selbst zu begegnen, vergessene oder verborgene Gefühle zu erwecken und zuzulassen – bis das Dunkle möglicherweise Licht wird.

■ Mögliche Eingangssituationen

- Die Sch. betrachten einzeln und in der Stille das Bild von Rothko. Viel Zeit lassen – Ruhe garantieren! Anschließend können die Sch. ihre Assoziationen äußern über das, was möglicherweise in diesem Bild über die Seele des Künstlers ausgesagt wird (oder was der Künstler aussagen will).
- Die Sch. wählen aus den abgedruckten Psalmversen einen ihrer Meinung nach zum Bild passenden Vers aus (Impuls 2).

■ Erschließungsmöglichkeiten

- Jeder Sch. wählt ein Psalmwort von KB S. 102 aus; das ihn besonders anspricht. Die Psalmworte können durch weitere Klageworte aus den Psalmen ergänzt werden: Ps 13,3; 25,16.17; 31,12; 31,13.14; 35,11; 69,9. L. kann die Psalmworte je auf einen Kartonstreifen schreiben und die Sch. auswählen lassen.
- Je nach Bereitschaft der Sch. kann folgendermaßen vorgegangen werden: 1. Was hat der Mensch wohl erlebt, der so etwas schreibt? 2. Hast du Ähnliches schon beobachtet oder selbst erlebt? 3. Ist es hilfreich, solche Erfahrungen auszusprechen? Was kann damit evtl. bewirkt werden? Besonders sensibel muss mit den Versen umgegangen werden, in denen der Klagende Gott selbst beschuldigt, ihm das „Leben" unter den Lebenden wegzunehmen (z. B. Ps. 88,7). 4. Eigene Klageworte formulieren. Die Formulierung eigener „Worte der Angst", „Worte der Isolation", „Worte der Auslieferung", „Worte der Sehnsucht" ist möglich, wenn die Sch. dazu bereit sind. Hier kann L. dazu einladen, indem er z. B. selbst echt-authentisch erzählt, welche Erfahrungen der Angst er gemacht hat. Auf jeden Fall ist ein hohes Maß an Vertrauen notwendig – dies wird im Unterricht noch vergrößert, wenn echte Worte formuliert werden.

■ Mögliche Schlusssituationen

- Die Angst, die Bedrohung, die Einsamkeit, die ausgedörrte Kehle usw. kann pantomimisch (also möglichst ohne Worte!) dargestellt werden.
- Eigene Klageworte „erfinden" (s.o.).
- Zu einem ausgewählten Psalmwort ein eigenes „Seelenbild" zeichnen (Impuls 1).

KB S. 103 Vertrauensworte: Worte gegen die Angst

Zum Bild von Mark Rothko, Nr. 12 (1954)

Licht und Farbe ziehen den Betrachter gleichsam in das Bild hinein. Ein Gefühl des Wohlseins, der Ruhe und Wärme entsteht. Man kann z. B. an das Licht der Abenddämmerung denken, das Vertrauen auf den morgigen Sonnenaufgang entstehen lässt.

Das Bild ist *einerseits* in seinem Gegensatz zum Bild KB S. 102 zu verstehen. Das gilt auch dann, wenn das Bild S. 102 14 Jahre später entstand. Bilder, die die Dunkelheit ausdrücken, sollen bei Rothko verhindern, dass die hellen Bilder nur als „schöne Dekoration" verstanden werden. Für Rothko lebt der Mensch immer zwischen Angst und Hoffnung, zwischen Einsamkeit und Kontakt, zwischen Schmerz und Zuwendung. Deshalb sind die beiden Seiten in den beiden Bildern präsent.

Andererseits ist die warme Atmosphäre der Geborgenheit und Umhüllung, die ruhige lebendige Zuversicht auf das innere und äußere Leben etwas zutiefst Berührendes. Wenn beim meditativen Betrachten des Bildes sich diese Ruhe Raum verschaffen könnte, wäre dies ein tiefes Erlebnis.

Das Verhältnis von Angst und Vertrauen, Worten der Verzweiflung und Worten des Vertrauens ist komplex und dennoch eindeutig. Einerseits gehen den Vertrauensworten (Worte gegen die Angst und die Not) Situationen der Bedrohung, der Hilflosigkeit, der Todesnähe (vgl. LHB zu Psalm 22, KB S. 104) *voraus*: Die Vertrauensworte (Worte gegen das Verlorensein) sind *Antwort* auf die erlebte Not, setzen also die existenzielle Bedrohung voraus. Die Angst ist zunächst einmal in der Tiefe gegenwärtig. Im Unterricht ist dies aus theologischen und psychologischen Gründen strikt zu beachten. Nur wer die Not und die Klage ernst nimmt als unmittelbare Bedrohung (sowohl in den Psalmen als auch in den Erfahrungen der Kinder), kann auch darauf hoffen, dass die Begegnung mit dem Vertrauen hilfreich ist. Wie kann das Vertrauenswort jedoch dieser Bedrohung standhalten, ja neuen Lebensmut und Zuversicht ermöglichen? Die Situation der Angst ist nicht der Augenblick von schnellem Trost oder die Stunde des raschen Wechsels. Aber: In der Situation der Bedrohung hilft der Rückgriff auf die Erfahrungen von Zuverlässigkeit und Gewissheit. Hier sprechen die Psalmen etwas aus, was theologisch und psychologisch unaufgebbar ist: Wir Menschen leben von der erfahrenen und aufgenommenen, bzw. geschätzten Zuwendung, die Vertrauen in das Leben ermöglicht. Diese Vertrauensgrundlage (z. B. gegenüber den Eltern) kann natürlich bedroht werden, aber sie kann sich auch in Krisen (z. B. Ehescheidung) neu bewähren, indem erfahren wird, dass das Vertrauen erhalten und verstärkt werden kann.

Die Fragen bleiben zunächst offen: Was geschieht, wenn es gegenüber der Bedrohung keine Erfahrungen der Geborgenheit und Zuverlässigkeit gibt? Wenn das emotionale Urvertrauen fehlt oder bei Sch. das Misstrauen stärker ist als das Vertrauen? Im Unterricht kann genau diese Fragestellung eine dynamische Intensität erhalten. Über die Dialektik der Psalmen können die Sch. ihre eigenen Erfahrungen verdeutlichen: Was hilft im Angesicht der Bedrohung? Auf was kann ich zurückgreifen? Und insofern wird deutlich, dass wir Menschen, um der Verzweiflung standzuhalten, Erfahrungen des Vertrauens brauchen, die innerlich und äußerlich der Not vorausgehen. In Israel geht die Erfahrung des „Segens" und der „Rettung" der gegenwärtigen Bedrohung voraus. Und im Mittelpunkt der reformatorischen Theologie steht die Rechtfertigungserfahrung ohne unser Tun, also das Ja Gottes zu uns vom Mutterleib an (vgl. dazu LHB zu KB S. 164 Kindertaufe).

Es wird im Unterricht darum gehen, all diese Erfahrungen, sei es in den Psalmversen, sei es im Bereich der Sch.-Erfahrungen sehr ernst zu nehmen. Im Geschehen des Ernstnehmens wird von den Sch. irgendwann die Frage nach Gott gestellt werden.

In dieser Situation ist es wichtig, dass L. ehrlicherweise darauf hinweist: Die Psalmbeter konnten ihre Erfahrungen mit Angst und Vertrauen gar nicht anders als im *Ringen* mit Gott darstellen. Welche Hilfe ist es für uns, von Gott zu reden? Was bedeutet es für uns, davon zu reden, dass Gott mir das Leben geschenkt hat, mich begleitet, mir neue Chancen gibt, mich nicht in der Verzweiflung versinken lässt, mir Freude und Liebe ermöglicht – auch in Zeiten der Angst?

■ Mögliche Eingangssituation

• Die Sch. betrachten einzeln das Bild Nr. 12 von Mark Rothko und versuchen, ihre Empfindungen zu formulieren. Sie ordnen dem Bild ein Vertrauenswort zu (Impuls 1). In einem zweiten Schritt versuchen sie ihre Empfindungen über die Ambivalenz der beiden Bilder von Rothko (KB S. 102/103) auszudrücken. Als wichtiger Schritt ist hier das Malen von Dunkelheit und Licht, also Merkmalen der seelischen Empfindungen, anzusehen. Ob das in echter Weise in der Klasse möglich ist, muss überlegt werden.

■ Erschließungsmöglichkeiten

• Aus einer großen Zahl von Vertrauensworten, die auf Kärtchen vorliegen (oder von den Sch. angefertigt werden) suchen die einzelnen Sch. ein Wort heraus, das sie besonders anspricht. Die Worte in KB S. 103 können durch folgende Psalmverse ergänzt werden: Ps 13,6; 16,8; 16,11; 18,47; 23,4; 27,1; 30,2; 30,4; 30,12; 31,8; 40,3; 46,2; 63,8; 63,9; 118,29; 121,3; 139,5.
• Die Sch. können sich paarweise, in Gruppen oder auch in der Klasse zu ihrem Vertrauenswort äußern: Was zieht mich bei diesem Wort besonders an? Sie können dazu ein Bild malen (Impuls 2).
• Impuls 3: Die Zuordnung vom Vertrauenswort und Worten der Klage bzw. Angst eröffnet die Möglichkeit, dass die Sch. besser verstehen, wie Erfahrungen der Not und Erfahrungen des Vertrauens zusammengehören.
Je elementarer im Unterricht die Psalmverse in ihrer bildhaften Dynamik erlebt werden (z.B. auch über pantomimische Darstellung der bildhaften Vergleiche für Gott), desto mehr bedeutsame und nachhaltige Bemühungen ergeben sich mit der Frage nach dem, was wirklich wichtig ist.
• Die Gottesbilder heraussuchen und überlegen, ob sie alle zusammenpassen. Gemeinsam Lied KB S. 108 singen, mit den dortigen Bildern vergleichen und eigene Verse bilden.

■ Mögliche Schlusssituationen

• Die Sch. versuchen (zunächst für sich persönlich) zu formulieren, wie Vertrauen entstehen kann, wo sie das erlebt haben und wie Vertrauen ihnen geholfen hat. Gibt es für sie Vertrauenserfahrungen, die sie mit Gott in Verbindung bringen?
• Je nach Situation der Klasse können die Sch. die Frage erörtern, was beim Beten geschieht (Impuls 5).
• Zu einem Vertrauenswort ein eigenes „Seelenbild“ malen (Impuls 2).

KB S. 104 Psalm 22: Ein Klagegebet

Zum Bild von Marc Chagall, Die weiße Kreuzigung (1938?)
Das Bild „Die weiße Kreuzigung“ wird beherrscht von dem Gegensatz, der in der Farbe Weiß erlebt werden kann. Einerseits ist der Grundton Weiß, der als Hintergrund für das ganze Bild dient, so etwas wie gefrorene Kälte, die alle anderen Gefühle vereisen lässt – andererseits ist der breite weiße Lichtstrahl, der den gekreuzigten Christus „trägt“, ein Symbol für die Gegenwart Gottes in einer Welt der Gottesferne.
Auf der linken Seite erscheinen Symbole für die Pogrome gegen Juden im sowjetischen Machtbereich. Sowjetische Soldaten erobern ein Dorf, das (die Häuser stehen auf dem Kopf) abbrennt; Flüchtlinge in einem Boot versuchen sich zu retten. Weiter oben im Bild drei jüdische Männer und eine Frau, die sich ebenfalls entsetzt abwenden. Unten links, neben dem sechsarmigen Leuchter, der sein warmes Licht in der Verlängerung des weißen breiten Lichtstrahls zeigt, ist ein schreiender Jude, der die „Torarolle“ in den Armen hält. Sein nach rückwärts gerichteter Blick sieht die brennende Synagoge im oberen rechten Bildteil. Vor der brennenden Synagoge ein marschierender SA-Mann mit blutroten Händen. Rechts unten wieder ein fliehender Mann im grünen Mantel. Das Entsetzen über die unvorstellbaren Verbrechen zeigt sich auch bei einem weinenden Mann (ganz links unten) und bei einer Mutter, die ihr Kind beschützend hält (rechts neben dem Leuchter). Der Rauch einer brennenden Torarolle weht über das Bild – und wird eigenartigerweise von dem breiten Lichtstrahl, der von oben in das Bild einfällt, aufgefangen. Der leidende Jesus, der ganz als Jude (Überschrift INRI; mit jüdischem Gebetsschal bekleidet) dargestellt ist, wird so gerade in der äußersten Not Mitleidender für Verfolgte, Flüchtende, Weinende. In der äußersten Verlassenheit der Menschen ist Jesus so in der Mitte als Mit-Leidender, Mit-Verfolgter und Mit-Getöteter.
Und in dieser unmenschlichen Todesnähe zeigt sich, so meint es wohl Marc Chagall, gleichzeitig, dass Gott in dieser Welt bleibt und sie, entgegen allem Anschein, trägt und erhellt.

Bei der Behandlung des 22. Psalms wird es im Unterricht einerseits darum gehen, die Struktur eines Klagepsalms zu verstehen. In den Klagepsalmen finden sich mehrere Teile: Anrede, Schilderung der Not, Vertrauensworte, Bitte, Lob und Dank, wobei z.B. auch Vertrauensworte und Bitte in umgekehrter Reihenfolge vorkommen können. Genauso wie bei dem Bild von Marc Chagall wird es aber darauf ankommen, den Text nicht primär historisch zu verstehen, sondern als „Vorlage“ zum Gebrauch, d.h. als Angebot, in den Texten eigene Situationen, Gefühle, Ängste und Träume wiederzufinden und darin Anregungen zur eigenen Gestaltung und zum eigenen Verstehen zu erhalten. Wenn die Struktur der Klagepsalmen auf drei Teile reduziert wird, dann stellt sich diese Struktur so dar:
1. Klage: Ich bin in größter Not.
2. Hilferuf: Hilf mir! – Ich vertraue dir, weil du immer für mich da warst.
3. Dank: Du bist mein Retter; ich will dich rühmen.

■ Mögliche Eingangssituation

• Die Sch. entdecken die verschiedenen Elemente des Chagall-Bildes – Farbseite **M 55** auf Folie kopieren und einbeziehen. Hilfreich ist hier „Werkstatt Religion: Bilder betrachten“, KB S. 114f.

■ Erschließungsmöglichkeiten

• Die Sch. können einzeln oder in PA herausfinden, welche verschiedenen Teile (Klage, Vertrauensworte, Bitte, Lob) der Psalm enthält (Impuls 3).
Eine gute Möglichkeit ergibt sich, wenn jeder Sch. den kopierten Text vor sich hat und ihn, mit Hilfe von Schere und Klebe-

stift, selbst auf verschiedene Weise an- und zuordnen kann. Die einzelnen Teile können farblich gekennzeichnet werden (Impuls 2).
• Der ganze Psalm kann sprachlich inszeniert werden, indem die Verse auf verschiedene Personen verteilt und unterschiedlich betont werden. Nach dem Probieren einzelner Verse wird der ganze Psalm zum Klingen gebracht.
• Den Verlauf des Psalms in einer Fieberkurve darstellen.
• Die ungewöhnlich starken Bilder des Psalms können entweder pantomimisch und/oder sprachlich dargestellt werden. Für die Pantomime spricht die starke Körperbetonung des Psalms. Wenn es gelingt, eine gewisse Offenheit in der Klasse herzustellen, dann ist es möglich, dass die Klasse in Gruppen eingeteilt wird und jede Gruppe einen wichtigen Teil des Psalms als pantomimisches Standbild darstellt. Die anderen Sch. schauen in Ruhe zu. Ehe das jeweilige Standbild „erstellt" wird, liest jemand die jeweiligen Verse des Psalms vor.
• Psalm und Bild miteinander verbinden: In eine vergrößerte Kopie (vgl. M 55) tragen die Sch. in EA oder PA für jede Person (und evtl. auch für die Symbole) einen Satz (Vers) ein. Flucht, Vertreibung, Tränen können so tief nachempfunden werden.
• Die Sch. sind möglicherweise bereit, eigene Empfindungen über Bilder noch mehr zu spüren als über Worte. Wenn dies der Fall sein sollte, ist es empfehlenswert, dass die Sch. zu einer selbst gewählten Metapher ein Bild malen.

■ Mögliche Schlusssituationen

• Der Umschlag im Klagepsalm entsteht durch den Rückgriff auf das Vertrauen (Gott hat mir/Israel immer geholfen) und die anstürmende Bitte an Gott, zu seinen Zusagen zu stehen (vgl. dazu KB S. 93 mit den Ausführungen im LHB zu Abrahams Ringen mit Gott für Sodom). Die Klasse überlegt gemeinsam, ob und wie es eine Vertrauensgrundlage geben kann, die in der Not hilft.
• Die Sch. gestalten mit den Strukturmerkmalen des Klagepsalmes einen eigenen Klagepsalm (Impulse 3 + 4). Evtl. diesen Schritt bei KB S. 106 oder KB S. 19 durchführen.

KB S. 105 Psalm 104: Ein Lob- und Danklied

Zu Alfred Finsterer, Ist jemand guten Mutes ...
Das Bild kann bei den Sch. vor allem Staunen hervorrufen: Kann man wirklich bei einem Gottesdienst mit einem Psalmenbuch in der Hand so losgelöst tanzen und singen? Die Überschrift „Ein Lob- und Danklied" ist für die Menschen der Gegenwart und vor allem für Sch. schwierig zu verstehen, ja lädt ähnlich wie der Begriff „Klage" (vgl. oben zu KB S. 102) zum Missverständnis ein. Das Wort „Lob" hat in unserem Kontext ein Gefälle von „oben nach unten" (ein L. „lobt" einen Sch. – evtl. gönnerhaft überlegen und manipulativ überlegend – für eine erbrachte Leistung). Was uns in den Psalmen als „Lob" begegnet, ist viel umfassender, existenzieller, emotionaler, tiefgreifender: „Loben" in den Psalmen umfasst die ganze Bandbreite vom Jodeln, Jubeln, Segnen, Lebensfreude, Faszination, Liebe zum Leben, Dankbarkeit für das Geschenk des Lebens. „Loben" ist insofern nicht geplant, nicht berechnend, nicht manipulierend, nicht immer konstant, sondern unwiderstehlich spontan. Natürlich gibt es in der Freude über den Schöpfer Gott auch das Element der *„Beschreibung"*. Dieses Element des Beschreibens dient als Begründung für das elementare Jubeln (vgl. den ganzen Psalm 104).

Auch hier erhebt sich wieder die Frage, wie unsere Sch. den Zugang zu den Texten finden. Das alte Weltbild, die Beschreibung der Tierwelt, ja die einfachsten Naturvorgänge (Saat, Ernte, der Weg des Korns zum Brot, die Vorstellung einer weisen Ordnung der Natur usw.) scheinen den Sch. fremd geworden. Obwohl ihnen in der Regel die primären Erfahrungen und die emotionalen Zugänge zum biologischen Ablauf der Naturvorgänge zu fehlen scheinen, sind erfahrungsgemäß diese Zugänge durch Lerngänge und durch Rückgriff auf ihre Erfahrungen mit Haustieren und Gärten leicht zu vermitteln. Wichtig ist hier die theologische Sicht, dass Leben (Mensch, Tier, Pflanze, Bach etc.) etwas Wunderbares, Unerklärliches ist und dass Leben nur dann sich entfalten kann, wenn es dankbar angenommen wird. Ein wesentliches Moment ist ferner, dass diese Dankbarkeit und das Staunen über so etwas Wunderbares wie ein neu geborenes Kind (oder einen fließenden Bach, eine aufgehende Sonne usw.) in den Jubel übergehen können. Es ist daher wichtig, zuerst emotionale, primäre Zugänge zur Schöpfung zu ermöglichen. Gelingt dies, wird es möglich sein, dass Sch. über das Staunen zum Jubel finden und möglicherweise verstehen, warum Menschen Gott als den benennen, dem sie jubelnd und liebevoll danken.

■ Mögliche Anfangssituation

• Ein singender, tanzender Rabbiner im Gottesdienst? Die Sch. fühlen sich in die Haltung des Tanzenden ein und erzählen, wie sie ihre Freude ausdrücken (Impuls 1). Sie zeichnen das Bild ab oder erhalten eine Kopie und schreiben Worte der Freude dazu.
• Ein Lied finden, das zu dem Bild passt.

■ Erschließungsmöglichkeiten

• Erfahrungen sammeln: Es ist unerlässlich, bei irgendeinem Teil des Psalms vor der jetzt vorliegenden sprachlichen Form zu den primären Vorgängen zurückzugehen und diese erlebbar zu machen. Als Beispiele seien genannt:
– Gemeinsam Weizen säen, ernten, mahlen, Brot backen.
– Gemeinsam in der Frühe einen Sonnenaufgang erleben (mit Ruhe Vögel beobachten usw.)
– Eine Quelle in ihrem Verlauf begleiten. Beobachten, was sich am Ufer und im Wasser ereignet (möglichst mehrere Besuche bei der Quelle).
– Erleben, wie ein Tier zur Welt kommt.
– Gemeinsam ein Essen gestalten, zu dem alle kreativ etwas beitragen (möglichst nicht im Supermarkt holen).
• Die Sch. gestalten aus den Abschnitten des Psalms, die sie jeweils ansprechen, oder aus den Erfahrungen, die sie selbst gemacht haben (s.o.), Plakate, die zu einer Plakatwand zusammengefügt werden (Impuls 2).
• Den Psalm in verschiedene Abschnitte zerlegen und anschließend inszenieren mit Lied: „Du hast uns deine Welt geschenkt" (Impuls 3).

■ Mögliche Schlusssituation

• Gemeinsam *behutsam* darüber nachdenken, „was Leben erhält" (Gegensatz: „was Leben zerstört und verhindert"). Überlegen, was mich freut und an was Gott seine Freude hat. Und wann habe ich zum letzten Mal dankbar gejubelt? Vielleicht wird spürbar, dass zum Lob- und Danklied die Liebe zum Leben, die Verbundenheit mit dem Mitgeschöpf gehört. Auf Grund solcher Überlegungen können die Sch. ein eignes Loblied schreiben (Impuls 4). Dabei die Strukturmerkmale beachten.

KB S. 106 Endlich wieder zu Hause

Auf dieser Seite geht es darum, dass die Sch. eigene oder miterlebte Erfahrungen mit (schwerer) Krankheit schildern können. Didaktisch setzt die Seite also bei einer Situation an, die in Israel zum Klagepsalm geführt hat und die Menschen seit Jahrtausenden zum Nachsprechen der Klagepsalmen bewegt hat. In der Regel sind Sch. auch gerne bereit, ihre verschiedenen Empfindungen zu Bedrohungen (gerade Krankheit) zu schildern – wenn ein Mindestmaß an Vertrauen in der Klasse vorhanden ist. Sollte das nicht der Fall sein, dann ist diese Situation ein Anlass zum Nachdenken, zur „Klage" (mit Vertrauen und Bitte!) und zur Überlegung, ob der eigene Unterrichtsstil angemessen und hilfreich ist.
Der Text stammt aus dem Buch von Michael Klemm (Hg.): Tränen im Regenbogen. Dort ist die ganze Geschichte wiedergegeben, außerdem die beiden Fotos der Zwillingsschwestern Martina und Maren Niebuhr im Alter von elf und fünfzehn Jahren (Geschichte, S. 125–127; Kurzbiografie, S. 220; Fotos, S. 223; im Buch finden sich noch andere geeignete Briefe und Erzählungen). Über die Malerin des Bildes, Bianca Brost, ist dort auch einiges zu finden (S. 90, 209). In der Neuauflage des Buches (2003, 10. Auflage) finden sich Ergänzungen, die u.a. über medizinische Fortschritte bei der Behandlung von kranken Kindern berichten.

■ Mögliche Eingangssituationen

- Die Sch. erzählen ihre eigenen Erfahrungen mit bedrohlichen Krankheiten (persönlich, in der Familie, im Freundeskreis) und möglicherweise Tod. L. muss dabei sehr präsent und einfühlsam sein, weil möglicherweise viele intensive Gefühle aufbrechen (vgl. auch KB S. 19). Abschließend können sie die Frage klären, was Krankheit eigentlich ist.
- Die Sch. fantasieren eine Geschichte zu „Endlich wieder zu Hause".
- Klären, was Leukämie ist (Glossar einbeziehen).

■ Erschließungsmöglichkeiten

- Die Sch. lesen den Text im KB S. 106. L. kann aus dem Buch die ganze Geschichte vorlesen und den Sch. die beiden Fotos der Zwillingsschwestern Martina und Maren Niebuhr im Alter von elf und fünfzehn Jahren zeigen.
- Die Sch. versuchen, anhand des Bildes von Bianca deren Gefühle im Krankenhaus nachzufühlen: Tränen, Wolken, Sonne, Sterne und ein Regenbogen. Vielleicht spüren die Sch., dass uns in der Erzählung von Maren und im Bild von Bianca die gleichen elementaren Erfahrungen begegnen wie in den Psalmen. Hier bietet sich die Möglichkeit auch auf Symbole einzugehen (KB S. 208– 213).

■ Mögliche Schlusssituation

- Wenn die Klasse eine innere Bereitschaft zeigt, die Erfahrungen der beiden Mädchen (oder eigene Erfahrungen bzw. Erfahrungen aus dem Umkreis) mit Hilfe von Psalmversen zu umschreiben, ist dies eine gute Abschlussmöglichkeit.

KB S. 107 Jesus lehrt beten

Ohne Zweifel ist diese Seite nur mit großer Sensibilität zu behandeln. Die Sch. sollen hier nicht den Eindruck bekommen, als ob sie intime Lebensbereiche offen legen müssten. Ein Gebet ist – zumindest in unserem Kulturraum, im Unterschied etwa zum islamischen – zunächst nicht-öffentlich. Das ist evtl. auch eine Nachwirkung von Mt 6,5ff. Das mehr ritualisierte Gebet, einschließlich einer bestimmten Gebetshaltung (gefaltete Hände und stehend) im evangelischen Gottesdienst ist gewohnt und deshalb leichter nachvollziehbar.

■ Mögliche Eingangssituationen

- Die Sch. erörtern die Frage, wo ihnen schon Gebete und Gebetshaltungen begegnet sind. Zu erwartende Antworten sind z.B.: in Fernsehgottesdiensten, beim Tischgebet, Sonntagsgottesdienst, Reisen in fremde Länder.
- Die Sch. sprechen das Vaterunser mit unterschiedlichen Betonungen (Impuls 1).

■ Erschließungsmöglichkeiten

- Verschiedene Erfahrungen beim Betrachten von „betenden Menschen" und „eigenen Gebeten".
- Eine Heftseite zum Vaterunser gestalten (Impuls 2). Das Gebet auswendig lernen.
- Sollten einzelne Sch. dazu bereit sein, verschiedene Gebetshaltungen einzunehmen, ist dies ein großer Vertrauensbeweis für die anderen.
- Zu jeder Bitte eine Geschichte aus dem Leben Jesu finden (dabei kann das Kapitel „Gleichnisse" herangezogen werden).

■ Mögliche Schlusssituation

- Die Sch. haben die Möglichkeit, einzelne Bitten des Vaterunsers für sich als besonders wichtig herauszusuchen. Ob sie diese Wahl für sich begründen oder vor der Klasse erläutern, ist wieder freiwillig. Ein eigenes Gebet dazu formulieren zu lassen ist dann sinnvoll, wenn die Bereitschaft vorhanden ist. Dazu können die Sch. die einzelnen Bitten auf Textstreifen schreiben und dann die Bitte nach der Gewichtigkeit ordnen.

3. Lernkarten

49 Was ist eine Metapher?
50 Was ist das Wesentliche eines Gebets?
51 Schreibe je zwei Psalmworte der Angst und gegen die Angst auf, die zueinander passen.
52 In den christlichen Konfessionen und Religionen gibt es verschiedene Gebetsgesten. Nenne vier solcher Gesten und beschreibe, was sie ausdrücken.

4. Empfohlene Literatur und Medien

Baldermann, Ingo, Wer hört mein Weinen? Kinder entdecken sich selbst in den Psalmen, Neukirchen-Vluyn, 5. Aufl. 1995 (Neukirchener).

Klemm, Michael u.a. (Hg.), Tränen im Regenbogen. Phantastisches und Wirkliches – aufgeschrieben von Mädchen und Jungen der Kinderklinik Tübingen, Tübingen, 10. Aufl. 2003 (Attempto).

Kraus, Hans-Joachim, Psalmen, 2 Bände. Biblischer Kommentar 15,1–2, Neukirchen 6. Aufl. 1984 (Neukirchener).
Schröer, Henning, Artikel Psalmen/Psalmenbuch, in: TRE Bd. 27, 610–637, Berlin 1997 (de Gruyter).
Westermann, Claus, Ausgewählte Psalmen, Göttingen 1984 (Vandenhoeck & Ruprecht).

5. Materialien

M 55 Marc Chagall, Die weiße Kreuzigung (Farbseite)

Bilder von Gott

1. Zielsetzung, Aufbau und Kompetenzen

Offenkundig wachsen hierzulande Kinder nicht ohne Gottesbilder auf. Dies belegen vielfältige empirische Untersuchungen, z.B. von Anton Bucher (siehe 4. Literatur). Diese Gottesbilder sind durchaus individuell. Keines ähnelt dem anderen. Sie sind im Alter zwischen dem 7. und 12. Lebensjahr weitgehend anthropomorph (87 %), doch nicht-anthropomorphe Gottesbilder nehmen in diesem Alter zu. Bei den anthropomorphen Gottesbildern dominiert jedoch nicht der alte Mann, sondern der Mann in besten Jahren mit frischem Gesicht. Häufig sind Ähnlichkeiten mit der Jesusgestalt zu erkennen, wie sie in bebilderten Kinderbibeln begegnen. 9 % identifizieren Gott ausdrücklich mit Jesus. 17 % der Mädchen zeichnen ein weibliches Gottesbild (vgl. KB S. 111).
Bucher stellt in seiner Untersuchung fest, dass über 30 % der gemalten Gottesbilder der Zwölfjährigen nicht-anthropomorph sind. Helmut Hanisch weist darauf hin, dass die Entwicklung nicht-anthropomorpher Gottesbilder deutlich davon abhängt, ob es zu einer religiösen Begleitung und damit zu Vergleich, Gespräch und Anreicherung durch biblische Erzählungen kommt (Hanisch, Zeichnerische Entwicklung). Typische Merkmale des Gottesbildes sind der Bart und die Lokalisierung im Himmel. Die Bilder sind in der Regel freundlich (vgl. KB S. 111).
Unter den nicht-anthropomorphen Bildern dominiert die Lichtsymbolik, z.B. in Form konzentrischer Kreise (vgl. KB S. 108).
Mit dem Malen von Gottesbildern ist jedoch noch nichts über die Bedeutung Gottes im Leben der Kinder ausgesagt. Hier wird davon ausgegangen, dass in den Gottesbildern zentrale Elemente des Lebensgefühls und der Weltsicht zum Ausdruck kommen.
Gegen das Malen und das Ausmalen von kindlichen Gottesbildern wird häufig eingewandt, dass es im Dekalog untersagt sei, sich ein Bild von Gott zu machen (vgl. KB S. 112). Hier ist jedoch einzuwenden, dass gerade die Gottesbilder der Kinder es erlauben, mit ihnen persönlich über Gott zu sprechen und in einen Dialog über Gott und die Welt einzutreten. Es gilt geradezu die Produktion von Gottesvorstellungen zu fördern, um zu entdecken, was Kinder bewegt, tröstet und ängstigt.
Darüber hinaus ist jedoch gleichzeitig darauf hinzuweisen, dass die Bibel voller sprachlicher Bilder für Gott ist (vgl. KB S. 109, 211). Entscheidend im Sinne des Bilderverbotes ist also nicht der Verzicht auf Vorstellungen, sondern die Verabsolutierung eines Bildes als das einzig Wahre (vgl. KB S. 109). Religionsdidaktisch folgt daraus die Förderung unterschiedlicher Bilder und die dialogische Auseinandersetzung. Wie kommst du zu deinem Bild? Was hast du dir dazu überlegt?
Für den christlichen Glauben ist konstitutiv, dass alle Gottesbilder sich daran messen lassen müssen, ob sie der Offenbarung Gottes in Jesus Christus entsprechen (vgl. KB S. 113).

Das Kapitel „Bilder von Gott“ bietet sechs unterschiedliche Zugänge zur Gottesbildthematik, die nacheinander bearbeitet werden können. Jedes Mal zeigen sich Vernetzungen innerhalb des Kapitels und des ganzen Buches:
- KB S.108: erste Auseinandersetzung mit Gottesbildern (vgl. dazu den Gebrauch von Metaphern in Psalmen KB S. 102, 103 und die Verwendung der Lichtsymbolik KB S. 88, 89, 98).
- KB S. 109: Auseinandersetzung mit biblischen Gottesbildern (vgl. dazu KB S. 144/145, KB S. 213 aber auch KB S. 139 Symbol der Wolken. Der Schöpfer-Gott wird auf KB S. 39 dargestellt).
- KB S. 110: Gott als Mann und Vater (vgl. dazu das Gleichnis vom verlorenen Sohn KB S. 133 und das Vaterunser KB S. 107).
- KB S. 111: Gott als Frau und Mutter (vgl. dazu das Gleichnis von der verlorenen Münze KB S. 132).
- KB S. 112: das Bilderverbot (vgl. dazu Dekalog KB S. 130).
- KB S. 113: Jesus als das wahre Bild Gottes (vgl. dazu „Der Weg Jesu“ KB S. 124–129 oder das Symbol Brot KB S. 211).

■ Welche Lernchancen werden angeboten?
Die Sch. können hier die Fähigkeit erwerben, eigene Gottesbilder zu formulieren, mit anderen darüber zu sprechen und diese mit biblischen Gottesbildern zu vergleichen. Darüber hinaus können sie entdecken, dass man auf ganz verschiedene Weise von Gott sprechen und dabei auch symbolische Zeichen, wie z.B. Licht, Hand, Regenbogen oder Wolke verwenden kann. Gegenüber der Grundschule wird es darauf ankommen, die Vielfalt der Bilder von Gott als Reichtum und als Ausdruck ganz unterschiedlicher Erfahrungen mit Gott wahrzunehmen, von denen jedoch keines verabsolutiert werden darf. Darüber hinaus wird es darauf ankommen, Metaphern und symbolische Darstellungen als sinnvoll zu verstehen.

■ Nachhaltiges Lernen
Eine *Lernstandsdiagnose* könnte mit Kinderzeichnungen einsetzen (KB S. 108, 110, 111). Die Sch. zeichnen ihr Gottesbild möglichst groß auf ein DIN A 3-Blatt. Wichtig wird es sein herauszufinden, ob die Kinder ein solches Bild schon einmal gemalt haben, ob es sich geändert hat und welche Geschichten darin stecken. Die angebotenen Kinderbilder eignen sich zum Vergleich.
Ein anderer Ansatzpunkt liegt in dem Gespräch über elementare Fragen: Wie sieht Gott aus? Warum kann man Gott nicht sehen? Wie groß ist Gott? Gibt es überhaupt Gott? (vgl. Rainer Oberthür, Kinder und die großen Fragen, 1995) Ist Gott ein Mann oder eine Frau? Ist Gott streng oder lieb?
Möglich erscheint auch, in dem ganzen Buch „mein“ Bild von Gott zu finden.

Ein *informierender Unterrichtseinstieg* könnte mit mehreren Sprachbildern auf Textkarten operieren: Kuscheldecke, Hand, Regenbogen, Hirte, Vater, Mädchen, Wolke, Jesus Christus.

Nach dem Gespräch „Was gut zu Gott passt und warum“ wird darauf hingewiesen, dass alle Worte zu Gott passen können. Es gilt, gemeinsam herauszufinden, inwiefern.

Wer die Eigenaktivitäten und damit die *Selbststeuerung* der Sch. erhöhen will, kann die Bilder auf KB S. 39, 88, 89, 98, 108, 109, 110, 111, 113, 133, 152 anbieten. Die Sch. suchen aus, welches Bild am besten zu Gott passt, und formulieren dazu in GA Begründungen. Die Gruppen stellen dann ihr Bild vor.

Als *Leitmedium* bieten sich hier die Lieder an (KB S. 108, 110, 111, 98). Die Sch. entscheiden immer wieder, welches Lied sie diesmal singen bzw. hören wollen. Sinnvoll wäre es, ein Lied zu Psalm 23 zu ergänzen. Alternativ bietet sich ein Lernplakat an, in das nacheinander die Bilder von Gott aufgenommen werden. Dies kann auch eine DS im Heft sein.

Das Kapitel gibt vielfach Gelegenheit zu *Wiederholungen*, wie oben schon in der Vernetzung festgestellt wurde. Bezug nehmen lässt sich insbesondere auf die Psalmen, die Gleichnisse und die Symbole. Dort bieten sich umgekehrt Möglichkeiten an zur Wiederholung des Themas „Gottesbilder“.

Wie können die Sch. das Gelernte anwenden?
Eine Möglichkeit besteht darin, die oben genannten Sprachbilder wieder aufzugreifen und ihren Bezug zu Gott zu thematisieren. Interessant könnte sein, ein Telefongespräch mit Gott zu schreiben (vgl. Rainer Oberthür) oder die elementaren Fragen (s.o.) noch einmal aufzugreifen.

2. Didaktisch-methodische Hinweise

KB S. 108 Wie ist Gott?

Das Lied von Detlev Jöcker spielt mit verschiedenen Metaphern (Haus, Sonne, Lied, Schiff, Freund, Kuscheldecke), die aus der Lebenswelt der Kinder stammen. Sie können mit jenen aus den Vertrauensworten in den Psalmen (vgl. KB S. 103: Licht, Fels, Burg, Herr, Hirte, Licht, Schirm, Sonne, Schild) verglichen werden. Entscheidend wird sein, ob sie die hintergründige Kernaussage „Ich bin bei dir“ (vgl. KB S. 98) zum Ausdruck bringen.
Das mandalaförmige Sonnenbild stammt aus der Untersuchung von Anton Bucher unter sieben- bis zwölfjährigen Kindern und ist mit „Rosi“ unterschrieben. Gott wird hier als freundlich-wärmende, pulsierende Energie gedeutet, die Menschen umgeben kann.

■ Mögliche Eingangssituationen
- Lieder, in denen Gott vorkommt, mitbringen und eine Hitparade erstellen.
- Lied von Detlev Jöcker erlernen.
- Die drei Kinderbilder miteinander vergleichen (KB S. 108, 110, 111). Was sagen sie von Gott? Wie zeichne ich Gott? Darf ich Gott zeichnen?

■ Erschließungsmöglichkeiten
- Zu jeder Strophe des Liedes in Kleingruppenarbeit ein Gottesbild zeichnen und das schönste auswählen. Bedenken, was sie gemeinsam haben.
- Das Kinderbild deuten. Passt es irgendwie zu dem Lied? (Impuls 3)
- In PA weitere Verse bzw. Strophen dichten, evtl. Aufnahme von KB S. 103 (Impuls 2).
- Aus Liedtext und Bildern ein Plakat gestalten.

■ Mögliche Schlusssituationen
- Lied mit Ergänzungsversen singen (vgl. Impuls 2).
- Ein Liederbuch mit Liedern von Gott und Bildern anfertigen. Dieses kann vervielfältigt werden und von Sch. an Eltern, Paten und/oder Freunde verschenkt werden.

KB S. 109 Biblische Bilder von Gott

Die Seite will die Möglichkeit eröffnen, unterschiedliche Gottesbilder in der Bibel, hier vornehmlich des Alten Testaments, zu entdecken, auszumalen und ihnen abzulauschen, welche Geschichten darin zum Ausdruck kommen. Dabei geht es insbesondere darum, die Vielfalt zu dokumentieren und sichtbar zu machen.
Psalm 23 enthält zwei Bilder von Gott, einmal das des Hirten (vgl. auch Ps 80,2), zum anderen das des Gastgebers oder Wirts an heiliger Stätte. Das Bild ist verbunden mit der Erfahrung von Verfolgung und der Gewährung von Schutz im Tempel. Psalm 23 wird deshalb auch als Asylpsalm gelesen.

Zu Impuls 4: Während das Bild „König“ (Ps 10,16) mit der Erfahrung von Armut und Unterdrückung und der Hoffnung auf deren Beendigung verbunden ist, ist das Bild des Lichts (Ps 27,1) mit der Erfahrung bösartiger Angriffe und der Sehnsucht nach Gottes Nähe verbunden. Das Bild von Fels und Burg (Ps 31,4) ist mit der Erfahrung unschuldiger Verfolgung, aktueller Lebensgefahr und mit der Bitte um rettendes Eingreifen verbunden. Das Bild vom Allerhöchsten (Ps 57,3) ist verknüpft mit der Erfahrung verletzender Worte und der Bitte um gelassene Zuversicht. Das Bild des Kriegsmannes (2. Mose 15,3) ist verbunden mit militärischer Bedrohung, kollektiver Ohnmacht und dem Schrei nach Befreiung aus der Gefahr.
Psalm 23 wird im KB auch auf S. 145 thematisiert, dort allerdings unter dem Gesichtspunkt der Übersetzung der Bibel ins Deutsche.
Die Darstellung aus der romanischen Buchmalerei zeigt Noah und seine Söhne am Ende der Flut (1. Mose 9,1–17). Die vier sind nach oben orientiert, sie sind ganz Ohr, ganz auf Empfang eingestellt. Schaut man Noah ins Gesicht und dreht dabei das Buch, so hat man den Eindruck, als schaue man vom Himmel auf ihn herab. In 1. Mose 9 erfahren die Sch., wie Gott mit den Menschen und den Tieren einen Bund schließt und den Regenbogen sowohl für Gott selbst als auch für die Menschen zum Zeichen der Erinnerung macht. Die ausgestreckte Hand Gottes wirkt zeigend, kann jedoch auch als Geste angesehen werden, die dazu einlädt einzuschlagen. Gott reicht dann seine Hand und bietet Gemeinschaft und Frieden an.

■ Mögliche Eingangssituationen
- Psalm 23 laut sprechen und in Gebärden übersetzen. Wiederholend oder im Vorgriff kann Bezug genommen werden auf KB S. 145. Damit soll deutlich werden, dass bei den biblischen Gottesbildern auch immer die Übersetzung aus der Ursprache eine Rolle spielt.

- Lied „Bist du ein Haus aus dicken Steinen“ singen.
- Einander die Hand reichen und überlegen, was das bedeutet. Was sagt es nach einem Streit aus?

■ **Erschließungsmöglichkeiten**
- Zu Psalm 23 zwei Gottesbilder zeichnen (vgl. Impuls 2).
- Bild beschreiben (vgl. Werkstatt Religion KB S. 114f.) und Geschichte dazu erzählen, gegebenenfalls erfinden. Vergleich mit 1. Mose 9,1–17 und anschließend dazu das Bild in Worte fassen (vgl. Impuls 3).
- Bibelarbeit: Aus Psalm 23 und den angegebenen Bibelstellen Gottesbilder erschließen und in PA ein Plakat gestalten, alternativ in einem doppelseitigem Heft. Anschließend das Ergebnis präsentieren (vgl. Werkstatt Religion, KB S. 86f.). Darauf achten, dass auf dem Bild für andere Gottesbilder Platz bleibt.

■ **Mögliche Schlusssituationen**
- Das Plakat mit dem Lied vergleichen.
- „Grundwissen Religion: Gottesbilder in der Bibel“ als Merksatz in das Heft aufnehmen.
- Vergleich des Bildes mit KB S. 98 oder KB S. 139 (Chagall-Bilder).
- Theologisieren: Was will Gott von uns? Was will er nicht?

KB S. 110 Gott ist wie ein guter Vater

Die Seite thematisiert ein zentrales Gottesbild des christlichen Glaubens, wie es im Vaterunser (vgl. KB S. 107) und im Gleichnis vom verlorenen Sohn (KB S. 133) zum Ausdruck kommt. Die Anrede Gottes als Abba ist für Jesus kennzeichnend. Das Lied von Manfred Siebald nimmt das Gleichnis auf und thematisiert die Überlegungen des jüngeren Sohnes angesichts der Verlockung, in die Fremde zu ziehen. Das Vaterbild ist verbunden mit dem Gefühl innerer und äußerer Geborgenheit und damit personaler Nähe, wie sie dann auch durch das Symbol Sonne noch einmal ins Bild gesetzt wird („vaterlose Gesellschaft“!). Diese Nähe gibt Sicherheit, könnte aber auch zu einem verschlossenen Stubenhocker machen. Hier liegen möglicherweise die Grenzen dieses Gottesbildes. Der biblische Gott ist hier auch ein Gott, der dazu aufruft, die Heimat zu verlassen (KB S. 90). Die Sterne (vgl. KB S. 89) können ja auch zur Verheißung werden! Zur Eigentümlichkeit des verlorenen Sohnes gehört, dass er weggeht, um schließlich wieder nach Hause zu finden. Das Lied legt nahe, diesen Weg erst gar nicht zu gehen.
Die Kinderzeichnung stammt aus der Untersuchung von Anton Bucher. Sie zeigt Gott als bärtigen Mann in einem roten Kleid, der über der Erdkugel auf einer Wolke inmitten weiterer Wolken thront. Er trägt am Hals ein Kreuz und sitzt auf einem Stuhl. Links neben ihm erkennt man noch eine blau gekleidete Person mit einem goldenen (Himmels-) Schlüssel, in der man Petrus vermuten kann. Rechts neben ihm erkennt man einen papageiähnlichen Vogel, der auf einem Ständer sitzt. Auf dem blauen Planeten unten sind Erdteile zu erkennen. Das Bild zeigt Ansätze eines hybriden Weltbildes, das das mythische Weltbild mit dem naturwissenschaftlichen verbindet. Es kennt ein Oben und Unten, zeichnet aber gleichzeitig die Erde als Kugel. Hier wird deutlich, dass das Gottesbild mit einem Bild von der Welt verbunden ist. Zu bedenken ist dabei, was hier Gott mit den Menschen zu tun hat.

■ **Mögliche Eingangssituationen**
- Bild beschreiben. Was hat sich das Kind gedacht? (Impuls 4).
- Gespräch über Väter: „Väter sind ...“ Theologisieren: Ist Gott wie ein Vater? Das Bild „Vater“ problematisieren.
- Überlegen, warum viele Menschen zu Gott „Vater“ sagen (Impuls 1).
- Das Lied einüben.

■ **Erschließungsmöglichkeiten**
- Formulieren, warum Daniel das Lied gefallen hat (Impuls 2).
- Das Lied mit dem Gleichnis vom verlorenen Sohn KB S. 133 vergleichen; dabei kann das Problem „Stubenhocker“ (s.o.) erörtert werden. Was wäre, wenn der Sohn zu Hause geblieben wäre?

■ **Mögliche Schlusssituationen**
- Den Liedtext ins Heft übernehmen und mit Bildzeichnungen versehen.
- Das Bild des Vaters in das Gottesbilderplakat aufnehmen. Darauf achten, dass noch Platz für weitere Gottesbilder bleibt.

KB S. 111 God is a girl

Die Seite will aufnehmen, dass Mädchen Gott auch als Frau zeichnen und die Bibel weibliche Gottesbilder kennt, von denen hier auf vier verwiesen wird: Jes 42,14: Gott als gebärende Frau; Jes 66,13: Gott als Mutter; Lk 13,20: Gott als Bäckerin; Lk 15,3: Gott als Hausfrau; Mt 23,37: Gott als Henne.
Deutlich werden kann, dass Gott weder Mann noch Frau ist, jedoch können Erfahrungen mit Gott mit Hilfe solcher irdisch-menschlicher Bilder beschrieben werden. „Gott ist wie eine Mutter“ meint also, dass Erfahrungen mit Gott denen mit einer Mutter ähnlich sein können. Diese Ähnlichkeit ist jedoch immer auch mit einem größeren Anteil von Unähnlichkeit verbunden.
Das Lied von Groove Coverage kann bekannt sein, muss aber nicht (www.groove-coverage.de). Der Song stammt von DJ Novus, geboren 1976, und Verena, geboren 1984, beide stammen aus Bayern. Zu dem Song gibt es einen religionskritischen Videoclip, der jedoch nicht zwingend den Song interpretiert. In den Materialien findet sich die deutsche Übersetzung (M 56).
Das Lied dringt darauf, dass Gott ein Mädchen ist, nichts anderes. Mit ihr verbunden ist das Symbol der Sonne, des Regenbogens und des Sonnenaufganges. Kann man dieses Gottesbild malen? Passt dazu das Bild auf dieser Seite?
Das Kinderbild aus der Untersuchung von Anton Bucher zeigt Gott als fröhliche Frau, die in der einen Hand die Erdkugel hält, gleichzeitig aber mit beiden Armen eine Umarmung anzubieten scheint. Über ihr sind vier blaue Wolken zu erkennen sowie die Sonne, neben ihr zweimal drei Blumen. Das Kleid ist fröhlich-festlich. Das Bild ist insgesamt ermutigend, lebensbejahend und fröhlich. Lädt Frau Gott zum Tanzen ein?

■ **Mögliche Eingangssituationen**
- Das Lied hören, Refrain übersetzen und benoten (vgl. Impuls 1).
- Theologisieren mit Kindern: Ist Gott ein Mann oder eine Frau?
- Zu Groove Coverage recherchieren.

■ Erschließungsmöglichkeiten

- Franziska den Text erläutern (Impuls 2): Eine kleine Gruppe der Klasse oder L. übernimmt die Rolle von Franziska. Der Rest der Klasse artikuliert die eigene Meinung.
- Das Bild betrachten. Wieso malt das Kind Gott als Frau? (Impuls 3)
- Bibelstellen nachschlagen und herausfinden, wie Gott jeweils beschrieben wird.

■ Mögliche Schlusssituationen

- Plakat oder doppelte Heftseite mit den weiblichen Gottesbildern ergänzen.
- Das Gesamtplakat betrachten: Wer und wie ist Gott?
- Die beiden Kinderbilder vergleichen. Gemeinsamkeiten und Unterschiede herausfinden.

KB S. 112 Wie soll man Gott darstellen?

Die Erzählung thematisiert die Pointe des Bilderverbotes, aber auch den Kern der Dreieinigkeit Gottes. Wohl gibt es viele Metaphern und Vergleiche für Gott, doch kein Sprachbild kann für sich in Anspruch nehmen, Gott vollständig sichtbar und erkennbar zu machen. Metaphern bringen immer wieder wichtige Aspekte in der Erfahrung mit Gott zur Sprache, wie seine Freiheit, Stärke, Klugheit oder sonnengleiche Wärme, doch nichts in der Welt kann letztlich erfassen und aussagen, wie Gott ist. Gott kennzeichnet den Wunsch nach Gemeinschaft und damit die Liebe. Weil die Liebe Gottes Wesen ausmacht, hat die theologische Tradition gefolgert, dass Gott in sich selbst eine liebende Gemeinschaft von Vater, Sohn und Heiliger Geist ist.

■ Mögliche Eingangssituationen

- Alle Sch. sind Priester und erhalten die in den Anfangszeilen des Texts gestellte Aufgabe in Kleingruppenarbeit.
- 2. Mose 32 (Das goldene Kalb) erzählen. Theologisieren: Was haben die Leute falsch gemacht?
- Theologisieren: Das Wichtigste von Gott.

■ Erschließungsmöglichkeiten

- Text nachspielen. Rollen sind Erzähler, Priester, Kinder und Fremder. Anschließend den Fehler der Priester herausfinden.
- In PA das Gespräch der Kinder mit dem Fremden fortsetzen und sodann die Ergebnisse vorstellen.

■ Mögliche Schlusssituationen

- Einen Merksatz formulieren, z.B.: Es gibt viele Bilder von Gott, doch keines kann beanspruchen, Gott vollständig zu erfassen.
- Überprüfen, wie man darstellen kann, dass Gott uns lieb hat.
- Die Geschichte auf wenige Stichworte reduzieren, so dass man sie sich gut merken kann.

KB S. 113 Der Bilderstreit

Der Sachtext will die christlich-theologische Antwort auf das Bilderverbot beschreiben. Menschen können kein Bild von Gott machen. Das müssen sie jedoch auch nicht, denn Gott hat von sich selbst ein Bild gemacht, in seinem Sohn Jesus Christus. Dieser ist das wahre Bild Gottes.

Der Text versetzt den Leser in die Zeit am Ende des Bilderstreits in der mittelalterlichen orthodoxen Kirche und beschreibt das theologische Konzept der Ikonenmalerei. Die Verehrung der Ikone wird im Text eingangs beschrieben. Eine Osterikone findet sich im KB auf S. 185.

Die Bildergegner argumentieren mit dem Bilderverbot und fordern die Konzentration auf zentrale christliche Symbole. Die Bilderfreunde argumentieren mit der Menschlichkeit Gottes und unterscheiden zwischen Verehrung und Anbetung.

Der Hinweis auf die Menschwerdung Gottes in Jesus Christus führte nicht nur zum Sieg der Bilderfreunde, sondern begründete auch das Verständnis der Ikonen. So wie Christus Gott im Fleisch sichtbar gemacht hat, so machen auch die heiligen Bilder die göttliche Wirklichkeit sichtbar. So wie Christus an der Wirklichkeit Gottes Anteil hat und auf sie hinweist, so haben auch die heiligen Bilder Anteil an der göttlichen Wirklichkeit, weisen auf diese hin und bringen sie mit irdischen Mitteln zur Darstellung. So wie die Verehrung Christi immer auch die Anbetung Gottes meint, so gilt die Verehrung der Bilder gerade auch jener transzendenten Wirklichkeit, die in den Bildern zur Darstellung kommt. „Die Ikone ist gewissermaßen ein Fenster, das zwischen unserer irdischen und der himmlischen Welt angebracht ist, ein Fenster, durch das die Bewohner der himmlischen Welt in unsere Welt herabschauen und auf dem sich die wahren Züge der himmlischen Urbilder flächenhaft, also zweidimensional abdrücken ... Christus inkarniert sich in der Ikone, in den Materialien der Ikone d.h. in Holz, Gips, Eiweiß und Öl, genauso wie er sich bei seiner Menschwerdung in Fleisch und Blut inkarniert hatte" (so der Theologe Ernst Benz). Eine Konsequenz dieser Überzeugung ist, dass Ikonen im Grunde immer kopiert und im Wesentlichen nicht verändert werden.

Die herausragende Bedeutung des Christusbildes erklärt sich zum einen aus der Bedeutung Jesu für den christlichen Glauben, zum anderen aus seiner wunderbaren Entstehung, die in der sog. Abgarlegende festgehalten ist. Das „heilige Tuch" ist die wichtigste Ikone der russisch-orthodoxen Kirche. Es zeigt das wahre Bild Christi und ist nach der orthodoxen Tradition „nicht von Hand gemacht". Das „wahre Bild Christi" wird erstmals in einem Bericht über die Belagerung Edessas durch die Perser im Jahre 544 urkundlich erwähnt. Schon damals galt es als das authentische Abbild Christi. 639 fiel Edessa in die Hände der Araber. 944 wurde das Bild durch ein kaiserliches Heer aus Edessa herausgeholt und in einem feierlichen Zug nach Konstantinopel gebracht. Während des 4. Kreuzzuges (1202–1204) verschwand es.

Die vorliegenden Ikone stammt aus der Novgoroder Schule und ist im 12. Jahrhundert entstanden. Das Holztafelbild zeigt ausschließlich den Kopf Jesu. Das Antlitz hat ideale Züge, wodurch das wahre Menschsein zum Ausdruck kommen soll. Christus hat kräftige braune, lockige Haare und einen ebensolchen braunen Bart. Das Gesicht ist rötlich wie auch der Hintergrund. Christus ist mit einem Nimbus, einem runden Heiligenschein umgeben, in den ein Kreuz als Hinweis auf das Leiden eingezeichnet ist. Der Heiligenschein erinnert an das Nicänische Glaubensbekenntnis, in dem Christus als „Licht vom Licht, wahrer Gott vom wahren Gott" bezeichnet wird. Die Christusikone ist Gottesbild. Christus ist die Ikone Gottes (Kol 1,15).

Mögliche Eingangssituationen

- Bild von Jesus betrachten (vgl. Werkstatt Religion, KB S. 114f.) und mit anderen Bildern vergleichen (KB S. 124–130, 138). Was fällt auf? (Impuls 2)
- Bild abpausen, überlegen, wie man zu diesem Bild wohl gekommen ist? (Impuls 3)
- Theologisieren mit Kindern: Darf man Bilder von Gott malen und in der Kirche aufhängen? (Impuls 4)

Erschließungsmöglichkeiten

- TA: „Bildergegner – Bilderfreunde". Die Sch. entnehmen dem Text die jeweiligen Argumente. Anschließend Diskussion der Frage „Wer hat Recht?" (Impuls 1).
- L. stellt Argumente der Bildergegner vor. Die Sch. suchen Argumente für Bilder. TA.

Mögliche Schlusssituationen

- Die Sch. malen eine Christusikone aus (M 57).
- Die Sch. fügen das Jesusbild in das Poster oder die Heftdoppelseite ein und interpretieren das Gesamtbild.
- Lesen von M 58: Die Legende von König Abgar.
- Theologisieren mit Kindern: Wie sieht Gott aus?
- Beschriften der Lernkarten.

Mögliche Schlusssituation zum Kapitel

- Die Sch. führen ein Telefongespräch mit Gott

3. Lernkarten

53 Gott ist (wie) eine Burg. Welche Eigenschaften Gottes werden in diesem Bild besonders betont? In welcher Situation ist das Bild für Menschen wichtig?

54 Gott ist (wie) ein Vater. Welche Eigenschaften Gottes werden in diesem Bild besonders betont? In welcher Situation ist das Bild für Menschen wichtig?

55 Gott ist (wie) eine Mutter. Welche Eigenschaften Gottes werden in diesem Bild besonders betont? In welcher Situation ist das Bild für Menschen wichtig?

56 Gott ist (wie) Licht. Welche Eigenschaften Gottes werden in diesem Bild besonders betont? In welcher Situation ist das Bild für Menschen wichtig?

57 Gott ist (wie) ein guter Hirte. Welche Eigenschaften Gottes werden in diesem Bild besonders betont? In welcher Situation ist das Bild für Menschen wichtig?

58 Gott ist (wie) eine Kuscheldecke. Welche Eigenschaften Gottes werden in diesem Bild besonders betont? In welcher Situation ist das Bild für Menschen wichtig?

4. Empfohlene Literatur und Medien

Becker, U. u. a., Projekt Ökumene. Auf dem Weg zu Einer Welt, Düsseldorf/Stuttgart 1997, S. 164–170. *Hilfreich zur Ikonenmalerei.*

Bucher, Anton, Alter Gott zu neuen Kindern? Neuer Gott von alten Kindern? Was sich 343 Kinder unter Gott vorstellen. In: Merz, Vreni (Hg.), Alter Gott für neue Kinder? Fribourg 1994 (Paulus-Verlag), 79–100.

Drijvers, Hendrik J.W., Edessa, in: TRE 9, 278–281.

Hanisch, Helmut, Die zeichnerische Entwicklung des Gottesbildes bei Kindern und Jugendlichen. Eine empirische Vergleichsuntersuchung mit religiös und nicht-religiös Erzogenen im Alter von 7–16 Jahren. Stuttgart 1996 (Calwer).

5. Materialien

M 56 God is a girl (Übersetzung)
M 57 Christusikone
M 58 Die Legende von König Abgar

Jesus Christus

Einführung

Das Großkapitel „Jesus Christus" gehört zum inhaltlichen Kern eines evangelischen Religionsunterrichts, der über die Schuljahre und Schulstufen hinweg immer weiter differenziert wird. Mit dem Übergang in die Sekundarstufe erfährt die ganzheitliche Erschließung des Themenbereiches Jesus Christus eine sachkundlich-historische Differenzierung und Schritt für Schritt eine fachwissenschaftliche Vertiefung. Das Wissen wird erweitert und es wird sowohl auf argumentative Zusammenhänge als auch auf methodische Fähigkeiten geachtet. Dies kann und darf jedoch nicht auf Kosten der *Lebensrelevanz* gehen.

Vorausgesetzt wird in dieser Einheit, dass Sch. der 5. und 6. Klassen noch kein einheitliches, gar historisch geordnetes Verständnis von Jesus haben. Ihr Jesusbild besteht eher in Einzelgeschichten, die ausschließlich wörtlich und als historische Berichte verstanden werden. Auch die Gleichniserzählungen werden als Berichte verstanden, ihr fiktiver Charakter wird nicht durchschaut. Das Wahrheitsverständnis der Sch. ist an der Übereinstimmung von Aussage und Realität orientiert. Die Einsicht, dass fiktive Erzählungen ebenso wahr sein können, ist den Sch. noch nicht bewusst und würde sie verunsichern.

Vorausgesetzt wird sodann ein Interesse an historischen Details, die Bereitschaft, etwas herauszufinden, zu spielen und zu diskutieren. Leitend ist die Einsicht in einen kindlichen „Realismus", in das Bedürfnis nach konkreter Anschauung sowie nach Erzählungen, die Bedeutungen transportieren. Unterstellt wird ferner ein „Werksinn", das Bedürfnis etwas zu können und dafür Anerkennung zu finden.

Die Überschrift „Jesus Christus" zeigt an, dass die Auseinandersetzung mit Zeit und Umwelt, Lebensstationen sowie Botschaft des Jesus von Nazareth stets den Bezug zu dem Glauben an Jesus Christus, den Sohn Gottes, herstellen will. So kann erkennbar werden, dass im Zentrum des Christentums der Glaube an die Offenbarung Gottes in der Geschichte Jesu Christi steht. Hier geht es um das, was Menschen „unbedingt angeht" und ihrem Leben Trost und Orientierung geben will.

Das Großkapitel gliedert sich in drei Unterkapitel:
1. So lebte Jesus (KB S. 118–123)
2. Der Weg Jesu (KB S. 124–129)
3. Gleichnisse Jesu (KB S. 130–135)

Das Thema „Wunder" wird in Kursbuch 7/8 aufgenommen, findet aber hier schon eine erste Erwähnung. Das Thema „Nachfolge" findet seine Aufnahme im Kapitel „Christen kommen zusammen" (insbesondere KB S. 166/167). Die Abfolge der drei Teilthemen enthält eine nahe liegende Logik: Zunächst werden geographische, alltagskulturelle, politische und religiöse Rahmenbedingungen der Geschichte Jesu zur Erarbeitung angeboten, dann soll das Leben Jesu in wichtigen Stationen zusammenfassend rekonstruiert werden, schließlich wird die Botschaft Jesu anhand von fünf Gleichnissen in den Blick genommen. Dabei geht es jedes Mal darum, dass die besondere Bedeutung Jesu Christi für den christlichen Glauben erkennbar wird.

Innerhalb des Buches gibt es vielfältige Verknüpfungen, so vor allem zum Themenfeld Neues Testament (KB S. 146–151), aber auch zu Bilder von Gott (KB S. 108–113), Sohn Davids (KB S. 85) oder Jesus segnet (KB S. 68).

KB S. 116/117 Die Titelseiten

Die beiden Bilder geben Gelegenheit, sowohl das eigene Wissen von Jesus als auch die persönlichen Erfahrungen mit dem Glauben an Jesus Christus zu rekonstruieren. Es geht also um die eigenen Erfahrungen mit dem Weihnachtsfest, aber auch um das Wissen um die weitere Geschichte des neugeborenen Kindes, wie sie sich z. B. in dem Fenster-Kreuz des rechten Bildes ankündigt. Dabei zeigen die beiden Bilder eine inhaltliche Spannung an: auf der einen Seite das Kind armer Leute, das gerade die Armen anzieht, auf der anderen Seite das göttliche Kind, vor dem Mächtige, Edle und Weise die Knie beugen. Gleichzeitig werden zwei Erzähltraditionen ins Bild gesetzt, die biblisch gesehen einander nahe stehen und in den abendländischen Kirchen zeitlich nacheinander geordnet sind: Weihnachten und Dreikönigsfest (Lk 2 und Mt 2).

Das Weihnachtsbild der Kinderbuchillustratorin Annegert Fuchshuber (1940–1998) gibt die Szene aus Lk 2 wieder, wie die Hirten zu dem Stall in Bethlehem kommen. Der Stern über dem Stall verweist auf Mt 2 und den Zug der „Magier" nach Bethlehem. Die dominante Farbe Blau zeigt an, dass hier Sehnsüchte erfüllt werden und „Himmlisches" geschieht. Das gelbe Licht, das den einen Hirten umgibt, erinnert an die Sonne, das Licht der Welt, das hier aufgeht. Anders als etwa bei Rembrandt geht das Licht jedoch nicht von dem Kind aus. Die Hirten und die Schafe kommen aus dem Dunkeln, ihnen haften noch Schatten an, doch das Licht erhellt sie, klärt sie auf und macht sie fast durchsichtig.

Das Bild „Maria auf der Rasenbank" stammt vermutlich von Michael Haider (1479–1516), der in Konstanz arbeitete. Es zeigt die auf einer Gartenbank thronende Maria mit einem dunkelblauen, weichen Umhang, der die Gottesgebärerin und ihre königlich-himmlische Würde auszeichnet. Ihr Haupt ist von einem Nimbus umstrahlt, der ihre Göttlichkeit hervorhebt. Auf ihrem Schoß thront das Gotteskind, dessen linke Hand segnend wirkt. Vor den beiden kniet der Ältere der drei Weisen bzw. Könige, meist Balthasar genannt, dessen Krone vom Kopf gerutscht ist. Er ist mit einem roten Gewand gekleidet und hält in der Hand einen wertvollen, mit Edelsteinen verzierten Pokal. Hinter ihm steht in einem grünen Gewand der meist Melchior genannte König. Er hält in der rechten Hand eine wertvolle Dose, daneben steht der Mohr, meist als Kaspar bezeichnet. Er trägt einen Hörnerpokal. Beide tragen eine Krone auf dem Kopf.

Hinter Maria erkennt man ein stallartiges Gebäude, das wie eine Ruine wirkt. Darin sah man häufig das zerfallene Haus Israel. Aus dem Gebäude schaut Josef beobachtend zu. Es sieht so aus, als würde er sich verstecken oder gar nicht recht dazugehören. Diese Distanz ist begründet in der Tatsache, dass er nicht der Vater Jesu ist. Das Fensterkreuz symbolisiert die Kreuzigung Jesu. Das Gefäß in der Wandnische dürfte darauf hinweisen, dass Maria als Gefäß des göttlichen Kindes verstanden worden ist. Vor Maria legt ein weißes Hündchen seine Pfote auf die Stufe. Es symbolisiert Treue und weist hin auf die Frömmigkeit Marias. Neben dieser liegen ein Apfel und eine Birne. Der Apfel weist darauf hin, dass mit Christus der Sündenfall aufgehoben ist. Eine Variante zu diesem Bild findet sich KB S. 180.

Während also das Bild von Fuchshuber die Menschlichkeit und auch die Schutzbedürftigkeit des Jesuskindes betont, stellt Haider die Göttlichkeit und Anbetungswürdigkeit des neugeborenen Kindes heraus. In dem einen Bild weckt das Kind Erstaunen und helfende Zuwendung, in dem anderen Verehrung und Gebet. Beide Bilder enthalten also zwei unterschiedliche christologische Konzepte. Zusammen können sie das Bekenntnis zu Jesus Christus als wahrem Gott und wahrem Menschen herausstellen.

Möglicher Umgang mit den Titelbildern

Die Bilder laden ein zur einzelnen Erschließung und zur vergleichenden Betrachtung. Dazu können sich die Sch.

- das Bild abpausen, das ihnen besser gefällt,
- die Bilder nachstellen und den Figuren Worte in den Mund legen,
- das Zentrum bzw. das Wichtigste suchen und auf das achten, was man fast übersieht,
- danach fragen, was die Bilder gemeinsam haben und worin sie sich unterscheiden,
- überlegen, welches Bild sie sich zu Hause oder in einer Kirche aufhängen würden,
- Lk 2 und Mt 2 den Bildern zuordnen und überlegen, was die Künstler gezeichnet, weggelassen oder hinzugefügt haben,
- die beiden Bilder mit der Geburt Christi bei Martin Schongauer vergleichen (KB S. 180),
- zu einem der beiden Bilder einen Flügelaltar aus Karton oder Papier gestalten, der wichtige Geschichten aus dem Leben Jesu aufnimmt.

Auf jeden Fall sollten die beiden Bilder genutzt werden, um im Sinne einer Lernstandsdiagnose herauszufinden, was die Sch. von Jesus schon wissen und kennen, aber auch, wie sie Weihnachten feiern und was sie von Jesus halten. Erschließende Impulse können sein:

- Findet Lieder und Geschichten, die dazu passen.
- Erzählt die weitere Geschichte dieses Kindes.
- Warum bringen die Könige Geschenke mit?
- Worüber staunen die Hirten (und die Schafe)?
- Wie lebten die Menschen früher?

So lebte Jesus

1. Zielsetzung, Aufbau und Kompetenzen

Das Kapitel „So lebte Jesus" nimmt in vier Schritten die geographischen, politischen, religiösen und kulturellen Lebensverhältnisse des Juden Jesus von Nazareth in den Blick. Schwerpunkte sind:
KB S. 118/119: das häusliche Leben und das Aufwachsen als Junge im jüdischen Glauben,
KB S. 120/121: das Leben in einem galiläischen Dorf,
KB S. 122: die politischen Verhältnisse zur Zeit Jesu,
KB S. 123: die religiösen Verhältnisse zur Zeit Jesu.

Auf Seiten der Sch. wird neben dem Vorwissen von einem „konkret-operationalen Denken" ausgegangen. Dieses erlaubt den Heranwachsenden, Zusammenhänge zuverlässig zu erarbeiten. Sie bleiben jedoch auf Konkretion und Anschaulichkeit angewiesen. Mit Selman wird man von der Fähigkeit zur „einfachen Rollenübernahme" ausgehen dürfen. Sie ermöglicht, Geschichten aus verschiedenen Perspektiven anzugehen und Rollenspiele durchzuführen.
Ausgegangen wird auch von einem eher familiär und personal strukturierten und narrativ erschlossenen „Weltzusammenhang". Die Inhalte werden deshalb weitgehend erzählend angeboten. Politische Ereignisse werden personal vermittelt.

Welche Lernchancen werden angeboten?

Die Sch. können hier Grundkenntnisse über die Zeit und Umwelt Jesu sowie über jüdische Feste, Rituale und Symbole erwerben. Dieses Wissen ist eine wichtige Voraussetzung, um neutestamentliche Texte, insbesondere aus den Evangelien, zu verstehen und die Zugehörigkeit Jesu zum Judentum sowie die jüdischen Wurzeln des christlichen Glaubens zu erkennen. Ergänzend kann dazu KB S. 190–197 mit den Themen Sabbat, Passah, Festkreis, Bar Mizwa und Gebet einbezogen werden. Damit werden nicht nur kognitive Voraussetzungen biblisch-hermeneutischer Kompetenz, sondern auch Gegenlager zu antijudaistischen Vorurteilen zum Erwerb angeboten. Erstrebenswert ist es, dass die Sch. sagen können: „Ich kenne die Religion Jesu und kann darstellen, wie er aufgewachsen ist."
Bewusst wird sachkundliches Wissen angeboten, ohne jedoch die Bekenntnisdimension (Jesus der Christus) aus dem Auge zu verlieren. Gegenüber der Grundschule, die diese Themen auch vorsieht, liegt der Zugewinn in einem größeren differenzierten Sachzusammenhang.
Die *Bildkonzeption* ist durch rekonstruierende Sachzeichnungen bestimmt, die der Veranschaulichung dienen.

Nachhaltiges Lernen

Im Sinne einer *Lernstandsdiagnose* und einer *Strukturierung* können die Sachzeichnungen KB S. 118–123 angeboten werden. Was zeigen sie? Was kenne ich schon? Was sagen sie über Jesus? Denkbar ist ein Vorgehen, in dem die Sch. mit diesen Fragen die Bilder in Arbeitsgruppen erschließen und den andern vorstellen. Diese Zeichnungen können als Leitmedien fungieren und für Lernkarten verwendet werden.
Eine Alternative besteht darin, dass die Sch. ihre eigene Biografie rekonstruieren und dabei auf Haus, Ernährung, Heimat, Sprache, Bedeutung des eigenen Namens, Taufe, Gottesdienst, Feste, politische Verhältnisse, Parteien usw. achten. Diese notieren sie auf der linken Heftseite, evtl. mit Bildern. Auf der rechten notieren sie, was sie aufgrund KB S. 118–123 über die Biografie Jesu herausfinden, und unterstreichen die wichtigsten Unterschiede.

Wie können die Sch. das Gelernte anwenden?
Ein Möglichkeit ist, eine Mindmap (vgl. KB S. 37) weiterzuentwickeln: Die Sch. erhalten eine unfertige „Gedankenlandkarte". In der Mitte steht: „So lebte Jesus"; davon abzweigend die Äste: Heimat, Schule, Glaube, Feste und Feiern, politische Verhältnisse, Gruppen, Ernährung, Kleidung. Die Sch. fügen differenzierte Äste an und vergleichen ihr Ergebnis mit dem der Mitschüler/-innen. Abschließend wird ein Sch.-Ergebnis für alle präsentiert und mit den Ergebnissen anderer verglichen.
Eine Alternative bietet das Lernposter. Immer zwei Sch. fertigen ein DIN-A3-Poster an, auf dem grafisch, schriftlich, symbolisch alles vermerkt wird, was in dieser Einheit gelernt wurde.

Weiterhin können zwei Sch. für die anderen einen schweren Test entwickeln und zur Bearbeitung vorlegen.

Leitmedium kann das Dorfbild (M 59) sein, das schwarz-weiß ins Heft eingeklebt und nach und nach koloriert wird.

Ideen zum Wiederholen: Die Inhalte dieser Einheit können beim Thema „Judentum" KB S. 190–197 wiederholt werden. Wie war jüdisches Leben zur Zeit Jesu und wie ist es heute? Umgekehrt kann an diesem Thema das Thema „Judentum" wiederholt werden.

2. Didaktisch-methodische Hinweise

KB S. 118/119 Jesus – ein Jude

Die DS informiert über das Wohnhaus, das Essen, die Familie, die Lebensfeste wie Beschneidung und Bar Mizwa (vgl. auch KB S. 196), die Schullaufbahn, die Jahresfeste (vgl. KB S. 194f.; 192f.) und die Feier des Sabbat (vgl. auch KB S. 197). Das Sch'ma Israel findet sich KB S. 197, die Teffilin werden KB S. 197, der Tallit KB S. 196 und 191, die Torarolle wird KB S. 194 vorgestellt und erläutert.
Das „Röntgenbild" eines einfachen galiläischen Hauses zeigt das „Einraumhaus" mit Schlaf- und Feuerstelle, handbetriebener Getreidemühle und etwas tiefer liegendem Stall. Tische und Stühle gibt es nicht. Man sitzt auf dem Boden, auch bei dem Essen aus einer großen Schüssel. Das Bett besteht aus Decken die tagsüber aufgerollt sind. In der Fensternische befindet sich eine Öllampe. In einem Holzregal sind Schüsseln und Kannen nebeneinander gestellt. Der Raum dürfte nicht mehr als 3 m hoch sein. Auf dem von außen begehbaren Dach sieht man eine Rolle, die der Festigung der Decke dient. Die Decke besteht aus Palmenblättern und einer Rohrauflage, auf die Mörtelputz aufgetragen ist. Das Haus ist aus Steinen gebaut, die mit Lehm und Kies vermauert und zusätzlich von außen verputzt sind.
Eine Variante zum Einraumhaus findet sich z.B. in Kapernaum, der „Stadt Jesu". Hier gab es sog. ca. 30 m x 30 m große „Insulae" („Wohninseln" vgl. M 62), die an allen vier Seiten von Straßen umgeben waren. Sie bestanden jeweils aus mehreren Wohnhäusern. „Diese Inseln setzten sich aus mehreren untereinander verbundenen Höfen und Häusern mit Flachdächern zusammen. ... Wahrscheinlich lebte in derartigen Inseln eine Großfamilie, bestehend aus mehreren Generationen und unterschiedlichen Verwandtschaftsgraden, zusammen. Die einzelnen Häuser waren allenfalls 5 m x 10 m groß. Die Mauern bestanden aus schwarzem Basaltstein, der in der näheren Umgebung gefunden wird. Da die Mauern relativ dünn sind, waren die Häuser eingeschossig. Das Dach bestand aus einem Lehm-Stroh-Gemisch, so dass es leicht von oben durchbrochen werden konnte. Das Dach wurde häufig auch als Lagerplatz (oder zum Trocknen der Netze?) genutzt; vom Hof aus führte eine Treppe hinauf. Das tägliche Leben konzentrierte sich offenbar auf die Höfe; dort befanden sich die Kochstellen. Mahlsteine zeigen an, dass dort auch Getreide gemahlen wurde." (Zwickel, Welt des AT und NT, S. 35)

Das rechte Bild zeigt das „Röntgenbild" einer Synagoge aus der Zeit Jesu. Sie besteht aus behauenen Basaltquadern, die zu dicken Mauern zusammengefügt sind. Der Raum enthält an der Außenwand Sitzbänke. Säulenreihen geben dem Raum eine Dreiteilung und umgeben die rituelle Mitte des Raumes. Dort befindet sich das mit einem Holzgitter umhegte und leicht erhöhte Lesepult und der geöffnete Schrein mit Torarollen. Die Größe der Synagoge reicht von 7,3 x 8,1 m in Magdala bis 18,5 x 24,2 m in Kapernaum (vgl. Bühlmann, Wie Jesus lebte, S. 61). Die Synagoge ist von Bänken und Säulen sowie Toraschrein und Lesepult bestimmt. Die später üblichen symbolischen Zeichen, z.B. Menora (KB S. 195), Schofar (KB S. 194), Palmenzweige, Weintrauben oder Toraschrein (vgl. KB S. 190) sind aus der Zeit Jesu nicht überliefert. Umstritten ist insbesondere, ob es in der Zeit Jesu schon den Toraschrein gab, der verlässlich erst ab dem 3. Jahrhundert überliefert ist.

Deutlich werden soll, dass Jesus als Jude aufgewachsen ist und als Jude gelebt hat. Wie die Vernetzungen innerhalb des KB zeigen, kann das Leben Jesu mit *heutigem* jüdischem Leben verglichen werden. Dieser Vergleich kann auch mit Videofilmen intensiviert werden.

■ Mögliche Eingangssituationen

- Die Sch. beschreiben das Leben eines Kindes heute anhand vorgegebener Begriffe: Lebensjahre 0 – 6 – 10 – 13 sowie wohnen, essen, feiern, Namensgebung, Schule, Sonntag, Sprache. Anschließend Vergleich mit Jesus.
- Die Sch. entwerfen einen „Steckbrief" von Jesus und ergänzen diesen aufgrund der Lektüre.
- Die Sch. erhalten die Begriffe Tallit, Tora, Milchiges und Fleischiges Sch'ma Israel, Passah, Bar Mizwa, Beschneidung. Sie erläutern die Begriffe soweit möglich und bedenken, was diese mit Jesus zu tun haben.
- Betrachten und Vergleichen der beiden Bilder KB S. 118/119. Was tun die Menschen? Was ist gleich? Was ist anders?

■ Erschließungsmöglichkeiten

- Jedem Abschnitt eine Überschrift geben.
- Textarbeit mit Fünf-Schritt-Methode („Werkstatt Religion", KB S. 64f.)
- Mit Hilfe des Textes einen Lebenslauf Jesu schreiben.
- Die oben genannten Begriffe anhand des Textes klären.
- KB S. 118f. mit KB S. 190–197 ergänzen. Was wird klar?
- Unterschied zu den Insulae in Kapernaum (M 62) beschreiben.

■ Mögliche Schlusssituationen

- Jesus-Lexikon anlegen (Impuls 3), weitere Begriffe sind möglich.
- Landkarte vom Land Israel mithilfe von Karte in der Bibel oder Bibelatlas zeichnen und Entfernungen messen.
- Vergleich der Synagoge mit einer Kirche und einer Moschee – zur Moschee KB S. 198/199 einbeziehen.
- Entwurf eines Lernposters (s.o.).
- Kolorieren des Dorfbildes: Haus und Synagoge (M 59).
- Einen Judentumskoffer betrachten, überlegen, was dieser auch von Jesus erzählt.
- Geschichte schreiben: Jesus und ich.
- Die Sch. bauen das Wohnhaus Jesu (M 63) oder eine Synagoge (M 64).

KB S. 120/121 Galiläisches Dorf

Jesus stammt aus der ländlichen Gegend Galiläas, die bis auf die Städte Sephoris und Tiberias noch nicht von der hellenistisch-römischen Kultur ergriffen war. Sein Heimatort Nazareth war zu seinen Lebzeiten ein einfaches Dorf in einer fruchtbaren Hügellandschaft. In dem Fischerdorf Kapernaum (Dorf des Nahum) hat er offenkundig einige Zeit seines Lebens zugebracht. Die Bilder seiner Sprache sind durch die Landschaft, das Klima und den ländlichen Lebensstil geprägt.
Das auf S. 120f. gezeigte Dorf ist idealtypisch zu verstehen. Es will etwas von Klima, Fauna, Wohnen, Leben und Arbeiten zur Zeit Jesu vermitteln

Mögliche Eingangssituationen

- Die Sch. malen ein Detail des galiläischen Dorfes in ihr Heft und erläutern, was sie ausgewählt haben.
- Die Sch. suchen die beiden Gebäude von KB S. 118/119.
- Bildbetrachtung nach „Werkstatt Religion“, KB S. 114f.: Ich sehe ... Ich vermute ... Ich höre ...
- Die Sch. zählen die Anzahl der Tiere und betrachten so das Bild genau.

Erschließungsmöglichkeiten

- Die Sch. bearbeiten das Dorfbild in Kleingruppenarbeit oder Partnerarbeit unter folgenden acht Gesichtspunkten und halten ihre Entdeckungen an der Tafel fest (vgl. „Werkstatt Religion: Präsentieren“, KB S. 86f.): Tätigkeiten der Männer; Tätigkeiten der Frauen; Tätigkeiten von Kindern; Klima; Pflanzen und Tiere; Eigenart der Gebäude; politische Situation; religiöses Leben (Impuls 1).
- Die Sch. suchen sich eine Szene, z.B. am Stadttor, und entwerfen dazu ein Rollenspiel (vgl. „Werkstatt Religion“, KB S. 136f.). Die anderen überlegen, was dargestellt wird.

Mögliche Schlusssituationen

- Die Sch. erhalten Schnippelbogen (**M 60** und **61**) zum Ausschneiden und Einkleben ins Heft.
- Vergleich mit Film „Die Welt der Gleichnisse Jesu“ (16 Min.). Wo gibt es Gemeinsamkeiten und Unterschiede?
- Galiläisches Dorf basteln mit Möckmühler Arbeitsbögen Nr. 47.
- Die Sch. erhalten mehrere neutestamentliche Texte und suchen im Bild für sie „Verortungen“ (Wo könnten diese Geschichten im Bild spielen?): Mt 20,1–16; Mt 5,15; Mt 7,24–27; ~~Lk 4,16–30~~; Mk 1,21–28; ~~Mk 3,20f.~~; Mk 2,1–12; Mk 1,16–17; Mk 2,13–17; ~~Mk 4,30–34~~, Lk 15,8–10.

KB S. 122 Ärger am Zoll

Das Leben und die Botschaft Jesu stehen im Kontext der Römerherrschaft über den östlichen Mittelmeerraum und dem Vorderen Orient. Seit 63 v. Chr. befindet sich das jüdische Volk in Abhängigkeit von der Politik Roms. Diese Situation entfachte aufs Neue die Sehnsucht nach Freiheit und Frieden (Schalom) – eben die Herrschaft Gottes. In dieser Sehnsucht waren sich nahezu alle Juden im Land Israel einig. Unterschiede gab es in der Auffassung, wie es zur Herrschaft Gottes kommt (s.u. zu KB S. 123).

Die Herrschaft der Römer war auf der einen Seite darauf bedacht, die religiöse Autonomie der Juden zu tolerieren. Juden waren von der üblichen Pflicht befreit, am Kaiserkult teilzunehmen. Es war ihnen erlaubt, ihre eigene Tempelsteuer einzuziehen. Auf der anderen Seite hielten die Römer das Land – auch aus wirtschaftlichen Gründen – in politischer Abhängigkeit; ihre Herrschaft war ständig zu spüren. Die Präsenz römischer Truppen war überall wahrzunehmen (vgl. Dorfbild). Belastend waren vor allem die vielfältigen Steuern, die erhoben wurden. Es gab die Vermögenssteuer für Landbesitz, Häuser, Sklaven und Schiffe in Höhe von 1 % jährlich. Von allen Erwachsenen zwischen 12 und 65 wurde ferner die einheitliche Kopfsteuer erhoben. Sie betrug einen Denar (= ein Tageslohn) pro Person und Jahr. Diese Steuer fiel verständlicherweise Reichen leichter als Armen. Hinzu kam, dass diese Steuer bei Juden höher war als im übrigen Römischen Reich.
Die Zollgebühren konnten bis zu 10 % des Warenwertes betragen. Allerdings stand der Warenwert nie fest. Zollstellen wurden an Geschäftsleute wie Zachäus (hier: Matthias) verpachtet. Die Pacht wurde von den Steuerpächtern im voraus an den Staat bezahlt. Alles was er darüber hinaus verdiente, gehörte ihm. Da er selbst nicht überall die Steuern einziehen konnte und wohl auch nicht wollte, stellte er für geringes Geld Zöllner wie z.B. Levi (hier: Ruben) an, die ihrerseits versuchten, durch Aufschläge etwas mehr zu verdienen. Diese Angestellten befanden sich in einer denkbar ungünstigen Position. Von den eigenen Landsleuten wurden sie als Wucherer abgelehnt, von ihren „Chefs“ wurden sie schlecht bezahlt.
Neben diesen Steuern gab es noch eine Fülle von Sondersteuern (z.B. bei dem Verkauf eines Sklaven). Die Steuern und Zölle waren offenkundig umstritten (vgl. Mk 2,13–17). Tacitus berichtet von dem Wunsch Judäas, die Tributzahlungen herabzusetzen. Die Tributpflicht lag in dem Verständnis begründet, dass das eroberte Land den Siegern gehörte. Diese verpachteten es nun an die einheimische Bevölkerung und verlangten dafür Gebühren.
Das Bild zeigt einen römischen Zenturio, der 100 Legionäre befehligte (später 60). Er trägt einen Helm mit Rosshaar, einen Brustpanzer aus Metall, Beinschienen sowie einen Gürtel mit metallbeschlagenen Lederstreifen zum Schutz des Unterleibes. Am Gürtel ist das Schwert befestigt. Besonders gefürchtet war der Befehlsstab aus dem Holz des Weidenstockes.

Mögliche Eingangssituationen

- L. schlüpft in die Rolle des römischen Hauptmannes (Bild KB S. 122) und erzählt von der Eroberung des Landes durch Pompejus. Nun gehört das Land den Römern, und die Juden müssen Steuern bezahlen. Der Hauptmann erläutert das Steuersystem.
- Sch.-Referat: Die Römer in Judäa nach Peter Connolly, Das Leben zur Zeit des Jesus von Nazareth, bes. S. 48f.
- Die Sch. informieren sich über die Bewaffnung der römischen Soldaten, dazu Connolly, S. 75 (vgl. „Werkstatt Religion: Information erwerben“, KB S. 158f.).

Erschließungsmöglichkeiten

- Die Sch. entwerfen in Kleingruppenarbeit Rollenspiele („Werkstatt Religion“, KB S. 136f.) mit den angegebenen Personen, stellen diese vor und vergleichen sie.
- Die Sch. schreiben eine dramatische Szene und stellen diese vor (Impuls 1).

• Die Sch. bilden vier Gruppen in den Ecken des Klassenzimmers. Dann schlüpfen sie jeweils in eine Rolle und sagen laut, was sie denken. Die Römer sind ..., Die Zöllner sind ... Es entsteht ein Streitgespräch.
• Die Sch. erarbeiten die Meinung von Ephraim und Eleasar zu Ruben. Es entsteht ein Tafelbild mit Ruben in der Mitte (vgl. KB S. 120: am Tisch vor dem Stadttor), Ephraim mit dem Esel (vgl. KB S. 121 – ohne Trauben) und Eleasar auf dem Boot (vgl. KB S. 120).
Dann wird Markus 2,13–17 vorgelesen. Wie denken die beiden wohl über Jesus? (Impuls 2)

■ Mögliche Schlusssituationen
• Die Sch. definieren in einem Jesus-Lexikon die angegebenen Begriffe (Impuls 3).
• Die Sch. zeichnen die Szene, nehmen dabei Figuren aus KB S. 120–122 und fügen Sprechblasen ein.
• Die Sch. kolorieren das Stadttor in dem Leitmedium „Dorf" (M 59).

KB S. 123 Religiöse Gruppen zur Zeit Jesu

Zeloten, Essener, Pharisäer und Sadduzäer bilden wichtige Gruppen, die das religiöse Leben zur Zeit Jesu prägten. Jesus traf immer wieder auf sie. Zu ergänzen sind die Schriftgelehrten, Lehrer der Tora aus allen Schichten, die Schüler unterrichteten und den Hohen Rat berieten. Jesus selbst stand den Pharisäern nahe und hatte unter ihnen Freunde (Joh 3: Nikodemus). Der Sachverhalt, dass viele Streitgespräche gerade mit ihnen aufbrachen, muss nicht als große Distanz, sondern kann auch als besondere Nähe verstanden werden. Vielfach vertritt Jesus Positionen, die auch sonst im pharisäischen Judentum vertreten wurden.
Die vier Gegenstände wollen als symbolische Zeichen gelesen werden. Der Dolch weist auf die Zeloten. Sie heißen auch „Sikarier", Dolchmänner. Die Schriftrolle mit dem Lesefinger weist auf die Pharisäer, die konsequent nach der Tora leben wollen. Der Tonkrug steht für die Essener, die ihre heiligen Schriften, wie z. B. die Jesajarolle, in Tonkrügen aufbewahrten. Die steinernen Gesetzestafeln verweisen auf die Sadduzäer, die sich ausschließlich an der schriftlichen Tora mit den Zehn Geboten orientieren wollten. Sie nahmen dabei das mosaische Gesetz wörtlich.
Essener, Pharisäer und Zeloten eint der Glaube an den kommenden Messias, den Retter des Volkes und den Bringer von Schalom. Doch dieser Glaube hatte unterschiedliche Gestalt und führte zu unterschiedlichen Lebenshaltungen und Lebensformen. Der Text im KB informiert die Sch. über die Einstellung der Pharisäer, Sadduzäer, Zeloten und Essener. Ausführliche Informationen finden sich bei Petri/Thierfelder, Grundkurs Judentum, Teil 1, S. 63 ff. sowie Teil 2, S. 48. Ergänzend kann ein Text über die Samaritaner in interessierten Klassen einbezogen werden (vgl. auch KB S. 135):

Die Samaritaner
„Die Samaritaner lebten in der Gegend von Samaria. Nach der Eroberung des Nordreiches durch die Assyrer (722 v. Chr.) hatten diese die israelitische Oberschicht deportiert und eine fremde Oberschicht ins Land gebracht. Diese vermischte sich mit der einheimischen Bevölkerung. Das so entstandene Volk wurde Samariter oder Samaritaner genannt. Sie verehrten den HERRN als Gott des Landes, wurden aber von den Juden nach dem Exil nicht als ‚echte' Israeliten anerkannt. Die Beziehungen zwischen Samaritanern und Juden waren auch z. Zt. Jesu sehr schlecht. Man verkehrte nicht miteinander. Von den jüdischen Schriften war ihnen nur die Tora (5 Bücher Mose) heilig. Auf dem Berg Garizim bei Sichem (heute Nablus) errichteten sie einen eigenen Tempel. Sie lehnten die Römer ab, kämpften aber nicht gegen sie. Die Samaritaner erwarteten einen neuen Mose (5. Mose 18,15–19)." (Petri/Thierfelder, Grundkurs Judentum, Teil 2, S. 48)

■ Mögliche Eingangssituationen
• Die Geschichte „... Morgen um die selbe Zeit" von Friedemann Regner erzählen (in: Das neue Kursbuch Religion 5/6 Lehrerhandbuch, Stuttgart/Frankfurt 1989). Alternativ kann auch Ursula Wölfel, Isaak und Claudius, Verwendung finden. (in: W. Neidhardt, H. Eggenberger (Hg), Erzählbuch zur Bibel 1975, 162–169).
• Heutige politische Parteien darstellen: Was haben sie gemeinsam? Woran glauben sie? Worin unterscheiden sie sich?
• Theologisieren mit Kindern: Wie wird die Welt friedlicher?
• Die Sch. machen sich Gedanken zu den Bildzeichen Dolch, Schriftrolle etc. Was passt dazu?

■ Erschließungsmöglichkeiten
• Die Texte in Ich-Form oder in ein Glaubensbekenntnis umsprechen und umschreiben.
• Statue: Vier Sch. werden ausgewählt. Jede/r Sch. bildet eine religiöse Partei. Sie bringen durch ihre Aufstellung ihre Beziehung zum Ausdruck. Die Klasse wirkt als Regisseur.
• In GA ein Werbeplakat oder ein T-Shirt entwerfen für eine der Gruppen.
• Die Sch. lassen in Kleingruppenarbeit je eine der Gruppen zu dem „Ärger am Zoll" und zu Jesus in Mk 2,13–17 votieren. „Ich aber meine dazu ..." (vgl. Impuls 3).
• Die vier Gruppen führen ein Streitgespräch zum Thema „Messias".

■ Mögliche Schlusssituationen
• Die Sch. vervollständigen ihr Jesus-Lexikon mit den Begriffen Pharisäer, Sadduzäer, Zeloten, Essener sowie Messias und Christus. Sie können dazu den Sachtext M 65 heranziehen, der einen Auszug aus Flavius Josephus, Jüdische Altertümer, bringt.
• Die Sch. erläutern die vier Symbolzeichen und ordnen sie zu (Impuls 2).
• Theologisieren: Was prägt mich? Was prägt Jesus? Woran erkennt man, dass Jesus ein Jude ist?

3. Lernkarten

59 Erkläre, was eine Synagoge ist, und benenne den wichtigsten Einrichtungsgegenstand.
60 Wer waren die Pharisäer? Woher hatten sie ihren Namen?
61 Wer waren die Zeloten? Woher hatten sie ihren Namen?
62 Welche Bedeutung hatten die Römer im Land Israel zur Zeit Jesu?
63 Erkläre die Begriffe „Messias" und „Christus".
64 Bethlehem, Nazareth, Kapernaum, Jerusalem – welche Bedeutung haben diese Orte im Leben Jesu?

Zu Lernkarte 64 sind folgende Angaben denkbar:
Jesus wurde nach den Evangelien von Lukas und Matthäus in Bethlehem geboren, wuchs in Nazareth auf, verbrachte seine Jahre als Erwachsener am See Genezareth, meist in Kapernaum. Zu den großen Wallfahrtsfesten zog er immer wieder nach Jerusalem. Jesus wurde nach dem Einzug in Jerusalem und seinem letzten Abendmahl mit den Jüngern zum Tode verurteilt und vor der Stadtmauer von Jerusalem gekreuzigt.

4. Empfohlene Literatur und Medien

Berg, Horst Klaus/Weber, Ulrike, So lebten die Menschen zur Zeit Jesu, Stuttgart 1996 (Calwer). *Materialien zur Freiarbeit, geeignet als Zusammenfassung und Vertiefung.*

Berg, Horst Klaus/Weber, Ulrike, Benjamin & Julius, Stuttgart 1996 (Calwer). *Erzählung von zwei Jungen zur Zeit Jesu, die in die Welt des damaligen Judentums einführt.*

Bühlmann, Walter, Wie Jesus lebte, Luzern 1994 (Rex Verlag). *Dichte Information zur Geschichte mit vielfältigen geographischen, wirtschaftlichen und sozialen Hinweisen. Mit vielen Schwarzweiß-Zeichnungen, geeignet für die Hand der Unterrichtenden.*

Conolly, Peter, Das Leben zur Zeit des Jesus von Nazareth, Nürnberg 1994 (Tessloff Sachbuch). *Bilderreiche Information zur Zeit Jesu mit besonderer Betonung der Geschichte des Herodes. Für die Hand der Sch. geeignet.*

Petri, Dieter/Thierfelder, Jörg, Grundkurs Judentum, 2. Bände, Stuttgart 2. Aufl. 2002 (Calwer).

Rogerson, John, Das Land der Bibel, Würzburg 1993 (Arena Verlag). *Bilderreiche Information zur Geographie und Geschichte der biblischen Länder von Abraham bis Paulus. Für die Hand der Sch. geeignet.*

Zwickel, Wolfgang, Die Welt des Alten und Neuen Testaments. Ein Sach- und Arbeitsbuch, Stuttgart 1997 (Calwer).

AV-Medien:

Video „Feste und Feiern im Judentum“, Dauer 28 Minuten. *Dokumentarfilm über Beschneidung, Bar Mizwa und Hochzeit.*

Video „Pessach“, Dauer 15 Minuten. *Dokumentarfilm zur Sederfeier mit Hinweisen zu ihrer Bedeutung.*

Video „Das Land, aus dem Jesus kam“, Dauer 60 Minuten. *Dokumentarfilm zu Orten und Gebieten im Land Israel, an denen Jesus wirkte.*

Film „Die Welt der Gleichnisse Jesu“ (16 Min.)

5. Materialien

M 59 Galiläisches Dorf
M 60 Galiläisches Dorf mit fehlenden Teilen
M 61 Schnippelbogen zum galiläischen Dorf
M 62 Wohnviertel in Kapernaum
M 63 Haus zur Zeit Jesu (2 Bogen)
M 64 Synagoge zur Zeit Jesu (2 Bogen)
M 65 Der Historiker Flavius Josephus über jüdische Gruppierungen

Der Weg Jesu

1. Zielsetzung, Aufbau und Kompetenzen

Das Kapitel „Der Weg Jesu“ will am Beginn der Sekundarstufe I die Geschichte Jesu Christi an ausgewählten Lebensstationen darstellen und mit dem Kirchenjahr verbinden, das noch einmal auf KB S. 180–185 behandelt wird. Für das Weihnachtsfest ist die Titelseite (KB S. 116) aufzunehmen.
Als herausgehobene Lebensstationen Jesu werden die Taufe durch Johannes den Täufer (KB S. 124), die Berufung der Jüngerinnen und Jünger (KB S. 125), der Einzug in Jerusalem (KB S. 126), das letzte Mahl (KB S. 127) sowie Kreuzigung (KB S. 128) und Auferstehung (KB S. 129) angeboten. Weitere Lebensstationen sind denkbar, z.B. die Predigt Jesu in Nazareth (Lk 4,14–30) oder das Verhör vor dem Hohen Rat und Pontius Pilatus (Lk 23,63–71; 24,1–5). Wenn die Geburt hier nicht als Lebensstation angeboten, sondern in der Auftaktseite vorangestellt wird, so hat das exegetische Gründe: In den beiden Geburtsgeschichten (Lk 2, Mt 2) begegnen uns nachösterliche Legenden, die auf narrativ-symbolische Weise die Bedeutung Jesu Christi als Messias und Sohn Gottes zur Sprache bringen wollen.
So geht es Matthäus in Kap. 1–2 um den Nachweis, dass Jesus der Sohn Abrahams ist, durch den Gottes Segen alle Geschlechter der Erde erreicht. Es geht sodann um den Nachweis, dass Jesus der Sohn Davids ist. Er ist der von Gott verheißene Messias. Es geht schließlich um den Nachweis, dass Jesus Gottes Sohn ist, in dem Gott sich ein für alle Mal erweist.
Die Erzählung von den Magiern aus dem Morgenland reflektiert zum einen die Erfahrung der nachösterlichen Gemeinde, dass Jesus beim Volk nur geringe Anerkennung gefunden hatte, wohl aber bei Fremden und Heiden. Der Stern bezieht die Verheißung Bileams (4. Mose 24,17) auf Jesus. Er ist der Stern, der aus Jakobs Haus aufgehen wird.
Lukas (Lk 1–2) geht es um den Hinweis, dass Gott Mensch wurde, damit Menschen lernen, geschwisterlich, menschlich miteinander zu leben (vgl. das Magnifikat Lk 1,46–55). Mit Jesus kommt Friede in die Welt, denn die Endzeit ist mit ihm angebrochen. Der Friede, der der Regierung von Augustus zugesprochen wurde, wird in Jesus Wirklichkeit. Alles soll und wird nun anders werden.
Dass Jesus in Bethlehem geboren wurde, wird heute bestritten. Es spricht vieles dafür, dass er in Nazareth geboren wurde (vgl. Mk 6,1), z.B. der Name Jesus von Nazareth. Bethlehem kann als der „theologische Geburtsort“ bezeichnet werden. Er soll die Messianität Jesu zum Ausdruck bringen (vgl. G. Theißen/A. Merz, Der historische Jesus, 158f.).
Auch bei diesem Kapitel stellt sich die Frage, inwiefern es über das hinausgeht, was in der Grundschule erlernt wurde. Fast alle Themen begegnen in der dritten und vierten Klasse. Der intendierte Zugewinn wird hier einmal in der Fähigkeit gesehen, biblische und kirchenjahreszeitliche Zusammenhänge eigenständig und zusammenhängend darzustellen und dann mit weiteren Inhalten (wie jüdischem und islamischem Festkalender) zu verknüpfen. Dazu gehören historische und religionsgeschichtliche Zusammenhänge.

Welche Lernchancen werden angeboten?
Die Sch. können in diesem Kapitel lernen, die Geschichte Jesu in Grundzügen wiederzugeben und diese den Hauptfesten des Kirchenjahres zuzuordnen. Sie erwerben also die Fähigkeit, die Geschichte Jesu im Zusammenhang darzustellen und das Kirchenjahr als Christusjahr zu deuten. Damit verbunden ist die Fähigkeit, über das Zentrum des christlichen Glaubens Auskunft zu geben, nämlich den Glauben an Jesus Christus und damit verbunden die Botschaft von der kommenden Gottesherrschaft.
Die Sch. erwerben darüber hinaus die Kenntnis biblischer Erzählungen und die Fähigkeit, diese methodisch und kreativ zu erschließen sowie die Fähigkeit, Bilder der christlichen Ikonographie zu lesen. Es geht also zugleich um den Erwerb methodischer sowie ästhetischer Kompetenz.
Die *Bildkonzeption* ist bestimmt durch die Auswahl erzählender Bilder aus der Gotik und Spätgotik. Es wurde darauf geachtet, herausragende Bilder der christlich-abendländischen Tradition zu verwenden. So sollen Sch. mit wichtigen Zeugnissen der christlichen Kunst vertraut werden.

Nachhaltiges Lernen
Ein wichtiger Ausgangspunkt nachhaltigen Lernens ist eine *Lernstandsdiagnose*. Man kann hier den Kirchenjahreskreis (KB S. 181) mit seinen Symbolzeichen (vgl. Lernkarten) einsetzen. Was sagen die symbolischen Zeichen? Welche gehören zu Jesus?
Alternativ können Bilder zu der Geschichte Jesu Christi vorgegeben werden, und die Sch. überlegen sich in Gruppen, was sie hier sehen. Anschließend stellen sie ihre Erkenntnisse vor.
Ein anderer Weg besteht darin, die Namen Johannes der Täufer, Petrus, Judas, Pontius Pilatus, Maria vorzugeben. Die Sch. erhalten Kärtchen mit den entsprechenden Stichworten und erzählen, was sie wissen. Zum Abschluss kann dieses Spiel noch einmal durchgeführt werden. Auch hier kann die Titelseite eine Hilfe geben: Wie ging es mit dem Kind weiter?
Im Sinne eines *strukturierenden Lernens* könnte ein Plakat mit sechs Bilderrahmen vorgegeben werden. Schritt für Schritt werden die Bilder mit vergrößerten Farbkopien eingefügt. So entsteht ein Klassenposter. Eine Alternative dazu könnte eine Überblickslandkarte vom Land Israel (**M 66**) mit den Orten Nazareth, Kapernaum, Jerusalem, Bethlehem sein. In dieser werden Schritt für Schritt die wichtigsten Lebensstationen Jesu eingetragen. Die Landkarte kann koloriert werden.
Leitmedium könnte der Kirchenjahreskreis KB S. 181 oder die Symbolzeichen der Christusfeste sein.
Ein wichtiger Bezugspunkt *sinnverstehendes Lernen* sind elementare Fragen. Solche Fragen könnten hier sein: Warum beschäftigen wir uns immer wieder mit Jesus? Warum feiern wir Weihnachten, Karfreitag, Ostern und Pfingsten?
Im Sinne eines *informierenden Unterrichtseinstieges* werden den Sch. verschiedene Zielkompetenzen vorgestellt:
- „Ich kenne sechs wichtige Geschichten aus dem Leben Jesu und kann sie dem Kirchenjahr zuordnen."
- „Ich kann anderen erzählen, wann, wo und wie Jesus gelebt hat, und kenne wichtige Lebensstationen."

Die Sch. bringen mit Prozentangaben zum Ausdruck, inwieweit die jeweilige Kompetenz schon bei ihnen vorhanden ist.
Außerdem bieten die Seiten die Möglichkeit eines verstärkten *selbstregulierten Lernens*. Die Klasse teilt sich in sechs Lerngruppen. Jede wählt sich ein Bild und damit eine Seite, bearbeitet diese und stellt dann in der Klasse möglichst interessant das Bild und das Thema vor. Am Ende entsteht ein Jesusposter.

Ideen zum Wiederholen: Im Laufe des Schuljahres können die Sch. den zweiten Glaubensartikel, z.B. beim Thema „Taufe", bearbeitend ergänzen, oder sie können die Kleinbilder auf KB S. 148 oben nacherzählen. Umgekehrt können sie hier die Themen „Taufe im Urchristentum" (KB S. 170), im eigenen Leben (KB S. 152, 164f.), „Ostern bei orthodoxen Christen" (KB S. 184f.) oder das Kirchenjahr (KB S. 181) wiederholen.

Wie können die Sch. das Gelernte anwenden?
Auch hierbei zeigen sich verschiedene Möglichkeiten:
- Die Sch. schreiben entweder aus der Perspektive von Petrus oder Maria Magdalena einen Brief über Jesus an Menschen von heute.
- Die Sch. entwerfen das Storyboard für einen Jesusfilm.
- Marktplatz-Spiel: Jede/r Sch. schreibt sich fünf Fragen mit Antworten auf. Alle Sch. gehen durcheinander und versuchen, ihre Frage dadurch loszuwerden, dass sie jemanden finden, der diese Frage nicht beantworten kann. Wer am Ende die wenigsten Karten in der Hand hält, hat gewonnen.
- Die Sch. dichten zu „Jesus Christus" einen Rap (vgl. KB S. 153).
- Die Sch. entwerfen ein Theaterstück zu Jesus, erarbeiten dazu ein Skript, entwickeln in Gruppen jeweils eine Szene und spielen das Stück einander vor.

2. Didaktisch-methodische Hinweise

KB S. 124 Die Taufe durch Johannes

Bei dem Text handelt es sich um eine Nacherzählung von Mt 3, Mk 1,1–11 sowie Lk 3,1–20 aus der Perspektive des Täufers Johannes. Dabei ist die christliche Deutungsperspektive beibehalten. Die Verbindung Täufer – Elia findet sich in Mt 17,13. Die Entrückung von Elia findet nach 2. Kön 2,4 ff. in Jericho statt. Die Himmelsstimme nimmt die Formulierung in der dritten Person aus Mt 3,17 auf. Die Einfügung „Den will ich senden" will den Bezug zu Jes 42,1 stärken. Die Predigt des Johannes wird als eschatologische Gerichtspredigt wiedergegeben. Offenkundig rechnet Johannes mit einem unmittelbar bevorstehenden Weltende. „Die Axt ist dem Stamm schon an die Wurzel gelegt." Die Taufe ist ein eschatologisches Sakrament, das von Sünden befreit, im Gericht vor Feuer schützt, aber in der verbleibenden Zeit Bewährung verlangt. Die Dramatik dieser Taufe ist begleitet von einer impliziten Kritik des Tempelkultes: Nicht die Opfer bringen Versöhnung, sondern die Taufe im Jordan.
Wahrscheinlich wurde Jesus in den letzten Regierungsjahren von Herodes dem Großen (gest. 4 v. Chr.) geboren, fiel sein erstes Auftreten in die Zeit zwischen 26 und 29 n. Chr. und war sein Todesjahr 30 n. Chr. (vgl. Theißen/Merz, Der historische Jesus, S. 147–155). Es wird davon ausgegangen, dass Jesus (wie auch einige seiner Jünger – vgl. Joh 1,15–17) ein Jünger von Johannes war und erst nach dessen gewaltsamem Tod (Mk 6,14–29) in die Öffentlichkeit trat. Die Nähe zwischen beiden zeigt sich in der wortgleichen prophetischen Botschaft „Tut Buße, denn das Himmelreich ist nahe herbeigekommen". Gerade hier wird sofort aber der Unterschied deutlich: Johannes

verkündigte den Zorn Gottes, Jesus die Gnade Gottes. Daraus ergeben sich vollkommen unterschiedliche Ansätze, um Menschen zu einer Lebensänderung zu bewegen: Auf der einen Seite ist es Angst, auf der anderen Seite ist es Vertrauen. Entsprechend unterscheiden sich auch die johanneische und die christliche Taufe. Letztere beinhaltet den Zuspruch von Gottes Gnade und Barmherzigkeit und erwartet von daher lebensverändernde Wirkungen. Solche Differenzen zeigen sich auch in dem Auftreten der beiden. Sicherlich hat Johannes einen Stärkeren erwartet, offenkundig eine Rettergestalt (vgl. Matthäus 11,3), doch hat er diese nicht mit Jesus identifiziert.
Die Taufe Jesu durch Johannes „ist eines der sichersten Daten im Leben Jesu" (Theißen/Merz, S. 184). Die Ausgestaltung der Taufszene Jesu ist von dem nachösterlichen Glauben der Gemeinde bestimmt: Jesus ist der Sohn Gottes (Röm 1,3). Denkbar ist, dass sich dabei ein visionäres Erleben zeigt, das für das öffentliche Auftreten Jesu konstitutive Bedeutung hatte: Jesus sieht den Himmel offen.

Rogier van der Weyden lebte von 1399/1400 bis 1464, vor allem in Tournai. Sein Bild zeigt die Taufe Jesu durch Johannes im Portal einer gotischen Kathedrale. Dahinter öffnet sich die Flusslandschaft des Jordans. Über Jesus zeigt sich in einer roten Himmelwolke Gott-Vater, umgeben mit einem Strahlenkranz und Krone. Von ihm gehen Worte aus, die die Taube des Heiligen Geistes umgeben. Das Ganze weist also auf die Dreieinigkeit hin. Johannes tauft hier durch Übergießen und nicht durch das Untertauchen, ein Brauch, der mit Beginn des 13. Jahrhunderts üblich wurde. Jesus steht bis fast zu den Knien im Jordanwasser, er hat die Augen geschlossen und hält die rechte Hand segnend dem Betrachter entgegen. Der Engel kniet daneben und hält das himmlisch-blaue Gewand bereit. Hinter Johannes und Jesus sind als Figuren am Portal Petrus und Andreas, die beiden ersten Jünger, gleichsam als Taufzeugen zu erkennen. Nach kirchlicher Tradition wird der Taufe Jesu am 6. Januar gedacht.

■ Mögliche Eingangssituationen

- Die Sch. betrachten das Bild (vgl. „Werkstatt Religion", KB S. 114f.) mit den Schritten sehen – deuten – sich einfühlen – versprachlichen – sich informieren. Was mag der Schriftzug im Bild sagen? Wie tauft Johannes? Welche Rolle spielt der Engel?
- Die Sch. stellen das Bild nach und überlegen, was da geschieht.
- Eigene Taufbilder mit der Darstellung der Taufe Jesu vergleichen. Gibt es neben den Unterschieden auch Gemeinsamkeiten?

■ Erschließungsmöglichkeiten

- Eine Person liest den Text laut im Stuhlkreis vor. Zwei Personen stellen pantomimisch Jesus und Johannes dar (Impuls 1). Die Erzählpantomime kann wiederholt werden. Gemeinsam wird überlegt, wie es Jesus wohl dabei ergangen ist.
- Text-Bild-Vergleich: Gemeinsam überlegen, was Rogier van der Weyden mit seinem Bild ausdrücken wollte (Impuls 2).
- Theologisieren: Ist Jesus der Sohn Gottes oder der Sohn von Maria und Josef? Der Text gibt Hinweise, wie man dieses „Rätsel" lösen kann.
- Lied: „Der Himmel geht über allen auf". Wie stellen wir uns das vor? Wie hat das Jesus erlebt?

■ Mögliche Schlusssituationen

- Die Sch. zeichnen zu der Taufe Jesu ein eigenes Bild.
- Eintrag in das Jesus-Lexikon: Jesus, der Sohn Gottes oder Jesus, der Sohn von Maria und Josef? Alternativ Hefteintrag.
- Erzählungen von der eigenen Taufe (Impuls 4).

KB S. 125 Jesus beruft Jünger und Jüngerinnen

Der Text ist so angelegt, dass die Reich-Gottes-Botschaften des Täufers und Jesu miteinander verglichen werden können. Leitworte für Johannes sind: ändert euch, Gericht, allerletzte Chance, bereut, fangt noch einmal neu an, böse. Leitworte für Jesus sind: ändert euer Leben, Gott ist wie ein Vater und wie eine Mutter, die Armen freuen sich. So kann gleichzeitig die Reich-Gottes-Botschaft als Mitte der Verkündigung und des Lebens Jesu bestimmt werden (vgl. KB S. 130). Eingangs werden die Seligpreisungen aufgenommen, wie sie von Lukas überliefert sind (vgl. Lk 6,20–23). Die Beschreibung Gottes stammt aus Lk 15, die Auftragbestimmung ist Lk 4,14–30 entnommen. Die Petrusszene nimmt Mk 1,16–20 auf, die Szene mit Maria Magdalena Lk 8,1–3. Die Hinweise zur Lebensweise und Politik nehmen das Kapitel „So lebte Jesus" auf. Hilfreich für die ganze Seite ist das Anlegen einer Landkarte (vgl. **M 66**).
Offenkundig hat Jesus Jünger gehabt, die mit ihm gezogen sind. Es gibt drei Arten von Jüngerberufungen: durch ein vollmächtiges Wort (Mk 1,16–20; Lk 9,59f.; Joh 1,43), durch eine freiwillige Entscheidung (Lk 9,57f. 61f.) oder durch Vermittlung eines Jüngers (vgl. Joh 1,40–42.45–51). Vorbildhaft dürften am ehesten die alttestamentlichen Jüngerberufungen gewesen sein (vgl. 1. Kön 19,19–21), weniger die rabbinische Lehrer-Schüler-beziehung. Nach Mk 3,14 und Lk 10,9 partizipieren die Jünger an Jesu Sendung und Vollmacht. Wie dieser sollen sie predigen, heilen und so das Reich Gottes zur Erfahrung bringen. Offenbar gab es einen zentralen Zwölferkreis, der das wiederhergestellte Zwölf-Stämme-Volk symbolisieren sollte. Insgesamt dürfte der Jüngerkreis sich immer wieder verändert haben. Ganz gewiss waren auch Frauen dabei, die wie Jesus und die Zwölf ihre Familien verlassen haben, sich selber als Familie sahen (Mk 3,31–35) und umherwanderten. Dabei waren sie jedoch auf die Unterstützung von sesshaften Jesusanhängerinnen und -anhängern angewiesen (vgl. Mk 6,10; Lk 10,5–9).

Duccio di Buoninsegna wirkte von 1255 bis 1319 in Siena. Als sein Meisterwerk gilt die Maestà, eine Darstellung der thronenden Muttergottes. Sie befindet sich heute im Museo dell'Opera in Siena. Der Untersatz ist mit Szenen aus dem Leben Jesu ausgestattet. Eines davon ist die Berufung von Simon und Andreas. Man erkennt Jesus am Ufer stehend und zu den beiden sprechend. Petrus wendet sich Jesus zu, Andreas dreht Jesus halb noch den Rücken zu. Während Petrus also schon überzeugt wirkt und sich dem Fischen abwendet, deutet die Haltung von Andreas noch Zögern an. Soll er auf Jesus hören?

■ Mögliche Eingangssituationen

- Assoziation zu Reich Gottes.
- Vergleich mit KB S. 120: Welche Form des Fischens wird erkennbar?
- Das Bild genau nachstellen und den Figuren Worte in den Mund legen.

- Zu dem Bild ein Gespräch oder eine Geschichte erfinden und mit Mk 1,16–20 vergleichen.
- Assoziationen zu den Namen Petrus und Maria von Magdala.
- Theologisieren: Was könnte Menschen an Jesus so begeistert haben?

■ Erschließungsmöglichkeiten
- Aufgrund der beiden ersten Abschnitte KB S. 124 und 125 Plakate (ohne Worte) zu der Reich-Gottes-Botschaft von Johannes dem Täufer und Jesus malen (Impuls 1).
- Die beiden Reich-Gottes-Botschaften sprachlich inszenieren, sodass die Unterschiede ganz deutlich werden.
- Die Petrus-Andreas-Geschichte mit dem Bild vergleichen. Stimmen Bild und Erzählung überein?
- Textarbeit (vgl. „Werkstatt Religion", KB S. 64f.)
- Zu Maria von Magdala ein Bild zeichnen.
- Geschichten zu Petrus und Maria finden (Impuls 3).
- Erzähltext im Buch mit den biblischen Bezugstexten vergleichen.
- Rollenspiel: Petrus und Maria von Magdala treffen sich.

■ Mögliche Schlusssituationen
- Landkarte zum Land Israel aus der Bibel abzeichnen.
- Vergleich des Jüngerkreises mit einer Kirchengemeinde (s. auch KB S. 174–179).

KB S. 126 Einzug in Jerusalem

Jesus zog mit seinen Jüngern zum Passahfest nach Jerusalem. Dabei ging es nicht bloß um die Feier dieses so wichtigen Wallfahrtsfestes, sondern auch um die Dokumentation einer Opposition gegen den Tempelkult, die in der symbolisch zu deutenden Tempelreinigung, aber auch in der Abendmahlsfeier zum Ausdruck kommt. Anzunehmen ist, dass die jubelnden Wallfahrer vom Lande gewesen sind, während die Stadtbevölkerung wohl eher irritiert zugeschaut haben könnte. Möglicherweise sind sie es, die später „kreuzige ihn" rufen (vgl. Mt 21,10). Der Hosianna-Ruf („Hilf doch", vgl. Ps 118,25) definiert Jesus als traditionell-jüdischen Messias, der auf dem messianischen Reittier in die heilige Stadt einzieht.
Historischer Kern der Einzugsgeschichte ist wohl die Begeisterung der Festpilger darüber, dass jetzt das angekündigte Gottesreich bald kommen wird. Die Geschichte ist stark überformt vom (nachösterlichen) Glauben an Jesus, den Messias und Gottessohn, der alles weiß. Zentral ist auch der Schriftbeweis, der zeigt, dass in Jesus sich die alttestamentlichen Verheißungen erfüllen. Dass Jesus auf dem Esel reitet, ist die Erfüllung der Verheißung von Sach 9,9. Dass es zwei Esel sind (so Mt 21,2), ist ein Missverständnis von Sach 9,9, wo das Füllen eine weitere Beschreibung des Esels ist: „Siehe, dein König kommt zu dir ... reitet auf einem Esel, auf einem Füllen".
Die vorliegende Nacherzählung orientiert sich an Markus 11,1–10 parr. und will das implizite christologische Bekenntnis unterstreichen (vgl. auch das Lied „Tochter Zion, freue dich", EG 13). Jesus zeigt sein souveränes Vorherwissen, seine Hoheit, vor allem aber seine Freundlichkeit, Friedfertigkeit und Milde, die sich in dem jungen Esel symbolisch verdichtet. Aus der Flucht und Enttäuschung der Jünger kann gefolgert werden, dass diese in dem Einzug in Jerusalem den letzten Schritt vor dem erhofften Höhepunkt, nämlich das Kommen des Reiches Gottes und die Einsetzung in die eschatologische Herrschaft, sahen. Die Fortsetzung der Erzählung durch die Tempelreinigung legt nahe, diese heranzuziehen. Der ganze Einzug drängt auf diese provokative Symbolhandlung.

Die Darstellung des Einzuges in Jerusalem stammt von Giotto di Bondone (1266–1337). Er schuf das Fresko zwischen 1303 und 1310 in Padua. Giotto war Schüler von Cimabue und wurde kunstgeschichtlich bedeutsam durch seine kraftvolle Zeichnung, die Plastizität der Formen und die eindringliche Dramatik seiner Bilder. Die Darstellung des Einzuges zeigt den auf einem Esel reitenden Jesus mit Nimbus und eingezeichnetem Kreuz, der die Entgegenkommenden segnet. Diese legen Kleider auf den Weg, während oben in den Bäumen zwei Personen Zweige holen. Könnte die rechte Person Zachäus sein? Die Menschen im Stadttor und unmittelbar davor wirken eher neugierig. Was denken sie über Jesus? Auch die Jünger wirken nicht sonderlich begeistert. Dargestellt ist die matthäische Version des Einzuges, wo von zwei Eseln die Rede ist. Der zweite steckt zwischen den Jüngern und Jesus den Kopf hindurch. Die Anzahl der Nimben lässt auf zwölf Jünger schließen.

■ Mögliche Eingangssituationen
- Die Sch. pausen das Bild ab und fügen Sprechblasen ein.
- Die Sch. lernen EG 13 (Tochter Zion, freue dich) und überlegen sich Situationen, zu denen das Lied passt.
- Die Sch. rekonstruieren das Kirchenjahr (vgl. KB S. 181) und deuten den Palmzweig.

■ Erschließungsmöglichkeiten
- Text in Rollen aufteilen, lesen und aus der Perspektive eines Jubelnden nacherzählen.
- Sprechblasenbild von Giottos Werk erstellen und mit Text vergleichen.
- Nacherzählung mit Mk 11,1–10 vergleichen. Was ist gleich, was ist anders?
- Überlegen, warum Jesus auf einem Esel geritten ist.
- Überlegen, wie die Geschichte mit der Tempelreinigung (Mk 11,15–17) zusammenpasst (Impuls 4).

■ Mögliche Schlusssituationen
- Im Rückgriff auf KB S. 122/123 formulieren, wie die Zeloten, Pharisäer, Sadduzäer und Römer den Einzug sehen und beurteilen könnten (Impuls 3). Evtl. Briefe schreiben.
- Über Friedensbringer nachdenken (Impuls 5).

KB S. 127 Das Letzte Mahl

Wie die Berufung und Aussendung des Zwölferkreises, die Tischgemeinschaft mit Zöllnern und Sündern und die Tempelreinigung, so kann auch das letzte Mahl Jesu in Jerusalem als Symbolhandlung (G. Theißen) gesehen werden. Offensichtlich vermittelte Jesus seine Botschaft auch in symbolischen Handlungen. Das letzte Mahl kann als Ersatz für den Tempelkult gesehen werden und als Vorgriff auf das Essen und Trinken im hereinbrechenden Gottesreich. Das Brot tritt dann an die Stelle des sonst im Tempel verzehrten Opfers, nämlich des Opfertieres. Auch der Kelchritus könnte so gesehen werden. Der Bund wurde dann ohne Opfer geschlossen und der Wille Gottes wurde den

Menschen ins eigene Herz gelegt und die Sünde vergeben. „Das ist mein Leib“ hieße dann: Das ist der Leib des Opfers für euch. Auf jeden Fall kann man das letzte Mahl als Abschiedsmahl lesen, gleichzeitig jedoch auch als vorweggenommenes Festmahl der Gottesherrschaft. Der geschilderte Ablauf erinnert nicht an ein Passahmahl, sondern trägt Züge eines normalen Abendessens. Die Elemente können als Hinweise auf den Tod Jesu gelesen werden. Sein Tod ist dann ein Opfer. Das Zerbrechen des Brotes könnte als Symbol der Lebenshingabe verstanden werden. Jesus war sich seines Todes offenbar gewiss. Der Becherritus weist auf den gewaltsamen Tod Jesu hin. Sein Tod verbindet alle, die aus dem Becher trinken – auf seinem Tod gründet sich der Bund. Sein Opfertod hat versöhnende Kraft.
Ob Jesu letztes Mahl ein Passahmahl war oder nicht, ist in der Exegese umstritten. Während ein Teil der Forscher das letzte Mahl Jesu z. B. unter Hinweis auf Mt 26,19 für ein Passahmahl halten, bestreiten das andere, vor allem im Blick auf Joh 19,31–37. Dort wurde Jesus am Rüsttag hingerichtet, also an dem Tage, wo beim Passahfest die Passahlämmer geschlachtet werden. Jesus wurde also hingerichtet, bevor er mit seinen Jüngern das Passahfest feiern konnte (zum Ganzen vgl. Theißen/Merz, Der historische Jesus, S. 373–376).
Die Frage, warum Judas Jesus verraten hat, ist immer wieder Anlass zu Spekulationen gewesen. Geldgier kann es wohl nicht einfach gewesen sein. Hat er die Ablösung des Tempelkultes nicht mitmachen wollen? War ihm Jesus zu unpolitisch? Wollte er die große Wende herbeizwingen? Es fällt auf, dass keiner sich sicher ist, Jesus nicht zu verraten. Der Umgang Jesu mit dem Verräter ist schonend. Rechnet er mit der göttlichen Vorherbestimmung, in der das Handeln von Judas ein Mittel ist? Die biblische Erzählung geht davon aus, dass Judas das Mahl verlässt, denn beim Gang nach Gethsemane ist er nicht mehr dabei (vgl. Joh 13,30).
In der Tempelreinigung wollte Jesus die Erwartung darstellen, dass Gott diesen Tempel zerstört und auf wunderbare Weise einen neuen Tempel an seine Stelle setzt (Mk 14,58). So sollte gleichzeitig auf das Vergehen dieser Welt hingewiesen werden.

Das Abendmahlsbild aus der Maestà von Duccio di Buoninsegna betont, dass es bei dem Letzten Mahl um ein wirkliches Essen geht, das jedoch Hinweise auf das Passahfest enthält. Auf dem Tisch stehen mehrere Schüsseln, darunter eine mit dem Passahlamm, ein Krug mit mehreren Gläsern, daneben Messer. Ferner finden sich zahlreiche Matzen und Früchte. Die Szene zeigt Jesus und die zwölf Jünger. Jesus reicht gerade dem gegenübersitzenden Judas den Bissen. Auf ihn sind alle Blicke der Jünger gerichtet. Das Lamm auf der Schüssel weist im Sinne von Jes 53,7 und Joh 1,29 auf die Kreuzigung und damit auf den Sühnetod Jesu hin.

Mögliche Eingangssituationen

- Die Sch. erzählen einander von Erfahrungen mit dem Abendmahl (vgl. auch KB S. 170).
- Die Sch. rekonstruieren mit Hilfe der Bibel und ihrer Überschriften die letzte Woche in Jerusalem.
- Theologisieren mit Kindern: Warum war Jesus das gemeinsame Essen und Trinken am Abend so wichtig?
- Bild betrachten (vgl. „Werkstatt Religion“, KB S. 114f.).
- Zu „Einer von euch wird mich verraten“ eine Geschichte schreiben und dann vergleichen.

Erschließungsmöglichkeiten

- Text bearbeiten (vgl. „Werkstatt Religion“ KB S. 64f.).
- www.ww an die Tafel schreiben, wer, wann, wo, wie, warum. Die Sch. bearbeiten eigenständig den Text.
- Text dramatisch mit verschiedenen Rollen lesen, anschließend Vergleich mit dem Bild: Was ist gleich, was ist anders?
- Theologisieren mit Kindern: Soll Judas das gemeinsame Essen verlassen? (Impuls 2).
- Vergleich des Letzten Mahles mit einem Abendmahlsgottesdienst in der evangelischen Gemeinde (Impuls 4).

Mögliche Schlusssituationen

- L. stellt Teller mit Brot und Kelch auf das Pult und fordert die Sch. auf, die Geschichte zu rekonstruieren.
- Das letzte Abendmahl in einen Spannungsbogen einfügen. Was kam zuvor, was folgt?
- Geschichte in den Kirchenjahreskreis KB S. 181 einfügen.
- Schulbuchtext mit Mk 14,12–25 oder Mt 26,17–30 vergleichen.

KB S. 128 Die Kreuzigung

Beim Kreuzigungstod wirken der Hohe Rat und die Römer zusammen. Die einen nehmen Anstoß an der Tempelkritik Jesu, die anderen misstrauen Jesus wegen seiner Rede vom Königreich Gottes oder seiner Bezeichnung als Messias. Beide haben Interesse, Unruhe zu vermeiden. Jesus wird wie ein politischer Anführer mit einer römischen Hinrichtungsart getötet. Der Delinquent stirbt durch Ersticken. Jesus stirbt mit einem lauten Schrei. Das Markusevangelium deutet den Tod als Tod des leidenden Gerechten und hört in dem Schrei den Beginn des 22. Psalms: „Mein Gott, mein Gott, warum hast du mich verlassen?“ Der römische Hauptmann formuliert das Bekenntnis der nachösterlichen Gemeinde „Jesus ist Sohn Gottes“; in ihm zeigt sich Gott. Doch zu diesem Gott gehören auch Tod und Auferstehung.
Wenn Jesus in der Passionstradition auch als „Lamm Gottes“ (nur zweimal im NT: Joh 1,29.36) bezeichnet wird, dann zeigt sich darin eine neue Deutung des Todes Jesu. Sein Tod wird als Opfertod gesehen, ein Opfer, das die verletzte Gemeinschaft zwischen Gott und den Menschen wiederherstellt und so einen Bund schließt. Doch dieses Opfer wird nicht mehr von den Menschen dargebracht, sondern von Gott selbst. Nicht Gott, sondern die Menschen sollen verwandelt werden. Die aggressiven Impulse der Menschen sollen überwunden werden.

Das Kreuzigungsbild von Hans Baldung, genannt Grien (Hochaltar im Freiburger Münster), erzählt die Kreuzigung nach. Jesus hängt in Gabelhaltung mit drei Nägeln am Kreuz. Das Lendentuch ist kunstvoll geschlungen. Die Personen tragen mittelalterliche Gewänder. Maria Magdalena umfasst den Kreuzesstamm. Daneben steht Maria, die Mutter Jesu, mit Johannes, dem Lieblingsjünger. Rechts neben dem Kreuz steht der „Essigmann“, daneben der Hauptmann. Hinter ihm der Künstler mit rotem Barett, daneben einer der Schergen. Die Gruppe teilt sich in die trauernden Begleiter Jesu, die Schergen und die Passanten. Am Fuß des Kreuzes findet sich ein Totenschädel. Er gilt als Schädel Adams. Christus ist der neue Adam, mit dem ein neues Gottesverhältnis beginnt.

Mögliche Eingangssituationen
- L. malt ein Kreuz an die Tafel. Die Sch. tragen ihr Wissen zusammen.
- Theologisieren mit Kindern: Warum wurde Jesus gekreuzigt?
- Die Sch. erhalten die direkten Reden aus dem Text in einem TA oder Textstreifen. Sie entwickeln die dazugehörige Geschichte.
- Die Sch. deuten die Kreuzinschrift INRI.

Erschließungsmöglichkeiten
- Die Sch. arbeiten am Text die wichtigsten Personen heraus, erstellen eine Personenliste und benennen ihre Rolle.
- Text-Bild-Vergleich: Was hat der Künstler aus dem Bibeltext aufgenommen?
- Bild betrachten, evtl. Folie mit Vergrößerung (Farbseite **M 67** am Schluss des Bandes): Die Sch. teilen das Bild in vier Teile und betrachten die vier Quadrate für sich. Warum ist Jesus die Mitte?
- Die Sch. pausen das Bild ab und versehen es mit Sprechblasen.
- Nach Textarbeit Theologisieren mit Kindern: Wie kommt es zu der Aussage „Lamm Gottes"? (Impuls 3)
- Aus dem Text ein Protokoll fertigen, das chronologisch den Tageszeiten folgt.

Mögliche Schlusssituationen
- Mk 15,20-41 mit Erzähltext im KB vergleichen.
- Aus verschiedenen Perspektiven die Kreuzigung erzählen (Hauptmann, Räuber, Maria Magdalena, vgl. Impuls 2).
- Hungertuch mit den „arma Christi", den Marterwerkzeugen Christi, gestalten.
- Ein Kreuzigungsbild für eine moderne Kirche gestalten.

KB S. 129 Die Auferstehung

Tod und Auferstehung Jesu Christi gehören zum Zentrum des christlichen Glaubens. Sie haben das Leben und Sterben der Christen von Anfang an geprägt (vgl. KB S. 171) und die rasche Ausbreitung (KB S. 172, 173, 169) begründet. Wie in der orthodoxen Kirche gefeiert und die Auferstehung Christi dargestellt wird, zeigt KB S. 184/185.
Die Osterberichte und -erzählungen sind nicht einheitlich. Sie spiegeln unterschiedliche Erfahrungen. Gemeinsam ist in den Evangelien, dass sie eine Grabeserzählung beinhalten sowie eine erste Erscheinung vor einzelnen Personen. Hinzu kommt eine Gruppenerscheinung. Ganz gewiss hat die Geschichte vom leeren Grab keine konstitutive Bedeutung für den Glauben an die Auferstehung. Es wird vom Osterglauben her erst zum Zeugnis der Auferstehung. Festzuhalten ist, dass es nach der großen Enttäuschung und Flucht zu einem Neuanfang kommt, den alle Zeugen auf die Begegnung mit dem Auferstandenen zurückführen.
Ob Maria Magdalena oder Petrus (Lk 24,34) die ersten Zeugen der Auferstehung sind, lässt sich nicht einfach entscheiden. Es ist jedoch wahrscheinlicher, dass die Ersterscheinung vor Maria Magdalena unterdrückt wurde (vgl. 1. Kor 15,3–5), als dass sie später angefügt wurde. Der Erzähltext stellt beide Begegnungen gleichrangig nebeneinander und sucht die Folgen für beide Zeugen darzustellen. Für beide bedeutete es eine dramatische Lebenswende.
Die Darstellung des Auferstandenen von Dieric Bouts vereinigt unterschiedliche Erzählungen: die Begegnung Maria Magdalenas (Joh 20,11–18) in der linken oberen Ecke, die Himmelfahrt Christi rechts oben (Apg 1,9–11), das leere Grab, der lichte Engel und die niedergeschlagenen Wärter (Mt 28,1–8). Eine ganz andere Darstellung findet sich bei den Ikonen (KB S. 185). Der Auferstandene erscheint hier bei Bouts in einem roten Mantel, die rechte Hand segnend dem Beobachter zugewandt. Drei Soldaten liegen oder knien am Boden. Sie sind durch ein Licht geblendet, das von rechts zu kommen scheint. Die Hüte weisen auf einen osmanischen Krieger, auf einen Hauptmann sowie auf einen europäischen Soldaten. Der Grabdeckel bildet mit dem leeren Grab ein Kreuz. Unter dem Sarg bricht die Erde auf.
Bei dem Grab handelt es sich um einen Sarkophag, wie er im Mittelalter durchaus üblich war. Historisch gesehen wurde Jesus jedoch in einem „Bankgrab" bestattet. Dabei handelt es sich um eine in eine Höhle getriebene Totenkammer mit einer oder mehreren Bänken, auf die die Toten gelegt wurden. Vor die Grabkammer wurde ein Rollstein gerollt, mit dem man das Grab wieder öffnen und weiter belegen konnte.

Mögliche Eingangssituationen
- Theologisieren mit Kindern: Ist Jesus wirklich auferstanden? Wie sollen wir uns das vorstellen? (Impuls 3)
- Von Ostern erzählen.

Erschließungsmöglichkeiten
- In dem Text mindestens drei Überraschungen feststellen, z. B. offenes Grab, Gärtner, Vergebung.
- Vier Bilder malen: Maria und Petrus vor und nach der Begegnung mit dem Auferstandenen (Impuls 2).
- Text-Bild-Vergleich: Unterschiede und Gemeinsamkeiten herausstellen (Impuls 1).
- Rollenspiel oder schriftlicher Dialog: Petrus und Maria sprechen miteinander über ihre Begegnung mit dem Auferstandenen.

Mögliche Schlusssituationen
- Osterlieder singen und überlegen, was am besten passt.
- Den Kirchenjahreskreis KB S. 181 noch einmal entschlüsseln.
- Vergleich mit einem Jesusfilm z. B. „Die Bibel-Jesus" (Informationen www.kinowelt-video.de).
- Die interessanteste Geschichte nachspielen und anderen vorstellen.

Mögliche Schlusssituation zum Kapitel
- Die Sch. schreiben aus der Perspektive von Petrus oder Maria Magdalena einen Brief über Jesus an Menschen von heute.

Zu weiteren Möglichkeiten vgl. auch oben S. 97: Wie können die Sch. das Gelernte anwenden?

3. Lernkarten

65 Erzähle kurz die Geschichte von der Taufe Jesu.
66 Was bedeutet es, wenn Jesus „Sohn Gottes" genannt wird?
67 Erzähle kurz die Geschichte vom Einzug Jesu in Jerusalem. Welches Kirchenfest gehört dazu?
68 Erzähle kurz die Geschichte vom letzten Abendmahl Jesu mit seinen Jüngern. Welches Kirchenfest gehört dazu?

69 Erzähle kurz die Geschichte von der Kreuzigung. Welches Kirchenfest gehört dazu?
70 Erzähle kurz die Geschichte von der Auferstehung. Welches Kirchenfest gehört dazu?

4. Empfohlene Literatur und Medien

Baldermann, Ingo, Der Himmel ist offen. Jesus aus Nazareth: eine Hoffnung für heute, München 1991 (Kösel).
Krotz, Fritz, ... für uns gestorben. Zugänge zu der Geschichte von der Passion Jesu, Neukirchen 1987 (Neukirchener Verlag).
Luz, Ulrich, Das Evangelium nach Mathäus (Evangelisch-katholischer Kommentar EKK I, 1–4), Düsseldorf/Zürich 1985–2002.

PC Spiel „Geheimakte Jesus". Stuttgart 2002 (Deutsche Bibelgesellschaft).
„Die Bibel – Jesus" (Informationen www.kinowelt-video.de).

5. Materialien

M 66 Karte des Landes Israel
M 67 Hans Baldung Grien, Kreuzigung Jesu (Farbseite)

Gleichnisse Jesu

1. Zielsetzung, Aufbau und Kompetenzen

Das Kapitel will die Reich-Gottes-Botschaft Jesu zugänglich machen. Die Einheit „So lebte Jesus" (KB S. 118–123) stellt dazu die kulturellen, geographischen, religiösen und politischen Rahmenbedingungen zur Verfügung, damit die Intentionen der Gleichnisse angemessen verstanden werden können. „Der Weg Jesu" (KB S. 124–129) stellt den biographischen, vor allem aber auch den christologischen Hintergrund der Gleichnisse dar. Hier spricht ja nicht einfach der historische Jesus, sondern auch immer der, von dem die christliche Gemeinde bekennt, er sei der Messias Israels und der Sohn Gottes.

Welche Lernchancen werden angeboten?

Das vorliegende Kapitel will – wie das gesamte KB – Sch. helfen, eigenständig Kompetenzen aufzubauen. Sie können hier die Kenntnis zentraler Gleichniserzählungen gewinnen und die Fähigkeit erwerben, diese frei nachzuerzählen. Sie können die Fähigkeit entwickeln, biblische Texte aus ihrer Entstehungssituation heraus zu verstehen, ihnen Bilder vom Reich Gottes zu entnehmen und diese zusammenfassend zu beschreiben. Sie können schließlich den Gleichnissen Aussagen Jesu über Gott und sich selbst entnehmen. Gegenüber der Grundschule wird es darum gehen, die übertragene Bedeutung der Gleichnisse Jesu zu entdecken und ihre Intentionen zu formulieren und zu reflektieren. Dazu hilft auch das Kapitel „Die Bibel – Urkunde des Glaubens" (KB S. 138–157). Vorausgesetzt wird, dass die Sch. einige Gleichnisse schon aus der Grundschule kennen, so das Gleichnis vom verlorenen Schaf (vgl. KB S. 132) und die „Story" des Gleichnisses vom verlorenen Sohn sowie vom barmherzigen Samariter (KB S. 135).
Gleichnisse Jesu werden hier im Sinne der metaphorischen Gleichnis-Auslegung als „bewegende Geschichten" verstanden. Sie holen den Hörer/Leser in seiner Lebenswelt ab und nehmen ihn mit auf einen Weg. Sie setzen zunächst auf Zustimmung, lassen aber dann überraschende Wendungen folgen, die das Gewohnte in einem neuen Licht erscheinen lassen, den Blick für neue ungeahnte Möglichkeiten öffnen und Mut machen, diese im eigenen Leben ins Szene zu setzen.
Gleichnisse werden deshalb auch als literarische Kunstwerke verstanden, die die Hörer in Bewegung setzen wollen. Aus dieser Einsicht ergibt sich als didaktische Konsequenz, immer wieder den Erzählweg als Lernweg aufzunehmen, die Sch. den überraschenden Wendungen auszusetzen und mit ihnen zu entdecken, wohin dies führt. Die Gleichnisse arbeiten so an Grundansichten der Menschen. Sie zielen auf ihre moralischen Grundüberzeugungen (Gerechtigkeit, Nächstenliebe, Barmherzigkeit) und auf emotionale Grundhaltungen (Einstellung zur Zukunft, zu „unreinen" Menschen). Zuletzt zielen sie auf ein erneuertes Verständnis Gottes, das in der Tiefe die Wahrnehmung der Wirklichkeit steuert.
Zu bedenken ist, dass die moralische und religiöse Entwicklung (wie sie Kohlberg, Oser und Fowler untersucht haben) einem entfalteten Gleichnis-Verständnis entgegenstehen können. Dies ist z. B. beim Gerechtigkeitsbegriff zu erwarten. Sch. dieses Alters verstehen Belohnungen dann als gerecht, wenn sie direkt reziprok zu einem gezeigten Verhalten stehen. Hier wird man nur mit kleinen Schritten vorangehen können. Es wird schon ein wichtiges Ereignis sein, wenn Heranwachsende verstehen, dass die Anwendung eines solchen Gerechtigkeitsbegriffes zu Unmenschlichkeit und Hunger führen kann.
Zu bedenken ist, dass sich viele zwölfjährige Sch. mit Metaphern und mehrsinnigen Aussagen noch schwer tun. Sie neigen oftmals noch zu einem wörtlichen Verständnis metaphorischer Aussagen. Aus dieser Einsicht wird hier die Konsequenz gezogen, dass der Unterricht sich intensiv mit den konkret-anschaulichen Elementen der Gleichnisse beschäftigt und Schritt für Schritt auf Übertragungen in das eigene Leben sowie auf Jesus, Gott und Gottes neue Welt hinarbeitet. Übertragungen fallen dann leichter, wenn sie auf intensiven Identifikationen gründen. Zu bedenken ist auch, dass viele Sch. im Reich Gottes einen himmlischen Thronsaal sehen oder dieses nach dem Tod ansetzen. Es gilt dann schrittweise anzubahnen, dass das Reich Gottes auch jetzt auf Erden geschehen kann.

Das Kapitel „Gleichnisse" besteht aus sechs Schritten. Einleitend wird die Möglichkeit eröffnet, eigene Bilder vom Himmelreich bzw. dem Reich Gottes zu entwickeln (KB S. 130), die durch fünf Gleichnisse (KB S. 131–135) überprüft und weiter konkretisiert werden:
KB S. 131: Vom Senfkorn (Mk 4,30–34),
KB S. 132: Von der verlorenen Münze (Lk 15,8–10),
KB S. 133: Vom verlorenen Sohn (Lk 15,11–32) – vgl. auch KB S. 71 und 110,
KB S. 134: Von den Arbeitern im Weinberg (Mt 20,1–16),
KB S. 135: Vom barmherzigen Samariter (Lk 10,25–37).

Weitere Gleichnisse finden sich KB S. 129 (Vom Schalksknecht Mt 18,21–35), KB S. 70 (Von den anvertrauten Zentnern Mt 25,14–30), KB S. 83 (Das Gleichnis Nathans in der Begegnung mit David 2. Sam 12,5–7), KB S. 152 (das Gleichnis vom verlorenen Schaf in Form eines Bildes in Lk 15,3–5). Mehrsinnige Erzählungen finden sich KB S. 16, 24, 55, 69, 154.

Bei der *Bildkonzeption* sind Radierungen von Rembrandt leitend. Wo bei Rembrandt kein geeignetes Bild zu finden war, wurde ein Kupferstich im Stil Merians (KB S. 132) und ein Holzschnitt Schnorr von Carolsfelds (KB S. 135) einbezogen.

■ Nachhaltiges Lernen

Für die *Lernstandsdiagnose* eignet sich die Evaluationsseite (KB S. 216/217). Andere Möglichkeiten einer Lernstandsdiagnose sind:
- Das Bild von Rembrandt, Die Predigt Jesu (KB S. 131) mit Sprechblasen (**M 68**) in das Heft übernehmen und Geschichten dazu schreiben, die die Sch. von Jesus schon kennen.
- Die Sch. erhalten die Aufgabe, drei Gleichnisse aus der Erinnerung nachzuerzählen.

Hilfreich ist ein *informierender Unterrichtseinstieg*, in dem zum Beispiel Ziele definiert, bekannt gemacht und sogar verhandelt werden. An der Tafel könnte stehen:
- Ich kann drei Gleichnisse eigenständig nacherzählen.
- Ich kann zu einem Gleichnis sagen, wem Jesus dieses Gleichnis wozu erzählt.
- Ich kann sagen, wie es nach Jesus im Himmelreich zugeht und wie dieses kommt.

Die Sch. legen dar, was sie schon wissen. Am Ende wird gemeinsam überprüft, ob sie diese Ziele erreicht haben.

Gerade bei leistungsstärkeren Sch. kann die Verstärkung der *Selbstregulierung* durch offene Unterrichtsformen den Lernertrag steigern. Denkbar ist, dass die Sch. im Sinne einer Vorbereitung ein Poster entwerfen, in dem alle fünf Bibeltexte zeichnerisch aufgenommen sind. Anschließend könnte nach dem Lieblingsgleichnis gesucht werden.

Ganz gewiss meint nachhaltiges Lernen immer auch *sinnverstehendes Lernen*. Ein wichtiger Bezugspunkt sind elementare Fragen. Solche Fragen können hier sein:
- Wie geht es im Himmelreich zu?
- Womit kann man Gott vergleichen?
- Wie können wir überhaupt von Gott reden, der doch viel größer ist als das, was wir uns vorstellen können?
- Ist Gott ein Mann oder eine Frau?

Leitmedium könnte das Rembrandt-Bild von der Predigt Jesu als Plakat sein (KB S. 131, siehe **M 68**). Alle Gleichnisse werden auf dem Plakat Schritt für Schritt in die Sprechblasen eingetragen. Als Überschrift bietet sich Mk 4,34 an: „Und ohne Gleichnisse redete er nicht zu ihnen".

Im Rahmen des Buches bieten sich vielfältige Möglichkeiten, Gleichnisse zu *wiederholen*:
- Die Sch. bearbeiten das Gleichnis vom Schalksknecht (KB S. 29) im Rahmen einer Einheit „Regeln" und vergleichen dieses mit den fünf bearbeiteten Gleichnissen. Wo gibt es Unterschiede und Gemeinsamkeiten?
- Die Sch. vergleichen das Gleichnis von den anvertrauten Zentnern, Mt 25,14–30 (KB S. 70) im Rahmen einer Einheit „Ich bin einmalig" mit den aufgeführten Gleichnissen.

Im Rahmen der Einheit Gleichnisse lassen sich aber umgekehrt Inhalte anderer Einheiten wiederholen:
- Das Gleichnis vom verlorenen Sohn gibt Gelegenheit, „Ich bin einmalig", aber auch das Thema „Gottesbilder" (vgl. KB S. 110) zu wiederholen.
- Das Gleichnis von der verlorenen Münze gibt Gelegenheit, Aspekte von „So lebte Jesus" zu wiederholen.
- Das Nathangleichnis (KB S. 83) zeigt, wie Gleichnisse Einstellungen von Menschen ändern können.
- Die metaphorischen Erzählungen geben Gelegenheit den Begriff Metapher und die metaphorische Sprache in den Psalmen zu wiederholen (vgl. KB S. 102).

Wie können die Sch. das Gelernte anwenden?
Ein wichtiger Weg dürfte darin liegen, dass jeder Sch. ein Gleichnis eigener Wahl anderen nacherzählt. Die anderen Sch. bedenken, ob alle wichtigen Details enthalten sind.
Eine andere Möglichkeit besteht darin, Begriffs- oder Bildkarten eigenständig zu beschriften und der eigenen Lernkartei einzufügen. Weitere Möglichkeiten sind:
- Die Sch. entwerfen Tests für die Klasse.
- Die Sch. benennen zu jedem Gleichnis die Hauptakteure und die Pointe.
- Die Sch. entwerfen ein Gleichnisfenster für eine Kirche.
- Die Sch. suchen sich ein Lieblingsgleichnis und spielen es pantomimisch vor, die anderen raten.
- Im Nachgang zu jeder Einheit verdient noch einmal das Eingangslied von Rolf Krenzer Beachtung (KB S. 130). Welche Gleichnisse sind hier aufgenommen? Kann man weitere Verse dazu dichten?

2. Didaktisch-methodische Hinweise

KB S. 130 Das Himmelreich ist wie ...

Das Lied von Rolf Krenzer hat den Titel „Wir malen Gottes Paradies". Es verwendet biblische Bilder wie Regenbogen oder Baum und nimmt Bibelstellen wie Jes 11 und Jes 9 auf. Damit entwirft es „ein Bild von Gottes Welt", das ganz unterschiedliche Aspekte enthält: Alle werden satt – Kinder singen frohe Lieder – saubere Umwelt – Nächstenliebe und Zeit haben – Kriege sind abgeschafft.
Diese Aspekte können in den Schalom-Begriff mit seinen drei Dimensionen Frieden, Gerechtigkeit und eine bewahrte Schöpfung integriert werden.
Das Lied enthält noch weitere Zeilen, die das gesamte Lied ein- und ausleiten:

Wir malen Gottes Paradies, ein Bild von Gottes Welt,
wir malen Gottes Paradies, das Gott und uns gefällt.
...
Und jeder bleibt heut bei uns steh'n,
weil das Bild gefallen
und will dann nicht mehr weitergeh'n
und schaut uns zu beim Malen.
Dann teilen wir noch Farben aus
und sagen froh und heiter:
Kommt raus aus eurem Schneckenhaus
und malt mit uns doch weiter.

Mögliche Eingangssituationen
- Sprachbild-Meditation: Das Himmelreich ist wie ... (Impuls 1; dabei evtl. Hinweis auf KB S. 102: Metaphern).
- Theologisieren mit Kindern: Ist der Himmel oben oder unten? Kommt das Reich Gottes erst noch oder ist es schon da? (Impuls 3)
- Lied: Weißt du, wo der Himmel ist ...
- Unterschied: sky und heaven herausfinden.

Erschließungsmöglichkeiten
- Text inszenieren (vgl. Impuls 2).
- Zum Text ein Bild malen oder eine Collage anfertigen (Impuls 2).
- Weitere Verse zum Lied von Rolf Krenzer dichten, die dazu passen (Impuls 2).
- Im Text Aspekte finden, die aus der Gegenwart stammen, und solche, die es auch schon früher gegeben hat.

Mögliche Schlusssituationen
- Vergleich des eigenen Sprachbilds (s. Einstieg) mit dem Liedtext.
- Bilder im Buch suchen, die etwas vom Himmelreich erzählen.
- Vergleich mit KB S. 167, Bild „Hl. Elisabeth": „Geschieht" hier das Himmelreich?

KB S. 131 Vom Senfkorn

Das Gleichnis wendet sich mit seiner Botschaft vom anbrechenden Himmelreich gegen Resignation und Zweifel angesichts enttäuschter Hoffnungen. Es lässt erkennen, dass gute und schöne Erfahrungen manchmal unscheinbare, ja sogar enttäuschende Anfänge haben. Doch aus solchen Anfängen kann ein großartiges Ende werden.
Mit der abgebildeten Radierung hat Rembrandt das Thema des Hundertguldenblatts noch einmal aufgenommen. Sie hat den gleichen Bildaufbau wie jenes: Sie zeigt den predigenden Jesus in der Mitte mit dem nur schwach erkennbaren Nimbus in einer Art Hinterhof. Jesus wendet sich an ganz unterschiedliche Personen. Links stehen die Menschen, die Jesu Botschaft ablehnen. Den Gesichtern sieht man an, dass sie seiner Verkündigung skeptisch-kritisch gegenüber stehen. Auf der rechten Seite finden sich die Menschen, die Jesu Botschaft annehmen: Kinder, Frauen, Kranke, Arme, Jüngerinnen und Jünger. Indem der Kreis der Menschen, die Jesus umgeben, nach vorn offen ist, ist Platz dafür gelassen, dass der Betrachter sich in das Geschehen des Bildes hineinbegibt.

Mögliche Eingangssituationen
- Standbild: Die Haltung von Jesus einnehmen und angemessene Worte finden. Was sagt Jesus in dieser Situation?
- Das ganze Bild nachstellen und fotografieren.
- Bildbetrachtung: Konzentration auf Jesus. Wie sieht er aus? Vergleich mit Jesus-Darstellungen im KB S. 113, 104, 124, 125–129, 132, 138, 146, 148, 185, 189. Was fällt auf? Wie stellen wir uns Jesus vor?

Erschließungsmöglichkeiten
- Senfkornmeditation: Wie fühlt es sich an? Sich ganz klein machen, wachsen, dazu Text hören und schließlich das Gleichnis bedenken (vgl. Impuls 1).
- Senfkorn- und Senfstaudebild (vgl. Lernkarte 71): Senfkorn auf ein Din A3-Blatt kleben und dazu eine Senfstaude zeichnen. Dabei möglichst viel vom Gleichnis aufnehmen (Impuls 2).
- L. gibt Situation vor: Jünger können nicht glauben, dass das Reich Gottes im Kommen ist. Alle Erfahrungen sprechen dagegen: Die Römer herrschen, die Zöllner legen willkürlich Zölle fest, Menschen hungern, Menschen sind blind, taub und gelähmt. Zeloten kämpfen und werden ans Kreuz geschlagen. Da erzählt ihnen Jesus das Gleichnis vom Senfkorn. Es kommt anschließend zu einem Gespräch (vgl. „Werkstatt Religion: Rollenspiele", KB S. 136f.).

Mögliche Schlusssituationen
- Darüber nachdenken, warum Jesus einen Heiligenschein hat.
- Vergleich des Senfkorngleichnisses mit dem Gleichnis vom Sauerteig (Mt 13,33). Was ist gleich, was ist anders?
- Ein eigenes Gleichnis erfinden, das dem Gleichnis vom Senfkorn entspricht.
- Formulieren, warum das Gleichnis eine Mutmachgeschichte ist.

KB S. 132 Von der verlorenen Münze

Das Gleichnis von der verlorenen Münze zielt auf eine Lebenshaltung, die Verlorenes und als geringfügig Erachtetes bald aufgibt und abschreibt. Dagegen will das Gleichnis Jesu deutlich machen, dass Gott und Jesus Verlorengegangenes nicht aufgeben, sondern dieses intensiv suchen, bis sie es wiedergefunden und an seinen eigentlichen Platz gebracht haben. Dazu erzählt das Gleichnis von jener armen Frau, die ein Zehntel ihres Brautschmuckes und Notgroschens verliert und ihr Haus so lange durchsucht, bis sie den verlorenen Teil voller Freude wieder gefunden hat.
Jesus verteidigt mit diesem Gleichnis zum einen seine Tischgemeinschaft mit Zöllnern und Sündern gegenüber Schriftgelehrten und Pharisäern (Lk 15,1–3). Zum anderen aber verspricht er gegenüber Verlorenen, dass sie von Gott und ihm selbst keinesfalls als verloren betrachtet werden und so auch Grund und Anlass haben, „Buße zu tun" (Lk 15,10). Das Gleichnis kann als Kommentar zur Berufung des Levi (Lk 5,27–32) und zur Begegnung mit Zachäus (Lk 19,1–10) angesehen werden. Bemerkenswert ist an diesem Gleichnis, dass Gott mit einer Frau verglichen wird.
Der Kupferstich aus dem Jahre 1672 zeigt im Stile Merians die Szene, wie Jesus dem auf einen Maulbeerbaum gekletterten Oberzöllner Zachäus begegnet und ihn anspricht: „Zachäus, komm schnell herunter, denn ich muss noch heute in deinem Hause zu Gast sein." Zu der Menschenmenge gehören auch Kinder mit Windrädern, die im 17. Jh. als Spielzeug dienten. Im Hintergrund zeigt sich Jericho mit Kirchturm.

Mögliche Eingangssituationen
- Theologisieren mit Kindern: Ist Gott ein Mann oder eine Frau? (Impuls 4). Das Gleichnis bietet eine Antwortmöglichkeit.
- Die Sch. lesen oder L. erzählt Lk 5,27–30. Gemeinsam wird die Situation geklärt: Wer sind die Zöllner? (vgl. KB S. 122) Warum regen sich Pharisäer und Schriftgelehrte auf?
- Die Sch. schreiben in EA auf, wie Jesus reagiert.
- Erfahrungsgeschichten: Wie ich etwas verloren und wiedergefunden habe.

Erschließungsmöglichkeiten

- Text gemeinsam lesen und Situation klären (evtl. Haus KB S. 118 heranziehen), dann pantomimisches Nachspielen des Gleichnisses. Vergleich mit den eigenen Erfahrungen, mit dem Verlieren (Impuls 1).
- Herausfinden, wie Lk 5,27–30 mit Lk 15,8–10 zusammenhängt (Impuls 2). Formulieren, was Jesus damit sagen will. Nach der besten Formulierung suchen.
- Open-End-Sätze vervollständigen: Gott ist wie ... Oder: Wenn es so ist, wie Gott will, dann ... (Impuls 5).

Mögliche Schlusssituationen

- Vergleich mit dem Gleichnis vom verlorenen Schaf, Lk 15,3–7 (Impuls 3, vgl. S. 152). Was ist gleich, was ist anders?
- Bildbetrachtung: Überlegen, welches Gleichnis besser zu Zachäus passt: Vom verlorenen Schaf oder Von der verlorenen Münze? Warum?
- Definition von Gleichnis als „bewegende Geschichten" auf das Gleichnis von der verlorenen Münze anwenden. Passt das zusammen?
- Handelt es sich hier um eine Mutmach-Geschichte?
- Das Gleichnis im Rollenspiel nachspielen.

KB S. 133 Vom verlorenen Sohn

Auch dieses Gleichnis stellt eingefahrene Einstellungen in Frage und sucht diese durch Aufzeigen von Alternativen zu überwinden. In den beiden Söhnen begegnet eine Lebenshaltung, die die Annahme und Wertschätzung von der eigenen Lebenshaltung abhängig macht. Der jüngere Sohn meint, er habe die Liebe des Vaters aufgrund mangelnder Leistung verspielt, der ältere meint, sie aufgrund eigener Leistungen verdient zu haben. Beiden – und damit der jeweiligen Lebenshaltung – begegnet der Vater mit einer Liebe, die unabhängig ist von Vorleistungen. Für Jesus zeigt dies das Handeln Gottes und die Erfahrung im Reiche Gottes. Das Gleichnis kommentiert gleichzeitig das Handeln Jesu gegenüber Sündern und Zöllnern sowie Schriftgelehrten und Pharisäern. Es identifiziert Jesus als das Gleichnis Gottes.
Entscheidend für das Verstehen des Gleichnisses ist, dass der Rezipient möglichst eine ganze Szenenfolge aus verschiedenen Perspektiven durchlebt, um die Herausforderung zu verstehen, die in dem Gleichnis steckt.
Das Bild von Rembrandt zeigt die Szene, wie der Vater auf den Stufen seines Hauses den verlorenen Sohn in die Arme schließt. Die Bewegungen von Vater und Sohn entsprechen einander: Der Vater beugt sich – noch in der Bewegung des Entgegeneilens – zum Sohn hinunter. Der Sohn ist in die Knie gesunken und streckt dem Vater die Hände entgegen. Durch die Tür kommt ein Knecht, der das Festgewand samt Schuhen bringt, Zeichen der freudigen Annahme und der Einsetzung in die Sohnschaft. Kann in dem Fenster der ältere Bruder gesehen werden oder ist es die Mutter? Wenn es die Mutter wäre, könnte das zu einer kreativen Weiterentwicklung des Gleichnisses anregen (vgl. M 69). Auf den Bibeltext wird verzichtet, in der Annahme, dass die Sch. das Gleichnis wahrscheinlich kennen.

Mögliche Eingangssituationen

- Das Bild betrachten (vgl. „Werkstatt Religion", KB S. 114f.) und den Personen Worte geben: Was sagt der Sohn? Was sagt der Vater?
- Das Gleichnis in Gruppen als Rollenspiel vorbereiten, vorstellen und die Spiele vergleichen.
- Das Vorher und Nachher bestimmen (Impuls 1).
- Lied „Gott ist wie ein guter Vater" singen KB S. 110. Biblische Geschichten dazu erzählen.
- Das Bild ohne Vater und Sohn kopieren. Die Sch. vervollständigen das Bild und vergleichen es mit dem Bild Rembrandts.

Erschließungsmöglichkeiten

- Lk 15,11–32 in Szenen gliedern und mit Überschriften versehen, Hefteintrag (Impuls 2). Die Haltung der Personen mit Smileys (M 70) in den einzelnen Szenen feststellen und in einer Tabelle festhalten. Dann evtl. für jede Person eine Gefühlskurve zeichnen.
- In GA Briefe des Vaters, des jüngeren Sohnes und des älteren Sohnes an einen Freund schreiben, aus denen hervorgeht, wie sie die Geschichte erlebt haben (Impuls 3).
- Theologisieren mit Kindern: Handelt der Vater gerecht? Ist der Vater so wie Gott? Könnte das heute noch geschehen? (Impuls 4).
- Vergleich mit dem Lied von Reinhard Mey (KB S. 71). Was ist gleich? Was ist anders? Sollen alle Eltern so sein? CD „Keine ruhige Minute", Intercord 1979.

Mögliche Schlusssituationen

- Open-End-Satz vervollständigen „Wenn es so ist, wie Gott will, dann ..." (Impuls 5)
- Vergleich mit dem Gleichnis von der verlorenen Münze (KB S. 132).
- Prüfen, ob das Gleichnis zu Lk 5,27–30 oder zu Zachäus passt (KB S. 132). Was will das Gleichnis erzählen?
- Das Gleichnis aus der Perspektive der Mutter nacherzählen (vgl. M 69).
- Formulieren, wo in dem Gleichnis Jesus vorkommt.
- Prüfen, ob es sich um eine Mut-Mach-Geschichte handelt.

KB S. 134 Von den Arbeitern im Weinberg

Das Gleichnis spielt mit verschiedenen Gerechtigkeitsbegriffen, vornehmlich aber mit einem abstrakten Verständnis von Gerechtigkeit, das jedem das Seine gemäß objektiv erbrachter Leistung geben will. Das Gleichnis akzeptiert grundsätzlich diesen Leistungsbegriff als Möglichkeit, so Güter bzw. Lohn zu verteilen. Die Ersten werden ganz selbstverständlich damit entlohnt. Das Gleichnis stellt aber diesen Gerechtigkeitsbegriff bei den Letzten in Frage, da er dort in Unmenschlichkeit umschlagen und Gemeinschaft zerstören würde.

Die Zeichnung von Rembrandt beschreibt die Lohnauszahlung und das Murren jener, die den ganzen Tag gearbeitet haben.
„Das Bild zerfällt in zwei Handlungsgruppen. Rechts starren zwei Leute auf das Geldstück, das ihr Kollege eben erhalten hat. Sie können es nicht begreifen, dass er, der erst kurz vor Feierabend eingestellt wurde, den vollen Tagelohn empfing. Auch der so reich Entlohnte scheint seiner Sache nicht ganz sicher zu sein; man hat den Eindruck, als wolle er sich schnell davonmachen. – Erregter geht es am Tisch des Herrn zu. Zwei Arbeiter sind herangetreten, um sich über das vermeintliche Unrecht zu beschweren. Der vordere steht ruhig da, wie in stummer

Erwartung. Auch er hält ein Geldstück in der Hand: den gleichen Betrag, den der spät Eingestellte empfing, obwohl er selber doch des ganzen Tages Arbeit und Hitze trug. Der andere führt eben das Wort. Er lässt alle Ehrerbietung fahren. Die Bewegung der linken Hand legt dar, dass jeder rechtlich Denkende den Anspruch billigen müsste, den er vertritt. Mit dem Zeigefinger seiner rechten Hand deutet er auf seine Stirn: ein Narr! wer ihm in dieser Sache nicht recht geben wollte." (Rotermund, Rembrandts Handzeichnungen, S. 184)

Das Gleichnis wird in einer Nacherzählung angeboten, die auf die Szene „Ärger am Zoll" (KB S. 122) zurückgreift (Ephraim und Judith). Die Erzählung bricht ab, damit die Sch. ihre eigene Fortsetzung formulieren können. Vorausgesetzt wird, dass sie das Gleichnis nicht kennen.

■ Mögliche Eingangssituationen

- Festlegen, was eine Familie an Geld für einen Tag braucht, z. B. 60 Euro. Dies entspräche dann einem Denar.
- Bild betrachten (evtl. Vergrößerung anfertigen), Personen raten, Geschichte raten oder erfinden.
- Theologisieren mit Kindern: Was ist ein gerechter Lohn? Wann geht es gerecht zu?

■ Erschließungsmöglichkeiten

- Geschichte lesen, mit den Uhrzeiten rekonstruieren und dann den Lohn festlegen für Ephraim und David (Impuls 1). Diskutiert wird, ob der Lohn gerecht ist.
- Vergleich mit Mt 20,1–15. Welcher Lohn ist gerechter? Inwiefern könnte der Lohn im Gleichnis gerecht sein?
- Die Situation im Bild identifizieren und die Szene weiterspielen (Impuls 3; vgl. „Werkstatt Religion: Rollenspiele", KB S. 136f.). – Die Szenen des Bildes eignen sich auch sehr gut für Sprechblasen.
- Theologisieren mit Kindern: Ist Gott so wie dieser Weinbauer? (Impuls 4)

■ Mögliche Schlusssituationen

- Open-End-Satz vervollständigen: „Wenn es so ist, wie Gott will, dann ..." (Impuls 5)
- Den Begriff „Gleichnis" anwenden (KB S. 132): „Jesus will mit dem Gleichnis seine Zuhörer überraschen. Zeigt, wie er das macht. Die Definition Gleichnis auf S. 132 kann euch dabei helfen."
- Mit dem Gleichnis vom Schalksknecht (KB S. 29) vergleichen. Passen die beiden Geschichten zusammen?
- Herausfinden, ob das Gleichnis auch von Jesus erzählt.
- Überlegen, ob dieses Gleichnis auch Politikern neue Perspektiven geben kann.

KB S. 135 Vom barmherzigen Samariter

Das Gleichnis zeigt zunächst in den Personen Räuber, Priester und Levit, dass zum Leben der Menschen Bosheit und Gleichgültigkeit gehören. Nächstenliebe ist und bleibt eine wundersame Überraschung. Dennoch ist sie möglich. Insofern wirbt das Gleichnis für ein differenziertes Wirklichkeitsverständnis, das mit Nächstenliebe und demnach mit dem Himmel auf Erden zumindest „senfkornartig" rechnet. Indem das Gleichnis den Rezipienten in die Position des Überfallenen versetzt, gibt es Anlass, Nächstenliebe zu üben, denn diese beginnt mit der Identifikation mit den Betroffenen und Beleidigten.
Am Verhalten und Handeln des Samariters kann die Eigenart der Nächstenliebe aufgezeigt werden. Sie beinhaltet die Fähigkeit, sich in einen anderen hineinzuversetzen; sich Zeit zu nehmen für einen anderen; in einer schwierigen Situation das Notwendige zu tun, das einem anderen zum Leben hilft. Das Gleichnis ermutigt zur Übernahme einer begrenzten Verantwortung, die auch die Folgen einschließt und zum Ziel hat, dass andere wieder selbstständig leben können. Am Beispiel des Samariters wird auch deutlich, dass Nächstenliebe ethnische Barrieren und religiöse Vorurteile überspringen kann.
Das Bild des Nazareners Schnorr von Carolsfeld (1794–72) ähnelt einem Comic, da alle Szenen des Gleichnisses nur angedeutet sind, und lädt insofern zum Entdecken ein. Geschildert wird der Weg von Jerusalem nach Jericho. Im Wald laufen die Räuber weg, Priester und Levit haben den Ort des Überfalls schon hinter sich gelassen. In Zentrum steht der Akt der Barmherzigkeit. Der Samaritaner kniet nieder und kümmert sich um den Überfallenen. Dem Betrachter wird der Überfallene ganz nahe gelegt.
Vorausgesetzt wird, dass den Sch. die Beispielerzählung bekannt ist. Das Gleichnis wird in der Geschichte KB S. 147 indirekt aufgenommen.

■ Mögliche Eingangssituationen

- Lied singen „Zwischen Jericho und Jerusalem".
- Das Bild entdecken: Was seht ihr hier? Was kam vorher? Wie geht es weiter? (Impuls 1)
- Theologisieren mit Kindern: Was ist eigentlich Nächstenliebe?

■ Erschließungsmöglichkeiten

- Lk 10,30–37 gliedern und einen Comic dazu zeichnen.
- Die Gleichnisgeschichte aus der Perspektive des Überfallenen erzählen. Dabei kann auch der Kommentar zu den Samaritanern berücksichtigt werden (Randspalte). Zu den Samaritanern vgl. auch LHB oben S. 100.
- Überlegen, warum Jesus diese Geschichte erzählt hat. Bei welcher Gelegenheit könnte dies gewesen sein?

■ Mögliche Schlusssituationen

- Paket zusammenstellen, das ganz mit Nächstenliebe gefüllt ist (Impuls 4).
- Satzergänzung: „Wenn es so ist, wie Gott will, dann ..." (Impuls 5)
- Die Geschichte als heutige Geschichte nacherzählen.
- Vergleich mit einer Vesperkirche (KB S. 166) oder Diakonie (KB S. 162).
- „Was wäre, wenn..." Zu bestimmten Situationen überlegen, was Jesus dazu sagen würde, und dabei die Gleichniserzählungen aufnehmen.

■ Mögliche Schlusssituation zum Kapitel

- Die Gleichnisse als SMS-Botschaft notieren.
- Ein eigenes Gleichnis erfinden.

Zu weiteren Schlussmöglichkeiten vgl. oben S. 108: Wie können die Sch. das Gelernte anwenden?

3. Lernkarten

71 Erzähle das Gleichnis vom Senfkorn in wenigen Sätzen nach. Was sagt Jesus damit vom Himmelreich?
72 Erzähle das Gleichnis vom verlorenen Sohn in wenigen Sätzen nach. Was sagt Jesus damit vom Himmelreich?
73 Erzähle das Gleichnis von den Arbeitern im Weinberg in wenigen Sätzen nach. Was sagt Jesus damit vom Himmelreich?
74 Erzähle das Gleichnis vom barmherzigen Samariter in wenigen Sätzen nach. Was sagt Jesus damit vom Himmelreich?
75 Erzähle das Gleichnis vom verlorenen Schaf in wenigen Sätzen nach. Was sagt Jesus damit vom Himmelreich?
76 Wie spricht Jesus in seinen Predigten vom Himmelreich? Suche unterschiedliche Ergänzungen für den Satz: „Wenn es so ist, wie Gott will, dann ..."

Zu Lernkarte 75 sind folgende Angaben denkbar:
Das Himmelreich ist dort zu erfahren, wo Menschen, die aus der Gemeinschaft herausgefallen sind, so lange nachgegangen wird, bis sie wieder in die Gemeinschaft aufgenommen werden und alle froh darüber sind.

Für Lernkarte 76 ist folgende Antwort möglich:
Wenn es so ist, wie Gott will, dann ...
- bekommt einer, der sich total verrannt hat, eine Chance,
- kann man immer wieder etwas vom Himmelreich merken,
- müssen auch die nicht um ihr Leben Angst haben, die wenig leisten können.

4. Empfohlene Literatur und Medien

Müller Peter/Büttner, Gerhard/Heiligenthal, Roman/Thierfelder, Jörg, Die Gleichnisse Jesu. Ein Studien- und Arbeitsbuch für den Unterricht, Stuttgart 2002 (Calwer).

Musall, Peter (Hg.), Den Himmel erzählen, Offenbach/Freiburg 1984 (Burckhardthaus-Laetare/Christophorus). *Geschichten, Gedichte, Lieder zum Thema Gleichnisse.*

Ruetz, Frauke/Rupp, Hartmut/Wallenwein, Wilfried, Gleichnisse Jesu, in: entwurf 1/95, S.43–57. *Angebot weiterer Gleichnisse für die Behandlung im Unterricht.*

Rupp, Hartmut, Gleichnisse im RU- Schön! Aber wie?, in: entwurf 1/91, S. 39–42. *Theoretische Abhandlung über die Behandlung der Gleichnisse im RU.*

Seim, Jürgen, Die große Entdeckung, Geschichten von Jesus, Göttingen 1980 (Vandenhoeck & Ruprecht). *Erzählungen zu ganz unterschiedlichen Gleichnissen mit überraschenden Perspektiven.*

Sorger, Karlheinz, Gleichnisse im Unterricht, Düsseldorf 1980 (Patmos). *Anregende Einführung in die Auslegung der Gleichnisse für die Hand des L. mit vielen praktischen Anregungen.*

5. Materialien

M 68 Markus 4,34: Und ohne Gleichnisse redete er nicht zu ihnen
M 69 Die Mutter des verlorenen Sohns
M 70 Smileys zum Gleichnis vom verlorenen Sohn

Die Bibel – Urkunde des Glaubens

Einführung

Ohne jede Einschränkung lässt sich behaupten, dass ein mündiger Glaube, zumindest in evangelisch-reformatorischer Ausprägung, ohne ein Verstehen der Bibel samt ihrer Entstehung in vielfältigen Vorgängen nicht vorstellbar ist. Mit dem Verstehen ist dabei nicht gemeint, dass Leser und Hörer der Bibel die jeweils neuesten exegetischen Erkenntnisse (die häufig genug bald wieder verschwinden) „gläubig" aufnehmen müssten. Gemeint ist vielmehr das Verstehen, dass das „Wort Gottes" in Jesus „Mensch" – und nicht ein „Buch" geworden ist.
Die Kenntnis der Bibel, ihres Inhaltes, ihres Aufbaus und ihrer Entstehung, gehört zum Basiswissen eines gebildeten Zeitgenossen und zur Grundlage einer mündigen christlichen Existenz. Dazu gehört auch das Wissen, dass die Bibel für Christen „Quelle und Norm des christlichen Glaubens" (Wilfried Härle) ist. Sie öffnet den Zugang zur Offenbarung Gottes in der Geschichte des Volkes Israels, in der Geschichte Jesu Christi und in der Geschichte der christlichen Kirche.
Zum angemessenen Umgang mit der so verstandenen „Heiligen Schrift" (vgl. KB S. 157) gehört auch das Wissen um die Menschlichkeit und Geschichtlichkeit der Bibel, was sie vom Koran (vgl. KB S. 206) unterscheidet. Die Bibel ist Gottes Wort im Menschenwort. Angemessener als eine „Verbalinspiration", die jedes Wort auf Gott selbst zurückführen will, ist deshalb eine „Personalinspiration", die davon ausgeht, dass in der Bibel Menschen unter dem Eindruck der Begegnung mit Gott erzählen, singen, klagen, loben und schreiben. „Die Heilige Schrift ist zunächst und in vollem Umfang menschliches Wort. Die Bibel ist nicht Gottes Wort, sie wird dem zu Gottes Wort, der die Bibel als Gottes Wort glaubt." (Feiner/Vischer, Neues Glaubensbuch, S. 111f.)
Die Bibel ist ein „gewachsenes Buch", in dem sich das Ringen vieler Generationen um das rechte Verstehen in Gottes Willen niedergeschlagen hat. Das ist u. a. darin zu erkennen, dass sich z.T. widersprüchliche Aussagen in den biblischen Schriften finden.

In den biblischen Schriften lässt sich eine innere Dynamik finden, die in jeweils neuen Situationen zu neuen Aussagen führt. Dabei ist z. B. nicht nur an Jesus (z. B. Antithesen Mt 5,17 ff. oder Mt 12,1ff.) und Paulus (z. B. Gal 3; Röm 9–11) zu denken, sondern etwa auch an prophetische Aussagen (z. B. Jes 1–8; Jes 40; 52) oder an die Inanspruchnahme des Alten Testaments durch die Evangelisten (z. B. Mt 12,18 ff).
Das Ringen um das richtige Verstehen der biblischen Schriften ist ein nach vorne offener Vorgang. Ein „fundamentalistisches" Verständnis der Religion, das dauerhaft im Gegensatz von „richtig" und „falsch" (bzw. gut/böse – erlöst/verdammt) denkt, kann sich nicht auf die biblischen Grundaussagen berufen. Allerdings ist es sachgerecht, in bestimmten, klaren Entscheidungssituationen eine klare Aussage zu treffen.
Die Auslegung biblischer Bücher ist im christlichen Verständnis nicht einfach eine Wiederholung und Einprägung von etwas Vorgegebenem, sondern ein elementares Fragen nach dem, „was Christum treibet" (Martin Luther), also nach dem Unterschied von „Geist und Buchstabe". Anders gesagt, wir haben in den biblischen Schriften einen „Schatz" in „irdenen Gefäßen" (2. Kor 4,7). Die Gefäße sind nicht mit dem Inhalt zu verwechseln. Die Auslegung der Bibel bleibt auch aus diesem Grund spannend. Und letztlich sind die Renaissance, die Reformation, die Aufklärung, die Geschichte der Toleranz, die Demokratie, die verbrieften Rechte des Individuums nur auf dem Boden einer so verstandenen biblischen Botschaft möglich geworden.
Eine sachgerechte Einführung in das Verstehen biblischer Bücher wird immer wieder darauf verweisen, was Israel (bzw. die Überlieferungen des Alten Testaments) über die eigene Herkunft aussagt. Israel sagt von seinen Vorfahren, sie waren keine großen, edlen Männer und Frauen, sie waren keine Göttersöhne, nein sie waren umherirrende Nomaden, sie waren Sklaven, sie waren Landlose, sie waren oft Betrüger und Feiglinge, aber gerade sie hat Gott erwählt, an ihnen festgehalten und mit ihnen einen Bund geschlossen. Und im Ringen um das jeweils rechte Verstehen und Handeln bleibt der Bund erhalten, zumindest für einen Teil des Volkes (vgl. dazu KB S. 90–94 mit LHB).
Ein tieferes Verstehen der biblischen Überlieferungen und ihrer Bedeutung für die Gegenwart wird sicher dadurch erreicht, dass die Sch. mit ihren Eltern, Großeltern, Lehrern und Mitschülern in einen Erfahrungsaustausch über Geschehnisse in der eigenen Familie, in der Gemeinde u. a. eintreten. Hilfreich kann dabei sein, wenn die Sch. Ältere auffordern, darüber zu berichten, was sie erlebt haben und welche Bedeutung diese Erfahrungen für alle, bis hin zu den fragenden Sch., haben (z. B. Krieg, Vertreibung, Berufswechsel, Todesfälle).

Als Kernkompetenz aus der Behandlung der Einheit „Die Bibel – Urkunde des Glaubens" ist anzustreben, dass die Sch. den äußeren Aufbau der Bibel kennen. Außerdem sollten sie verstehen, wie die biblische Grundaussage „Gott ist für uns da" zunächst die *Zuwendung* Gottes, dann aber auch eine bleibende *Verpflichtung*, nach Gottes Willen zu fragen, beinhaltet. Theologisch gesprochen, Evangelium und Gebot gehören zusammen und sind jeweils neu zu entdecken. Und jede neue Bibelübersetzung ist auch ein neuer Versuch, auf das, „was Christus will", zu hören.

Vom notwendigen Wissen ist noch einmal das erwartungsvolle Vertrauen und die überzeugte Zustimmung zu unterscheiden, die in der Bibel ein Lebensbuch sieht. Erwartbares Ziel des Religionsunterrichtes ist also „Notitia" (Kenntnis), aber nicht unbedingt „Fiducia" (Vertrauen) und „Assensus" (Zustimmung).
Vor diesem Hintergrund wird verständlich, dass zu einem angemessenen Bibelwissen auch die Fähigkeit zum rechten „hermeneutischen" Umgang mit der Bibel gehört. Um die Bibel angemessen verstehen zu können, bedarf es einer „Lesekompetenz", die das Wissen um die Geschichtlichkeit und Menschlichkeit der Bibel einbezieht. Dazu gehört auch die Fähigkeit, aus dem Text Hinweise auf den Autor und seine Lebenssituation zu entnehmen, die sog. „intentio auctoris" (vgl. KB S. 144, Impuls 2) sowie Sprachformen (wie Klage, Bitte, Dank und Lob vgl. KB S. 102–105, aber auch Briefformular KB S. 149), Sprachbilder (vgl. KB S. 109), Metapher und Gleichnisse (KB S. 131–135) in ihrem Ausdruckssinn zu begreifen, die sog. „intentio operis". Davon noch einmal zu unterscheiden ist die Fähigkeit zu hören und zu verstehen, was der Text in einem selbst an Reaktionen auslöst, die sog. „intentio lectoris". Diese von Umberto Eco eingeführte dreifache Unterscheidung hilft jene biblisch-hermeneutische Kompetenz zu umreißen, an der das

Großkapitel altersgemäß arbeiten will. Zu dieser biblisch-hermeneutischen Kompetenz gehört aber auch das Wissen um die Übereinstimmungen und Unterschiede zwischen Tora, Bibel und Koran (vgl. KB S. 204–207) sowie die Fähigkeit, Gemeinsamkeiten und Unterschiede herausfinden zu können. Im Blick auf das Judentum verdient Klärung, wie der gemeinsame Teil zu bezeichnen ist: Erste Bibel? Hebräische Bibel oder Altes Testament?
Hier wird der Begriff Altes Testament (alter Bund) gebraucht. Damit darf keine Abwertung der hebräischen bzw. jüdischen Bibel einhergehen. Dieser Begriff soll aber darauf hinweisen, dass die Schriften der jüdischen Bibel für Christen von dem „neuen Bund" in Jesus Christus her gelesen und verstanden werden wollen. Die Tora ist und bleibt die Heilige Schrift Jesu und als Heilige Schrift der Juden die Wurzel des Neuen Testaments. Der Begriff „neu" darf nicht so ausgelegt werden, als sei das Alte vergangen, aufgehoben oder altmodisch. Der „neue Bund" bestätigt und bekräftigt vielmehr den „alten Bund" – öffnet diesen aber für die ganze Welt (vgl. Joh. 3,16f.).

Die meisten Sch. begegnen in Klasse 5/6 zum ersten Mal der Bibel im Ganzen. Während die Grundschule an Einzelgeschichten arbeitet, stehen in der Sekundarstufe I verstärkt Zusammenhänge und Überblicke im Zentrum, die Einzelbegegnungen noch einmal ordnen können. Im Großkapitel „Bibel – Urkunde des Glaubens" geht es deshalb um grundlegende Wissensbestände, die für die Einordnung und das Verstehen biblischer Texte konstitutiv sind. Im weiteren Gang der Sekundarstufe I wird dann die Aufgabe darin bestehen, dieses Wissen weiter zu differenzieren und vor allem die biblisch-hermeneutische Kompetenz weiter aufzubauen.

Das Bibelkapitel lässt sich nur im Zusammenhang mit den Einheiten „Gott ist für uns da" und „Jesus Christus" verstehen und behandeln, weil in diesen exemplarisch Überlieferungsvorgänge dargestellt werden: Die Entwicklung von jeweils mündlichen Einzelüberlieferungen (Sagen, Bekenntnissen, Liedern, Erzählungen, Gleichnissen, Wundergeschichten) zu festen tradierten Darstellungen, literarischen Kompositionen und zuletzt zu Sammlungen einzelner „Bücher" ist auch für Sch. unserer Altersstufen nachvollziehbar. Vor allem aber wird sich nur dann ein organisch wachsendes Verständnis der biblischen Überlieferungen ergeben, wenn Sch. verstehen, dass die Bibel ein „gewachsenes" Buch und kein „vom Himmel gefallenes" oder im Himmel „deponiertes", ewig gleich bleibendes Buch ist wie etwa der Koran. Die Bibel ist so der Niederschlag des Ringens von Menschen um das rechte Verstehen von Gottes Willen, von Gesetz und Evangelium, um Tradition und Fortgang.

Innerhalb des Schulbuches vermag dieses Großkapitel die Fülle und Breite biblischer Texte zu ordnen und unter historischer Perspektive zu systematisieren. Es wird daher sinnvoll sein, immer wieder auf die historischen Überblicke (KB S. 142f., S. 148f., S. 172f.) einzugehen und vor allem die Erzählungen einzuordnen.
Das Buch bietet zu folgenden biblischen Themen Angebote:
- Schöpfungserzählungen (KB S. 41, 48, 49, 52, 56, 58, 62, 72),
- Abraham (KB S. 90–93, 204, 205),
- Jakob (KB S. 94f.),
- Mose (KB S. 96–100, 155, 30),
- Josef und seine Brüder (KB S. 26),
- Gideon (KB S. 101),
- Rut (KB S. 78f.),
- David (KB S. 81–85),
- Psalmen (KB S. 102–105),
- Jesus (KB S. 116–136, 68),
- Pfingsten (KB S. 182).

Das Bibelkapitel enthält drei Teile, die zusammenhängend oder getrennt bearbeitet werden können:
1. Das Alte Testament (KB S. 140–145),
2. Das Neue Testament (KB S. 146–151),
3. Bibel heute (KB S. 152–158).

Der Aufriss der beiden ersten Kapitel ist jeweils gleich. Nach dem Aufbau wird an einem Beispiel die Entstehung der Bibel beschrieben, dann die Entstehungsgeschichte dargestellt, schließlich auf die Sprache und die Weitergabe eingegangen. Das dritte Kapitel will auf das Vorkommen der Bibel in der Lebenswelt von Heranwachsenden eingehen.

Bibelkundliche Lernkarten

Zur Einübung bibelkundlicher Grundkenntnisse werden im Anschluss an die Lernkarten zu den einzelnen Kapiteln zusätzlich Lernkarten zum Bibelwissen angeboten, die sich auf das gesamte Buch beziehen. Im Unterschied zu den übrigen kapitelbezogenen Lernkarten des LHB enthalten diese bibelkundlichen Lernkarten keine Bilder. Sie sind wie folgt aufgebaut: Auf der Vorderseite befindet sich der Titel einer biblischen Geschichte oder eines biblischen Sachverhaltes. Darunter ist angegeben, auf welcher Seite im KB sich dazu Informationen finden. Aufgabe der Sch. ist es, auf der Rückseite die dazugehörende Bibelstelle zu notieren. Die Karten sind mit B 1 bis B 48 durchnummeriert.
Die Einsatzmöglichkeit dieser Lernkarten ist vielfältig: Mit ihrer Hilfe kann zum einen das biblische Vorwissen erhoben werden, zum andern aber können sie auch dazu verwendet werden, bibelkundliches Wissen nachhaltig zu vertiefen. Eine reizvolle Aufgabe besteht darin, dass die Sch. die Vorderseite der Lernkarten bildnerisch gestalten. Sie können dazu ein Bild malen oder auch die Kopie eines Bildes einkleben.
Die Sch. können im Verlauf des Unterrichts die Lernkarten zu den besprochenen Bibelstellen herstellen bzw. gestalten. So erstellen sie sich im Laufe der Klassenstufe 5/6 eine bibelkundliche Lernkartei, die auch in Klassenstufe 7/8 zur Wiederholung eingesetzt werden kann. Selbstverständlich können L. bzw. die Sch. über die vorgeschlagenen Lernkarten hinaus weitere bibelkundliche Lernkarten erstellen. Folgende Lernkarten schlagen wir vor:

Für das Alte Testament:

B 1 Gott erschafft die Welt in sieben Tagen/Der Schöpfungsauftrag an die Menschen
KB S. 38ff./KB S. 56
Rückseite: 1. Mose 1

B 2 Der Mensch als Ebenbild Gottes
KB S. 70, 72
Rückseite: 1. Mose 1,26–27

B 3 Das Paradies und der Sündenfall
KB S. 45, 49
Rückseite: 1. Mose 2 und 3

B 4 Noah und die Sintflut
KB S. 109
Rückseite: 1. Mose 7–9

B 5 Abraham: Verheißung und Aufbruch
KB S. 89–93
Rückseite: 1. Mose 12–18
B 6 Sara und Hagar
KB S. 205
Rückseite: 1. Mose 21,1–21
B 7 Isaaks Opferung
KB S. 204
Rückseite: 1. Mose 22,1–19
B 8 Jakob und Esau
KB S. 94/95
Rückseite: 1. Mose 27–33
B 9 Die Josefsgeschichte
KB S. 26
Rückseite: 1. Mose 37–50
B 10 Israels Unterdrückung in Ägypten
KB S. 97
Rückseite: 2. Mose 1
B 11 Der brennende Dornbusch: die Berufung des Mose
KB S. 98
Rückseite: 2. Mose 3
B 12 Die Errettung Israels am Schilfmeer
KB S. 99
Rückseite: 2. Mose 14
B 13 Die Zehn Gebote
KB S. 30
Rückseite: 2. Mose 20,1–17
B 14 Das goldene Kalb
KB S. 100
Rückseite: 2. Mose 32,1–6
B 15 Gideon
KB S. 101
Rückseite: Richter 7
B 16 Rut
KB S. 78/79
Rückseite: Rut 1–4
B 17 David wird durch Samuel zum König gesalbt
KB S. 81, 85
Rückseite: 1. Samuel 16,1–13
B 18 Die Freundschaft zwischen David und Jonatan
KB S. 82
Rückseite: 1. Samuel 18–20
B 19 Gott spricht zum jüdischen König: Mein Sohn bist du
KB S. 85
Rückseite: Psalm 2
B 20 David und Goliat
KB S. 81
Rückseite: 1. Samuel 17
B 21 David und Batseba
KB S. 83
Rückseite: 2. Samuel 11
B 22 Ein Klagepsalm: Mein Gott, mein Gott, warum hast du mich verlassen?
KB S. 104
Rückseite: Psalm 22
B 23 Ein Vertrauenspsalm: Der Herr ist mein Hirte
KB S. 109
Rückseite: Psalm 23
B 24 Ein Lob- und Dankpsalm: Lobe den Herrn, meine Seele
KB S. 105
Rückseite: Psalm 104

Für das Neue Testament:
B 25 Die Weihnachtsgeschichte
KB S. 116/117, 180
Rückseite: Lukas 2
B 26 Die Taufe Jesu durch Johannes
KB S. 124
Rückseite: Markus 1,1–11
B 27 Die Berufung der ersten Jünger
KB S. 125
Rückseite: Markus 1,16–20
B 28 Jesus lehrt seine Jünger beten: das Vaterunser
KB S. 107
Rückseite: Matthäus 6,9–13:
B 29 Die Speisung der 5000
KB S. 167
Rückseite: Matthäus 14,13–21
B 30 Jesus stillt den Sturm
KB Seite 15
Rückseite: Markus 4, 35–41
B 31 Jesus segnet die Kinder
KB S. 68
Rückseite: Markus 10,13–16
B 32 Jesus heilt den blinden Bartimäus
KB S. 85
Rückseite: Markus 10,46–52
B 33 Jesus beruft den Zöllner Levi zum Jünger
KB S. 122, 132
Rückseite: Markus 2,13–17; Lukas 5,27–30
B 34 Jesus kehrt in das Haus des Zachäus ein
KB S. 132
Rückseite: Lukas 19,1–10
B 35 Der Einzug Jesu in Jerusalem
KB S. 126
Rückseite: Markus 11,1–11
B 36 Das letzte Mahl Jesu
KB S. 127
Rückseite: Markus 14,12–25
B 37 Die Kreuzigung Jesu
KB S. 128
Rückseite: Markus 15,20–41
B 38 Die Auferstehung Jesu
KB S. 129
Rückseite: Markus 16,1–8
B 39 Gleichnisse: Verl. Schaf; Verl. Münze; Verl. Sohn
KB S. 132/133
Rückseite: Lukas 15
B 40 Das Gleichnis vom Senfkorn
KB S. 131
Rückseite: Markus 4,30–32
B 41 Das Pfingstwunder: die Ausgießung des Heiligen Geistes
KB S. 182
Rückseite: Apostelgeschichte 2,1–13
B 42 Jesus: Ich bin das Brot des Lebens
KB S. 211
Rückseite: Johannes 6,32–35
B 43 Jesus: Ich bin das Licht der Welt
KB S. 164
Rückseite: Johannes 8,12
B 44 Das Gleichnis vom Schalksknecht
KB S. 29
Rückseite: Matthäus 18,21–35

B 45 Das Gleichnis von den anvertrauten Zentnern (Talenten)
KB S. 70
Rückseite: Matthäus 25,14–30
B 46 Das Gleichnis von den Arbeitern im Weinberg
KB S. 134
Rückseite: Matthäus 20,1–16
B 47 Das Gleichnis vom barmherzigen Samariter
KB S. 135
Rückseite: Lukas 10, 30–37
B 48 Philippus tauft den Kämmerer aus Äthopien
KB S. 165
Rückseite: Apostelgeschichte 8,26–39

KB S. 138/139 Die Titelseiten

Die beiden Bilder wollen das Neben- und Miteinander von Altem und Neuem Testament sichtbar machen und auch die Frage aufgreifen, wie sich Jesus zu Mose verhält, was sie gemeinsam haben und worin sie sich unterscheiden.
Die Darstellung der „Heilung des Gelähmten" weist auf einen zentralen Teil der Jesusüberlieferung hin, nämlich die Zuwendung Jesu zu Menschen, die durch Angst, Not und Krankheit in ihrem Leben bedroht sind. In der Begegnung mit ihm erfahren sie die heilende Zuwendung und Rettung aus der Bedrohung.
Die Heilung des Gelähmten aus der romanischen Buchmalerei setzt Mk 2,1–12 ins Bild; die Geschichte wird in dem Text mit griechischen Buchstaben KB S. 150 und sodann KB S. 156 wieder aufgenommen. Das Bild verfährt dabei wie ein Comic. Man sieht am rechten Bildrand, wie der Gelähmte mit seinem Bett aufrecht geht. In der Mitte steht PARALYTICUS (das aus dem Griechischen entlehnte lat. Wort bedeutet „gelähmt" oder „Gelähmter"). Jesus wird sitzend dargestellt wie ein Lehrer. Sein Haupt ist mit einem Nimbus und Kreuz umgeben, was seine Göttlichkeit und seine Heilsbedeutung (Kreuz) aufzeigt. Seine linke Hand ist annehmend offen, seine rechte Hand segnend ausgestreckt. Jesus ist bartlos, barfuß und jung. Er trägt als Unterkleid die Tunika, darüber die Toga. Auf der linken Seite finden sich die „Vielen", die sich im Hause versammelt haben, unter ihnen die Schriftgelehrten. Auf der anderen Seite sieht man „einige", die einen Gelähmten in seinem Bett von der Decke des Hauses hinunter lassen. Das Haus ist mit Ziegeln gedeckt, was der Darstellung KB S. 118 widerspricht. Der Dachbelag bestand in der Regel aus Palmenblättern und einer Rohrauflage, auf die Mörtelputz aufgetragen wurde.

In dem Chagall-Bild „Mose empfängt die Gesetzestafeln" wird ein zentrales, wenn nicht sogar das zentrale Geschehen des Alten Testaments dargestellt. Im Vordergrund kniet Mose auf dem Berg Sinai; er empfängt die zwei steinernen Gesetzestafeln mit den Zehn Geboten. Mose trägt auf dem Haupt vier Lichthörner, die seine Begegnung mit der Herrlichkeit Gottes anzeigen. Gott ist in einer Wolke verborgen, die so zum Zeichen der Nichterkennbarkeit Gottes wird. Wahrnehmbar sind nur seine Hände (vgl. KB S. 68) und damit sein Handeln an den Menschen. Der Ort des Geschehens ist der Berg Sinai in der Wüste Sinai. Der Berg erweist sich so als Symbol der Begegnung mit Gott. Die Wüste hingegen ist gemeinhin bedrohlich, ein lebensfeindlicher Ort, aber auch ein Ort der Stille und der äußersten Aufmerksamkeit: Alles weist auf das Geschehen der Offenbarung, auf die Bekanntmachung des göttlichen Willens und die Einladung an das Volk Israel hin, sich im Bund mit Gott an den Geboten zu orientieren. Die erschrockenen Israeliten, die sich am Fuß des Berges Sinai versammelt haben, nachdem sie versprachen, sich an Gottes Gebote zu halten, sieht man auf der linken Seite. Rechts unten Aaron, der Bruder des Mose, mit dem siebenarmigen Leuchter, einem eindrucksvollen Symbol des Judentums.
Auf der linken Seite im Hintergrund, ganz am Rand, das so genannte „goldene Kalb" auf einem Podest, das man sich eher als einen „jungen Stier", also das Fruchtbarkeitssymbol der Kanaanäer, vorstellen kann. Die bleibende Bedrohung des Jahweglaubens durch die Fruchtbarkeitsreligion der Kanaanäer im Kulturland wird also im 2. Buch Mose bereits in die Zeit der Wüstenwanderung zurückverlegt: Israels Glaube an Jahwe wird so als dauerhaft bedroht verstanden – wie dies dann auch schon in 2. Mose 32 in der Hinwendung zum Stierkult dargestellt wird (vgl. dazu KB S. 100 und 141, jeweils mit den Kommentaren im LHB).

■ Möglicher Umgang mit den Titelbildern

Die beiden Bilder können helfen, das Wissen der Sch. über biblische Erzählungen und die Bibel selbst herauszufinden und gleichzeitig Inhalte zu wiederholen, z. B. die Einheiten „Jesus Christus" KB S. 116–135 und „Gott ist für uns da", KB S. 96–101, besonders Mose. Die Zehn Gebote finden sich KB S. 30.
- Die Sch. betrachten die beiden Bilder (vgl. „Werkstatt Religion" KB S. 114f.) und entschlüsseln die Geschichten. Sie ordnen diese den Bibelteilen zu und benennen weitere Geschichten, die in dem jeweiligen Teil der Bibel stehen. Welche kommen vorher, welche kommen nachher?
- Die Sch. vergleichen die beiden Bilder. Gibt es Ähnlichkeiten (z. B. Licht um das Haupt)? Was ist der Unterschied zwischen Mose und Jesus? Wie wird in den beiden Bildern Gott dargestellt? (vgl. Gottesbilder KB S. 108–113)
- Die Sch. geben den Bildern Worte. Was sagt Jesus (vgl. KB S. 150, 156)? Was sagt Mose?
- Die Sch. vergleichen das Mosebild mit dem Bild KB S. 100 und suchen weitere Chagallbilder im Buch (KB S. 45, 67, 84, 92, 98, 104). Was haben die Bilder gemeinsam?

Das Alte Testament

1. Zielsetzung, Aufbau und Kompetenzen

Am Anfang der Entstehung des AT stehen Einzelsprüche, die tradiert und erinnert werden. Aus ihnen wachsen Erzählungen, am Ende steht die schriftliche Fixierung und die Sammlung als Buch. Leicht nachvollziehbar ist dies z. B. beim Mirjamlied (s.u.).
Weit mehr noch als im Christentum ist die hebräische Bibel im Judentum lebendig, dem wir sie ja auch verdanken. Bei religiösen Juden ist sie regelmäßig im Gebrauch – im synagogalen Gottesdienst wie im privaten Studium.
Der Stuttgarter Rabbiner sagte beim Besuch einer evangelischen Schulklasse in der Synagoge einmal humorvoll: „Was

ihr Christen Altes Testament nennt, die hebräische Bibel, ist euch ja eigentlich von uns Juden nur geleast." Religiöse Juden haben ein sehr inniges Verhältnis zur Tora. Diesem Buch ist ein eigenes Fest gewidmet, das Tora-Freudenfest. Die Tora wird mit großer Sorgfalt hergestellt. Sie wird von einem Toraschreiber von Hand auf Leder oder Pergament geschrieben und muss fehlerfrei sein. Die Torarolle ist mit einem (Königs-)Mantel und einer Krone geschmückt und wird in einem kunstvollen Schrein wie eine katholische Monstranz aufbewahrt. Ausgerollt hat sie eine Länge von etwa 30 Metern. Im synagogalen Gottesdienst wird eine der Torarollen bei jedem Morgengebet, am Sabbat und bei den Festen in einem feierlichen Akt aus dem Toraschrein geholt (Hebung). Vom Vorlesepult aus erfolgt dann die Lesung des entsprechenden Wochenabschnitts. Dabei dient ein metallener Finger als Lesehilfe, sodass das Pergament nicht mit der feuchten Hand berührt wird. Bei seiner Mizwa darf ein junger Jude als besondere Auszeichnung zum ersten Mal aus der Tora im Gottesdienst öffentlich vorlesen (vgl. dazu KB S. 196).
Die Bedeutung der Bibel für das Judentum zeigt das Bild von Chagall, Jude mit Torarolle (M 71 – Farbseite am Schluss des Bandes). Als Impuls dazu: Versuche nachzuerleben, was sich in der Haltung des Mannes ausdrückt. Nimm einen dir wichtigen Gegenstand so in den Arm, wie es im Bild gemalt ist.

■ Welche Lernchancen werden angeboten?
Die Sch. können sich einen Überblick über den Aufbau und die Einteilung der Bibel (AT und NT) verschaffen; sie lernen so, sich in der Bibel zurechtzufinden. Sie können Grundkenntnisse über die Entstehung der hebräischen Bibel auf dem Hintergrund der Geschichte Israels erwerben. Sie lernen die Ursprache des AT in Ansätzen kennen und können über Grundfragen der Übersetzung der Bibel ins Deutsche Auskunft geben.
Indem die Sch. wichtige Sachverhalte auf Lernkarten festhalten, wird nachhaltiges Lernen gefördert.

Die *Bildkonzeption* ist durch die beiden Grafiken KB S. 140 und die Zeitleiste KB S. 142/143 bestimmt. Dies entspricht dem Inhalt der Einheit, die wesentlich aus Sachinformationen besteht. Den Schwierigkeiten, die Sch. der Klassen 5/6 noch mit historischen Vorstellungen haben, kann dadurch begegnet werden, dass der Vorgang der Entstehung der hebräischen Bibel in die elementarisierte Zeitleiste eingefügt wird. So kann diese als Leitmedium der gesamten Einheit dienen.

Das Kapitel ist wie folgt aufgebaut:
„Die Bibel eine Bibliothek" (KB S. 140) hilft bei einer ersten Orientierung in der Bibel.
KB S. 141 stellt einen Teil des Überlieferungsprozess alttestamentlicher Texte vor dem Hintergrund der Geschichte Israels dar und zeigt, wie Geschichten zunächst erzählt und dann aufgeschrieben werden.
Die Zeitleiste (KB S. 142/143) veranschaulicht diesen Überlieferungsprozess bis zur Sammlung der schriftlichen Texte in der hebräischen Bibel.
Hinweise auf die hebräische Sprache und das Problem der Übersetzung (Beispiel Luther) runden das Kapitel ab (KB S. 144/145).

2. Didaktisch-methodische Hinweise

KB S. 140 Die Bibel – eine Bibliothek

Die hebräische Bibel (das Alte Testament) ist ein Erinnerungsbuch, in dem die Gotteserfahrungen des ganzen Volkes Israel gesammelt sind, und zwar – nach der christlichen Einteilung – in Form von „Geschichts"büchern, Lehrbüchern (Gedichten und Liedern) sowie Prophetenbüchern.

Auch die Juden gliedern die hebräische Bibel in drei Teile, allerdings auf andere Weise als die Christen:
1. Der wichtigste Teil sind für sie die fünf Bücher Mose, die Tora. In ihnen findet sich als wesentlicher Inhalt die Erinnerung an die Gabe der Tora am Sinai.
2. Der zweite Teil der hebräischen Bibel sind die Propheten (Nebiim). Dazu gehören für Juden aber auch Bücher, die wir zu den Geschichtsbüchern zählen, z. B. die beiden Samuelbücher und die beiden Königsbücher. Die Juden gehen davon aus, dass sie von Propheten verfasst wurden.
3. Der dritte, jüngste Teil der hebräischen Bibel sind die übrigen Schriften (Chetubim), zu denen z. B. die Psalmen gehören.
Die gesamte hebräische Bibel wird nach den Anfangsbuchstaben der drei Teile Tenach genannt. Im Synagogengottesdienst werden Stücke aus allen drei Bibelteilen vorgetragen.

Die Sch. sollen sich auf spielerische Weise die christliche Einteilung der Bibel merken. Das kann natürlich nicht auf einmal geschehen. Empfohlen wird eine Vorgehensweise, die bei einer Behandlung biblischer Texte und Stoffe immer wieder einen kurzen Blick auf die Einteilung von KB S. 140 oder in das Inhaltsverzeichnis der Bibel wirft, um den Sch. eine Einordnung zu erleichtern. Gute Erfahrungen gibt es nach wie vor mit dem Merkvers „In des alten Bundes Schriften ..."

■ Mögliche Eingangssituation
• Stichwort Bibel: L. schreibt zum Abrufen des Vorwissens das Wort „Bibel" an die Tafel. Ein UG, eine Schreibdiskussion oder Schreibmeditation schließt sich an.

■ Erschließungsmöglichkeiten
• Die Sch. ordnen die biblischen Bücher in das Bibelregal ein oder stellen ein Bibelregal mit biblischen Büchern aus Streichholzschachteln her (Impuls 1 und 2). Statt Streichholzschachteln können auch Textstreifen (z. B. aus Pappe) erstellt werden.
• Biblische Inhalte: In PA wählen sie sich jeweils ein biblisches Buch (AT oder NT) aus und verschaffen sich einen Eindruck über dessen Inhalt. Hilfreich sind dabei die Überschriften in der Bibel; zusätzlich können sie das eine oder andere Kapitel durchlesen. Dabei kann es nur darum gehen, sich erste Eindrücke zu verschaffen, nicht jedoch vertiefte Kenntnisse. L. achtet darauf, dass die Bücher möglichst gleichmäßig verteilt sind. Im Sinne des dritten Impulses sollte auch das 1. Buch Mose und die Offenbarung des Johannes einbezogen werden. Die Sch. berichten von ihren ersten Eindrücken.
• „Grundwissen Religion: Testament – Evangelium": Hefteintrag oder Lernkarte erstellen.
• Die jüdische Bibel: Hier kann das Bild „Jude mit Torarolle" eingesetzt werden; es findet sich als M 71. Die Sch. können sich vorstellen, etwas in die Arme zu nehmen wie der Mann auf dem Bild. Was empfinden sie?

■ **Mögliche Schlusssituationen**
- Bibelkuchen; siehe dazu M 72.
- Impuls 2: Regal und Bibelbücher aus Streichholzschachteln herstellen.

KB S. 141 Geschichten werden erzählt und aufgeschrieben

Der Text KB S. 141 zeigt die historische Situation der Zeit des Großreiches Salomos auf, die mit dazu führte, dass die Geschichten der Tradition nicht nur erzählt, sondern auch aufgeschrieben wurden. Voraussetzung dafür war u. a. die Staatwerdung des Volkes Israel unter David und Salomo, die eine Verwaltung nötig machte, die wiederum darauf angewiesen war, dass Gesetze, Verordnungen usw. schriftlich fixiert wurden.

Die Darstellung des Konflikts Salomo – Jerobeam zeigt einerseits eine folgenreiche Veränderung in der Geschichte der Israeliten. Nach dem losen Zusammenschluss der verschiedenen Stämme im Land (um 1200 v. Chr.; vgl. oben zu KB S. 99), der Bildung des Königtums (David war ab ca. 1000 v. Ch. in Personalunion König von Juda und Israel sowie Stadtkönig von Jerusalem) folgt nun das Auseinanderbrechen in zwei dauernd getrennte Staaten nach dem Tod Salomos (926 v. Chr.). Die jeweiligen Veränderungen und Erschütterungen kann man sich nicht dramatisch genug vorstellen. Um so wichtiger ist die Frage, ob sich die drei „Grundpfeiler" der Identität Israels, nämlich die bilderlose *Verehrung Jahwes*, der Israel errettet hat, die *Begrenzung der Macht* der Mächtigen zugunsten der Freiheit aller Israeliten und das *rechte Verhalten gegenüber dem Mitmenschen* jeweils durchgehalten haben (vgl. dazu im LHB zu „Gott ist für uns da", die Darstellung zu Abraham, Mose, Mirjam, Gideon, David). Für die Entstehung der biblischen Überlieferungen sind nun genau solche Entscheidungssituationen wichtig. Hier zeigt sich das Ringen um den rechten Weg, um die richtige Darlegung alter Erfahrungen und Geschichten und um das, was in einer neuen Situation gilt.
Die Zeitleiste KB S. 142 sollte deshalb das ganze Schuljahr im Klassenzimmer und im Heft zur Verfügung stehen. Dann kann deutlich werden, wie entscheidende Fragen immer wieder – evtl. neu und anders – aufbrechen und die Grunderfahrungen Israels (Rettung aus der Sklaverei, der Segen und der Bund) immer wieder neu bedeutsam werden.
Der zusammenfassende Text von KB S. 141 zielt auf die Theologie des Jahwistischen Geschichtswerks (vgl. dazu W. H. Schmidt, Einführung in das AT, S. 76–85), das seinen Namen davon hat, weil es Gott immer mit JHWH bezeichnet. In diesem Geschichtswerk wurden – möglicherweise ab der davidisch-salomonischen Zeit – die verschiedenen Geschichten, die die Alten erzählten, gesammelt und zusammenfasst: 1. Mose 12, 1–3 – Abrahams Berufung und Segnung – ist die Überschrift über das, was Jahwe mit Israel vorhat (vgl. KB S. 90).
Chr. Goldmann sieht im Geschichtswerk des Jahwisten eine versteckte Kritik an der davidisch-salomonischen Großmachtpolitik: „Der Ausgangspunkt war eben die Frage: Musste nicht Salomo wie der Pharao handeln, wenn er die Existenz des Jahwevolkes sichern und diesem Volk einen Namen machen wollte? Die Salomogeneration bejahte diese Frage aus ihrer Sicht der Dinge. Für den Jahwisten stellte sich vieles anders dar: Während die Salomogeneration in Stolz und Hybris das israelitische Credo spricht von Jahwe, dem Gott, der Sklaven in die Freiheit führt, stöhnen und ächzen überall im Lande unterworfene Volker unter Israels Fron. (...)
Gleich in der Einleitung seiner Vätergeschichte lässt der Jahwist erkennen, worin er das Besondere der Väter und des mit ihnen beginnenden Jahwevolkes sieht. Unter allen Völkern der Erde, die er seinem Kenntnisstand entsprechend aufzählt, hat das Jahwevolk eine eigene und singuläre Aufgabe. Es soll Segensmittler für alle Völker der Erde werden. Schon um 950 v. Chr. ist der universalistische Aspekt, unter dem sich der biblische Glaube Israels sehen konnte, deutlich ausgesprochen. Unüberhörbar ist für jeden Leser der ersten drei Verse der jahwistischen Vätergeschichte jenes Wort ‚Segen'." (1. Mose 12, 1–3) (Goldmann, Ursprungssituationen, S. 74f.)

Israel soll ein Segen sein für die anderen: Wer an Israel denkt, soll sich freuen. Die anderen Völker sollen Anteil an Israels Segen erhalten.
Jahwe hat ganz Israel gesegnet (Land gegeben, zum Volk gemacht):
- Aber entspricht Israel jetzt diesem Segen?
- Was erfahren die Nachbarvölker durch Israel?
- Was erleben die israelitischen Fronarbeiter im eigenen Land?
- Was erleben die Bauern in Israel, die wegen Fronarbeiten und Steuern mehr und mehr verarmen?
- Empfinden alle das jetzige Israel und seine Herren als Segen; freuen sie sich über das, was ihnen in Israel widerfährt?
- Oder: Machen es die Großen in Israel jetzt nicht auch genauso wie diejenigen in den anderen Völkern, die „oben" sind?

Den Hintergrund des Textes in KB S. 141 bilden die Kapitel 1. Kön. 11 und 1. Kön 12, die – wie die beiden Königsbücher insgesamt – die Sicht des deuteronomistischen Geschichtswerks zeigen (vgl. zur Auslegung den Kommentar von E. Würthwein, ATD, Göttingen 1984).
Der Abschnitt 1. Kön 11,26–28 (Ahias Verheißung an Jerobeam) weist auf jenen Konflikt hin, der, von außen gesehen, Anlass zur Reichstrennung war. Deutlich ist, wie sich in dem Propheten Ahia von Silo die Prophetie aus den Nordstämmen zu Wort meldet. Die Josefstämme hatten keine so engen Beziehungen zu den Davididen wie die Südstämme; bei ihnen war die nomadische Tradition noch lebendiger; sie wurden von Salomo durch die Fronarbeiten stark ausgebeutet: Gegenüber den Bewohnern von Jerusalem und den Judäern wurden sie in den Hintergrund gedrängt. Der Text ist wiederum aus mehreren Überlieferungen zusammengesetzt.
Jerobeam selbst wird V. 26–28 als freier Israelit geschildert, der zur Fron verpflichtet worden war. An der Tatsache, dass ausgerechnet ein Israelit, der von Salomo wegen persönlicher Tüchtigkeit als Aufseher bei Fronarbeiten eingesetzt worden war, später König der abgefallenen Nord-Stämme wurde, lässt sich das zentrale Thema „Ausbeutung der Freien durch Fron" verdeutlichen. Es liegt auf der Hand, dass es gerade wegen der Fronarbeiten zwischen Salomo und Jerobeam zum Konflikt kam. In 1. Kön 12 wird dann beschrieben, wie an der Forderung Rehabeams (Salomos Sohn) nach unbegrenzter Fronarbeit (also Sklavenarbeit!) für die Nordstämme, unter Androhung von Stachelpeitschen, die Einheit der Stämme zerbrach.

Der letzte Abschnitt des Textes im KB deutet an, welches Interesse mit der schriftlichen Aufzeichnung solcher Erzählungen

verbunden war: Die Geschichten sollten nicht in Vergessenheit geraten. Israel soll sich in jeder Generation daran erinnern: Gott ist bei uns. Gott will Freiheit und Gerechtigkeit.
Die (fiktive) Erzählung **M 73** geht noch stärker auf die Hintergründe der Verschriftlichung der Tradition in der frühen Königszeit ein. In der (fiktiven) Person des Ismael ist der „Jahwist" abgebildet. Dabei ist zu beachten, dass uns die „Person" des Jahwisten historisch nicht greifbar ist. Es ist auch unklar, ob es sich dabei um eine Einzelperson oder um eine Gruppe von Menschen handelte. Es gibt heute durchaus Stimmen, die die Datierung des Jahwisten in die frühe Königszeit bezweifeln. Andere stellen die Existenz eines eigenständigen jahwistischen Geschichtswerks grundsätzlich in Frage.

■ Mögliche Eingangssituation

- Die Sch. erzählen sich gegenseitig Geschichten aus ihrem Leben, die es verdienen, aufgeschrieben zu werden. (Impuls 1).

■ Erschließungsmöglichkeiten

- Die Sch. prägen sich den Text KB S. 141 durch mehrmaliges Lesen ein. Sie schreiben die handelnden Personen heraus und formulieren zu jeder Person eine kurze Rollenbeschreibung.
- Gerechtigkeit und Freiheit (Impuls 3): Die Sch. erheben aus dem Text Argumente für und gegen den Frondienst. Ein fiktiver Prophet tritt auf und verkündigt, wie es zugehen muss in Israel, wenn Gerechtigkeit und Freiheit herrschen sollen.
- Rollenspiel Ahia von Silo: Wort und „Zeichen" (symbolisches Handeln) sind für die Propheten und die israelitischen Adressaten Ausdruck, dass Gott handelt und Geschichte bewirkt, indem etwas in Gang gesetzt wird, was nicht revidierbar ist.

Die Sch. lesen 1. Könige 11,28–39 und spielen diese Szene (einschließlich Zerreißen des Mantels, wofür ein großes Tuch entsprechend vorbereitet wird). Das Rollenspiel kann dadurch erweitert werden, dass ein Bote Salomo von dem Vorgang berichtet. Wie reagiert Salomo? Das Rollenspiel kann auch als Pantomime gestaltet werden.
Die Sch. überlegen, warum es sich lohnte, diese Geschichte aufzuschreiben.

- Von der mündlichen zur schriftlichen Überlieferung: Mit Hilfe von **M 73** erheben die Sch. Gründe für die Entstehung des jahwistischen Geschichtswerks. Es ist reizvoll, diese Geschichte als Rollenspiel zu gestalten.

Die Erzählung M 73 und der Text KB S. 141 können auch alternativ eingesetzt werden.

- Die Sch bearbeiten **M 74** (Schnippelbogen Entstehung der 5 Bücher Mose) mit Hilfe der Zeitleiste KB S. 142. **M 74** bietet zum einen per Bild die drei Phasen der Entstehung des Pentateuch:

1. Geschichten von Menschen, die Erfahrungen mit Gott gemacht haben, werden weitererzählt.
2. Die Geschichten dieser Menschen werden aufgeschrieben.
3. Die Texte werden gesammelt und zu den 5 Büchern Mose zusammengestellt.

Bewusst ist hier auf eine differenzierendere Darstellung dieses Prozesses verzichtet. Bewusst wird auch die Entstehung der übrigen Bücher des Alten Testaments ausgeblendet.
Es handelt sich um folgende Bilder zu den Vätergeschichten und den Erzählungen vom Exodus:
A. Abraham: Auszug Abrahams; Abraham unterm Sternenhimmel; Sara lacht.
B. Jakob und Esau: Der erschlichene Segen; Die Himmelsleiter; Versöhnung.
C. Josef: Josefs Träume; Josef im Gefängnis; Versöhnung, Vater Jakob.
D. Mose: Mose im Körbchen; Mose erschlägt den Ägypter; Der brennende Dornbusch.
E. Die Befreiung des Volkes Israel: Unterdrückung, Die Errettung am Meer, Die 10 Gebote.
Die Bilder stammen sämtlich aus der Elementarbibel (Kaufmann Verlag, Lahr), die möglicherweise den Sch. aus der Grundschule bekannt sind. Bewusst sind nur Bilder zu Geschichten ausgewählt, die voraussichtlich in der Grundschule behandelt wurden.
Mit Hilfe dieses AB kann zum einen das Vorwissen der Sch. aus der Grundschule aktiviert werden, zum andern können sie den Prozess der Schriftwerdung des Pentateuch selbst nachvollziehen. Hierzu hat sich folgendes Vorgehen bewährt:
1. Schritt: Die hochkopierten 15 Bilder werden ausgeschnitten und entsprechend der Schülerzahl in die Mitte gelegt. Da die normale Religionsklasse größer ist als 15, werden von einigen Bildern Doppel hergestellt. Jeder Sch. wählt sich ein Bild aus.
2. Schritt: Jeder Sch. überlegt sich in EA, welche biblische Geschichte auf seinem Bild dargestellt ist. L. wird, wo nötig, Hilfestellungen geben, z. B. indem er die entsprechende Bibelstelle nennt.
3. Schritt: Jeder Sch. tut sich mit den beiden Sch. zusammen, die ebenfalls eine Geschichte aus dem selben Themenkreis (Abraham, Mose ...) gewählt haben. Sie tragen in der Kleingruppe zusammen, was sie über das Dargestellte noch wissen; evtl. können sie in der Bibel nachlesen. Je ein Sch. wird als Erzähler, Schreiber und Sammler bestimmt.
4. Schritt: Die fünf Erzähler erzählen der Klasse ihre Geschichte. Die fünf Schreiber machen sich Notizen. Danach finden sie sich zusammen und schreiben das Gehörte auf (Schönschrift auf DIN A4; auch die Bilder können verwendet werden)
5. Schritt: Die fünf Sammler stellen aus dem Aufgeschriebenen eine Schriftrolle her.
6. Schritt: Im UG wird über den Vorgang, der das Schriftwerden der 5 Bücher Mose nachvollzieht, reflektiert.

■ Mögliche Schlusssituation

- Impuls 4: Einordnen der Geschichte in die Zeitleiste; S. dazu die Hinweise zur folgenden KB-Seite.

KB S. 142/143 Die Geschichte des Volkes Israel – wie sie das AT erzählt

Für die Arbeit mit der DS ist es empfehlenswert, dass immer dann, wenn entsprechende Themen im Unterricht behandelt werden, auf sie zurückgegriffen wird. Erst wenn genügend Informationen, Geschichten, Bekenntnisse oder auch Psalmen behandelt werden, lassen sich die Aufgaben auf der DS befriedigend lösen.
Der Zeitstrahl ist im Zusammenhang mit den beiden anderen Grafiken dieser Art auf KB S. 148/149 und 172/173 zu sehen. Aus allen drei Zeitstrahlen ergibt sich ein geschichtlicher Überblick von 1600 v. Chr. bis ins Jahr 400 n. Chr. Der Zeitstrahl erschließt sich in seiner Grundstruktur weitgehend von selbst. Er entspricht dem Anhang der Lutherbibel und bildet den Rahmen dafür, dass weitere Ereignisse eingefügt werden können.
Es ist sinnvoll, den Zeitstrahl als großen Wandfries zu gestalten. Mit Hilfe der Seiten 142 und 143 und 172/173, die in

ähnlicher Weise übertragen werden, kann ein großer Geschichtsfries von der alttestamentlichen Zeit bis in die Spätantike entstehen. Er kann auch als Leporello ins Heft übertragen werden. Die beiden angesprochenen Teile des Geschichtsfrieses werden jeweils bei den dazugehörenden Kapiteln gestaltet.

■ Mögliche Eingangssituation

• Die Sch. bringen ihr Vorwissen anhand des Zeitstrahls ein (Impuls 3, KB S. 142). Als Vorarbeit hierzu kopieren und kolorieren die Sch. den Zeitstrahl (oder zeichnen ihn ab) und kleben ihn in so ins Heft, dass er durch die beiden anderen (s.o.; als Leporello) ergänzt werden kann.

■ Erschließungsmöglichkeiten

• Mirjamlied: L. erklärt in groben Zügen die Entwicklung vom Mirjamlied (2. Mose 15,21) zur ausführlichen Erzählung vom Schilfmeerwunder (2. Mose 14,1–31). Ein Zwischenschritt kann das Lied des Mose (2. Mose 15,1–10) sein. Da die Sch. der Klassen 5/6 mit einer ausführlichen Bearbeitung des Vergleichs überfordert wären, gibt L. das AB „Vom Mirjamlied zur Schilfmeererzählung" aus (**M 75**, Lösung **M 76**). Die Sch. schneiden die ungeordneten Kärtchen aus. Impuls: Legt die Kärtchen mit gleichartigen Schriften zusammen. Bringt die Texte in eine sinnvolle Reihenfolge. Was ergibt sich daraus? (Ein kurzer Text = das Mirjamlied; vier Kärtchen, die das Moselied ergeben; die längere Erzählung vom Schilfmeerwunder.)

• Personen aus dem AT: Sch. ordnen die Namen alttestamentlicher Personen in geschichtlicher Reihenfolge (Impuls 2, KB S. 142). Je nach Situation können die Personen von den übrigen Sch. befragt werden; hierzu können sich die „alttestamentlichen Personen" im Vorfeld über ihre Rolle informieren (Bibellexikon, Internet).

• Geschichten verändern sich (Impuls 1, KB S. 143): Der Impuls zielt darauf, dass die Sch. den Überlieferungsprozess biblischer Traditionen in groben Zügen nachempfinden können. Statt einer biblischen Geschichte kann auch eine „profane" Geschichte gewählt werden, um zu verdeutlichen, dass es sich hier um einen allgemeingültigen Prozess handelt.

■ Mögliche Schlusssituation

• Der Zeitstrahl wird als Wandfries gestaltet; die bisher angesprochenen Geschichten werden durch Wort und/oder Bild eingefügt. Dabei muss L. verdeutlichen, dass es bei der Einordnung immer um die Zeit geht, in der eine Geschichte spielt, die sich sehr deutlich von der Zeit, in der die Geschichte dann aufgeschrieben wurde, unterscheiden kann.

KB S. 144 Die Sprache des Alten Testaments

Es genügt, aus der Ursprache Hebräisch wenige Einzelheiten zu nennen, um den Sch. zu zeigen, dass die Übersetzung eine hochinteressante, wenn auch nicht ganz leichte Aufgabe ist. Die Sch. interessiert, dass Hebräisch von rechts nach links zu lesen ist und der überlieferte Text ursprünglich nur aus Konsonanten bestand. Die Vokale hatte man im Kopf; sie wurden später zur Erleichterung des Lesens und zur Sicherung des Textbestandes in Form von kleinen Punkten bzw. Strichen über und unter den Konsonanten hinzugefügt (punktierter Text). KB S. 144 bietet eine kleine Übung, die sich ohne weitere Erläuterungen von selbst versteht.

■ Mögliche Eingangssituation

• Hebräische Bibel: L. zeigt eine hebräische Bibel und gibt sie den Sch. in die Hand; ersatzweise eine Fotokopie der ersten Seite der hebräischen Bibel (1. Mose 1,1ff.).

■ Erschließungsmöglichkeiten

• Die Sch. schauen sich den hebräischen Text im KB S. 144 an. Es ist der erste Satz der Bibel: Er wird von rechts nach links gelesen und steht – nach unserem Verständnis – ganz hinten im Buch.

• Die Sch. lesen den hebräischen Text. Die Lautumschrift findet sich unter der hebräisch geschriebenen Zeile von rechts nach links gelesen: „BE-RESCHIT BARA usw."

• Konsonanten und Vokale: Die Sch. versuchen herauszufinden, welches die Konsonanten B, R, SCH, T usw. sind. Eine Klippe ist jeweils beim Buchstaben Aleph in den ersten drei Worten zu überwinden. Er stellt eine Art Vokalverstärker dar – in diesem Fall für e, a und ä.

Sie suchen die Zeichen für Vokale heraus: Striche für a, Punkte für e und ä. Impuls: Wo sitzt der Punkt für o?

Die wörtliche Übersetzung findet man über dem hebräischen Text.

• Texte ohne Vokale: Die Sch. versuchen sich an unpunktierten deutschen Texten, die L. oder sie selbst leicht herstellen können.

Der zweite deutsche Text lautet: „Gott schuf den Menschen zu seinem Bilde (1. Mose 1,27).

■ Mögliche Schlusssituation

• Der Beter von Psalm 23 (Impuls 2): Bei der Frage nach den Erlebnissen des Beters von Psalm 23 geht es zum einen darum, den soziokulturellen Hintergrund des Psalms (Halbnomaden, Hirten) herauszuarbeiten. Dabei kann die allgemeine Einsicht vermittelt werden, dass biblische Texte immer auf ihrem soziokulturellen Hintergrund zu sehen und zu verstehen sind.

Zum anderen ist der Sitz im Leben des Psalms eine Asylsituation. Hintergrund ist, dass Verfolgte und zu Unrecht Beschuldigte im Heiligtum (Tempel) Asyl finden konnten. Beachtung verdient hierbei Vers 5: Du bereitest mir einen Tisch im Angesicht meiner Feinde.

KB S. 145 Luther übersetzt die Bibel

KB S. 145 thematisiert am Beispiel von Luthers Übersetzung des Psalms 23 das Grundproblem von Übersetzungen der Bibel. Im Mittelpunkt steht der Vergleich einer vorlutherischen mit der lutherischen Übersetzung von Psalm 23. Die Vergleich der beiden Übersetzungen zeigt die Sprachkraft und die kongeniale Übersetzung biblischer Bilder und Worte in ein tiefgründiges Deutsch durch Martin Luther. Ein kurzer einführender Sachtext weist auf die Bedeutung von Martin Luther und seine Bibelübersetzung hin. Die Sch. besitzen wahrscheinlich aus der Grundschule ein Vorwissen über Martin Luther und seine Übersetzung der Bibel. Es ist wichtig, zunächst dieses Vorwissen abzurufen. L. wird je nach Klassensituation ergänzen und vom Leben Martin Luthers und seiner Bibelübersetzung erzählen.

■ **Mögliche Eingangssituation**
• Vorwissen der Sch.: L. schreibt als stummen Impuls an die Tafel: „Martin Luther und die Bibel". Die Sch. tragen zusammen, was sie zu diesem Thema wissen.

■ **Erschließungsmöglichkeiten**
• Basiswissen: Der einleitende Sachtext bietet Grundwissen über Martin Luther und seine Bibelübersetzung. Die Sch. fassen diesen Text für eine Lernkarte mit eigenen Worten zusammen.
• Vortrag: Entsprechend Impuls 1 wird zunächst der Psalm 23 in der Fassung von Anton Koberger durch die Sch. laut vorgetragen, danach von anderen Sch. Luthers Fassung. Die vortragenden Sch. üben vorher den Text. Im UG werden die Unterschiede erörtert.
• Eigene Übertragungen: Die Sch. formulieren eine eigene „Übersetzung" von Psalm 23 (Impuls 2).
• Übersetzungsübungen: Mit Hilfe von M 77, das zwei Bibeltexte in wörtlicher Übersetzung bringt, können weitere Übersetzungsübungen angeschlossen werden.
• Bibelübersetzungen im Vergleich: Zur Vertiefung der Übersetzungsproblematik kann M 78 herangezogen werden.

■ **Mögliche Schlusssituation**
• Auf der DVD educativ „Martin Luther" finden sich auf der ROM-Ebene Erzählungen zu „Martin Luther und die Bibel". Mit ihrer Hilfe kann erschlossen werden, dass der in der Bibel bezeugte Christus das Zentrum von Luthers Leben war. Die Geschichten eignen sich zum Vorlesen, als Erzählvorlagen und als Texte zum Nachspielen.

3. Lernkarten

77 Erkläre die Begriffe „Altes Testament", „Neues Testament" und „Evangelium".
78 Zur Zeit des Königs Salomo wurde damit begonnen, die biblischen Geschichten aufzuschreiben. Warum?
79 Nenne die drei Phasen der Schriftwerdung der alttestamentlichen Überlieferung.
80 Eine der wichtigsten Leistungen Luthers war seine Bibelübersetzung. Aus welchen Sprachen übersetzte er die Bibel? Was war das Besondere an seiner Bibelübersetzung?

4. Empfohlene Literatur und Medien

Laubi, Werner, Geschichten zur Bibel, Band 1: Saul, David, Salomo. Lahr/Zürich 4. Aufl. 1991 (Kaufmann).
Sauer, Charlotte, Ich lebte unter Salomo. Historische Erzählung, Stuttgart 1986 (Christliches Verlagshaus).
Würthwein, Ernst, Das erste Buch der Könige (Kapitel 1–16), Das Alte Testament Deutsch, Göttingen 1977 (Vandenhoeck & Ruprecht).

5. Materialien

M 71 Marc Chagall, Jude mit Torarolle (Farbseite)
M 72 Bibelkuchen
M 73 Jerusalem zur Zeit des Königs Salomo
M 74 Schnippelbogen: Die Entstehung der fünf Bücher Mose
M 75 Textpuzzle: Vom Mirjamlied zur Schilfmeererzählung
M 76 Textvergleich: Vom Mirjamlied zur Schilfmeererzählung
M 77 Übersetzungsübung
M 78 Psalm 63 in verschiedenen Übersetzungen

Das Neue Testament

1. Zielsetzung, Aufbau und Kompetenzen

Das Kapitel will ausgehend von der Bibel als Ganzes (KB S. 140) den Entstehungs- und Überlieferungsprozess des Neuen Testamentes, insbesondere der Evangelien zur Erarbeitung anbieten. Der Aufbau ist leicht zu überblicken:
KB S. 146: Die biblischen Bücher des Neuen Testamentes und ihre theologische Mitte,
KB S. 147: Die Entstehung des Lukas-Evangeliums als bedeutsames Beispiel für die Entstehung der Evangelien,
KB S. 148f.: Die Entstehungsgeschichte der neutestamentlichen Schriften im historischen Überblick,
KB S. 150: Die Sprache des Neuen Testaments,
KB S. 151: Die Überlieferung der neutestamentlichen Schriften in Antike und Mittelalter.

Zugrunde gelegt wird das historische Standardwissen. Exegetische Auseinandersetzungen, z. B. über die Entstehung des Johannes-Evangeliums, werden nicht berücksichtigt. Die Kanonbildung wird ebenfalls ausgeklammert.
Auf Seiten der Sch. wird ein Interesse an Erzählungen, Fakten und „Handgreiflichkeiten" (vgl. KB S. 151) sowie an Entdeckungen vorausgesetzt. Ihr Zeitverständnis dürfte noch nicht ausgeprägt sein. Es bedarf des Aufbaues und der Übung. Episodenhaftes soll hier geschichtlich miteinander verknüpft werden.

■ **Welche Lernchancen werden angeboten?**
An diesen Seiten können Sch. Grundkenntnisse über den Inhalt, die Entstehung und den historischen Kontext des Neuen Testamentes und gleichzeitig Voraussetzungen für eine biblisch-hermeneutische Kompetenz erwerben. Sie erwerben die Fähigkeit, ihnen bekannte Texte aus dem Neuen Testament historisch-genetisch einzuordnen. Darüber hinaus wird die Fähigkeit gefördert, Bibeltexte aufzuschlagen, sinnverstehend zu lesen und die Vollbibel samt Anhang zu gebrauchen. Wie auch sonst, kann man solche Kenntnisse und Fähigkeiten nicht in einer Unterrichtseinheit vollständig erwerben. Sie werden in der Vernetzung verschiedener Themen aufgebaut. Das Kapitel „Neues Testament" ist deshalb in besonderer Nähe zu dem Kapitel „Jesus Christus", aber auch „Juden – Christen – Muslime" (KB S. 204ff.), und „Christen im Römischen Reich" (KB S. 169ff.) zu sehen.

Die *Bildkonzeption* ist einerseits durch Sachzeichnungen (KB S. 148f.) bestimmt, andererseits durch spätmittelalterliche Darstellungen (KB S. 146, 147, 151).

Nachhaltiges Lernen

Mit einer *Lernstandsdiagnose* ist herauszufinden, was die Sch. schon wissen und können. Dazu eignen sich die Evaluationsseiten (KB S. 216f.).

Denkbar ist auch ein Schnippelbogen (**M 79**) mit verschiedenen Bildern. Die Sch. haben die Aufgabe, mit Hilfe der einzelnen Bilder eine kurze Geschichte der Entstehung der Evangelien und ihrer Weitergabe zu schreiben. Mögliche Lösung: 1. Jesus wird von Johannes getauft. 2. Jesus stirbt am Kreuz. 3. Am Ostermorgen ist das Grab leer. Christus ist auferstanden. 4. Die Geschichten von Jesus werden weitererzählt. Immer mehr Menschen werden Christen. 5. Das Evangelium breitet sich immer mehr aus, z. B. durch die Predigt und die Reisen des Apostels Paulus. 6. Jesu Taten und Worte werden aufgeschrieben. Zuerst von Markus, dann von Matthäus, Lukas und Johannes. 7. Aus den Evangelien, vielen Briefen und der Offenbarung wird das Neue Testament. Die einzelnen Bücher des NT werden meist in Form eines Codex (gebundenes Buch) zusammengebunden. 8. Die Bibel wird im Mittelalter sorgfältig auf Papier abgeschrieben, reich verziert und in Buchform aufbewahrt.

In einem *informierenden Unterrichtseinstieg* erhalten die Sch. drei Kompetenzbeschreibungen:

- Ich weiß, wie das Neue Testament entstanden ist, und kann dies an den Jahreszahlen 50, 60, 70, 80, 90, 100 darstellen.
- Ich kenne den Aufbau des Neuen Testaments und kann dies am Bücherregal (KB S. 140) oder mit Hilfe von Streichholzschachteln belegen.
- Ich kann einen (deutschen) Text aus griechischen Buchstaben lesen.

Die Sch. markieren am Anfang der Unterrichtseinheit, zu wie viel Prozent sie diese Fähigkeit schon haben. Am Ende wird das Ergebnis überprüft.

Wer seinen Sch. ein hohes Maß an *Selbstregulierung* eröffnen möchte, kann ihnen KB S. 148f. vorlegen mit der Aufgabe, aus dem Kapitel möglichst viel herauszufinden. Ziel ist, dass die Sch. den Zeitstrahl erläutern können. Eine Hilfe bietet der Anhang der Lutherbibel.

Ein anderer Ansatz besteht darin, aufgrund des Internetangebots der Deutschen Bibelgesellschaft (www.dbg.de) Fragen und Antworten für ein Bibelquiz zusammenzustellen – siehe Bibel digital und Bibelwissen Online oder Stuttgarter Multimediabibel, Theos Große Quizbibel (CD-ROM aus dem Kath. Bibelwerk).

Als *Leitmedium* eignet sich vor allem das NT selbst. Jede Stunde wird festgestellt, was wir jetzt mehr über dieses Buch wissen, das auf dem Pult sichtbar liegt. Ein zweites Leitmedium könnte ein Zeitstrahl auf Packpapier sein, ohne Sprechblasen und Bilder, in den nach und nach Einsichten aufgenommen werden.

Sinnverstehendes Lernen kann durch elementare Fragen gefördert werden. Solche Fragen können hier sein: Wie bekommen Menschen Mut? Warum liegt auf dem Altar eine Bibel?

Wie oben schon angedeutet, gibt das Kapitel „Neues Testament" vielfache Möglichkeiten zur *Wiederholung*. So können hier die Lebensstationen Jesu Christi (vgl. KB S.124–129) aber auch das Leben der Christen im Römischen Reich (KB S. 168–173) wiederholt werden, wie auch umgekehrt von dort die Entstehung des Neuen Testaments wiederholend in Blick genommen werden kann. Für die Wiederholung eignen sich Lernkarten, die von den Sch. selbst beschriftet werden und in die Lernkartei aufgenommen werden.

Wie können die Sch. das Gelernte anwenden?
Eine Möglichkeit ist mit der Evaluationsseite (KB S. 216 f.) gegeben, eine andere mit dem informierenden Unterrichtseinstieg. Mit der Aufgabe, einen antiken Brief zu schreiben (Impuls KB S. 149 unten), bietet sich eine weitere Möglichkeit an, das Lernergebnis in EA oder PA festzuhalten.

Wird ein Zeitstrahl als Leitmedium bzw. Lernanker verwendet, so läge in der Fertigstellung und Präsentation dieses Überblickes in GA eine weitere Möglichkeit.

Die Darstellung des Gelernten kann auch anhand von Bildern geschehen. Folgende Bilder eignen sich dazu: die Bibliothek (KB S. 140), der Buchdruck (KB S. 146), der Zeitstrahl (KB S. 148f.), das Lutherbild (KB S. 145), das Lektionar (KB S. 151). Die Sch. erhalten die Aufgabe, anhand der Bilder die Entstehungs- und Überlieferungsgeschichte des Neuen Testaments darzustellen (vgl. Werkstatt Religion KB S. 86). Was sagen diese Bilder über die Bibel und das Neue Testament?

Schließlich kann das Lernergebnis an einem NT dargestellt werden. Die Sch. erhalten am Ende die Aufgabe, in die Rolle dieses Bibelteils zu schlüpfen und ihn von sich erzählen zu lassen.

2. Didaktisch-methodische Hinweise

KB S. 146 Die vier Evangelien und das ganze Neue Testament

Im Anschluss an die Bibliothek (KB S. 140) steht jetzt das Neue Testament als Abteilung mit 26 Büchern im Mittelpunkt. Dabei kann es jedoch nicht nur darum gehen, die Bücher nebeneinander zu stellen, es geht vielmehr darum, ihren inneren Zusammenhang und ihre Grundbotschaft herauszustellen.

Der Holzschnitt stammt von Thomas Anshelm (1465–1523) und zeigt den lehrenden Christus mit Bart und langem Mantel im Kreise seiner Jünger. Was mag Christus wohl sagen? Er befindet sich in der Mitte eines Rankenwerkes, dessen Wurzeln unten zu erkennen sind und dessen fünf Äste zu fünf Medaillons zusammengebunden sind. Aus dem Rankengewächs sprießen rote und braune Blätter. In den Medaillons befinden sich die vier Evangelisten, die an ihren Symbolzeichen zu erkennen sind. Das Merkwort „ELSA" ist eine gute Gedächtnisstütze: Engel bzw. Mensch mit Engelflügel für Matthäus, geflügelter Löwe für Markus, geflügelter Stier für Lukas und Adler für Johannes. Wie die Jünger und Jesus sind auch sie von dem göttlichen Lichtschein umgeben. Sie tragen Kleider in den Farben des Blattwerkes und sitzen in einer Schreibstube, wie sie das Mittelalter kennt; vor sich haben sie die Evangelienbücher mit lateinischen Zeilen aus den ersten Versen der vier Evangelien:

„Liber generationis" = Buch der Geschichte (Jesu Christi) – Mt 1,1.

„Ecce ego mitto angelum" = Siehe, ich sende meinen Boten (vor dir her) – Mk 1,2.

„In diebus Herodis" = In den Tagen des Herodes – Lk 1,5.
„In pricipio erat verbum" = Im Anfang war das Wort, – Joh 1,1.
Das zusammengeflochtene Rankenwerk mit seinen biegsamen Ästen kann an Joh 15,5 erinnern. „Ich bin der Weinstock und ihr seid die Reben. Wer in mir bleibt und ich in ihm, der bringt viel Frucht, denn ohne mich könnt ihr nichts tun." Das Rankenwerk und die Äste bringen die Zusammengehörigkeit des lehrenden Christus mit den Evangelisten zum Ausdruck, die von ihm erzählen und ihn zur Mitte haben. Sie stammen von ihm ab und tragen seinen göttlichen Glanz.

Die Evangelistensymbole stammen aus der Antike. Die Kirchenväter wiesen den Evangelien die vier oben genannten Wesen zu. Sie sind zurückzuführen auf Visionen und Gotteserscheinungen in Hes 1,5ff., Hes 10,14ff.; Offb 4,6. Sie künden jedes Mal die Begegnung mit Gott an und schützen die göttliche Sphäre. Sie sind meist mit Flügeln dargestellt und haben Vorläufer in der altorientalisch-ägyptischen Sphinxgestalt, die die vier Lebewesen und deren Eigenschaften vereinigt: die Vernunft des Menschen, die Kraft des Löwen, die Fruchtbarkeit des Stieres, die majestätische Erhabenheit des Adlers. Nach dem Kirchenvater Irenäus symbolisieren die vier Wesen die göttlichen Eigenschaften Christi. Das Menschenantlitz bezeichnet seine Erscheinung als Mensch, der Löwe seine Tatkraft, der Stier das hohepriesterliche Amt und der Adler die Gabe des Geistes. Die vier Wesen umgeben Christus und verweisen auf seine Göttlichkeit.
Die Identifikation mit den Evangelien wird meist so begründet: Der Mensch gehört zum Matthäusevangelium, denn dieses beginnt im ersten Kapitel mit dem Stammbaum Jesu. Der Löwe gehört zum Markusevangelium, denn dieses beginnt mit dem löwenhaften Brüllen des Täufers. Der Stier gehört zum Lukasevangelium, denn es beginnt mit dem Opfer des Zacharias. Der Adler gehört zum Johannesevangelium, denn es „fliegt höher" als die anderen Evangelien.

■ Mögliche Eingangssituationen
- Die Sch. lesen das Bild. Hier geht es um die Evangelien und eine Botschaft. Rate, rate, was ist das? Sie versuchen die Schrift in den Büchern der Evangelisten zu entziffern. L. wird hierzu Hilfestellungen geben, z. B. als TA oder Folie:

Stelle	Zitat	Übersetzung
Mt 1,1	Liber generationis	Buch der Geschichte (Jesu Christi)
Mk 1,2	Ecce ego mitto angelum	Siehe ich sende meinen Boten (vor dir her)
Lk1,5	In diebus Herodis	In den Tagen des Herodes
Joh 1,1	In pricipio erat verbum	Im Anfang war das Wort

- TA: L. legt eine Kopie des Holzschnitts ohne die inhaltliche Füllung des Mittelkreises vor (M 80). Die Sch. überlegen, was in die Mitte gehört, und gestalten die Mitte entsprechend. Sie vergleichen ihre Lösungen mit dem Holzschnitt.
- Die Sch. deuten die Evangelistensymbole. Wie soll man sie verstehen? Zur Klärung kann man im Internet recherchieren.
- Streichholzschachtelspiel „Neues Testament" (vgl. Impuls 2, KB S. 140).
- Bildergänzung: Formulieren, was Jesus gerade sagt und was die Evangelisten niederschreiben. L. weist darauf hin, dass die Evangelisten unterschiedliche Gemeinden vor Augen haben.

■ Erschließungsmöglichkeiten
- Textarbeit (vgl. Werkstatt Religion KB S. 64f.).
- Anlage einer Mindmap zu den vier Evangelien, dabei mindestens fünf Aussagen über die Evangelien herausarbeiten.
- Bibelstellen gemäß Impuls 2 aufschlagen, Texte ins Heft aufnehmen (vgl. „Werkstatt Religion: Heftführung" KB S. 36), Überschrift suchen und Betonungen herausfinden. Den einzelnen Evangelisten Stimmen geben. „Mir ist ganz wichtig, dass ..."
- Hypothesen formulieren über das, was zwischen dem Mittelbild und den Astbildern geschehen ist. TA.

■ Mögliche Schlusssituationen
- Rankenwerk abpausen oder M 80 verwenden und mit Informationen aus dem Text füllen.
- Die ganze Zeichnung abpausen oder M 80 verwenden und die Evangelienanfänge auf Deutsch zu den Büchern dazuschreiben Es können auch weitere Sätze der Evangelien eingefügt werden.

KB S. 147 Ein Evangelium wird geschrieben

Der Text sucht die Entstehung des Lukasevangeliums gemäß Lk 1,1–4 und Apg 1,1–2 anschaulich zu machen. Im Unterschied zu anderen Evangelien gibt Lukas in den Anfängen seiner Bücher Einblick in seine literarische Werkstatt. Der Erzähltext nimmt das Gleichnis vom barmherzigen Samariter auf (KB S. 135) und erlaubt somit eine Wiederholung.

Das Bildnis des Evangelisten Lukas stammt aus den Breisacher Evangelistentafeln aus den Jahren 1475/1485, die alle vier Evangelisten darstellen. Gezeigt wird ein verträumt-nachdenklicher Lukas, auf einem Klappstuhl sitzend. Er hält in der rechten Hand eine Feder, in der linken das geschlossene Evangelienbuch und ein Tintenfass. Die Füße sind übereinander geschlagen. Worüber denkt er wohl nach? Neben ihm sein Symboltier Stier (s.o. zu den Evangelistensymbolen). Der Kopf mit der Mütze ist von einem Heiligenschein umgeben.

■ Mögliche Eingangssituationen
- Die Sch. betrachten das Bild des Evangelisten und formulieren seine Gedanken.
- Die Sch. überlegen, wie Lukas zu dem Inhalt seines Evangeliumsbuches gekommen ist. Sie entwickeln unterschiedliche Theorien und suchen nach der besten.

■ Erschließungsmöglichkeiten
- Textarbeit: Der Text wird vorgelesen. Die Sch. entwerfen in PA ein Schaubild, das wiedergibt, wie Lukas zu seinem Evangelium gekommen ist. Sie achten auf den Vater, auf Antonius und auf Lukas. Vorstellen auf Folien oder Tafel (vgl. mit Lk 1,1–4).
- Die Sch. lesen Lk 1,1–4 sowie Apg 1,1–2. Wie muss man sich das vorstellen? Vergleich mit der fiktiven Erzählung. Passen Bibel und Erzählung zusammen? Gibt es Unterschiede?
- Eine Pantomime zu der Erzählung entwickeln. Man braucht dazu Theophilus und Lukas, Vater und Antonius.

Mögliche Schlusssituationen

- Die Sch. erstellen einen Comic: „Aus der Arbeit von Lukas" oder: „Lukas schreibt sein Evangelium".
- L. zeichnet Kreuz und offenes Grab an die Tafel, mit Abstand davon steht das Wort „Lukas". Was ist dazwischen vermutlich geschehen? Das Tafelbild wird ergänzt.

KB S. 148/149 Die Entstehung des Christentums

Der Zeitstrahl erschließt sich weitgehend von selbst. Die Zahl 666 meint „The Number of the Beast", wie sie sich aus Offenbarung 13 ergibt. Das umgekehrte Kreuz will die Erzählung vom Märtyrertod von Petrus in Rom aufnehmen. Der Zeitstrahl entspricht dem Anhang der Lutherbibel. Ziel ist eine Rahmenvorstellung, in die weitere Ereignisse eingefügt werden können.

Mögliche Eingangssituationen

- Personenspiel nach Impuls 1.
- Schnippelbogen (vgl. oben Lernstandsdiagnose, M 79).

Erschließungsmöglichkeiten

- Auswertung des Zeitstrahls in GA unter den Gesichtspunkten Jesus, Paulus, Jerusalem, Entstehung der Evangelien, Rom (vgl. „Werkstatt Religion" KB S. 186f.)
- Die Sch. erhalten verschiedene Bibeltexte und ordnen diese in den Zeitstrahl ein: Lk 1,1–4; Joh 1,1–14; Mk 1,1; Mt 1,1; 1. Kor 1,10–17; Apg 2,1–13; Apg 9,1–9; Apg 28,16–31. Weitere Texte können ergänzt werden.
- L. erzählt vom Tod des Petrus und vom jüdischen Krieg.
- Die Sch. ordnen diese Erzählungen in den Zeitstrahl ein und erzählen sich weitere Geschichten, die hier aufgezeichnet sind.
- Zeitspiel: Die Sch. stellen zunächst einmal den Zeitenabstand zwischen ihnen und Eltern zeitlich dar, wobei zehn Jahre einen Meter Abstand ausmachen. Daraufhin stellen sie die verschiedenen Abstände zwischen Jesus, Markus usw. dar.
- Anlage eines großen Wandfrieses mithilfe von KB S. 148/149 und mit Wiederholung von KB S. 142/143. Später kann dann KB S. 172/173 angefügt werden.

Mögliche Schlusssituationen

- Rekonstruktion eines antiken Briefformulars aufgrund von 1. Kor 1,1–3 und 1. Kor 16,19–25. Die Sch. schreiben einen antiken Brief über die Entstehung des Christentums (Impuls 1).
- Rekonstruktion der Geschichte des Urchristentums anhand der Begriffspaare: mündlich – schriftlich, Jerusalem – Rom, Jesus – Paulus, vor dem Kreuz – nach dem Kreuz, Adler – Löwe.
- Übernahme des Zeitstrahls ins Heft (Kopie oder selbst zeichnen).
- Vergleich des Zeitstrahls mit dem Anhang der Lutherbibel „Zeittafel VI – Neutestamentliche Zeit". Was sollte man an Daten und Angaben im KB ergänzen?
- Vergleich mit Zeitstrahl KB S. 172/173. Leporello mit allen drei Zeitstrahlen anfertigen (s.o.)

KB S. 150 Die Sprache des Neuen Testaments

Analog zur Sprache des Alten Testaments (KB S. 144) geht es hier um die Sprache des Neuen Testaments. Die griechische Umgangssprache wird „Koiné" genannt. Der mit griechischen Buchstaben geschriebene Papyrusfetzen enthält Mk 2,1–5, die Heilung des Gelähmten, die in dem einen Titelbild vorbereitet wurde und auf KB S. 156 noch einmal aufgenommen wird. Erkennbar werden kann, wie schwierig das Entziffern von Qumrantexten ist, die ja z.T. nur aus Schnipseln bestehen.

Mögliche Eingangssituationen

- Entschlüsselung von Apg 8,30 (Impuls 1): Verstehst du auch, was du liest?
- Den eigenen Namen in griechischen Buchstaben schreiben (Impuls 2).
- Xmas (Christmas) entschlüsseln sowie XP (Chi-Rho, nicht Ix-Pe, von griech. Christos KB S. 181; KB S. 173).

Erschließungsmöglichkeiten

- Textarbeit: Zuordnung der Begriffe „aramäisch" und „griechisch" zu den Namen Jesus, Petrus, Paulus sowie Ergänzung des Zeitstrahles.
- Entziffern des Papyrusschnipsels (Impuls 3). Es ist die Heilung des Gelähmten (Mk 2,2 ff.).

Mögliche Schlusssituationen

- Vergleich der Sprache des Alten Testaments (der Sprache Jesu) und der Sprache des Neuen Testaments.
- Eine Schriftrolle mit einem biblischen Lieblingstext gestalten (Impuls 4).

KB S. 151 Buchmalerei

Die Seite zur Buchmalerei entspricht der Seite „Luther übersetzt die Bibel" (KB S. 145) und wirft einen Blick in die Überlieferungsgeschichte der Bibel, wie sie auch im Anhang der Lutherbibel dokumentiert wird. Der Text bezeichnet eine Entstehungsgeschichte, die von handbeschrifteten Tontafeln über Papyrusblätter bzw. Papyrusrollen und Pergamentseiten zu beschriebenem und bedrucktem Papier reicht. Heute kommt die digitale Fassung hinzu (vgl. www.dbg.de). Um das zu veranschaulichen, können die Sch. den Text eines Bibelabschnitts in einer anderen als der Lutherübersetzung aus dem Internet herunterladen und ausdrucken. Die ins Bild gesetzte Buchmalerei betont die Bedeutung der Bibel als Heilige Schrift (vgl. KB S. 157).

Das Salzburger Lektionar stellt Paulus auf einem felsartigen Boden stehend mit grüner Toga und barfuß dar. In der rechten Hand hält er ein Schwert, das auf eine richtende Funktion deutet. An seinen Worten entscheidet sich, was wahr und unwahr ist. In der einen Hand hält er ein Buch. Über seinem Haupt befindet sich ein Strahlenkranz. Der Anfangsbuchstabe ist auf Goldhintergrund in Blau gemalt. Entgegen dem Augenschein ist der Anfangsbuchstabe ein F.
Den Text umgeben Pflanzenmotive, die als Schmuck oder als Verheißung betrachtet werden können. Die Lesung des Bibel-

textes verspricht aufblühendes Leben. Die Übersetzung des Bibeltextes kann hier entfallen.

Mögliche Eingangssituationen
- Bildbetrachtung: Was erkennt man? Woher kommt so ein Text? Wie lange hat man wohl daran gearbeitet?
- Diskussion: Mein Lieblingstext in der Bibel.
- Kennen lernen wie man Papyrus herstellt (Impuls 3) – dazu M 81.

Erschließungsmöglichkeiten
- Textarbeit: Klärung der Begriffe Papyrus (rollen), Pergamentblätter, Papier, Handschriften, Ornamente, die zuvor an die Tafel geschrieben werden.
- Ergänzung des Zeitstrahls.

Mögliche Schlusssituationen
- Gestalten einer eigenen Schmuckseite mit einem Lieblingstext der Bibel.
- Erweiterte Zeitleiste ins Heft aufnehmen.
- Recherche über die Bibel im Netz (Zugang www.dbg.de). Herausfinden, was die anderen noch nicht wissen.
- Schnippelbogen (M 79) noch einmal neu zusammensetzen.
- Falls Schuldruckerei vorhanden, können die Sch. einen Bibelvers oder eine Bibelseite setzen und drucken.

Mögliche Schlusssituation zum Kapitel
- Die Sch. erzählen einander über Entstehung, Aufbau und Inhalte des NT.

3. Lernkarten

81 Markusevangelium – 1. Korintherbrief – Offenbarung – NT – Gleichnis
Bringe diese Schriften in die richtige Reihenfolge. Was wurde zuerst nur mündlich weitergegeben?

82 Pergament – Papyrus – Geschichten – Briefe – Evangelien – Schriftrolle – Codex – Tinte
Verwende diese Begriffe, um zu beschreiben, wie die neutestamentlichen Schriften überliefert wurden.

83 Ordne die vier Symbole in der richtigen Reihenfolge den Evangelisten zu.

84 Erkläre die Entstehung von Bibeln im Mittelalter vor der Erfindung von Johannes Gutenberg.

Mögliche Lösungen:
Zu Lernkarte 82: Die neutestamentlichen Schriftsteller schrieben ihre Texte, Erzählungen und Briefe wahrscheinlich mit Tinte auf Papyrus. Für längere Texte wurden Papyrusstücke zusammengeklebt und zusammengerollt. Ganze Evangelien wurden wahrscheinlich auf Papyrus, aber auch auf Pergament geschrieben und in Form eines Codex (Buch) zusammengeheftet.
Zu Lernkarte 84: Bibeln wurden sorgfältig von Hand abgeschrieben auf Pergament oder Papier und mit Bildern und Gold kostbar verziert. Meist geschah dies in Klöstern durch Mönchen und Nonnen. Jede Bibel war daher eine Kostbarkeit und einmalig.

4. Empfohlene Literatur und Medien

Für L.:

Theißen, Gerd, Zur Bibel motivieren. Aufgaben, Inhalte und Methoden einer offenen Bibeldidaktik, Gütersloh 2003 (Gütersloher Verlagshaus Mohn).
Berg, Horst Klaus, Ein Wort wie Feuer, München 1991 (Kösel).

Für Sch.:

Steinwede, Dietrich, Erzählbuch zur Kirchengeschichte, Bd, 1: Von den Anfängen des Christentums bis zum Spätmittelalter, Zürich/Lahr/Göttingen 1982, S. 54–62.
VHS Martin Luther auf der Wartburg.
DVD educativ Luther, Matthias-Film, Stuttgart, 121 min., 2004, Szene: Luther auf der Wartburg.

5. Materialien

M 79 Schnippelbogen: Die Entstehung der Evangelien
M 80 Die vier Evangelien und das ganze Neue Testament
M 81 Herstellung von Papyrus

Bibel heute

1. Zielsetzung, Aufbau und Kompetenzen

Das Kapitel „Bibel heute“ will die Bibel als „Lebensbuch“ erschließen. Dabei wird auf die kindgemäße Form geachtet, die sich von dem Gebrauch Erwachsener, aber auch Jugendlicher unterscheidet. Während dort Losungen, Bibellese (www.losungen.de, www.dbg.de, www.neukirchner.de), Stillezeiten oder Bibelarbeit in der Gemeinde sowie Predigt im Gottesdienst denkbar sind, begegnet die Bibel Kindern anders. So findet man biblische Texte und Inhalte in Kinderbibeln (vgl. KB S. 157), bei Taufen (KB S. 152), in Liedern (KB S. 153), in Singspielen, in der Alltagssprache (KB S. 154), in Bibelcomics (KB S. 155), aber auch in einem Schülerbibelkreis (KB S. 163), in einem Familiengottesdienst (KB S. 163) sowie Nacherzählungen in Religionsunterricht, Kindergottesdienst Konfirmandenunterricht oder Kinderbibelwoche. Denkbar sind aber auch Bibel-Spiele, wie z. B. „Geheimakte Jesus“ oder „Abenteuer Bibel“ der Deutschen Bibelgesellschaft (www.dbg.de, dort unter Bibeldigital-Software) oder Multimediabibel für Kinder aus dem Katholischen Bibelwerk (www.bibelwerk.de). Hinzu kommen biblische Hörbücher (Zeit für dich, Deutsche Bibelgesellschaft; Das große Bibelhörbuch, Deutsche Bibelgesellschaft) und vielfältige Bibelfilme, die mitunter als Video oder DVD vorhanden sind. Immer wieder geht es um das persönliche Verhältnis und den persönlichen Gebrauch der Bibel, die diese zur „Heiligen Schrift“ machen (KB S.157).

Die einzelnen Seiten stehen innerhalb des KB in Beziehung zu anderen Seiten und Inhalten:
KB S. 152 Taufsprüche – vgl. dazu KB S. 124, 164, 175, 170.
KB S. 153 Bibelrap zur Sturmstillung – vgl. dazu KB S. 15.
KB S. 154 Streit im Fußballclub – vgl. dazu KB S. 102f. Metaphern, KB S. 145 Luther.

KB S. 155 Miriam – vgl. dazu KB S. 96–100.
KB S. 156 Seeb – vgl. dazu KB S. 138.
KB S. 157 Heilige Schrift – vgl. dazu KB S. 151.

Den unterschiedlichen Begegnungsweisen von Bibel entsprechend gibt es hier keine einheitliche Bebilderung. Es gibt ein „kerygmatisches“ Bild zur Bibel, einen Bibelcomic sowie den Einband einer mittelalterlichen Bibelhandschrift.

■ Welche Lernchancen werden angeboten?

Zunächst kann man hier entdecken, dass die Bibel auf vielfältige Weise im Leben von Menschen vorkommt und dabei ganz unterschiedliche Sprachgestalten einnimmt (Spruch, Rap, Comic, Sentenz, Bild). Die Sch. können hier die Fähigkeit erwerben, den Bibeltext prüfend einzubringen und mit dem Luthertext selbständig umzugehen. Dabei können sie Gründe kennen lernen, warum Christinnen und Christen die Bibel als Heilige Schrift ansehen. Darüber hinaus wird die Fähigkeit entwickelt, Bibeltexte eigenständig und möglichst auch kreativ auszulegen. Im Sinne von Umberto Eco geht es in diesem Teilkapitel um die „intentio lectoris“, also die Resonanz, die der Bibeltext in dem Rezipienten auslöst. Selbstverständlich geht es hier schlicht auch um biblisches Wissen.
Auch in diesem Kapitel werden Inhalte der Grundschule aufgenommen und weitergeführt. Verstärkt kommt der vergleichende und prüfende Rückgriff auf den Bibeltext hinzu. Damit soll die Bibel als „Quelle und Norm“ christlichen Lebens ins Spiel gebracht werden und ein erster methodisch reflektierter Umgang mit biblischen Inhalten eingeübt werden. Es geht nun verstärkt um den Aufbau einer biblisch-hermeneutischen Kompetenz, die auch den Gebrauch einer Konkordanz einschließt.

■ Nachhaltiges Lernen

Da bereits in der Grundschule der persönliche Gebrauch der Bibel thematisiert wird, ist auch hier eine *Lernstandsdiagnose* angezeigt. Ein möglicher Ansatzpunkt liegt darin, dass Sch. Kinder- und Hausbibeln (vgl. KB S. 157, Impuls 2) mitbringen, die miteinander verglichen werden. Welche Geschichten und Bilder haben mir in der Bibel am besten gefallen?
Ein anderer Zugang liegt in dem Gespräch über folgende Fragen: Warum heißt die Bibel auch „Heilige Schrift? Wozu braucht man überhaupt die Bibel?
Ein weiterer Zugang besteht in dem Stuhlspiel (KB S. 157, Impuls 4). Wie begründen Kinder ihren räumlichen Abstand bzw. ihre Nähe zu der Bibel?

Ein *informierender Unterrichtseinstieg* könnte mit sechs Begriffen arbeiten: Mein Taufspruch, ein Bibelrap, Bibelcomic, Kinderbibel, Bibelkonkordanz, Heilige Schrift. Die Sch. markieren mit Sternen, ob sie die Begriffe schon kennen:
vier Sterne = 100 %, ein Stern = 25 %.
Denkbar ist auch die Vorgabe von Endkompetenzen:
- Ich kenne zehn Redensarten, die aus der Bibel stammen.
- Ich kann erklären, was Christen mit Heilige Schrift meinen.
- Ich kann mit einer Bibelkonkordanz arbeiten.

Selbstreguliertes Lernen meint selbstgesteuertes Lernen. Es besteht Übereinkunft, dass die Nachhaltigkeit des Lernens durch Selbstbestimmung und Selbststeuerung erhöht wird. Denkbar ist, dass zu jeder der sechs Seiten je eine Gruppe eine Unterrichtsstunde vorbereitet und diese dann vorstellt. Eine Variante dazu: Im Sinne einer Wahldifferenzierung erhalten die Sch. folgende Aufgaben zur Auswahl:
- Die schönsten Taufsprüche auf einem Schmuckblatt (KB S. 152),
- Vorführen eines Bibelraps (KB S. 153),
- Eine neue Geschichte mit zehn Alltagsworten aus der Bibel schreiben (KB S. 154),
- Zu einer Lieblingsgeschichte einen Bibelcomic zeichnen (KB S. 155),
- Eine biblische Geschichte szenisch darstellen (KB S. 156),
- Den Anfang einer Prachtbibel mit Prachteinband und vier Lieblingsgeschichten gestalten (KB S. 157),
- Die beste Kinderbibel auswählen und die Auswahl begründen (KB S. 157).

Anschließend gibt es eine Vernissage.

Als *Leitmedium* eignet sich der Einband einer selbst gestalteten Prachtbibel. Dieser Einband wird am Beginn der Einheit gezeichnet und gebastelt. In diesen Prachtband werden die Ergebnisse der folgenden Stunden eingefügt.

Ideen zum Wiederholen

Die sechs Seiten bieten verschiedenen Möglichkeiten, andere Themen zu wiederholen. Die Auseinandersetzung mit Taufe und Taufsprüchen gibt Gelegenheit, die Taufe Jesu (KB S. 124), aber auch die Taufe im Urchristentum (KB S. 170) und heute (KB S. 164f.) zu wiederholen Der Bibelrap erlaubt eine Wiederholung des Themas Klassengemeinschaft (KB S. 15). Der Streit im Fußballclub arbeitet mit Metaphern (KB S. 102), der Bibelcomic erlaubt, die Mose-Einheit noch einmal aufzunehmen (KB S. 96–101). Die Nacherzählung begegnet bei dem Thema „Die Sprache des Neuen Testaments“ (KB S. 150). Das Thema Heilige Schrift lässt einen Bezug zum Verhältnis einer muslimischen Schülerin zum Koran erkennen (KB S. 207). Umgekehrt bietet sich aber auch in anderen Kapiteln jeweils die Möglichkeit auf „Bibel heute“ noch einmal zurückzugreifen, so beim Thema Tora (KB S. 194) und Koran (KB S. 206),

Wie können die Sch. das Gelernte anwenden?

Eine Möglichkeit besteht in der Gestaltung einer eigenen Prachtbibel und deren Vorstellung vor der Klasse oder in einer Gruppe. Wiederum bietet die Evaluationsseite (KB S. 216/217) weitere Alternativen. Auch hier bietet sich die Möglichkeit, Lernkarten zu entwickeln und in die eigene Lernkartei einzufügen.

2. Didaktisch-methodische Hinweise

KB S. 152 Taufsprüche begleiten durch das Leben

Konstitutiv für diese Seite ist die Unterscheidung von Versprechen Gottes, Wünschen der Eltern und Paten sowie Lebensmotto. In diese drei Kategorien lassen sich Taufsprüche ein- und der eigene Taufspruch zuordnen. Taufsprüche finden sich im Internet unter verschiedenen Adressen, z. B.: www.Taufspruch.de. Die angebotene Szene will persönliche Geschichten erinnern lassen und die Auseinandersetzung mit Taufsprüchen vorbereiten.

Sieger Köder, geb. 1925 in Aalen-Wasseralfingen, 1954–1965 Kunsterzieher am Schubertgymnasium in Aalen, seit 1971 katholischer Priester, Ruhestand 1995, heute in Ellwangen lebend, versteht sich als Prediger mit Bildern. Auf dem Bild im KB hat er sich mit dem Gleichnis vom verlorenen Schaf (Lk 15) auseinandergesetzt. Er konzentriert sich dabei auf Vers 6: Der Mensch kehrt mit dem gefundenen Schaf zurück und feiert den Fund mit seinen Freunden und Nachbarn. Die aufgehende Sonne zeigt die Freude des Wiederfindens, der Strauß mit roten Rosen, die bei Köder immer wieder begegnen, zeigt die liebevolle Zuwendung zu dem Verlorenen. Auf den Hügeln rechts sieht man die Fußspuren des Hirten, die von dem Gestrüpp herkommen, in dem sich das Schaf verfangen hatte. Einiges von der Wolle des Schafs ist im Gestrüpp hängen geblieben. Das Bild erzählt also eine ganze Geschichte und lässt die Freude, u. a. auch durch die tanzenden Schmetterlinge, anklingen. Der Titel des Bildes ist Joh 10,11 entnommen. Dort betont das Bild des Hirten die aufopfernde Suche, die bis zur Lebenshingabe gehen kann. Im Bild des Guten Hirten hat das Urchristentum gerne Jesus dargestellt. Für die Taufthematik erscheint bedeutsam, dass sich das Schaf mit geschlossenen Augen an den Hirten anschmiegt. Welcher Taufspruch passt dazu?

■ Mögliche Eingangssituationen

- Textarbeit: Lesen des Textes. Formulieren, was ich auch kenne bzw. anders kenne.
- Gespräch über die Taufe: Wie war das bei meiner Taufe? Oder: Was ich schon immer von der Taufe wissen wollte.
- Eigenen Taufspruch und Taufbilder mitbringen und einander vorstellen.

■ Erschließungsmöglichkeiten

- Taufsprüche (Impuls 1) nachschlagen, auf Textkarten oder ins Heft schreiben.
- Bildbetrachtung: Geschichte rekonstruieren und die Freude hörbar machen. Welcher Taufspruch passt zu dem Bild?
- Taufspruchsammlung anlegen, u. a. mit einer Internetrecherche (Impuls 2).

■ Mögliche Schlusssituationen

- Schmuckblatt mit einem Taufspruch für Tobias gestalten (vgl. KB S. 151 Buchmalerei).
- Taufsprüche nach Versprechen, Wünsche, Motto, ordnen (Impuls 3).

KB S. 153 Bibelrap

Vorausgesetzt ist, dass die Sch. Rap mögen und sich damit auskennen. Der Bibelrap ist auf der CD „Bibel and more", hrsg. vom erb Baden (www.erba.de) entnommen. Auf dieser CD gibt es auch ein Playback, sodass der gegebene Text dazu „gerappt" werden kann. Die Seite lädt ein zum kreativen Gestalten eines Bibeltextes, das Thema kann fächerverbindend mit Musik behandelt werden. Dazu helfen auch die vollständigen Noten (M 82). Keyboards enthalten verschiedene Rhythmen, die man problemlos einstellen kann. Sollte die Durchführung eines Bibelraps nicht möglich sein, so könnte man den Text laut sprechen und dann ein Bild dazu zeichnen, das die wichtigste Szene festhält (s.o.).

■ Mögliche Eingangssituationen

- Bibellieder mitbringen und vorstellen.
- Rap mitbringen und vorstellen. Was ist das Typische am Rap? (rhythmischer Sprechgesang, schnell gesprochene Satzfetzen)
- Den Rap von Christian Besau vorstellen und üben (mit CD oder Keyboard; vgl. M 82 Noten).

■ Erschließungsmöglichkeiten

- Text als Rap erarbeiten (Impuls 1) und mehrmals vorführen. Gegebenenfalls den Text ändern.
- Biblische Geschichte rekonstruieren und im Buch das dazugehörige Bild finden (KB S. 15).
- Mt 14,22–33 aufschlagen und mit dem Rap vergleichen. Wie ist Christian Besau vorgegangen? (Impuls 2)
- Text mehrmals sprechen, Schlüsselszene zeichnen.

■ Mögliche Schlusssituationen

- Zu einer selbst gewählten Geschichte einen Rap gestalten, evtl. Rap-Rhythmus von CD „Bibel and more" verwenden.
- Geschichte mit dem Bild von Schnorr von Carolsfeld vergleichen M 83.

KB S. 154 Streit im Fußballclub

Das Vorkommen vieler Bibelworte als Redensarten im Alltagsgebrauch verdankt sich der Bibelübersetzung Martin Luthers (vgl. KB S. 145), der mit seiner Sprachgestaltung die deutsche Hochsprache maßgeblich geprägt hat. Der selbstverständliche Gebrauch der Lutherbibel in der Familie und im Gottesdienst hat die Sprachgestaltung verstärkt. Der Kunsttext KB S. 154 will zeigen, wie präsent biblische Sprache im Alltag ist, ohne dass dies im Einzelfall bewusst ist. Seine Entschlüsselung stellt einen Beitrag zur Sprachkompetenz und zur hermeneutischen Kompetenz dar. M 84 zeigt die Belegstellen.

■ Mögliche Eingangssituationen

- L schreibt den letzten Satz des Textes auf die Tafel. Die Sch. suchen nach Bibelzitaten. Wer kennt eine Geschichte dazu?
- Die ersten drei Sätze so umformulieren, dass die drei Sprachbilder entfallen können. Wird nun alles verständlicher?
- Vorstellen einer Konkordanz.

■ Erschließungsmöglichkeiten

- Text laut vorlesen. Was wird hier geschildert? Welche Formulierungen sind ganz fremd?
- Text in vier Abschnitte zerlegen (1–6; 7–13; 14–22; 23–32) und auf vier Gruppen verteilen. Diese haben die Aufgabe, mit einer Konkordanz die vollständigen Bibelzitate und auch ihre narrativen Zusammenhänge zu rekonstruieren und dann vorzustellen. Mit M 84 können die Sch. ihre Lösungen überprüfen.
- Den Text Satz für Satz in schülergemäße Sprache „übersetzen".

■ Mögliche Schlusssituationen

- Gemeinsames Nachdenken: Wie ist das Vorkommen so vieler Bibelzitate in der Alltagssprache zu erklären?
- Einen eigenen Text entwerfen, in dem mindestens sieben biblische Zitate vorkommen (Impuls 4).

KB S. 155 Bibelcomic

Bibelcomics gehören neben den Kinderbibeln und Bibelfilmen zu beliebten Formen der Tradierung biblischer Erzählzusammenhänge. Von dem Zeichner der Miriam, Rüdiger Pfeffer, gibt es mehrere Comics, u. a. zu David und Saul, Adam und Eva, David und Söhne, Ruth, Happy End in Bethlehem (vgl. auch Jesus der Galiläer, hg. von der Deutschen Bibelgesellschaft, www.dbg.de – dort gibt es Hinweise auf weitere Comics).
Zur Frage könnte werden, ob Comics den biblischen Inhalten und der Bedeutung der Bibel als Heilige Schrift angemessen sind. Vorausgesetzt ist auf dieser Seite, dass die Mose-Geschichte schon in der Grundschule behandelt wurde und die Erzählung in etwa noch präsent ist, zumal sie auch in Bibelfilmen vorkommt. Wie auch auf den anderen Seiten geht es darum, das Bibelaufschlagen zu üben und nachträgliche Konstruktionen kritisch mit dem Bibeltext zu vergleichen. 2. Mose 2 wird KB S. 97 angesprochen.

■ Mögliche Eingangssituationen
• Einander von dem kleinen Mose und seiner großen Schwester Miriam erzählen (vgl. KB S. 96–101).
• Die Geschichte auf dem Zeitstrahl (KB S. 142f.) einordnen. Evtl. Bezug zu KB S. 97.
• Falls Erzählung unbekannt, aus der Bildfolge die Story erraten.

■ Erschließungsmöglichkeiten
• Die Seite vergrößert kopieren, in PA die Sprechblasen füllen, zunächst mit Bleistift, dann einander vorstellen und vergleichen.
• Comic mit 2. Mose 2,1–10 vergleichen und Sprechblasen füllen.
• Prüfen, ob der Comic von Rüdiger Pfeffer zum biblischen Text passt (Impuls 2).

■ Mögliche Schlusssituationen
• Einen eigenen Comic zeichnen zu einer Lieblingsgeschichte oder einem Text im Buch.
• Theologisieren mit Kindern: Darf man zu Bibeltexten lustige Comics zeichnen?
• Vergleich des eigenen Produktes mit der Originalseite (vgl. M 85).
• Einen Mosefilm betrachten und entsprechende Szene finden.

KB S. 156 Die Bibel nacherzählt

Bei dem Erzähltext handelt es sich um eine freie Nacherzählung zu Mk 2,1–12. Der Text will Hintergründe sichtbar machen, die das Auftreten Jesu, insbesondere die Sündenvergebung, plausibel machen. Im Kern geht die Heilung auf den Zuspruch der liebenden Annahme Gottes zurück, die auch dem gilt, der von Gott nichts wissen will. So tritt die Erzählung in erkennbare Nähe zum Gleichnis vom verlorenen Sohn (KB S. 133) und findet im Rembrandt-Bild eine mögliche Veranschaulichung. Die Wundererzählung ist KB S. 150 aufgenommen und wird KB S. 138 mit den Mitteln der romanischen Buchmalerei dargestellt. Ziel der ganzen Seite ist, aufs Neue den kritischen Umgang mit biblischer Rekonstruktion durch Rückgriff auf den ursprünglichen Bibeltext einzuüben. Dazu passt das Haus KB S. 118.

■ Mögliche Eingangssituationen
• Den ersten Satz und die letzten beiden Sätze an die Tafel schreiben. Was könnte dazwischen geschehen sein?
• Das Bild KB S. 138 (Auftaktseite) möglichst spannend nacherzählen.

■ Erschließungsmöglichkeiten
• Text mit verschiedenen Rollen lesen. Wie könnte es weitergehen? (Impuls 1)
• Vergleich der Erzählung mit dem Bibeltext. Anschließend Beurteilung (Impuls 2).

■ Mögliche Schlusssituationen
• Theologisieren: Wie kam es zur Heilung? Gibt es Wunder? (Impuls 4)
• Vergleich der Wundererzählung mit dem Rembrandt-Bild KB S. 133. Passt das irgendwie zusammen?
• Zu dem Bild einen Comic zeichnen.
• Aus einem Erzählbuch eine weitere Nacherzählung vorstellen und mit dem Bibeltext vergleichen.

KB S. 157 Die Heilige Schrift

Wird die Bibel zum Lebensbuch, das Gottes Wort zum Ausdruck bringt und dadurch Menschen begleitet, tröstet, ermutigt und ihnen Orientierung gibt, dann wird sie zur „Heiligen Schrift". Sie ist damit anders als andere Bücher und besitzt eine letztgültige Autorität. Wie die Tora zu einem solchen Lebensbuch wird, erzählt KB S. 196. Dass hier eine Verwandtschaft auch mit dem Islam vorliegt, zeigt KB S. 206.

Der mittelalterliche Prachtband aus braunem Rindsleder zeigt den himmlischen Pantokrator auf dem Regenbogen sitzend in einer Mandorla aus Walrosszahn. Die eine Hand ist segnend-gebietend erhoben, die andere ist verhüllt. Um die Mandorla sind die vier Evangelistensymbole angeordnet (vgl. KB S.146, 147, 149). In den beiden Rundfeldern werden die Paradiesflüsse Gihon (1. Mose 2,13) und Pischon (1. Mose 2,11) als Personen dargestellt (vgl. KB S. 44). Die vier quadratischen Eckplättchen sind wie die Mittelplättchen figural. Es ist davon auszugehen, dass die Aufsätze deutlich älter sind (1160–1170) als der Einband selbst (2. Hälfte des 15. Jahrhunderts). Auf der Abbildung erkennt man nur schwach zwei Eindrücke oberhalb und unterhalb der Mandorla. Erkennbar ist das Wort „Ihesus". Die Aufsatzarbeiten deuten einerseits auf die theologische Mitte Jesus Christus, den Herrn der Welt, hin, auf die Evangelien als geschriebene Offenbarung Jesu Christi und auf das Wasser des Lebens, das hier entspringt. Der Band ist mit Messingbeschlägen verschließbar.

■ Mögliche Eingangssituationen
• Stuhlübung (Impuls 4).
• Umfrage: Was halten Sie von der Bibel? (Impuls 3)

Erschließungsmöglichkeiten

- Stuhlübung fortsetzen: Wo stehen die vier benannten Personen (Matellan, Roschek, Haase, Walter)?
- Textarbeit: Zu jeder Person ein Leitwort finden (Schutz, Gottes Wort, Mutmachen, Begleiter).
- Die in den Aussagen genannten Bibeltexte nachschlagen und entdecken, was die Personen damit verbinden (Impuls 1).

Mögliche Schlusssituationen

- Einband aus Karton gestalten.
- Einband ins Heft zeichnen.
- Umschlag für die eigene Schulbibel gestalten.
- Eigenen Prachtband mit vier Texten gestalten.

3. Lernkarten

85 Nenne einige Beispiele, in welcher Form die Bibel uns heute begegnet.
86 In welche drei Kategorien kann man Taufsprüche einteilen? Nenne jeweils ein Beispiel.
87 Nenne fünf Sprichwörter oder Redensarten aus der Bibel.
88 Erkläre, warum die Bibel auch Heilige Schrift genannt wird.

4. Empfohlene Literatur und Medien

Neidhard, Walter/Eggenberger (Hg.), Hans, Erzählbuch zur Bibel, Zürich/Einsiedeln/Köln 1975 (Benziger).

Laubi, Werner, Geschichten zur Bibel Lahr 1996 ff. (Kaufmann).

Berg, Horst Klaus/Weber, Ulrike, Benjamin und Julius, 2001.

Pfeffer, Rüdiger, Jesus der Galiläer, Stuttgart o.J. (Deutsche Bibelgesellschaft).

Pfeffer, Rüdiger, David und Saul, Stuttgart 1995 (Deutsche Bibelgesellschaft).

Pfeffer, Rüdiger, Adam, Eva & Co., Stuttgart 2002 (Deutsche Bibelgesellschaft).

Pfeffer, Rüdiger, David und Söhne, Stuttgart 1997 (Deutsche Bibelgesellschaft).

Pfeffer, Rüdiger, Rut – Happy End in Bethlehem Stuttgart 2000 (Deutsche Bibelgesellschaft).

PC Spiel „Geheimakte Jesus", Ein Biblisches Adventure-Game (Deutsche Bibelgesellschaft).

Zeit für dich. Biblische Erzählungen gelesen von Peter Hahne (Deutsche Bibelgesellschaft).

Das große Bibel-Hörbuch, Stuttgart 2000 (Deutsche Bibelgesellschaft).

5. Materialien

M 82 Noten Bibelrap
M 83 Schnorr von Carolsfeld, Der sinkende Petrus
M 84 Auflösung zu „Streit im Fußballclub"
M 85 Rüdiger Pfeffer, Bibelcomic Miriam

Den Glauben leben

Einführung

Das Großkapitel „Den Glauben leben“ behandelt verschiedene Aspekte von Kirche in Vergangenheit und Gegenwart. Es zeigt, wie Kirche zum Mitmachen einlädt und sich um Notleidende kümmert, weiterhin, wie die ersten Christen in Rom ihren Glauben lebten und wie sie um ihres Glaubens willen verfolgt wurden. Es macht deutlich, dass die Christen zu verschiedenen Konfessionen gehören und wie heute Christen aus den verschiedenen Konfessionen zunehmend aufeinander zugehen. Am Beispiel des Kirchenjahres zeigt die Einheit ferner auf, wie die Feste, die auf biblische Geschichten zurückgehen, das kirchliche Leben prägen.
Es ist davon auszugehen, dass heute immer weniger Fünft- und Sechsklässler/-innen eine Beziehung zur real existierenden Kirche haben. Das, was sie hier über Kirche erfahren, wird ihnen zum großen Teil unbekannt sein.

KB S. 160/161 Die Titelseiten

Die Titelseiten bringen ein modernes Foto und eine mittelalterliche Darstellung. Das Foto zeigt den Schlussgottesdienst des Jugendkongresses „Christival“ in Kassel vom 6. Dezember 2002. Ein Christival ist ein evangelistisches Jugendtreffen. Teilnehmer sind vor allem Jugendliche aus den landeskirchlichen und freikirchlichen Jugendwerken. Bei dem Treffen von Kassel gab es 20.000 Dauerteilnehmer/-innen.
Im Zentrum des Bildes steht das Kreuz. Die Jugendlichen, die um das Kreuz herumlaufen, sind mit Seilen mit dem Kreuz verbunden. Sie drücken so ihre Zusammengehörigkeit mit Jesus Christus aus, wie es in anderer Sprache das Johannesevangelium tut, wenn es Kap.15,5 heißt: Ich bin der Weinstock, ihr seid die Reben.
Die mittelalterliche Darstellung stammt von dem Westfälischen Meister (um 1375). Thema ist die Ausgießung des Heiligen Geistes (Apostelgeschichte 2). Der Heilige Geist erscheint als Taube. 13 Personen sitzen um den Tisch, davon 12 Jünger, die mit der Wahl von Matthias wieder die Zwölfzahl erreichten, sowie Maria als Mutter des Herrn. Diese Personen sind durch den Nimbus (= Heiligenschein) besonders hervorgehoben. Von der Mitte des Tisches, um den sich die Jünger versammelt haben, gehen Strahlen zu jedem aus; über diese Mitte (die man als den unsichtbar anwesenden Herrn deuten kann), sind alle miteinander verbunden. Gleichzeitig sitzen sie eng beieinander und zeigen so: Ist die Verbindung mit dem Zentrum intakt, stimmen auch die Beziehungen untereinander.
Nach oben hin ist der Kreis der Versammelten geöffnet. Zwischen Maria und Johannes tut sich gleichsam ein Spalt auf, durch den der Geist Gottes in Gestalt einer Taube in den Kreis der Jünger hineinkommt. Die Taube nimmt Kurs auf die Mitte, sie repräsentiert den auferstandenen Herrn.
Die Bilder der Titelseite stehen in fruchtbarer Spannung zueinander. In beiden spielt das Band eine wichtige Rolle. Damit wird die Zusammengehörigkeit der Kirche ausgedrückt. Was hält die Gemeinde zusammen? In beiden Fällen ist es der Gekreuzigte und auferstandene Herr. Beim Christival-Bild steht das Kreuz dafür, dass Jesus für seine Gemeinde gestorben ist. In dem mittelalterlichen Bild symbolisiert die Taube (der Heilige Geist) den unsichtbar inmitten seiner Gemeinde Anwesenden: Wo zwei oder drei versammelt sind in meinem Namen, da bin ich mitten unter ihnen (Mt 18,20).
Auf dem mittelalterlichen Bild sind Maria (links neben der Taube), der (Lieblings-)Jünger Johannes (rechts von der Taube), sowie Petrus (links neben Maria) leicht zu identifizieren.
Indem die Titelseiten einerseits eine heutige Fotografie und andererseits ein mittelalterliches Bild, das ein neutestamentliches Thema darstellt (Apg 2), gegenüberstellen, wird deutlich: Die heutige Wirklichkeit der Kirche gründet in der biblischen Verheißung der Gegenwart Christi bei seiner Gemeinde.

Möglicher Umgang mit den Titelbildern

Am Anfang steht eine Betrachtung der Bilder. Am Christival-Bild wird das Kreuz als Zentrum herausgestellt, mit dem die Jugendlichen durch die Seile verbunden sind. Über das Internet können die Sch. Informationen über das Christival, insbesondere über das von Kassel im Jahr 2002, besorgen.
Auf der mittelalterlichen Abbildung entdecken die Sch. 13 Personen, 12 Apostel und Maria. Sie können die Taube als Symbol des Heiligen Geistes identifizieren. Deutlich wird ihnen, wie der Heilige Geist Menschen in Beziehung zum Zentrum, Christus, bringt und gleichzeitig in eine neue Gemeinschaft führt. Die Sch. können versuchen, Personen auf dem Bild zu identifizieren.
Ein Vergleich der beiden Bilder kann folgen. Die Seile und die roten Strahlen wollen eigentlich das Gleiche zum Ausdruck bringen: Verbundenheit mit dem Zentrum, mit Christus, führt zur Verbundenheit der Menschen untereinander.
Die Vergegenwärtigung des Bildes kann dadurch geleistet werden, dass die Sch. die Umrisszeichnung (**M 86**) kolorieren und evtl. ihre Köpfe einzeichnen oder einkleben. Sie können sich ferner überlegen, was auf dem Tisch steht, und ebenfalls einzeichnen.

Materialien

M 86 Ausgießung des Heiligen Geistes (Umriss)

Christen kommen zusammen

1. Zielsetzung, Aufbau und Kompetenzen

Der vorliegende Kapitel geht davon aus, dass Christsein immer auch Leben in der Kirche, d.h. in der Gemeinschaft der Christen, meint. So bezeugen es das Glaubensbekenntnis („Ich glaube an die heilige, christliche Kirche“) wie auch das Neue Testament. Im Neuen Testament hat vor allem Paulus über die Kirche nachgedacht. Nach Paulus ist die christliche Gemeinde der „Leib Christi“. In der Gemeinde wirken die einzelnen Christen mit den ihnen verliehenen unterschiedlichen Gnadengaben zusammen. Im evangelischen Raum hat Nikolaus Ludwig von Zinzendorf den Gemeinschaftscharakter des Christentums besonders herausgestellt, wenn er sagte: „Ich konstatiere, kein Christentum ohne Gemeinschaft.“

Doch jede Behandlung des Themas Kirche im Religionsunterricht muss davon ausgehen, dass der Kontakt der Sch. zur real existierenden Kirche heute eher marginal ist. Anders als früher gehen nur noch wenige Sch. der Klassenstufe 5/6 in den Kindergottesdienst oder in die Jungschar. Der Konfirmandenunterricht ist für diese Altersstufe in der Regel noch nicht relevant. Teilweise gehören sie anderen Gruppen an, wie z. B. den Sportvereinen. Eine immer größere Zahl der 11- bis 12-Jährigen lehnt es ab, sich einer Gruppe anzuschließen, weil sie sich nicht auf längere Zeit binden wollen. Vielen fehlt aber auch ganz einfach die Zeit, regelmäßig am Leben einer Gruppe teilzunehmen; sie sind mit vielen anderen Tätigkeiten neben der Schule wie Instrumentalunterricht, Sport, Internet usw. voll ausgelastet. So lernen sie die Kirche nur bei Kasualgottesdiensten wie Taufen, Beerdigungen und Trauungen oder am Weihnachtsabend kennen. Eine umso größere Bedeutung kommt den Schulgottesdiensten zu.
Weil der Kontakt zur Kirche so gering ist, wachsen auch die Fremdheitsgefühle. Die Choräle, die Predigten und Gebete sind den Sch. fremd. Die in der Kirche gesprochene Sprache ist vielen nicht mehr verständlich. Kein Wunder, dass sie die Gottesdienste meist als langweilig bezeichnen.
Angesichts dieser Voraussetzungen versucht das vorliegende Kapitel, Folgendes aufzuzeigen:
1. Es gibt Beispiele, die zeigen, wo Kirche auch für 11- und 12-Jährige so interessant sein kann, dass es Spaß macht mitzumachen (KB S. 162/163)
2. Die Taufe hat für die Christen eine grundlegende Bedeutung (KB S. 164/165).
3. An einem besonders augenfälligen Beispiel wird gezeigt, wie die Kirche als Institution heute diakonisch in der Öffentlichkeit wirkt (KB S. 166/167).

■ Zur Bildkonzeption/Nachhaltigkeit

Durchgängig – bis auf eine Ausnahme – werden in diesem Kapitel Fotos verwendet. Damit wird zum Ausdruck gebracht: Hier geht es um gegenwärtige Wirklichkeit. Das letzte Bild der Einheit bringt (wie auch das zweite Titelbild) eine mittelalterliche Darstellung neutestamentlicher Inhalte. Dadurch wird zum Ausdruck gebracht: Die heutige Wirklichkeit der Kirche gründet in den biblischen Verheißungen.
Als Einstieg in das Kapitel können die Sch. die Fotografien des Kapitels in GA ansehen und ihre Eindrücke schriftlich festhalten. So wird zum einen das Vorwissen der Sch. über „Kirche" erhoben, zum anderen können im Sinne nachhaltigen Lernens diese Äußerungen am Schluss des Kapitels noch einmal thematisiert werden. Die Sch. stellen fest: Was haben wir richtig, was haben wir falsch gesehen? Was haben wir dazugelernt?

■ Welche Lernchancen werden angeboten?

Mit Hilfe des Kapitels können die Sch. lernen, Geschichten der Zuwendung Jesu in Verbindung mit heutigen Situationen kirchlichen Handelns zu bringen.
Sie können Beispiele kennen lernen, wo Kirche auch für heutige Jugendliche interessante Angebote macht. Sie lernen die Bedeutung der Taufe kennen und können die Kirche als Gemeinschaft der Getauften beschreiben, deren Handeln in der Nachfolge Jesu vor allem denen gilt, die im Dunkeln wohnen.

2. Didaktisch-methodische Hinweise

KB S. 162/163 Mitmachen macht Spaß

Auf dieser DS werden Aktivitäten der Kirche vorgestellt, die in der Lage sind, Jugendliche anzusprechen.

Jugendclub: Im Allgemeinen gibt es in den Kirchengemeinden für 11- und 12-Jährige interessante Angebote. Jugendclubs, oft noch unter dem alten Namen Jungschar bekannt, werden von fest angestellten Mitarbeitern oder Jugendlichen über 14 Jahre betreut. Der Junge auf dem Bild trägt das Zeichen CVJM (= Christlicher Verein junger Menschen) auf seiner Brust.
Im Unterricht bietet sich hier die Gelegenheit, den Mitschüler/-innen, die entweder gar nicht oder in einem anderen Verein „organisiert" sind, von der Jungschararbeit zu erzählen. Als Motivation, sich näher mit der Arbeit des CVJM zu beschäftigen, kann man das Lied YMCA von der Gruppe Village People einsetzen.

Sternsinger: Die von der katholischen Kirche veranstaltete Hilfsaktion basiert auf folgendem Gedanken: So wie die „drei Weisen aus dem Morgenland" (Mt 2,1–12) dem künftigen Heiland der Welt ihre Gaben bringen, so können wir in der Weihnachtszeit das Jesuskind beschenken, indem wir an die Nöte der Menschen in der so genannten Dritten Welt denken. Für Kinder – auch evangelische machen da zuweilen mit – ist die Aktion sicher auch wegen der Verkleidung interessant.
Der biblische Hintergrund ist in Matthäus 25,40 zu finden: „Wahrlich, ich sage euch: Was ihr getan habt einem von diesen meinen geringsten Brüdern, das habt ihr mir getan."
Auch hier können die Sch. über eigene Erlebnisse berichten. Es ist sinnvoll, katholische Mitschüler/-innen zu befragen, die selbst schon als Sternsinger unterwegs waren.

Diakoniestation: Nur etwa 6 % der alten Menschen in der Bundesrepublik leben in einem Altersheim. Die meisten leben entweder allein oder bei ihren Kindern. Wenn die Familien die Pflege nicht mehr leisten können, dann helfen Mitarbeiter/-innen der Diakonie- oder Sozialstation. Aufgrund der 2. Stufe der Pflegeversicherung bekommen die alten Menschen die Leistungen ersetzt.
Nicht wenige Sch., deren Großmütter oder Großväter bei ihnen daheim wohnen, wissen, welche Bedeutung eine solche Hilfe für ihre Familie hat. Im Unterricht sollten unbedingt Erfahrungen der Sch. eingebracht werden.

Schülerbibelkreis: Schülerbibelkreise haben eine lange Tradition in der evangelischen Kirche. (vgl. Thierfelder, Schülerbibelkreis, in: RGG 4. Aufl., Bd. 7, Sp. 1027). Ende des 19. Jahrhunderts entstanden Schülerbibelkreise für höhere Schüler sowie Mädchenbibelkreise.
Heute gibt es in vielen Schulen solche Schülerbibelkreise. Es wird nicht nur über die Bibel gesprochen, sondern auch gespielt und gesungen.

Jugend- und Familiengottesdienst: In den letzten Jahren veranstalten immer mehr Gemeinden in mehr oder weniger regelmäßigen Abständen Familiengottesdienste, an denen die ganze Familie – Jung und Alt – teilnehmen kann. Daneben gibt es immer noch Jugendgottesdienste in neuer Form mit Bands und neuen

Liedern. Für die 11/12-Jährigen sind diese Gottesdienst gerade nicht „langweilig". Hier werden Medien und Methoden eingesetzt, die sie aus ihrer Lebenswelt, Schule und Freizeit kennen. Durch die Gestaltung eines Jugend- (Schüler-) und/oder eines Familiengottesdienstes in der Klasse oder die Mitwirkung an einem solchen Gottesdienst können Sch. am ehesten miterleben, wie in einem solchen Gottesdienst die Gemeinschaft der Kirche Wirklichkeit werden kann.

Mögliche Eingangssituation

- Die Sch. geben Auskunft, ob sie in Jugendgruppen gehen und wenn ja, in welche. Sie machen deutlich, was ihnen an ihrer Jugendgruppe gefällt bzw. warum sie in keine Jugendgruppe gehen.

Erschließungsmöglichkeiten

- Gespräche erfinden: In GA werden einzelne Bilder betrachtet. Im Sinne von Impuls 1 werden Gespräche zwischen den Menschen auf den Bildern erfunden und der Klasse präsentiert.
- Informationen beschaffen: Zu den fünf Bildern werden fünf Gruppen gebildet. Jede Gruppe hat die Aufgabe, zu ihrem Bild und zu ihrem Text weitere Informationen zu sammeln. Dies kann dadurch geschehen, dass L. weiteres Material einbringt. Eine bessere Möglichkeit besteht darin, dass die Sch. sich Informationen durch Befragen von aktiven Gemeindegliedern besorgen. Jede Gruppe hat dann die Aufgabe, ihre Aktivität („ihr Bild") werbemäßig als die beste Aktivität herauszustellen. Man kann dazu eine Jury einsetzen und das Ganze als Wettspiel gestalten.
Die Sch. können sich auch Informationen über Gemeindeaktivitäten aus dem Internet beschaffen.
- Von Erfahrungen berichten: Einzelne Sch. berichten, wo sie schon mal ein Angebot der Kirchengemeinde wahrgenommen haben (Impuls 2).
- Eine Reportage oder Zeitung erstellen: Hier kann von der Schule der Kontakt zur Kirchengemeinde hergestellt werden (Impuls 3). Möglicherweise übernimmt eine Kirchengemeinde eine solche Zeitung für ihren Schaukasten. Auf diese Weise können die Sch. ein Stück Gemeindeleben kennen lernen.
- Weitere Angebote suchen: Es kann reizvoll sein, die Sch. eigene Vorschläge machen zu lassen (Impuls 4). Eine Kirchengemeinde wird solche Vorschläge nicht einfach ablehnen wollen.

Mögliche Schlusssituationen

- Die Sch. bekommen M 87 (Aufgabenbereiche der Diakonie) und lesen dazu „Grundwissen Religion: Diakonie". Sie bringen Beispiele (Bilder und Texte) zum Thema Diakonie. Hierzu können auch Recherchen im Internet angestellt werden.
- Besuch einer diakonischen Einrichtung.

KB S. 164/165 Kinder werden getauft / Erwachsene werden getauft

„Die Taufvergessenheit in unserer Gesellschaft und Kirche ist unübersehbar", stellt Christian Grethlein in seinem „Plädoyer für ein (vergessenes) Sakrament" fest (Grethlein, Taufe, S. 322–326). Als Gründe für diesen Tatbestand sieht er u. a. „Geringschätzung des Äußerlichen", „die Punktualisierung der Taufe" („Die frühere Ausstrahlung der Taufe auf das ganze Leben trat dabei zurück", S. 323), die „Abtrennung des Abendmahls von der Taufe". Für Grethlein ist die „Tauferinnerung als zentrale Handlung für eine Wiedergewinnung des Prozesscharakters von Taufe und des Zusammenhangs von Taufe, Glauben und Alltag zu reflektieren" (S. 322). Dazu gehören einerseits die sorgfältige Gestaltung der Grundsymbole der Taufe, nämlich Kreuz, Name, Wasser, Hand(auflegung) und Licht. Das Kreuz, das in manchen Kirchen zu Beginn der Taufhandlung über dem Täufling geschlagen wird, erinnert an den Tod Jesu Christi, „eröffnet aber auch „einen Raum der Hoffnung, der über den biologischen Tod hinausweist" (S. 326). Die Nennung des Namens verleiht dem einzelnen Menschen eine besondere Würde. Die Ausrufung des Namens des dreieinigen Gottes über dem Täufling bedeutet auch, dass der Täufling jetzt Gott gehören soll. Das Taufsymbol Wasser erinnert an die reinigende, an die tötende und lebendig machende Wirkung von Wasser. Die Handauflegung ist eine Segensgeste. Sie symbolisiert, dass Gott – über den Tod hinaus – bei dem Täufling bleiben will. Die Taufkerze, die heute oft am Ende der Taufhandlung überreicht wird, stammt historisch aus der Osternachtfeier. Licht ist Zeichen für Christus, für seine erhellende und wärmende Kraft. „Das gleichzeitige Verzehrtwerden der Kerze kann ein Sinnbild für das Schicksal Jesu von Nazareth werden" (S. 326). Die Taufkerze kann im familiären Rahmen immer wieder an die Taufe erinnern. Hilfreich für die Tauferinnerung wäre – so Grethlein – schließlich auch eine „Rückkehr zu den altkirchlichen Taufterminen, vor allem zur Osternacht" (S. 326).
Für die Sch. ist es überraschend, dass in der Alten Kirche nicht nur Kinder getauft wurden, sondern ganze Familien.
Die Baptisten sind eine Freikirche. Sie haben ihren Ursprung im 17. Jahrhundert in England. Die Baptisten gehören heute zu den größten Denominationen in den USA. Ihr Name, in dem das griechische Wort für taufen (baptizein) steckt, weist auf ihre besondere Taufpraxis, die Gläubigentaufe, hin. Erst wenn sich der Mensch für Christus entschieden hat, kann er getauft werden.
Die DS 162/163 lebt u. a. von der Spannung der beiden Bilder: Kindertaufe und Erwachsenentaufe.

Mögliche Eingangssituationen

- Die Sch. erzählen davon, wie sie einmal eine Taufe miterlebt haben und was ihnen dabei aufgefallen ist.
- Kinder- und Erwachsenentaufe: Die Sch. vergleichen die beiden Bilder und stellen Gemeinsamkeiten und Unterschiede fest. Sie denken darüber nach, was für Kindertaufe spricht und was für Erwachsenentaufe (Impuls 3, KB S. 165). Möglich ist auch ein Entscheidungsspiel. Die Bedeutung der Taufe können sie dem „Grundwissen Religion: Taufe" entnehmen.

Erschließungsmöglichkeiten

- Taufe – einmal anders: Die Sch. notieren den Ablauf des Gottesdienstes. L. kann eine Taufagende besorgen; die Sch. können Vergleiche anstellen.
- Taufkerze: Die Sch. bringen, wenn möglich, ihre Taufkerze mit. Mit Hilfe der Bibelstellen machen sie sich mit der Bedeutung der Taufkerze vertraut. Sie können eine Taufkerze gestalten (Impuls 3, KB S. 164).
- Die Sch. gestalten eine Einladungskarte zu einem Taufgottesdienst (Impuls 5; KB S. 164).
- Taufe bei den ersten Christen: Die Sch. lesen den Text und beschäftigen sich mit Hilfe des Textes mit den Bräuchen. Sie können die Taufgeschichte KB S. 170 mit heranziehen.

- Taufe bei den Baptisten: Die Sch. lesen die Geschichte „Habt ihr einen Swimmingpool in der Kirche?" zunächst jeder für sich und dann mit verteilten Rollen. Ein Sch. erzählt als Tobias zu Hause von der Taufe.
- Wo die Möglichkeit besteht, lohnt sich ein gemeinsamer Besuch einer baptistischen Kirche (evtl. auch als Schluss der Behandlung des Themas Taufe).
- Der Kämmerer aus dem Morgenland (Apg 8,26–39): Sch. lesen die Geschichte vom Kämmerer aus dem Morgenland als Beispiel einer Erwachsenentaufe. Sie stellen fest, dass in der Geschichte ein Taufbekenntnis fehlt. Darum haben spätere Handschriften nach Vers 37 eingefügt: „Philippus aber sprach: Wenn du von ganzem Herzen glaubst, so kann es geschehen. Er aber antwortete und sprach: Ich glaube, dass Jesus Gottes Sohn ist." Zweifellos handelt es sich um eine Erwachsenentaufe. Betont wird dabei nicht so sehr die Gläubigkeit des Kämmerers als vielmehr seine Rettung durch die Taufe.

KB S. 166/167 Die Vesperkirche

In Winter 1993/94 fand die Vesperkirche in der Stuttgarter Leonhardskirche zum ersten Mal statt. Die von vielen ehrenamtlichen Mitarbeiter/-innen getragene Aktion wird in der Öffentlichkeit stark beachtet. „So 'ne Kirche find ich o.k." – das dürfte nicht nur die Meinung von Milena sein. Dass Kirche, wenn sie wirklich Kirche sein will, sich derer annehmen soll, die im Dunkeln wohnen, das denken viele Menschen. Und das zu Recht! Schon im Alten Testament wird Gott als der vorgestellt, der sich der Armen annimmt. (z. B. Jes 25,4) Und von Jesus wird in den Evangelien erzählt, dass er die Hungrigen satt gemacht hat. Die Geschichte von der Speisung der 5000 hat Christen zu allen Zeiten motiviert, mit den Hungrigen das Brot zu brechen. Alfons Weiser weist darauf hin, dass keiner der Texte, die von dem Speisungswunder berichten, von „Brotvermehrung" spricht. Betont wird vielmehr: „Alle aßen und wurden satt." „Nicht auf einem Wunder an der Natur liegt der Akzent, sondern auf einem Geschehen, das der Not des Menschen abhilft." (Weiser, Wunder, S. 114). Wundergeschichten haben nicht nur eine christologische Funktion („Sie machen Jesus groß"), sondern auch eine eschatologische (Wunder als gegenwärtige Zeichen des künftigen Gottesreichs) und schließlich auch eine diakonische; sie geben Anstöße zum eigenen Handeln, hier zur Stillung des Hungers.

Die ungarische Königstochter und spätere Landgräfin Elisabeth von Thüringen war eine besondere Wohltäterin für Notleidende. Auf dem Altarbild aus Frankfurt (1495), das heute im Kölner Walraff-Richartz-Museum hängt, wird sie als Wohltäterin in mehreren Situationen abgebildet. Auf dem Spruchband steht S. Elyzabeth mat' pau/pu' (mater pauperum = Mutter der Armen).

Taten der heiligen Elisabeth, © Rheinisches Bildarchiv, Köln

Im Vordergrund sieht man die Heilige (1), rechts von ihr (vom Betrachter aus gesehen) einen verkrüppelten Mann (2), dem Elisabeth Brot reicht, daneben einen Leprakranken (3) und dann eine gelähmte Frau (4).

Über der zentralen Figur der Elisabeth im Vordergrund finden sich vier Szenen, die Elisabeths Wohltätigkeit zeigen: Links wäscht Elisabeth einem (armen) Mann die Füße (5), rechts daneben wendet sich Elisabeth einer verkrüppelten Frau zu und reicht ihr zu essen und zu trinken (6). Ganz rechts sieht man Elisabeth, wie sie sich um Kranke kümmert; man erkennt Männer, die im Krankenbett liegen (7).
Weiter oben, rechts im Bild sieht man Elisabeth, wie sie sich um ein (Waisen-)Kind kümmert (8). Rechts davon besucht sie Gefangene, man erkennt Füße im Block (9).
Zwei Szenen sind nicht genau zuzuordnen. In der oberen Bildhälfte links (10) könnte dargestellt sein, wie die kleine Elisabeth auf der Wartburg eintrifft. Die Szene am oberen Bildrand links könnte die Heirat Elisabeths darstellen (11); das deutlich erkennbare Schwert könnte die männliche Person als ihren Gemahl Ludwig ausweisen.
Das Bild nimmt deutlich Bezug auf die sieben Werke der Barmherzigkeit nach Mt 25,31–46, die allerdings nicht 1:1 abgebildet sind: Hungernden zu essen geben (siehe dazu 2 und 6); Tote bestatten; Kranke besuchen (7, aber auch 2, 3 und 4); Gefangene trösten (9); Fremde beherbergen; Nackte bekleiden (5); Arme versorgen (6).

Zur Vesperkirche werden in dreifacher Weise Informationen angeboten: die Geschichte von Inger Hermann, das Foto und schließlich der mehr sachliche Bericht: „Jesus hat's doch auch nicht anders gemacht."

Mögliche Eingangssituation

- Die Sch. betrachten die beiden Bilder KB S. 166/167 und stellen Gemeinsamkeiten und Unterschiede fest. Man kann diesen Bildvergleich als Schreibmeditation gestalten. An der Tafel stehen die beiden Überschriften:

Vesperkirche	Elisabeth von Thüringen

Die Sch. schreiben Stichworte zu dem einen oder anderen Bild in die jeweilige Spalte. Wichtig ist, dass dieser Arbeitsschritt ohne Reden vor sich geht. Danach werden im UG Gemeinsamkeiten und Unterschiede der beiden Bilder erhoben. Eine genauere Bildbetrachtung des mittelalterlichen Bildes findet später statt (s. u.).

Erschließungsmöglichkeiten

- Arbeit am Text „So ‚ne Kirche find' ich o.k.". Die Geschichte von Inger Hermann kann etwas von dem Wärmenden der Aktion spürbar machen. Die Sch. bearbeiten die drei Impulse auf KB S. 166.
- Arbeit am Text „Jesus hat's doch auch nicht anders gemacht ..." Der Sachtext unterstreicht das Wärmende der Aktion, wenn von strahlenden Augen berichtet wird.

Ein Impuls wie der folgende kann zum Gespräch anregen: Die Gäste in der Vesperkirche werden nicht nur satt, sondern ...

- Das mittelalterliche Bild: Die Sch. entdecken in GA die einzelnen Szenen des Bildes und beschreiben die wohltätigen Werke der Elisabeth. Die Sch. erhalten eine Schwarzweiß-Kopie des Bildes, in das sie eintragen, welche Werke der Barmherzigkeit sie entdecken. Sie bekommen dazu von L. eine Liste mit den sieben Werken der Barmherzigkeit. Möglicherweise bleiben einzelne Situationen offen, weil ihre Deutung nicht ganz klar ist. Aus M 87 können die Sch. dem Bild am Schluss heutige Piktogramme zuordnen.
- Ähnliche Aktionen: Die Sch. tragen aus dem Internet Informationen über ähnliche Aktivitäten in anderen Städten zusammen.

Mögliche Schlusssituation

- Die Speisung der 5000: Die Sch. lesen die Wundergeschichte Mt 14,13–21. Sie stellen die Verbindung zwischen Jesu Handeln, den Taten der hl. Elisabeth und der Vesperkirche her.

3. Lernkarten

89 Schreibe auf, was du über die Bedeutung der Taufe weißt.

90 Notiere Argumente für die Kindertaufe und für die Erwachsenentaufe.

91 Erkläre das Wort „Diakonie".

92 Notiere die diakonischen Aktivitäten der Elisabeth von Thüringen.

4. Empfohlene Literatur und Medien

Feiner, Johannes/Vischer, Lukas, Neues Glaubensbuch. Der gemeinsame christliche Glaube. 18. Aufl. Freiburg/Basel (Herder).

Friz, Martin, Brich mit den Hungrigen Dein Brot. Die Stuttgarter Vesperkirche, Bietigheim-Bissingen, 2. Aufl. 2005 (Fleischhauer u. Spohn).

Grethlein, Christian, Taufe und Tauferinnerung. Plädoyer für ein (vergessenes) Sakrament, DtPfBl 96 (1996), S. 322–326.

Huber, Wolfgang, Kirche. Themen der Theologie, Ergänzungsband, Stuttgart 1979 (Kreuz).

Jähnigen, Brigitte/Moser, Fritz/Friz, Martin, Die Vesperkirche – ein Stuttgarter Modell, Stuttgart 1997 (Quell).

Jentsch u. a. (Hg.), Evangelischer Erwachsenenkatechismus. Kursbuch des Glaubens, Gütersloh 1975 (Gütersloher Verlagshaus Mohn).

5. Materialien

M 87 Aufgabenbereiche der Diakonie

Christen lebten im Römischen Reich

1. Zielsetzung, Aufbau und Kompetenzen

Nachdem die Sch. im RU der Grundschule vor allem Geschichten aus dem AT und den synoptischen Evangelien kennen gelernt haben, werden sie nun zum ersten Mal mit der Geschichte der frühen Christenheit konfrontiert. Im 5./6. Schuljahr sind im Allgemeinen nur wenig geschichtliche Kenntnisse und Einsichten vorhanden. Dieser Umstand kann sich auch positiv auswirken, weil die Sch. neue Entdeckungen machen können. Andererseits haben einzelne Sch. durchaus Vorkenntnisse. Die 11 bis 12-Jährigen lesen gerne Sachbücher, vor allem solche, die sich mit fremden Welten und früheren Zeiten beschäftigen. Durch Asterixhefte und Filme wie Ben Hur haben sie möglicherweise erste Eindrücke vom Römischen Reich und seinen Bewohnern sowie den ersten Christen und den Christenverfolgungen. L. kann also durchaus mit Interesse und Vorwissen rechnen. Dieses Wissen ist häufig jedoch sehr punktuell und klischeehaft. In Bezug auf die Christenverfolgungen hat sich häufig die Vorstellung festgesetzt, es habe in den ersten zweieinhalb Jahrhunderten andauernde, sich über das ganze Römische Reich erstreckende Verfolgungen gegeben. Außerdem ist die Meinung weit verbreitet, dass (fast) alle Christen in den Verfolgungen standhaft bei ihrem Bekenntnis zu Christus geblieben seien. Demgegenüber wird es im Unterricht darauf ankommen, ein differenzierteres Bild vom Leben der Römer und der Christen im Römischen Reich zu vermitteln.

Zum Aufbau:
Während die Eingangsseite (KB S. 168) einige Informationen über die religiöse Praxis bei Römern und Christen gibt, bieten

KB S. 169–170 eine zusammenhängende Erzählung über die ersten Christen in Rom. Dabei werden die Themen Gottesdienst, Abendmahl und Taufe angesprochen. KB S. 171 bringt Bilder und Informationen zum Thema „Leben angesichts des Todes". KB S. 172f. führt in die Christenverfolgungen ein.
Mit der Erzählung hat das Kapitel einen stark narrativen Zuschnitt. Wenn im 5./6. Schuljahr auch bei der Behandlung kirchengeschichtlicher Zusammenhänge die Erzählung im Vordergrund steht, bedeutet dies, dass sich die Sch. mit einzelnen Personen identifizieren können. Eingebettet in Erzählungen werden im KB auch einzelne einfache Quellen zur Bearbeitung angeboten. Sachbilder können die sozialen und politischen Verhältnisse verdeutlichen. Sie können aber auch als Quelle der Erkenntnis dienen, wenn z. B. ein römischer Tempel mit einer christlichen Hauskirche verglichen wird. Die beiden Katakombenmalereien veranschaulichen Leben und Glauben der ersten Christen authentisch.

■ Welche Lernchancen werden angeboten?
Die Sch. sollen die Anfangszeit der Kirche differenziert darstellen und mögliche Idealisierungen der Zeit als solche durchschauen können. Sie sollen die Anfänge der kirchlichen Kunst als solche identifizieren können (Hauskirche, Basilika, Katakombenmalerei). Sie sollen aufzeigen können, wie stark das heutige kirchliche Leben bestimmt ist von den Anfängen (Gottesdienste, Taufe, Abendmahl). Sie sollen verstehen, welche Ursachen Christenverfolgungen haben können, und wissen, dass auch heute immer wieder Christen wegen ihres Glaubens diskriminiert werden.

2. Didaktisch-methodische Hinweise

KB S. 168 Damals in Rom ...

Schon lange bevor Paulus seinen Brief an die Römer schrieb, gab es dort eine christliche Gemeinde (vgl. Becker, Paulus, S. 351–358). Sie war die erste christliche Gemeinde auf dem europäischen Festland und gehörte anfangs – wie zunächst alle christlichen Gemeinden jener Zeit – zur Synagoge. In den Jahren 49/50 n. Chr., zur Zeit von Kaiser Claudius, gab es unter den Juden Roms große Streitigkeiten. Dabei spielte wahrscheinlich auch die Frage, ob die Judenchristen Heiden taufen und damit in die Gemeinde aufnehmen durften, eine wichtige Rolle. Kaiser Claudius ließ die Rädelsführer ausweisen. Die christliche Gemeinde, die danach vornehmlich aus Heidenchristen bestand, löste sich aus dem Synagogenverband.
Die beiden Abschnitte im KB S. 168 geben einige notwendige Informationen zur religiösen Situation im Römerreich und zum Verhalten der Christen.
Die überlieferte Religion der Römer kannte ein ganzes Götterpantheon mit Jupiter an der Spitze. Haupttempel in Rom war der Jupitertempel auf dem Kapitol. Im Mittelpunkt des Gottesdienstes stand das Opfer vor dem Tempel, dargebracht, um Jupiter gnädig zu stimmen. Das Gottesbild stand in der „cella" im Tempel, die dem Allerheiligsten im Jerusalemer Tempel entsprach. Der Tempel selbst besaß keinen Versammlungsraum, weil dort keine Versammlungen stattfanden. Seit Kaiser Augustus (30 v. Chr. – 14 n. Chr.) rückte der Kaiserkult, die göttliche Verehrung des Kaisers, immer mehr in den Mittelpunkt. Der Kaiser verkörperte das Reich. Die Verehrung des Kaisers war ein Akt der Loyalität dem Staat gegenüber und der Bereitschaft, sich für das Wohl des Staates einzusetzen.
Die Christen hatten keinen Tempel und kein Gottesbild; sie brachten keine Opfer dar. Sie versammelten sich in Privathäusern. Ihre Lebensweise unterschied sich deutlich von der der nichtchristlichen Römer.
Um die Unterschiede zu verdeutlichen, stehen sich KB S. 188 und 189 das Bild einer römischen Tempelanlage aus Baalbek (heute Libanon) und der Aufriss einer christlichen Hauskirche (Dura Europos, heute Syrien) gegenüber. Zum Tempel in Baalbek bietet das AB **M 88** wertvolle Informationen sowie eine Aufgabenstellung.
Dura Europos, das am oberen Euphrat liegt, diente den Römern als Verteidigungsposten gegen Bedrohungen aus dem Osten. Die dort geführte Hauskirche aus dem 3. Jahrhundert ist die älteste gefundene christliche Kirche. Wie auch an andern Stellen wurde hier ein umgebautes Privathaus als Kirche genutzt. Sie bestand aus einem großen rechteckigen Versammlungsraum, an dessen östlicher Seite sich eine erhöhte Plattform für den Priester befand. Ein Nebenraum diente als Baptisterium.

■ Mögliche Eingangssituation
- Die Sch. tragen im UG zusammen, was sie über die Römer wissen. Hierbei können sie auf gesehene Filme zurückgreifen und/oder Sachbücher mitbringen.

■ Erschließungsmöglichkeiten
- „Gottesverehrung bei den Römern": Die Sch. lesen den Text und ziehen dazu das Bild mit der Tempelanlage sowie das Augustusbild heran. Sie bearbeiten das AB **M 88**. Lösung nach der Reihenfolge im Text: Bacchustempel (1), sechseckiger Hof (5), Altar (3), Wasserbecken (4), Tempel (2);
- Lebensweise der Christen: Die Sch. lesen den Text „Die Christen waren anders". Sie ziehen dazu das Bild KB S. 169 heran.
- Unterschiede zwischen Christen und anderen Römern (Impuls 2): Die Sch. können die Unterschiede in Form einer Tabelle herausstellen.

■ Mögliche Schlusssituation
- Ein Streitgespräch: Die Sch. sammeln die Vorwürfe, die gegen die Christen erhoben wurden. **M 89** bringt weitere Vorwürfe gegen die Christen und eine christliche Verteidigung. Die Sch. führen ein Streitgespräch zwischen zwei römischen Bürgern pro und contra Christen.

KB S. 169/170 Abendgottesdienst/ Erinnerung an Jesus

Die fiktive Erzählung um die beiden Schulkameraden Lucia und Antonius soll einen Einblick in das gottesdienstliche Leben der frühen Christen im Römischen Reich vermitteln. Die tägliche Zusammenkunft fand gegen Abend in einem Privathaus statt. Zu der Feier gehörte – das macht 1. Kor 11,23–34 deutlich – eine richtige Sättigungsmahlzeit (Agape), an die sich die Eucharistiefeier anschloss. Die Feier enthält mit Liedern, Gebeten, Schriftlesungen und Predigt Elemente aus dem synagogalen Gottesdienst. Früh dürfte auch die Verlesung von Briefen wie solchen des Apostels Paulus im Gottesdienst ihren Platz gehabt haben. Der Gottesdienst ist immer Gemeindegottesdienst; beim Tempeldienst hingegen fehlt der Gedanke der Gemeinde. Die

besondere Verbundenheit der Christen untereinander drückt sich auch darin aus, dass man sich umarmt und küsst, wenn man zur Versammlung kommt.
Das älteste Zeugnis einer Taufliturgie stammt aus der Didache (Anfang 2. Jahrhundert). Danach gehört zur Vorbereitung der Taufbewerber Unterricht und mehrtägiges Fasten. Die Taufe wird durch dreimaliges Untertauchen, möglichst in fließendem Wasser, vollzogen; dabei wird die trinitarische Taufformel gesprochen

Erschließungsmöglichkeiten

- Gestaltung eines Hörspiels (Impuls 2 KB S. 170). Soll die Erzählung als Hörspiel oder als Spiel gestaltet werden, so muss zum einen die Geschichte als Ganzes behandelt werden, zum andern sollte dann diese Aufgabe vor dem Lesen des Textes genannt werden. Bevor die Rollen verteilt werden, wird die Geschichte in Szenen eingeteilt. Die Sch. können für die Gottesdienstszenen Lieder aus dem Gesangbuch heraussuchen.
Die Gestaltung der Geschichte als Hörspiel oder als kleines Theaterstück wird dazu führen, dass sich die Sch. sehr stark in das gottesdienstliche Geschehen von damals hineinversetzen.
- Besonderheiten des christlichen Gottesdienstes: Die Sch. tragen zusammen, was ihnen am christlichen Gottesdienst auffällt und was Antonius am christlichen Gottesdienst gefällt.
- Vergleich damals und heute: Die Sch. vergleichen den Gottesdienst in Rom mit heutigen Gottesdiensten. Sie überlegen sich, was die Kirche heute von den Gottesdiensten der ersten Christen in Rom lernen könnte.
- Abendmahl: Die Sch. lesen den Text zum Abendmahl (KB S. 170) und stellen als besondere Merkmale Sündenvergebung und Gemeinschaft heraus. Das hier beschriebene Abendmahl und das Sättigungsmahl sind noch miteinander verbunden. Dazu kann **M 90** herangezogen werden, ein Abendmahlslied aus dem 18. Jahrhundert. Welches Verständnis von Abendmahl kommt hier besonders zur Sprache?
Das Abendmahlsbild aus der Priscilla-Katakombe (KB S. 171) zeigt die Kontinuität zwischen dem letzten Mahl Jesu mit seinen Jüngern und dem Abendmahl der jungen Christengemeinde. „Grundwissen-Religion: Abendmahl" bringt noch einen weiteren Aspekt des Abendmahlsverständnisses: die Hoffnung auf die Wiederkunft Christi.
- Taufe: Die Sch. lesen den Text und ziehen die Informationen KB S. 164 heran. Sie achten besonders auf die Taufsymbolik. Sie nehmen Stellung zum Taufunterricht: Welche Bestandteile hat dieser Unterricht? Gibt es Beziehungen zwischen dem Taufunterricht und dem Religionsunterricht in der Schule? Warum ist der Taufunterricht so wichtig? Die Sch. vergleichen verschiedene Bilder zur Taufe, z. B. KB S. 124, 148 164, 165. Sie können weitere Bilder heranziehen, z. B. aus dem Internet oder eigene Fotos.

Mögliche Schlusssituation

- Entscheidungsspiel: Die Sch. spielen die mögliche Entscheidung des Antonius. Dieser sitzt auf einem Stuhl in der Mitte. Rechts und links stehen der Ja-Stuhl bzw. der Nein-Stuhl.

KB S. 171 Leben angesichts des Todes

Der Abschnitt thematisiert den Umgang der Römer mit dem Tod. Ihr Ziel war es, die Toten so gut wie möglich am irdischen Leben teilhaben zu lassen. Dem steht der besondere Umgang der Christen mit dem Tod und den Toten gegenüber, der von den Römern durchaus beachtet wurde. Der Umgang der Christen mit dem Tod ist geprägt von der Hoffnung auf die Auferstehung der Toten. Von dieser Hoffnung zeugen viele Katakombenbilder.
Das Bild „Daniel in der Löwengrube" war auf die Grabplatte eines Märtyrers gemalt, der gerade nicht wie Daniel gerettet wurde. Hier drückt sich der Glaube der Christen aus, dass sie sich angesichts des Todes von Gott gerettet wissen.
Im Unterricht sollten die unterschiedlichen Handlungsweisen von (heidnischen) Römern und Christen herausgestellt werden. Das Jesuswort Joh 11,25, „Ich bin die Auferstehung und das Leben. Wer an mich glaubt, der wird leben, auch wenn er stirbt", drückt die christliche Auferstehungshoffnung aus.
Die Geschichte von Daniel in der Löwengrube war für die ersten Christen in Rom – das zeigen Katakombenmalereien – eine wichtige Trostgeschichte angesichts der Bedrohungen durch Verfolgung und Tod, denen sie ausgesetzt waren. Diese Geschichte, die in der Zeit des babylonischen Exils (nach der Eroberung des babylonischen Reiches durch die Perser im Jahr 735) spielt, kann als eine Schlüsselgeschichte sowohl für das Thema „Leben angesichts des Todes" als auch für die Doppelseite „Christen werden verfolgt" (KB S. 172/173) dienen. Insofern kann sie eine Gelenkfunktion zwischen beiden Themenbereichen einnehmen.

Erschließungsmöglichkeiten

- Lektüre des Textes KB S. 171. Die Sch. vergleichen die verschiedenen Praktiken. Ein Bild der Via Appia mit den vielen Grabmälern an der Straße kann herangezogen werden; es steht für die Praxis der „heidnischen" Römer, das Bild einer Katakombe steht für die christliche Praxis.
- Hoffnungsbilder: Die Sch. werden mit der Aussage konfrontiert, dass die Jonageschichte, die Lebendigmachung der Totengebeine in Ezechiel 37 sowie die Auferweckung des Lazarus (Joh 11,1–44) immer wieder auf den Katakombenbildern zu sehen sind, und fragen nach den Gründen. Sie können selbst Hoffnungsbilder im Stil der Katakombenmalerei erstellen.
- Daniel in der Löwengrube: Diese Geschichte kann als Gelenkgeschichte zwischen KB S. 171 und 172/173 Verwendung finden. Dabei kann zunächst die Erzählung von Lucia und Antonius wieder aufgenommen werden. **M 91** bietet eine Ergänzung der Erzählung.
Die Sch. betrachten die Katakombenmalerei. Frage: Welchen Eindruck vermittelt das Bild? Zu erkennen ist, dass Daniel ohne Angst dasteht; er ist unter dem Schutz Gottes. Darum können auch die Löwen keine Angst verbreiten.
Sch. lesen die Geschichte von Daniel in der Löwengrube. Was bedeutet diese Geschichte für die verfolgten Judäer in Babylon? Was bedeutete sie für die ersten Christen? Hilfreich ist der Hinweis von L., dass das Bild auf die Grabplatte eines christlichen Märtyrers gemalt war.
- Will man bei diesem Thema länger verweilen, können die Sch. Texte von heutigen Todesanzeigen mitbringen, in denen die christliche Auferstehungshoffnung deutlich wird.

KB S. 172/173 Christen werden verfolgt

Man kann die Zeit der Christenverfolgungen in drei Abschnitte gliedern:
1. Bis ca. 100 n. Chr. gibt es einzelne Pogrome, wie z. B. die Christenverfolgung unter Nero. Diese war auf das Stadtgebiet von Rom beschränkt. Die ohnedies nicht so beliebten Christen dienten als Sündenböcke, ähnlich wie im Mittelalter die wenig beliebten Juden als Sündenböcke bei einer Pest herhalten mussten.
2. Zwischen 100 und 250 gab es immer wieder einzelne Verfolgungen. Grundlage hierfür waren Rechtsbestimmungen, die als erster Kaiser Trajan erließ. Danach war Christsein verboten, weil die Christen den Kaiserkult nicht ausübten. Aufspüren sollte man die Christen aber nicht, und anonyme Anschuldigungen fanden keine Berücksichtigung. Wenn sie aber angezeigt und überführt wurden, dann sollten sie verurteilt werden.
3. Unter den Kaisern Decius und Diokletian (250–311) fanden systematische Verfolgungen im ganzen Römischen Reich statt. In einer Zeit innerer und äußerer Krisen des Reichs mussten alle Kräfte zusammengefasst werden. Die staatserhaltenden Gottheiten sollten deshalb verstärkt verehrt werden. Die Christen aber lehnten den Staatskult ab. Sie galten auch aufgrund ihrer ständig wachsenden Anzahl als eine Gefahr („Staat im Staat"). Die Verfolgungen begannen mit einem kaiserlichen Edikt im Jahre 250, das alle Bewohner des Reichs zur Teilnahme eines allgemeinen Opfers für die Staatsgötter, darunter den Kaiser, verpflichtete. Es kann keine Rede davon sein, dass alle Christen standhaft blieben.
Ins Auge fallendes Element der Seiten 172/173 ist der Zeitstrahl, der die Entwicklung des frühen Christentums bis zu Konstantinischen Wende und zu Theodosius aufzeigt. Er stellt eine Fortsetzung bzw. Ergänzung des Zeitstrahls von KB S. 148/149 dar, wo die Geschichte von Jesu Geburt bis zur Entstehung der Evangelien ins Bild gesetzt wird. Dieser Zeitstrahl kann zur Wiederholung bzw. Vertiefung hier herangezogen werden. Zusammen mit dem Zeitstrahl KB S. 142/143 (Geschichte des Volkes Israel) ergibt sich so ein Überblick von Abraham bis zu Theodosius, unter dem das Christentum Staatsreligion im Römischen Reich wurde.

■ Mögliche Eingangssituationen

• Zeitstrahl: Die Sch. beschäftigen sich mit dem Zeitstrahl. Sie betrachten die Bilder zu den Christenverfolgungen. Die Sch. kopieren den Zeitstrahl und übertragen ihn ins Heft oder zeichnen ihn auf Packpapier ab für den Klassenraum. Damit wird der Zeitstrahl aus dem Bibelkapitel fortgesetzt.
Der Zeitstrahl kann auch als Schlusssituation eingesetzt werden.
• Thema Christenverfolgungen: Die Sch. tragen in einem Rundgespräch zusammen, was ihnen zum Thema „Christenverfolgungen in Rom" einfällt.

■ Erschließungsmöglichkeiten

• Verfolgungen: In Gruppen beschäftigen sich die Sch. mit jeweils einer Christenverfolgung. Sie tragen ihre Ergebnisse im Plenum vor. Leitfragen: Was sind die Hauptunterschiede zwischen den Verfolgungen? Überlegt, welche Gründe die Verfolger hatten. Hier ist herauszustellen, dass das Römische Reich zunehmend von außen bedroht wurde und die Herrscher Interesse an der inneren Einheit hatten.
• Das Verhalten der Christen: Die Sch. lesen den Eusebius-Text. Sie gehen auf Impuls 1 KB S. 173 ein. Sie führen ein Gespräch (vgl. Impuls 3). L. kann einbringen, dass nach den Verfolgungen manche Christen forderten, die Abgefallenen aus der Kirche auszuschließen. Frage: Wie sollte sich die Kirche verhalten? Sollte sie die Abgefallenen aus der Kirche entfernen oder nach einer Buß wieder als gleichberechtigte Glieder anerkennen?
• Christenverfolgungen heute: Immer wieder gab es Christenverfolgungen. Im Zeitalter des Kolonialismus wurden freilich eher andere Religionen durch die „christlichen" Kolonialherren verfolgt. Doch heute nimmt die Zahl der Verfolgungen bzw. Diskriminierungen von Christen wieder zu. Die Sch. recherchieren im Internet (Impuls 5) und finden Verfolgungen/-diskriminierungen von Christen in vielen Teilen der Erde. Wenn dieses heikle Thema behandelt wird, muss gezeigt werden, dass es bei den Verfolgungen oft gar nicht so sehr um die Religion geht, als vielmehr um Neid auf den wirtschaftlich Erfolgreicheren oder Ablehnung des „christlichen Westens". Sehr präzise muss dargestellt werden, ob diese Verfolgungen religiöse Ursachen haben oder soziökonomische.

■ Mögliche Schlusssituation

• Die Konstantinische Wende. M92 „Der Großvater und sein Enkel" reflektiert das Geschehen mit dem Medium einer Erzählung.

■ Zum Abschluss des Kapitels

• Zur Wiederholung und zur Vertiefung des Gelernten kann M93 (Spottkruzifix und Kreuz mit Lorbeerkranz) eingesetzt werden und anschließend die Lernkarten erstellt werden.

3. Lernkarten

93 Schreibe auf, was du über die Konstantinische Wende weißt.
94 Die Christen waren anders ... Nenne einige Unterschiede zwischen christlichen und nichtchristlichen Römern im 1. Jahrhundert.
95 Nenne zwei biblische Geschichten, die für die ersten Christen Hoffnungsgeschichten angesichts des Todes waren. Welche Hoffnungen verbanden sie mit diesen Geschichten?
96 Unter Nero fand die erste große Christenverfolgung in Rom statt. Schreibe die Gründe Neros auf. Welche anderen Gründe hatten die späteren Christenverfolgungen im Römischen Reich?

4. Empfohlene Literatur und Medien

Gutschera, Herbert/Thierfelder, Jörg, Brennpunkte der Kirchengeschichte, Paderborn 1976 (Schöningh) mit Lehrerhandbuch.
Hertzsch, Klaus-Peter, Der ganze Fisch war voll Gesang. Biblische Balladen und Gesänge, Stuttgart, 10. Aufl. 1984 (Radius).
Knödler, Ottheinrich u. a., Das neue Kursbuch Religion 5/6. Lehrerhandbuch, Frankfurt/Stuttgart 1989, S. 127–170 (Diesterweg/Calwer).
Lachmann, Rainer/Gutschera, Herbert/Thierfelder, Jörg, Kirchengeschichtliche Grundthemen. Historisch-systematisch-didaktisch, Göttingen 2003 (Vandenhoeck & Ruprecht).

Widmann, Martin, Geschichte der Alten Kirche im Unterricht, Gütersloh 1970 (Gütersloher Verlagshaus Mohn).

Video „Vom guten Hirten zum Weltherrscher. Das Christusbild im Wandel der Frühen Kirche", Film v. Herbert Alexander Stützer und Günter Friedrich. Begleitheft von Kai Buschmann, Stuttgart 1993 (Calwer).

5. Materialien

M 88 Der Tempel von Baalbek
M 89 Die Christen in eigener und fremder Sicht
M 90 Ein Abendmahlslied aus dem 18. Jahrhundert
M 91 Lucia und Antonius
M 92 Konstantin
M 93 Spottkruzifix und Kreuz mit Lorbeerkranz

Christen gehen aufeinander zu

1. Zielsetzung, Aufbau und Kompetenzen

Das Kapitel „Christen gegen aufeinander zu" entspricht dem häufig auch gebrauchten Titel „Evangelisch – Katholisch". Eine evangelische Freikirche, die Evangelisch-Methodische Kirche (EMK), ist gegenüber dem Vorgängerband noch dazu gekommen. Die neue Bezeichnung des Kapitels ist von einer kräftigen ökumenischen Hoffnung bestimmt, ohne der Illusion zu verfallen, die Wiedervereinigung der Kirchen stehe vor der Tür. Es gibt Schritte nach vorn wie den Ökumenischen Kirchentag in Berlin und die Erklärung zur Rechtfertigung von 1999. Und es gibt Rückschläge, wenn etwa die Erklärung des ehemaligen Präfekten der Glaubenskongregation und heutigen Papstes „Dominus Iesus", die evangelische Kirchen nicht als „Kirchen im eigentlichen Sinn" bezeichnet (vgl. Gutschera u. a., Geschichte der Kirchen, S. 353).
Man wird nicht davon ausgehen können, dass die Sch. im 5./6. Schuljahr die konfessionellen Unterschiede schon in ihrer Tiefe verstehen können. Ziel der Einheit ist es, dass die Sch. die beiden großen Konfessionen im Grundsätzlichen kennen lernen. So werden Gemeinsamkeiten und Unterschiede in Kirchenbau, Liturgie, Frömmigkeit und Theologie herausgestellt. Die Sch. werden erkennen, was Hans Küng speziell zum evangelisch-katholischen Verhältnis sagte: „Was Katholiken und Evangelische als Christen eint, ist unendlich viel größer als das, was sie – leider auch sehr fühlbar – trennt." Weiter sollen die Sch. einen Einblick in die Ökumene bekommen, in den spannungsreichen, aber doch verheißungsvollen Prozess des Aufeinanderzugehens von Christen aller Konfessionen.
In der Öffentlichkeit wird heute zunehmend weniger zwischen „evangelisch" und „katholisch" unterschieden. Andererseits begegnen die Sch. der konfessionellen Spaltung auf vielfältige Weise, etwa darin, dass Mitschüler/-innen einen anderen Religionsunterricht besuchen, dass sie sonntags einen anderen Gottesdienst besuchen oder in andere kirchliche Jugendgruppen gehen. Sehr häufig erleben sie die konfessionellen Unterschiede auch, weil ihre Eltern bzw. Bekannte oder Verwandte in einer gemischt konfessionellen Ehe leben. Der Grad der Betroffenheit von der konfessionellen Problematik ist freilich höchst unterschiedlich. Ob jemand in einer überwiegend evangelischen Gegend lebt oder aus einer konfessionsverschiedenen Ehe stammt, all das bestimmt sein Verhältnis zu anderen Konfessionen.
Die Kenntnisse der Sch. von den anderen Konfessionen sind im Allgemeinen eher gering. Bekannt sind in Bezug auf die katholische Kirche bei den Sch. auffällige Phänomene wie Papsttum, Fronleichnamsfest, Ministranten und Beichte. Früher oft geäußerte Vorurteile gegen Katholiken wie auch solche von Katholiken gegenüber Evangelischen spielen faktisch keine große Rolle mehr. Für viele Sch. sind die konfessionellen Unterschiede so unwichtig geworden, dass sie gar nicht verstehen, warum die Kirchen sich nicht sofort vereinigen.

■ Nachhaltiges Lernen

Die Sch. bringen Erfahrungen mit konfessionellen Unterschieden ein. In der Grundschule wurde der RU meist konfessionell getrennt erteilt. Sie haben aber auch – zumindest im Rahmen der Schule – Erfahrungen mit konfessioneller Zusammenarbeit gemacht, z. B. bei Schulgottesdiensten. Viele kennen aus dem Freundes- und Familienkreis Menschen mit anderer Konfession. Es ist sinnvoll, diese Erfahrungen und auch die Kenntnisse der Sch. zu Beginn zu erheben und am Ende der Unterrichtseinheit im Blick auf nachhaltiges Lernen gemeinsam den Zugewinn an Kenntnissen und Einsichten zu überprüfen.
Je nach Klassensituationen können auch Einstellungen gegenüber anderen Konfessionen angesprochen werden.

■ Welche Lernchancen werden angeboten?

Die Sch. sollen zwischen evangelischer Landeskirche, katholischer Kirche und Freikirche unterscheiden sowie Gemeinsamkeiten, Unterschiede und Trennendes zwischen evangelischer und katholischer Kirche aufzeigen können. Sie sollen die Kirchenräume der verschiedenen Konfessionen erkunden, ferner ökumenische Aktivitäten wie den Weltgebetstag der Frauen benennen können. Sie sollen lernen, ökumenische Aktivitäten wie Gottesdienste, Aktionen u. ä. im Raum der Schule zu praktizieren.

Das Kapitel enthält drei Teile:
KB S. 174 bis 177 werden unter dem Thema „Religionsunterricht einmal anders" Gemeinsamkeiten und Unterschiede zwischen katholischer Kirche und verschiedenen evangelischen Kirchen dargestellt.
KB S. 178 wird zusammenfassend benannt, was Katholiken und Evangelische eint und trennt.
Abschließend wird KB S. 179 der Weltgebetstag der Frauen als „älteste und größte ökumenische Basisbewegung" vorgestellt.

Die *Bildkonzeption* des Kapitels will Authentizität und Gegenwartsbezug vermitteln. Dazu werden vor allem Fotos verwendet, aber auch das Plakat des Weltgebetstags auf KB S. 179 vermittelt anschaulich ein Stück lebendige Ökumene.

2. Didaktisch-methodische Hinweise

KB S. 174–177 Religionsunterricht einmal anders

Mögliche Eingangssituation

• Die Sch. schreiben auf, was sie zum Thema „Katholisch – evangelisch“ wissen. Mögliche Fragen können sein:
- Warum bin ich evangelisch?
- Ist es für mich wichtig, dass ich evangelisch bin? Warum ja? Warum nein?
- Was unterscheidet uns Evangelische von den Katholiken?
- Was halte ich von Katholiken?

Die schriftlichen Antworten bilden die Grundlage für ein Klassengespräch. Diese Fragen können am Ende der Unterrichtseinheit noch einmal gestellt werden, um einen möglichen Lernfortschritt bewusst zu machen.

Erschließungsmöglichkeiten

• Religionsunterricht einmal anders: Die Sch. lesen den Text KB S. 174. Sie teilen sich in sechs Gruppen auf, die jeweils einen Lerngang vorbereiten. Zur Vorbereitung arbeiten sie die Texte KB S. 175–177 durch.

Gruppe 1 besucht eine evangelische Kirche. Hinweis: Der Hahn ist meistens auf einer evangelischen Kirche zu finden. Eine Pfarrerin gibt es nur in der evangelischen Kirche. In einer evangelischen Kirche gibt es im Allgemeinen weniger zu sehen als in einer katholischen.

Gruppe 2 besucht eine katholische Kirche und macht Fotos.

Gruppe 3 besucht einen katholischen Pfarrer. Hinweis: Sie können erfahren, dass zu einem vollgültigen katholischen Gottesdienst die Eucharistie gehört. Gottesdienste ohne Eucharistie, also sog. Wortgottesdienste, haben nicht den gleichen Rang. Eine große Rolle spielt der Zölibat und seine Begründung. Wichtig ist zu erkennen, dass der Zölibat kein Dogma ist, sondern eine kirchenrechtliche Vorschrift, also grundsätzlich auch abgeschafft werden könnte.

Gruppe 3 kann zur Vertiefung **M 94** heranziehen; hier werden Pro- und Contra-Argumente im Streit um die Zulassung von Frauen zum Priesteramt genannt.

Gruppe 4 besucht einen Amtsträger einer Freikirche. Über die Methodisten können die Gruppenmitglieder auch etwas im Internet in Erfahrung bringen; möglicherweise gibt es auch methodistische Mitschüler.

Gruppe 5 kann die abgedruckten Fragen (KB S. 176) verwenden, und sie an Mitglieder eines ökumenischen Arbeitskreises richten. Zuvor sollte der Begriff Ökumene (= bewohnter Erdkreis; Gesamtheit der Christen) erläutert werden. Die ökumenische Bewegung bemüht sich, die Trennung der christlichen Kirche zu überwinden und das Zusammenwirken verschiedener Kirchen und Gemeinden zu fördern. Eine Darstellung der ökumenischen Bewegung sollte späteren Schuljahren vorbehalten bleiben. Wo am Ort kein ökumenischer Arbeitskreis besteht, empfiehlt es sich, beim Pfarramt Informationen über ökumenische Aktivitäten am Ort (ökumenische Gottesdienste, gemeinsame evangelisch-katholische Trauungen, ökumenische Bibelseminare) einzuholen oder sich selbst mögliche Projekte auszudenken.

Gruppe 6 besucht ein konfessionsverschiedenes Paar.

Hinweis: Versuchte früher vor allem die katholische Kirche eine konfessionsverschiedene Ehe zu verhindern – eine Katholikin, die evangelisch heiratete, wurde exkommuniziert –, sind heute die Kirchen bemüht, zum Gelingen einer konfessionsverschiedenen Ehe – viele verwenden auch den Begriff „konfessionsverbindend“ – beizutragen. Zwar muss nicht mehr vom katholischen Partner katholische Kindererziehung versprochen werden, um die Erlaubnis für eine „ökumenische“ Trauung zu erhalten. Doch noch heute kann vom katholischen Partner eine Erklärung verlangt werden, dass er auf eine katholische Taufe und eine katholische Kindererziehung hinwirken werde. Der Begriff „ökumenisch“ ist im KB S. 177 in Anführungszeichen gesetzt, weil es eine ökumenische Trauung eigentlich nicht gibt. Es gibt nur eine evangelische Trauung, bei der der katholische Pfarrer assistiert, und eine katholische Trauung, bei der der evangelische Pfarrer mitwirkt. Konfessionsverschiedene Ehen können zu vertieftem Christsein verhelfen; sie können aber auch – um sich gegenseitig nicht wehzutun – zu kirchlicher Nichtteilnahme führen. Dass von konfessionsverschiedenen Paaren verstärkt nach Interkommunion bzw. „ökumenischem“ Religionsunterricht gerufen wird, ist verständlich. Im Unterricht kann über beides nachgedacht werden. Die Interkommunion scheitert bis jetzt am unterschiedlichen Abendmahlsverständnis, vor allem aber daran, dass für Katholiken ein evangelischer Pfarrer kein vollgültiger Amtsträger ist, weil er nicht in der apostolischen Sukzession stehe.

Zum „ökumenischen“ Religionsunterricht: In vielen Schulen wird heute ein konfessionell-kooperativer Religionsunterricht durchgeführt oder zumindest modellhaft erprobt.

Mögliche Schlusssituationen

• Präsentation der Ergebnisse: Die Gruppen stellen ihre Ergebnisse vor. Im Sinne der Nachhaltigkeit können die Ergebnisse auf Plakaten festgehalten und an geeigneter Stelle der Schule ausgestellt werden.

• Thema Heilige, Maria und der Papst. Zur Heiligenverehrung: Vorbildliche Christen kann der Papst nach ihrem Tod selig bzw. heilig sprechen. Die Seligsprechung bedeutet, dass der betreffende Christ an einem bestimmten Ort öffentlich verehrt werden darf. So sprach z. B. Papst Johannes Paul II. bei seinem Besuch in Deutschland 1996 den Berliner Widerstandspfarrer Dompropst Bernhard Lichtenberg selig. Die Heiligsprechung bedeutet, dass der Verstorbene überall verehrt werden kann. Voraussetzung ist, dass sie/er ein vorbildliches Leben geführt und Gott durch sie/ihn nachweislich ein Wunder getan hat. Für den einzelnen Gläubigen ist es wichtig, dass Selige und Heilige um Fürbitte angerufen werden können.

Auch Protestanten kennen besonders glaubwürdige Zeugen Jesu Christi wie z. B. Dietrich Bonhoeffer. Auch im evangelischen Religionsunterricht werden zahlreiche katholische Heilige behandelt, wie Elisabeth von Thüringen, Martin von Tours und Franziskus von Assisi. Evangelische Christen rufen sie aber nicht an und erwarten keine Fürsprache von ihnen. Mittler zwischen Gott und Mensch ist nach evangelischem Verständnis allein Christus. Das gilt auch in Bezug auf Maria: Evangelische Christen können sie durchaus wie Martin Luther als Vorbild des Glaubens ehren. Ihnen ist aber fremd, dass Maria als Bild und Gleichnis dafür angesehen wird, dass die Kirche Mutter der Gläubigen ist. Die Dogmen von der unbefleckten Empfängnis Marias und der leibhaften Aufnahme Marias in den Himmel können Evangelische nicht akzeptieren, weil es hierfür in der Heiligen Schrift keine Grundlage gibt.

Die Bilder KB S. 175 und 177, verbunden mit „Grundwissen

Religion: Heilige" und „Der Papst" (KB S. 177), ermöglichen Gespräche über zwischen den Konfessionen strittige Fragen.

KB S. 178 Was uns eint und was uns trennt

Bei allen Gemeinsamkeiten zwischen Evangelischen und Katholiken gibt es doch auch Unterschiede, die oft erst dann deutlicher werden, wenn man sich gegenseitig näher kennen lernt. Man kann sie mit Frieling, Katholisch und Evangelisch, S. 12f., etwa so formulieren:

„In der *katholischen* Kirche steht der Glaube der Kirche im Mittelpunkt. Glauben heißt Mit-Glauben mit der Kirche. Der Einzelne empfängt und bekennt seinen Glauben in der kirchlichen Gemeinschaft, und er hängt in Glaubensgehorsam dem an, was die Kirche durch ihr unfehlbares Lehramt, den Papst als letzte Instanz, als christlichen Glauben verbindlich verkündet. Die Gesamtheit der Gläubigen kann im Glauben nicht irren, da Gott ihr einen ‚übernatürlichen Glaubenssinn' geschenkt hat (zweites Vatikanischen Konzil).

In den *evangelischen* Kirchen wird mehr der Glaube des Einzelnen betont. Er entsteht zwar auch in der kirchlichen Gemeinschaft durch das Hören auf Gott. Aber die Gewissheit des evangelischen Glaubens bezieht sich direkt und ausschließlich auf das in Jesus erfüllte ‚Heil' Gottes. Die Verkündigung dieses Evangeliums geht nie in der kirchlichen Lehre, in Dogmen oder Bekenntnissen auf, so dass die evangelischen Kirchen nicht einen Anspruch auf absolute Wahrheit und Autorität erheben. Sie kennen keine irdische Instanz, die aufgrund eines ‚übernatürlichen Glaubenssinnes' *unfehlbar* für alle Gläubigen und im Namen Gottes sprechen können ... In der unterschiedlichen Weise, in der Wort Gottes und Kirche, Wort Gottes und Glaube, und schließlich Glaube und Kirche aufeinander bezogen werden, wurzelt der evangelisch-katholische Gegensatz."

■ Mögliche Eingangssituation

- Gottesdienste: Die Sch. betrachten das Foto KB S. 176 mit den Gottesdiensttafeln. Was kann man daraus entnehmen? Es gibt verschiedene Kirchen, verschiedene Kirchenfarben (kath. Kirchenfahne gelb, ev. Kirchenfahne violett). Der kath. Gottesdienst mit Eucharistie heißt Messe. Die Samstagabendmesse ist typisch katholisch. Bei den Evangelischen gibt es nur gelegentlich einen Gottesdienst am Samstagabend.

■ Erschließungsmöglichkeiten

- Die Sch. lesen den Text „Katholisch – evangelisch" und tragen zusammen, was er über Luther und die Reformation aussagt (Impuls 1). Sie bringen weiteres Wissen ein.
- L. kann aus der DVD educativ zu Martin Luther einen filmischen Ausschnitt bringen. Geeignet ist z. B. ein Ausschnitt aus dem zweiten Kapitel: „Luther entdeckt den gnädigen Gott". Eingesetzt werden sollte hier mit der Szene, in der Luther den Selbstmörder Thomas entdeckt und ihn dann entgegen den Gesetzen der Kirche christlich bestattet, weil auch ihm, dem Selbstmörder (!), die Liebe Gottes gilt. Anschließend predigt Luther der Gemeinde vom liebenden Gott.

Eine weitere geeignete Szene findet sich in Kapitel 5: „Der Ketzerprozess beginnt". Dort predigt Luther gegen die Heiligenverehrung; er stellt Christus, der in der Bibel zu finden ist, in die Mitte. (Einsatz mit dem Satz Luthers: „Habt ihr schon von dem Gerücht gehört, dass der Papst mich nach Augsburg zitiert hat?"). Gezeigt werden kann auch das Kapitel 9: „Luther in Worms".

- Die Sch. ordnen die in Impuls 2 angegebenen Begriffe in Spalten. In Gruppen bearbeiten sie einen der Begriffe aus den Spalten.
- Die Sch. setzen sich mit der pointierten These von Hans Küng auseinander (Impuls 3). Sie finden Argumente, die die These stützen oder bestreiten.
- In einem freien UG tragen die Sch. zusammen, wo Ökumene noch verstärkt werden kann (Impuls 4). Sie planen ökumenische Aktivitäten im Rahmen der Schule.
- „Grundwissen Religion: Katholisch – evangelisch – ökumenisch" kann helfen, Impuls 5 zu bearbeiten.

KB S. 179 Weltgebetstag der Frauen

Der Weltgebetstag (der Frauen) fällt in die Passionszeit (s. dazu KB S. 181). An jedem ersten Freitag im März findet dieser Weltgebetstag statt, an dem inzwischen auch Männer teilnehmen. Christen beten weltweit für ein bestimmtes Land, aus dem auch die Liturgie für diesen Tag kommt. Der Weltgebetstag macht deutlich, dass Christen sich als Teil der weltweiten Christenheit (Ökumene) verstehen.

Mit dem Weltgebetstag der Frauen wird exemplarisch eine ökumenische Aktivität der Kirchen dargestellt. Die Seite bietet die nötigen Grundinformationen, die durch weitere Recherche ergänzt werden können. Es wäre gut, wenn im Unterricht ein konkreter Erfahrungsbericht aus einer Stadt oder einem Dorf verarbeitet werden könnte.

■ Erschließungsmöglichkeiten

- Die Sch. lesen den Text. Sie entnehmen ihm Informationen zur Geschichte und zur konkreten Durchführung des Weltgebetstags. Im Internet können weitere Informationen gesucht werden. Deutlich muss vor allem werden, dass in jedem Jahr Frauen aus einem bestimmten Land eine Liturgie vorlegen. Manchmal kam es dabei schon zu Konflikten. Als sich christliche Frauen aus Palästina kritisch zur Unterdrückung der Palästinenser äußerten, waren manche Kreise in Deutschland nicht bereit, die Liturgie zu übernehmen.
- Weltgebetstag der Frauen 2004: Die Sch. entnehmen **M 96**, wie Frauen aus Panama ihr Land sehen. Weitere Informationen über Panama können sie aus Lexika bzw. aus dem Internet erheben. Sie ziehen das Dankgebet heran. Die Sch. betrachten das Plakat und bringen es in Beziehung zum Dankgebet (Fülle an Pflanzen, Vielfalt unserer Menschen und Kulturen). **M 96** bringt außerdem zwei Meditationstexte aus dem Weltgebetstagsheft 2004 zum Plakat. Diese Texte können zu eigenen Meditationstexten anregen.

Die panamaische Künstlerin Sandra Cotes de Moreno bringt in ihrem Bild „Im Glauben gestalten Frauen Zukunft" Namensdeutungen für „Panama" in den Sprachen indigener Völker zum Ausdruck: „Fülle von Fischen" und „Fülle von Schmetterlingen". Sie sagt selbst zu ihrem Bild:

„Drei weibliche Hände in verschiedenen Farben umarmen unseren Planeten, repräsentieren die Arbeit von Frauen aller Hautfarben/Ethnien, die ihn formen, um künftig die ganze Erde fruchtbar zu machen, damit der Baum des Glaubens, der einem Kreuz ähnelt, in der Erde Wurzeln schlagen kann.

Der obere Teil des Bildes stellt den Himmel dar durch einen

Schwarm weißer, Frieden bringender Tauben; mehrere Schmetterlinge flattern auf der rechten Seite und symbolisieren die Erde, und auf der linken Seite schwimmt ein Schwarm Fische, der uns an Meere und Flüsse erinnert. Diese drei Elemente Himmel, Erde und Wasser scheinen durch die Lebewesen, die sie darstellen, mit dem Kreuzesbaum zu kommunizieren. Mit dieser Illustration versuche ich auszudrücken, dass das von Gott gegebene/geschenkte Leben ein Instrument sein sollte, das uns durch den Glauben mit unserem Schöpfer verbindet. Die Idee, den Glauben durch einen von Schmetterlingen und Fischen umgebenen Baum darzustellen, geht auch auf die Tatsache zurück, dass die Republik Panama im Jahr 2004 die Ehre hat, mit dem Internationalen Weltgebetstagskomitee zusammenzuarbeiten. Das Wort Panama bedeutet Baum und in einer Sprache eines indigenen Volkes bedeutet es Überfluss an (Fülle von) Fischen und Überfluss an Schmetterlingen." (Weltgebetstagsheft 2004, S. 166)

- Erfahrungen mit dem Weltgebetstag bei uns: L. versucht eine Gesprächspartnerin zu gewinnen, die über Erfahrungen vor Ort berichten kann. Die Sch. können sie interviewen. Vor allem sollten auch die Erfahrungen bei der konkreten Zusammenarbeit mit Menschen anderer Konfessionen erfragt werden.
- Weltgebetstag für Schülerinnen und Schüler: M97 berichtet davon, wie eine Schülerin ihre Mutter dazu bringt, sich nach dem Weltgebetstag zu erkundigen. Erwähnt wird auch der Weltgebetstag für Kinder. Dieser Bericht kann dazu motivieren, dass sich die Sch. nach dem Weltgebetstag am Ort erkundigen und eventuell einen Weltgebetstag an der Schule organisieren (Impuls 5).
- Das Symbol des Weltgebetstages: Das Symbol des Weltgebetstags (M95) kommt aus Irland. Dieses Zeichen symbolisiert die Welt im Gebet: Die vier Ecken streben wie Pfeile auf den Mittelpunkt zu. Sie weisen darauf hin, dass wir aus allen Richtungen auf unsere gemeinsame Mitte zum Gebet zusammenkommen. Jedes Viertel stilisiert die Figur einer Beterin. Der Kreis, der uns alle verbindet, bedeutet die Welt, in der wir gemeinsam unterwegs sind. Dieser Kreis ist im Original grün; die Farbe Grün steht hier für Gott, den Heiligen Geist und für Irland. Aus diesen Elementen setzen sich auch die irischen Kreuze zusammen, denen man in Irland überall begegnet.

■ Mögliche Schlusssituation

- Die Sch. gestalten einen Gottesdienst zum Weltgebetstag für Schülerinnen und Schüler (vgl. Impuls 5). Sie besorgen sich dazu Materialien vom zuständigen Pfarramt. Sie können die nötigen Informationen auch über das Internet bekommen.

■ Zum Abschluss des Kapitels/Nachhaltigkeit

- Wurden zu Beginn des Kapitels die Vorkenntnisse und die Vorerfahrungen der Sch. erhoben und schriftlich festgehalten, so können diese Aufzeichnungen nun zu einem Schlussgespräch herangezogen werden, in dem der Lernfortschritt festgestellt wird: Was haben wir dazugelernt? Haben wir andere Einstellungen gewonnen?
- Ausfüllen der Lernkarten 97–100.

3. Lernkarten

97 Welche Rolle spielen Heilige in der katholischen Kirche? Was denken evangelische Christen über Heilige?
98 Erkläre die Bedeutung des Papsttums in der katholischen Kirche. Was denken evangelische Christen über das Papsttum?
99 Was bedeuten die Begriffe „katholisch", „evangelisch" und „ökumenisch"?
100 Erläutere die Bedeutung des Weltgebetstags.

4. Empfohlene Literatur und Medien

Becker, Ulrich u. a., Projekt Ökumene. Auf dem Weg zur einen Welt, Düsseldorf/Stuttgart 1997 (Patmos/Calwer).

Frieling, Reinhard, Katholisch und Evangelisch. Informationen über den Glauben. Bensheimer Hefte 46. Göttingen 8. Aufl. 1999 (Vandenhoeck & Ruprecht).

Gutschera, Herbert/Maier, Joachim/Thierfelder, Jörg, Geschichte der Kirchen. Ein ökumenisches Sachbuch mit Bildern, Freiburg 2003 (Herder).

Honecker, Martin/Waldenfels, Hans, Zu Gast beim Anderen. Evangelisch-katholischer Fremdenführer, Graz 1983 (Styria).

Feiner, Johannes/Vischer, Lukas (Hg.), Neues Glaubensbuch. Der gemeinsame christliche Glaube, Freiburg 8. Aufl. 1973 (Herder).

Neuner, Peter, Ökumenische Theologie, Die Suche nach der Einheit der christlichen Kirchen, Darmstadt 1997 (Wissenschaftliche Buchgesellschaft).

DVD educativ Luther, Matthias-Film, Stuttgart, 121 min., 2003.

5. Materialien

M94 Frauen im Priesteramt?
M95 Das Symbol des Weltgebetstages
M96 Panama
M97 Selina erklärt den Weltgebetstag

Christen feiern das ganze Jahr

1. Zielsetzung, Aufbau und Kompetenzen

Mit dem provozierenden Titel der Einheit ist das Kirchenjahr im Allgemeinen in den Blick genommen und die großen christlichen Feste Weihnachten, Ostern, Pfingsten sowie das Erntedankfest im Besonderen. Das Kirchenjahr „versucht, dem Evangelium im Medium menschlicher Zeiterfahrung eine kulturelle Gestalt zu geben" (vgl. dazu und zum Folgenden K.-H. Bieritz, Kirchenjahr I, Sp. 1302f.). Das Kirchenjahr ist ein komplexes Gefüge von Daten, Festen und Festzeiten. Bieritz unterscheidet vier Kreise, die sich gegenseitig überlagern und teilweise auch mit dem jüdischen Festkreis verbunden sind. Ein erster Kreis folgt der jüdischen Sieben-Tage-Woche und umfasst die Kette der Sonntage. Ein zweiter Kreis, der am lunaren Zyklus orientiert ist, ist verbunden mit dem jüdischen Festkreis, mit dem Passah- und Wochenfest. Heute reicht dieser zweite Kreis von der Passionszeit über die österliche Freudenzeit bis Pfingsten. Am solaren Kalender ausgerichtet und vorchristliche Traditionen aufnehmend ist der dritte Kreis. Er umfasst Weihnachten, Epiphanias mit Vorbereitungs- und Folgezeiten wie Adventszeit bzw. Sonntage nach Epiphanias. Beim vierten Kreis, ebenfalls an den solaren Kalender mit festen Daten gebunden, überlagert das Jahr der Heiligen mit seinen (kath.) Heiligenfesten die anderen Zeitkreise. Im evangelischen Raum gehören dazu die Tage der Apostel und Evangelisten, aber auch das Michaelisfest und das Reformationsfest.

Das Kapitel hat folgenden Aufbau:
Mit der Schilderung eines Schulgottesdienstes KB S. 180 knüpft das Kapitel bei den Erfahrungen der Sch. an und will zu eigenen ähnlichen Aktivitäten motivieren.
KB S. 181 wird das Kirchenjahr im Überblick dargestellt.
Mit Pfingsten (KB S. 182) wird ein kirchliches Fest vorgestellt, das man als den Geburtstag der Kirche bezeichnen kann, das aber durchaus auch Verbindung zum AT hat.
Mit dem Erntedankfest (KB S.183) begegnet den Sch. ein kirchliches Fest, das in der christlichen Tradition verankert ist, dessen Inhalte allerdings in vielen Religionen – auch im Judentum – zu finden sind.
Den Abschluss bildet die DS 184/185, auf der das Osterfest bei den griechisch-orthodoxen Christen vorgestellt wird. Damit weitet sich der Blick zum Schluss des Kapitels in die Ökumene.

■ Zur Bildkonzeption/Nachhaltigkeit

Zu den traditionellen christlichen Hauptfesten, deren Ursprünge in den neutestamentlichen Überlieferungen liegen, nämlich Weihnachten, Pfingsten und Ostern, werden kerygmatische Bilder der mittelalterlichen Kunst angeboten. Hierher gehört auch das Pfingstbild auf der Titelseite des Großkapitels „Den Glauben leben" (KB S. 161). Das Erntedankfest, das sich so in der Bibel nicht findet, auch wenn es dort ähnliche Feste gibt, wird durch die Fotografie eines Erntealtars dargestellt. Diese Bilder können als Leitmedium durch das Kapitel dienen. Sie eignen sich vor allem auch dazu, das Vorwissen der Sch. zu erheben: Die Sch. überlegen, ob bzw. welche biblischen Wurzeln die vier kirchlichen Feste haben und was ihr Inhalt ist. Am Ende der Einheit kann der Lernzuwachs festgestellt werden.
Im Unterschied zur Grundschule, wo bereits Feste des Kirchenjahres thematisiert, aber jeweils für sich behandelt wurden, besteht das Neue des Kapitels darin, dass das Kirchenjahr als Ganzes in den Blick genommen wird.

■ Welche Lernchancen werden angeboten?

Die Sch. sollen die christlichen Hauptfeste und deren Ursprung und Bräuche beschreiben können. Das ist deshalb wichtig, weil sich der christliche Inhalt der Feste in der säkularisierten Gesellschaft zu verflüchtigen droht, wozu auch die Instrumentalisierung der Feste in der Werbung beiträgt. Die Sch. sollen zeigen können, welche Beziehungen christliche Feste zu jüdischen haben. Sie sollen die Bedeutung von Festen für das Menschsein verstehen und Hinweise für eine adäquate Gestaltung der christlichen Feste geben können. Ferner sollen die Sch. in der Lage sein, die kirchlichen Feste in das Ganze des Kirchenjahres einzuordnen. Ein Vergleich mit dem jüdischen Festkalender (KB S. 194) bietet sich an. Eine weitere Verbindung besteht zum Kapitel „Der Weg Jesu" (KB S. 124 ff.), wo die christlichen Feste im Zusammenhang mit den Lebensstationen Jesu angesprochen werden.

2. Didaktisch-methodische Hinweise

KB S. 180 Wir feiern einen Schulgottesdienst

Über die Gestaltung eines Weihnachtsgottesdienstes sollen sich die Sch. dem Weihnachtsfest nähern können. Das Gemälde des Künstlers Martin Schongauer (gest. 1491) versetzt die Geburtsszene in dessen elsässische Heimat. Damit wehrt er einer musealen Historisierung von Weihnachten zugunsten einer Vergegenwärtigung.

■ Mögliche Eingangssituation

• Mein Lieblingsbild von Weihnachten: Die Sch. bringen ihr Lieblingsbild von Weihnachten mit in den Unterricht. Dabei kann es sich um Bilder aus der christlichen Kunst, aber auch (um Fotos) aus der Familie oder dem Raum der Kirche handeln (z. B. Krippenspiel). Sie erzählen zu ihrem Bild. Im Blick auf Impuls 6 können sie ihren eigenen Ort in ihrem Bild benennen.
Danach betrachten die Sch. das Bild von Martin Schongauer und vergleichen es mit den mitgebrachten Bildern. Wo gibt es Ähnlichkeiten/Übereinstimmungen, wo Unterschiede?
• Bild von Martin Schongauer: Mit Hilfe von Impuls 5 entdecken die Sch. die Tendenz der Vergegenwärtigung. Das typisch mittelalterliche Bild zeigt die Gottesmutter Maria in schöner blauer Robe (die Farbe verweist auf die himmlische Sphäre) im Zentrum, während Josef eher im Hintergrund steht. Er hat ja mit der Geburt des Gottessohnes eigentlich nichts zu tun. Zur Interpretation des Bildes kann folgender Impuls helfen: Achtet auf die Blicke der abgebildeten Personen! – Alle Blicke sind auf das Kind in der Krippe gerichtet. Besonders deutlich kann dies werden, wenn die Sch. in einer Kopie des Bildes die Augen der Personen (und Tiere) mit dem Kind in der Krippe verbinden. M 98 bietet eine Umrisszeichnung des Bildes, das die Sch. kolorieren können.
• Weitere Weihnachtsbilder: Die Sch. finden im Buch ein weiteres Weihnachtsbild (KB S. 117), das ebenfalls in der Spätgotik entstand. Sie vergleichen die beiden Bilder und stellen Gemeinsamkeiten und Unterschiede fest. Sie können weitere Weihnachtsbilder mitbringen; vor allem auf Postkarten finden sich viele solche Bilder aus der Geschichte der Kunst.

■ Erschließungsmöglichkeiten

• Bearbeitung des Textes über den Weihnachtsgottesdienst mit Hilfe der Impulse im KB:
– Die Sch. lesen die Geschichte mit verteilten Rollen. Sie schreiben selbst Briefe an ältere Sch. (Impuls 1).
– Die Sch. identifizieren Lieder, Gebete, Bibeltexte als Bestandteile des Gottesdienstes. Eine eigentliche Predigt findet nicht statt (Impuls 2).
– Die Sch. laden aus dem Internet die Geschichte von den drei dunklen Königen herunter, lesen sie sich vor und besprechen sie (Impuls 3).
– Die Sch. suchen Weihnachtslieder, die ihnen gefallen (Impuls 4).

Mögliche Schlusssituationen

- Weihnachtsbild: Die Sch. zeichnen in die vergrößerte Kopie des Schongauer-Bilds (vgl. M 98) sich selbst ein. Herangezogen werden kann das Lied „Ich steh an deiner Krippen hier“: Ich sehe dich mit Freuden an/und kann nicht satt mich sehen (EG 37,4).
- Nachhaltigkeit: Gestaltung eines Weihnachts- bzw. Advents-Tisches für das Schulhaus.

KB S. 181 Das Kirchenjahr

KB S. 181 zeigt das Kirchenjahr in der üblichen Form eines Kreises, in den die wichtigsten Zeiten und Feste eingetragen sind (vgl. dazu Hanisch u. a., Den Glauben feiern. Feste im Kirchenjahr, Schüler- und Lehrerband 1994):
- In der Mitte des Kreises findet sich das Christuszeichen, bestehend aus den griechischen (Anfangs-)Buchstaben X (= CH) und P (= R): Christus.
- In einem weiteren Kreis sind wichtige (nicht alle!) Festtage der verschiedenen Festzeiten aufgeführt.
- Der nächste Kreis zeigt die Festzeiten des Kirchenjahres.
- Es folgen die Farben, die zu den verschiedenen Festzeiten in der Kirche (z. B. bei den Paramenten) Verwendung finden.
- Der äußere Kreis bietet zu den verschiedenen Festzeiten und zu einigen Festen Symbole, die die Bedeutung des jeweiligen Festes veranschaulichen.

Die Feste des Kirchenjahrs

Beginn des Kirchenjahrs: Advent

Das Kirchenjahr beginnt mit den vier Adventssonntagen, die allerdings nicht von Anfang an in der christlichen Kirche gefeiert wurden (im Westen erst ab dem 11. Jh.). Die Themen der vier Adventssonntage sind: l. Advent: das Kommen Jesu, die Ankunft des Retters (vgl. Mt 21,1–10); 2. Advent: das zweite Kommen Jesu, seine Wiederkunft zum Gericht (vgl. Lk 21,25–33); 3. Advent: Johannes der Täufer, der Vorläufer Jesu (Mt 11,1–11); 4. Advent: die Mutter Jesu (Lk 1,46–55). Symbol für Advent sind die vier Kerzen: Mit dem Kommen Jesu erscheint das Licht der Welt (vgl. Joh 8,12).

Weihnachten

Die Adventssonntage führen auf Weihnachten, das Fest der Geburt Jesu, hin. Das Weihnachtsgeschehen wird dargestellt durch Krippe und Kreuz. Das Kreuz steht für die Erniedrigung Jesu, die bei der Geburt ihren Anfang nimmt: „Er ist auf Erden kommen arm“ (EG 23,6; LJ 30,6).

Erscheinungsfest

Für das Erscheinungsfest (Epiphanias) am 6. Januar ist der Name „Heilige Drei Könige“ geläufiger. Es geht allerdings bei diesem Fest nicht um das „Erscheinen“ der drei Weisen aus dem Morgenland, sondern um das Erscheinen Christi auf Erden, um die Menschwerdung Gottes. Das Erscheinungsfest ist älter als Weihnachten und Advent. Noch heute feiert die Ostkirche die Geburt Jesu am 6. Januar. Symbol für Epiphanias ist der strahlende Morgenstern (vgl. Offb 22,16). Mit Mt 2,2 („Wir haben seinen Stern gesehen im Morgenland“) ist die Verbindung von Epiphanias (Jesus der aufstrahlende Stern) mit dem Fest der „Heiligen Drei Könige“ gegeben.

Passionszeit

Die Passionszeit beginnt mit dem Aschermittwoch und endet am Karfreitag. Sie erinnert an die Leidenszeit Jesu und dient gleichzeitig der Vorbereitung auf das Fest der Auferstehung. Die Passionszeit ist zugleich die vorösterliche Fastenzeit: In Erinnerung an das 40-tägige Fasten Jesu fasten Christen seit der frühen Kirche, indem sie die Nahrungsaufnahme einschränken. Seit 1983 gibt es die evangelische Fastenaktion „Sieben Wochen ohne“. Unter diesem Motto verzichten Menschen auf bestimmte Nahrungsmittel wie Süßigkeiten, aber auch auf bestimmte Gewohnheiten wie Fernsehen, Rauchen u. a. Sinn des Fastens ist es immer, zu einem bewussteren Leben zu finden.

Karwoche

Für die Karwoche stehen drei Symbole. Der Palmzweig steht für den Palmsonntag. An diesem Tag wird der Einzug Jesu in Jerusalem gefeiert (Hosianna dem Sohn Davids! Mt 21,9), dem aber alsbald das „Kreuzige ihn!“ folgt.
Brot und Weinkelch stehen für die Einsetzung des Abendmahls am Gründonnerstag. Der Gründonnerstag trägt diesen Namen seit dem 12. Jh., der Feiertag als solcher wurde jedoch schon in der alten Kirche begangen. Die Bedeutung des deutschen Namens ist unklar. Wahrscheinlich kommt der Name „grün“ vom mittelhochdeutschen gronan (= greinen = weinen; engl.: to groan). In der orthodoxen und römisch-katholischen Kirche gehören zum Gründonnerstag die Wiederannahme der Büßer, die Weihe des heiligen Öls und die Fußwaschung.
Die Dornenkrone steht für den Karfreitag; der Karfreitag hat seinen Namen vom althochdeutschen „kara“ = Wehklage.

Ostern

Das Kreuz auf dem offenen Grab steht für den Ostersonntag: Christus hat den Tod besiegt (Mt 28). Ostern ist das erste Fest, das die Christen feierten. Mit der Erfahrung „Jesus ist auferstanden“ beginnt die Sammlung der christlichen Gemeinde. Vom Ostersonntag, dem ersten Tag der Woche, leitet sich der christliche Sonntag, der Herrentag, ab. Die ersten Gemeinden kamen am Sabbatabend zusammen, um mit Gebeten und Erzählungen aus dem Leben Jesu von Nazareth den ersten Tag der Woche zu erwarten, an dem sie die Nachricht von seiner Auferstehung erhalten hatten. Ostern fiel ursprünglich mit dem jüdischen Passahfest (Pessachfest) zusammen.
An Ostern feiern die Christen die Auferstehung Jesu von den Toten. Der Osterglaube der Jünger gründet sich auf ein unerwartetes Widerfahrnis, das den Jüngern zuteil wurde. „Eine rätselhafte todüberwindende Macht“ offenbart sich in der Auferstehung Jesu. Mit unsern Erfahrungen können wir sie nicht begreifen, denn vom Tod haben wir keine Erfahrung. (Theißen/Merz, Der historische Jesus, S. 443). Die Auferstehung selbst ist historisch nicht fassbar, historisch fassbar ist der Osterglaube der Jünger. Kurze Zeit nach der Kreuzigung treten die Jünger, die der Tod Jesu ratlos und verängstigt zurückgelassen hatte, mit dem Bekenntnis an die Öffentlichkeit: Jesus lebt, er ist auferstanden. „Das Geschehen, das diesen Glauben begründet, ist jedoch mit den Mitteln historischer Erkenntnis nicht zu fassen. Dem entspricht es, dass im Neuen Testament selbst der Vorgang der Auferweckung nirgends beschrieben wird. Dieser Vorgang entzieht sich grundsätzlich der menschlichen Beobachtung und Beschreibung. Die Auferweckung des gekreuzigten Jesus als schöpferische Tat Gottes bleibt ein Geheimnis. Es wird erschlos-

sen durch seine Wirkungen – die Erscheinungen Jesu und den dadurch begründetet Glauben der Jünger." (Kruhöffer, Grundlinien, S. 200f.) Der klassische Text, an dem sich dies manifestiert, ist 1. Kor 15,1–10.

Himmelfahrt
Als Symbol für Himmelfahrt steht ein Kreuz über der Weltkugel. Himmelfahrt bedeutet nicht, dass Christus in den Tiefen des Weltraums verschwunden ist, sondern dass er die Herrschaft angetreten hat. Im Glaubensbekenntnis wird das durch das „Sitzen zur Rechten Gottes" ausgedrückt. Am schönsten wird die Bedeutung von Himmelfahrt im Christushymnus Philipper 2 beschrieben: „Darum hat ihn auch Gott erhöht und hat ihm den Namen gegeben, der über alle Namen ist, dass in dem Namen Jesu sich beugen sollen aller derer Knie, die im Himmel und auf Erden und unter der Erde sind, und alle Zungen bekennen sollen, dass Jesus Christus der Herr ist, zur Ehre Gottes, des Vaters." (Phil 2,9–11).

Pfingsten
50 Tage nach Ostern feiert die Kirche das Pfingstfest. Der Name kommt von Pentekoste (griech. = 50). Die Bedeutung geht auf das Erlebnis der Jünger zurück, die am jüdischen Wochenfest (Schawuot) die Gegenwart Jesu in ihrer Gemeinde in der Form des Heiligen Geistes erfahren haben. Pfingsten kann von daher als der Geburtstag der Kirche bezeichnet werden (vgl. dazu KB S. 182). Das Symbol der Taube steht für den Geist Gottes, den Johannes der Täufer „wie eine Taube" auf Jesus herabkommen sah (Mt 3,16).

Trinitatis
Den Abschluss der Pfingstzeit bildet der Dreieinigkeitssonntag, mit dem der längste Abschnitt des Kirchenjahres (1., 2., 3. usw. Sonntag nach Trinitatis) eingeleitet wird. Das Dreieinigkeitsfest ist wohl jenes kirchliche Fest, das für die breite Gemeinde am wenigsten Bedeutung hat. Der Ursprung dieses Festes ist unklar, erst im späten Mittelalter setzt sich dieser Sonntag als ein fester Bestandteil des Kirchenjahres durch.
Das Dreieck symbolisiert die Dreieinigkeit. Im Dreieck selbst stehen die drei ersten (griechischen) Buchstaben des Jesusnamens: J, H (= griech. Eta), S, die gedeutet wurden als die (lateinischen) Anfangsbuchstaben der drei Worte Jesus hominum salvator (= Jesus, der Menschen Heiland).
In die Zeit nach Trinitatis fallen das Erntedankfest (Symbol: Ähre und Brotlaib), das Reformationsfest am 31. Oktober (Symbol: aufgeschlagene Bibel), der Martinstag, die Friedensdekade, der Buß- und Bettag und der Totensonntag oder Ewigkeitssonntag, der letzte Sonntag des Kirchenjahres (Symbol: Kreuz auf Grabplatte).
Großer Beliebtheit erfreut sich in jüngster Zeit auch in evangelischen Kreisen der Martinstag. Dieser Tag erinnert an Bischof Martin von Tours, der seinen Besitz mit Bedürftigen teilte. Von daher ist das Thema dieses Tages vorgegeben: Teilen wie Jesus – teilen wie Martin!

■ Mögliche Eingangssituation
- Die Sch. lesen den Text KB S. 181 und ziehen den Jahreskreis heran. Sie achten auch auf die Farben.

■ Erschließungsmöglichkeiten
- Kirchenjahreskalender: Die Sch. erstellen einen großen Kirchenjahreskalender (Impuls 1). Weitere Feste können eingetragen werden, z. B. das örtliche Stadtfest oder der Tag der deutschen Einheit. Auch die Geburtstage der einzelnen Sch. können vermerkt werden.
- Lerngang in die Kirche: Sch. gehen in die örtliche Kirche und suchen Hinweise auf die Feste des Kirchenjahrs, z. B. Altartafeln, Bilder von Reformatoren etc.
- Hefteintrag: Kurztexte zu den Festen und ihren Symbolen (Impuls 2).
- Interkultureller Festkalender: Die Sch. gestalten einen interkulturellen Festkalender, in dem sie jüdische und muslimische Feste eintragen. Sie können dabei auf KB S.194f. und 200f. zurückgreifen (Impuls 3).
- Persönliche Feste: Die Sch. erzählen von regelmäßig stattfindenden Festen in Familie und Schule. Sie erzählen, was ihnen gefallen hat und was nicht. Vertiefend kann gefragt werden, warum Feste für uns Menschen wichtig sind („saure Wochen, frohe Feste" etc.). (Impuls 4).

■ Mögliche Schlusssituationen
- Gestaltungsaufgabe: Die Sch. gestalten als Abschluss des Themas Kirchenjahr und zugleich als weiterführendes Element ein Plakat oder einen Tisch, wenn ein Fest bevorsteht (z. B. zum Erntedankfest). Dabei kann zur Förderung der Nachhaltigkeit über ein Schuljahr hinweg eine Folge von „Installationen" zu den einzelnen Festen gestaltet werden (s. dazu den jeweiligen Hinweis bei den einzelnen Festen). In der Passionszeit – für die das KB hier keine besondere Seite anbietet, kann an dieser Stelle ein „Tisch zur Passionszeit" für das Schulhaus gestaltet werden.

KB S. 182 Pfingsten: Geburtstag der Kirche

Das Gespräch zwischen Mutter Elisabeth, Vater Joel und Tochter Mirjam will das Besondere des Pfingstfestes verdeutlichen. Pfingsten mit der Ausgießung des Heiligen Geistes bedeutet die Ausrüstung der Jünger als Apostel und Zeugen für ihren Auftrag, bedeutet den Ursprung der Mission und den Geburtstag der Kirche. Das Rauschen eines gewaltigen Windes und die Feuerflammen sind Symbole des Heiligen Geistes. Möglicherweise hängen die Feuerflammen mit dem jüdischen Wochenfest zusammen, auf das das Pfingstfest datiert wird und das an die Gesetzgebung am Sinai erinnert. Nach einer alten jüdischen Tradition hat sich „Gottes Wort am Sinai in 70 Zungen geteilt – entsprechend den 70 Völkern der Welt – , sodass jedes Volk das Gesetz (das freilich nur Israel annahm!) in seiner eigenen Sprache zu hören bekam." (Haenchen, Apostelgeschichte 1961, S. 138). Auf jeden Fall geht es hier um Zungenreden, um Glossolalie, die nach 1. Kor. 14 zu den von Gott verliehenen Gnadengaben gehört. Die Wirkungen des Geistes sind der Mut zur öffentlichen Verkündigung, aber auch das Wunder, dass die verschieden Sprachen der Zuhörer keine Barriere mehr sind, um sich zu verstehen. Insofern ist die Pfingstgeschichte die Kontrageschichte zur Geschichte vom Turmbau zu Babel (1. Mose 11,1–9).
Die Pfingstgeschichte ist gewiss kein historischer Bericht, sondern eine Glaubensgeschichte. Um der theologischen Aussage

willen wird der Rahmen des historisch Möglichen weit gesprengt. Kein antikes Haus hätte beispielsweise eine solche Menschenmenge fassen können. In der Völkerliste kommen Namen wie Meder und Elamiter vor, die es zur Zeit des Lukas gar nicht mehr gab.
Das Pfingstbild stammt aus dem Speyerer Evangelistar (um 1200). Ein Evangelistar ist ein liturgisches Buch, das die Abschnitte aus den Evangelien enthält, die während der Messe verlesen werden. Das Bild stellt nur sieben Apostel dar. Zentral ist die Taube als Symbol des Heiligen Geistes.

■ **Mögliche Eingangssituation**
• Die Sch. tragen zusammen, was sie über Pfingsten wissen.

■ **Erschließungsmöglichkeiten**
• „Pfingsten: Geburtstag der Kirche": Die Sch. lesen die Szene mit verteilten Rollen. Sie begründen Mirjams Äußerung „Deshalb also heißt dieser Tag Geburtstag der Kirche". Sie beziehen in das Gespräch auch „Grundwissen Religion: Kirche" ein.
• Die Pfingstgeschichte: Die Sch. lesen die Pfingstgeschichte (Apg 2,1–13) und erklären die Symbolik (Impuls 1).
• Mit Hilfe von **M 99** kann nachvollzogen werden, wie Menschen aus aller Welt zum jüdischen Schawuot-Fest nach Jerusalem kamen; damit ist auch ein Symbol für die weltumspannende Bedeutung des christlichen Pfingstfestes gegeben.
Die Sch. erhalten das AB ohne die eingetragenen Namen der Herkunftsländer. Unter Zuhilfenahme eines Atlas (z. B. Calwer Bibelatlas) tragen sie die Herkunftsländer ein, wie sie in Apg 2 genannt werden. Sie stellen fest, dass in den meisten dieser Länder heute eine muslimische Mehrheit lebt.
• Bildvergleich: Sch. betrachten das Bild und vergleichen es mit dem Bild KB S. 161. Jenes Bild betont die neue Gemeinschaft, die der Heilige Geist bewirkt, das Bild aus dem Evangelistar betont die missionarischen Folgen der Geistbegabung (vgl. letzte Äußerung von Mutter Elisabeth).
• Gestaltungsaufgabe: Die Sch. gestalten selbst ein Pfingstbild mit dem Titel „Begeisterung an Pfingsten". Sie dürfen sich die Technik selbst aussuchen. Möglicherweise eignen sich Fingerfarben besonders gut.
• Lied: Die Sch. können hier den Pfingstkanon EG 132 oder das Lied „O komm, du Geist der Wahrheit" (EG 136) singen.

■ **Mögliche Schlusssituationen**
• Die Sch. entdecken, dass die Pfingstgeschichte eine „Gegengeschichte" zur Geschichte vom Turmbau zu Babel ist (1. Mose 11,1–9). In der Turmbaugeschichte entdecken die Sch., dass die Menschen sich nicht mehr verstehen können, weil sie vom Geist der Hybris besessen sind. Dagegen zeigt die Pfingstgeschichte Menschen, die sich gegenseitig verstehen, weil sie vom Geist Gottes, dem „Geist der Wahrheit" beseelt sind.
• Die Sch. betrachten zunächst die Bilder von Dali und Brueghel (**M 100**, Farbseite am Schluss des Bandes). Sie erschließen die Bilder entsprechend den Vorschlägen von „Werkstatt Religion: Bilder betrachten" (KB S. 114), danach lesen sie 1. Mose 11,1–9 und ziehen noch einmal die Bilder unter folgender Fragestellung heran: Welche Phase der Turmbaugeschichte stellt Dali dar? Welche Phase hat Brueghel im Blick? Auch den entscheidenden Unterschied zwischen der Turmbaugeschichte und der Pfingstgeschichte werden die Sch. entdecken können.
• Nachhaltigkeit: Gestaltung eines Pfingsttisches für das Schulhaus.

KB S. 183 Erntedankfest

Im christlichen Erntedankfest wird der Schöpfergott als Geber aller guten Gaben gefeiert. Das unterscheidet es von anderen Erntedankfesten, z. B. dem Erntedankfest der Nazis, das auf dem Bückeberg von 1933 bis 1941 gefeiert wurde. Bis zu 500.000 Menschen kamen zusammen. Dort wurde dem „Führer" die Erntekrone als Symbol der Volksgemeinschaft überreicht. Arbeit, Blut und Boden wurden beschworen. Nicht zuletzt diente das Fest zur Integration des „Reichsnährstands" in das neue Reich.

■ **Mögliche Eingangssituation**
• Die Sch. betrachten den Erntedankaltar und berichten von eigenen Erfahrungen.

■ **Erschließungsmöglichkeiten**
• Die Sch. orientieren sich mit „Grundwissen Religion: Erntedankfest" über das Fest und seine Bräuche.
• Wofür wir Gott danken können: Die Sch. diskutieren die Position von Ruben. Frage: Wirkt Gott nur in der Natur oder auch in dem, was Menschen machen?
• Was heißt danken? Die Sch. lesen die Erzählung „Im Bäckerladen" (Randspalte). Frage: Wem würdet ihr mehr zustimmen, Melanie oder ihrer Mutter?

■ **Mögliche Schlusssituationen**
• Vorbereitung und Durchführung eines schulischen Ernstdankfestes.
• Nachhaltigkeit: Gestaltung eines Erntedanktisches für das Schulhaus.

KB S.184/185 Ostern bei den griechisch-orthodoxen Christen

Das Osterfest war anfangs das zentrale christliche Fest. Dies haben die Orthodoxen bewahrt, während sich in der Westkirche zunehmend das Weihnachtsfest in den Vordergrund schob. Das hat auch theologische Gründe. Im Osten wird vor allem die Überwindung des Todes gefeiert, im Westen stärker die Inkarnation. Zu Ostern vgl. auch KB S. 129 und die Ausführungen dazu im LHB.
Die Ikone zeigt Christus von einer Aureole (Zeichen der Herrschaft Gottes) hinterfangen. Er steht auf den über Kreuz gelegten Flügeln des zerbrochenen Tores zur Unterwelt. In der Linken hält er eine Schriftrolle, Zeichen seiner Auferstehungspredigt im Limbus (Vorhölle). Mit der rechten Hand zieht er Adam aus dem Grab. Adam gegenüber kniet im Sarg Eva, die Hände zum Gebet erhoben. Hinter Adam sind an ihren Kronen die alttestamentlichen Könige David und Salomo zu erkennen, außerdem Johannes der Täufer. Hinter Eva ist Mose mit den Gesetzestafeln abgebildet, eine Gruppe alttestamentlicher Frommer anführend.
Dieses Bild ist das traditionelle Osterbild der orthodoxen Kirche. Mit dem Abstieg Christi in den Hades und der Befreiung der ersten Menschen sowie der Gerechten des Alten Bundes wird der Sieg über Sünde, Tod und Hölle – Leitthema des Gottesdienstes am Karsamstag – vollzogen: „Du stiegst hinab in die Tiefen der Erde und zermalmtest die ewigen Riegel, der Gefesselten Ketten, o Christus, und am dritten Tage, wie aus dem

Meerungetüm Jonas, standest Du auf aus dem Grabe", heißt es in der orthodoxen Osterliturgie (nach Bock, Höllenfahrt Christi, S. 90. Vgl. auch Büttner u. a., Was tat Jesus, S. 25–29).

Erschließungsmöglichkeiten

- Textbearbeitung: L. oder ein Sch., der gut lesen kann, liest die Geschichte vor. Die Sch. äußern sich, was der Erzählerin bzw. ihnen gut gefällt (Impuls 1).
- Die Sch. vergleichen den Gottesdienst mit unseren Gottesdiensten (Impuls 2).
- Die Ikone: Die Sch. betrachten die Ikone. L. gibt Hilfestellung. Die Sch. geben dem Bild eine aussagekräftige Bildunterschrift. Sie ziehen das Bild KB S. 129 heran. Das dortige Auferstehungsbild hat einen anderen Akzent, es zeigt mehr das in den Evangelien geschilderte „historische" Geschehen.
- Ikonen malen: Die Sch. malen selbst eine Oster-Ikone im typischen Stil der Ikonenmalerei.

Mögliche Schlusssituationen

- Die Sch. informieren sich anhand von „Grundwissen Religion: Orthodox" und „Ikonen" über die orthodoxe Kirche. Bei Bedarf können sie ihre Ergebnisse durch Internetrecherchen ergänzen.
- Nachhaltigkeit: Gestaltung eines Ostertisches für das Schulhaus.

3. Lernkarten

101 Was bedeutet das Wort „Kirche"?
102 Worin unterscheidet sich das Kirchenjahr von dem „normalen" Kalenderjahr?
103 Welche Feste richten sich nach dem Sonnenjahr, welche nach dem Mondjahr?
104 An welchem evangelischen Fest denken die Evangelischen besonders an Martin Luther?
105 Was feiern wir an Weihnachten? Wo finden wir in der Bibel etwas zu diesem Fest?
106 Was wird an Ostern gefeiert? Welche biblischen Geschichten gehören zu Ostern?
107 Was wird an Pfingsten gefeiert? Welche biblische Geschichte kann man dazu heranziehen?
108 Was wird am Erntedankfest gefeiert? Welche Bräuche gibt es? Gibt es in der Bibel Geschichten und Lieder, in denen für die Ernte gedankt wird?

4. Empfohlene Literatur und Medien

Bieritz, Karl-Heinz, Das Kirchenjahr. Feste, Gedenk- und Feiertage in Geschichte und Gegenwart, München 1998 (Beck).

Bieritz, Karl-Heinz, Kirchenjahr, in: RGG 4. Auflage, Band 4, Sp. 1302 ff.

Hanisch, Helmut u. a. (Hg.), Den Glauben feiern, Feste im Kirchenjahr, Berlin 2000 (Cornelsen).

5. Materialien

M 98 Schongauer, Die Geburt Christi (Umriss)
M 99 Das Pfingstwunder – Apostelgeschichte 2
M 100 a Pieter Brueghel, Der Turmbau zu Babel (Farbseite)
M 100 b Salvador Dali, Turmbau zu Babel (Farbseite)

Abrahams Kinder

Einführung

Die Kapitelüberschrift trägt der Tatsache Rechnung, dass in den drei großen Religionen Judentum, Christentum und Islam Abraham (Ibrahim) eine zentrale Rolle spielt, als Stammvater, erster Jude, erster Muslim bzw. als Vater des Glaubens. Dies ist eine der vielen Gemeinsamkeiten, die diese Religionen bei allen Unterschieden miteinander verbinden. Dass aufgrund dieser Gemeinsamkeiten ein gutes Verhältnis bestehen müsste, ist ein Trugschluss. Nicht ohne Hintersinn schrieb ein spanischer Dominikanermönch im 13. Jahrhundert: „Nach einem Wort Senecas ist keine Pest schädlicher als Feindschaft unter Hausgenossen. Daher ist kein Feind dem christlichen Glauben so gefährlich wie die Juden; denn niemand ist uns verwandter, niemandem können wir weniger ausweichen als den Juden." (Röhm/Thierfelder, Juden, Christen, Deutsche, S. 22). Dies gilt auch für das Verhältnis von Christen und Muslimen sowie Muslimen und Juden. Die Nähe zwischen den drei Weltreligionen bietet aber andererseits auch die Chance, sich kennen zu lernen, aufeinander zuzugehen und miteinander in einen Dialog einzutreten. Dazu möchte auch das vorliegende Kapitel helfen.
Es ist keine Überdramatisierung, wenn wir sagen: Judentum und Islam zu kennen ist lebensnotwendig. Diese Kenntnis trägt zu einem menschlichen Umgang miteinander bei. Das Verhältnis von Juden und Christen ist ja traditionell belastet durch antijudaistische und antisemitische Vorurteile. Auch das Verhältnis zwischen Muslimen und Christen ist heute schweren Belastungen ausgesetzt. Terroraktionen sog. Islamisten verstellen den Blick dafür, dass der Islam eine Religion ist, für die der *salam*, der *Friede*, eine wichtige Rolle spielt. Die Ereignisse in Holland im Herbst 2004 mit der Ermordung des holländischen Regisseurs van Gogh und den anschließenden Anschlägen auf Moscheen und Kirchen haben viele Menschen auch in Deutschland aufgeschreckt. Viele fragen sich: Ist ein friedliches Miteinander von Menschen aus so verschiedenen Kulturkreisen und mit so verschiedenem religiösen Hintergrund überhaupt möglich? Umso dringender ist das Kennenlernen anderer Kulturen und Religionen.
In den letzten Jahrzehnten haben ja in Deutschland neben den verschiedenen christlichen Religionen, Freikirchen und religiösen Sondergemeinschaften andere Religionen Fuß gefasst. Zu denken ist vor allem an den Islam, dem in Deutschland vor allem Türken und Kurden angehören. Man zählt ca. 3,2 Millionen Muslime bei uns. Erheblich höher ist ihre Zahl in Frankreich. Dort hat der Islam mit seinen ca. 5 Millionen den Protestantismus (die Protestanten werden auf zwischen 700.000 = 1,8 % der Gesamtbevölkerung und 1.700.000 = 3 %, geschätzt) weit hinter sich gelassen. Auch die Zahl der Juden wächst in Deutschland. Nach dem Krieg zählte man in Deutschland lange Zeit etwa 30.000 Juden. Dies hat sich dramatisch verändert, seit nach dem Zusammenbruch der Sowjetunion Juden auswandern konnten und in Deutschland ausdrücklich willkommen geheißen wurden. Heute leben etwa 100.000 Juden in Deutschland. Viele neue Gemeinden sind entstanden. Ohne die starke Einwanderung von Juden aus den osteuropäischen Ländern – so hat man errechnet – würde die Zahl der Juden in Deutschland heute deutlich unter 30.000 Gemeindegliedern liegen.
Der religiöse Pluralismus macht es erforderlich, dass junge Menschen bei uns fähig werden, Menschen anderer Religionen angemessen zu begegnen, also dialogfähig werden. Gleichzeitig bedeutet es aber auch, dass sich Menschen bei uns der eigenen religiösen Identität wieder neu bewusst werden müssen. Darum kommt auch in diesem Kapitel das Christliche immer wieder zur Sprache. Auch kann auf christliche Sachverhalte aus anderen Kapiteln immer wieder Bezug genommen werden.

Im 5./6. Schuljahr geht es vor allem um das Kennenlernen der anderen Religionen: Kenntnisse werden vermittelt und Begegnungen ermöglicht. In der Aufnahme des alten Unterrichtsprinzips „Vom Nahen zum Fernen" geht die Behandlung von Judentum und Islam von Erfahrungen in der Bundesrepublik aus. Türkische bzw. israelische Bezüge kommen aber durchaus auch zu ihrem Recht. Ein wichtiges Unterrichtsziel ist, der anderen Religion mit Respekt und Toleranz zu begegnen. Das Andersartige und Fremde soll nicht als unverständlich oder gar bedrohlich erlebt werden. Es kann einerseits als etwas Interessantes erfahren werden. Bereits in Klasse 5/6 können andererseits Judentum und Islam als Religionen erfahren werden, die mit unserer Religion verwandt sind.
Das Verhältnis des Christentums zu den Religionen scheint ein vermintes Gebiet zu sein. Haben die Christen in der Epoche des Kolonialismus den exklusiven Absolutheitsanspruch des Christentums propagiert (wahre Religion – falsche Religion), so wurde später ein inklusiver Absolutheitsanspruch vertreten, nach dem die verschiedenen Religionen als Vorformen des Christentums verstanden wurden. Heute ist man einem solchen Absolutheitsanspruch gegenüber grundsätzlich eher kritisch eingestellt. „Um einen Absolutheitsanspruch begründen zu können, müsste es möglich sein, von einem Standpunkt außerhalb der eigenen Religion die Kriterien für die Absolutsetzung einer Religion zu gewinnen." (Böttge u. a., Absolutheit, S. 45). Dies scheint schwer möglich zu sein. Eine heute vertretene „Theologie der Religionen" postuliert überall eine transzendente Wirklichkeit, die von Menschen unterschiedlich wahrgenommen wird. Eine christliche Theologie der Religionen hat „ihr Orientierungszentrum in Jesus Christus, der für Christen der letztgültige Maßstab ist und das entscheidend und unterscheidend Christliche ausmacht, was die potentielle Wirklichkeit von Heil in anderen Religionen nicht ausschließt." (Ritter, Mission, S. 246)
Sätze wie „Ich bin der Weg und die Wahrheit und das Leben. Niemand kommt zum Vater denn durch mich (Joh 14,6) sind Bekenntnisse des christlichen Glaubens und keine Totschlagargumente für Gespräche mit anderen Religionen.

Das vorliegende Großkapitel besteht aus vier Kapiteln. Nach einer Einführung in Judentum und Islam geht ein drittes Kapitel auf Gemeinsamkeiten und Unterschiede zwischen Juden, Christen und Muslimen ein. Ein letztes Kapitel, Symbole, fällt ein wenig aus dem Rahmen. Jedoch ist ein Zusammenhang mit Leichtigkeit herzustellen, spielen doch in allen behandelten Religionen Symbole eine tragende Rolle, oft stehen dabei dieselben Symbole wie z. B. Brot und Wasser im Mittelpunkt.

KB S. 188/189 Die Titelseiten

Die Titelseiten bieten zwei Abbildungen, eine aus der Vergangenheit und eine aus der Gegenwart. Die beiden reitenden Personen auf der muslimischen Darstellung aus dem 14. Jahrhun-

dert sind Jesus und Mohammed. Auf das Judentum wird mit den Symbolen brennender Dornbusch und Wolke (bei der Wüstenwanderung) angespielt.
Mohammed ist eindeutig Jesus vorgeordnet: Er reitet im Vordergrund, sein Kamel dominiert den im Islam als Reittier minder geachteten Esel. Jesus deutet mit seiner linken Hand auf Mohammed, als dessen Vorläufer er sich aus Sicht des Bildes versteht. Trotz dieser Rangordnung betont das Bild, dass die beiden gemeinsam unterwegs sind, sie werden annähernd als gleichwertig dargestellt. Beide tragen einen Turban und einen Nimbus. Die Bildunterschrift im Kursbuch greift eine mögliche Deutung des Bildes auf: Mohammed und Jesus sind gemeinsam unterwegs zum Jüngsten Gericht. Nach einer englischen Interpretation verbildlicht dagegen die Miniatur eine Stelle aus dem Propheten Jesaja (Jes 21,6-9; vgl. Hillenbrand, Images; vgl. auch Kliemann, Haus, S. 175).
Für orthodoxe Muslime könnte dieses Bild ein Ärgernis bedeuten, sind doch im Islam Darstellungen von Mohammed und Jesus eigentlich nicht erlaubt. Doch gab es Zeiten, wo dieses Verbot nicht so streng galt; und noch heute sind in der schiitischen Richtung des Islam bildliche Darstellungen auch des Propheten durchaus üblich. Auch aus christlicher Sicht könnte dieses Bild Anstoß erregen, werden hier doch Mohammed und Jesus gemeinsam dargestellt, und Mohammed wird bei genauerem Hinsehen Jesus deutlich übergeordnet.

Das zeitgenössische Bild wurde anlässlich der Pilgerreise des Papstes ins Heilige Land im Jahr 2000 aufgenommen. Die drei Vertreter haben sich zu einem interreligiösen Gespräch getroffen. Sie sitzen vor einer alten Darstellung Jerusalems. Links sitzt Israel Meir Lau, der 1993 zum aschkenasischen Oberrabbiner von Israel gewählt wurde. Lau wurde 1937 in Pyotrekov (Polen) geboren. Er verlor seine Eltern in der Schoah und ist selbst ein Überlebender des KZ Buchenwald. Nach seiner Befreiung kam er nach Israel. Er studierte an mehreren Talmudschulen und wurde 1971 zum Rabbiner ordiniert. Lau schrieb Bücher über Medizin, Ethik und jüdische Bräuche. In Deutschland erschien 1988 sein Buch: Wie Juden leben. Glaube - Alltag - Fest, das schon mehrere Auflagen erlebte.
In der Mitte sieht man Papst Johannes Paul II. Geboren als Karel Wojtyla 1920 im polnischen Wadowice studierte er im Untergrund Theologie. 1946 wurde er zum Priester geweiht, 1958 dann zum Bischof von Krakau. 1964 wurde er Erzbischof von Krakau und 1967 Kardinal. 1978 wurde er als erster Pole zum Papst gewählt. Papst Johannes Paul II. besuchte in weit über 100 Reisen viele Länder der Erde. 1998 bekannte er die Mitschuld von Christen am Holocaust. Johannes Paul II. legte großen Wert auf den Dialog mit den Weltreligionen. Seit Jahren finden - von ihm ins Leben gerufen - Treffen von leitenden Vertretern der Weltreligionen in Assisi statt. Johannes Paul II. verschickte während seines langen Pontifikats 14 Enzykliken (päpstliche Rundschreiben an die gesamte Kirche) und zahllose apostolische Rundschreiben an die katholischen Ortskirchen. Er starb am 3. März 2005.
Rechts sitzt Sheikh Tatzir Tamimi. Er trägt die Kopfbedeckung eines Imams (= muslimischer Geistlicher). Er ist Leiter des religiösen Gerichtshofes der Autonomiebehörde. Im Unterschied zu anderen muslimischen Geistlichen boykottierte Tatzir Tamimi das interreligiöse Treffen von Juden, Christen und Muslimen nicht, griff aber bei diesem Treffen Israels Politik gegenüber den Palästinensern scharf an.

Zu beachten ist, dass hier offizielle Vertreter der drei Buchreligionen ins Bild gesetzt werden, wobei mit dem Papst der Vertreter der römisch-katholischen Kirche abgebildet wird. Ein Dialog kann selbstverständlich nur stattfinden, wenn die Angehörigen der drei Religionen zu einem solchen Dialog bereit sind. Die offiziellen Vertreter können jedoch durch ihre Haltung durchaus Signale für ihre jeweilige Basis geben.

Möglicher Umgang mit den Titelbildern

Die Sch. betrachten zunächst das Foto des interreligiösen Treffens. Sie werden leicht Papst Johannes Paul II. identifizieren. Einige werden auch Tatzir Tamimi als Imam identifizieren können. Hilfestellung leisten muss L. beim Oberrabbiner. Dann wird L. weitere Informationen geben zu dem Bild von Jerusalem, zu den Personen und zum Anlass ihres Treffens. Ein Impuls für ein Gespräch könnte die Frage sein, warum eine solche Begegnung früher nicht möglich war. Zu einem interessanten Gespräch kann folgende Frage anregen: Warum ist kein Vertreter der evangelischen Kirche bei dem Treffen anwesend? Das Gespräch kann aufzeigen, dass das Verhältnis von Juden und Christen aufgrund der Vergangenheit sehr belastet war. L. wird auf das Bekenntnis des Papstes zur Mitschuld an der Schoah abheben, das zum Zustandekommen eines solchen jüdisch-christlichen Treffens auf höchster Ebene viel beitrug.
Die Haltung des Papstes könnte von den Sch. in der Weise missdeutet werden, dass er sich die Ohren zuhält und von den Vertretern der beiden anderen Religionen nichts wissen will. Falls eine solche Äußerung von Sch.-Seite kommt, wird L. darauf eingehen und auf den Gesundheitszustand des Papstes hinweisen. Ferner sollte L. erläutern, dass das Treffen auf Initiative des Papstes zustande kam.
Das Bild steht unter der Überschrift „Abrahams Kinder". Die Sch. können möglicherweise am Schluss der Behandlung des Großkapitels die drei hohen Geistlichen ein Gespräch darüber führen lassen, welche Bedeutung Abraham (Ibrahim) in ihrer jeweiligen Tradition hat.

Auch beim historischen Bild sollten die Sch. zuerst intensiv das Bild betrachten. Sie werden die Reittiere und die Kleider sowie das Aussehen der dargestellten Personen beschreiben können. Dass das Bild aus muslimischer Tradition stammt, muss L. vorgeben. Eine zu behandelnde Frage ist, wie die beiden Personen wohl zueinander stehen. Erst dann kann versucht werden, die beiden Personen zu identifizieren. Anregend kann folgender Impuls sein: „Manche Muslime und manche Christen empfinden dieses Bild als anstößig."
Dass mit der Wolke und dem brennenden Dornbusch das Judentum mit im Bild präsent ist, können die Sch. bei entsprechender Hilfestellung herausfinden. Damit können sie das Bild als ein muslimisches Zeugnis dafür deuten, dass sich der Islam als die Vollendung der jüdischen und christlichen Religion sieht, wobei er den beiden anderen Buchreligionen hohe Wertschätzung entgegenbringt.
Am Schluss kann gefragt werden, was nötig ist, damit die drei Weltreligionen einen Dialog miteinander führen können. Sicher wird dabei die Notwendigkeit des Sich-Kennen-Lernens zur Sprache kommen.
Reizvoll kann es sein, die Sch. ein Bild aus christlicher Sicht malen zu lassen: „Jesus und Mohammed gemeinsam unterwegs".

Die Wurzel: Das Judentum

1. Zielsetzung, Aufbau und Kompetenzen

Das Vorwissen der Sch.
Das Kapitel gibt eine knappe Einführung zum Leben und Glauben im Judentum. Die Sch. bringen in der Regel aus der Grundschule schon Kenntnisse mit. So hat die Abrahamsgeschichte neben anderen Vätergeschichten ihren Platz im RU der Grundschule. Aus der Moseüberlieferung haben die Sch. Vorkenntnisse über das Passahfest mit dem Sederabend. Ebenso sind ihnen aus der Moseüberlieferung auch der Bundesschluss am Sinai und die Zehn Gebote bekannt. Sie wissen vom Tempel in Jerusalem, und bei den Jesusgeschichten konnten sie die grundlegende Bedeutung der Tora kennen lernen. Im Kapitel „Die Wurzel: Das Judentum" wird dieses Wissen systematisiert, was gegenüber dem Grundschulunterricht einen deutlichen Lernfortschritt bedeutet.
Selbstverständlich kann das Thema Judentum hier nicht annähernd erschöpfend behandelt werden. Wo und in welcher Weise eine Erweiterung bzw. Vertiefung einzelner Themen angebracht ist, muss je nach Situation der Lerngruppe entschieden werden.
Als Material für die Erweiterung und Vertiefung der Inhalte sei ausdrücklich auf den zweibändigen „Grundkurs Judentum" verwiesen (siehe Literaturverzeichnis).
Arbeitsblätter, die sich im „Grundkurs Judentum" finden, werden hier aus Platzgründen in der Regel nicht aufgenommen, es wird aber im didaktisch-methodischen Teil ausdrücklich auf sie verwiesen.

Zum Inhalt des Kapitels:
Das Kapitel umfasst vier größere Zusammenhänge auf je einer DS. Zunächst wird ein Einblick in jüdisches Leben heute in der Bundesrepublik ermöglicht (KB S. 190f.). Dann wird am Beispiel des Sederabends das für das Judentum grundlegende Passahfest erörtert (KB S. 192f.). Auf den Seiten 194 und 195 wird der jüdische Festkreis aufgezeigt, während die Seiten 196 und 197 die individuellen Feste des Judentums darstellen und einen Einblick in jüdische Gebetspraxis eröffnen.

■ Welche Lernchancen werden angeboten?

In diesem Kapitel geht es – wie bereits in der Einleitung zum Großkapitel ausgeführt – in erster Linie darum, dass die Sch. einige wichtige Grundkenntnisse über das Judentum erwerben bzw. ihr bereits ansatzweise vorhandenes Wissens über das Judentum festigen und erweitern. Bei der Beschäftigung mit einer fremden Religion im 5./6. Schuljahr ist es für Sch. wichtig, deren Erscheinungsformen erst einmal kennen zu lernen; es kann noch nicht darum gehen, sich mit ihr kritisch auseinander zu setzen. Ein eigentlicher Glaubensdialog kann so freilich nicht geführt werden. Das ist erst in höheren Klassen möglich und setzt voraus, dass die Sch. sich ihrer eigenen Position stärker bewusst werden.
Ansatzweise kann bei der Behandlung des Judentums (das gilt in ähnlicher Weise für den Islam) jedoch auch bereits in Klasse 5/6 zum einen deutlich werden, worin Übereinstimmungen und Unterschiede zwischen Christentum und Judentum bestehen. Zum anderen werden die Sch. erkennen, dass der jüdische Glaube die Wurzel des christlichen Glaubens ist. Dies kann dazu beitragen, dass für die Sch. die Grundlagen ihrer eigenen Religion stärker ins Bewusstsein treten.
Das Kapitel gibt den Sch. Einblicke in jüdisches Leben bei uns, es vermittelt Kenntnisse über den jüdischen Festkalender und die Praxis jüdisch-religiösen Lebens (Bar Mizwa, Gebet, Sabbat). Zum Kennenlernen des Judentums gehören auch erste Einblicke in die (Leidens-)Geschichte des Judentums. Dass das Judentum die Wurzel des Christentums ist, wird nicht eigens ausgewiesen. Es kann aber an vielen Phänomen des Kapitels festgemacht werden, für die Sch. vielleicht am sinnfälligsten an den jüdischen Festen.

■ Nachhaltiges Lernen

Zur nachhaltigen Festigung des Gelernten können die Sch. in GA ein Kinderbuch mit dem Thema „Das Judentum" gestalten. Hierzu können sie die Bilder und Materialien dieses Kapitels, aber auch des Kapitels „Juden – Christen – Muslime" heranziehen. Darüber hinaus kann L. weitere Materialien z. B. aus dem Grundkurs Judentum bereitstellen.
Eine andere Möglichkeit besteht darin, mit Hilfe des Fragebogens (siehe M 101) einerseits das Vorwissen der Sch. zu erheben und andererseits im Vollzug des Unterrichts diesen Fragebogen je nach Lernfortschritt ergänzen zu lassen.

2. Didaktisch-methodische Hinweise

KB S. 190/191 Esther und Gabriele

Diese Geschichte hat drei Abschnitte. Im ersten Abschnitt „Die neue Schülerin" geht es um die Tatsache, dass Menschen jüdischen Glaubens unter uns leben. Das Bild links oben zeigt den Toraschrein in der 1987 wieder aufgebauten Mannheimer Synagoge. Ein Toraschrein enthält die im Gottesdienst verwendeten Torarollen. Der abgebildete Schrein ist prächtig verziert. An der Spitze stehen die beiden Gebotstafeln, die auf die zentrale Bedeutung der Tora verweisen. Darunter steht auf Hebräisch „Denn von Zion wird Weisung ausgehen und des Herrn Wort von Jerusalem" (Jes 2,3). Diese Weisung geht nicht nur die Juden etwas an, sondern alle Menschen. Dazu ist ein Bild von Jerusalem zu sehen. Der Toraschrein ist nach Jerusalem ausgerichtet. Er erinnert an die Bundeslade im zerstörten Tempel von Jerusalem.
Der zweite Abschnitt „Besuch am Sabbat" geht zunächst auf den Sabbat ein, den wöchentlichen Ruhetag der Juden. Den Brauch, in jeder Woche einen Ruhetag zu haben, verdankt die Menschheit dem Judentum. Begründet wird der Sabbat im Alten Testament auf zweierlei Weise, einmal schöpfungstheologisch: Gott ruhte am Sabbat (2. Mose 20,11), zum anderen heilsgeschichtlich: Erinnerung an die Knechtschaft in Ägypten und Befreiung (5. Mose 5,15). Im Grundkurs Judentum findet sich ein guter Text, der ausführlich schildert, wie der Sabbat in Israel begangen wird (Wonne des Sabbat, Grundkurs Judentum, Teil 2, S. 23f.). Das Bild links unten zeigt eine Mesusa, die in jüdischen Häusern an Türpfosten angebracht ist. Die schön verzierte Türpfostenkapsel enthält Worte aus der Tora.
Sodann weist der zweite Abschnitt auf den Holocaust und seine Folgen für Gabrieles Vater hin. Er zeigt auch auf, dass Juden aus Deutschland vor ihren Verfolgern nach Israel fliehen muss-

ten und – später – auch Juden aus arabischen Ländern wie dem Jemen. Das Bild KB S. 191 zeigt eine jemenitische Sederfeier. Der dritte Abschnitt „Die Passahfeier" erzählt von der Feier des Sederabends im Rahmen des Passahfestes. KB S. 192f. wird dieses Thema weiter ausgeführt.
Die beiden Eingangsseiten sind in besonderer Weise dafür geeignet, erste Einblicke in das Judentum zu vermitteln.

Mögliche Eingangssituationen

- Betrachtung des Mannheimer Toraschreins. Hier kann der dritte Impuls KB S. 191 aufgenommen werden. Herausgestellt werden Jerusalem als Zentrum des Judentums, die zentrale Bedeutung der Zehn Gebote und der Tora, die hebräische Sprache als Sprache des jüdischen Gottesdienstes. **M 102** bringt eine Vergrößerung der Jerusalem-Darstellung aus dem Mannheimer Toraschrein. Durch Ausmalen dieser Vergrößerung können sich die Sch. in das Bild von Jerusalem vertiefen.
Diese Aufgaben zum Mannheimer Toraschrein können auch bei der Eingangssituation zum Kapitel Juden – Christen – Muslime eingesetzt werden.
- Geschichten aus der Bibel, die im Land Israel spielen: Die Sch. zeichnen eine Karte vom Land Israel zur Zeit Jesu; sie zeichnen in diese Karte Orte ein, an denen Geschichten aus der Bibel, die sie kennen, spielen. Sie ordnen diesen Orten die Geschichten zu. So können sie ihr Vorwissen einbringen. Als Vorlage kann auch eine Karte aus der Bibel oder aus dem Grundkurs Judentum dienen (Teil 2, S. 62 und 64) oder **M 66**. Mögliche Orte und Geschichten: Jerusalem (David, Jesus); Bethlehem (Jesu Geburt, Davids Salbung); Jericho (Zachäus, Eroberung); Nazareth (Jesus); Hebron (Abraham: Mamre), Beth El (Jakob); Bethanien (Lazarus, Maria und Martha); See Genezareth (Seewandel, Fischzug des Petrus); Kapernaum (Heilung der Schwiegermutter des Petrus, Heilung des Gelähmten); Kana (Hochzeit zu Kana) ...
- Kennenlernen des Landes, aus dem Esther kommt: Die Sch. können sich mit der Geographie des modernen Israel, seiner politischen und wirtschaftlichen Lage in Ansätzen, mit der Rolle der Religion in Israel und mit der besonderen Situation Jerusalems befassen. Dazu sammeln sie Material über Land und Leute in Israel heute. Sie bringen Reiseprospekte, Zeitungen, Zeitschriften, Reiseführer u. Ä. mit und informieren sich in Lexika und im Internet. Die Informationen werden als Kurztexte zu den Stichworten *Land, politische Lage, wirtschaftliche Lage, Religion und religiöse Gruppen im Judentum, Jerusalem* formuliert und ins Heft eingetragen. Dazu können Bilder, z.B. aus Reiseprospekten, ausgeschnitten und eingeklebt werden.

Erschließungsmöglichkeiten

- Feier des Sabbats: Die Sch. lesen das Sabbatgebot mit Begründung nach 2. Mose 20,8-11 und überlegen, welche konkreten Vorschriften sich daraus ergeben könnten. Dabei kann auch die ausführlichere Erzählung zum Sabbat. „Wonne des Sabbats" (Grundkurs Judentum, Teil 2, S. 23) herangezogen werden. Will man mit den Sch. tiefer in den jüdischen Sabbat einsteigen, kann man dazu das Arbeitsblatt zum Videofilm „Der Sabbat" einsetzen. Dieses findet sich ebenfalls im Grundkurs Judentum, Teil 2, S. 19ff. Die Sch. gestalten mit Hilfe des Textes und der Bilder ein Text-Bild-Blatt. Sinnvoll, aber nicht unabdingbar ist es, zuvor den Videofilm zu zeigen. Im Grundkurs Judentum finden sich noch weitere Vorlagen zum Sabbat (Teil 2, S. 17–24). Mithilfe des in vielen Medienzentralen verfügbaren Medienkoffers Judentum können die für die Sabbatfeier notwendigen Gegenstände gezeigt werden: Sabbatkerze und Weinbecher, Büchse mit den Gewürzen (Besamimbüchse), Sabbatbrot. Bei Einsatz des sehr guten Videos „Der Sabbat" können die Sch. die Bilder den einzelnen Textpassagen zuordnen. In manchen Städten und Gemeinden, in denen früher Juden lebten, kann man heute noch in den Bäckereien Sabbatbrot kaufen (Challah; in Süddeutschland Berches). Man kann das Brot selbst backen (Rezept **M 103**) und die Sch. im Unterricht kosten lassen.
Die Sch. erfahren, dass es im Judentum Menschen gibt, die den Sabbat streng halten, und andere, die darauf keinen Wert legen. Dann können sie Sabbat- und Sonntagsheiligung miteinander vergleichen. Hierzu kann die DS KB S. 34/35 herangezogen werden. Haben die Sch. aus 2. Mose 20,8-11 die Begründung für den Sabbat herausgearbeitet, können sie darüber sprechen, wie denn der Sonntag begründet werden kann. Die Feststellung, dass Christen von der jüdischen Sabbatheiligung etwas lernen können, soll Anlass für ein Gespräch geben, wie eine sinnvolle Sonntagsgestaltung aussehen könnte.
- Die Passahfeier gibt erste Hinweise auf eines der drei jüdischen Wallfahrtsfeste. Dies kann dann KB S. 192f. vertieft werden. Das Foto KB S. 191 sollte genau betrachtet werden. Die Sch. entdecken u.a. die Kopfbedeckung, die jeder männliche Jude bei einem religiösen Fest tragen muss, den Tallit (= Gebetsmantel) mit den Zitzit (= Schaufäden), den Sedertisch mit Wein und Matzen sowie den Sederteller mit Lammknochen, Eiern, Bitterkräutern, Gemüse, Salzwasser und Mus aus Äpfeln und Nüssen.
- Erinnerung an die Schoah: Der Vater Esthers gibt mit der Erzählung über seine Herkunft Anlass, über die NS-Judenverfolgung zu sprechen. Aus den knappen Hinweisen könnte bei Interesse der Sch. etwas näher auf die Schoah eingegangen werden. Neben dem Buch von Hans Peter Richter, Damals war es Friedrich, sind eine Reihe guter Geschichten leicht zugänglich. **M 104** berichtet davon, wie ein deutscher Schuljunge nach dem Novemberpogrom 1938 die Plünderung der Wohnung eines befreundeten jüdischen Ehepaares. erlebt Er kann sich nicht beruhigen, dass auch der von ihm so geliebte Kanarienvogel Joko getötet wird.
Keinesfalls sollte hier mit vielen Zahlen über die Opfer und/oder AV-Medien, die das ganze Grauen der Schoah zeigen, operiert werden. Diese Informationen sollten erst in den Oberklassen der Sek I gegeben werden. Den Sch. soll deutlich werden, wie Palästina/Israel für viele verfolgte Juden im Dritten Reich letzte Zufluchtsstätte wurde. Am Beispiel der Mutter Esthers erfahren die Sch., wie nach dem Zweiten Weltkrieg auch Juden aus anderen Ländern, nicht zuletzt aus arabischen, Zuflucht in Israel finden. Hierzu kann die Erzählung **M 105** herangezogen werden.
Im Sinne einer Ergebnissicherung kann der erste Impuls KB S. 191 dazu veranlassen, dass die Sch. nochmals das Gelernte rekapitulieren. Dieser Impuls kann auch als Spielszene umgesetzt werden.

KB S. 192/193 Am Sederabend gibt es feste Regeln

Die Abbildung aus einem israelischen Kinderbuch gibt eine genaue, mit Humor gewürzte Darstellung des Sederabends. Auf den beiden Randspalten der DS finden sich Erklärungen zum Sederabend im Ganzen und zu den sechs Zutaten des Sedertellers im Besonderen. Die meisten Bezeichnungen sind aus dem Englischen ins Deutsche übersetzt. Einige Fragen und Bemerkungen sind auf Englisch belassen. Die Sch., die im 5./6. Schuljahr meist Englisch lernen, werden sie gerne ins Deutsche übersetzen.

Mögliche Eingangsituation

• Die Sch. betrachten den Bildausschnitt links oben „Zayda is telling Chevy all about the makkos." (makkos = Frösche). Impuls: „Was könnte Zayda erzählen?" – Weiterführend kann L. darauf hinweisen, dass die Frösche in der Bibel vorkommen. Unter dem Stichwort „Frösche" finden die Sch. mithilfe der Konkordanz heraus, dass Zayda auf die 2. Plage in Ägypten hinweist (2. Mose 7 und 8). In Psalm 78,45 und Weisheit 19,10 wird auf diese Plage Bezug genommen.

Eine kurze L.-Erzählung über den Auszug aus Ägypten kann die folgenden Erschließungsmöglichkeiten der DS vorbereiten.

Erschließungsmöglichkeiten

• Die Sch. betrachten den Sedertisch und die Personen. Das kann so geschehen, dass die Sch. in Gruppen aufgeteilt werden, die jeweils eine bestimmte Beobachtungsaufgabe erhalten. Dann werden die Ergebnisse im Plenum zusammengetragen. Die Sch. können die englischen Texte mit Unterstützung von L. übersetzen. Im Blick auf die Einzelheiten des Bildes, z.B. die Froschplage links, kann die Erinnerung an die Behandlung des Auszug aus Ägypten in der Grundschule hilfreich sein.

• Das Sedermahl – die Bedeutung der Speisen: Das Feiern eines Sedermahls im Unterricht ist umstritten. U. E. sollte bedacht werden, dass der Sederabend ein Fest der jüdischen Religion ist. Wir schlagen folgendes Vorgehen vor: Mithilfe des Arbeitsblattes „Der Sederteller" (Grundkurs Judentum, Teil 2, S. 15f.) und der Anmerkungen KB S. 192f. lernen die Sch. die Bedeutungen der Speisen kennen. L. teilt die beiden Arbeitsblätter „Die Speisen des Sedertellers" und „Der Sederteller" aus. In der Mitte des abgebildeten Sedertellers steht das Wort „Pessach". Die Sch. schneiden zunächst die Texte aus dem Arbeitsblatt „Die Speisen des Sedertellers" aus und ordnen sie den hebräischen Begriffen beim Sederteller zu. In einem zweiten Schritt schneiden sie die Speisen aus und kleben sie an der richtigen Stelle auf den Sederteller.

L. stellt auf einem Tisch die Zutaten des Sedertellers und ein Glas Traubensaft bereit. Sie werden mit einem Tuch verhüllt. Dann erzählt L. vom Sederabend und liest einen Abschnitt aus der Haggada vor; im Grundkurs Judentum findet sich eine kurz gefasste, leicht verständliche Fassung der Pessach-Haggada (Teil 2, S. 189ff.). Ganz wichtig sind für die Sch. die vier Fragen, die der Jüngste stellt und die vom Ältesten oder von der ganzen Tischgesellschaft beantwortet werden. Die ersten beiden Fragen sind KB S. 193 abgedruckt. Was die Sch. verwirren könnte, ist die Tatsache, dass die Sätze in der Haggada in Form von Aussagen formuliert sind. Dies rührt daher, dass es sich in Wirklichkeit nur um *eine* Frage handelt: „Was unterscheidet diese Nacht von anderen Nächten?" Die vier „Antworten" auf diese Frage enthalten die Frage nach der Bedeutung des jeweiligen Brauches. Zur Erleichterung kann man die vier „Fragen" auch als echte Fragesätze formulieren (das Folgende nach Grundkurs Judentum, Teil 1, S. 14):

1. „Weshalb essen wir in dieser Nacht nur ungesäuerte Mehlspeisen und keine gesäuerten?
2. Weshalb vor allem Bitterkraut?
3. Weshalb werden Speisen zweimal eingetunkt? (Gemeint ist: Radieschen in Salzwasser und Bitterkraut in Charosset.)
4. Weshalb pflegen wir uns in dieser Nacht anzulehnen?

Die Sch. können die beiden ersten Fragen selbst beantworten: Die Vorfahren der Israeliten mussten aus Ägypten so schnell aufbrechen, dass keine Zeit war, den Brotteig gehen zu lassen. Bitterkraut wird beim Sederabend gegessen, um an die bittere Zeit in Ägypten zu erinnern.

Zur dritten Frage gibt Israel M. Lau (Wie Juden leben, S. 262) den Hinweis, es werde „eingetaucht, wie es bei den Reichen üblich ist." Durch das Eintauchen des Radieschens in Salzwasser sollen die Teilnehmer des Seder „zu Beginn des Gedenkmahls in die gleiche Situation wie damals versetzt werden; sie durchleben gewissermaßen noch einmal die Sklaverei und anschließend die Befreiung ihrer Vorfahren." (Kolatch, Jüdische Welt verstehen, S. 227). Charosset, in das das Bitterkaut eingetaucht wird, soll „durch seine Süße daran erinnern ..., dass die Bitternis bei der Herstellung des Mörtels durch die Befreiung versüßt wurde." (Kolatch, Jüdische Welt verstehen, S. 228).

Zur vierten Frage: „Weil wir keine Sklaven mehr sind, sondern freie Menschen und es ähnlich wie die Römer halten können, die sich bei der Mahlzeit anlehnten. Genauer: die sich auf ein Sofa zu legen pflegten und die Speisen mit der rechten Hand Schalen entnahmen, die auf einem kleinen Tisch vor ihnen standen. Ursprünglich waren die Fragen der Kinder spontan und sie lauteten auch etwas anders, nun sind sie in der Haggada nachzulesen. Der Vater gibt die Antwort, indem er die Haggada vorträgt. Er kann aber auch nach Belieben eigene Betrachtungen einfügen. Das macht die Feier nur umso interessanter, vor allem auch, wenn Parallelen zur Gegenwart gezogen werden. Pessach ist das Fest der Freiheit, und die Freiheit ist ein unerschöpfliches Thema." (Grundkurs Judentum, Teil 1, S. 14).

Dann werden die Zutaten aufgedeckt. Die Sch. können diese dann betrachten und davon kosten. Das Aussehen wie der Geschmack der Speisen lässt auf ihre Bedeutung schließen. Israelische Lieder können etwas von der Freude über die Befreiung aus der Knechtschaft vermitteln.

Die Sch. können anschließend ein Schmuckblatt mit der ersten Seite einer Pessach-Haggada gestalten.

• Das letzte Mahl Jesu: Gemeinsam wird Lk 22,7-23 gelesen. Die Sch. erkennen, dass Lukas durch die Verse 15-18 das Abendmahl als Sedermahl identifizierte. Das gilt ungeachtet der Frage, ob das letzte Mahl Jesu historisch wirklich ein Sedermahl war. Es gibt ja im Johannesevangelium eine Chronologie, nach der Jesus bereits vor dem Anbruch des Passahfestes gekreuzigt wurde (vgl. Theißen/Merz, Der historische Jesus, S. 375f.). Für Lukas und die Christen damals und heute wird an diesem wesentlichen Punkt der enge Zusammenhang des Christentums mit dem Judentum deutlich.

KB S. 194/195 Der jüdische Festkreis

Mögliche Eingangssituationen

• Wann beginnt das Jahr? Die Sch. wissen, dass das bürgerliche Jahr bei uns am 1. Januar beginnt. Weniger bekannt ist, dass das Kirchenjahr am 1. Advent beginnt. Im Judentum beginnt das bürgerliche und das religiöse Jahr immer in der Zeit von September/Oktober. Warum das so ist, muss erklärt werden. Die Sch. interessieren sich dafür erfahrungsgemäß sehr. Im

Grundkurs Judentum, Teil 1 finden sich auf S. 10f. u. 32f die nötigen Informationen. Auch ein Blick ins Internet kann hilfreich sein.

• Die Sch. tragen die wichtigsten christlichen Feste zusammen und benennen ihre Bedeutung. Gemeinsam wird erörtert, ob und ggf. welche Beziehungen diese Feste zu jüdischen Festen haben (Impuls 2).

■ **Erschließungsmöglichkeiten**

• Gestalten eines Plakats (Impuls 1): Dazu werden die einzelnen Feste besprochen. Weitere Informationen können im Internet besorgt und Videos herangezogen werden. Möglicherweise bringt es für die Sch. mehr, wenn sie sich jeweils zu dritt mit einem Fest beschäftigen und klären, wie es auf dem Plakat präsentiert werden kann. Die am Rand angegebenen Bibelstellen können herangezogen werden. Deutlich soll somit werden, wie stark der jüdische Festkreis in der Bibel verankert ist. Als Grundlage kann die Vorlage aus Grundkurs Judentum, Teil 2, S. 11 dienen. Die Sch. tragen in die Mitte das jüdische Jahr z. B. für das Jahr 2006 ein; ebenso die Daten für die Feste. Die entsprechenden Informationen können aus dem Internet erhoben werden (z. B. www.talmud.de).

• Jüdische Feste als Ursprung von christlichen Festen (Impuls 2): Dazu wird der christliche Festkreis KB S. 181 herangezogen. Den Sch. wird deutlich, dass jüdische und christliche Feste von ihrem Inhalt her zwar nicht identisch sind, aber Beziehungen zueinander haben. Das Osterfest hat Beziehungen zum Passahfest und das Pfingstfest zum Wochenfest. Das Purimfest ähnelt in manchem dem Karneval. Das Lichterfest findet wie Weihnachten in der dunklen Zeit des Jahres statt. Sinnvoll ist, mit Sch. der Frage nachzugehen, was bei diesen Festen gemeinsam und was anders ist.

• Typische Speisen und typisches Gebäck bei christlichen Festen (Impuls 3): Die Sch. werden genügend Beispiele finden. Sie werden sehen, dass je nach der Landschaft in der man wohnt, auch Unterschiede bestehen.

KB S. 196 Jüdisches Leben

Die Seite bringt Feste im Lebenslauf des einzelnen Juden oder der einzelnen Jüdin „von der Wiege bis zum Grabe".

■ **Mögliche Eingangssituationen**

• Christliche und jüdische Feste: Die Sch. tragen die christlichen Feste im Lebenslauf zusammen: Taufe, Konfirmation, Heirat, Beerdigung. Sie suchen und beschreiben die Bilder von jüdischen Festen KB 196/197, die christlichen Festen korrespondieren. Sie erkennen, dass es solche Feste im Lebenslauf auch im Judentum gibt. Zum Abschluss dieses Themas können sie ein entsprechendes Plakat gestalten (s. u.).

• Sie lesen zum Vergleich mit dem Judentum KB S. 118/119: Jesus – ein Jude. Dort wird der Lebenslauf des Juden Jesus von der Geburt bis zu seiner Bar Mizwa erzählt.

■ **Erschließungsmöglichkeiten**

• Bar Mizwa und Bat Mizwa: Die Sch. lesen den Text „Bar Mizwa". Das Video „Fest und Feier im Judentum: Beschneidung, Bar Mizwa, Hochzeit" (Calwer Video, Stuttgart 1994) zeigt eine Bar-Mizwa-Feier. Das Bild links unten steht für die Bat-Mizwa-Feier.

Impuls 1 weist auf die zentrale Bedeutung der Tora im Judentum hin.

Impuls 2 (Vortrag halten) kann in GA bearbeitet werden. Die Sch. können auf die Sabbatfeier KB S.190f. und KB S. 35 zurückgreifen und sich im Internet weitere Informationen beschaffen. Andere Themen von Kurzvorträgen könnten sein: der jüdische Festkreis oder die Befreiung Israels aus Ägypten.

Impuls 3 fragt nach den Gemeinsamkeiten und Unterschieden zwischen Bar Mizwa und Konfirmation. Gemeinsamkeiten: gleiches Alter, vorausgehender Unterricht, Bekenntnis zum christlichen Glauben bzw. zum Judentum, Familienfeier und Religionsmündigkeit. Unterschiede: Vorlesen eines hebräischen Textes durch den Bar Mizwa, Kippa, Tallit und Tefillin (= Gebetsriemen).

• Beschneidung: Die Sch. lesen den Text und betrachten das Foto links. Sie arbeiten die Bedeutung der Zeremonie heraus. Auch hier kann der Einsatz des Videos „Fest und Feier im Judentum: Beschneidung, Bar Mizwa, Hochzeit" (Calwer Video, Stuttgart 1994) hilfreich sein.

Die Sch. lesen 1. Mose 17,1 ff. in Auszügen. Sie erkennen zum einen, dass die Beschneidung im Judentum (aber auch im Islam) sich von Abraham herleitet, zum anderen, dass die Beschneidung das Zeichen des Bundes Gottes mit Abraham ist. Interessant an diesem Text ist, dass Abraham Ismael beschneidet, noch bevor Isaak geboren wird (Vers 23).

• Hochzeit: Die Sch. lesen den Text und betrachten das Foto rechts. Das oben genannte Video zeigt u. a. eine Hochzeitsfeier.

Häufig wird ein leeres Weinglas nach dem Segensspruch auf dem Boden zertreten. Damit wird zum einen des zerstörten Tempels in Jerusalem und zum anderen der Sterblichkeit des Menschen gedacht. Die Deutung „Glück ist zerbrechlich wie Glas" ist wohl eher volkstümlich. Es schließt sich der Ruf an: masal tow! = gut Glück! Dies ist der zeremonielle Abschluss der Vermählung. Da nach jüdischer Tradition den Frauen der Zutritt in den Hauptraum der Synagoge nicht gestattet war, wurde die Zeremonie direkt vor dem Eingang zur Synagoge abgehalten.

• Beerdigung: Der Text und das Bild KB S. 197 unten gehen auf die Beerdigung ein. Wo sich in der Nähe der Schule ein alter jüdischer Friedhof findet, sollte L. mit der Klasse unbedingt einen Lerngang machen. L. kann sich auf die Symbolik, die man auf jüdischen Grabsteinen findet, mithilfe von Grundkurs Judentum, Teil 1, S 119-121 vorbereiten. Das AB aus GK Judentum, Teil 2, S. 94) kann zur Vertiefung helfen. Die Sch. können die Aufschrift des jüdischen Grabsteins mit Aufschriften auf christlichen Grabsteinen vergleichen. Sie sammeln solche Grabinschriften und stellen fest, dass diese nicht – wie die jüdischen – dem gleichen Schema folgen.

• Wer ist Jude? Die Information im Kasten (KB S. 196) wird gelesen. Jude ist man entweder durch Abstammung oder durch Übertritt. Warum die Mutter hier eine entscheidende Rolle spielt, werden die Sch. herausarbeiten können. „Die Regel, dass hierbei der Vater keine Rolle spielt, wurde getroffen, weil man sicher weiß, wer das Kind geboren hat, während die Vaterschaft gelegentlich fraglich ist." (Kolatch, Jüdische Welt verstehen, S. 21). Auch wenn das Judentum heute keine intensive Missionspraxis hat, nimmt es noch immer Menschen auf. Ein Übertritt ist aber nur nach gründlicher Vorbereitung möglich. Wichtig ist zu betonen, dass ein zum Judentum übergetretener Mensch wirklich voller Jude ist, d. h., er gehört auch zum jüdischen Volk.

■ **Mögliche Schlusssituationen**

• Lückentext: L. kann mit Hilfe der Vorlage aus Grundkurs Judentum Teil 2, S. 25 (Von der Wiege bis zum Grabe) einen Lückentext erstellen, den die Sch. bearbeiten.

• Gestaltung eines Plakats: Zum Thema „Von der Wiege bis zum Grabe“ können die Sch. ein Plakat gestalten: Sie tragen die christlichen und die korrespondierenden jüdischen Feste und Riten ein und suchen dazu Bilder sowie evtl. kurze Texte: Taufe - Beschneidung; Konfirmation - Bar Mizwa; Hochzeit - Hochzeit; Gebet - Gebet; Gottesdienst - Gottesdienst; Beerdigung - Beerdigung.

KB S. 197 Juden beten

■ **Mögliche Eingangssituationen**

• Die Sch. tragen zusammen, welche Gebetshaltungen und -riten sie kennen. Hierzu kann KB S. 107 herangezogen werden.

• Die Sch. überlegen, ob das Vaterunser auch ein Jude beten könnte. Hier wird L. die Sch. darauf hinweisen, dass dieses Gebet von dem Juden Jesus stammt.

■ **Erschließungsmöglichleiten**

• Gebetsriten: Die Sch. lesen zunächst den Text auf KB S. 197 oben. Die für die Sch. merkwürdigen Gebetsriten bedürfen der Erklärung. Die Vorlage I.18 aus Grundkurs Judentum, Teil 2, S. 29) gibt die nötigen Entschlüsselungen.

Die Tefillin führen zum sehr bekannten Sch'ma Israel. Der Impuls 1 auf KB S. 197 gibt eine Erklärung für die Tefillin. Hier kann auch der Hintergrund für die Mesusa auf S.190 herausgearbeitet werden.

• Sch'ma Israel: Das Sch'ma betont die Einzigartigkeit Gottes. Es darf für die Juden keine anderen Götter geben. Vielmehr geht es um die den ganzen Menschen umfassende Liebe zu Gott. Am Schluss des Gesprächs über das Sch'ma Israel können die Sch. dieses Gebet in Schönschrift abschreiben.

• Kaddisch: Auch das Kaddisch ist ein wichtiges jüdisches Gebet. Es wird nicht nur - wie viele meinen - auf dem Friedhof gesprochen, sondern auch im Synagogengottesdienst. Impuls 2 fragt nach Anklängen an das Vaterunser. Die Sch. werden leicht die 1. und 2. Vaterunserbitte finden. Wichtig ist beim Kaddisch weiter die Friedensbitte.

Die Antwort auf Impuls 3 kann vor allem die zentrale Bedeutung des Gebets für die Juden herausstellen, die für Christen beispielgebend sein kann. In einem Gespräch mit den Sch. können diese überlegen, was für das freie Gebet bzw. das gebundene Gebet spricht.

Impuls 4 weist auf den Hoffnungsaspekt hin, der im Kaddisch ganz zentral ist. Im Grundkurs Judentum Teil 2, S. 36 ist ein Jude mit Kopfbedeckung und Tallit abgebildet, der das Kaddisch auf dem Friedhof spricht.

■ **Mögliche Schlusssituationen**

• Ausgehend vom zweiten Impuls lesen die Sch. das Vaterunser und suchen für die einzelnen Bitten Parallelen im Kaddisch und im 18-Bitten-Gebet. M 106 bietet zusätzlich zu dem im KB abgedruckten Kaddisch Auszüge aus dem 18-Bittengebet, außerdem ein AB, mit dessen Hilfe die gestellte Aufgabe leicht bewältigt werden kann.

• Zum Abschluss kann noch einmal (vgl. Eingangssituationen) die Frage gestellt werden, ob Juden das Vaterunser beten können. Diese Frage kann auch ähnlich für Muslime gestellt werden. In beiden Fällen ist die Frage zu bejahen.

■ **Zum Abschluss des Kapitels**

• Die Sch. bearbeiten abschließend noch einmal den Fragebogen zum Thema Judentum, den sie zu Beginn der UE ausgefüllt haben, und stellen dabei ihren Lernfortschritt fest.

3. Lernkarten

109 Wie wird in der Schöpfungsgeschichte der Sabbat begründet? Wie feiern fromme Juden heute den Sabbat?

110 Bei den Juden gibt es ein Fest, das unserer Konfirmation entspricht. Wie heißt es und welche Bedeutung hat es?

111 Erkläre die Begriffe Mesusa, Teffilin und Sch'ma Israel.

112 Im Judentum gibt es drei Wallfahrtsfeste. Schreibe die Feste und ihre Bedeutung auf.

4. Empfohlene Literatur und Medien

De Vries, S. Ph., Jüdische Riten und Symbole, Hamburg 1990 (Rowohlt).

Ganz, Yaffa, Rosch Haschana, Jom Kippur. Mit Bina, Beni und der Taube Chagai, Illustriert von Liar Benyaminy Ariel. Übersetzt von Esther Ulmann. Jugendbuchreihe D & H Epelbaum-Fonds des SIG. Basel/Zürich 1997 (Verlag Moroscha).

Ganz, Yaffa, Chanukka, Purim, Tischba Be'av. Mit Bina, Beni und der Taube Chagai, Illustriert von Liar Benyaminy Ariel. Übersetzt von Esther Ulmann. Jugendbuchreihe D & H Epelbaum-Fonds des SIG. Basel/Zürich 1997 (Verlag Moroscha).

Ganz, Yaffa, Pessach, Schawuot, Sukkat. Mit Bina, Beni und der Taube Chagai, Illustriert von Liar Benyaminy Ariel. Übersetzt von Esther Ulmann. Jugendbuchreihe D & H Epelbaum-Fonds des SIG. Basel/Zürich 1997 (Verlag Moroscha).

Die drei schön illustrierten Bändchen eignen sich als Lektüre für die Sch. Aus dem Klappentext: „Die beliebte Jugendbuch-Autorin Yaffa Ganz vermittelt in diesen Büchern eine große Menge an Informationen zu allen jüdischen Feiertagen ... Bina und Beni mit ihrer Freundin, der Taube Chagai, sind Kinder wie alle Kinder. Gemeinsam mit ihnen gehen wir auf abenteuerliche Reisen durch das jüdische Jahr. Die drei Hauptfiguren werden zu treuen Gefährten und lassen den Yom Tow zu einem aufregenden Fest werden.“

Lau, Israel Meir, Wie Juden leben. Glaube - Alltag - Feste, Gütersloh 4. Aufl. 1997 (Gütersloher).

Lohrbächer, Albrecht (Hg.), Was Christen von Juden lernen können, Freiburg 4. Aufl. 1995 (Herder).

Petri, Dieter/Thierfelder, Jörg, Grundkurs Judentum, 2 Bde. Stuttgart 2002 (Calwer).

Petuchowski, Jakob/Thoma, Clemes, Lexikon der jüdisch-christlichen Begegnung, Freiburg 1989 (Herder).

Radel, Jutta, Zu Gast in Israel. Eine kulinarische Reise, mit Bildern von Dan Rubinstein, Weingarten 3. Aufl. 1994 (Kunstverlag Weingarten).

Video-Kassette „Schabbat“, Dauer: 10 Min. Museum der Schweiz, Kornhausgasse 8, CH-4051 Basel

Video-Kassette: Pessach

Video-Kassette: Feste und Feiern im Judentum

5. Materialien

M 101 Fragebogen zum Thema Judentum
M 102 Das neue Jerusalem
M 103 Rezept für Sabbatbrot
M 104 Joko
M 105 Die Geschichte der Hilde Hoffmann aus Frankfurt
M 106 Das Achtzehn-Bitten-Gebet

Der Islam

1. Zielsetzung, Aufbau und Kompetenzen

Mit dem Islam lernen die Sch. eine Religion kennen, die zu den größten Weltreligionen gehört. Insgesamt gibt es rund 1,2 Mrd. Muslime weltweit, in Deutschland etwa 3,3 Millionen (darunter die weit überwiegende Mehrheit Sunniten). Ziel des Kapitels ist, dass die Sch. einen Einblick in den Islam, seine Grundlagen, seine Geschichte und seine Verbreitung in Deutschland erhalten. Genaue Kenntnis einer anderen Religion hilft, Vorurteile zu minimieren, Verständnis für die andere Religion zu wecken und Voraussetzungen für ein gedeihliches Neben- und Miteinander zu schaffen. Es ist keine Frage, dass schon vor dem 11. September 2001 durch Brandlegungen an islamischen Moscheen und Wohnhäusern (Mölln, Lübeck) das friedliche Miteinander von Deutschen und muslimischen Türken erheblich gestört und dadurch die notwendige Integration sehr erschwert wurde. Nach dem 11. September 2001, mit den Terrorangriffen fanatischer so genannter Islamisten, besteht die große Gefahr, dass alle Muslime (in Deutschland) durch die „terroristische Brille“ gesehen werden. Dies ist absolut unangebracht, weil die weit überwiegende Zahl gläubiger Muslime in der Bundesrepublik nicht gewaltbereit ist. Der Islam lehnt grundsätzlich jede Form der Gewalt gegen Zivilpersonen ab. Es ist nicht erlaubt, dass sich jemand inmitten unschuldiger Menschen, Frauen und Kinder in die Luft sprengt. Erlaubt ist dagegen Gewalt im Krieg.
Gläubige Muslime weisen auch darauf hin, dass Christen zu Recht nicht einverstanden sind, wenn das Christentum wegen der Kreuzzüge des Mittelalters als militante Religion diskriminiert wird. Vom Gewaltproblem sind Christen und Muslime betroffen. Konrad Fikenscher schrieb unter Berufung auf den Religionswissenschaftler Gustav Mensching, „dass gerade die monotheistischen Religionen einen auffallenden Hang zur Anwendung von Gewalt aus Glauben zeigen: Wenn es nur eine einzige allumfassende göttliche offenbarte Wahrheit gibt, dann ist alles, was davon abweicht, Irrtum oder Bosheit oder Sünde, kurz: falsch“ (Fikenscher, Glaube und Gewalt, S. 11f.) und muss beseitigt werden; wenn es nicht anders geht, mit Gewalt.

■ Welche Lernchancen werden angeboten?
Bei der Behandlung des Islam im Unterricht ist wie bei der Behandlung anderer Religionen auch das oberste Ziel, dass die Sch. Achtung und Toleranz gegenüber einer anderen Religion gewinnen und in Respekt den Angehörigen einer anderen Religion begegnen können. Eine solche Haltung ist nur möglich, wenn die Sch. Grundkenntnisse über die andere Religion besitzen. Im Blick auf den Islam bedeutet dies Grundkenntnisse über Mohammeds Leben, über die Funktion einer Moschee, über die fünf Säulen des Islam, über den Koran und über die religiöse Praxis von Muslimen.
Bei der Behandlung des Islam in der Sekundarstufe I legen die KB-Autoren im 5./6. Schuljahr die Betonung stärker auf den Islam, wie er den Sch. in der Bundesrepublik begegnet, im 7./8. Schuljahr tritt stärker der weltweite Islam in den Blickpunkt. Dort wird auch die historische Kompetenz noch verstärkt, weil erst dann die Sch. ein eigentliches historisches Bewusstsein entwickeln. Bei allen Unterschieden zwischen den beiden Stufen geht es um Schwerpunktbildungen, d.h., auch im 5./6. Schuljahr wird der Islam außerhalb von Deutschland und mit Mohammeds Leben auch die Geschichte berücksichtigt.
Dabei wird der Islam so weit wie möglich aus der Sicht von Muslimen dargestellt. Eine kritische Auseinandersetzung scheint uns für Klassenstufe 5/6 nur ansatzweise angebracht.

Das Unterkapitel ist wie folgt aufgebaut:
KB S. 198/199 bieten Bilder und Texte zum Thema Moschee und einen Hinweis auf Mohammeds Leben.
KB S. 200/201 behandeln das Thema „Die fünf Säulen des Islam“, die DS nimmt damit die Glaubensgrundlagen des Islam in den Blick.
KB S. 202/203 würdigen unter der Überschrift „Islamisches Leben“ und „Muslime beten“ die religiöse Praxis der Muslime.

Lernstandsdiagnose: Die Sch. haben in der Grundschule bereits Kenntnisse über den Islam erworben und wahrscheinlich auch muslimische Mitschüler/-innen kennen gelernt. Es ist sinnvoll, vor den Einstieg ins Thema dieses Vorwissen zu erheben. Dies kann u.U. so geschehen, dass muslimische Mitschüler/-innen im Unterricht berichten.
Zur Erhebung des Vorwissens und zur Sicherung des Gelernten kann auch der Lückentext (M 107) eingesetzt werden (Lösung s.u.). Er wird zu Beginn des Themas ausgeteilt und dient zugleich als Wiederholung des Themas Judentum. Die Sch. ergänzen und korrigieren ihre Einträge im Verlauf des Unterrichts. Am Ende der Einheit wird dann das Ergebnis besprochen. Der Lückentext enthält Basisinformationen über den Islam (und über Judentum und Christentum), die auch noch am Ende der Klassenstufe 5/6 präsent sein sollen.

Lösung Lückentext M 107:
Als gemeinsamer Stammvater für Juden, Muslime und auch für Christen gilt **Abraham.**
Judentum, Christentum und Islam sind Buchreligionen. Im Judentum heißt das heilige Buch **Tora/Tenach**, im Christentum **Bibel**, im Islam **Koran.**
Die arabische Bezeichnung für Gott ist **Allah.** Arabische Christen nennen Gott **Allah.**
Mose gilt im Islam als **Gesandter und als Religionsgründer des Judentums.**
Jesus ist für Christen **Sohn Gottes/Erlöser/Messias.** Im Islam gilt er als **Gesandter, Prophet und Gründer des Christentums.**
Gegenüber den anderen Propheten wird Mohammed im Islam dadurch herausgehoben, dass er **Offenbarungen von Gott erhielt, die später im Koran niedergeschrieben wurden.**
Dem jüdischen Sabbat und dem christlichen **Sonntag** entspricht im Islam der **Freitag.** Das Gottesdienstgebäude im Islam heißt

Moschee. Im Christentum ist dies die **Kirche**, im Judentum die **Synagoge**.
Zur christlichen Kirche gehört ein Kirchturm, zur muslimischen **Moschee** ein oder mehrere **Minarette**. Im Islam gibt es keine Glocken, die zum Gottesdienst rufen. Dies tut der **Muezzin** vom **Minarett** aus. Beim muslimischen Gotteshaus gibt es einen Gebäudeteil, den es so in der christlichen Kirche und auch bei den Juden nicht gibt: **Brunnen (Waschgelegenheit)**.
Die Gotteshäuser von Juden, Christen und Muslimen sind je in eine bestimmte Himmelsrichtung ausgerichtet. Das jüdische Gotteshaus zeigt mit dem Toraschrein in Richtung **Jerusalem**. In dieselbe Richtung ist der Chor einer christlichen Kirche ausgerichtet. Die **Gebetsnische** des muslimischen Gotteshauses zeigt in Richtung **Mekka**.
Die heiligste Stadt der Muslime ist **Mekka**. Das Heiligtum dieser Stadt, die **Kaaba**, wurde nach muslimischer Überlieferung von **Abraham** zusammen mit Ismael erbaut. Die Stadt **Jerusalem** ist für Juden und Christen, aber auch für Muslime heilig. Für Juden, weil dort der **Tempel** stand, für Christen, weil dort Jesus von Nazareth **gekreuzigt wurde** und **auferstand**. Für Muslime ist diese Stadt heilig, weil dort Mohammed **in den Himmel aufgefahren ist**, um den Koran zu empfangen.
Für Christen ist die **Passionszeit** die Fastenzeit, für Muslime der Monat **Ramadan**. Das muslimische Fest, bei dem es Süßigkeiten gibt, ist **das Zuckerfest**. Der Anlass dieses Festes ist **das Ende des Ramadan**. Christen feiern an Weihnachten **die Geburt Jesu**. Das jüdische Channukkafest heißt auch **Lichterfest**. Es erinnert an die **Wiedereinweihung des zuvor durch Eroberer entweihten Tempels**.
Bei den Muslimen werden die Jungen durch die **Beschneidung** in die Gemeinschaft der Muslime aufgenommen. Die **Beschneidung** gibt es auch bei den Juden, dort ist sie das Zeichen des Bundes Gottes mit seinem Volk. Christliche Kinder werden durch die **Taufe** in die Gemeinde aufgenommen.
Der christlichen Konfirmation oder Firmung entspricht im Judentum die Bar **Mizwa/Bat Mizwa**.

2. Didaktisch-methodische Hinweise

KB S. 198/199 Die Moschee

Die beiden Seiten leben vor allem von den Fotos, die in der Moschee von Pleidelsheim (B.-W.) aufgenommen wurden. Die fünf Fotos zeigen, dass die Moschee nicht nur Gebetsstätte, sondern ein Gemeindezentrum, ein Mehrzweckraum ist. Der Muezzin ruft zum Gebet (Bild 3). Bevor man betet, muss man sich nach vorgeschriebenen Ritus reinigen (Bild 1). Die Gebetsnische ist nach Osten, in Richtung Mekka, ausgerichtet. Der Gläubige betet mit dem Blick auf die Gebetsnische. Das Freitagsgebet ist der wöchentliche Hauptgottesdienst, bei dem der Imam auf der Kanzel die Predigt hält. Das Freitagsgebet ist im Koran für die Männer verpflichtend vorgeschrieben (Sure 62,10-11). Nach einem Hadith (Ausspruch Mohammeds) leitet sich die Bedeutung des Freitags von folgenden Sachverhalten ab: Adam wurde an einem Freitag erschaffen und ins Paradies gebracht. An einem Freitag wurde er aus dem Paradies vertrieben und an einem Freitag wurde seine Bitte um Vergebung erhört, auch starb er an einem Freitag. Ebenso findet an einem Freitag der Jüngste Tag statt.
Bild 2 zeigt die Kanzel, von der aus der Imam auf halber Höhe stehend die Freitagspredigt hält. Bild 5 zeigt die Kanzel, von der aus der Imam kniend an den anderen Tagen predigt bzw. aus dem Koran liest. Die Moschee ist zugleich eine Schule, in der Koranschüler lernen, den Koran auf Arabisch zu lesen. Und die Moschee ist ferner ein Ort, wo man gemeinsam feiert: Bild 4 zeigt die festliche Verabschiedung einer Gruppe von Mekkapilgern (Hadschis).

■ Mögliche Eingangssituation

- Bilder zur Moschee: L. und Sch. bringen Bilder und evtl. Zeitungsartikel zum Thema „Moschee“ mit in den Unterricht. Solche Bilder können z.B. aus dem Internet beschafft werden. Die Bilder werden in die Mitte gelegt oder an die Tafel geheftet. Die Sch. äußern dazu erste Eindrücke.
- Funktion einer Moschee: Auf dem Boden wird ein einfacher rechteckiger Grundriss einer Moschee gelegt (oder: ins Heft zeichnen). Die Sch. versehen diese Moschee mit den wichtigsten Einrichtungsgegenständen. Diese können sie zeichnen oder dazu Kopien von Bildern aus dem KB oder dem Internet heranziehen.

■ Erschließungsmöglichkeiten

- Die Moschee als Gemeindezentrum: Die Sch. betrachten die fünf Fotos KB S. 198/199 und zusätzlich die beiden Fotos KB S. 203 und S. 206. Sie lesen die dazu gehörenden Texte. Sie vergleichen diese Bilder mit den von ihnen ausgesuchten Bildern und stellen Übereinstimmungen und Unterschiede fest. Als herausragendsten Unterschied werden sie erkennen, dass die Moschee in Pleidelsheim kein Minarett und nur eine Minikuppel besitzt. Sie stellen fest, dass die Moschee als Gebetsraum, als Schule und als Ort für gemeinsame Feste dient. Sie überlegen, warum in Pleidelsheim auf ein Minarett verzichtet wurde.
Hinweis: Die Baugenehmigung für den Bau der Moschee in einem Gewerbegebiet in Pleidelsheim enthielt die Auflage, dass kein Minarett und keine auffällige Kuppel errichtet werden durfte. Die Mitglieder des Verein ließen sich darauf ein, zumal ein Minarett bei den sunnitischen Muslimen nicht unbedingt erforderlich ist. Der Muezzin ruft daher zum Gebet aus einem abgegrenzten Platz innerhalb der Moschee (Bild 3). Je nach Situation der Klasse können die Einschränkungen der Baugenehmigung problematisiert werden.
- Kleines muslimisches ABC: Impuls 1 empfiehlt ein ABC mit den verschiedenen Begriffen. Die Sch. suchen aus Reiseprospekten Bilder. Sie gestalten ähnliche ABCs zu Christentum und Judentum (Impuls 2). Sie versuchen beim Christentum sich in die Rolle eines Juden bzw. Muslims zu versetzen (Perspektive von außen).
- Es begann mit Mohammed: Die Sch. tragen zusammen, was der Text über Leben und Lehre Mohammeds zur Sprache bringt. Mit Hilfe von Recherchen in Büchern und im Internet können sie einen Zeitstrahl zum Leben des Mohammed erstellen. Der Hinweis auf die Güte des Schöpfers will Vorurteilen entgegentreten, als kenne der Islam allein den strengen, richtenden Gott. Die Abbildung zeigt den Propheten Mohammed.
- „Grundwissen Religion: Islam – Allah“: Entgegen dem Vorurteil, dass der Islam eine „kriegerische“ Religion sei, kann deutlich werden, wie wichtig für die Muslime der salam = Frieden ist. Auch der arabische Gruß ist ein Friedensgruß: Salam aleikum = Friede sei mit euch; hebräisch: Schalom alechem.

Mögliche Schlusssituation

- Zur Festigung des Gelernten können die Sch. in GA ein Plakat zum Thema Moschee mit Bildern und Texten, die sie dem KB entnehmen bzw. aus dem Internet herunterladen, gestalten.

KB S. 200/201 Die fünf Säulen des Islam

Mögliche Eingangssituation

- Die Sch. erörtern in Kleingruppen die Fragen: Was glaubt ein Christ? Was ist Aufgabe eines Christen? Die Ergebnisse werden zusammengetragen und an der Tafel festgehalten

Erschließungsmöglichkeiten

- Die fünf Pflichten: Die Sch. nehmen zunächst die fünf Pflichten zur Kenntnis und vergleichen sie mit dem, was sie über den christlichen Glauben zusammengetragen haben. Sie stellen Übereinstimmungen und Unterschiede fest.

– Das Glaubensbekenntnis betont die Einzigartigkeit Allahs und das Prophetsein Mohammeds. Zum Vergleich könnte herangezogen werden: das Sch'ma Israel (vgl. KB S. 197) und das christliche Glaubensbekenntnis, das neben dem Schöpfergott Jesus nennt, nicht nur als Propheten, sondern als Sohn Gottes.

– Beim rituellen Gebet können Fotos mit Muslimen, die ihr Gebet auf dem Gebetsteppich verrichten, betrachtet werden. Zum Vergleich: christliche Gebetshaltungen.

– Zum Almosengeben kann das Bild links unten herangezogen werden. Zum Vergleich: die christliche Nächstenliebe; Diakonie.

– Ramadan. Zum Vergleich: christliches Fasten.

– Zur Wallfahrt nach Mekka können das Bild KB S. 199 links oben sowie das Bild von der Kaaba herangezogen werden. Zum Vergleich: christliche Wallfahrtsorte.

Zu einer ersten Bearbeitung der Fünf Säulen des Islam kann AB M 108 Verwendung finden.

- Der Fastenmonat Ramadan: Die Sch. lesen den Text „Fasten im Monat Ramadan". Das Mondjahr hat zur Folge, dass der Ramadan nicht an einen bestimmten Monat gebunden ist, sondern gleichsam durch das Jahr „wandert". Die Sch. bedenken die Bedeutung des Fastens. Sie ziehen zum Vergleich säkulare (zur Gewichtsverringerung) bzw. religiöse Fastenpraktiken („sieben Wochen ohne") bei uns heran.

Die Sch. überlegen, welche Bedeutung die Feier des Ramadan bei allen Muslimen weltweit für die Gemeinschaft der Gläubigen hat.

- Das Gespräch „Fasten fällt nicht leicht" (KB S. 201) ist zunächst ein gutes Beispiel für Probleme einer religiösen Minderheit in der Diaspora. Die Sch. lassen sich von muslimischen Mitschülern über deren Erfahrungen mit dem Fasten am Ramadan berichten. Dann wird das Gespräch mit verteilten Rollen gelesen. Die Sch. erwägen weitere Lösungsmöglichkeiten. Ein Imam wird bestimmt Auskunft geben.
- Die Sch. lesen den Text „Das Zuckerfest" und bearbeiten ihn nach den angegebenen drei Impulsen. Sie ermöglichen Gespräche mit den muslimischen Mitschülern. Die Präsentation eines christlichen Festes ist ein Beispiel dafür, wie der interreligiöse Dialog eine Vergewisserung der eigenen religiösen Identität zur Folge haben kann. L. wird darauf achten, dass die Schilderung des christlichen Festes sich nicht in der Beschreibung des Brauchtums erschöpft, sondern auch die Bedeutung des Festes herausarbeitet.

KB S. 202 Islamisches Leben

KB S. 202 bringt zwei Riten, die im Leben des Einzelnen eine wesentliche Bedeutung haben, die Beschneidung einerseits und die Pilgerfahrt nach Mekka, die zu den fünf Säulen gehört, andererseits.

Der im Orient weit verbreitete Brauch der Beschneidung wird im Koran nicht gesondert erwähnt oder vorgeschrieben. Die muslimische Beschneidung leitet sich wie die jüdische Praxis von Abraham ab: In 1. Mose 17 erhält Abraham von Gott den Auftrag, zum Zeichen des Bundes die Beschneidung vorzunehmen: „Jedes Knäblein, wenn's acht Tage alt ist, sollt ihr beschneiden bei euren Nachkommen. Desgleichen auch alles, was an Gesinde im Hause geboren oder was gekauft ist von irgendwelchen Fremden, die nicht aus eurem Geschlecht sind. Beschnitten soll werden alles Gesinde, was dir im Hause geboren oder was gekauft ist. Und so soll mein Bund an eurem Fleisch zu einem ewigen Bund werden." (1. Mose 17,12-13).

Im selben Kapitel wird auch berichtet, dass Abraham seinen Sohn Ismael noch vor der Geburt des Isaak beschnitten hat: „Da nahm Abraham seinen Sohn Ismael und alle Knechte, die im Hause geboren, und alle, die gekauft waren, und alles, was männlich war in seinem Hause, und beschnitt ihre Vorhaut an eben diesem Tage, wie ihm Gott gesagt hatte. Und Abraham war neunundneunzig Jahre alt, als er seine Vorhaut beschnitt. Ismael aber, sein Sohn, war dreizehn Jahre alt, als seine Vorhaut beschnitten wurde. Eben auf diesen Tag wurden sie alle beschnitten, Abraham, sein Sohn Ismael, und was männlich in seinem Hause war, im Hause geboren und gekauft von Fremden; es wurde alles mit ihm beschnitten." (1. Mose 17,23-27).

Von Mohammed ist folgendes Hadith über die Beschneidung überliefert: „Es gibt fünf Dinge, die zur natürlichen (Hygiene) gehören: Die Entfernung des Schamhaares, die Beschneidung, das Kürzen des Schnurrbartes, die Entfernung des Achselhaars und das Schneiden der Fingernägel."

„Männliche Kinder werden – oft in festlichen Riten – je nach Region verschieden am siebten Tag nach der Geburt oder auch im Alter zwischen fünf und sieben Jahren beschnitten." (Elger, Kl. Islam-Lexikon, S. 61).

Der Ritus der Beschneidung ist den Sch. aus dem Judentum bekannt (vgl. KB S. 196).

Mögliche Eingangssituation

- Die Sch. betrachten das Bild des türkischen Jungen. Zum Vergleich können sie ein Bild eines Konfirmanden aus dem Internet herunterladen und die Bedeutung der Konfirmation in der evangelischen Kirche erörtern. Auch wenn sie selbst noch nicht konfirmiert sind, so haben sie doch über Geschwister, Verwandte oder Freunde schon von der Konfirmation gehört.

Eine weitere Möglichkeit besteht im Vergleich mit der Bar Mizwa bzw. der Bat Mizwa (s. KB S. 196)

Erschließungsmöglichkeiten

- Ein richtiger Muslim: Die Sch. lesen den Text und machen sich die Bedeutung der Beschneidung für muslimische Jungen klar. Sie vergleichen diese mit der Bedeutung der Konfirmation und der Bar Mizwa (Impuls 1).

- Die Sch. lesen das Gespräch zwischen dem türkischen Schüler und seiner deutschen Lehrerin. Sie können die angegebenen Bibelstellen über die Beschneidung und deren Bedeutung nachlesen. Dort ist es das Zeichen des Bundes Gottes mit Abraham und seinem Volk (vgl. KB S. 196). Ähnlichkeiten gibt es zwischen der Beschneidung im Islam und der Bar Mizwa. Der Muslim und der Jude werden durch diese Riten religionsmündig. („... jetzt ist Ahmet ein richtiger Muslim.") Eine Ähnlichkeit zwischen der Beschneidung im Islam und der christlichen Taufe ist nicht gegeben, da die Beschneidung nicht unbedingte Voraussetzung für das Muslim-Sein ist. Muslim wird man durch das Sprechen des Glaubensbekenntnisses.

Die Sch. erörtern an Beschneidung, Bar Mizwa und Konfirmation Gemeinsamkeiten und Unterschiede zwischen den drei Buchreligionen.

- Auf Pilgerfahrt nach Mekka: Die Sch. lesen den Text, der alle notwendigen Hinweise zur Hadsch enthält. Was ein Hadschi ist, kennen sicher einige aus den Büchern von Karl May. Das Bild des Jerusalemer Mekkapilgers zeigt den Felsendom in Jerusalem und die Kaaba in Mekka. In den beiden Medaillons steht (links): Muhammad und (rechts) Allah (in kufischer Schrift). In „normaler" arabischer Schrift steht folgendes:

Text oben in der Mitte: Bismillah = „Im Namen Gottes des Erbarmers, des Barmherzigen."

Darunter (halbrund): „Und Gott hat den Menschen die Wallfahrt zu dem Haus als Pflicht auferlegt, die sich die Reise leisten können."

Darunter (in großer blauer Schrift): „Der Pilger Abd Allah Ahmad Àgag" (gesprochen: „Adschadsch").

Drunter (in kleinerer grüner Schrift): „Eine Pilgerfahrt, die von Gott in Gnaden angenommen und sehr verdienstvoll ist und Schuld tilgt."

Darunter (links) die Jahreszahl in allgemeiner Zeitrechnung: „1996" (rechts in islamischer Zeitrechnung). „1416".

Darunter: achlan waschlan = „Herzlich willkommen".

Um den Text zu verstehen, kann die Geschichte von Abraham und Hagar herangezogen werden. (vgl. KB S. 204f.). In 1. Mose 22 findet sich die Geschichte von Isaaks Opferung, die im Islam von Ismael erzählt wird. Das Würfelspiel „Wer wird zuerst Hadschi?" (**M 109**) bringt die wesentlichen Stationen der Prozessionen in Mekka. Dieses Spiel eignet sich sehr gut zur Vertiefung des Themas „Pilgerfahrt nach Mekka".

Die Sch. gestalten ein Gespräch zwischen einem Mekkapilger und seinen Freunden nach dessen Heimkunft. In diesem Gespräch soll der Ursprung der Wallfahrt und der Verlauf der Wallfahrt in Mekka besprochen werden.

Mit Hilfe einer Landkarte, die die weltweite Verbreitung der Muslime zeigt, zeichnen die Sch. den Weg des einen oder anderen Mekkapilgers nach. Deutlich kann werden, dass sich in Mekka Muslime aus aller Herren Länder, Nigerianer, Iraker, Indonesier, Bosnier, Franzosen usw. treffen. Im Gespräch kann die ungeheure Bedeutung der Hadsch für das muslimische Gemeinschaftsbewusstsein herausgestellt werden. Die Sch. können allein oder in GA ein Bild gestalten, das ein türkischer Hadschi aus Berlin nach seiner Rückkehr aus Mekka anfertigt.

KB S. 203 Muslime beten

Mögliche Eingangssituationen

- Das Vaterunser: Die Sch. überlegen, ob nach dem bisher Gelernten Muslime das Vaterunser mitbeten können.
- Gebetshaltungen: Die Sch. tauschen sich über verschiedene Gebetshaltungen bei uns Christen aus (s. dazu KB S. 107).

Erschließungsmöglichkeiten

- Gebetspraxis: Die Sch. entnehmen dem ersten Text KB S. 203 die nötigen Hinweise auf die Gebetspraxis der Muslime. **M 110** zeigt die verschiedenen Gebetshaltungen.

Das Bild aus der süddeutschen Moschee zeigt den Sch. ganz plastisch, was ein Vorbeter ist. Hier können auch Gemeinsamkeiten und Unterschiede zwischen jüdischer (vgl. KB S. 197) und muslimischer Gebetspraxis dargestellt werden.

Es sollte noch einmal darauf hingewiesen werden, dass sich die Muslime zur Vorbereitung auf das Gebet waschen.

Auch ein Vergleich mit christlichen Gebetshaltungen bietet sich an (KB S.107).

- Gebetsinhalt: Gegenüber den muslimischen Gebeten bestehen oft Vorurteile. Es heißt, hier würden nichts anderes als vorfabrizierte Texte heruntergeleiert. Im Pflichtgebet gibt es in der Tat Pflichttexte. Es beginnt immer mit der ersten Sure des Koran. Daneben gibt es persönliche Gebete von großer Innigkeit. Die Sch. lesen das Mohammed zugeschriebene persönliche Gebet. Sie stellen Parallelen zur Vergebungsbitte im Vaterunser heraus. Der 2. Impuls sollte die Sch. zu einer eigenen Stellungnahme verlocken.
- Gebetsernst: Die Sch. lesen den Text „Beten wäre uns lieber". Der 3. Impuls beschäftigt sich mit Frau Teubners Verwunderung. Sie ist erstaunt, weil hier dem Gebet etwas zugetraut wird, möglicherweise auch, weil die Sch. öffentlich vom Beten sprechen. Bei der Tabuisierung des Religiösen in unserer Gesellschaft ist das überraschend. Die Gebetspraxis zwischen christlichen und muslimischen Sch. ist wohl gar nicht so verschieden. Auch christliche Sch. beten in solchen Situationen, aber sie sprechen vielleicht weniger darüber.

Mögliche Schlusssituationen

- Zum Abschluss des Themas Gebet kann noch einmal die Frage aufgegriffen werden, ob Muslime das Vaterunser mitsprechen können. Falls bereits das Judentum besprochen wurde kann die Frage auch auf das Judentum ausgedehnt werden.
- Es kann auch diskutiert werden, ob das abgedruckte Gebet Mohammeds von Christen mitgesprochen werden kann (Impuls 2).

Zum Abschluss des Kapitels/Nachhaltigkeit

- Lerngang zur Nachhaltigkeit: Zum Abschluss des Kapitels kann, um das Gelernte zu festigen, ein Lerngang in die nächst gelegene Moschee durchgeführt werden. Die Sch. sammeln zur Vorbereitung Fragen, die während der Behandlung der Einheit aufgetaucht sind. Bei rechtzeitiger vorheriger Anmeldung führen Muslime die Besucher gerne durch ihre Moschee.
- Rätsel Islam: Der zur Erhebung des Vorwissens eingesetzte Lückentext (**M 107**) kann hier noch einmal abschließend besprochen werden.

3. Lernkarten

113 Wie heißt das Gebetshaus der Muslime?
An welchem Tag sollen die Muslime ihr Gebet gemeinsam im Gebetshaus verrichten?
Wie heißt das heilige Buch der Muslime?
114 Welche Bestandteile gehören zu einer Moschee? Beschreibe ihre Funktion.
115 Jeder Muslim hat fünf ihm von Gott aufgetragene Pflichten zu erfüllen. Schreibe sie auf.
116 Wie lautet das Glaubensbekenntnis der Muslime?

4. Empfohlene Literatur und Medien

Ben Jelloun, Tahar, Papa, was ist der Islam? Gespräch mit meinen Kindern. Aus dem Französischen von Christiane Kayser, Berlin 2002 (Berlin Verlag). *Eignet sich als Lektüre für die Sch. Der französische muslimische Autor erklärt, warum er dieses Buch geschrieben hat: „Ja, weil ich sofort begriffen habe, dass ich den Kindern wieder etwas erklären muss: den Islam, die muslimische Zivilisation und das Leben des Propheten. Auch den Erwachsenen will ich erklären, wie eine Zivilisation, die so brillant war, heute von Dekadenz und Vorurteilen betroffen ist. Das ist meine Antwort auf diese Barbarei; denn wie beim Rassismus muss man in der Schule anfangen.“*

Böge, Wolfgang u. a., Islam. Politische Bildung und interreligiöses Lernen, Bundeszentrale für politische Bildung, Bonn 2002.

Dashti, Aldi, 23 Jahre. Die Karriere des Propheten Muhammad, Aschaffenburg 1997 (Alibri). *Dashti, schiitischer Muslim aus dem Iran, vermittelt eine kritische Sicht des Lebens des Propheten Mohammed. Er „bemüht sich um ein differenziertes Urteil über die Muslime, ohne das Problematische an ihren religiösen Vorstellungen zu verharmlosen.“ (Klappentext)*

Elger, Ralf (Hg.), Kleines Islam-Lexikon. Geschichte – Alltag – Kultur, Bundeszentrale für Politische Bildung, Bonn 2004 (Lizenzausgabe des Verlags C.H. Beck, München 2001).

Khoury, Adel Theodor u. a., Der Islam. Sein Glaube, seine Lebensordnung, sein Anspruch, Freiburg, Basel, Wien 2001 (Herder).

Rupp-Holmes, Friederun, Lernstraße Islam. 15 Stationen für den Unterricht in der Sekundarstufe I, Stuttgart 2003 (Calwer).

Lähnemann, Johannes, Weltreligionen im Unterricht, Bd. 2 , Göttingen 1986 (Vandenhoeck & Ruprecht).

Tworuschka, Monika u. Udo, Der Islam – Kindern erklärt, Gütersloh 1999 (Gütersloher).

Der Islam, Folien, Farbbilder, Erklärungen, Text und Bildauswahl: Barbara Huber, CIBEDO Frankfurt, Religionspädagogisches Seminar der Diözese Regensburg o.J.

Postmeier, Rita/Postmeier, Ferdinand R., Der Islam, Arbeitsblätter für den Religionsunterricht, Religionspädagogisches Seminar der Diözese Regenburg 2003.

Internet-Adresse:
www.islam.de
Hier findet sich neben grundlegenden Informationen zum Islam auch eine deutsche Übersetzung des Koran.

5. Materialien

M 107 Lückentext
M 108 Die fünf Säulen des Islam
M 109a/b Würfelspiel „Wer wird zuerst Hadschi?“
M 110 Gebetshaltungen im Islam

Juden – Christen – Muslime

1. Zielsetzung, Aufbau und Kompetenzen

Das Kapitel „Juden – Christen –Muslime“ möchte einen kräftigen Impuls für den Dialog zwischen den drei Buchreligionen geben. Es geht davon aus, dass ein solcher Dialog für uns heute lebensnotwenig ist, will man sich nicht voreinander abschotten, was vor dem Hintergrund einer offensichtlichen „Globalisierung“ auf vielen Gebieten auf Dauer unmöglich ist.
Dass es gerade um die genannten Weltreligionen geht, hat mehrere Ursachen. Zum einen wohnen unter uns eben vor allem Muslime, aber auch Juden. Es muss uns daran gelegen sein, von religiöser Seite gute freundschaftliche Beziehungen anzubahnen und durchzuhalten.
Die drei genannten Weltreligionen bieten sich aber auch deshalb an, weil sie miteinander verwandt sind und ohne Kenntnisse der jeweiligen Partner nicht zu verstehen sind. Das Judentum ist die Wurzel des Christentums; Jesus war ein Jude. Der Islam ist stark vom Judentum her beeinflusst und hat auch Beziehungen zum Christentum. Jesus von Nazareth ist im Islam zwar nicht der wichtigste, aber doch ein wichtiger Prophet. Er gilt als einer der drei Gesandten, die eine Buchreligion begründeten: Mose, Jesus und Mohammed. Die Muslime weisen mit der Charakterisierung der drei Weltreligionen als Buchreligionen auf die besondere Verwandtschaft hin.
Dieses Kapitel behandelt Themen, die vor allem bei überzeugten Christen Ängste erwecken. Für sie ist nach Joh 14,6 Jesus der Weg, die Wahrheit und das Leben, ohne den niemand zum Vater kommt. Ihnen gilt es zu verdeutlichen, dass der Glaube an das Heil in Christus durchaus mit der Überzeugung einhergehen kann, dass auch außerhalb des Christentums Menschen zum Heil kommen können. All die Sätze, die die Ausschließlichkeit des Heils in Jesus Christus herausstellen, sind Bekenntnissätze, keine objektiven Aussagen, die für alle zu gelten haben. So können Juden, Christen und Muslime miteinander austauschen, was für sie „die letzte Sorge im Leben und im Sterben“ (Heidelberger Katechismus) ist. Sie können auch zur Sprache bringen, womit sie beim jeweils anderen Schwierigkeiten haben, ohne ihn zu verunglimpfen. Es darf gerade nicht um das Ausklammern der Unterschiede gehen, etwa so: ‚Wir wollen nichts Trennendes ansprechen. Sonst gibt es nur Streitereien.‘ Eine solche Einstellung ist für eine echte Kommunikation nicht förderlich.
KB S. 204/205 konzentrieren sich unter der Überschrift „Abraham, unser Vater“ auf die Bedeutung von Abraham für die drei großen Buchreligionen. KB S. 206 thematisiert unter der Überschrift „Besitzer des Buches“ die drei Bücher Tora, Neues Testament und Koran. KB S. 207 wird die Stellung, die Jesus im Islam und bei den Juden hat, herausgestellt.
Unbeschadet der Aussage in der Einleitung zum Großkapitel,

dass in Klasse 5/6 das Kennenlernen der Grundlagen von Judentum und Christentum im Vordergrund steht, geht es in diesem vorliegenden Kapitel auch darum, dass die Sch. Verbindendes und Unterscheidendes zwischen Judentum, Christentum und Islam benennen können. Dies ist die Voraussetzung dafür, dass die Sch. zu einer Haltung der *Achtung* gegenüber den Angehörigen anderer Religionen finden. Das Kapitel leistet – wie das ganze Großkapitel Abrahams Kinder – einen Beitrag dazu, vor dem Hintergrund der eigenen christlichen Überlieferung Traditionen in Judentum und Islam wahrzunehmen.

Zur Förderung nachhaltigen Lernens im Blick auf die drei Kapitel „Die Wurzel: Das Judentum", „Der Islam" und „Juden – Christen – Muslime", kann das AB **M 111** („Gemeinsamkeiten und Unterschiede") eingesetzt werden. Die Sch. tragen in die Spalten die entsprechenden Symbole ein und formulieren in der letzten Spalte dazu einige Stichworte oder einen Satz. Dieses AB kann bereits zu Beginn des Kapitels „Juden – Christen – Muslime" eingesetzt und im Verlauf der Einheit ausgefüllt werden. Denkbar ist auch, dass es als Begleitmedium für das ganze Großkapitel verwendet wird.
Ferner kann auch der Lückentext **M 107** (Islam/Judentum/Christentum) noch einmal eingesetzt werden.

2. Didaktisch-methodische Hinweise

KB S. 204/205 Abraham, unser Vater

Zum Gemeinsamen, das Juden, Christen und Muslime miteinander verbindet, gehören vor allem die Geschichten von Abraham, den die Muslime Ibrahim nennen. Die literarische Abhängigkeit des Koran vom Alten Testament ist offenkundig. Der wesentliche Unterschied ist, dass in der muslimischen Tradition Hagar und Ismail zu Hauptpersonen neben Abraham werden. Ist Hagar in 1. Mose 21 nur die Nebenfrau des Abraham, so ist sie im Koran seine Ehefrau, mit gleichen Rechten wie Sara. Von einem Konflikt zwischen Sara und Hagar ist nicht die Rede. Anders ist auch der Schluss der muslimischen Version, der die Geschichte von Hagar und Ismail (Namensform in der Bibel: Ismael) zu einer Ätiologie für Mekka und seinen Brunnen Zamzam werden lässt. Dieser Brunnen spielt eine große Rolle bei der Pilgerfahrt nach Mekka, der Hadsch, einer der 5. Hauptpflichten für einen Muslim: „Nach dem Umschreiten der Kaaba und dem rituellen Gebet am ‚Platz Abrahams', an dem er schon das Gebet verrichtet haben soll, eilen die Pilger siebenmal zwischen den Hügeln Safa und Marwa hin und her, so wie es von Hagar, der zweiten Frau Abrahams, erzählt wird, als diese verzweifelt für ihren Sohn Ismail nach Wasser suchte. Am Ende der Wallfahrt, wenn die Pilger aus dem Zam-Zam-Brunnen trinken, geschieht das noch einmal." (J. Lähnemann, Weltreligionen, Teil 2, S. 87)

Die Berufung der Muslime auf Ismael hat durchaus Anhalt am Alten Testament. Hinzuweisen ist hier zunächst einmal auf 1. Mose 17,20, wo Gott zu Abraham spricht: „Und für Ismael habe ich dich auch erhört. Siehe, ich habe ihn gesegnet und will ihn fruchtbar machen und über alle Maßen mehren. Zwölf Fürsten wird er zeugen, und ich will ihn zum großen Volk machen." Näheres zu diesen 12 Fürsten findet sich in dem Geschlechtsregister 1. Mose 25,12-18. „Die Namen und Wohnbereiche der Ismael-Stämme führen durchweg in die nordwestarabische Wüste." (Calwer Bibellexikon Bd. 1, S. 607). Die Ismaeliter waren wie die Israeliten beschnitten, was sich ja dann in der Beschneidungspraxis der Muslime fortsetzte. In 1. Mose 17,23-27 wird geschildert, wie Abraham sich selbst und sein ganzes Haus, darunter den 13-jährigen Ismael beschneiden lässt.

Mögliche Eingangssituationen

• Mit Hilfe von Impuls 1 beschäftigen sich die Sch. mit dem Bild von Michael Falk. Die Sch. können mit ihren Augen den Weg Abrahams entlang wandern: Der Weg führt vom Zelt Abrahams – Sarah blickt besorgt den beiden nach – zum Berg im Lande Moria: Abraham führt seinen Sohn liebevoll an der Hand. Auf dem Gipfel des Berges ist der Altar hergerichtet, der Engel hebt bereits abwehrend seine Hand und deutet auf den Widder, der sich im Gestrüpp verfangen hat.
Das Bild kann die Sch. dazu anregen, den Weg Abrahams und Isaaks zum Berg im Land Moria in einer Bilderfolge nachzuzeichnen.
Nach der Bildbetrachtung lesen die Sch. die Geschichte nach 1. Mose 22 und vergleichen die beiden Medien. L. weist die Sch. darauf hin, dass im Islam an die Stelle Isaaks Ismael tritt.

Erschließungsmöglichkeiten

• Abraham bei Juden, Christen und Muslimen: Die Sch. beschäftigen sich mit „ Grundwissen Religion: Abraham". Sie ziehen 1. Mose 12,1-3, Gal 3,6-9 und **M 112** (Sure 2) heran. Aus Sure 2 können die Sch. erheben, dass Abraham für Muslime der erste Muslim ist. Mehrfach kommt in dem Text das Wort „ergeben" vor, wofür im Arabischen das Wort „islam" steht. Die Sch. unterstreichen überall das Wort „ergeben", außerdem die Worte, die die Bedeutung Abrahams hervorheben (auserwählt), sowie den Hinweis auf Mohammed (den Gesandten). In die Tabelle des AB **M 112** tragen die Sch. die Bedeutung Abrahams für Juden, Christen und Muslime ein. Als Unterschied kann herausgestellt werden, dass für die Juden Abraham der wirkliche Stammvater ist, für Christen hingegen nur ein Vater im geistigen Sinn. Auch die Muslime sehen sich als leibliche und geistige Nachfahren Ibrahims. Deutlich wird, dass „Jude sein" sowohl die Zugehörigkeit zur Religion als auch zum *Volk* der Juden meint (das gilt auch für übergetretene ursprüngliche Nichtjuden). Muslime und Christen bleiben Glieder ihres jeweiligen Volkes. Es ist allein der Glaube, der sie verbindet.
• Abrahams Herberge: Die Sch. lesen zunächst die Information über Abrahams Herberge in Beit Jala. Sie formulieren die Ziele von Abrahams Herberge (Impuls 2). Sie besorgen sich aus dem Internet die nötigen Informationen.
Impuls 3 regt Recherchen zu weiteren Begegnungsstätten an. Impuls 4 empfiehlt ein Abrahamsfest. Dabei können die Sch. davon erzählen, welche Rolle Abraham in ihrer Religion spielt. Christliche Sch. werden vom christlichen Religionsunterricht in der Grundschule her von Abraham erzählen können. Möglicherweise können sie einen Wandfries von diesen Geschichten erstellen und dann den muslimischen Sch. vorführen. Dem werden sich jüdische Sch. anschließen können. Muslimische Sch. werden von ihrer besonderen Abrahamsüberlieferung berichten können. Sie werden davon erzählen können, welche Bedeutung Abraham bei der Pilgerfahrt nach Mekka hat.
• Sara und Hagar: Nachdem die Sch. die Erzählung vorgelesen haben, bearbeiten sie die durch die Impulse gestellten Aufga-

ben. Die Einteilung der Geschichte in Szenen (Impuls 1) kann in PA vorbereitet werden.
Auch bei der Hagargeschichte in 1. Mose 21,1-21 können zunächst die Szenen eingeteilt und mit Überschriften versehen werden. Dann werden in GA Gemeinsamkeiten und Unterschiede der Texte herausgearbeitet.
Impuls 3 ist sehr anspruchsvoll, aber notwendig. L. wird auf die literarische Abhängigkeit eingehen. Mohammed hatte auf seiner Reise ja Kontakt mit Juden. Wichtig ist, dass die Problematik nicht mit Urteilen belastet wird wie z. B., dass die Muslime Schwindler seien, indem sie die Geschichte zu ihren Gunsten verändert hätten. Sie wollten vielmehr die Bedeutung Abrahams herausstellen, indem sie eine neue Interpretation vornahmen. Außerdem ist anzumerken, dass solche Geschichten auch nach ihrer Verschriftlichung weiterhin mündlich überliefert wurden und so auch Namen und Orte oft wechselten.

■ Mögliche Schlusssituation

• Das Bild KB S. 205 eignet sich dazu, dass sich die Sch. die Geschichte von Abraham, Hagar und Sara noch einmal vergegenwärtigen und sich deren jeweilige Bedeutung in Bibel und Koran bewusst machen. Dabei sollte deutlich werden, dass es sich hier um ein Bild aus der christlichen Tradition handelt.
Die Sch. beschreiben die beiden Szenen des Bildes und setzen sie gemäß Impuls 4 zur Geschichte von Abraham und Hagar in Beziehung. Sie stellen fest, dass das erste der beiden Bilder inhaltlich nicht der muslimischen Überlieferung entspricht, da im Koran nichts davon berichtet wird, dass Sara Hagar loswerden wollte. Dann wird herausgestellt, dass Darstellungen von Gott, Engeln und Menschen in der muslimischen (zumindest in der sunnitischen Tradition) wie übrigens auch der jüdischen Tradition nicht erlaubt sind.
Impuls 5 möchte auf Handhaltung und Körperhaltung aufmerksam machen, die eigentlich alles „sagen". Die Sch. können diese Gesten nachstellen.

KB S. 206 Besitzer des Buches

■ Mögliche Eingangssituation

• L. bringt verschiedene Bücher mit in den Unterricht und legt sie im Sitzkreis auf den Boden: eine Bibel, einen Koran, einen Katechismus, ein Gesangbuch, Faksimile einer Torarolle, Gespräch über die Bedeutung des Buches. Die Sch. erzählen von ihren Erfahrungen mit einem Buch, das für sie wichtig ist. Sie können es mitbringen.

■ Erschließungsmöglichkeiten

• Besitzer des Buches: Die Sch. lesen den Text, evtl. mit verteilten Rollen. Sie können hier nochmals erkennen, warum die Muslime Unterschiede zwischen Religion und Religion machen. So gelten z. B. Gläubige von Naturreligionen wie der African Traditional Religion als Götzendiener.
• Koran: Zunächst wird die Geschichte von Fatima in verteilten Rollen gelesen. Dann gehen die Sch. gemeinsam auf Impuls 1 ein: Sie stellen zusammen, was man über den Koran erfährt und natürlich auch über den Gebrauch des Korans bei Muslimen. Dass der Engel Gabriel Maria die Geburt des Heilands ankündigt, wissen die Sch. wohl aus dem Grundschul-RU, teilweise auch aus dem Kindergottesdienst.
Für Impuls 2 müssen die Sch. auf das Unterkapitel „Die Bibel – Urkunde des Glaubens" zurückgreifen. AB **M 113** hilft, Bibel und Koran miteinander zu vergleichen. Alter, Aufbau, Umfang, Ursprachen sind Kriterien für diesen Vergleich. Der Text „Der Koran" (KB S. 207, Grundwissen Religion) geht vor allem auf die Inhalte ein. Die beiden letzten Impulse KB S. 207 können bereits hier bearbeitet werden. Zur Bibel ziehen die Sch. KB S. 138-157 heran. Der letzte Impuls auf KB S. 207 sollte mit der ganzen Klasse bearbeitet werden. Die Lektüre von Koran-Suren muss von L. gut vorbereitet werden. Der Koran erschließt sich nicht so leicht. Man wird sicher eine kürzere Sure heranziehen. Auch wenn das im 5./6. Schuljahr noch nicht voll ausgeschöpft werden kann, ist zu beachten, dass es eine historisch-kritische Erschließung der heiligen Schrift im Islam bis heute nur ansatzweise gibt. Eine Bewegung wie die europäische Aufklärung kennt der Islam nicht.
Fatima äußert in dem Text, dass im Islam keine Bilder angefertigt werden dürfen. Dies gilt grundsätzlich. Dennoch wird dieses Bilderverbot vor allem bei den Schiiten nicht streng beachtet.
• Künstlerische Gestaltung: Die beiden Mädchen auf dem Foto tragen ein Kopftuch. Vor ihnen liegt eine Koranausgabe und ein Arbeitsheft. L. oder Sch. können Koranausgaben mitbringen. Künstlerisch interessierte Sch. können die erste Seite eines Korans (und die erste Seite der Bibel) künstlerisch gestalten. Sie lassen sich anregen von dem Foto KB S. 207.

KB S. 207 Jesus bei Juden und Muslimen

Ziel dieser Seite kann es nicht sein, vertieftes Wissen über die Stellung Jesu in Judentum und Islam zu vermitteln. Den Sch. soll aber bewusst werden, dass auch in den beiden anderen Buchreligionen Jesus einen gewissen Stellenwert hat, dass Judentum und Islam aber die zentrale Stellung Jesu, wie sie im christlichen Glauben gegeben ist, strikt ablehnen.
Es mag die Sch. überraschen, dass auch der Koran Aussagen über Jesus macht. Da nur eine Seite im KB diesem Thema gewidmet ist, wird man hier ohne zusätzliche Materialien nicht auskommen.

■ Mögliche Eingangssituation

• Die Sch. tragen zusammen, was sie von Jesus wissen und welche Bedeutung Jesus im Christentum hat. Hier kann der zweite Glaubensartikel herangezogen werden.

■ Erschließungsmöglichkeiten

• Jesus im Islam: Die Sch. lesen die Auszüge aus den Suren, die Jesus erwähnen. Die Texte verneinen eine Kreuzigung Jesu. Eine Kreuzestheologie, die darin kulminiert, dass Jesus „für uns" den Kreuzestod stirbt, kennen die Muslime nicht. Sie bestreiten, dass Gott einen Sohn haben kann, und verstehen Jesus nur als Propheten und Gesandten. Dass die christliche Trinitätslehre nicht drei Götter beschwört, sondern den *einen* Gott als Schöpfer, Erlöser und Heiliger Geist im Blick hat, wird von den Muslimen so nicht gesehen. Im Unterricht muss eine biologistische Debatte über Jesu Gottessohnschaft vermieden werden. Für Christen ist Jesus nicht irgendeine große religiöse Gestalt, sondern der Erlöser. Für Muslime ist er eine wichtige prophetische Gestalt, die in ihrer Bedeutung hinter Mohammed zurücktritt. Allerdings gilt Jesus wie Mohammed und Mose als Gesandter, weil er wie jene eine Religion gestiftet habe. **M 114** bringt einen Auszug aus den Suren 3 und 5 mit unterschied-

lichen Aussagen zu Jesus. Die Sch. können diese Aussagen durch Unterstreichen erarbeiten und im Heft festhalten.
Impuls 3 fordert auf, nochmals auf das Titelbild des Kapitels KB S. 189 zurückzugreifen. Hier erscheint noch eine weitere Funktion Jesu, nämlich seine Teilnahme am Jüngsten Gericht. Das Bild drückt einerseits eine gewisse Gleichberechtigung aus. Eine leichte Bevorzugung Mohammeds wird aber andererseits doch deutlich, z. B. durch die Reittiere (Kamel vor Esel!) und den Reiter Mohammed im Vordergrund.
• Jesus im Judentum: Im 20. Jahrhundert ist es wenigstens ansatzweise zu einem neuen Verstehen zwischen Juden und Christen gekommen. Dies findet seinen Ausdruck auch in einem neuen Jesusbild. Führend war hier Martin Buber. Dessen Schüler Schalom Ben Chorin, ein Vertreter des Reformjudentums, drückt die neue Sicht in seinem Jesusbuch aus.
Die Sch. lesen den Text und stellen zunächst heraus, dass Jesus für Juden ein großer Glaubenszeuge ist, dessen Glaube ihn mit den Christen eint. Er ist für sie nicht der Messias (Die Welt hat sich doch nicht grundsätzlich verändert!) und er ist vor allem nicht der Erlöser, von dem es in Joh 14,6 heißt: „Ich bin der Weg, die Wahrheit und das Leben. Niemand kommt zum Vater denn durch mich."
Zum Schluss kann Impuls 2 bearbeitet werden. Deutlich kann den Sch. werden, wie wichtig Jesus in allen drei Buchreligionen ist, wie er im Christentum die zentrale Heilsgestalt ist, im Judentum und im Islam dagegen eine unter mehreren wichtigen Gestalten (einer unter den Propheten Gottes und einer unter den Glaubenszeugen Israels).

■ Zum Abschluss des Kapitels

• Gemeinsamkeiten und Unterschiede: Zum Abschluss des Kapitels und gegebenenfalls zu allen Kapiteln „Die Wurzel: Das Judentum", „Der Islam" und „Juden – Christen – Muslime", kann das AB M 111 („Gemeinsamkeiten und Unterschiede") vervollständigt werden.

3. Lernkarten

117 Beschreibe die Bedeutung Jesu in Judentum, Christentum und Islam.

118 Judentum, Christentum und Islam haben als Grundlage ihres Glaubens heilige Bücher.
Nenne sie und beschreibe kurz, welche Bedeutung sie jeweils haben.

119 Nenne die Gottesdienstgebäude in Judentum, Christentum und Islam und beschreibe kurz, welche Gegenstände jeweils wichtig sind und wofür sie dienen.

120 Man nennt Judentum, Christentum und Islam auch die drei abrahamitischen Religionen.
Schreibe auf, was damit gemeint ist.

4. Empfohlene Literatur und Medien

Kuschel, Karl-Josef, Streit um Abraham. Was Juden, Christen und Moslems trennt und was sie eint. Düsseldorf 2001 (Patmos).

Kliemann, Peter, Das Haus mit den vielen Wohnungen. Eine Einführung in die Religionen der Welt, Stuttgart 2004 (Calwer).

Gnilka, Joachim, Bibel und Koran. Was sie verbindet, was sie trennt, Freiburg 2004 (Herder).

Tworuschka, Monika u. Udo, Die Weltreligionen Kindern erklärt: Wie andere leben – was andere glauben, Gütersloh 1986 (Gütersloher). *Das reich illustrierte Buch berücksichtigt Judentum, Christentum, Islam, Hinduismus und Buddhismus.*

Schwikart, Georg, Gott hat viele Namen. Kinder aus aller Welt erzählen von ihrem Glauben, Düsseldorf 1996 (Patmos).

5. Materialien

M 111 Gemeinsamkeiten und Unterschiede
M 112 Aus dem Koran: Sure 2
M 113 Vergleich zwischen Bibel und Koran
M 114 Jesus im Koran

Symbole – Bilder des Glaubens

1. Zielsetzung, Aufbau, und Kompetenzen

Wie Kunst im Auge des Betrachters entsteht, so entstehen auch Symbole im Prozess der Wahrnehmung und Begegnung mit einem Gegenüber. Symbole sind nicht Dinge an sich, die für den Betrachter zu deuten oder zu erklären wären, sondern sie „sprechen" selbst, indem sie zur Auseinandersetzung herausfordern. Immer zeichnet sich die Begegnung durch einen Bedeutungsüberschuss aus, der im Sinne der ästhetischen Theologie von einem „Mehr" an Deute-Möglichkeiten ausgeht, als Menschen erschöpfend erfassen. Somit ist der Begriff des „Symbolisierens" als Begegnungsakt dem des Symbols vorzuziehen. Ziel des Kapitels ist es deshalb, symbolisierende Kommunikation in vielfältiger Weise zu gestalten.

Die Konzeption des Kapitels steht für diesen symboldidaktischen Weg. Dieser folgt der Spur P. Biehls, der Symboldidaktik als kommunikative Didaktik versteht. Der Stuhlkreis mit einer zu gestaltenden Mitte, die das Stundenthema wird, ist ein Bild für diese auch mit Elementen der Gestaltpädagogik (nach Ch. Bizer) angereicherten Lernform.
Symbolisierendes Lernen lebt von einem ausgewogenen Verhältnis des Beeindruckt-Werdens und des Sich auf vielfältige Weise Ausdrücken-Könnens. Auch deshalb ist der Zusammenhang von Symbolisieren und Gestalten bei der Initiierung von Lernprozessen unverzichtbar. Eine besonders geeignete Methode, um eigene Sichtweisen darzustellen und gleichzeitig zu kommunizieren, ist die Bodenbildgestaltung. Sie wird in diesem Kapitel als veranschaulichende Abbildung von Meinungen mehrfach vorkommen. Mit Hilfe von Legematerialien (Natur- und Kulturmaterialien, „heile", ästhetisch runden Formen sowie auch destruktive oder lebensweltorientierte Materialien, z. B. Stacheldraht) drücken die Sch. auf dem Boden ihre Sicht auf ein Thema aus. Nach dieser Phase legenden Gestaltens folgt ein gemeinschaftlicher Austausch über vielfältige Zugänge und

Deutungen des Themas. Auch neue Aspekte wie z. B. das Erzählen einer biblischen Geschichte finden durch die Andeutungs- und Stellvertreterfunktion im Bild einen Platz, indem vor allem Schauplätze, Handlungen und Konflikte des biblischen Textes mit den Legematerialien visualisiert werden. Bodenbildgestaltung ist somit begreifbares Unterrichtsgespräch über die verschiedenen Sichtweisen und Deutungen, die ein Thema für uns aufwirft. Insofern ist mit Bodenbildern ein Theologisieren mit Sch. gut möglich, sofern das Prinzip der Elementarisierung auch hier die Brücke zwischen Lebenswelt- und Textorientierung baut.

Der *Inhalt* des Kapitels spiegelt die symboldidaktische Intention: An ausgewählten Beispielen werden die Sch. herausgefordert, sich mit der lebensweltlichen Bedeutung religiöser Sprachformen (verbalen und nonverbalen) auseinander zu setzen. Dabei entdecken die Sch., wie stark in gemeinschaftlichen Ritualen, z. B. bei einem Fußballspiel, religiöse Dimensionen durchschimmern und diese die Sicht auf den Alltag verändern oder auch, wie voll von religiösen Bildworten unsere Alltagssprache ist. Da die Auseinandersetzung immer im Wechselbezug mit biblischen Vorstellungen geschieht, wird in diesem Kapitel die hermeneutische Kompetenz als Auslege- und Deutungskompetenz in besonderer Weise gefördert.

Evangelische Symboldidaktik ist ein lebensweltbezogener Interpretationsprozess. Sie sucht anders als bekannte katholische Symboldidaktiken (z. B. H. Halbfas) nicht primär nach archetypischen Motiven oder an C. G. Jung orientierten Ursymbolen, die Menschen der biblischen und heutigen Welt gemeinsam sein könnten, um mit anthropologischen Erfahrungen an religiöse Dimensionen „anknüpfen" zu können. Evangelische Symboldidaktik ist weder anschauliche Wegmarke hin zur Gotteserkenntnis noch ein Hineinbringen des Altars und der Eucharistie samt der Mittlerfunktion von L., Priestern und Kirche ins Klassenzimmer, um Jesus sakramental zu vergegenwärtigen; sie ist keine Teilhabedidaktik, sondern eine Auseinandersetzungsdidaktik in der Spannung von Offenbarung und Ereignis. Das Bild dieses Prozesses ist nicht das Mandala, sondern der Weg, den L. und Sch. miteinander zurücklegen und offen gestalten. Verbinden mehrere Personen Ähnliches mit einem anschaulichen Gegenüber (z. B. einer Rose), kann das Produkt ihrer momentanen Übereinstimmung „Symbol" genannt werden. So kann auch das Brandenburger Tor ein Symbol für Versöhnung für Deutsche des 20. Jahrhunderts sein (vgl. KB S. 208). Immer sind Symbolisierungen Begegnungen und eben keine Zeichen, die wie Verkehrszeichen erst der Erklärung bedürfen, damit alle das Gleiche in ihnen erkennen können.

Um mit Symbolisierungen gerade auch ökumenische und interreligiöse Brücken zu bauen, werden im Kapitel vorrangig kulturbezogene Erlebnisgestalten ausgewählt, die auch in den großen Religionen bedeutsam sind: Haus, Herz, Weg, Brot, Hand, Wasser. Interreligiöses Lernen zeigt in Bezug auf den Umgang mit derartigen „Symbolen" Interesse an der Glaubenspraxis andersgläubiger Menschen, verwahrt sich aber dagegen, über gemeinsame Symbolerfahrungen auch Gotteserfahrungen zu vereinheitlichen. Letztlich geht das Kapitel davon aus, dass sich in Jesus Christus Gottes Sein und Wesen für Christen in umfassendster Weise darstellt, sodass der Gott Israels weder christlich zu vereinnahmen noch Jesus Christus islamisch zu korrigieren wäre. Und doch können die Sch. in der Begegnung mit religiösen Vollzügen und Traditionen eine Entdeckungsreise zu ihrer eigenen Religiosität und Spiritualität antreten.

Es geht in diesem Kapitel somit nicht vorrangig um Informationen über so genannte Symbole, sondern um einen Unterricht als „Forscher"werkstatt:

- Die Sch. können ganzheitliche Erfahrungen machen, indem sie mit allen Sinnen Sinnfragen bewegen, etwa: Was liegt mir am Herzen? Wo ist mein Lebenshunger? (Dimension des Erlebens)
- Die Sch. können in Bodenbildern und in einem eigens zu dieser Einheit erstellten Karteikasten zum Ausdruck bringen, wie Wort- und Bildhälfte menschlich-religiöser Grundvollzüge sich in Sprache, Ästhetik und Religion verbinden und so auch im religiösen Bereich mehr „sagen", als Definitionen erfassen, etwa: ein Haus und mein Zuhause, mein Weg und der Weg Gottes mit mir (Dimension des Erkennens).
- Die Sch. können die Bedeutung von Symbolisierungen in der Alltagswelt auch im Blick auf die Verwendung religiöser Phänomene einschätzen und kritisch hinterfragen, etwa: Handel und Hand (Dimension des Erkundens).

Insgesamt geht das Symbolkapitel, ähnlich wie das Gleichniskapitel davon aus, dass Fünft- und Sechsklässler sich hinsichtlich ihrer entwicklungspsychologischen Voraussetzungen im Übergang vom eindimensionalen konkret-rationalen zum symbolisch-vieldimensionalen Denken befinden. Deshalb sollte der „Blick hinter die Kulissen" langsam eingeübt werden als Weg, das Sichtbare zu beschreiben, Funktionen zu benennen und Bedeutungen zu erschließen, z. B. durch Sprachwendungen, die Sichtbares und Gemeintes ausdrücken (Das ist mein Zimmer – hier bin ich zu Hause, my home is my castle), durch Deutesätze (das ist ein Zelt und mehr als ein Zelt ...) oder durch das Gestalten und Spielen von Bildworten (z. B. Aufstand, Handreichung).

Entgegen der weit verbreiteten Meinung, dass Erfahrungen und Symbolbegegnungen im RU nicht bewertbar, aber für eine liturgische Kompetenz nötig sind, vertritt dieses Kapitel die Meinung, dass auch beim Thema „Symbole" im Hinblick auf Kommunikation und Präsentation des Arbeitsprozesses durchaus messbare Qualifikationen auftreten. Die Sch. lernen, Erfahrungen zu versprachlichen, zu verbildlichen, Menschen auf ihre Glaubenshoffnungen hin zu befragen und die Ergebnisse ihrer Arbeit zu präsentieren.

2. Didaktisch-methodische Hinweise

KB S. 208/209 Symbole entstehen / Gott sieht das Herz an

Die DS möchte die Sch. in das Phänomen doppeldeutiger Denkweisen und mehrdimensionaler Sichtweisen einführen. Z. B.: Das ist das Brandenburger Tor in Berlin. Man kann durch dieses Tor von Osten nach Westen und umgekehrt hindurchgehen, man kann an diesem Tor die Einheit Deutschlands feiern, man kann ..., ich war schon mal in Berlin am Brandenburger Tor, das Tor steht für Versöhnung, für Berlin als Hauptstadt, für ... . Wichtig ist, zum Einstieg ein Bildwort in die Mitte zu legen, zu dem alle Sch. sich äußern können, und deutlich zu machen, dass es beim Sprechen über dieses Thema um Sichtweisen und nicht um die Bewertung von Antworten geht.

Die DS folgt dem Prinzip „Von der Nähe in die Ferne". Somit entdecken die Sch. ihr Haus (das Bodenbild stellt ein Haus dar)

als äußerliches Bild eines Zuhause-Seins und ihr Herz als inneres Bild ihres Personseins.
Methodisch werden die beiden zentralen Arbeitsweisen des ganzen Kapitels auf dieser DS eingeführt: einerseits die Gestaltung von Bodenbildern, andererseits die Erstellung eines Symbol-Karteikastens. Obwohl es möglich ist, sich für eine der beiden Arbeitsweisen zu entscheiden, empfiehlt es sich, das Sich-Beeindrucken-Lassen über kreatives Gestalten und Unterrichtsgespräche in der Bodenbildgestaltung zu fördern und das Sich-Ausdrücken-Können in schriftlicher Darstellung, Werkvergleichen usw. mit den Karteikarten zu erarbeiten. Gedacht ist, einen Klassenkarteikasten zu jedem „Symbol" mit Materialien und Arbeitsergebnissen zu erstellen und auch über die UE hinaus Texte, Lieder, Bilder usw. zu den verschiedenen Themen weiterzusammeln. In einzelnen Arbeitsphasen erstellen die Sch. eigene Karteikarten, die wie ein Hefteintrag benotet und zum Teil auch individuell in einer Klarsichthülle im Heft gesammelt werden können.
Bodenbilder werden auf dem Boden einer Stuhlkreismitte erstellt. Dabei erhält jeder Sch. bei jedem Thema die Möglichkeit, zunächst seinen eigenen Gedanken nachzugehen und sein eigenes Bild in Ruhe (evtl. mit Musikuntermalung) an einem festgelegten Platz zu gestalten. Das Material für die Bodenbildgestaltungen kann entweder beim Verlag „Religionspädagogische Praxis" in Landshut bestellt werden, der eine faszinierende Auswahl an Tüchern und Legematerialien samt Körben anbietet (allerdings nur die ästhetisch runden und heilen Materialien), oder selbst zusammengestellt und ebenfalls mit den Sch. immer wieder ergänzt werden. Obwohl viele L. den hohen Materialaufwand bei der Arbeit mit Bodenbildern scheuen, zeigt die Unterrichtspraxis und -kultur, dass Bodenbildstunden eine hohe Dichte an Beziehung und Begegnung ermöglichen. Wer häufiger mit Bodenbildern arbeitet, wird auch organisatorische Fragen regeln, z. B. dass einige Sch. in der Pause die Tische auf den Gang stellen, damit der Boden im Klassenzimmer frei ist, dass andere Sch. das Material holen und aufbauen, dass die Stunde so beendet wird, dass alle miteinander aufräumen, dass Bilder fotografiert und so für Heft und Leistungsnachweise benutzt werden usw.
Es ist sinnvoll, die im Laufe des Unterrichts entstehenden Bodenbilder zu fotografieren und diese am Ende der UE als Wiederholung und Festigung des Gelernten einzusetzen.

Mögliche Eingangssituationen zur DS 208/209

- „Einfaches" Bodenbild: Die Sch. entdecken, dass Symbole immer von der Deutung des Betrachters abhängig sind, indem sie erzählen, was einige Dinge, die auf einer Decke auf dem Boden liegen (z. B. Freundschaftsband, Uhr, Kinderschuh, Markenjeans, 100-Euro-Schein, eine Scheibe Brot) ihnen bedeuten. Im UG oder Rollenspiel können sie erarbeiten, was ihre Großeltern, ein Afrikaner, eine Nonne u. a. wohl mit den Gegenständen verbinden würden. Sie gestalten darauf das Bodenbild weiter, indem jeder Sch. am Deckenrand mit Legematerialien etwas gestaltet, was für ihn im Moment zum Symbol wird.
- Karteikarten: Die Sch. „übersetzen" den Begriff des Symbols, indem sie überlegen, für welche Menschen das Brandenburger Tor und für welche ein Kreuz wohl ein Symbol ist und weshalb. Sie malen dann auf Karteikarten Dinge, die für sie eine symbolische Bedeutung haben, und ordnen sie nach Lebensbereichen. Alle Karten werden in die Mitte gelegt und unter der Frage: „Was ist ein Symbol?" besprochen. L. kann auf dem Boden weitere Bilder legen, z. B. mit einem Ehering, einem Heilstein, einem Mercedesstern, einer Kerze, einem Kreuz, einem Kopftuch, einer Menora. Die Sch. überlegen dann, welche Dinge für religiöse Menschen warum bedeutsam sein könnten und welche zu ergänzen wären. Die Sch. können mit Hilfe des Bodenbildes eine Karteikarte gestalten zum Thema „Dinge, die religiösen Menschen mehr sagen, als wir auf den ersten Blick sehen". Sie vergleichen ihr Bild mit **M 115** (Farbseite am Schluss des Bandes), suchen alle Bildworte heraus, die der biblischen und christlichen Tradition zuzuordnen sind, begründen und ergänzen ihre Auswahl.
- Wer die vorgeschlagenen zwei Methoden der Bodenbild- und Karteikastengestaltung durch andere ersetzen möchte, kann auch mit dem Schwerpunkt „Symbole in Liedern" symbolisierende Entdeckungen machen, denn zu jedem Thema gibt es Lieder der Alltags- und Glaubenswelt, die Jugendliche gerne hören und die zur symbolisierenden Begegnung einladen.

Erschließungsmöglichkeiten KB S. 208

- Bodenbild Haus: Das Grundmotiv des Bodenbildes KB S. 208 ist ein Haus. In diesem Haus ist Tischgemeinschaft (Tassen), Nahrung für Leib und Seele (Brot) sowie Geborgenheit (Kerze) angedeutet, sodass es den Titel: „Zu Hause sein – bei sich und bei Gott" trägt. Wer mit Bodenbildern ins Thema einsteigen möchte, sollte dieses Bild auf dem Boden nachlegen. Die Sch. überlegen anhand des Bildes, was für sie ein Haus zu einem Zuhause macht und welche Gegenstände sie in Ergänzung zum Foto-Bodenbild in ihr Hausbild hineinlegen würden. Evtl. malt oder gestaltet jeder Sch. ein eigenes Haus bzw. Zuhause. Die Sch. vergleichen ihre „Häuser" mit dem Bild KB S. 208. Sie vermuten, wer dieses Haus gelegt haben könnte, und diskutieren, was der Titel ausdrücken möchte. Denkbar ist, Legematerialien aus den Bereichen der drei monotheistischen Religionen (z. B. Kerzen, Weihrauchgefäß, Gebetsschal, Engelbilder, Bibel, Koran, Tora, Psalmverse, Lieder usw.) bereitzustellen und die Sch. ihr Haus weitergestalten zu lassen als Haus, in dem Gott wohnt, eingeladen wird oder vor der Tür bleiben soll.
- Karteikarte Brandenburger Tor: Die Sch. gestalten eine Karteikarte mit dem Brandenburger Tor. Sie kleben oder malen Menschen vor das Tor (Skater, ein Berliner Bürger, ...), ergänzen die Aspekte und füllen zu jeder Person eine Sprechblase zum Thema „Warum das Brandenburger Tor für mich ein Symbol ist" aus.
- Bildworte in der Bibel: Die Sch. präzisieren den letzten Impuls KB S. 208 (z. B. In der Bibel wird von Erfahrungen, die Menschen mit Gott gemacht haben, berichtet. Manchmal beschreiben Menschen diese Erfahrungen mit Bildworten.) Die Sch. erstellen nun eine Karteikarte, indem sie Bildworte für Gott, für Jesus und für den Glauben aus der Bibel suchen und überlegen, was Menschen damals mit diesen Bildworten eigentlich sagen wollten. In einer weiteren Spalte tragen sie ein, mit welchem Bildwort sie selbst von dieser Erfahrung berichten würden:

Menschen erzählen von ihren Erfahrungen mit Gott in Bildworten:

Folgende Erfahrung mit Gott	Bibeltext	Bildwort	Mein Bildwort wäre
Nicht verlassen werden von Gott	Psalm 23	Gott ist ein Hirte	Gott ist ...

Erschließungsmöglichkeiten KB S. 209

- Die Sch. gestalten ein Herz-Bodenbild: Entlang eines großen Seiles in Herzform gestaltet jeder Sch. auf dem Boden mit Legematerialien und farbigen Tüchern, was er beim Wort „Herz" assoziiert. Beim Betrachten und Gespräch über die Bilder werden Worte, die „Herz" enthalten, auf Karten geschrieben und ins Bodenbild integriert. Was möchten Menschen mit dem Bild des Herzens eigentlich sagen? Die Sch. vergleichen ihre Antworten mit biblischen Herzworten (vgl. die Karteikarte „Bibel" KB S. 209), z. B. „und Jesus herzte die Kinder", „und Gott sah das verstockte Herz der Menschen", „Gott schenkt den Menschen ein neues Herz" usw. Sie gestalten dann in Gruppen mit den Materialien ein biblisches Herzwort in der Mitte des Seilherzens. Das Gesamtbild zeigt die einzelnen Sch.-Legebilder auf dem Seilrand und die biblischen Bilder in der Herzmitte. Sie werden miteinander verglichen. Zum Schluss suchen sich die Sch. ein Außen- und ein Innenbild aus und fotografieren oder malen es für ihre Herz-Karteikarte.
- Karteikarte Herz: Die Sch. teilen sich in 6 Gruppen gemäß der Karteikarten im KB. Sie erstellen gemäß der 6 Sparten zu jedem Schlagwort einer Rubrik eine eigene Karteikarte. Dazu suchen sie die angegebenen Lieder, Texte usw. heraus, kleben sie auf und finden weitere Beispiele (Impuls 1). In jeder Gruppe wird nach einer möglicherweise typischen Verwendung des Herzbegriffes in der Alltags- und religiösen Welt von Musik, Kunst usw. gesucht. Die Sch. stellen ihr Ergebnis dar und heben den religiösen Gebrauch des Herzbegriffes in ihrem Bereich hervor. Die Ergebnisse werden verglichen. Als Ergebnissicherung schreiben die Sch. auf eine Karteikarte einen Leserbrief zum Thema: Ist das Bild des Herzens ein angemessenes Bildwort für Glaube und Gottvertrauen?
- Herzpantomime: Mit Hilfe der Herzworte der Karteikarten erstellen die Sch. religiöse „Herz-Pantomimen", indem sie körpersprachlich, evtl. mit Texten oder Musik untermalt verschiedene Herzbedeutungen als Begegnungsakt zwischen Gott/Jesus und den Menschen darstellen. Diese Pantomimen werden zu einer religiösen Herzgeschichte komponiert und in einen Schulgottesdienst eingebracht. Spielen die Sch. nicht gerne, ist statt der Pantomime die Darstellung mit Egli-Figuren möglich.

Mögliche Schlusssituation KB S. 209

- Impuls 4: Die Sch. diskutieren im Plenum, ob der Satz „Ein Gegenstand wird zu einem religiösem Symbol, wenn seine Bedeutung auf Gott bezogen wird" zutrifft.

KB 210/211 Befiehl dem Herrn deine Wege / Ich bin das Brot des Lebens

Diese DS bearbeitet Bildworte, mit denen Menschen ihren Alltag im Blick auf ihre Lebenshorizonte gestalten (Lebenswege, Lebenshunger). Erfahrungen von Verlassen – Entdecken – Sich neu orientieren sind Themen dieser DS. Sie entsprechen der Situation der Fünft- und Sechsklässler, die die Grundschule und vertraute Beziehungen verlassen mussten und neu auf der Suche sind nach Verlässlichkeit und Freundschaft in Bezug auf Menschen, aber auch auf Gott.

Das biblische Wegmotiv erzählt vom Wegegott Israels, der von der Knechtschaft in die Freiheit führt. Diese Deutung setzt sich im NT fort: Jesus Christus ist der personifizierte Weg, die Wahrheit und das Leben (Joh 14,6). Mahltexte gehören zu den zentralen Begegnungstexten des NT. Im Emmausmahl gibt Jesus sich seinen Jüngern zu erkennen, womit ein endzeitliches Licht auf Abschieds- und andere Mahlfeiern fällt. Jedes Abendmahl vergegenwärtigt diese leibhaftig geschenkte Gemeinschaft mit Jesus Christus. Auch in anderen Religionen spielen Mahlfeiern und Brot eine wichtige Rolle: Am Sederabend feiert Israel die Errettung aus Ägypten. Das dabei gegessene ungesäuerte Brot (die Matzen) erinnert an diese Befreiungstat Gottes. Religiöse Mahlfeiern atmen etwas von der Endlichkeit und Endzeitlichkeit, von Bedürftigkeit und Erfüllung aller Verheißungen. Weil für viele Jugendliche heute in unserer übersättigten Wohlstandsgesellschaft der Hunger der Seele existentieller zum Himmel schreit als Hunger auf Essen, werden Brot und Hunger weniger als Bildworte zu solidarischem Handeln (etwa den Hunger in Afrika zu lindern) denn als Bildworte einer eigenen existentiellen Befindlichkeit bearbeitet.

Ein Schwerpunkt dieser DS liegt auf der Förderung der hermeneutischen Kompetenz. Indem die Sch. biblische Texte auf die in ihnen bezeugten Erfahrungen hin auslegen, können sie ihr Sprachrepertoire erweitern und in kritischer Distanz den Gebrauch von Wege- und Brotworten im profanen wie interreligiösen Gebrauch bewerten. Deshalb wird hier mehrfach mit der Konkordanz gearbeitet.

Das Bild von Tàpies, Spuren auf weißem Grund, kann als ein Einstieg in das Thema Spuren/Wege genutzt werden. Es gibt zwei Möglichkeiten der Interpretation: a) Es sind zwei Spuren zu erkennen, d.h. jemand wird von einem anderen begleitet; b) Die Spuren führt immer im Kreis; jemand findet aus einem (bedrückenden) Kreislauf keinen Ausweg.

Es kann reizvoll sein, im UG diese beiden Deutungen zu erarbeiten und zu besprechen.

Mögliche Eingangssituation zur DS 210/211

- Weg und Brot in unserer Sprache: TA: An den beiden Außentafeln stehen „Weg" und „Brot". Die Sch. schreiben alle Worte zu den Begriffen, die die Worte enthalten oder beschreiben (Sackgassse, Wegzehrung, Hunger, Schulbrot usw.) dazu. Darauf werden die Begriffe umkreist, die nach Meinung der Sch. in der Bibel wohl benutzt werden, um etwas über Gott und den Glauben auszusagen. Die Sch. versuchen „biblische" Sätze zu formulieren und vergleichen dann mit Brot- und Wegworten, die sie mithilfe der Konkordanz finden.

Erschließungsmöglichkeiten KB S. 210

- Die Sch. betrachten das Bild von Tàpies, evtl. als Folie. Wie wirkt das Bild auf mich, welche Gedanken habe ich dabei? Vgl. die beiden Deutungsmöglichkeiten oben.
- Auch eine Stilleübung zum Bild von Tàpies, ist möglich: Die Sch. meditieren das Bild mit Hilfe von **M 116**. Folgende Schritte sind dabei denkbar: Die Sch. sitzen entspannt und betrachten still das Bild von Tàpies. Nach einiger Zeit setzt L. mit dem Vorlesen des Textes ein. L. liest den Text noch einmal vor, wobei die Sch. die Augen schließen, damit sich innere Bilder einstellen können.
- Wege-Bodenbild:. Die Sch. bringen Gegenstände und/oder Bilder mit in den Unterricht, die für wichtige Stationen in ihrem Leben stehen. Mit einem Seil wird ein nicht geradliniger Weg (Umwege) auf den Boden gelegt, der an 2-3 Stellen verknotet ist. Die Sch. überlegen, was die Knoten und die Umwege usw.

bedeuten können (z. B. Umzüge, andere Beziehungen durch wechselnde Familienkonstellationen). Sie legen ihre Gestände bzw. Bilder an den Weg und an die Knotenpunkte und erzählen sich gegenseitig von ihren Wegstationen.
Mit Hilfe der Konkordanz suchen die Sch. nun Wegworte der Bibel und schreiben diese auf Pappstreifen. Gemeinsam wird nun überlegt, welche biblischen Wegworte zu den einzelnen Stationen des Bodenbildes gelegt werden können.

- Spuren im Sand: Die Sch. lesen den Text und gestalten dann mit eigenen aus Tonpapier ausgeschnittenen Fußstapfen den Weg des Mannes nach. Sie vergleichen mit dem Bild von Tàpies und evtl. mit biblischen Wegworten (Impuls 1).
- Die Sch. singen das Lied „Wir haben Gottes Spuren festgestellt“ (Regionalteil EG). Sie erhalten den Text des Liedes und unterstreichen farbig, wo dort „Gottes Spuren“ benannt sind (Liebe und Wärme in der kalten Welt, Hoffnung, blühende Bäume, Sklaven, die durch das Wasser gehen, Bettler und Lahme beim Tanz, wie Stumme sprachen, Strahlen, die die Nacht durchbrachen). Sie suchen Bilder und schreiben Texte, die sie zu den Spuren auf dem Boden legen. Sie überlegen, ob sie in ihrem Leben oder im Leben von Eltern, Freunden und Bekannten Situationen kennen, in denen Gottes Spuren zu erkennen waren.
- Wegelieder: Die Sch. vergleichen säkulare „Wegesongs“ unserer Zeit mit christlichen Wegesongs und arbeiten heraus, worin die jeweilige Wegebegleitung besteht (z. B.: „Geh unter der Gnade“, EG 543; „Vertraut den neuen Wegen, EG 395, das irische Segenslied: „Mögen sich die Wege“ (**M 117**). Wenn möglich, sollte man die Lieder mit Begleitungen singen und dann auch Klangfarben und Texte der Wegelieder miteinander vergleichen.

■ Erschließungsmöglichkeiten KB S. 211

- Bodenbild Brot: Auf einer Decke in der Mitte liegt ein Brot als stummer Impuls. Die Sch. erzählen von Broterlebnissen. Die Spannbreite von „sattsein“ und „Hunger haben“ wird vom Brot ausgehend auf andere Lebensbereiche übertragen: Manche Menschen sagen mit einem Brot: „Ich bin rundherum satt“, andere „ich habe Lebenshunger“. Die Sch. suchen sich einen Satz aus und gestalten ihn auf der Decke ums Brot herum. Beim Besprechen des Bodenbildes kann ein Bezug zum Ich-bin-Wort Jesu vom „Brot des Lebens“ hergestellt werden, indem die Sch. überlegen, welche Elemente des Bodenbildes zu diesem Wort passen würden. Hier kann die Geschichte vom Gang der Jünger nach Emmaus (Lk 24 – vgl. Impuls 3) herangezogen werden.
- Die Sch. lesen den Text KB S. 211. Sie tauschen erste Eindrücke aus und erörtern die Frage, ob so etwas auch bei uns möglich wäre (Impuls 1) und was das Brot in der Geschichte über das konkrete Lebensmittel hinaus bedeutet (Impuls 2).
- Die Sch. geben den Verlauf der Geschichte mit Hilfe von Denkblasen wieder: Was denkt der Polizist, was Jerry?

- Bildbetrachtung/Karteikarte/Sprechmotette: Die Sch. betrachten das Foto KB S. 211 und formulieren in EA eine Bildunterschrift. Nach der Vorstellung der Ergebnisse wird eine Rangfolge aufgestellt: Welche Bildunterschrift trifft das Bild am besten? (Impuls 5)

Als Vorbereitung für eine Sprechmotette skizzieren die Sch. auf einer Karteikarte das Bild. Zur schwarzen Hand schreiben sie alle Urteile und Vorurteile über „Schwarze“, die sie dem Text entnehmen oder selbst kennen, zur weißen Hand ebenso alles über „Weiße“. Bei der Präsentation als „Sprechmotette“ können die weiße und die schwarze Hand sich voneinander erzählen und das Brot gelegentlich etwas zu beiden sagen. Z. B. Meine schwarze Hand sagt: Ich komme aus Afrika, bin unterernährt und arm; meine weiße Hand sagt: Ich habe einen guten Job, genug Geld auf der Bank und einen übersättigten Bauch. Das Brot sagt: Kommt zu mir alle, die ihr hungert und dürstet nach Gerechtigkeit. Meine schwarze Hand fragt: Wie soll das gehen? Ich habe Hunger, weil die Reichen uns ausbeuten. Die weiße Hand sagt: ... usw.
Zum Abschluss dieser Sequenz bedenken die Sch. noch einmal ihre Bildunterschriften: Würden sie jetzt eine andere Reihenfolge wählen?

- Brot in der Bibel: Die Sch. machen sich mit biblischen Brottexten vertraut (Wo liegt das Brot? Wer reicht, wer isst es? usw.) und stellen fest, dass Brot und Mahlgemeinschaft biblisch zusammenhängen. Sie malen und kleben eine Collage zum Thema: (christliche) Brotgemeinschaft damals und heute, indem sie Personen an den Tisch setzen, mit denen Jesus das Brot teilte und teilt. Sitzen sie selbst mit am Tisch?

■ Mögliche Schlusssituationen KB S. 211

- Brotmuseum, Brotrezepte ... Die Sch. besuchen direkt oder per Internet das Brotmuseum (z.B in Ulm) oder ein altes Backhaus. In Anlehnung an dieses Museum gestalten sie eine Ausstellung zum Thema „Brot und mehr ...“, die vor allem die religiöse und interreligiöse Bedeutung von geteilter Brotgemeinschaft in den Blick nimmt. Jede Gruppe bringt Brotrezepte, Brotfeste, Brottraditionen, ausgewählte Brottexte von Christentum, Judentum und Islam auf Stellwände, backt nach einem Rezept, nimmt Kontakt mit Menschen der jeweiligen Glaubensrichtung auf und präsentiert im RU, was Brotgemeinschaft im Glauben für diese Gruppe bedeutet. Würden wir manche Traditionen gerne übernehmen? Es ist auch möglich, mit den Ergebnissen eine Ausstellung im Foyer der Schule zu gestalten und zur Ausstellungseröffnung neben Schulvertretern auch Kirchen- bzw. Religionsvertreter, die Bäckerinnung oder Stadträte einzuladen. Mit Musik und einem Sch.-Vortrag zum Thema „Brot und mehr als Brot ...“ kann die Ausstellung zu einem interreligiösen Begegnungsfest werden.
- Brot backen/Feiern mit Brot (Impuls 7): Die Klasse backt gemeinsam Brot und gestaltet eine Agapefeier (= liturgisch gestaltetes Gemeindemahl) mit Brotliedern, -texten und geteiltem Brot oder nimmt an einer Agape-/Abendmahlsfeier einer Kirchengemeinde teil.

■ KB S. 212 Du hältst deine Hand über mir

Entscheidende Botschaften der Bibel werden über Zwischentöne und Körpersprache vermittelt. Wenn Jesus sich zu Menschen herunterbeugt, sie segnet, Kranke berührt, dann wird mit diesen Hand-Gesten das Reich Gottes konkret erfahrbar. Das Sprechen mit dem Körper, das Hören auf die Sprache der Hände sind uns Mitteleuropäern in unseren Kommunikationsstrukturen weitgehend verloren gegangen. Die Sch. müssen deshalb zunächst an ursprüngliche Erfahrungen herangeführt werden, bevor sie diese symbolisieren können.
Hände sind Identitätsmerkmale von Menschen. Sie sind Zei-

chen von Einzigartigkeit (Fingerabdruck, Gesten), Haltungen (handgreiflich werden) und Tätigkeiten (Handarbeit). Bedingt durch das Bilderverbot hat sich im jüdisch-christlichen Kontext vor allem das Bildwort der Hand eingebürgert, um etwas über Gottes Wirken im Menschen auszusagen.
Ein Schwerpunkt bei der Bearbeitung von KB S. 212 (aber auch S. 213) liegt auf der Kommunikation in Körpersprache. Die Sch. erweitern ihre theologische Sachkompetenz, indem sie biblische Texte auch auf ihre körpersprachlichen Botschaften hin lesen können. Im Tanz erhalten sie die Chance, neue Ausdrucksweisen zu erproben.

Ins Auge fällt zunächst das Bild von Sieger Köder. Der Priester und Maler wurde am 3. Januar 1925 in Wasseralfingen geboren. Köder zählt zu den bekanntesten „religiösen Malern" unserer Zeit. Er gilt als ein kraftvoller und farbgewaltiger Prediger mit Bildern. Er studierte 1946 bis 1947 an der Staatlichen Höheren Fachschule für Edelmetalle Schwäbisch Gmünd Ziselieren und Silberschmieden, danach bis 1951 an der Kunstakademie Stuttgart. 1954 bis 1965 war Köder Kunsterzieher am Schubart-Gymnasium in Aalen. Dann begann er ein Studium der Katholischen Theologie in Tübingen, 1971 trat er ins Priesterseminar in Rottenburg ein. Nach seiner Priesterweihe war er Vikar in Ulm (St. Maria Suso), ab 1975 Pfarrer in Rosenberg. Seit 1995 ist Köder im Ruhestand; er lebt und arbeitet in Ellwangen.
Das Bild KB S. 212 trägt den Titel „In Gottes Händen". Köder gestaltet seine Kirchen- und Altarfenster vorrangig mit „Symbolen" der christlichen Tradition. Eine rote Rose gilt als sein „Markenzeichen". Das vorliegende Bild stellt die Vorstellung von der Teilhabe des Menschen am göttlichen Segen und seine Bewahrung in der Aura des Schöpfers dar.

■ Mögliche Eingangssituationen

- Sprache als Körpersprache erleben und deuten: In PA führt ein Sch. dem Partner einen Hand-Begriff (z.B. handgreiflich werden, handeln, handlungsunfähig) pantomimisch vor, der andere errät diesen Begriff, es wird gewechselt usw. Die Handworte werden auf Karteikarten geschrieben. Die Sch. vergleichen ihre Karten mit Handworten der Bibel (z.B. Mk 2,14; Mk 10,21; Mt 4,18-20; Mt 8,21f; Mt 10,38; Lk 10,1-10; Joh 1,43; Joh 21,19) und suchen nach typischen Verben und Adjektiven, mit denen das Handeln Gottes beschrieben wird.
- Die Sch. setzen den Text „Und Jesus fasste sie bei der Hand" (M 118) in eine Handpantomime um.

■ Erschließungsmöglichkeiten

- Bodenbild Hand: Auf dem Boden liegen Fotos mit verschiedenen Handgesten (betende, schimpfende, segnende usw. Hand), umrahmt von einem Seil in Handform. Die Sch. suchen zu den Händen passende Situationen und diskutieren, welches Bild etwas über Gottes Handeln aussagen könnte. Die Sch. ziehen die Hände KB S. 68 heran. Darauf gestalten die Sch. mit Legematerialien oder Wasserfarben auf dem Boden ein je A 3-großes Segment zum Thema: „Ein Mensch in Gottes Hand" am Rand des Seiles, achten dabei besonders auf Farben und Formen. Sie vergleichen ihre Bilder mit dem von S. Köder (Handstellung „Gottes", Farben, mit der Hand verbundene Verben).
- Köder, In Gottes Händen: Das Bild wird auf OH-Folie mit der Abdeckmethode erschlossen. L. gibt einige Informationen über S. Köder und entdeckt mit den Sch., was Köder mit dem Handmotiv über Gottes Wirken aussagen möchte. In GA oder PA finden die Sch. einen Titel (Impuls 1).
- Weitermalen: Das Bild eignet sich auch zum Weitermalen, indem jeder Sch. auf seine KB-Seite 212 ein weißes Blatt legt und dieses so zurechtschneidet, dass das Köderbild in der Mitte erscheint. Nun malen die Sch. das Köderbild seitwärts auf dem Papier weiter, indem sie weitere Farben und in diese ergänzende Handmotive hineinskizzieren.
- Als Karteikarte: Die Sch. übertragen das Köder-Bild (auch mit Veränderungen) auf eine Karteikarte, die sie als Anzeige gestalten (Geburt, Taufe, Einschulung, Konfirmation, Hochzeit, Tod) und entwerfen passende Kartentexte zum Bild. Besonders gelungene Karten werden kopiert und in einer Kirchengemeinde zum Verkauf angeboten.
- Handtexte in den Religionen: Die Sch. suchen einen zentralen Handtext des AT, des NT und des Koran aus, z.B. AT: Psalm 37,24: Fällt er, so stürzt er doch nicht, denn der Herr hält ihn fest an der Hand; NT: z.B. Mk 8,25: Noch einmal legte ihm Jesus die Hände auf die Augen. Danach blickte der Mann wieder auf – und war geheilt. Er konnte jetzt alles ganz deutlich erkennen; Koran, Sure 67 Vers 1: Segensreich ist der, in dessen Hand die Herrschaft ruht: und Er hat Macht über alle Dinge. Sie malen im Stil des Köder-Bildes ein interreligiöses Hand-Gottesbild (evtl. auch in Verbindung mit Davidstern, Halbmond und Kreuz).

■ Mögliche Schlussituationen

- Christen als Handlanger Gottes: Mit Hilfe des Ja-Nein Stuhles diskutieren die Sch. die Frage, ob Christen Handlanger Gottes sind (Impuls 5).
- Präsentationen: Die Sicherung des Gelernten erfolgt in der Präsentation vor Zuhörern (s.o.), wobei Bilder, Texte, biblische Bezüge, Fähigkeit zur Darbietung eines eigens erstellten Vortrages oder Bildmeditation usw. als Beitrag jedes einzelnen Sch. bewertet werden: Die Sch. gestalten in einem Altersheim oder Krankenhaus ein „Konzert" mit Texten, Musik und Bildern zum Thema „Geborgen in Gottes Hand", in dem sie zu einem eigenen oder dem Köder-Bild eine Bildmeditation vortragen, Hand-Lieder wie z.B. „Halte zu mir guter Gott" (Schönhals-Schlaudt, Dorothee, Menschenskinderliederbuch. Frankfurt1993. Nr. 52) singen und Karten mit biblischen Handtexten samt Wünschen verteilen.

KB S. 213 ... und führet mich zum frischen Wasser

Wasser ist Urgrund aller Dinge. Es ermöglicht Leben auf dieser Erde und bestimmt die Kreisläufe des Lebens. Es ist im Gegensatz zur anschaulichen Dynamik, die von Händen ausgeht, ungeformt, rhythmisch und fähig, sich in verschiedene Grundkonstitutionen zu verwandeln. So kann es Heil, aber ebenso Unheil bringen. In der Bibel wird diese doppelte Bedeutung benutzt, um den Einbruch feindlicher Chaosmächte (z.B. bei der Sintflut, Teilung des Schilfmeeres bei Mose) und die lebensstiftende Schöpferkraft (z.B. in Wasserbildern von der Quelle des Lebens, von Brunnen, von blühenden Gärten in der Wüste) zu veranschaulichen. Wenn Jesus als „Wasser des Lebens" (Joh 6,18) bezeichnet wird, dann ist er die Kraft, die das menschliche Chaos in Beziehung verwandelt.

Mögliche Eingangssituationen

• Bodenbild Wasser 1: Die Sch. legen mit blauen Tüchern auf dem Boden das Bild eines Wasserlaufes von der Quelle zur Mündung, verklanglichen den Lauf des Wassers, suchen und lesen Texte dazu (u.U. aus AT, NT und Koran, z.B. Joh 4,14: Wer aber von dem Wasser trinkt, das ich ihm geben werde, wird in Ewigkeit keinen Durst mehr haben. Ich gebe ihm Wasser, das in ihm zu einer Quelle wird, die bis ins ewige Leben weitersprudelt; Psalm 1,3: Der ist wie ein Baum, gepflanzt an den Wasserbächen, der seine Frucht bringt zu seiner Zeit, und seine Blätter verwelken nicht. Koran: Sure 57,11b: Eine frohe Botschaft sei euch beschieden. In den Gärten, durch die Bäche fließen, werdet ihr auf ewig weilen.
Mit welchen Wasserbewegungen können wir etwas über uns, andere oder Gott aussagen?

• Wasserschale: In der Mitte befindet sich eine mit Wasser gefüllte Schale. Die Sch. erzählen von Wassererfahrungen (z.B. Spaß: Baden, Angst: Jahrhundertflut in Asien). Jeder Sch. malt mit Wasserfarben ein Bild zum Thema: „Die Kraft des Wassers". Bei der Besprechung wird gefragt, wie sich das Gemalte mit Gott in Verbindung bringen lässt.

Erschließungsmöglichkeiten

• Bodenbild Wasser 2: Die Sch. lesen die Geschichte des Beduinenjungen Kenan und gestalten den in ihr enthaltenen Vers aus Jesaja 58 abschnittweise aneinandergereiht in drei Gruppen (Gott wird Dich führen; Du wirst wie ein Garten sein; wie eine Wasserquelle) als Bodenbild mit Legematerialien. Jeder Sch. wählt ein Legematerial und legt es an der Stelle, wo er sich wohlfühlen würde, im Bodenbild oder außerhalb davon ab. Dabei kann der Kanon „Die dem Herrn vertrauen" (KB S. 213) gesungen werden.

• Karteikarte Wasser: Die Sch. schreiben auf eine Karteikarte zwei bis drei biblische Wasserworte, die ihnen gut gefallen. Sie können dazu auch Bilder malen (Impuls 6).

• Die Sch. schreiben die Geschichte von Annika und Marika weiter, die beiden können sich z.B. ein biblisches Wasserwort zusprechen.

• Wasser in der Wüste: Die Sch. überlegen, wie der koptische Mönch in der ägyptischen Wüste (siehe M 119) von Jesaja 58 erzählen würde, und vergleichen seine Geschichte mit der von Kenan und eigenen Durstерfahrungen.

• Die Sch. überlegen, welche weiteren Symbole bzw. Bilder sich in dem Lied finden (Impuls 4): Kraft schöpfen, aufsteigen wie Adler, der Lauf des Lebens.

Mögliche Schlussituation

• Tauffeier: Die Sch. wirken in einer gottesdienstlichen Tauffeier mit. Sie gestalten mit Wachs eine Taufkerze zu biblischen Wassermotiven und überreichen sie dem Täufling, ferner ein Taufbüchlein mit biblischen Wassertexten und Bildern zur Kenangeschichte überreichen. Ferner singen sie den Kanon S. 213, sie können auch einen Wassertanz tanzen (M 120).

Zum Abschluss des gesamten Kapitels

• Die Sch. schauen noch einmal die Seiten und Karten zum gesamten Kapitel durch und gestalten ein (Boden)bild zum Thema: „In Bildern über Gott und die Welt sprechen", indem sie Zeichen und Bilder der Bibel und des Koran evtl. mit verschiedenen Farben komponieren und das Bild um Zeichen und Bilder ergänzen, die für sie etwas über die Beziehung von Gott und Welt aussagen. Als Anregung zur Gestaltung kann noch einmal das Symbolbild von Carita Schmidt (M 115) dienen.

3. Lernkarten

121 Wie wird ein Gegenstand oder ein Bild zu einem Symbol?
122 Jesus redet im Johannesevangelium von sich in Bildworten. Er sagt: „Ich bin ..." Schreibe drei Ich-bin-Worte auf.
123 Das Bild von der Hand wird in der Bibel häufig für Gott gebraucht. Erkläre, warum.
124 Erkläre die drei Symbole.

Zu Lernkarte 123 ist folgende Antwort denkbar:
Zum einen wird Gottes Schöpferhandeln in der Bibel und in der Bildenden Kunst häufig im Bild der Hand ausgedrückt. Zum anderen kommt im Bild der Hand das schützende und segnende Handeln Gottes zum Ausdruck.

4. Empfohlene Literatur und Medien

Baur, Katja, Symbolisieren als Gestalten, Hamburger Theologische Studien 27, Hamburg 2002 (Lit).

Baur, Katja, Erzählbilder bilden. In: Festschrift für H. Koch, Schriftenreihe der Ev. Fachhochschule Reutlingen-Ludwigsburg, Ludwigsburg 2005.

Baur, Wolfgang, Was wir von der Bibel wissen, Stuttgart 1993 (Katholisches Bibelwerk).

Biehl, Peter, Bibeldidaktik als Symboldidaktik. In: Lämmermann, Godwin, Bibeldidaktik in der Postmoderne, Stuttgart 1999 (Kohlhammer).

Biehl, Peter, Festsymbole. Kreative Wahrnehmung als Ort der Symboldidaktik, Neukirchen 1999 (Neukirchner).

Bizer, Christoph, Kirchgänge im Unterricht und anderswo, Zur Gestaltwerdung von Religion, Göttingen 1995.

Dressler, Bernhard, Symbole und Metaphern. Beiträge zu einer kritischen Bestandsaufnahme der Symboldidaktik, Loccum 1995.

Kett, Franz, Religionspädagogische Praxis, Schriftenreihe, Landshut 1978-2004 (RPP)

Kliemann, Peter, Das Haus mit den vielen Wohnungen. Eine Einführung in die Religionen der Welt, Stuttgart 2004 (Calwer).

Knauth, Thorsten u.a., Die offene Moschee, Religionspädagogische Schriften, Hamburg 2002 (Waxmann).

Der Koran und die Bibel, Zeitschrift: Welt und Umwelt der Bibel 15, Stuttgart 2000 (Katholisches Bibelwerk e. V.).

Schulze, Andrea, Vom Geheimnis des Unterschieds, Die Wahrnehmung des Fremden in Ökumene-, Missions- und Religionswissenschaft, Münster 2002 (Lit).

5. Materialien

M 115 Carita Schmidt, Jesus sagt: Ich bin ... (Farbseite)
M 116 Stilleübung zum Bild „Spuren" von Tàpies
M 117 Ein Wegelied
M 118 Und Jesus fasste sie bei der Hand
M 119 Ein koptischer Mönch in der Wüste
M 120 Ein Wassertanz aus Israel

Übersicht Lernkarten

Wir leben miteinander

1 Was sind Engel?
2 Was ist ein Symbol?
3 Erkläre in wenigen Worten, was Psalm 139 über die Beziehung Gottes zu den Menschen aussagt.
4 Mit dem Wort „Boot" kann zweierlei gemeint sein.
5 Nenne drei Rechte der Kinderrechtskonvention der Vereinten Nationen, die in Deutschland erfüllt werden, nicht aber in anderen Ländern.
6 Nenne fünf Ideen, wie man sich für andere Kinder auf der Welt einsetzen kann.
7 Wie verhält sich jemand, der nach Jesu Maßstäben groß ist?
8 Formuliere drei Kinderpflichten für eure Klassengemeinschaft.
9 Welche Formen von Gewalt kennst du? Nenne zwei Sprichwörter, die eine Lösungsmöglichkeit anbieten.
10 Was versteht man unter Mobbing? Was kannst du tun, wenn du gemobbt wirst?
11 Erkläre den Ablauf einer Streitschlichtung.
12 Was sagt der christliche Glaube über Versöhnung?
13 Schreibe in Stichworten die Zehn Gebote in der richtigen Reihenfolge auf.
14 Erkläre das 7. Gebot mit eigenen Worten.
15 Warum lügen Menschen manchmal?
16 Christen können von Juden lernen, wie man Sonntag feiert. Begründe diese Behauptung.

Die Welt als Gottes Schöpfung sehen

17 Nach 1. Mose 1 hat Gott die Welt in sieben Tagen erschaffen. Schreibe die Reihenfolge auf, in der Gott die einzelnen Werke erschaffen hat.
18 Was ist der Sinn des 7. Schöpfungstages in 1. Mose 1?
19 Beschreibe, was mit dem Wort „Weltentstehung" und was mit dem Wort „Schöpfung" gemeint ist.
20 Die Bibel und die Naturwissenschaft machen unterschiedliche Aussagen darüber, wie der Mensch entstanden ist. Jemand sagt: „Das sind unüberbrückbare Gegensätze. Für mich ist klar. Die Naturwissenschaft hat Recht; die Aussagen der Bibel sind veraltet." Nimm Stellung!
21 In fast allen Kulturen und Religionen werden „Geschichten vom Anfang" erzählt. Warum erzählen sich die Menschen solche Geschichten?
22 Die muslimischen Schöpfungsaussagen ähneln denen des AT stark. Erkläre, woher das kommt.
23 Wie lautet der Schöpfungsauftrag des Menschen in 1. Mose 1 und 1. Mose 2?
24 In 1. Mose 2,4b ff. wird die Erde mit einem Garten verglichen. Was bietet dieser Garten dem Menschen? Was muss der Mensch tun?
25 Was könnt ihr tun, um Gottes Schöpfung zu bewahren?
26 Nach 1. Mose 2 erschafft Gott zunächst Adam, danach die Tiere und Eva. Beschreibe, in welchem Verhältnis Tiere und Menschen nach 1. Mose 2 zueinander stehen.
27 „Es ist nicht gut, dass der Mensch allein sei." Wo stehen diese Worte und was bedeuten sie?
28 Nenne Beispiele für das Leiden von Tieren.

Menschen vor Gott

29 In 1. Mose 1,27 wird der Mensch als Ebenbild Gottes bezeichnet. Was bedeutet das?
30 Halte die Geschichte von der Kindersegnung Jesu in Stichworten fest und schreibe den wichtigsten Vers auf.
31 Was will Jesus mit der Geschichte von den anvertrauten Talenten sagen?
32 Schreibe in Stichworten eine Geschichte aus der Bibel auf, in denen Menschen mit Schwächen und Fehlern von Jesus angenommen werden.
33 Erkläre in Stichworten die Bedeutung des Waldenserwappens.
34 Bei welcher Gelegenheit sagt Rut zu ihrer Schwiegermutter: „Wo du hingehst ..."
35 „Achtung! Rumänen klauen!" „Türke ade! Ausländer geh!" „Ausländer nehmen uns die Arbeitsplätze weg!" Formuliere zu den ausländerfeindlichen Sätzen Gegen-Sätze.
36 Manche Menschen sagen: „Rut ist eine vorbildliche Frau." Für wen könnte Rut ein Vorbild sein?
37 David hatte Stärken und Schwächen: Schreibe sie auf und ordne sie jeweils einer David-Geschichte zu.
38 Schreibe zu den drei Geschichten von David, die dir am wichtigsten sind, je eine Überschrift.
39 Schreibe in Stichworten auf, welche Bedeutung David für das Volk Israel hat.
40 Was haben Jesus und David miteinander zu tun?

Gott ist für uns da

41 Worin besteht Abrahams Glaube?
42 Was wird im Alten Testament unter Segen verstanden?
43 Wie kommt es zu dem Namen „Israel"? Was bedeutet dieser Name?
44 Was wird in der Geschichte von Jakobs Traum über Gott ausgesagt?
45 Was geschah nach den Vorstellungen der alten Ägypter mit den Menschen nach dem Tod?
46 Wie wird in der Geschichte vom brennenden Dornbusch der Name Gottes gedeutet?
47 Was bedeutet der Bund Gottes mit seinem Volk?
48 Welche Bedeutung haben Kriege in der Frühzeit des Volkes Israel?
49 Was ist eine Metapher?
50 Was ist das Wesentliche eines Gebets?
51 Schreibe je zwei Psalmworte der Angst und gegen die Angst auf, die zueinander passen.
52 In den christlichen Konfessionen und anderen Religionen gibt es verschiedene Gebetsgesten. Nenne vier solcher Gesten und beschreibe, was sie ausdrücken.
53 Gott ist (wie) eine Burg. Welche Eigenschaften Gottes werden in diesem Bild besonders betont? In welcher Situation ist das Bild für Menschen wichtig?
54 Gott ist (wie) ein Vater. Welche Eigenschaften Gottes werden in diesem Bild besonders betont? In welcher Situation ist das Bild für Menschen wichtig?
55 Gott ist (wie) eine Mutter. Welche Eigenschaften Gottes werden in diesem Bild besonders betont? In welcher Situation ist das Bild für Menschen wichtig?

56 Gott ist (wie) Licht. Welche Eigenschaften Gottes werden in diesem Bild besonders betont? In welcher Situation ist das Bild für Menschen wichtig?
57 Gott ist (wie) ein guter Hirte. Welche Eigenschaften Gottes werden in diesem Bild besonders betont? In welcher Situation ist das Bild für Menschen wichtig?
58 Gott ist (wie) eine Kuscheldecke. Welche Eigenschaften Gottes werden in diesem Bild besonders betont? In welcher Situation ist das Bild für Menschen wichtig?

Jesus Christus

59 Erkläre, was eine Synagoge ist, und benenne den wichtigsten Einrichtungsgegenstand.
60 Wer waren die Pharisäer? Woher hatten sie ihren Namen?
61 Wer waren die Zeloten? Woher hatten sie ihren Namen?
62 Welche Bedeutung hatten die Römer im Land Israel zur Zeit Jesu?
63 Erkläre die Begriffe „Messias" und „Christus".
64 Bethlehem, Nazareth, Kapernaum, Jerusalem – welche Bedeutung haben diese Orte im Leben Jesu?
65 Erzähle kurz die Geschichte von der Taufe Jesu.
66 Was bedeutet es, wenn Jesus „Sohn Gottes" genannt wird?
67 Erzähle kurz die Geschichte vom Einzug Jesu in Jerusalem. Welches Kirchenfest gehört dazu?
68 Erzähle kurz die Geschichte vom letzten Abendmahl Jesu mit seinen Jüngern. Welches Kirchenfest gehört dazu?
69 Erzähle kurz die Geschichte von der Kreuzigung. Welches Kirchenfest gehört dazu?
70 Erzähle kurz die Geschichte von der Auferstehung. Welches Kirchenfest gehört dazu?
71 Erzähle das Gleichnis vom Senfkorn in wenigen Sätzen nach. Was sagt Jesus damit vom Himmelreich?
72 Erzähle das Gleichnis vom verlorenen Sohn in wenigen Sätzen nach. Was sagt Jesus damit vom Himmelreich?
73 Erzähle das Gleichnis von den Arbeitern im Weinberg in wenigen Sätzen nach. Was sagt Jesus damit vom Himmelreich?
74 Erzähle das Gleichnis vom barmherzigen Samariter in wenigen Sätzen nach. Was sagt Jesus damit vom Himmelreich?
75 Erzähle das Gleichnis vom verlorenen Schaf in wenigen Sätzen nach. Was sagt Jesus damit vom Himmelreich?
76 Wie spricht Jesus in seinen Predigten vom Himmelreich? Suche unterschiedliche Ergänzungen für den Satz: „Wenn es so ist, wie Gott will, dann ..."

Die Bibel – Urkunde des Glaubens

77 Erkläre die Begriffe „Altes Testament", „Neues Testament" und „Evangelium".
78 Zur Zeit des Königs Salomo wurde damit begonnen, die biblischen Geschichten aufzuschreiben. Warum?
79 Nenne die drei Phasen der Schriftwerdung der alttestamentlichen Überlieferung.
80 Eine der wichtigsten Leistungen Luthers war seine Bibelübersetzung. Aus welchen Sprachen übersetzte er die Bibel? Was war das Besondere an seiner Bibelübersetzung?
81 Markusevangelium – 1. Korintherbrief – Offenbarung – NT – Gleichnis
Bringe diese Schriften in die richtige Reihenfolge. Was wurde zuerst nur mündlich weitergegeben?
82 Pergament – Papyrus – Geschichten – Briefe – Evangelien – Schriftrolle – Codex – Tinte
Verwende diese Begriffe, um zu beschreiben, wie die neutestamentlichen Schriften überliefert wurden.
83 Ordne die vier Symbole in der richtigen Reihenfolge den Evangelisten zu.
84 Erkläre die Entstehung von Bibeln im Mittelalter vor der Erfindung von Johannes Gutenberg.
85 Nenne einige Beispiele, in welcher Form die Bibel uns heute begegnet.
86 In welche drei Kategorien kann man Taufsprüche einteilen? Nenne jeweils ein Beispiel.
87 Nenne fünf Sprichwörter oder Redensarten aus der Bibel.
88 Erkläre, warum die Bibel auch Heilige Schrift genannt wird.

Den Glauben leben

89 Schreibe auf, was du über die Bedeutung der Taufe weißt.
90 Notiere Argumente für die Kindertaufe und für die Erwachsenentaufe.
91 Erkläre das Wort „Diakonie".
92 Notiere die diakonischen Aktivitäten der Elisabeth von Thüringen.
93 Schreibe auf, was du über die Konstantinische Wende weißt.
94 Die Christen waren anders ... Nenne einige Unterschiede zwischen christlichen und nichtchristlichen Römern im 1. Jahrhundert.
95 Nenne zwei biblische Geschichten, die für die ersten Christen Hoffnungsgeschichten angesichts des Todes waren. Welche Hoffnungen verbanden sie mit diesen Geschichten?
96 Unter Nero fand die erste große Christenverfolgung in Rom statt. Schreibe die Gründe Neros auf. Welche anderen Gründe hatten die späteren Christenverfolgungen im Römischen Reich?
97 Welche Rolle spielen Heilige in der katholischen Kirche? Was denken evangelische Christen über Heilige?
98 Erkläre die Bedeutung des Papsttums in der katholischen Kirche. Was denken evangelische Christen über das Papsttum?
99 Was bedeuten die Begriffe „katholisch", „evangelisch" und „ökumenisch"?
100 Erläutere die Bedeutung des Weltgebetstags.
101 Was bedeutet das Wort „Kirche"?
102 Worin unterscheidet sich das Kirchenjahr von dem „normalen" Kalenderjahr?
103 Welche Feste richten sich nach dem Sonnenjahr, welche nach dem Mondjahr?
104 An welchem Fest denken die Evangelischen besonders an Martin Luther?
105 Was feiern wir an Weihnachten? Wo finden wir in der Bibel etwas zu diesem Fest?
106 Was wird an Ostern gefeiert? Welche biblischen Geschichten gehören zu Ostern?
107 Was wird an Pfingsten gefeiert? Welche biblische Geschichte kann man dazu heranziehen?
108 Was wird am Erntedankfest gefeiert? Welche Bräuche gibt es? Gibt es in der Bibel Geschichten und Lieder, in denen für die Ernte gedankt wird?

Abrahams Kinder

109 Wie wird in der Schöpfungsgeschichte der Sabbat begründet? Wie feiern fromme Juden heute den Sabbat?
110 Bei den Juden gibt es ein Fest, das unserer Konfirmation entspricht. Wie heißt es und welche Bedeutung hat es?
111 Erkläre die Begriffe Mesusa, Tefillin und Sch'ma Israel.
112 Im Judentum gibt es drei Wallfahrtsfeste. Schreibe die Feste und ihre Bedeutung auf.
113 Wie heißt das Gebetshaus der Muslime?
An welchem Tag sollen die Muslime ihr Gebet gemeinsam im Gebetshaus verrichten?
Wie heißt das heilige Buch der Muslime?
114 Welche Bestandteile gehören zu einer Moschee? Beschreibe ihre Funktion.
115 Jeder Muslim hat fünf ihm von Gott aufgetragene Pflichten zu erfüllen. Schreibe sie auf.
116 Wie laute das Glaubensbekenntnis der Muslime?
117 Beschreibe die Bedeutung Jesu in Judentum, Christentum und Islam.
118 Judentum, Christentum und Islam haben als Grundlage ihres Glaubens heilige Bücher.
Nenne sie und beschreibe kurz, welche Bedeutung sie jeweils haben.
119 Nenne die Gottesdienstgebäude in Judentum, Christentum und Islam und beschreibe kurz, welche Gegenstände jeweils wichtig sind und wofür sie dienen.
120 Man nennt Judentum, Christentum und Islam auch die drei abrahamitischen Religionen. Schreibe auf, was damit gemeint ist.
121 Wie wird ein Gegenstand oder ein Bild zu einem Symbol?
122 Jesus redet im Johannesevangelium von sich in Bildworten. Er sagt: „Ich bin ..." Schreibe drei Ich-bin-Worte auf.
123 Das Bild von der Hand wird in der Bibel häufig für Gott gebraucht. Erkläre, warum.
124 Erkläre die drei Symbole.

Bibelkundliche Lernkarten

B 1 Gott erschafft die Welt in sieben Tagen / Der Schöpfungsauftrag an die Menschen
KB S. 38ff. / KB S. 56
Rückseite: 1. Mose 1

B 2 Der Mensch als Ebenbild Gottes
KB S. 70, 72
Rückseite: 1. Mose 1,26-27

B 3 Das Paradies und der Sündenfall
KB S. 45
Rückseite: 1. Mose 2 und 3

B 4 Noah und die Sintflut
KB S. 109
Rückseite: 1. Mose 7-9

B 5 Abraham: Verheißung und Aufbruch
KB S. 89–93
Rückseite: 1. Mose 12-18

B 6 Sara und Hagar
KB S. 205
Rückseite: 1. Mose 21,1-21

B 7 Isaaks Opferung
KB S. 204
Rückseite: 1. Mose 22,1-19

B 8 Jakob und Esau
KB S. 94/95
Rückseite: 1. Mose 27-33

B 9 Die Josefsgeschichte
KB S. 26
Rückseite: 1. Mose 37-50

B 10 Israels Unterdrückung in Ägypten
KB S. 97
Rückseite: 2. Mose 1

B 11 Der brennende Dornbusch: die Berufung des Mose
KB S. 98
Rückseite: 2. Mose 3

B 12 Die Errettung Israels am Schilfmeer
KB S. 99
Rückseite: 2. Mose 14

B 13 Die Zehn Gebote
KB S. 30
Rückseite: 2. Mose 20,1-17

B 14 Das goldene Kalb
KB S. 100
Rückseite: 2. Mose 32,1-6

B 15 Gideon
KB S. 101
Rückseite: Richter 7

B 16 Rut
KB S. 78/79
Rückseite: Rut 1-4

B 17 David wird durch Samuel zum König gesalbt
KB S. 81, 85
Rückseite: 1. Samuel 16,1-13

B 18 Die Freundschaft zwischen David und Jonatan
KB S. 82
Rückseite: 1. Samuel 18-20

B 19 Gott spricht zum jüdischen König: Mein Sohn bist du
KB S. 85
Rückseite: Psalm 2

B 20 David und Goliat
KB S. 81
Rückseite: 1. Samuel 17

B 21 David und Batseba
KB S. 83
Rückseite: 2. Samuel 11

B 22 Ein Klagepsalm: Mein Gott, mein Gott, warum hast du mich verlassen?
KB S. 104
Rückseite: Psalm 22

B 23 Ein Vertrauenspsalm: Der Herr ist mein Hirte
KB S. 109
Rückseite: Psalm 23

B 24 Ein Lob- und Dankpsalm: Lobe den Herrn, meine Seele
KB S. 105
Rückseite: Psalm 104

B 25 Die Weihnachtsgeschichte
KB S. 116/117, 180
Rückseite: Lukas 2

B 26 Die Taufe Jesu durch Johannes
KB S. 124
Rückseite: Markus 1,1-11

B 27 Die Berufung der ersten Jünger
KB S. 125
Rückseite: Markus 1,16-20

B 28 Jesus lehrt seine Jünger beten: das Vaterunser
KB S. 107
Rückseite: Matthäus 6,9-13:

B 29 Die Speisung der 5000
KB S. 167
Rückseite: Matthäus 14,13-21

B 30 Jesus stillt den Sturm
KB S. 15
Rückseite: Markus 4,35-41

B 31 Jesus segnet die Kinder
KB S. 68
Rückseite: Markus 10,13-16

B 32 Jesus heilt den blinden Bartimäus
KB S. 85
Rückseite: Markus 10,46-52

B 33 Jesus beruft den Zöllner Levi zum Jünger
KB S. 122, 132
Rückseite: Markus 2,13-17; Lukas 5,27-30

B 34 Jesus kehrt in das Haus des Zachäus ein
KB S. 132
Rückseite: Lukas 19,1-10

B 35 Der Einzug Jesu in Jerusalem
KB S. 126
Rückseite: Markus 11,1-11

B 36 Das letzte Mahl Jesu
KB S. 127
Rückseite: Markus 14,12-25

B 37 Die Kreuzigung Jesu
KB S. 128
Rückseite: Markus 15,20-41

B 38 Die Auferstehung Jesu
KB S. 129
Rückseite: Markus 16,1-8

B 39 Gleichnisse: Das verlorene Schaf, Die verlorene Münze, Der verlorene Sohn
KB S. 132/133
Rückseite: Lukas 15

B 40 Das Gleichnis vom Senfkorn
KB S. 131
Rückseite: Markus 4,30-32

B 41 Das Pfingstwunder: die Ausgießung des Heiligen Geistes
KB S. 182
Rückseite: Apostelgeschichte 2,1-13

B 42 Jesus: Ich bin das Brot des Lebens
KB S. 211
Rückseite: Johannes 6,1-15

B 43 Jesus: Ich bin das Licht der Welt
KB S. 164
Rückseite: Johannes 8,12

B 44 Das Gleichnis vom Schalksknecht
KB S. 29
Rückseite: Matthäus 18,21-35

B 45 Das Gleichnis von den anvertrauten Zentnern (Talenten)
KB S. 70
Rückseite: Matthäus 25,14-30

B 46 Das Gleichnis von den Arbeitern im Weinberg
KB S. 134
Rückseite: Matthäus 20,1-16

B 47 Das Gleichnis vom barmherzigen Samariter
KB S. 135
Rückseite: Lukas 10,30-37

B 48 Philippus tauft den Kämmerer aus Äthiopien
KB S. 165
Rückseite: Apostelgeschichte 8,26-39

Was sind Engel?

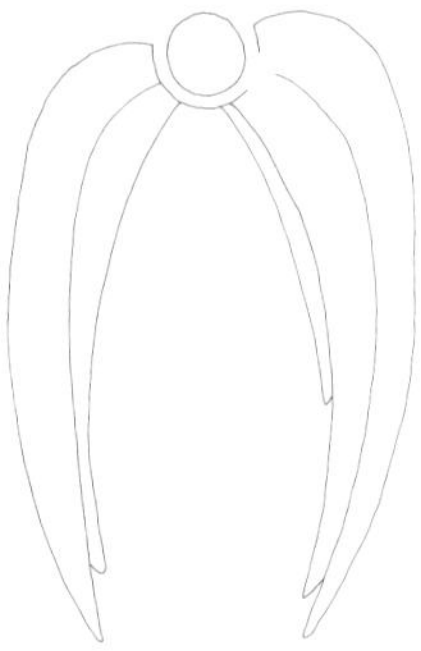

1

Was ist ein Symbol?

2

Erkläre in wenigen Worten, was Psalm 139 über die Beziehung Gottes zu den Menschen aussagt.

Herr, du erforschest mich und kennst mich.
Ich sitze oder stehe auf, so weißt du es;
du verstehst meine Gedanken von ferne.
Ich gehe oder liege, so bist du um mich
und siehst alle meine Wege.
Denn siehe, es ist kein Wort auf meiner Zunge,
daß du, Herr, nicht schon wüßtest.

3

Mit dem Wort „Boot" kann zweierlei gemeint sein.

4

Nenne drei Rechte der Kinderrechtskonvention der Vereinten Nationen, die in Deutschland erfüllt werden, nicht aber in anderen Ländern.

§

5

Nenne fünf Ideen, wie man sich für andere Kinder auf der Welt einsetzen kann.

6

Wie verhält sich jemand, der nach Jesu Maßstäben groß ist?

7

Formuliere drei Kinderpflichten für eure Klassengemeinschaft.

8

Welche Formen von Gewalt kennst du?
Nenne zwei Sprichwörter, die eine Lösungsmöglichkeit anbieten.

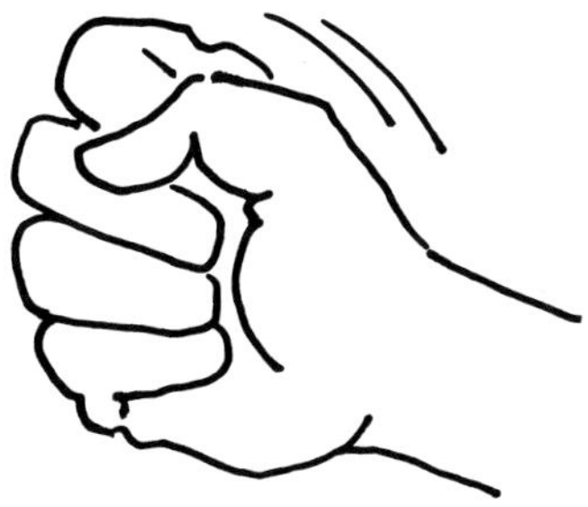

9

Was versteht man unter Mobbing?
Was kannst du tun, wenn du gemobbt wirst?

10

Erkläre den Ablauf einer Streitschlichtung.

11

Was sagt der christliche Glaube über Versöhnung?

12

Schreibe in Stichworten die Zehn Gebote in der richtigen Reihenfolge auf.

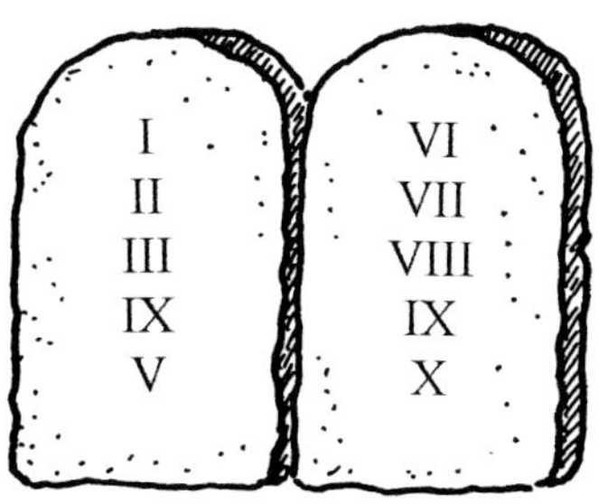

13

Erkläre das 7. Gebot mit eigenen Worten.

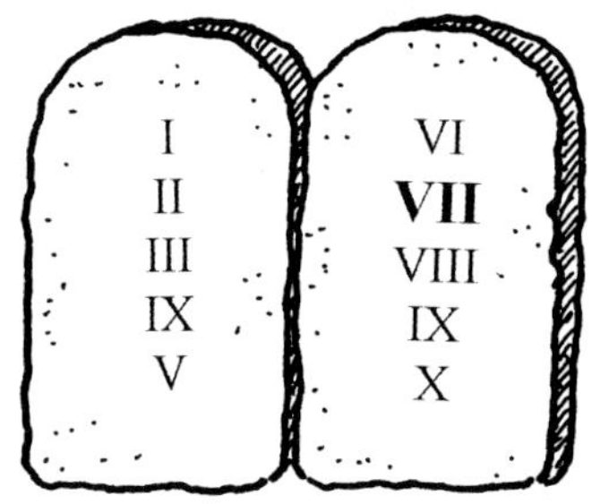

14

Warum lügen Menschen manchmal?

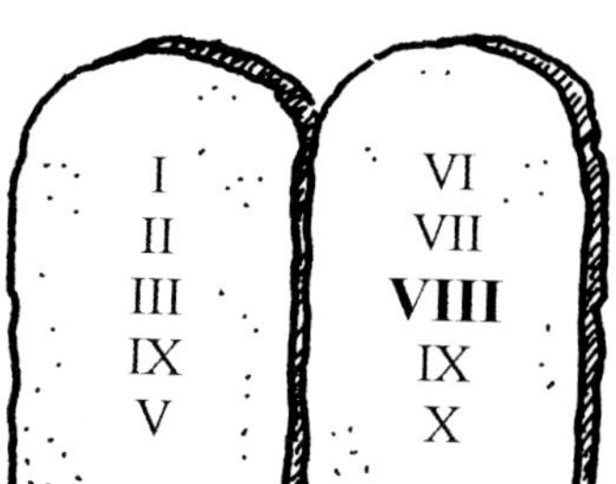

15

Christen können von Juden lernen, wie man Sonntag feiert.
Begründe diese Behauptung.

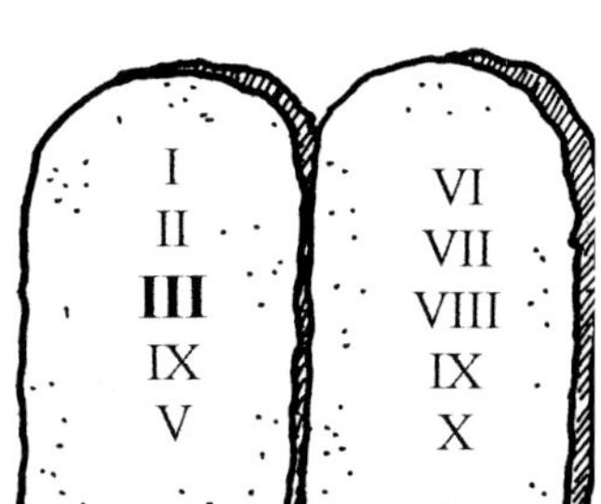

16

Nach 1. Mose 1 hat Gott die Welt in sieben Tagen erschaffen. Schreibe die Reihenfolge auf, in der Gott die einzelnen Werke erschaffen hat.

17

Was ist der Sinn des 7. Schöpfungstages in 1. Mose 1?

18

Beschreibe, was mit dem Wort „Weltentstehung" und was mit dem Wort „Schöpfung" gemeint ist.

19

Die Bibel und die Naturwissenschaft machen unterschiedliche Aussagen darüber, wie der Mensch entstanden ist. Jemand sagt: „Das sind unüberbrückbare Gegensätze. Für mich ist klar: die Naturwissenschaft hat Recht; die Aussagen der Bibel sind veraltet."
Nimm Stellung!

20

In fast allen Kulturen und Religionen werden „Geschichten vom Anfang" erzählt. Warum erzählen sich die Menschen solche Geschichten?

21

Die muslimischen Schöpfungsaussagen ähneln denen des AT stark.
Erkläre, woher das kommt.

22

Wie lautet der Schöpfungsauftrag des Menschen in 1. Mose 1 und 1. Mose 2?

23

In 1. Mose 2,4 bff. wird die Erde mit einem Garten verglichen.
Was bietet dieser Garten den Menschen?
Was muss der Mensch tun?

24

Was könnt ihr tun, um Gottes Schöpfung zu bewahren?

25

Nach 1. Mose 2 erschafft Gott zunächst Adam, danach die Tiere und Eva. Beschreibe, in welchem Verhältnis Tiere und Menschen nach 1. Mose 2 zueinander stehen.

26

„Es ist nicht gut, dass der Mensch allein sei." Wo stehen diese Worte und was bedeuten sie?

27

Nenne Beispiele für das Leiden von Tieren.

28

In 1. Mose 1,27 wird der Mensch als Ebenbild Gottes bezeichnet. Was bedeutet das?

29

Halte die Geschichte von der Kindersegnung Jesu in Stichworten fest und schreibe den wichtigsten Vers auf.

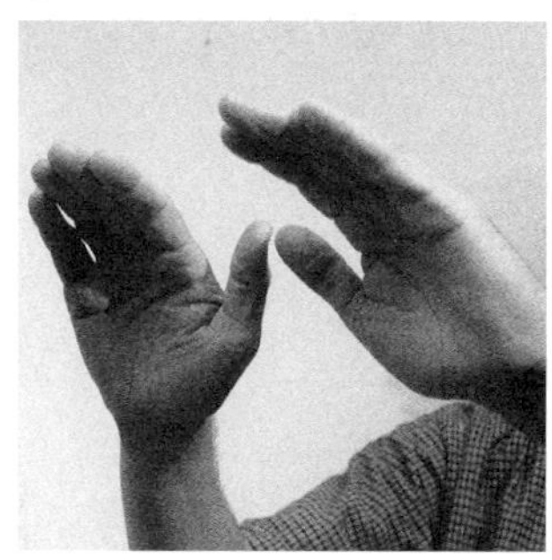

30

Was will Jesus mit der Geschichte von den anvertrauten Talenten sagen?

31

Schreibe in Stichworten eine Geschichte aus der Bibel auf, in denen Menschen mit Schwächen und Fehlern von Jesus angenommen werden.

32

Erkläre in Stichworten die Bedeutung des Waldenserwappens.

33

Bei welcher Gelegenheit sagt Rut zu ihrer Schwiegermutter: „Wo du hingehst..."

34

„Achtung! Rumänen klauen!"

„Türke ade! Ausländer geh!"

„Ausländer nehmen uns die Arbeitsplätze weg!"

Formuliere zu den ausländerfeindlichen Sätzen Gegen-Sätze.

35

Manche Menschen sagen: „Rut ist eine vorbildliche Frau." Für wen könnte Rut ein Vorbild sein?

36

David hatte Stärken und Schwächen. Schreibe sie auf und ordne sie jeweils einer David-Geschichte zu.

37

Schreibe zu den drei Geschichten von David, die dir am wichtigsten sind, je eine Überschrift.

38

Schreibe in Stichworten auf, welche Bedeutung David für das Volk Israel hat.

39

Was haben Jesus und David miteinander zu tun?

40

Worin besteht Abrahams Glaube?

41

Was wird im Alten Testament unter Segen verstanden?

42

Wie kommt es zu dem Namen „Israel"? Was bedeutet dieser Name?

43

Was wird in der Geschichte von Jakobs Traum über Gott ausgesagt?

44

Was geschah nach den Vorstellungen der alten Ägypter mit den Menschen nach dem Tod?

45

Wie wird in der Geschichte vom brennenden Dornbusch der Name Gottes gedeutet?

46

Was bedeutet der Bund Gottes mit seinem Volk?

47

Welche Bedeutung haben Kriege in der Frühzeit des Volkes Israel?

48

Was ist eine Metapher?

49

Was ist das Wesentliche eines Gebets?

50

Schreibe je zwei Psalmworte der Angst und gegen die Angst auf, die zueinander passen.

51

In den christlichen Konfessionen und anderen Religionen gibt es verschiedene Gebetsgesten. Nenne vier solcher Gesten und beschreibe, was sie ausdrücken.

52

Gott ist (wie) eine Burg.
Welche Eigenschaften Gottes werden in diesem Bild besonders betont?
In welcher Situation ist das Bild für Menschen wichtig?

53

Gott ist (wie) ein Vater.
Welche Eigenschaften Gottes werden in diesem Bild besonders betont?
In welcher Situation ist das Bild für Menschen wichtig?

54

Gott ist (wie) eine Mutter.
Welche Eigenschaften Gottes werden in diesem Bild besonders betont?
In welcher Situation ist das Bild für Menschen wichtig?

55

Gott ist (wie) Licht.
Welche Eigenschaften Gottes werden in diesem Bild besonders betont?
In welcher Situation ist das Bild für Menschen wichtig?

56

Gott ist (wie) ein guter Hirte.
Welche Eigenschaften Gottes werden in diesem Bild besonders betont?
In welcher Situation ist das Bild für Menschen wichtig?

57

Gott ist (wie) eine Kuscheldecke.
Welche Eigenschaften Gottes werden in diesem Bild besonders betont?
In welcher Situation ist das Bild für Menschen wichtig?

58

Erkläre, was eine Synagoge ist, und benenne den wichtigsten Einrichtungsgegenstand.

59

Wer waren die Pharisäer?
Woher hatten sie ihren Namen?

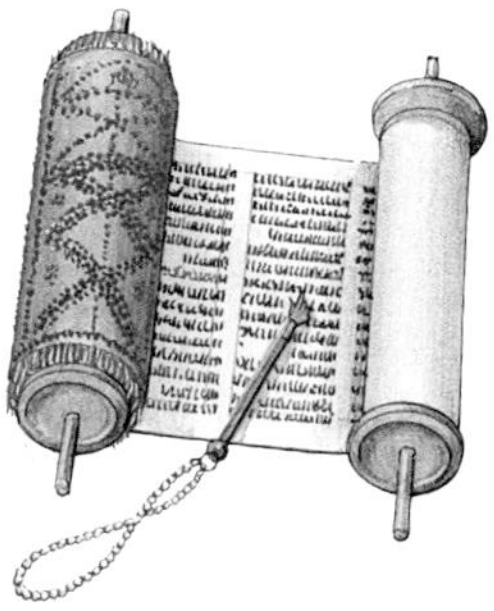

60

Wer waren die Zeloten?
Woher hatten sie ihren Namen?

61

Welche Bedeutung hatten die Römer im Land Israel zur Zeit Jesu?

62

Erkläre die Begriffe „Messias" und „Christus".

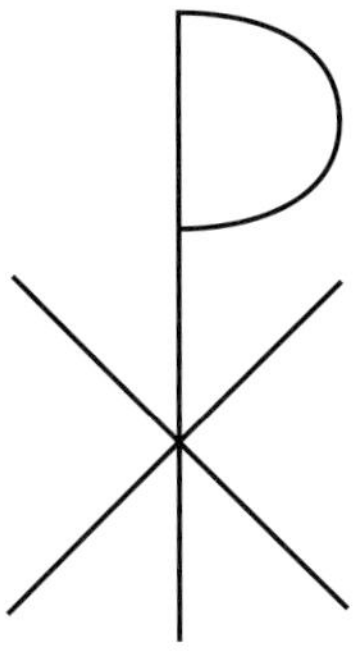

63

Bethlehem, Nazareth, Kapernaum, Jerusalem – welche Bedeutung haben diese Orte im Leben Jesu?

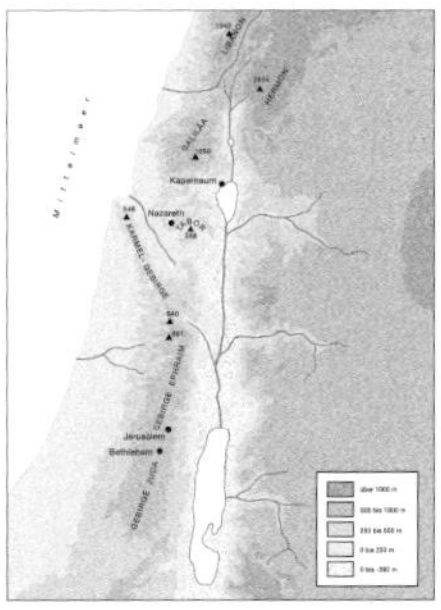

64

Erzähle kurz die Geschichte
von der Taufe Jesu.

65

Was bedeutet es, wenn Jesus
„Sohn Gottes" genannt wird?

66

Erzähle kurz die Geschichte vom Einzug
Jesu in Jerusalem. Welches Kirchenfest
gehört dazu?

67

Erzähle kurz die Geschichte vom letzten
Abendmahl Jesu mit seinen Jüngern.
Welches Kirchenfest gehört dazu?

68

Erzähle kurz die Geschichte von der
Kreuzigung. Welches Kirchenfest gehört
dazu?

69

Erzähle kurz die Geschichte von der
Auferstehung. Welches Kirchenfest gehört
dazu?

70

Erzähle das Gleichnis vom Senfkorn
in wenigen Sätzen nach.
Was sagt Jesus damit
vom Himmelreich?

71

Erzähle das Gleichnis vom verlorenen
Sohn in wenigen Sätzen nach.
Was sagt Jesus
damit vom
Himmelreich?

72

Erzähle das Gleichnis von den Arbeitern im Weinberg in wenigen Sätzen nach.
Was sagt Jesus damit vom Himmelreich?

73

Erzähle das Gleichnis vom barmherzigen Samariter in wenigen Sätzen nach.
Was sagt Jesus damit vom Himmelreich?

74

Erzähle das Gleichnis vom verlorenen Schaf in wenigen Sätzen nach.
Was sagt Jesus damit vom Himmelreich?

75

Wie spricht Jesus in seinen Predigten vom Himmelreich? Suche unterschiedliche Ergänzungen für den Satz:
„Wenn es so ist, wie Gott will, dann ..."

76

Erkläre die Begriffe „Altes Testament", „Neues Testament" und „Evangelium".

77

Zur Zeit des Königs Salomo wurde damit begonnen, die biblischen Geschichten aufzuschreiben. Warum?

78

Nenne die drei Phasen der Schriftwerdung der alttestamentlichen Überlieferung.

79

Eine der wichtigsten Leistungen Luthers war seine Bibelübersetzung. Aus welchen Sprachen übersetzte er die Bibel?
Was war das Besondere an seiner Bibelübersetzung?

80

Markusevangelium – 1. Korintherbrief – Offenbarung – NT – Gleichnis

Bringe diese Schriften in die richtige Reihenfolge.
Was wurde zuerst nur mündlich weitergegeben?

81

Pergament – Papyrus – Geschichten – Briefe – Evangelien – Schriftrolle – Codex – Tinte

Verwende diese Begriffe, um zu beschreiben, wie die neutestamentlichen Schriften überliefert wurden.

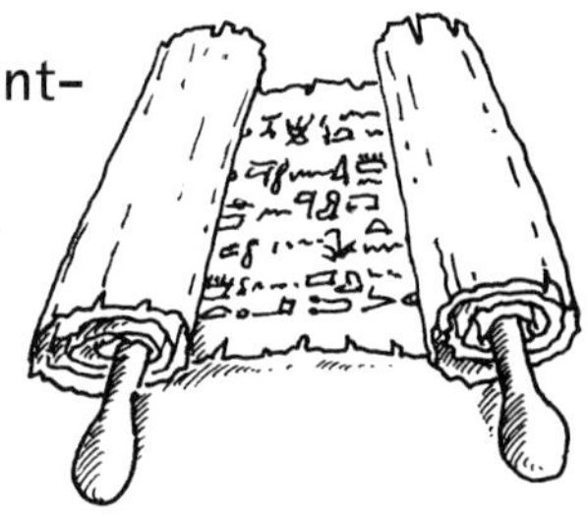

82

Ordne die vier Symbole in der richtigen Reihenfolge den Evangelisten zu.

83

Erkläre die Entstehung von Bibeln im Mittelalter vor der Erfindung von Johannes Gutenberg.

84

Nenne einige Beispiele, in welcher Form die Bibel uns heute begegnet.

85

In welche drei Kategorien kann man Taufsprüche einteilen? Nenne jeweils ein Beispiel.

86

Nenne fünf Sprichwörter oder Redensarten aus der Bibel.

87

Erkläre, warum die Bibel auch Heilige Schrift genannt wird.

88

Schreibe auf, was du über die Bedeutung der Taufe weißt.

89

Notiere Argumente für die Kindertaufe und für die Erwachsenentaufe.

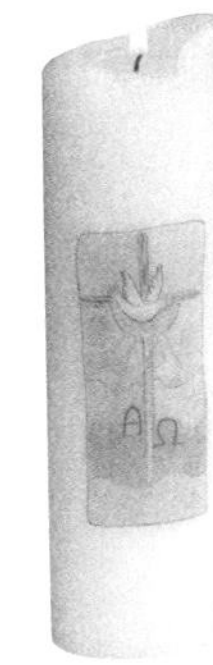

90

Erkläre das Wort „Diakonie".

91

Notiere die diakonischen Aktivitäten der Elisabeth von Thüringen.

92

Schreibe auf, was du über die Konstantinische Wende weißt.

93

Die Christen waren anders ...
Nenne einige Unterschiede zwischen christlichen und nichtchristlichen Römern im 1. Jahrhundert.

94

Nenne zwei biblische Geschichten, die für die ersten Christen Hoffnungsgeschichten angesichts des Todes waren.
Welche Hoffnungen verbanden sie mit diesen Geschichten?

95

Unter Nero fand die erste große Christenverfolgung in Rom statt. Schreibe die Gründe Neros auf. Welche anderen Gründe hatten die späteren Christenverfolgungen im Römischen Reich?

96

Welche Rolle spielen Heilige in der katholischen Kirche?
Was denken evangelische Christen über Heilige?

97

Erkläre die Bedeutung des Papsttums in der katholischen Kirche.
Was denken evangelische Christen über das Papsttum?

98

Was bedeuten die Begriffe „katholisch", „evangelisch" und „ökumenisch"?

99

Erläutere die Bedeutung des Weltgebetstags.

100

Was bedeutet das Wort „Kirche"?

101

Worin unterscheidet sich das Kirchenjahr von dem „normalen" Kalenderjahr?

102

Welche Feste richten sich nach dem Sonnenjahr, welche nach dem Mondjahr?

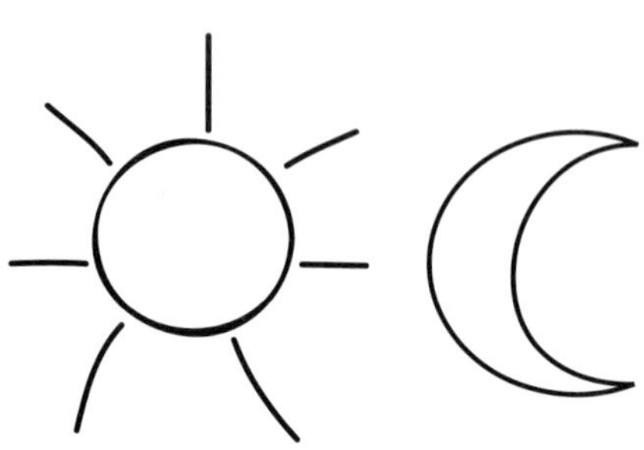

103

An welchem Fest denken die Evangelischen besonders an Martin Luther?

104

Was feiern wir an Weihnachten?
Wo finden wir in der Bibel etwas
zu diesem Fest?

105

Was wird an Ostern gefeiert?
Welche biblischen Geschichten
gehören zu Ostern?

106

Was wird an Pfingsten gefeiert?
Welche biblische Geschichte kann
man dazu heranziehen?

107

Was wird am Erntedankfest gefeiert?
Welche Bräuche gibt es?
Gibt es in der Bibel Geschichten
und Lieder, in denen für die Ernte
gedankt wird?

108

Wie wird in der Schöpfungsgeschichte
der Sabbat begründet?
Wie feiern fromme Juden heute
den Sabbat?

109

Bei den Juden gibt es ein Fest, das
unserer Konfirmation entspricht. Wie
heißt es und welche Bedeutung hat es?

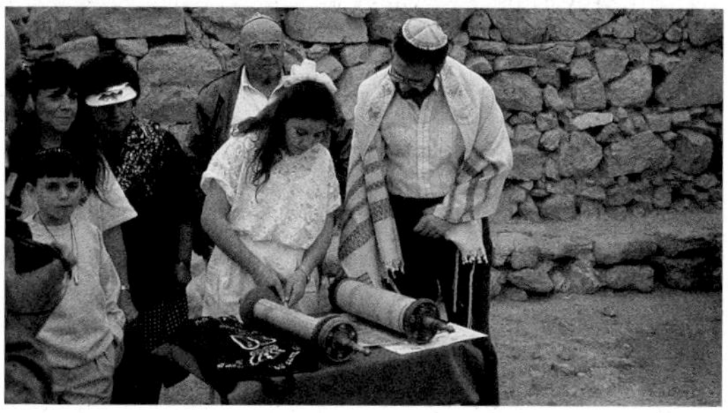

110

Erkläre die Begriffe Mesusa, Tefillin und
Sch'ma Israel.

111

Im Judentum gibt es drei Wallfahrtsfeste.
Schreibe die Feste und ihre Bedeutung
auf.

112

Wie heißt das Gebetshaus der Muslime?
An welchem Tag sollen die Muslime ihr Gebet gemeinsam im Gebetshaus verrichten?
Wie heißt das heilige Buch der Muslime?

113

Welche Bestandteile gehören zu einer Moschee? Beschreibe ihre Funktion.

114

Jeder Muslim hat fünf ihm von Gott aufgetragene Pflichten zu erfüllen. Schreibe sie auf.

115

Wie lautet das Glaubensbekenntnis der Muslime?

116

Beschreibe die Bedeutung Jesu in Judentum, Christentum und Islam.

117

Judentum, Christentum und Islam haben als Grundlage ihres Glaubens heilige Bücher.
Nenne sie und beschreibe kurz, welche Bedeutung sie jeweils haben.

118

Nenne die Gottesdienstgebäude in Judentum, Christentum und Islam und beschreibe kurz, welche Gegenstände jeweils wichtig sind und wofür sie dienen.

119

Man nennt Judentum, Christentum und Islam auch die drei abrahamitischen Religionen.
Schreibe auf, was damit gemeint ist.

120

Wie wird ein Gegenstand oder ein Bild zu einem Symbol?

121

Jesus redet im Johannesevangelium von sich in Bildworten. Er sagt: „Ich bin ..."
Schreibe drei Ich-bin-Worte auf.

122

Das Bild von der Hand wird in der Bibel häufig für Gott gebraucht.
Erkläre, warum.

123

Erkläre die drei Symbole.

124

Gott erschafft die Welt in sieben Tagen / Der Schöpfungsauftrag an die Menschen

KB S. 38ff. / KB S. 56

B 1

Der Mensch als Ebenbild Gottes

KB S. 70, 72

B 2

Das Paradies und der Sündenfall

KB S. 45

B 3

Noah und die Sintflut

KB S. 109

B 4

Abraham: Verheißung und Aufbruch

KB S. 89–93

B 5

Sara und Hagar

KB S. 205

B 6

Isaaks Opferung

KB S. 204

B 7

Jakob und Esau

KB S. 94/95

B 8

Die Josefsgeschichte

KB S. 26

B 9

Israels Unterdrückung in Ägypten

KB S. 97

B 10

Der brennende Dornbusch:
die Berufung des Mose

KB S. 98

B 11

Die Errettung Israels am Schilfmeer

KB S. 99

B 12

Die Zehn Gebote

KB S. 30

B 13

Das goldene Kalb

KB S. 100

B 14

Gideon

KB S. 101

B 15

Rut

KB S. 78/79

B 16

David wird durch Samuel zum König gesalbt

KB S. 81, 85

B 17

Die Freundschaft zwischen David und Jonatan

KB S. 82

B 18

Gott spricht zum jüdischen König: Mein Sohn bist du

KB S. 85

B 19

David und Goliat

KB S. 81

B 20

David und Batseba

KB S. 83

B 21

Ein Klagepsalm:
Mein Gott, mein Gott,
warum hast du mich verlassen?

KB S. 104

B 22

Ein Vertrauenspsalm:
Der Herr ist mein Hirte

KB S. 109

B 23

Ein Lob- und Dankpsalm:
Lobe den Herrn, meine Seele

KB S. 105

B 24

Die Weihnachtsgeschichte

KB S. 116/117, 180

B 25

Die Taufe Jesu durch Johannes

KB S. 124

B 26

Die Berufung der ersten Jünger

KB S. 125

B 27

Jesus lehrt seine Jünger beten:
das Vaterunser

KB S. 107

B 28

Die Speisung der 5000

KB S. 167

B 29

Jesus stillt den Sturm

KB S. 15

B 30

Jesus segnet die Kinder

KB S. 68

B 31

Jesus heilt den blinden Bartimäus

KB S. 85

32

Jesus beruft den Zöllner Levi zum Jünger

KB S. 122, 132

B 33

Jesus kehrt in das Haus des Zachäus ein

KB S. 132

B 34

Der Einzug Jesu in Jerusalem

KB S. 126

B 35

Das letzte Mahl Jesu

KB S. 127

B 36

Die Kreuzigung Jesu

KB S. 128

B 37

Die Auferstehung Jesu

KB S. 129

B 38

Gleichnisse:
Das verlorene Schaf,
Die verlorene Münze,
Der verlorene Sohn

KB S. 132/133

B 39

Das Gleichnis vom Senfkorn

KB S. 131

B 40

Das Pfingstwunder:
die Ausgießung des Heiligen Geistes

KB S. 182

B 41

Jesus: Ich bin das Brot des Lebens

KB S. 211

B 42

Jesus: Ich bin das Licht der Welt

KB S. 164

B 43

Das Gleichnis vom Schalksknecht

KB S. 29

B 44

Das Gleichnis von den anvertrauten
Zentnern (Talenten)

B 45

Das Gleichnis von den Arbeitern
im Weinberg

KB S. 134

B 46

Das Gleichnis vom barmherzigen
Samariter

KB S. 135

B 47

Philippus tauft den Kämmerer
aus Äthiopien

KB S. 165

B 48

Übersicht Materialien

Hinweis: Alle Farbseiten befinden sich en bloc im Anschluss an M 120.

Den Glauben leben

M 86 Ausgießung des Heiligen Geistes (Umriss)
M 87 Aufgabenbereiche der Diakonie
M 88 Der Tempel von Baalbek
M 89 Die Christen in eigener und fremder Sicht
M 90 Ein Abendmahlslied aus dem 18. Jahrhundert
M 91 Lucia und Antonius
M 92 Konstantin
M 93 Spottkruzifix und Kreuz mit Lorbeerkranz
M 94 Frauen im Priesteramt?
M 95 Das Symbol des Weltgebetstages
M 96 Panama
M 97 Selina erklärt den Weltgebetstag
M 98 Martin Schongauer, Die Geburt Christi (Umriss)
M 99 Das Pfingstwunder – Apostelgeschichte 2
M 100a Pieter Brueghel, Der Turmbau zu Babel (Farbseite)
M 100b Salvdor Dali, Turmbau zu Babel (Farbseite)

Abrahams Kinder

M 101 Fragebogen zum Judentum
M 102 Das neue Jerusalem
M 103 Rezept für Sabbatbrot
M 104 Joko
M 105 Die Geschichte der Hilde Hoffmann aus Frankfurt
M 106 Das Achtzehn-Bitten-Gebet
M 107 Lückentext
M 108 Die fünf Säulen des Islam
M 109a/b Würfelspiel „Wer wird zuerst Hadschi?"
M 110 Gebetshaltungen im Islam
M 111 Gemeinsamkeiten und Unterschiede
M 112 Aus dem Koran: Sure 2
M 113 Vergleich Bibel – Koran
M 114 Jesus im Koran
M 115 Carita Schmidt, Jesus sagt: Ich bin ... (Farbseite)
M 116 Stilleübung zum Bild „Spuren" von Tàpies
M 117 Ein Wegelied
M 118 Und Jesus fasste sie bei der Hand
M 119 Ein koptischer Mönch in der Wüste
M 120 Ein Wassertanz aus Israel

M 1 Schutzengel

➲ Schaue das Bild im Kursbuch Seite 12 an und male dich in dieses Bild ein.

M 2 So wünsche ich mir meine Freunde

Ein guter Freund, eine gute Freundin ...

	unverzichtbar	sehr wichtig	wichtig	eher unwichtig	überhaupt nicht wichtig
• ... hat immer Zeit für mich.					
• ... hört zu, wenn ich ihr/ihm etwas erzähle.					
• ... ist nicht sofort beleidigt, wenn ich nicht gleicher Meinung bin.					
• ... ist schlau, damit ich etwas von ihm/ihr lernen kann.					
• ... gibt nicht vor mir an, wenn er/sie etwas besser kann.					
• ... ist witzig.					
• ... trägt coole Klamotten.					
• ... hält zu mir, wenn andere gegen mich sind.					
• ... hat die gleichen Hobbys wie ich.					
• ... ist mutig und stark, um mich beschützen zu können.					
• ... erzählt ein Geheimnis nicht weiter.					
• ... hat Geld.					
• ... hat keine anderen Freunde so gerne wie mich.					
• ... verträgt sich schnell wieder mit mir, wenn wir gestritten haben.					
• ... sagt mir, wenn ich etwas falsch gemacht habe.					
• ... sieht gut aus.					
•					
•					
•					

- Wie soll ein guter Freund/eine gute Freundin sein? Kreuze an.
- Fallen dir noch weitere Eigenschaften ein?
- Welche fünf Eigenschaften sollte ein Freund/eine Freundin haben? Lege eine Reihenfolge fest.
- Welche fünf Eigenschaften sollte er/sie nicht haben?
- Diskutiert eure Ergebnisse in Kleingruppen (Regeln hierzu findet ihr auch im Kursbuch S. 214/215).

M3 Kinder in Afghanistan

Zwei von fünf Afghanen sind weniger als 14 Jahre alt. Für die Menschen in Afghanistan sind Kinder wichtig für ein erfülltes und glückliches Leben. Doch die Chancen, ihnen eine schöne Kindheit bieten zu können, sind derzeit sehr schlecht.

Gewalterfahrungen

Nach 23 Jahren Krieg leidet laut Untersuchungen der UNICEF die Mehrzahl der afghanischen Kinder und jungen Erwachsenen unter schweren traumatischen Störungen. 72 von 100 befragten Kindern haben den Tod eines Verwandten erlebt, und fast alle waren Augenzeugen von Gewalttaten. Viele Mädchen und Jungen wurden Opfer von Vergewaltigung. Zahlreiche Jungen waren Kindersoldaten, auch unter den afghanischen Verbündeten der US-Truppen gegen die Taliban war jeder zehnte Kämpfer minderjährig.

Gefahren für Leib und Leben

Auf einen Arzt kommen in Afghanistan 50 000 Patienten. Die Hälfte der Kinder ist chronisch mangelernährt und deshalb für alle Krankheiten anfällig. Jedes vierte Kind stirbt vor dem fünften Geburtstag. Im Land sind rund 20 Millionen Minen verteilt, darunter viele, die leicht mit Spielzeug verwechselt werden können.

Kinderarbeit

In Afghanistan wurden Kinder traditionell früh in die Arbeitsprozesse der Erwachsenen einbezogen. Eingebettet in eine verantwortungsvolle Erziehung förderte dieses praxisorientierte Lernen die geistige und körperliche Entwicklung der Kinder. Heute allerdings sind viele Eltern durch Armut gezwungen, ihre Kinder zu vernachlässigen und zu überfordern. Oft müssen die Kinder schwer arbeiten und haben weder Freizeit noch Zeit für die Schule.

Bildungsmangel

Da die radikalen Islamisten Bildung für Frauen als verwerflich ansahen, waren Mädchen lange Zeit von der Schule völlig ausgeschlossen. Immer noch werden Familien und Lehrer bedroht und Anschläge auf Mädchenschulen verübt. Trotzdem geht mittlerweile ein Drittel der Mädchen zur Schule. Gegenwärtig kann nur jede fünfte Frau lesen und schreiben, bei den Männern ist es jeder Zweite. Seit 2002 werden viele neue in der Regel getrennte Schulen für Mädchen und Jungen aufgebaut. Meist sind über 100 Kinder in einer Klasse. Zum Lernen müssen sie dann auf dem Boden von Ruinen oder unter freiem Himmel sitzen.

- Gestaltet eine Mindmap dazu, wie Kinder in Afghanistan leben. Wertet dazu den Text aus.
- Informiert euch über Hilfsprojekte für Kinder in Afghanistan/Pakistan.
- Überlegt, wie ihr Kindern in Afghanistan helfen könnt.

M 4 Bastelanleitung für Musikinstrumente

Vor allem in der afrikanischen Musik spielen Rhythmusinstrumente, die aus heimischen Materialien hergestellt wurden, eine zentrale Rolle. Mit ein wenig Phantasie könnt ihr auch solche herstellen.

Ein paar Vorschläge: Eine leere Metalldose oder zwei Joghurtbecher, die mit Klebeband verbunden und jeweils mit Steinchen oder Erbsen gefüllt werden, ergeben wundervolle Rasseln.

Ähnliches lässt sich mit gleich großen Spülmittel- und Shampoo-Flaschen aus Plastik herstellen.

Auch zwei gleich große Siebe aus der Küche dienen dem gleichen Zweck. In den Sieben sollten sich kleine Glöckchen befinden.

Übrigens: Echte Klanginstrumente aus Afrika findet man in den „Eine-Welt-Läden" (früher: „Dritte-Welt-Läden"). Diese sind natürlich etwas teurer.

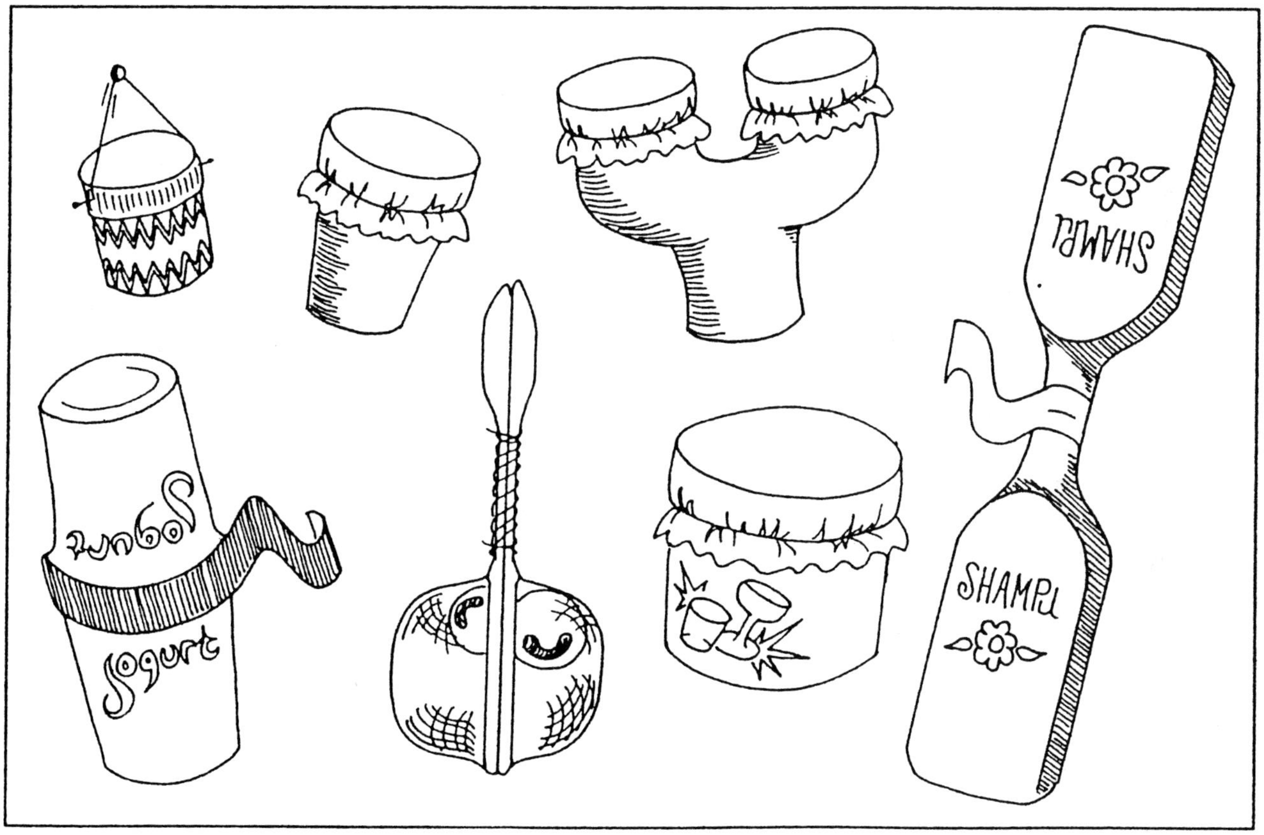

➲ Erfindet weitere Instrumente, die ihr mit wenig Aufwand selber herstellen könnt.

M 5a Spielregeln zum Ballonspiel

Stell dir vor, dass du allein in einem Ballon schwebst. An Bord hast du zehn Rechte. Jedes Recht wiegt zwei Kilo. Würfelt in eurer Gruppe reihum im Uhrzeigersinn. Wenn einer von euch eine „6“ würfelt, muss jeder von euch ein Recht über Bord werfen, damit der Ballon leichter wird.

Jetzt kann der Ballon wieder weiterfliegen, ihr könnt weiterspielen. Bei der nächsten gewürfelten „6“ muss wieder jeder ein Recht über Bord werfen. Dies geht so weiter, bis nur noch ein einziges Recht an Bord ist.

Wenn du ein Recht abgeben musst, überlege dir vorher genau, welches du leicht aufgeben kannst und welches du so lange wie möglich behalten willst. Schreibe auf der Spielkarte eine „1“ vor das Recht, das du als erstes abgibst und eine „2“ vor das, auf das du am zweitleichtesten verzichten kannst und so weiter.

Das Recht, das übrig bleibt, erhält die Nummer „10“.

M 5b Spielkarten zum Ballonspiel

☐ Das Recht auf Schutz vor Gewalt (Artikel 19)	☐ Das Recht auf Zeit zum Spielen (Artikel 31)
☐ Das Recht auf Essen und Trinken (Artikel 6)	☐ Das Recht auf Bildung (Artikel 28)
☐ Das Recht auf Liebe und Zuneigung (Artikel 3)	☐ Das Recht, saubere Luft atmen zu können (Artikel 31)
☐ Das Recht, nicht herumkommandiert zu werden (Artikel 12)	☐ Das Recht, mich mit Freunden zu treffen (Artikel 15)
☐ Das Recht, dass mir zugehört wird (Artikel 31)	☐ Das Recht auf einen Namen (Artikel 6)

M6 Lied der Kinderrechte

2. Obwohl die Krankheit jeder sah,
die gute Hilfe war nicht da,
für Medizin, da fehlt das Geld.
Ref.: *Es müssen Rechte her, es müssen Rechte her,*
wer schreibt die Rechte für uns auf?:

3. Rechnen, schreiben ist nicht schwer,
doch viele Kinder plagt das sehr
bei ihrer Arbeit auf dem Feld.
Ref.: *Es müssen Rechte her, es müssen Rechte her,*
wer schreibt die Rechte für uns auf?:

4. Kinder in Fabriken steh'n,
woll'n lieber sich beim Tanzen dreh'n,
oh wär das Spielen doch jetzt schön.
Ref.: *Es müssen Rechte her, es müssen Rechte her,*
wer schreibt die Rechte für uns auf?:

5. Jedes Kind hat seinen Mund,
und lautes Reden ist gesund,
doch viele Kinder dürfen's nicht.
Ref.: *Es müssen Rechte her, es müssen Rechte her,*
wer schreibt die Rechte für uns auf?:

6. Kinderseelen sind noch klein
und Prügel dürfen da nicht sein,
sonst geh'n die Kinder schnell kaputt.
Ref.: *Es müssen Rechte her, es müssen Rechte her,*
wer schreibt die Rechte für uns auf?:

7. Im Krieg, da leiden Kinder sehr,
und Schutz bedarf es hier noch mehr,
und auch bei Angst und auf der Flucht.
Ref.: *Es müssen Rechte her, es müssen Rechte her,*
wer schreibt die Rechte für uns auf?:

8. Mutter, Vater, ist doch klar,
steh'n allen Kindern wirklich nah,
denn Elternliebe braucht das Kind.
Ref.: *Es müssen Rechte her, es müssen Rechte her,*
wer schreibt die Rechte für uns auf?:

9. Kinder mit Behinderung
steh'n meistens unbeteiligt rum,
sie brauchen Hilfe auf der Welt.
Ref.: *Es müssen Rechte her, es müssen Rechte her,*
wer schreibt die Rechte für uns auf?:

10. Der Missstand wurde schnell erkannt,
die UN schickten Recht ins Land:
mit ihrer Kinderrechtskonvention.
Ref.: *Jetzt sind die Rechte da, jetzt sind die Rechte da,*
nun setzt die Rechte endlich durch!:

Melodie: Die Affen rasen durch den Wald, mündlich überliefert

M 7 Mindmap „Streiten und sich versöhnen“

STREITEN UND SICH VERSÖHNEN

Mobbing

z.B. hänseln, beleidigen, ausgrenzen

Hilfen:
- Suche die Schuld nicht bei dir.
- Schreibe ein Mobbing-Tagebuch.
- Geh zu einer Beratungsstelle.

Näheres unter: www.kindernetz.de/thema/mobbing

Versöhnung …

… ist wie Brückenbauen.

Christlicher Glaube:

Gott – Jesus – Menschen

Gewalt hat viele Gesichter

- Verbale Gewalt = Gewalt mit Worten, z. B. lästern
- Körperliche Gewalt: z.B. Schlägerei

Streit schlichten

Fahrplan:
- Konflikt ansprechen
- Regeln klären
- Problem schildern
- Erwartungen und Lösungsangebote formulieren
- Kompromiss finden
- Überprüfen nach einer festgelegten Zeit

M 8 Die Geschichte von den Brüllstieren

Einmal waren zwei Stiere auf einer Wiese. Sie wollten den Kühen zeigen, wie stark sie waren. Der eine brüllte: „Ich bin stärker als du! Ich kann dich umrennen, wenn ich will!“ Und der andere schrie: „Nein, ich bin stärker! Ich kann dich mit den Hörnern in die Luft werfen, wenn ich will!“

Und die Kühe standen am Zaun und staunten.

Da brüllte der eine noch lauter: „Ich kann dich zu Brei stampfen, wenn ich will!“ Und der andere schrie zurück: „Ich kann dich anschnauben, dass dir dein Fell verbrennt, wenn ich will!“

Und die Kühe am Zaun muhten und wunderten sich. Die Stiere brüllten weiter, bis sie heiser waren. Sie konnten nur noch piepsen und quietschen. Der eine krächzte: „Ich kann mit den Augen rollen, dass du vor Angst in ein Mauseloch kriechst, wenn ich will!“ Und der andere brachte gerade noch heraus: „Ich kann dich mit der Schwanzspitze antippen, dass du auf den Mond fliegst, wenn ich will!“

Da haben die Kühe sich gelangweilt über das dumme Gebrüll. Sie haben den Stieren den Rücken zugedreht und sie allein weiterschreien lassen.

Ursula Wölfel

- Wörter können verletzen, vergiften, Mut machen. Findet weitere Verben.
- Stellt das letzte Bild als Standbild.
- Ersetzt die beiden Stiere und Kühe durch Schülerinnen und Schüler.
- Schreibt zu der Fabel einen versöhnlichen Schluss.

M 9 Wie ein Fest nach langer Trauer

2. Wie ein Regen in der Wüste,
frischer Tau auf dürrem Land,
Heimatklänge für Vermisste,
alte Feinde Hand in Hand.
Wie ein Schlüssel im Gefängnis,
wie in Seenot „Land in Sicht“,
wie ein Weg aus der Bedrängnis,
wie ein strahlendes Gesicht.

(Kehrvers):
So ist Versöhnung.
So muss der wahre Friede sein.
So ist Versöhnung.
So ist Vergeben und Verzeihn.

3. Wie ein Wort von toten Lippen,
wie ein Blick, der Hoffnung weckt,
wie ein Licht auf steilen Klippen,
wie ein Erdteil, neu entdeckt.
Wie der Frühling, wie der Morgen,
wie ein Lied, wie ein Gedicht,
wie das Leben, wie die Liebe,
wie Gott selbst, das wahre Licht.

(Kehrvers):
So ist Versöhnung.
So muss der wahre Friede sein.
So ist Versöhnung.
So ist Vergeben und Verzeihn.

Text: Jürgen Werth 1988; Melodie: Johannes Nitsch 1988

M 10 Streit schlichten

Endlich große Pause. Alles strömt auf den Schulhof. Einige toben ausgelassen, andere tauschen Neuigkeiten aus. Plötzlich wälzen sich zwei Jungen am Boden. Die Neunklässler Yvonne und Johannes lösen sich aus ihrem Gespräch und nähern sich den Kampfhähnen. „Was ist hier los? Braucht ihr eine Schlichtung?", fragt Yvonne mit fester Stimme. Die Kampfhähne schauen verwundert auf die größeren Schüler. „Hä, Schlichtung, was ist denn das?"

Konflikt ansprechen

„Schlichtung ist ein Gespräch über einen Streit", entgegnet Johannes. „Was sollen wir denn da reden?", mault einer der Jungen.
„Zuerst sollt ihr eure Standpunkte austauschen und dann sollt ihr nach Lösungsmöglichkeiten suchen", erklärt Yvonne
„Später, jetzt muss ich dem erst mal seine Schuhe platt treten, so wie er es bei mir gemacht hat." „Ihr sollt den Streit nicht fortsetzen, sondern beenden, sonst kriegt ihr Schwierigkeiten." Eine Lehrerin nähert sich dem Auflauf. „Schon gut, dann lieber eine Schlichtung."
„Wir wollen uns erst einmal vorstellen. Das ist Johannes und mein Name ist Yvonne. Wir haben heute Dienst als Schlichter. Alles, was ihr sagt, wird vertraulich behandelt. Und wie heißt ihr?" „Ich heiß' Julian." „Ich Nico".

Regeln klären

„Ihr müsst drei Regeln anerkennen, sonst hat die Schlichtung keinen Zweck: ausreden lassen, wiederholen, was der andere gesagt hat, und höflich sprechen."
„Der nächste Schritt ist, dass jeder von euch den Konflikt aus seiner Sicht beschreibt", ergänzt Johannes, „wer mag beginnen?"

Problem schildern Person A

„Dann fang ich an. Also da an der Tischtennisplatte gab es was zu gucken: Ich konnte nichts sehen. Da hab ich 'n bisschen gedrängelt und bin ihm dabei versehentlich auf die Schuhe getreten. Dann ist er auf mich losgegangen."
„Danke, Nico, und nun du, Julian, wie hast du die Situation erlebt?"

Person B

„Naja, also, ich stand da und hab beim Tischtennis zugeschaut und plötzlich drängelt es hinter mir, als Erstes tat es weh, weil er mit voller Wucht auf meinen Fuß getreten ist, und zum Zweiten hab ich neue Turnschuhe. Die hab ich nur bekommen, weil ich meiner Mutter versprochen habe, sie zu schonen. Ich wollt dem gerade eine reintreten, aber dann kamt ihr."

Wiederholung des Gesagten

„Okay", Johannes wendet sich an Nico. „Nico, fass bitte noch mal zusammen, wie Julian die Situation erlebt hat". „Ja, also Julian hat beim Spielen zugeschaut und dann bin ich ihm auf seine neuen Schuhe getreten", fasst Nico zusammen.

Was bin ich bereit zu tun? Was erwarte ich vom anderen?

„Stimmt das ungefähr?" Julian bejaht. „Jetzt müssen wir zu Lösungen kommen", meint Yvonne, „jeder sagt erst mal, was er von dem anderen möchte, und danach, was er bereit ist für den anderen zu tun."
„Also, Nico was willst du?" „Ich möchte, dass er mich nicht mehr heftig angreift". „Und Julian, was möchtest du?" „Ich will neue Schuhe." „Und was bist du bereit für Nico zu tun, Julian?" „Ich entschuldige mich dafür." „Und du Nico, was bist bereit zu tun?" „Ich kann ihm helfen, die Schuhe zu putzen, dann sehen sie wieder wie neu aus."

Kompromiss

„Jetzt müsst ihr sagen, ob ihr mit den Vorschlägen einverstanden seid. Also: Nico hilft Julian, Schuhe zu putzen und Julian entschuldigt sich bei Nico für sein Aufbrausen. Stimmt ihr dem zu?" Nico und Julian stimmen murrend zu.

Ausfüllen eines Formulars Überprüfung festlegen

Johannes hat währenddessen ein Schlichtungsformular ausgefüllt. „Wir haben das Abkommen genau aufgeschrieben und ihr müsst es unterschreiben, in ein paar Tagen werden wir euch fragen, ob ihr das Abkommen eingehalten habt. Falls es noch mal Probleme gibt, müssen wir wieder von vorne anfangen."

➔ Wie arbeiten Streitschlichter/Streitschlichterinnen? Entwerft einen Fahrplan zur Konfliktlösung. Schreibt die Schritte auf (Konflikt ansprechen, Regeln klären, Problem schildern, Wiederholung des Gesagten, Was bin ich bereit zu tun?, Was erwarte ich vom anderen?, Kompromiss, Ausfüllen eines Formulars, Überprüfung nach einem festgelegten Zeitpunkt).

M 11 Konstruktive Konfliktbehandlung

Abbildung aus: Jamie Walker, Gewaltfreie Konfliktlösung im Klassenzimmer, hg. vom Pädagogischen Zentrum Berlin 1991.

- Weshalb finden die beiden Esel eine Lösung für ihren Konflikt?
- Formuliere: Streitschlichtung ist nur dann möglich, wenn ...
- Ersetze die beiden Tiere durch Menschen. Erzähle die Geschichte in unserer heutigen Zeit.

M 12 Gregor Gilg, Du sollst nicht töten

M 13 Ursula Wölfel: In der Zwickmühle

Schluss der Erzählung:

Es sagt: „Ich weiß nicht.“

Die Frau ist beruhigt. Wenn das Kind nichts davon weiß, hatte der Wagen bestimmt keinen Unfall. So etwas vergisst doch keiner.

Die Mutter kommt zurück.

Die Frau geht ans Fenster und sieht zu, wie der Vater das Auto hinausfährt. Sie möchte nun lieber gleich hinuntergehen und keine Zigarette mehr rauchen. Den Vertrag nimmt sie mit, den kann sie auch auf der Straße unterschreiben.

Sie verabschiedet sich von der Mutter und dem Kind und geht. Die Mutter will wissen, worüber die Frau vorhin mit dem Kind gesprochen hat.

Die Frau hat gefragt, ob das Auto keinen Unfall hatte.

Und das Kind hat ihr alles erzählt? Ist die Frau deshalb so schnell weggegangen?

Das Kind hat gesagt, es wüsste nichts.

Nun lobt die Mutter das Kind. Das war die beste Antwort.

Der Vater kommt wieder. Er ist vergnügt. Sie sind die alte Kiste los, hier ist der Vertrag. unterschrieben. Und hier ist das Geld.

Die Mutter erzählt ihm, wie gescheit das Kind war. Eigentlich hätte es eine Belohnung verdient. Wenn die Rechenaufgaben fertig sind, darf es draußen spielen.

Das meint auch der Vater. Er hat nichts dagegen, wenn das Kind sofort nach draußen geht. Es kann heute Abend weiterrechnen.

Das Kind hat doch wieder gelogen? Es hat der Frau nicht die Wahrheit gesagt. Es weiß, dass der Wagen einen Unfall hatte. Und die Eltern haben auch nicht die Wahrheit gesagt. Es ist etwas anderes, das versteht das Kind noch nicht.

M 14 Rollenspielkarten „Entscheidungen treffen“

Beim Fußballspielen

Du stehst im Strafraum und bekommst den Ball zugespielt. Du läufst auf den Verteidiger zu und willst ihn umspielen. Da rutschst du aus und fällst neben dem Verteidiger hin. Noch im Fallen hörst du den Elfmeterpfiff.

Geld gestohlen

Du musst noch mal in die Umkleidekabine zurück. Als du in der Kabinentür stehst, siehst du, wie deine beste Freundin einen Geldbeutel aus der Tasche nebenan im eigenen Sportbeutel verschwinden lässt. Deine Freundin bemerkt erst etwas später, dass du zurückgekommen bist. Am nächsten Tag berichtet der Klassenlehrer, dass im Sportunterricht ein Geldbeutel mit viel Geld gestohlen wurde.

Freundschaft

Du möchtest deinen Freund Erkan treffen. Deine Eltern sehen diese Freundschaft aber nicht gerne. Sie haben Vorurteile gegenüber Erkans Familie, die aus der Türkei stammt. Deshalb sagst du, dass du zu einem anderen Freund gehst, den deine Eltern sympathisch finden. Zwei Tage später kommt dieser Freund zufällig zu Besuch.

Kino

Du möchtest mit deinen Freundinnen ins Kino. Der Film ist ab 12 Jahren freigegeben. Du bist die Einzige, die noch 11 ist.

Fahrraddiebstahl

Dein Fahrrad wurde gestohlen. Die Versicherung fragt an, ob das Fahrrad abgeschlossen war, denn sonst besteht kein Versicherungsschutz. Das Fahrrad war nicht abgeschlossen: Doch außer dir weiß das keiner.

Hausaufgaben

Du willst dich mit deinen Freunden zum Computerspielen treffen. Deine Mutter sagt dir, dass du gehen kannst, wenn du deine Hausaufgaben gemacht hast. Du hast aber noch überhaupt nichts gemacht.

Schlechte Note

Du hast eine 5 in einer Mathematik-Arbeit geschrieben. Deine Eltern haben dir versprochen, wenn du lernst und eine 2 schreibst, bekommst du ein Handy.

- Kennt ihr noch andere Situationen, in denen ihr euch entscheiden musstet, wie ihr euch verhalten sollt.
- Überlegt euch in Kleingruppen ein Rollenspiel zu einer der Situationen.

M 15 Ein Gleichnis

„Ich werde es bestimmt nicht wieder tun“, sprach der Nachbar. „Ich nehme alles zurück, was ich über Sie erzählt habe.“

Künzelmann sah den andern ernst an. „Ich habe keinen Grund, meinen Nachbarn ins Unglück zu stürzen“, erwiderte er, „jedoch verlangt jede böse Tat ihre Sühne.“

„Ich bin gern zu allem bereit.“

Künzelmann erhob sich, ging in den Stall und kam mit einem geschlachteten Hahn zurück.

„Tragt diesen Hahn in euer Haus, das hundert Schritte von dem meinen steht“, sagte er, „dann kommt langsam wieder zurück und rupft den Hahn unterwegs, eine Feder nach rechts und eine Feder nach links werfend. Dies ist der Sühne erster Teil.“

Der Nachbar tat, was ihm geheißen. Und als er wieder vor Künzelmann stand und ihm den gerupften Hahn überreichte, fragte er: „Und der zweite Teil meiner Buße?“

„Geht jetzt wieder den Weg in euer Haus zurück und sammelt alle Federn wieder ein.“

Der Nachbar stammelte verwirrt: „Ich kann doch die Federn unmöglich wieder sammeln! Ich streute sie wahllos aus, warf eine hierhin und eine dorthin. Inzwischen hat der Wind sie längst in alle Himmelsrichtungen getragen. Wie könnte ich sie alle wieder einfangen?“

Sühne = Wiedergutmachung
Buße = Tat zur Wiedergutmachung

- Sucht eine Überschrift zu dieser Geschichte.

M 16 Der Sonntag – eine afrikanische Fabel

Eines Tages kamen unter einem großen Baum die Tiere zusammen, weil auch sie einen Sonntag haben wollten wie die Menschen. Der König der Tiere, der Löwe, erklärte: Das ist ganz einfach. Wenn ich eine Gazelle verspeise, dann ist für mich Sonntag.

Das Pferd meinte: Mir genügt schon eine weite Koppel, dass ich stundenlang austraben kann, dann ist für mich Sonntag.

Das Schwein grunzte: Eine richtige Dreckmulde und ein Sack Eicheln müssen her, dann ist für mich Sonntag.

Das Faultier gähnte und bettelte: Ich brauche einen dicken Ast, um zu schlafen, wenn es bei mir Sonntag werden soll.

Der Pfau stolzierte einmal um den Kreis, zeigte sein prächtiges Federkleid und stellte höflich, aber bestimmt fest: Nur ein Satz neuer Schwanzfedern, er genügt für meinen Sonntag.

So erzählten die Tiere stundenlang und alle Wünsche wurden erfüllt, aber es wurde unter ihnen kein Sonntag.

Da kamen die Menschen vorbei und lachten die Tiere aus. Ja, wisst ihr denn nicht, dass es nur Sonntag wird, wenn man mit Gott wie mit einem Freund spricht?

- Wann ist für dich Sonntag?
- Weshalb wird bei den Tieren kein Sonntag?
- „Übersetze“ die Fabel: Für welche Verhaltensweisen stehen die einzelnen Tiere?

M 18 1. Mose 1 und 2 – ein Vergleich

1. Wie wird erzählt?	rhythmisch (und Gott sprach: es werde ... und es ward) Refrain (1., 2. Tag): es war gut, genau: Wiederholung, sachlich	breit erzählend märchenhaft bildlich
2. Wer ist der Verfasser?	Priester	Jahwist
3. Wie wird vom Wasser gesprochen?	Wasser als Gefahr Die „Feste“ muss das Wasser zurückhalten	Wasser ist nützlich: Sobald es feucht wird, wächst etwas. Das Wasser schafft Leben
4. Wo ist die Geschichte entstanden?	wasserreiches Gebiet (Babylonien)	wasserarmes Gebiet (Israel)
5. Wann ist die Geschichte entstanden?	Babylonische Gefangenschaft nach 587 v. Chr.	Zeit Davids und Salomos (um 950 v. Chr.)
6. Wie wird Gott dargestellt?	mächtig, als Herrscher, er befiehlt, und es geschieht	Gott wirkt menschlich, er sorgt für den Menschen wie ein Vater
7. Wie lange dauert die Schöpfung?	sieben Tage	(wird nicht berichtet)
8. Wie wird der Mensch erschaffen?	(wird nicht berichtet)	aus Lehm, Hauch Gottes, Frau aus der Rippe des Mannes
9. Wann wird die Frau erschaffen?	zugleich mit dem Mann	nach dem Mann und nach den Tieren
10. Welche Stellung hat der Mensch?	krönender Abschluss der Schöpfung, er erhält den Auftrag, über die Schöpfung zu herrschen	Der Mensch steht im Mittelpunkt, die Tiere werden für ihn erschaffen
11. Warum wird die Geschichte erzählt?	Die Geschichte sagt aus, dass Gottes Schöpfung gut war. Der Gott Israels, nicht Marduk, ist der Herr der Welt	Die Geschichte will aussagen, dass Gott gut für den Menschen sorgt. JHWH, nicht Baal, sorgt für die Fruchtbarkeit des Landes

M 19 Schöpfungsfenster – vier Vorlagen

M 20 Der Stammbaum des Menschen

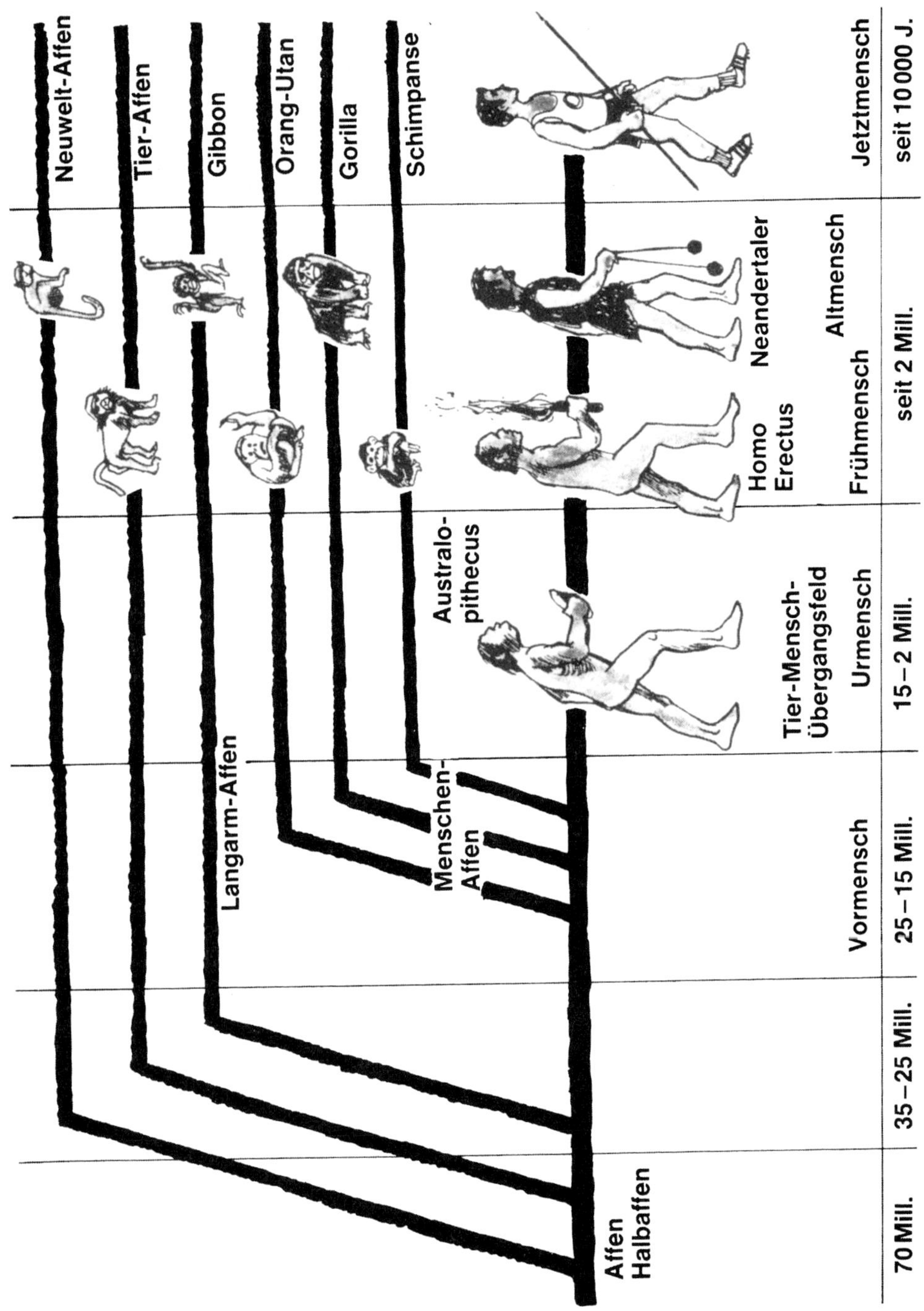

M 21 Die Entwicklung des Menschen

M 22 Weltentstehung

Millionen Jahre hat es gedauert, bis Leben auf der Erde war.	Irgendwo im All: unsere Sonne und unsere Erde, ein glühender Planet.
Sie wurden zusammengewirbelt, schmolzen zusammen aus winzigen Teilchen.	später entwickelten sich Pflanzen auf dem Land, dann Tiere und Vögel und schließlich der Mensch.
In Millionen von Jahren ist der Mensch geworden, was er heute ist.	Nach vielen Millionen Jahren entstanden im All riesige Sonnen, unzählige Sterne und Planeten.
Zunächst gab es auf der Erde nur Staub, Krater und Steine, aber noch kein Leben.	Im Wasser begann es mit winzigen Lebewesen,
Unsere Welt begann vor Milliarden von Jahren mit einer Urexplosion, dem so genannten Urknall.	Milliarden von Jahren hat es gedauert, bis die Erde erkaltete.

➲ Bringe die Textteile in die richtige Reihenfolge.

M 23 Auf den Philippinen erzählt man

Die philippinische Inselwelt setzt sich aus mehreren tausend Inseln und Inselgruppen zusammen. Es ist das ganze Jahr über ziemlich warm und es fällt genügend Regen. Die meisten Menschen arbeiten als Fischer oder Bauern. Neben Fisch und Reis zählt Mais zu den Hauptnahrungsmitteln.
Auf den vielen Inseln wohnen verschiedene Volksstämme. Sie erzählen sich Geschichten vom Anfang.

Von den ersten Menschen

Tuglay und Tuglibon, zwei machtvolle Wesen, haben die Welt erschaffen.

Eines Tages sprach Tuglay zu Tuglibon: „Liebe Frau, vielleicht wäre es besser, wenn es auf der Welt Menschen gäbe."

„In der Tat wäre es besser", antwortete Tuglibon. „Wenigstens wäre dann jemand da, der sich dieser schönen, neuen Welt, die wir erschaffen haben, erfreuen könnte. Lass uns einen Mann und eine Frau formen, die den blauen Himmel und das weite Meer lieben werden. Lass uns Menschen erschaffen, die die Blumen in den Tälern und die Wolken über den Bergen mögen."

So nahm Tuglay ein wenig Maismehl, vermischte es mit Wasser und formte daraus menschliche Gestalten. Dann bedeckte er sie mit Schuppen und hauchte ihnen Leben ein.

Als sich die erschaffenen Wesen auf die Beine stellten, waren sie sehr schwerfällig, denn Tuglay hatte vergessen, ihnen Gelenke zu machen. Sie hatten steife Arme und Beine, und beim Gehen stolperten sie. Sie besaßen außerdem zu kleine Augen, versteckte Ohren und kaum sichtbare Nasen. Mit den steifen Fingern konnten sie nichts festhalten, und weil Schuppen ihre Körper bedeckten, schienen sie eher Kriechtieren ähnlich zu sein als Menschen. „Die Menschen, die du erschaffen hast, gefallen mir nicht", sagte Tuglibon. „Versuch doch, andere Menschen zu machen."

Aber Tuglay war mit ihnen zufrieden. „Ich glaube, es fehlt ihnen nichts", erwiderte er seiner Frau.

Aber je länger Tuglibon die Menschen ansah, desto weniger gefielen sie ihr. „Wie wird die Welt aussehen, wenn sie von solchen hässlichen Wesen bevölkert wird?", fragte sie. „Ich will, dass die Menschen anmutig einhergehen und dass sie nicht wie irgendwelche Schlangen mit Schuppen bedeckt sind."

„Diese zwei gehören mir", erwiderte Tuglay kühl, „ich werde sie nicht verändern." Tuglibon widersprach ihrem Mann nicht mehr, aber es verdross sie sehr, als sie sah, wie unbeholfen die beiden waren. Schließlich, als sie nicht mehr wusste, was sie Klügeres ersinnen könnte, schleuderte sie ihrem Mann eine Hand voll Maismehl in die Augen. „Jetzt wird er mich nicht bei der Arbeit sehen", dachte sie bei sich. Schnell bereitete sie aus Mehl einen Teig und begann, menschliche Gestalten zu formen. Zwischen den Knochen machte sie ihnen Gelenke, sie setzte ihnen klare Augen ein, formte ihnen schöne Ohren, machte ihnen größere Nasen und einen schönen Mund. Sie glättete ihre Haut, damit sie zart und geschmeidig sei, und nur an den Fingerspitzen ließ sie Schuppen. Schließlich gab sie jedem noch ein großes Herz, um einander lieben zu können, und hauchte ihnen Leben ein.

Als Tuglibon ihre Arbeit beendet hatte, wusch sie von Tuglays Augen das Maismehl ab. Tuglay ärgerte sich sehr, als er feststellte, was seine Frau getan hatte. Aber als er den Mann und die Frau näher betrachtete, überzeugte er sich, dass sie in der Tat viel schöner waren als seine Schöpfung.

„Ich bin froh, dass du sie erschaffen hast", sprach er. „Sie und ihre Kinder werden auf dieser Welt herrschen."

„Sie werden das Schöne lieben und das Böse meiden", setzte Tuglibon hinzu. „Sie werden am Gesang der Vögel ihre Freude haben, sie werden ihre Körper in kühlen Quellen und Flüssen waschen. Sie werden sich lieben und wenn sie am Tag die Sonne und in der Nacht den Mond und die Sterne schauen, werden sie auch uns lieben, denn wir haben sie erschaffen."

Als Tuglibon ihre Rede beendet hatte, schaute sie Tuglay an, und beide lächelten dem ersten Mann und der ersten Frau zu. Diese wurden die Ahnen der Menschen, die jetzt die Erde bevölkern.

- **Gestaltet Figuren aus Knetmasse. Benutzt für die Figuren von Tuglay, die keine Gelenke haben, Zahnstocher, die ihr in die Figuren einarbeitet.**
- **Stellt euch eure „Menschen" gegenseitig vor, spielt mit ihnen und vergleicht, was sie können.**
- **Stellt die „Menschen" als Standbilder dar. Bewegt euch wie die von Tuglay und Tuglibon erschaffenen Menschen.**

M 24 Aus dem Koran: Suren zur Schöpfung

Sure 6,73.95-99

73 Er ist es, der die Himmel und die Erde der Wahrheit entsprechend erschaffen hat. Und am Tag, da Er sagt: Sei!, und es ist. Sein Wort ist die Wahrheit. Und Ihm gehört die Königsherrschaft am Tag, da die Trompete geblasen wird. Er weiß über das Unsichtbare und das Offenbare Bescheid, und er ist der Weise, der Kenntnis von allem hat.

95 Gott ist es, der die Körner und die Kerne spaltet. So bringt Er das Lebendige aus dem Toten und das Tote aus dem Lebendigen hervor. Das ist Gott – wie leicht lasst ihr euch doch abwenden.
96 Er, der die Morgendämmerung anbrechen lässt. Er hat die Nacht zur Ruhezeit und die Sonne und den Mond zur Zeitberechnung gemacht. Das ist das Dekret dessen, der mächtig ist und Bescheid weiß.
97 Er ist es, der euch die Sterne gemacht hat, damit ihr euch durch sie die gute Richtung in den Finsternissen des Festlandes und des Meeres findet. Wir haben die Zeichen im einzelnen dargelegt für Leute, die Bescheid wissen.
98 Und Er ist es, der euch aus einem einzigen Wesen hat entstehen lassen. Dann gibt es einen Aufenthaltsort und einen Aufbewahrungsort. Wir haben die Zeichen im einzelnen dargelegt für Leute, die begreifen.
99 Und Er ist es, der vom Himmel Wasser herabkommen lässt. Und Wir bringen damit Pflanzen jeglicher (Art) hervor; und dann bringen Wir aus ihnen Grün hervor, aus dem Wir übereinander gereihte Körner hervorbringen – und aus den Palmen, aus ihren Blütenscheiden entstehen herabhängende Dattelbüschel –, und (auch) Gärten mit Weinstöcken, und die Öl- und die Granatäpfelbäume, die einander ähnlich und unähnlich sind. Schaut auf ihre Früchte, wenn sie Früchte tragen, und auf deren Reifen. Darin sind Zeichen für Leute, die glauben.

Sure 15,16+19

16 Und Wir haben im Himmel Sternzeichen gesetzt und ihn für die Zuschauer geschmückt (...)

19 Auch die Erde haben Wir ausgebreitet und auf ihr fest gegründete Berge angebracht. Und Wir haben auf ihr allerlei Dinge im rechten Maß wachsen lassen.

Sure 21,30-33

30 Haben denn diejenigen, die ungläubig sind, nicht gesehen, dass die Himmel und die Erde eine einzige Masse waren? Da haben Wir sie getrennt und alles Lebendige aus dem Wasser gemacht. Wollen sie denn nicht glauben?
31 Und Wir haben auf der Erde fest gegründete Berge gemacht, dass sie nicht mit ihnen schwanke. Und Wir haben auf ihr breite Durchgänge als Wege gemacht, auf dass sie der Rechtleitung folgen.
32 Und Wir haben den Himmel zu einer wohlbehüteten Decke gemacht. Aber sie wenden sich von seinen Zeichen ab.
33 Und Er ist es, der die Nacht und den Tag, die Sonne und den Mond erschaffen hat; jedes Gestirn nimmt seinen Lauf in einer (eigenen) Sphäre.

Sure 25,59-62

59 (...) der die Himmel und die Erde, und was dazwischen ist, in sechs Tagen erschaffen und sich dann auf dem Thron zurechtgesetzt hat, Er, der Erbarmer. So frag einen, der von Ihm Kenntnis hat.
60 Und wenn zu ihnen gesagt wird: „Werft euch vor dem Erbarmer nieder", sagen sie: „Was ist denn der Erbarmer? Sollen wir uns (einfach) vor dem niederwerfen, was du uns befiehlst?" und das mehrt in ihnen nur die Abneigung.
61 Gesegnet sei der, der im Himmel Sternzeichen gesetzt und darin eine Leuchte und einen hellen Mond gesetzt hat!
62 Und Er ist es, der die Nacht und den Tag gemacht hat, so dass sie aufeinander folgen, für den, der es bedenken oder Dankbarkeit zeigen will.

Sure 51,47-49

47 Und den Himmel haben Wir mit Kraft aufgebaut. Und Wir verfügen über breite Möglichkeiten.
48 Und die Erde haben Wir ausgebreitet. Wie trefflich haben Wir sie geebnet!
49 Und von allem haben Wir ein Paar erschaffen, auf dass ihr es bedenket.

Sure 55, 1-14.19-20

1 Der Erbarmer
2 hat den Koran gelehrt.
3 Er hat den Menschen erschaffen.
4 Er hat ihn deutliche Rede gelehrt.
5 Die Sonne und der Mond laufen nach Berechnung.
6 Der Stern und die Bäume werfen sich nieder.
7 Den Himmel hat Er emporgehoben und die Waage aufgestellt.
8 Ihr sollt beim Wägen nicht das Maß überschreiten,
9 das Gewicht nach Gerechtigkeit messen und beim Wägen nicht weniger geben.
10 Und die Erde hat Er für die Geschöpfe gelegt;
11 auf ihr gibt es Früchte, Palmen mit Blütenscheiden,
12 Korn auf Halmen und duftende Pflanzen.
13 Welche der Wohltaten eures Herrn wollt ihr beide für Lüge erklären?
14 Er hat den Menschen aus einer Trockenmasse wie beim Töpferton erschaffen.

19 Er hat die beiden Meere zugleich entstehen lassen, die zusammentreffen,
20 zwischen denen aber eine Schranke steht, dass sie nicht überlaufen.

Übersetzung von Adel Theodor Khoury

M 25 Gott gab uns Atem

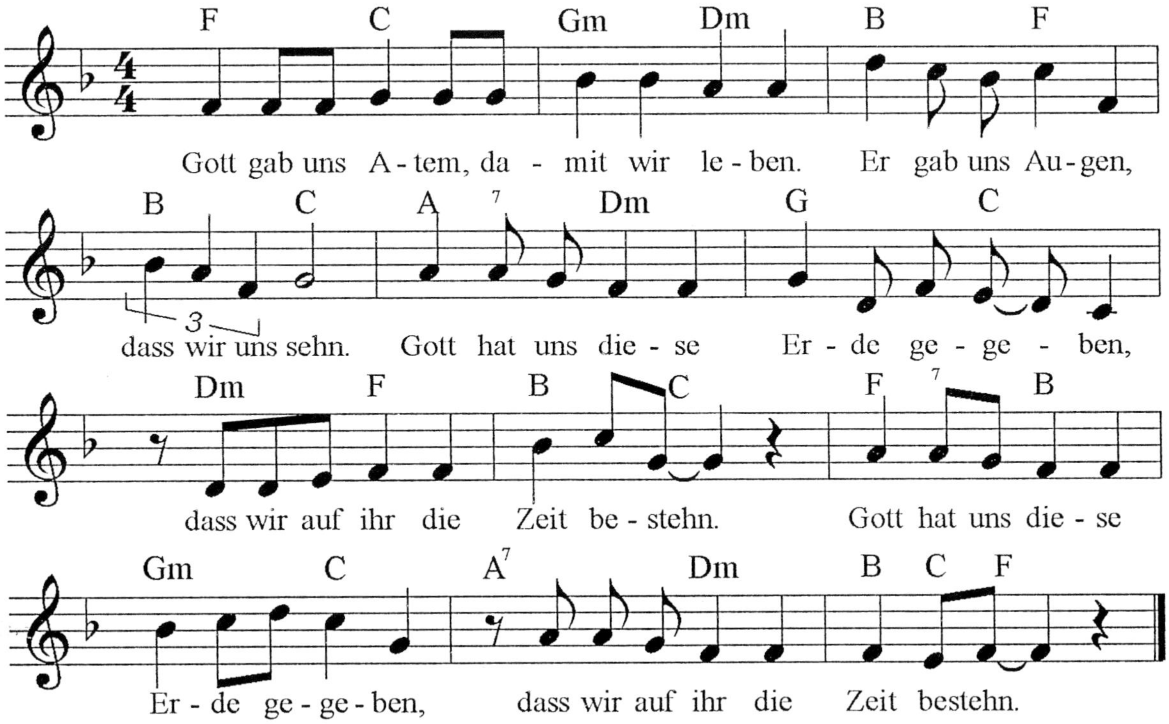

Text: Eckart Bücken. Musik: Fritz Baldruweit.
Aus: Es sind doch deine Kinder, 1983

M 26 Der zerhackte Garten

Matthias ging langsam zur anderen Ecke des Hofes hinüber, wo ein kleiner Rasenfleck war. Es war ein sehr kleiner Rasenfleck. So klein, dass er kaum zu sehen war. Aber Matthias nannte ihn seinen Garten. Es waren drei Grasbüschel, die gerade anfingen, zwischen den Pflastersteinen hervorzukommen. Und neben den Grasbüscheln guckte ewas heraus, wovon Matthias meinte, es würde eine Blume. Ein Grashalm war es jedenfalls nicht. Und ein Baum konnte es unmöglich sein, denn so kleine Bäume hatte Matthias noch nie gesehen. Also musste es etwas sein, was eine Blume werden konnte. Matthias sah es sich jeden Tag an, denn sobald die Blume aufblühte, wollte er sie Mama mitbringen. Mama mochte Blumen so gern – und Matthias auch.

Matthias ging jeden Tag hin und besah sich seinen Garten: morgens, bevor er in die Schule ging, mittags, wenn er von der Schule nach Hause kam, und nachher, wenn er oben gewesen war und Milch getrunken und Brötchen gegessen hatte.

Je mehr es Frühling wurde, desto kräftiger wurden die drei Grasbüschel. Und die kleine Blume wurde immer größer. Matthias lieh sich von Mama eine Kaffeetasse und begoss die Blume, damit sie frisch und grün blieb.

Jetzt stand die Sonne allmählich so hoch am Himmel, dass sie jeden Nachmittag kurze Zeit ganz bis zu den Grasbüscheln hinunterschien. Matthias setzte sich dann in die Sonne und schaute sich den Garten an. Kleine Ameisen liefen darin herum wie Kühe auf einer Weide. Manchmal kam auch ein Käfer, und der sah so groß aus wie ein Elefant. Er war so groß, dass Matthias beinahe Angst hatte. Fliegen schwirrten umher gleich Flugzeugen. Und einmal flatterte ein Falter vorüber.

Eines Tages, als Matthias von der Schule heimkam, fiel ein feiner Sprühregen. Matthias hatte gerade daran denken müssen, dass er heute nicht zu gießen brauchte. Vielleicht blühte die Blume gerade heute in dem milden Frühlingsregen auf. Die Lehrerin hatte davon gesprochen, dass Blumen milden Frühlingsregen so gern hätten.

Als Matthias durch das Hoftor kam, sah er den Hausmeister Andersson drüben an seinem Garten stehen. Er dachte zuerst, seine Blume sei aufgeblüht und er sähe sie sich an. So war es aber ganz und gar nicht. Es war ganz und gar nicht so etwas Schönes, was da zu sehen war.

Als Matthias angerannt kam, sah er es sofort. Andersson hatte seinen ganzen Garten abgehackt. Der lag jetzt in drei grünlich grauen Haufen auf den Pflastersteinen. Und die Blume war kurz und klein gehackt. Matthias blieb stehen und sah es sich an, ohne ein Wort zu sprechen. „Unkraut muss weg“, sagte Andersson. „Der Hof muss sauber gehalten werden. Es ist ganz verkehrt, dass Kinder hier wohnen. Hier ist kein Platz für Kinder.“

Hans Peterson

M 27 Schöpfungsbild aus der Lutherbibel (1534)

M 28 Phantasiereise Apfel

Vorbereitende Körperarbeit: Es genügt eine kurze Hinführung zum aufmerksamen Sitzen; die Hände mit dem Apfel ruhen im Schoß.

Hinführung:

Ich lade euch heute ein, die Lebens-Geschichte eures Apfels mitzuerleben. Ich beginne im letzten Winter:

Irgendwo steht ein Apfelbaum, an dem später euer Apfel gewachsen ist. Könnt ihr euch vorstellen, wo euer Baum steht? Ist er allein oder steht er mit vielen zusammen? – Manchmal, wenn man die Augen schließt, hat man das Bild seiner Umgebung, ohne groß darüber nachzudenken ...

Da steht nun der Apfelbaum, ganz ohne Blätter. Aber euer Apfel ist schon in diesem Baum, auch wenn er noch nicht zu sehen ist. Wo? – Das ist noch das Geheimnis des Baumes. Im Winter ruht der Baum sich aus und sammelt neue Kraft.

Dann wird es Frühling. Die Sonne scheint kräftiger und der Baum verändert sich. Wenn ihr genau hinseht, entdeckt ihr, dass die Spitzen der Zweige immer dicker werden. – Noch ein paar Sonnenstrahlen, dann platzen die dicken Enden auf – heraus wachsen Blüten, rosa-weiße Blüten. Könnt ihr euch den Baum vorstellen, wie er im Frühjahr aussieht, ganz voll mit rosa-weißen Blüten?

Die Blüten laden die Bienen und Hummeln ein. Sie kommen vorbei und tragen den Blütenstaub von Blüte zu Blüte. Manche Blüten reißt der Wind ab, manche fallen durch den Regen herunter. Aber die Blüte, aus der euer Apfel kommt, ist stark und bleibt am Baum. Könnt ihr euch schon vorstellen, aus welcher der vielen Blüten euer Apfel wachsen wird?

Die Zeit vergeht. Die Sonne scheint. Regen fällt und der Baum bekommt grüne Blätter. Jetzt könnt ihr euren Apfel schon sehen. Noch ist er so klein, dass ihr nahe herangehen müsst, um ihn zu entdecken. Schaut genau hin. – Hinter der Blüte ist eine kleine dicke Stelle, rund und grün. Das ist euer Apfel.

Der Baum gibt ihm Kraft und lässt ihn immer mehr wachsen. Manchmal besuchen ihn Ameisen und andere kleine Tiere. Manche knabbern sogar an ihm. Aber eurem Apfel geschieht nichts, er wächst weiter.

Lange wächst er so. Die Sonne scheint und schenkt ihre Energie dem Baum, und der Baum gibt sie weiter an den Apfel. – Regen fällt und der Baum trinkt das Wasser und gibt es dem Apfel. – Die Luft umweht den Baum und der Baum atmet die Luft und gibt sie an den Apfel. – Die Erde ist voller Nahrung, der Baum nimmt sie mit seinen Wurzeln auf und gibt sie an den Apfel weiter.

Immer größer wird der Apfel und bekommt rote und gelbe Backen. Jetzt ist er zwischen den Blättern gut zu sehen. Schaut ihn euch noch einmal an, wie er da im Baum hängt.

Dann kommt der Tag, an dem jemand sagt: „Es ist Zeit, die Äpfel zu ernten." Hände fassen ihn, nehmen ihn von dem Baum weg, der ihn so groß hat werden lassen. Sie legen ihn in eine Kiste, in der schon viele Äpfel liegen. Dann geht die Reise weg vom Baum. – Viele Menschen haben ihn noch getragen und berührt, bis er hier zu dir in die Hand kam.

Rückführung:

Mach die Augen nun wieder auf und schau dir deinen Apfel noch mal an. In deiner Hand liegt ein Stück vom Wind, ein Stückchen Sonne, ein Stückchen Regen und ein Stückchen von der Erde.

Und wenn du ihn jetzt isst, isst du die Sonne und den Wind, die Erde und den Regen mindestens vom letzten Jahr.

M 29 Ich bin eine Buche

Ich
bin eine Buche
und lebe in Gemeinschaft
mit vielerlei Pflanzen und Tieren.
Viele Tiere finden Wohnung und Nahrung in meiner Krone,
auf den Blättern, am Stamm und zwischen den Wurzeln. Ich bin
103 Jahre alt und 21 Meter hoch. Meine ungefähr 600 000 Blätter
ergeben zusammen eine Oberfläche von 100 qm und erzeugen 3 Millionen
Liter Sauerstoff im Jahr; das sind 370 l in der Stunde. Das ist genau so viel, wie 10
von euch zum Leben brauchen. Meine Blätter filtern 7000 kg Staub und Gifte pro Jahr.
Zwischen meinen Zweigen sind vor allem die Vögel zu Hause. Im Schutz der Blätter bauen
sie ihre Nester. Das Eichhörnchen baut sein kugelförmiges Nest in den Zweigen. Auch viele kleine
und sehr kleine Tiere leben in der Baumkrone, vor allem Spinnen und Insekten. In meinem Stamm
meißelt sich der Specht seine Höhle. Unter der Rinde liegen die Brutstätten von Käferlarven. Mein
Wurzelwerk dient Fuchs, Dachs und Kaninchen als Stütze für ihre unterirdischen Höhlen.
Die kleine Haselmaus hält ihren Winterschlaf zwischen den Wurzeln. Über die Wurzeln
nehme ich in Wasser gelöste Nährstoffe auf. Daraus werden in einem Jahr 4 Tonnen Blätter, Rinde
Holz und Früchte. Im Herbst leben viele Tiere von meinen Bucheckern. Wenn ich dann meine Blätter
verliere, wird daraus Humus, der den Lebensraum für Würmer, Asseln, Milben, Käfer, Pilze und
Bakterien bildet. Das Wurzelwerk verhindert, dass der Boden
weggeschwemmt wird;
es hält das
Wasser wie
ein Schwamm
fest und ver-
hindert so
den Abfluss von etwa 70 000 Liter Wasser im Jahr. Ich
pumpe 30 000 Liter Wasser im Jahr (80 Liter am Tag)
von den Wurzeln bis zu den Blättern; ein Teil davon verdunstet wieder.
Wenn ich gefällt würde,
so müsste man 2000 junge
Bäume mit je einem Kro-
nenvolu men von 1 cbm
pflan zen, um mich
zu er set zen.

M 30 Körpermeditation Baum

Ich fühle den Boden unter meinen Füßen.
Ich konzentriere mich ganz auf die Füße.
Ich gehe mit meinem Bewusstsein in die Füße.
Ich schlage Wurzeln.
Mein ganzes Gewicht ruht auf meinen Wurzeln.
Ich wachse in den Boden.
Ich wachse immer tiefer, ganz in den Boden.
Ich bin ganz Wurzel.
Ich verzweige mich und durchdringe den ganzen Boden
mit meinen Wurzeln. – Immer weiter.
Ich erreiche die kleinsten Krümel.
Ich gewinne die Kräfte des Bodens durch meine Wurzeln.
Ich bekomme Halt.
Ich bin verwurzelt.
Die Bodenkräfte sammeln sich und strömen in mich ein. –
Ich wachse aus dem Boden.
Die Lebenskräfte sind in mir gesammelt.
Sie machen mich stark und kräftig.
Ich werde stärker, kräftiger.
Ich bin ganz Stamm.
Ich wachse nach oben.
Ich bin groß.
Ich teile mich oben in Äste.
Meine Äste tragen.
Ich wachse in den Himmel.
Licht und Wärme strömen in mich.
Ich teile mich weiter.
Ich erfasse den Raum.
Ich verzweige mich weiter.
Ich bin Krone.
Ich erfülle den ganzen Raum.
Ich erfasse alle Luft, alles Licht, alle Wärme.
Die Kraft des Himmels strömt in mich ein.
Die Kraft des Himmels strömt nach unten in meine Wurzeln.
Die Kraft des Bodens strömt nach oben in meine Krone.
Ich bin Strom.
In mir strömt Leben.
Ich bin Baum. – Ich bin Mensch!

M 31 Meister Bertram, Die Erschaffung der Tiere

M 32 Pit kommt zu einem Hund

Pit, ein aufgeweckter Viertklässler, wünscht sich sehnlichst einen Hund als Schutz gegen böse Träume. Sein Vater ist strikt dagegen. Eines Tages findet Pit einen herrenlosen Hund, der ihm nach Hause folgt.

„Wo hast du den Hund her?“, fragte die Mutter.

„Wir sind uns auf der Straße begegnet“, antwortete ihr Sohn und streichelte den Hund, der es ruhig geschehen ließ.

„Der geht ja rückwärts“, rief die Mutter verwundert aus.

„Nein, der tarnt nur seinen Kopf.“

„Wie heißt er denn?“

„Struwwelpaul.“

„Warum nicht Struwwelpeter?“

„Den gibt's schon.“

Der Vater war höchst erstaunt, als er nach Hause kam und auf seinem Sessel ein neues Kissen fand, das sogar beißen konnte.

„Das ist Struwwelpaul“, erklärte Pit und spreizte die Beine.

„Und wer ist das?“

„Das ist mein Hund.“ Der Vater ließ sich nur schwer bewegen, Struwwelpaul wenigstens für eine Nacht zu behalten. Nicht länger.

„Wenn irgendetwas passiert, trägst du die Schuld“, sagte er, und noch in derselben Nacht geschah sehr viel. Struwwelpaul sollte auf einer Matte im Gang schlafen. Er dachte aber nicht daran und jaulte, bis ihn der Vater ins Bad sperrte. Dort sprang Struwwelpaul in die Badewanne und kam nicht mehr heraus. Ein wütendes Gekläff schallte durch die Wohnung. Der Vater stürzte mit wehendem Nachthemd herbei und befreite Struwwelpaul aus einem Handtuch, in das er sich verbissen hatte.

„Ich werfe ihn auf die Straße.“

Pit schlich aus seinem Zimmer zu der Stätte des Unheils, wo ihn der Hund schwanzwedelnd begrüßte. „Ich nehme ihn in mein Zimmer.“ Der Vater hatte schon die Wohnungstür geöffnet.

„Er ist doch fremd hier“, klagte Pit. Der Vater schimpfte noch eine Weile, dann ließ er seinem Sohn den Willen. Struwwelpaul folgte Pit mit hängenden Ohren. Wer jedoch glaubt, damit wäre alles gut gewesen, irrt sich sehr, denn kaum waren die beiden im Zimmer, sang Struwwelpaul ein Schlaflied, dass selbst Caesar aufgeweckt wurde – und das wollte was heißen. Pit hatte einmal gehört, dass der Mond die Hunde zum Gesang verleite – und er zog den Vorhang noch fester zu, aber Struwwelpaul musste den Mond in den Knochen spüren, er bellte aus Leibeskräften. Pit wollte ihm die Schnauze zuhalten, ergriff jedoch in der Hast den Schwanz, und das Bellen wurde noch lauter. Die Mutter riss die Tür auf und sah, wie sich ihr Sohn mit dem Hund auf dem Boden wälzte.

„Ich glaube, er ist ein Mondanbeter“, sagte Pit atemlos und stand auf. Struwwelpaul kroch unters Bett und knurrte. Auch diesmal setzte sich Pit mit Erfolg für seinen Freund ein. „Jetzt ist er muckshundestill. Hörst du, er schläft schon.“

Was aber wie ein Schnarchen klang, waren Geräusche, die Struwwelpaul beim Zerreißen der Schuhe machte, die Pit jeden Abend unters Bett stellte. Für sie kam jede Hilfe zu spät. Pit knipste das Licht aus und hoffte, dass sich Struwwelpaul in der Dunkelheit beruhigen würde. Er sprang ins Bett und lauschte. Ein Knurren, Reißen und Kratzen ertönte. Wieder sprang Pit auf. Diesmal waren es seine Hose und sein Hemd, die in Fetzen herumlagen. Struwwelpaul hockte auf allen vieren da und schaute Pit aus halb verdeckten Augen an. Er schien glücklich zu sein, sehr glücklich.

„Wahrscheinlich hat er noch Hunger“, dachte Pit und schlich in die Küche, um ein Stück Brot zu holen. Als er zurückkam, lag Struwwelpaul im Bett. Sein Fell zitterte behaglich. Pit kroch neben ihn unter die Bettdecke und versuchte seinen Nachbarn aus dem Bett zu stoßen. Struwwelpaul stemmte die Pfoten auf. So konnte das nicht weitergehen, aber es ging so weiter. Pit schlief erschöpft ein, neben ihm rumorte der nach Straße stinkende Struwwelpaul, der erst dann einschlief, als er das Federbett aufgerissen hatte, sodass die Federn im Zimmer herumflogen.

Am nächsten Morgen schloss Pit gleich wieder die Augen, als er das Unheil sah. Struwwelpaul schlief am Fußende und hatte eine Pfote über den Kopf gelegt. Pit schlug die Augen zum zweiten Male auf, aber noch immer hatte er nicht den Mut aufzustehen. Struwwelpaul hatte seinem Namen Ehre gemacht, das ganze Zimmer war zerstruwwelt. Als die Mutter ihren Sohn wecken wollte, schrie sie auf und taumelte zurück.

„Was ist denn hier geschehen?“

„Struwwelpaul hat nach einem Schatz gegraben“, stammelte Pit, der sich nicht sehr wohl in seiner Haut fühlte.

„In deiner Hose?“, fragte die Mutter.

„Überall.“

Der Vater stürmte mit Rasierseife auf der Wange in das Zimmer. „Ich zähle bis drei, wenn dann der Hund nicht verschwunden ist, geschieht ein Unglück.“

Aber Struwwelpaul konnte nicht zählen und gähnte. Er hatte ein weiß gefiedertes Fell, jedoch machte der Vater nicht viel Federlesens und jagte ihn auf die Straße.

Pit musste in seinem Sonntagsstaat in die Schule gehen. Als er wieder nach Hause kam, saß Struwwelpaul vor der Tür und wedelte mit dem Schwanz.

„He!“, schrie Pit entgeistert. „Wenn ich dich mit hochnehme, geht es uns schlecht.“ Struwwelpaul verstand die menschliche Sprache immer noch nicht und schlich sich hinter seinem Freund die Treppe hoch. Er wich Pit nicht mehr von der Seite.

„Da siehst du, er ist mein Freund.“

„Aber so viele Hemden und Hosen haben wir gar nicht, um ihn satt zu füttern“, sagte die Mutter.

Mit der Zeit gewöhnte sich Struwwelpaul auch an Hundekuchen und Knochen. Schließlich ging sogar Vater mit ihm spazieren. Pit hatte endlich einen Hund.

„Ihr müsst beide zum Friseur“, sagten die Leute auf der Straße.

„Wir tarnen uns“, erwiderte Pit, der Struwwelpaul sehr ähnlich geworden war, und konnte vor Stolz kaum laufen.

Herbert Heckmann

Ein kleiner Hund als große Hilfe – Tiere als wertvoller Beitrag zur Demententherapie

Stuttgart – Die stetig wachsende Zahl dementer Menschen lenkt das Augenmerk der Pflegeheime stärker denn je auf therapieunterstützende Ideen. Eine davon ist der Kontakt von Dementen mit Tieren mit spürbar positiven Auswirkungen auf die Therapie. Entsprechenden Zuspruch findet diese „tierische Idee" bei immer mehr Pflegeeinrichtungen.

Angie wedelt begeistert mit dem Schwanz. Mendi Maaß hat, wie an jedem Donnerstag, ihren kleinen Hund mitgebracht und besucht einige Bewohner des Altenhilfezentrums Breitwiesenhaus in Gerlingen. „Wir sind sehr froh über den Besuch der 18-Jährigen seit Juni", sagt Heimleiterin Carmen Mothes-Weiher. „Durch den Umgang mit dem Hund zeigen die dementen Heimbewohner wieder mehr Gefühlsregungen."

So gefragt die Tierbesuche heute sind, so kurz erst befasst sich die Forschung mit ihren positiven Effekten auf demente Menschen. „Seit Tausenden von Jahren ist die heilende Wirkung von Tieren auf Menschen bekannt", sagt Martina Schmidt von der Beratungsstelle für ältere Menschen und ihre Angehörigen in Tübingen, „doch erst seit rund 20 Jahren weiß man, dass etwa das Streicheln von Hunden verhaltensgestörte Menschen wieder kontaktfähig macht oder epilepsiekranken und psychisch belasteten Menschen hilft".

Dass der Effekt von Tierbesuchen auf demenzkranke Menschen „sehr massiv" ausfallen kann, zeigt Schmidt am Beispiel einer demenzkranken Seniorin auf. „Sie hat sich in der Gesellschaft nicht mehr akzeptiert gefühlt und schließlich nur noch den Tod herbeigewünscht", berichtet Schmidt. „Als ich mit meinem Hund bei ihr erschien, hat sie sich an eigene ‚Hundezeiten' erinnert und ist vor Freude regelrecht ausgeflippt." Dies zeige, dass Tiere demente Menschen aus ihrer Teilnahmslosigkeit und Einsamkeit holten und ihr häufig angeknackstes Selbstwertgefühl steigerten. „Besonders Hunde nehmen den Menschen so an, wie er ist, und vermitteln das Gefühl, geliebt und geachtet zu werden", erklärt die Beraterin für Gerontopsychiatrie.

Ihre Kollegin Claudia Braun machte bei ihrer demenzkranken Mutter die Feststellung, dass diese wohltuende Wirkung auch von Katzen ausgeht. „Spricht sie überhaupt noch?" fragte sich Braun eines Tages und stellte überraschend fest, dass ihre Mutter durch die Katze zum Sprechen angeregt wurde und überdies nicht mehr so unruhig war.

Gleich einen ganzen Pflegebereich „versorgt" die „Stationskatze" im „Haus auf dem Wimberg" in Calw. Seit Mai 2003 muntert der quirlige Vierbeiner die Bewohner des Pflegezentrums der Evangelischen Heimstiftung Stuttgart auf. Altenpflegerin Cindi Rodrigues freut sich besonders über die anregende Wirkung der Katze auf zwei demente Senioren ihres Pflegebereichs. „Sie wirken offener und aktiver durch das Streicheltier, mit uns haben sie vorher fast nichts geredet."

Manche Pflegeeinrichtungen offerieren ihren Bewohnern gleich einen eigenen Streichelzoo. Besonders verbreitet ist jedoch der Service des Tierbesuchsdienstes. Bundesweit nehmen derzeit laut Bernhard Kampen vom Verein „Tiere helfen Menschen" (THM) etwa 230 Pflegeheime Tierbesuchsdienste in Anspruch. Die Nachfrage steige seit etwa fünf Jahren deutlich. Ein Trend, den Ines Jonas vom Kuratorium Deutsche Altershilfe (KDA) bestätigt und mit einer inzwischen deutlich höheren Aufgeschlossenheit der Pflegeeinrichtungen gegenüber dem Einsatz von Tieren begründet. Die Idee des Tierbesuchsdienstes stamme aus den angelsächsischen Ländern und habe in den deutschen Pflegeheimen vor rund zehn Jahren Einzug gehalten. „Tiere sind Türöffner", umschreibt die KDA-Mitarbeiterin deren Wirkung auf demente Menschen. Aus einer „versunkenen Persönlichkeit" könne sich so ein zugänglicherer Mensch entwickeln, dem dadurch häufig auch das Pflegepersonal wieder mehr und bereitwilliger Beachtung schenke, berichtet Jonas. Wie zum Beispiel die demente Frau im Gerlinger Breitwiesenhaus, die gerade Angie streichelt. „Durch meinen Mischlingshund wirkt sie einfach lebhafter als vorher", sagt Mendi Maaß und freut sich schon auf den nächsten Besuchstag.

Christoph Ludwig

Demenz/dement: Wenn geistige Fähigkeiten wie Intelligenz, Auffassungsgabe und Gedächtnis durch eine Schädigung des Gehirns eingeschränkt sind, spricht man von Demenz, das Eigenschaftswort dazu heißt dement.

Gerontopsychiatrie: Heilkunde für seelische Störungen und Geisteskrankheiten bei alten Menschen

M 34a Ein Kind (reduziertes Bild von Hans-Georg Anniès)

M 34b Ein Kind an der Hand (Hans-Georg Anniès)

M 35 I love you

Foto: Dieter Petri, Bietigheim-Bissingen

M 36 Meine Talente und Schwächen

Was ich gut kann

Meine Talente

Was ich gerne mache

Was mir schwer fällt

Meine Schwächen

Was ich nicht so gerne mache

Achtung!
Rumänen klauen!

<u>Jeder</u> ist Ausländer.
Fast überall.

AUSLÄNDER RAUS!

Nur der wirft Fremde raus,
der sich selbst fremd ist!

TÜRKE ADE!
AUSLÄNDER GEH!

Der Fremde ist ein Teil von dir.
Er ist dein Ausland.
Spiegel deiner Angst
vor dir selber.

M 38 Die Waldenser – ein Rollenspiel

Im Jahr 1698 findet im herzoglichen Schloss in Stuttgart das folgende (erfundene) Gespräch statt. Die Teilnehmer des Gesprächs: Herzog Eberhard Ludwig von Württemberg, der herzogliche Rat Hanns Maier, ein Vertreter der Kirchenbehörde: Rudolf Knapp und ein Vertreter der Landschaft (Stände): Gustav Zeller

Herzog: Meine Herren, ich benötige Ihren Rat in einer heiklen Angelegenheit. Vor drei Tagen kamen Vertreter von waldensischen Flüchtlingen, unter Führung eines Pfarrers namens Arnaud, zu mir. Sie baten mich, in Unserem Herzogtum 3000 Flüchtlinge aufzunehmen. Wie soll ich antworten? Was ist euer Rat?

Maier: Ich schlage vor, Ew. Durchlaucht, dass wir sie aufnehmen. Erst kürzlich habe ich aus Brandenburg gehört, dass man dort ebenfalls französische Glaubensflüchtlinge aufgenommen hat. Und man ist mit ihnen sehr zufrieden. Unter ihnen befindet sich eine große Zahl von sehr tüchtigen Handwerkern, die inzwischen gut gehende Betriebe aufgebaut haben. Und für den Staat bringt das viele Steuern ein. Auch bei uns könnten die Waldenser dazu beitragen, dass unser Land, das von so vielen Kriegen Schaden gelitten hat, wieder einen wirtschaftlichen Aufschwung erlebt.

Zeller: Ich habe ja mit der Abordnung gesprochen. Ich weiß nicht so recht. Die Waldenser machten mir einen sehr ärmlichen Eindruck. Ich befürchte, die werden uns eher zur Last fallen.

Maier: Das glaube ich nicht. Ich habe gehört, dass unter ihnen Leute sind, die sich auf die Zucht von Seidenraupen verstehen. Das wäre doch ein ganz neuer Erwerbszweig in unserem Land.

Knapp: Aus der Sicht der Kirchenbehörde gibt es da noch ganz andere Probleme. Wisst Ihr denn nicht, Ew. Durchlaucht, dass die Waldenser keine Lutheraner, sondern Calvinisten sind? Wenn wir denen erlauben, ihren calvinistischen Glauben zu behalten und ihren calvinistischen Gottesdienst zu feiern, dann können wir das den Katholiken nicht weiter verwehren. Und das will doch niemand, dass die Katholiken in unserem Land öffentlich Gottesdienst feiern dürfen.

Maier: Aber die Waldenser sind doch auch evangelisch.

Knapp: Ja, das stimmt schon, dass sie evangelisch sind. Aber es gibt eben doch große Lehrunterschiede zwischen den Calvinisten und uns Lutheranern. Da bestünde doch die Gefahr, dass manches lutherische Gemeindeglied an seinem Glauben irre wird und sich vielleicht sogar zum calvinistischen Glauben verführen lässt.

Zeller: Ich halte die Gefahr für nicht sehr groß. Wenn wir sie aufnehmen, dann kommen als Wohnorte ja nur die Gebiete in der Umgebung von Maulbronn in Frage. Das sind Gebiete, die an der Grenze nach Westen liegen. Diese Gebiete haben unter den Franzosenkriegen besonders stark gelitten. Hier leben nur noch wenige Menschen, da könnten sie niemanden anstecken. Auch wäre es nur gut, wenn dort die vielen herrenlosen Äcker wieder bebaut würden. Ich bin gestern von einem Besuch dieser Gebiete zurückgekommen. Die Abgesandten der Waldenser haben mich begleitet; ihnen würde diese Gegend sehr zusagen.

Maier: Ew. Durchlaucht, Ihr wisst, dass ich dafür bin, dass wir die Flüchtlinge in unserem Land aufnehmen. Aber auf ein Problem muss ich noch hinweisen: Was wird der König von Frankreich dazu sagen? Die Waldenser mussten doch auf sein Betreiben Savoyen verlassen, und schließlich sind die meisten Waldenser Franzosen. Wird er es nicht als unfreundlichen Akt ansehen?

Herzog: Das lasst nur meine Sorge sein. Ich habe heute früh mit den Gesandten von England und den Niederlanden gesprochen. Sie haben mich dringend gebeten, ihre verfolgten Glaubensbrüder aufzunehmen. Sie sicherten mir Hilfe zu für den Fall, dass es Probleme mit Frankreich geben sollte. Aber ich denke, dass es keine Schwierigkeiten geben wird. Außerdem haben sie finanzielle Hilfe zugesagt. Ich bin überzeugt, dass unser Land nur Vorteile haben wird, wenn wir die Flüchtlinge aufnehmen. Ich werde der Waldenserdelegation meine Entscheidung bekannt geben. Wir werden einen Vertrag ausarbeiten, in dem Rechte und Pflichten der Waldenser festgelegt werden. Rat Maier, bereitet alles Notwendige vor!
Meine Herren, ich danke Ihnen für Ihre Ratschläge.

M 39 Der Stammbaum Jesu

M 41 Über Davids Kindheit

Vor etwa 3000 Jahren lebte David in dem Land, das wir heute Israel nennen. Über seine Kindheit wissen wir nicht allzu viel. Die drei folgenden Berichte geben ein Bild, wie es gewesen sein könnte:

Davids Mutter erzählt:

David ist mein jüngster Sohn. Als er klein war, blieben wir wie oft allein zu Hause in Bethlehem, während seine Brüder mit dem Vater draußen auf den Weiden waren. Beim Backen und Kochen haben wir viel miteinander gesungen. David hat eine klare Stimme. Wenn er unsere alte Harfe nahm und dazu sang, hörte ich ihm gerne zu. Mittags und abends beteten wir um gute Ernte, für die Brüder und für den Vater und für unser Volk. David saß dabei gerne auf meinem Schoß. Manchmal sagte er: „Behüte mich, Gott, und gib mir, was ich brauche, auch wenn ich allein bin und wenn ich Angst habe."

Ich lasse ihn ungern ziehen, denn für mich ist er ein ganz besonderes Kind.

Davids Bruder Shamma erzählt:

Manchmal habe ich eine Stinkwut auf David, so wie damals, als Samuel nicht mich, sondern David salbte. Er versteht es, sich mit Charme und einem Lächeln aus der Affäre zu ziehen. Zum Beispiel neulich: Wir spielten draußen Schattengespenst. Mitten im Spiel traf David mit seiner Steinschleuder nicht den Schatten, sondern ein Schaf. Mit traurigem Blick ging er zu Vater und sagte: „Es tut mir leid, ich sah einen Wolf heranschleichen." Keine Strafe folgte. Eines aber weiß ich: David würde die Schuld nie auf uns Brüder abschieben. Er weiß, was er will. Verlassen kann ich mich auf ihn. Vielleicht wird er einmal ein Held.

Davids Vater Isai erzählt:

David geht nicht zur Schule wie andere Jungen in der Stadt. Bei mir lernt er alles, was er als Hirte zum Leben braucht: Tiere versorgen und ihre Sprache verstehen, Spuren lesen, sich vor Wettereinbrüchen und Feinden schützen. Ich habe ihm gezeigt, wie wir mit der Steinschleuder selbst große wilde Tiere bekämpfen. David ist ein mutiger Junge. Selbst nachts bleibt er draußen. David hütet seine Herde gut. Er macht unseren Vätern Abraham, Isaak und Jakob alle Ehre. So wichtig wie Stab, Schleuder und Trinkhorn ist für uns Hirten der Glaube, dass Gott uns begleitet wie ein guter Hirte.

M 42 Bildausschnitte: Josef Koranda, David und Goliat

a)

b)

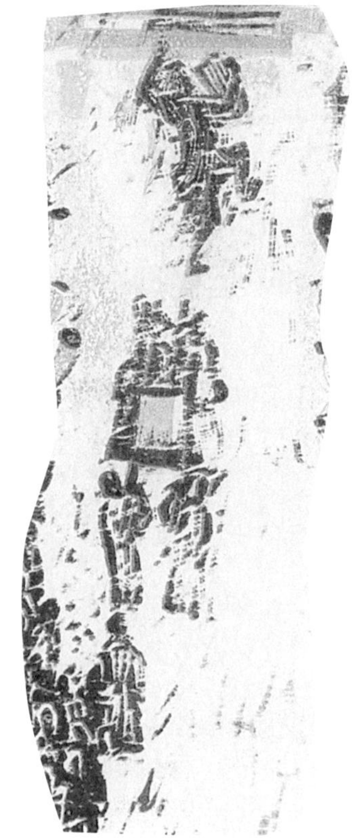

c)

d)

M 44 Der fruchtbare Halbmond

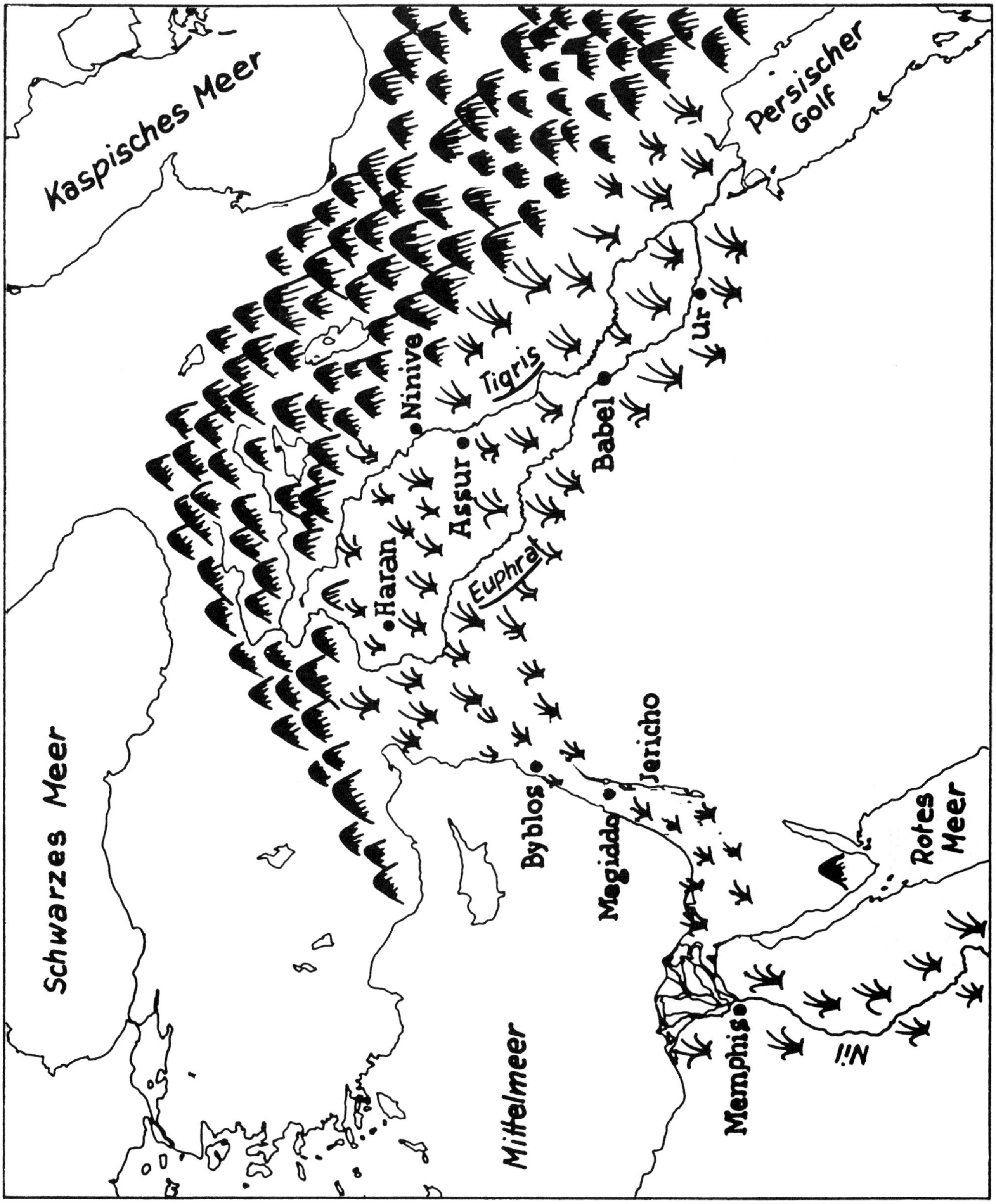

M 45 Abraham und Sara auf dem Weg

Ein paar Wochen nach dem Aufbruch von Haran erreichen sie den Euphratfluss. Dort, wo die Straße durchgeht, gibt es eine Stelle, an der das Wasser nicht tief ist und wo man hinüberwaten kann.
Der Übergang erinnert Abraham an die Furt (seichte Stelle) des Euphratflusses vor der Stadt Ur, wo er früher mit seiner Familie gelebt hatte.
Jetzt getrauen sich ein paar junge Schafe nicht hinüberzugehen.
Da nehmen die Hirten sie auf die Schultern.
Sie bleiben einige Tage am Ufer des Flusses. „Wir waschen hier unsere Kleider!", befiehlt Sara ihrer Sklavin Hagar. „Wer weiß, wie lange es dauert, bis wir wieder an einen Fluss kommen."
Die Mägde sammeln die Wäsche ein. Sie kauern sich am Flussufer nieder. Sie schwenken die wollenen Hemden und Hosen im Wasser. Sie reiben sie im Sand. Sie schlagen sie auf die Steine, die am Flussufer liegen. Sie wringen sie aus. Sie breiten sie zum Trocknen aus. Auch die Menschen waschen sich. Wie gut das kühle Wasser nach der langen Wanderung tut! Bald brechen sie wieder auf. Der Weg führt über Berge und durch Täler. Manchmal begegnen ihnen Menschen. Es sind Nomaden wie sie. Mit ihren Herden suchen sie Weideplätze.
Eines Tages erreichen sie einen See. Er liegt eingebettet zwischen Hügeln und Bergen. Sein Wasser ist tiefblau. Auf dem See schwimmen Boote. Fischer werfen ihre Netze aus.
„Was für ein schöner See!", sagt Lot. „Und was für ein schönes Land! Hier könnten wir doch unsere Zelte aufschlagen und bleiben!"
„Nein", sagt Abraham. „Wir gehen weiter. Gott hat mir nicht gesagt, dass wir hier bleiben sollen."
Aus dem See schlängelt sich ein Fluss durch das Tal. Aber Abraham geht mit den Herden nicht durch das Tal. Sie steigen in die Berge hinauf. Hoch über dem Tal zieht sich der Weg dahin. Nach ein paar Tagen sehen sie, dass der Fluss in ein großes Gewässer mündet. Das Land, in dem sie nun sind, heißt Kanaan. Schließlich stoßen sie auf eine Stadt. Es ist Sichem. Sichem liegt auf einem Hügel und wird von einer dicken Mauer aus Steinen geschützt. In Sichem ist viel los. Gleich hinter dem Stadttor befindet sich ein großer Markt. Auf dem Markt tauschen Abraham und Sara Schafe, Ziegen und Felle gegen Schmuck, Werkzeug und Gerste ein.
„Ich könnte nicht in einer Stadt wohnen", sagt Abraham zu den Hirten. „In den engen und stinkenden Gassen würde ich ersticken."
Daher verlässt Abraham mit seiner Familie bald wieder Sichem. Sie ziehen durchs Gebirge bis nach Süden weiter. Im Süden herrscht aber eine große Hungersnot. „Besser ist es", denkt Abraham, „wir leben als Fremde in einem anderen Land, als dass wir alle vor Hunger umkommen."
Deswegen beschließt Abraham mit seiner Familie ins nahe gelegene Ägypten aufzubrechen. Dort werden sie vom Pharao und den Ägyptern freundlich aufgenommen und bekommen zu essen.
Als die Hungersnot vorüber ist, verlassen sie – vom Pharao mit Schafen, Rindern, Eseln und Kamelen reich beschenkt – Ägypten und kehren nach Kanaan zurück.
Als sie bereits sechs lange Tagesreisen hinter sich haben und müde auf dem Weg dahinziehen, sieht Abraham in der Ferne einen Baum. Der Baum steht in Mamre, einem Waldstück im Norden der Stadt Hebron.
Der Baum hat eine breite Krone und seine grünen Blätter leuchten in der Nachmittagssonne.
„Der Baum muss viele hundert Jahre alt sein", sagt er zu Sara. „Hier schlagen wir unsere Zelte auf, und mein Zelt muss unter dem Baum stehen."
In dieser Nacht hört Abraham die Stimme wieder. Er weiß jetzt gewiss, dass es Gottes Stimme ist.
„Du bist jetzt in dem Land, von dem ich zu dir geredet habe", sagt die Stimme. „Dieses Land will ich deinen Nachkommen geben."
Am andern Morgen befiehlt Abraham seinen Knechten: „Holt Steine! Schichtet sie aufeinander! Es soll ein Altar für den Gott sein, der mit mir geredet hat!"
Abraham holt den schönsten Ziegenbock aus seiner Herde. Mit einem schnellen Schnitt in den Hals tötet er ihn. Er fängt das Blut in einer Tonschale auf und gießt es über den Altar.
„Im Blut ist das Leben", denkt Abraham. „Und das Leben gehört Gott." Dann schneidet er das Fett und die Innereien aus dem Tier. Er macht auf dem Altar ein Feuer und verbrennt das Herausgeschnittene.
„Und jetzt", ruft Abraham seinen Leuten zu, „feiern wir ein Fest. Schlachtet ein paar Schafe und Ziegen!"
Alle freuen sich. Überall werden Feuer angezündet. In großen Töpfen kochen sie das Fleisch. Sie essen und trinken. Zwei Hirten fangen an auf ihren Flöten zu blasen. Die Frauen und Männer singen alte Lieder. Die Mädchen und Burschen geben sich die Hände und tanzen.
Wehmütig schaut Sara auf die jungen Leute.
„Wenn wir doch auch Kinder hätten!", sagt sie zu Abraham.

M 46 Eine Geschwistergeschichte: Jakob und Esau

- Was ist zwischen den Bildszenen geschehen?
  Was tun Jakob und Esau, um schließlich wieder in Frieden miteinander leben zu können?
- Legt die beiden Bilder auf einen Tisch und gestaltet die einzelnen Stationen auf Jakobs Weg mit Figuren aus Pfeifenreinigern, Ton und anderem Material.

M 47 Die Siedlungsgebiete der einzelnen Stämme in Kanaan

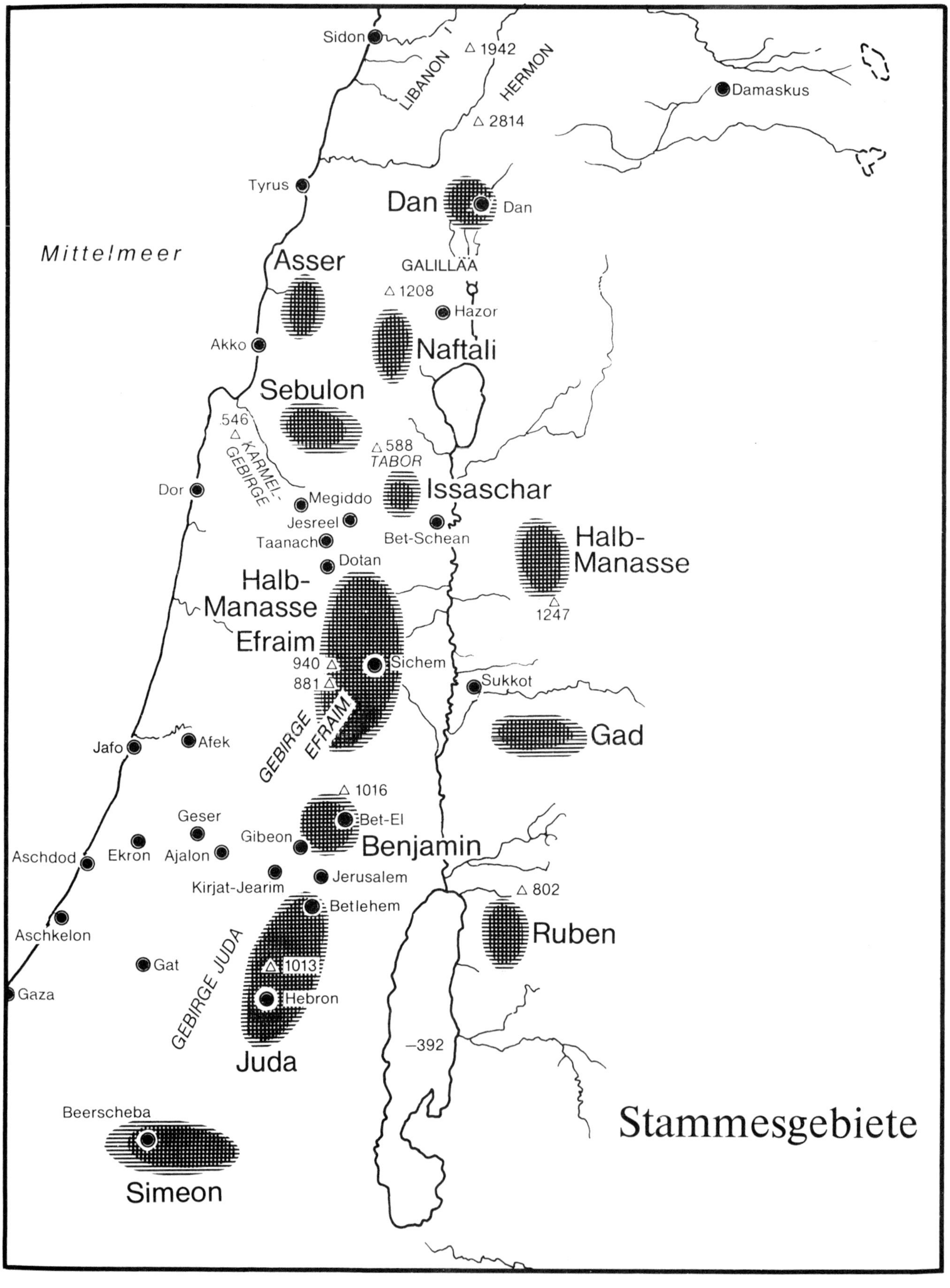

M 48 Dank an den Nil

Preis dir, o Nil, der herauskommt aus der Erde und herbeikommt, um Ägypten zu ernähren.
Der die Fluren bewässert, den Re geschaffen hat, um alles Vieh zu ernähren;
Der die Wüste tränkt, die fern vom Wasser ist; sein Tau ist es, der vom Himmel fällt.
Der Gerste macht und Weizen schafft, dass er die Tempel Feste feiern lasse.
Der Kraut für die Herden schafft und jedem Gott Schlachtopfer gibt.
Der die Speicher füllt und die Scheunen weit macht, der den Armen etwas gibt;
Der Bäume wachsen lässt nach jedem Wunsch und man hat keinen Mangel daran;
Das Schiff wird durch seine Kraft gebaut, denn aus Steinen kann man nicht zimmern.
Du Licht, das aus der Finsternis kommt. Du Fett für sein Vieh!

Nach: Adolf Erman, Die Literatur der Ägypter, Leipzig 1923, S. 193–195 (gekürzt).

M 49 Bekenntnis des Verstorbenen vor den Totenrichtern in Altägypten

Ich habe nicht Unrecht getan gegen die Menschen,
Ich habe nicht getan, was Gott verabscheut,
Ich habe keinen Diener bei seinem Vorgesetzten schlecht gemacht,
Ich habe nicht hungern lassen,
Ich habe nicht weinen gemacht,
Ich habe nicht getötet,
Ich habe nicht zu töten befohlen,
Ich habe gegen niemanden schlecht gehandelt,
Ich habe die Opferspeisen in den Tempeln nicht weggenommen,
Ich habe die Opferkuchen der Götter nicht vermindert,
Ich habe die Kuchen der Verstorbenen nicht weggenommen,
Ich habe nicht Ehebruch begangen,
Ich habe das Kornmaß weder vergrößert noch verringert,
Ich habe das Feldmaß nicht verringert,
Ich habe mit dem Ackermaß nicht betrogen,
Ich habe die Gewichte der Handwaage nicht vergrößert,
Ich habe das Lot der Standwaage nicht hinuntergeschoben,
Ich habe nicht die Milch vom Munde eines Säuglings weggenommen,
Ich habe nicht Ziegen von ihrem Kraut gejagt,
Ich habe die Vögel der Götter nicht gefangen,
Ich habe die Fische ihrer Sümpfe nicht weggefischt,
Ich habe dem Überschwemmungswasser nicht gewehrt zu seiner Zeit,
Ich habe gegen fließendes Wasser keinen Damm aufgerichtet,
Ich habe die Tage beim Empfang von Opferfleisch nicht überschritten,
Ich habe keine Herden von den Tempelgütern verscheucht,
Ich habe keinem Gott gewehrt bei seinen Prozessionen,
Ich bin rein, ich bin rein, ich bin rein.

(Die folgenden Erklärungen werden jeweils eingeleitet mit einer Anrede an einen bestimmten Totenrichter, z.B.: „O du mit der Nase, der aus Hermopolis herauskommt", „O du Knochenbrecher, der aus Herakleopolis herkommt, ich habe nicht ...")

Ich habe nicht Unrecht getan,
Ich habe nicht geraubt,
Ich bin nicht habgierig gewesen,
Ich habe nicht gestohlen,
Ich habe nicht Menschen getötet,
Ich habe das Kornmaß nicht verringert,
Ich habe kein Unrecht getan,
Ich habe nicht vom Tempelbesitz gestohlen,
Ich habe nicht Lüge geredet,
Ich habe nicht Speise weggenommen,
Ich habe keine Übertretungen begangen,
Ich habe keinen heiligen Stier getötet,
Ich habe kein betrügerisches Geschäft gemacht,
Ich habe kein Opferbrot geraubt,
Ich habe nicht gelauscht,
Mein Mund ging nicht fort,
Ich habe nicht Weib oder Mann vergewaltigt,
Ich habe nicht Schrecken erregt,
Ich brannte nicht,
Ich bin nicht gegen ein wahres Wort taub gewesen,
Ich habe nicht gezankt,
Ich habe nicht dem Richter zugezwinkert,
Ich habe nichts verschwiegen,
Ich habe nicht geschmäht,
Ich war nicht gewalttätig,
Ich habe nicht viele Worte gemacht,
Ich habe getan, womit die Götter zufrieden sind,
Ich habe den Gott befriedigt mit dem, was er liebt:
Ich habe den Hungernden Brot gegeben,
Und den Dürstenden Wasser,
Und den Nackenden Kleidung,
Und dem Schifflosen eine Fähre.
Ich habe den Göttern Opfer dargebracht,
Und den Verklärten Totenopfer, -
Rettet mich doch, schützt mich doch,
Und zeugt nicht wider mich vor dem großen Gott!
Ich bin reinen Mundes und reiner Hände,
Einer zu dem „Willkommen!" gesagt wird
Von denen, die ihn sehen.

Aus dem 125. Kapitel des ägyptischen Totenbuchs, eine Sammlung von Papyri, die zwischen 1580 und 1100 v. Chr. entstanden sind. Ein solches Papier wurde dem einbalsamierten Toten in den Sarg gelegt. Es herrschte die Vorstellung, dass der Tote in der Gerichtshalle vor den Thron des Osiris zu treten hat, der von 42 Totenrichtern umgeben ist, die das Herz des Ankommenden wägen. Ehe der Tote die Halle betreten darf, muss er diese Versicherungen ablegen.

M 50 Mose-Fahndungsplakat

Gesucht-Wanted:

MOSE

Herkunft:

____

Tat:

____

Vermutlicher Aufenthaltsort:

____

Besondere Merkmale:

____

M 51 Mose begegnet Gott am brennenden Dornbusch

Nach seiner Flucht aus Ägypten kam Mose ins Land Midian. Dort lernte er Zippora kennen, die Tochter Jitros, des Priesters von Midian, und heiratete sie. Mose lebte nun im Land Midian als Schafhirte; er hütete die Schafe seines Schwiegervaters Jitro. Eines Tages trieb er die Schafherde durch die Steppe ganz nahe an den Horeb, den Berg Gottes. Da sah er eine seltsame Erscheinung: Flammen schlugen aus einem Dornbusch, aber der Busch verbrannte nicht. „Merkwürdig", dachte Mose, „das muss ich mir genauer ansehen!" Da hörte er eine Stimme aus dem brennenden Dornbusch: „Mose! Mose!" - Und Mose antwortete: „Ja, hier bin ich!"- Und die Stimme sagte: „Komm nicht näher! Ziehe deine Schuhe aus, denn der Boden, auf dem du stehst, ist heilig." Und die Stimme sagte weiter: „Ich bin der Gott deines Vaters, der Gott Abrahams, Isaaks und Jakobs."
Da verhüllte Mose sein Gesicht, weil er fürchtete, Gott anzuschauen.
Gott aber sagte: „Ich habe gesehen, wie schwer mein Volk in Ägypten unterdrückt wird, ich habe seine Hilfeschreie gehört. Ich will mein Volk befreien und es in das Land Kanaan führen, wo Milch und Honig fließen. Und du sollst zum Pharao gehen und mein Volk aus Ägypten herausführen!"
Aber Mose sagte: „Wer bin ich denn? Wie könnte gerade ich zum Pharao gehen und das Volk herausführen?" Und Gott sagte: „Ich werde bei dir sein! Du wirst das Volk herausführen und ihr werdet mich an diesem Berg anbeten."
Mose sagte zu Gott: „Die Israeliten werden mir nicht glauben und mich fragen: ‚Wer ist dieser Gott? Was ist sein Name?' Was soll ich dann sagen?"
Und Gott sprach zu Mose: „Sage zu dem Volk: Der ‚Ich bin für euch da' schickt mich zu euch. Und geh zum Pharao und sage: Lass das Volk Israel drei Tage lang in die Wüste ziehen, damit wir unserem Gott opfern können."
Aber Mose sagte: „Ich kann nicht gut reden und außerdem habe ich die Sprache meines Volkes fast verlernt."
Doch Gott erwiderte: „Ich werde dir eingeben, was du sagen sollst."
Aber Mose war immer noch nicht einverstanden: „Schicke doch einen anderen!" Gott wurde unwillig und sagte. „Dein Bruder Aaron wird dich begleiten. Er kann gut reden."
Da ging Mose zu seinem Schwiegervater zurück. Nach einigen Tagen machte er sich auf den Weg nach Ägypten.

(Nach 2. Mose 3–4)

M 52 Arbeitsblatt: Mose am brennenden Dornbusch

M 53 Mose am brennenden Dornbusch (Puzzle)

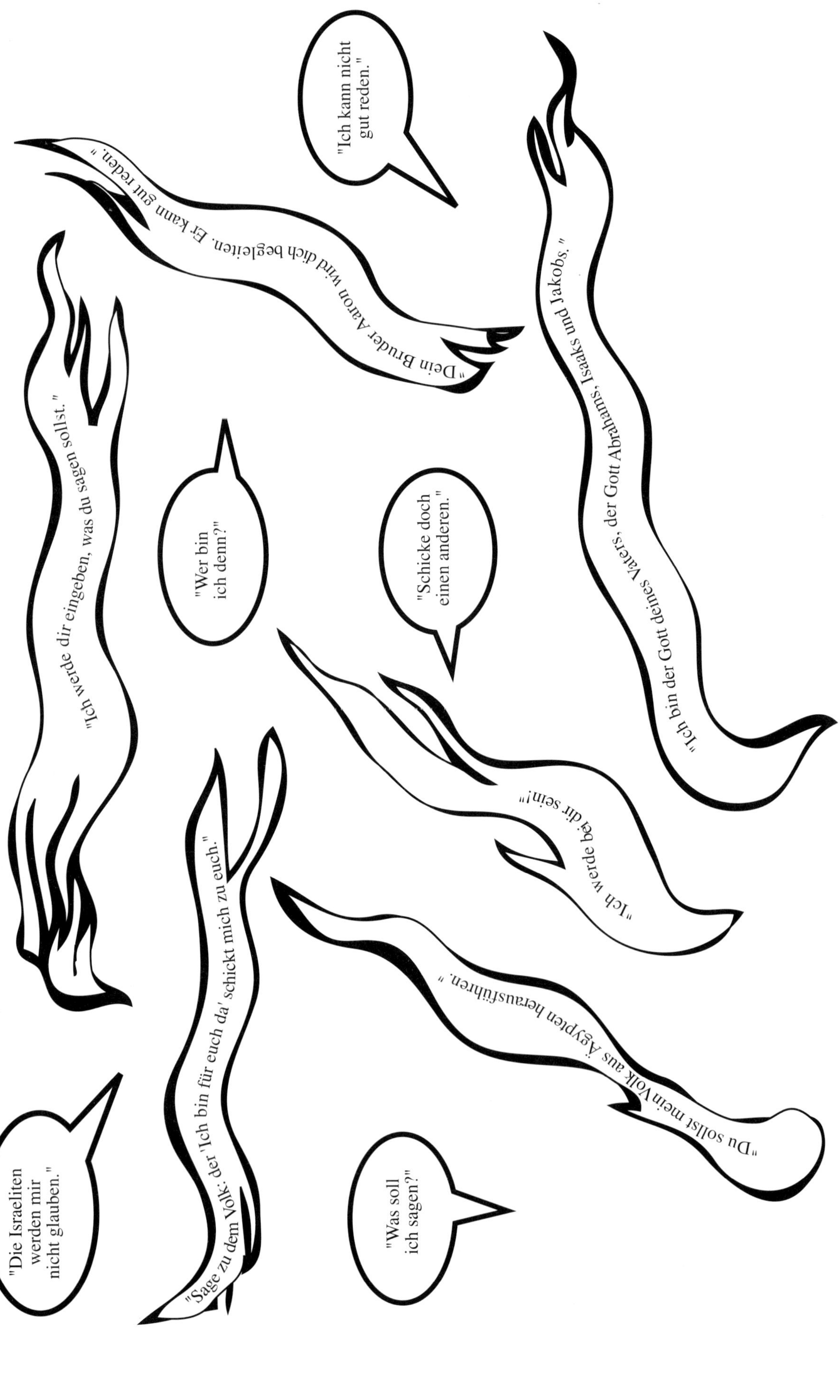

M 54 Lösung: Mose am brennenden Dornbusch

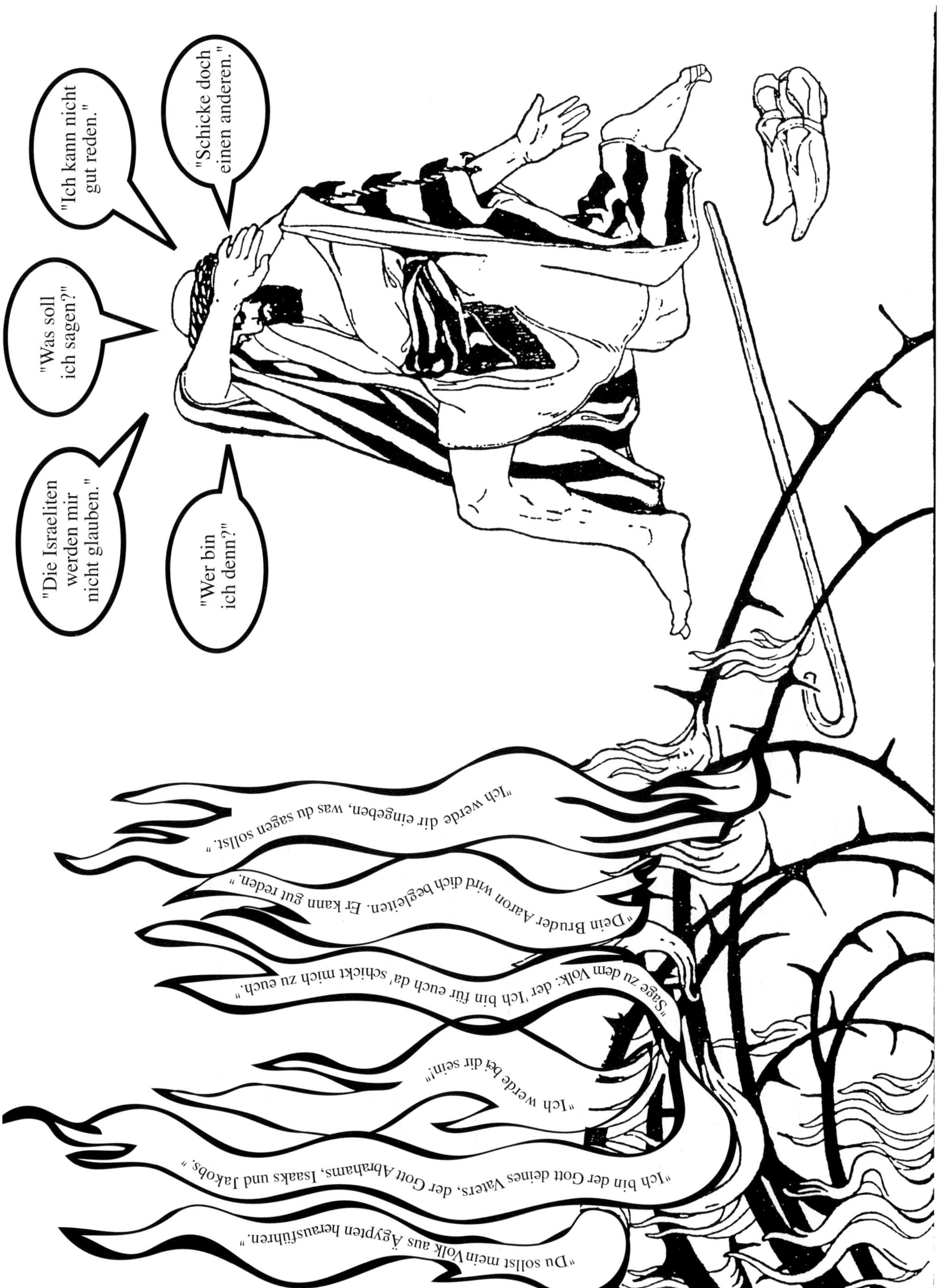

M 56 Groove Coverage: God Is A Girl (Übersetzung)

Erinnere dich an mich
Entdecke und sieh
Auf der ganzen Welt
Ist sie als Mädchen bekannt
Zu den Gedanken derer, die frei sind
Sollte es einen Schlüssel geben
Die Vergangenheit wird vergessen
Denn die Geschichte ist vorbei

Refrain:
Gott ist ein Mädchen
Wo auch immer du bist
Glaubst du es?
Erkennst du es an?
Gott ist ein Mädchen
Was auch immer du sagst
Glaubst du es?
Erkennst du es an?
Gott ist ein Mädchen
Wie auch immer du lebst
Glaubst du es?
Erkennst du es an?
Gott ist ein Mädchen
Sie ist nur ein Mädchen
Glaubst du es?
Erkennst du es an?

Sie will scheinen
Für alle Zeiten
Sie ist so stark
Sie wird immer Mein sein
Klar und frei
Sie wollte
Ein Teil der Zukunft sein
Ein Mädchen wie ich
Da ist der Himmel, der uns erhellt
Jemand ist dort, dem wir wirklich folgen
Da ist ein Regenbogen für dich und mich
Wunderschöner, ewiger Sonnenschein

Refrain

M 57 Christusikone

Gestaltet diese Christusikone mit Farben.

M 58 Die Legende von König Abgar

Zu jener Zeit, als unser Herr das Evangelium predigte und die Kranken heilte, lebte in der Stadt Edessa an den Ufern des Euphrat ein König Abgar, der völlig vom Aussatz bedeckt war. Er hörte von Christus, dem Erlöser von aller Qual und Krankheit. Deshalb sandte er den Maler Ananias mit einem Brief an Christus nach Palästina. Darin bat Abgar den Herrn, nach Edessa zu kommen und ihn vom Aussatz zu heilen. Für den Fall aber, dass der Herr nicht kommen könne, gab Abgar dem Ananias den Auftrag, ein Bild von Jesus zu malen und mitzubringen. Abgar war überzeugt, dass schon das Bild des Herrn ihm die Gesundheit wiedergeben könne. Jesus antwortete dem Boten, dass er leider nicht kommen kann, weil die Zeit seines Leidens und Sterbens naht. Als er aber sah, dass der Maler vergeblich versuchte, ein Bild von ihm zu malen, nahm er ein Handtuch, legte es auf sein Gesicht und alsbald war auf dem Tuch ein vollendet treffendes Bild seines Gesichts zu sehen. Dieses Tuch übergab der Herr dem Ananias mit der Nachricht, dass der König damit geheilt werde – aber nicht ganz. Deshalb werde er später noch einen Boten senden, der auch den Rest der Krankheit heilen würde.

König Abgar nahm das Tuch, legte es auf sich – und der Aussatz fiel von seinem Körper ab, aber ein kleiner Rest blieb noch in seinem Gesicht haften. Später kam dann der Apostel Thaddäus zu Abgar, predigte das Evangelium, heilte ihn völlig und taufte ihn. Da zerstörte der König die Götzenbilder, die vor dem Tor der Stadt standen, und über dem Stadttor befestigte er das Tuch mit dem Gesicht Christi, aufgespannt auf Holz in einem goldenen Rahmen und geschmückt mit Perlen. Außerdem schrieb der König unter die Ikone auf den Torbogen: „Christus, mein Gott, niemand wird zuschanden, der auf dich seine Hoffnung setzt. "

Später hat einer von den Nachkommen Abgars den Götzendienst wieder aufleben lassen. Da kam der Bischof dieser Stadt und hat in der Nacht die Ikone über dem Tor zugemauert. Jahrhunderte sind dann vergangen. In der Zeit des Kaisers Justinian hat der persische König Chosroi die Stadt Edessa angegriffen, und die Stadt war in großer Not. Da geschah es, dass dem Bischof von Edessa in einer Vision die Gottesmutter erschien, die ihm das Geheimnis der zugemauerten und vergessenen Ikone aufdeckte. Die Ikone wurde wiedergefunden und mit ihrer Hilfe wurde der Feind zurückgeschlagen.

Man erzählt, dass auch auf dem Ziegelstein, mit dem die Ikone verdeckt war, sich das Bild Christi eingeprägt hat. Das Bild, das man „Mandylion" nennt, wurde am 16. 8. 944 von Edessa nach Konstantinopel gebracht. Deshalb gilt dieser Tag bis heute als Festtag dieses Bildes.

Als 1204 Kreuzritter die Stadt Konstantinopel eroberten und plünderten, ist das Bild verschwunden, aber viele Fresken und Ikonen sind nach seinem Vorbild hergestellt worden.

Festlegende für den 16. August aus „Zitia Svetih" (Leben der Heiligen), Belgrad 1961, übers. J. Peylo

M 59 Galiläisches Dorf

M 60 Galiläisches Dorf mit fehlenden Teilen

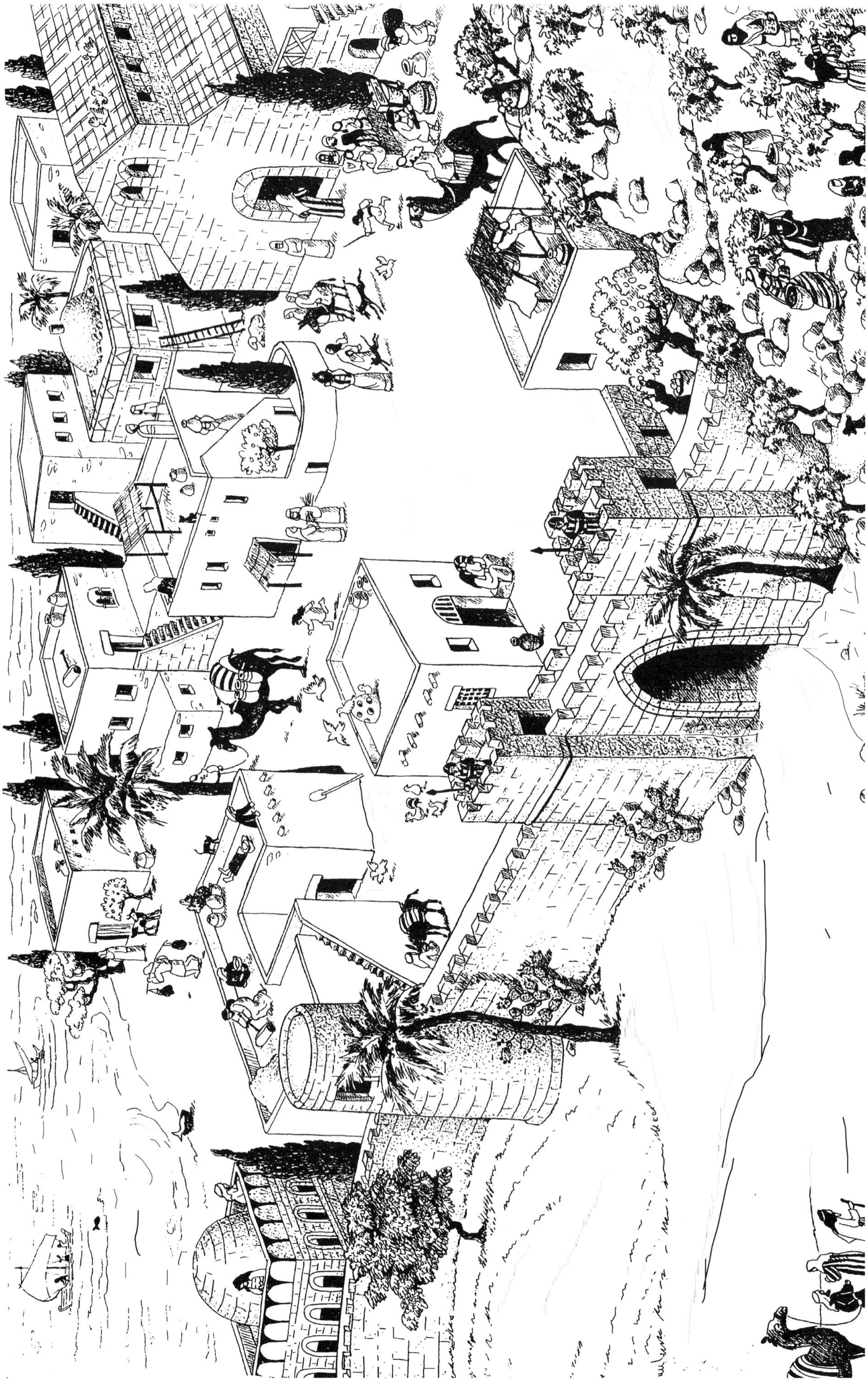

M 61 Schnippelbogen zum galiläischen Dorf

M 62 Wohnviertel in Kapernaum

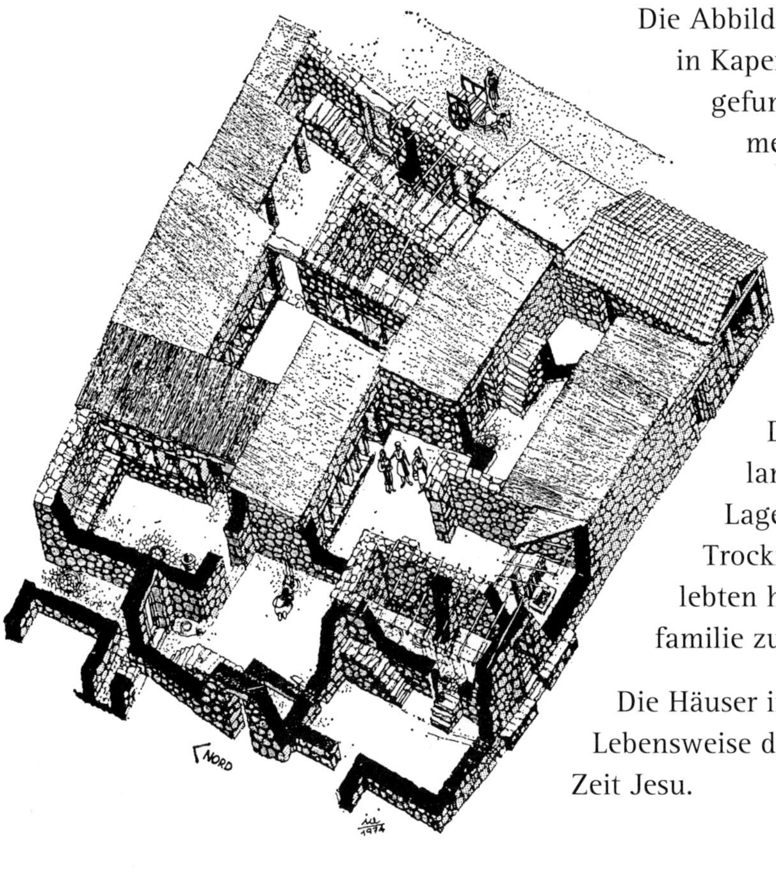

Die Abbildung zeigt eine so genannte „Wohninsel“ in Kapernaum, wie man sie bei Ausgrabungen gefunden hat. Diese Wohnanlage bestand aus mehreren miteinander verbundenen Höfen und etwa 5 m x 10 m großen eingeschossigen Häusern. Das tägliche Leben der Menschen spielte sich wahrscheinlich vor allem in den Höfen ab: Dort wurde gekocht, Mehl gemahlen und Brot gebacken. Das Dach, auf das man durch Treppen gelangte, diente häufig als zusätzlicher Lagerplatz, möglicherweise auch zum Trocknen der Fischernetze. Wahrscheinlich lebten hier mehrere Generationen einer Großfamilie zusammen.

Die Häuser in Kapernaum sind ein Beispiel für die Lebensweise der einfachen Menschen in Galiläa zur Zeit Jesu.

M 63 Haus zur Zeit Jesu (2 Bogen)

Haus zur Zeit Jesu, Blatt (A)

- farbig anmalen
- oberen Teil dieses Blattes abschneiden
- Blatt an der gestrichelten senkrechten Linie falten und auf eine Doppelseite deines Reli-Heftes kleben

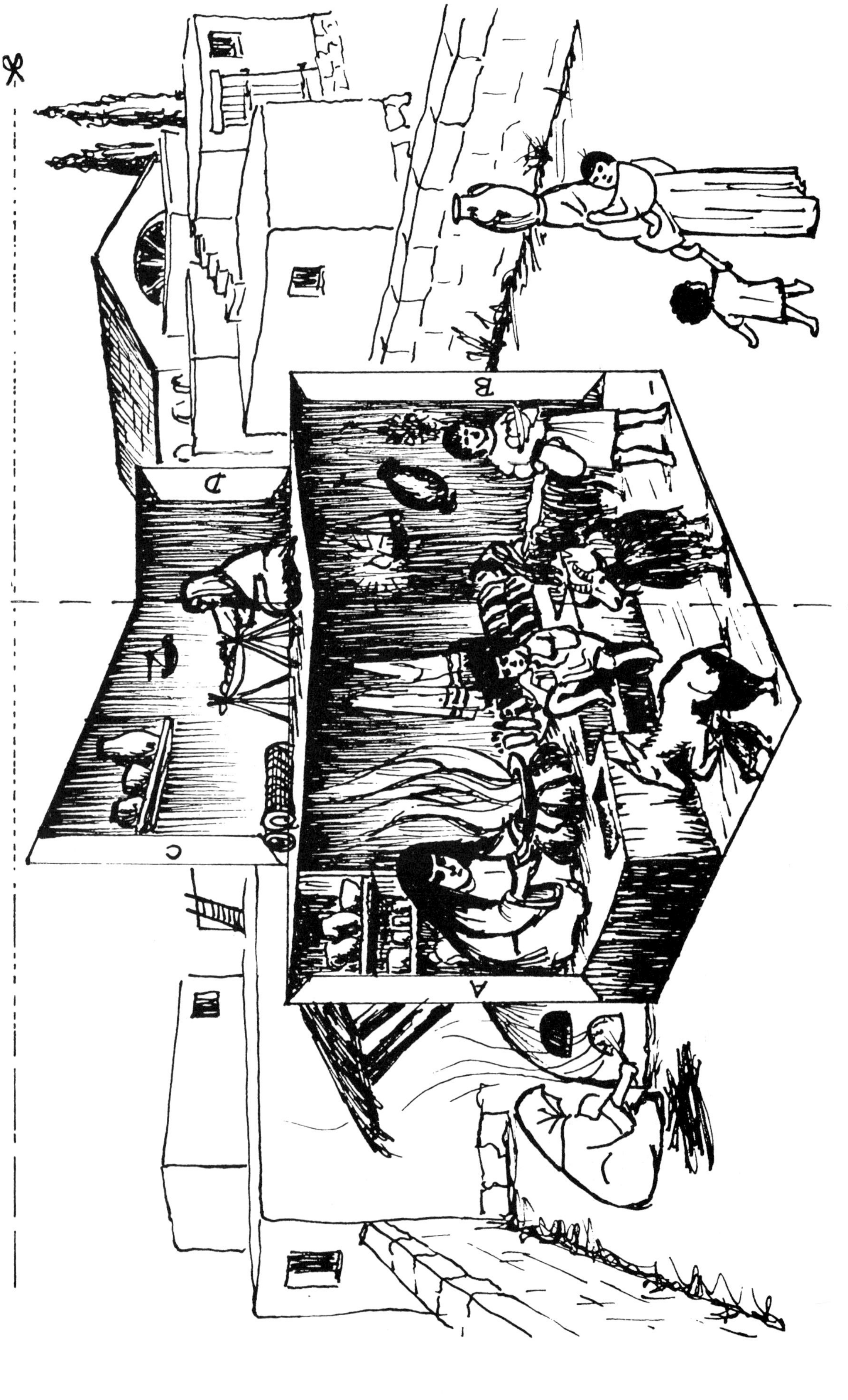

Haus zur Zeit Jesu, Blatt (B)

• Teile farbig anmalen • Jedes Teil ausschneiden • Bei den Hausteilen die schraffierten Fensteröffnungen ausschneiden • Die Türen aufschneiden und an den ••• Linien auffalten • Beide Hausteile mit Klebelaschen auf die gekennzeichneten Stellen des Blattes (A) kleben. • Die Figuren kannst Du an freie Stellen des Blattes (A) kleben.

M 64 Synagoge zur Zeit Jesu (A)

Grundplatte, anmalen, an den Linien ausschneiden, falzen

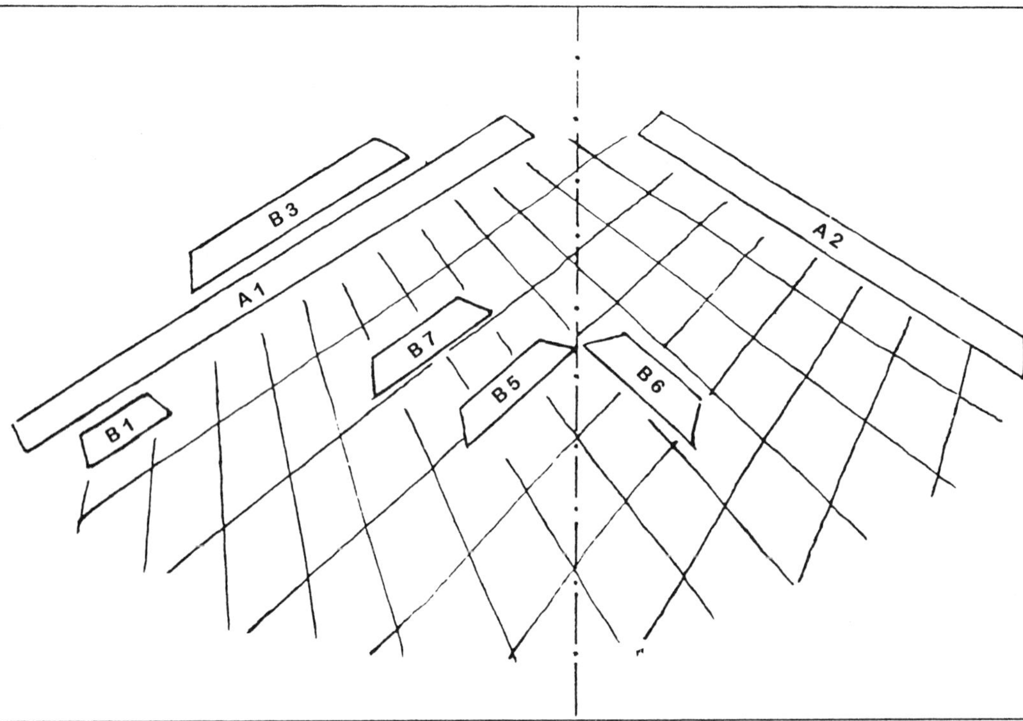

Klappbildrückwand, anmalen, ausschneiden, Thoraschreintüren an der gepunkteten Linie aufschneiden, falzen

M 64 Synagoge zur Zeit Jesu (B)

Alle Teile anmalen, ausschneiden, falzen und an die gekennzeichneten Stellen auf der Grundplatte und der Rückwand ankleben

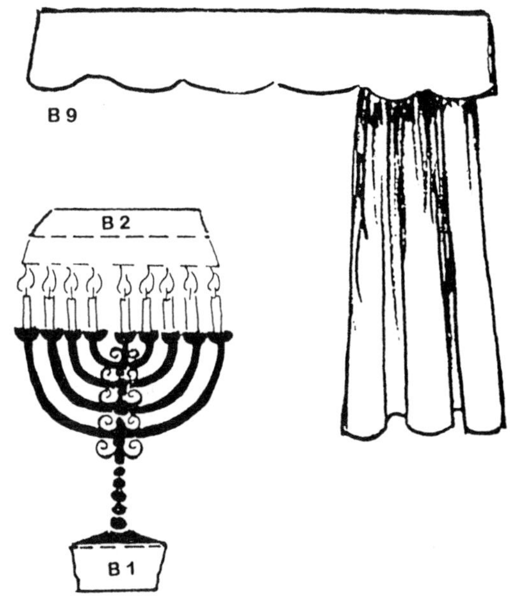

B 4 Von hinten an Rückwand ankleben

Nach hinten falzen

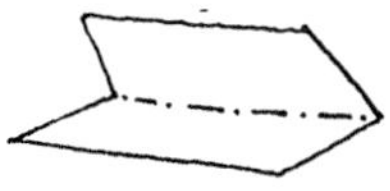

Nach vorne falzen

.... **Mit Messer aufschneiden**

So sieht das fertige Klappbild im Reliheft aus !

M 65 Der Historiker Flavius Josephus über jüdische Gruppierungen

Bei den Juden gab es schon seit langer Zeit drei philosophische Sekten, nämlich die der Essener, Sadduzäer und Pharisäer, . . . Die Pharisäer leben enthaltsam und kennen keine Annehmlichkeiten. Was vernünftige Überlegung als gut erscheinen lässt, dem folgen sie und halten es überhaupt für ihre Pflicht, den Vorschriften der Vernunft nachzukommen. Die Alten ehren sie und maßen sich nicht an, den Anordnungen derselben zu widersprechen. Wenn sie behaupten, alles geschehe nach einem bestimmten Schicksal, so wollen sie damit dem menschlichen Willen nicht das Vermögen absprechen, sich selbst zu bestimmen, sondern lehren, es habe Gott gefallen, die Macht des Schicksals und die menschliche Vernunft zusammenwirken zu lassen, sodass jeder es nach seinem Belieben mit dem Laster oder der Tugend halten könne. Sie glauben auch, dass die Seelen unsterblich sind und dass dieselben, je nachdem der Mensch tugendhaft oder lasterhaft gewesen, unter der Erde Lohn oder Strafe erhalten, so dass die Lasterhaften in ewiger Kerkerhaft schmachten müssen, während die Tugendhaften die Macht erhalten, ins Leben zurückzukehren. Infolge dieser Lehren besitzen sie beim Volk einen solchen Einfluss, dass sämtliche gottesdienstlichen Verrichtungen, Gebete wie Opfer, nur nach ihrer Anleitung dargebracht werden. Ein so herrliches Zeugnis der Vollkommenheit gaben ihnen die Gemeinden, weil man glaubte, dass sie in Wort und Tat nur das Beste wollten.

Die Lehre der Sadduzäer lässt die Seele mit dem Körper zugrunde gehen und erkennt keine anderen Vorschriften an als das Gesetz. Sogar gegen die Lehrer ihrer eigenen Schule im Wortstreit anzugehen, halten sie für rühmlich. Ihrer Anhänger sind nur wenige, doch gehören sie den besten Ständen an. Übrigens richten sie nichts Bedeutendes aus, und wenn sie einmal dazu genötigt sind, ein Amt zu bekleiden, so halten sie es mit den Pharisäern, weil das Volk sie sonst nicht dulden würde.

Die Essener dagegen lehren, man müsse alles dem Willen Gottes anheim geben. Sie glauben an die Unsterblichkeit der Seele und halten den Lohn der Gerechtigkeit für das erstrebenswerteste Gut. Wenn sie Weihgeschenke in den Tempel schicken, bringen sie kein Opfer dar, weil sie heiligere Reinigungsmittel zu besitzen vorgeben. Aus diesem Grunde ist ihnen der Zutritt zum gemeinsamen Heiligtum nicht gestattet, und sie verrichten demgemäß ihren Gottesdienst besonders. Übrigens sind es Menschen von vortrefflichen Sitten, und sie beschäftigen sich bloß mit Ackerbau. Ganz besonders bewunderungswürdig und lobenswert aber sind sie wegen einer bei den Griechen und den anderen Völkern völlig unbekannten, bei ihnen jedoch nicht etwa erst seit kurzer Zeit, sondern schon seit vielen Jahren herrschenden ausgleichenden Gerechtigkeit, infolge deren sie vollkommene Gütergemeinschaft haben und dem Reichen nicht mehr Genuss von seinen Gütern lassen als dem Armen. Nach dieser Lehre leben über viertausend Menschen. Sie heiraten ebenso wenig, als sie Knechte halten, da sie das letztere für Unrecht, das erstere aber für die Quelle alles Streites halten, und so leben sie voneinander abgesondert und dienen einer dem andern. Zu Verwaltern ihrer Einkünfte vom Feldertrag wählen sie tüchtige Männer aus priesterlichem Stande, die für Getreide und sonstige Nahrungsmittel zu sorgen haben. Sie leben übrigens alle auf eine und dieselbe Weise . . .

Aus: Flavius Josephus, Jüdische Altertümer, Band 2, XVIII 1, 2–5

M 66 Karte des Landes Israel

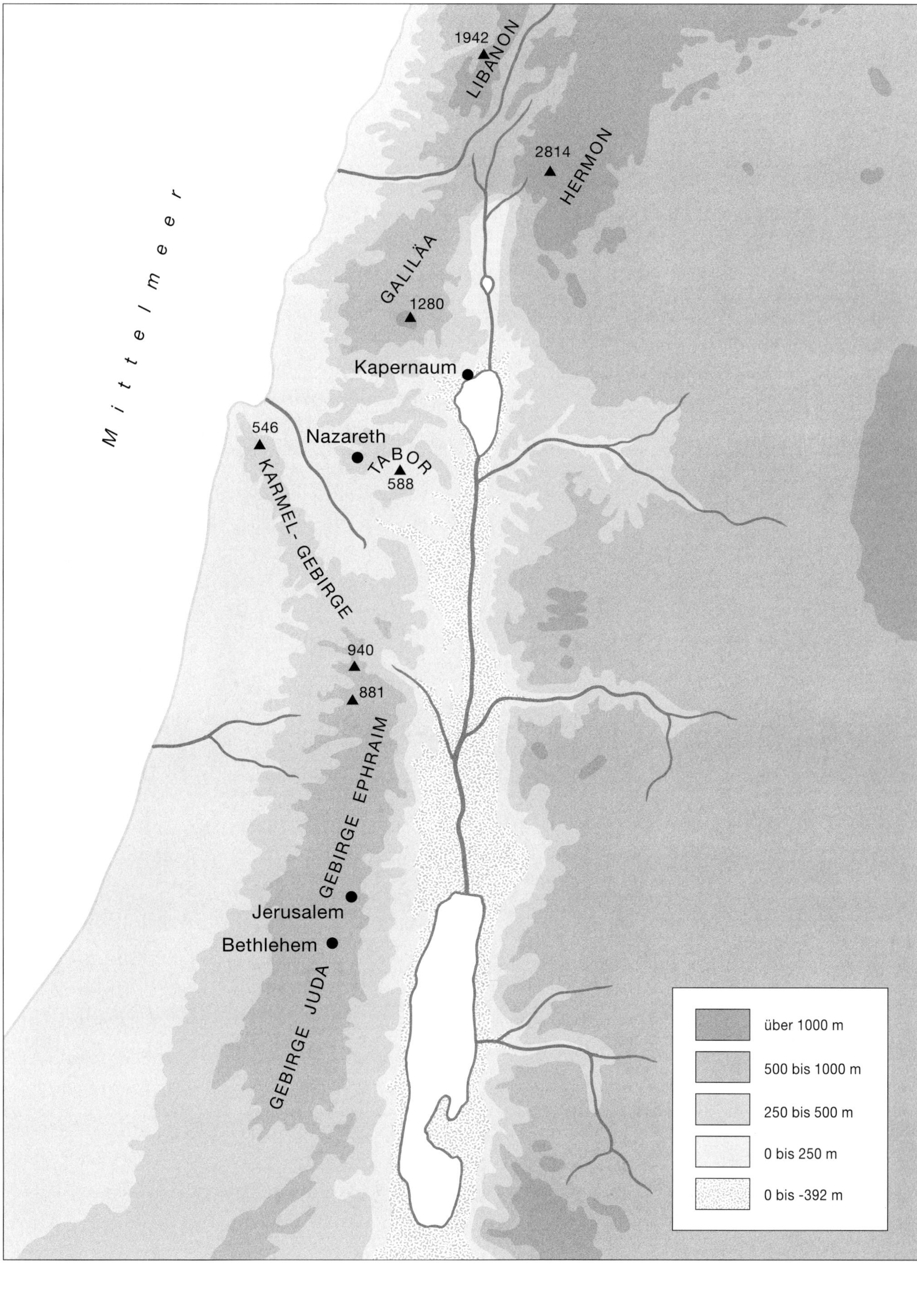

M 68 Markus 4,34: Und ohne Gleichnisse redete er nicht zu ihnen

M 69 Die Mutter des verlorenen Sohnes

Der Lärm des Festes drang nur noch gedämpft zu ihr herauf. Lautes Lachen überlagerte immer wieder den allgemeinen Lärm. Schrille Stimmen, denen man den übermäßigen Weingenuss anhörte, trafen ihr Ohr Aber das war nicht der Grund, warum sie nicht einschlafen konnte. Zu viele Gedanken gingen ihr durch den Kopf.

Sie hatte es nicht mehr aushalten können auf dem Fest mit all den fröhlichen Menschen. Bei manchen hatte sie den Eindruck gehabt, dass es eine gezwungene Fröhlichkeit war, gar nicht gelöst. Sie konnte den Gedanken an ihren ältesten Sohn nicht loswerden, vorhin dort drunten nicht und auch jetzt nicht hier oben. Er war ihr in all den Jahren ans Herz gewachsen. In den Jahren, in denen sein jüngerer Bruder in der Fremde war; und merkwürdig, in Gedanken war er immer nur der jüngere Bruder, nie ihr jüngster Sohn.

Ja, er war ihr ans Herz gewachsen. Er war ja auch das erste Kind, dem sie das Leben schenkte; und damals war sie noch ganz jung gewesen, selbst fast noch ein Kind. Einen besseren Sohn konnte man sich nicht wünschen. Hilfsbereit war er ihr gegenüber schon als kleiner Junge gewesen, zuvorkommend, treu. Wo es nötig war, half er im Haus und im Hof, ihm war keine Mühe zu schwer. Jeden Wunsch las er ihr, seiner Mutter, von den Lippen ab. Das tat gut in einer Welt, in der sie ganz an das Haus gefesselt war, wo man ihr als Frau nur diesen Bereich überließ, aber nichts darüber hinaus. Er war wirklich ein Sohn, wie man ihn sich besser nicht denken konnte.

Umso schmerzlicher für sie, dass er jetzt als Einziger fehlte bei dem fröhlichen Fest.

Musste er so schroff reagieren? Gut, der Vater hatte wirklich etwas zu überschwänglich auf die Heimkehr seines jüngeren Bruders – schon wieder dachte sie ihn als den jüngeren Bruder! – reagiert. Aber so sind eben die Männer. Sie geben sich kühl, distanziert und überlegen, lassen nichts an sich heran – ein Mann weint nicht! Und dann plötzlich werden sie von Emotionen überschwemmt. Sie konnte schon verstehen, dass ihr ältester Sohn sehr betroffen war, als er hörte, dass der Vater ein Fest für seinen jüngeren Bruder gab, dass er Freudentränen vergossen hatte über seine Rückkehr.

Sie wusste selbst nicht mehr so recht, auf welcher Seite sie stand. Seit der Jüngere in die Fremde gezogen war, war der Vater immer verschlossener und schweigsamer geworden.

Und seine Gesichtszüge verhärteten sich noch mehr, wenn Reisende schlechte Nachrichten aus der Fremde brachten. Sie hatte ihm nie offen Vorwürfe gemacht, dass er ihn so einfach hatte ziehen lassen. Aber vielleicht hatte er gemerkt, dass sie nicht einverstanden war mit seinem Verhalten. Sie hatte von Anfang an die schlimmsten Befürchtungen gehabt; sie kannte den Jüngeren besser. Der Vater hatte in ihm nur oberflächlich den lebenslustigen, freundlichen Jungen gesehen.

Aber auch der Jüngere war ihr Kind. Und auf der einen Seite war sie glücklich, dass ihr Mann so reagiert hatte. Bei ihm wusste man ja nie. Es hätte genauso sein können, dass er gesagt hätte: „Ich kenne dich nicht. Du bist nicht mehr mein Sohn!" Aber ob das, was sich dann abspielte, wirklich nötig war? Im Überschwang hatte der Vater den jüngeren Bruder in die Arme geschlossen. Unwürdig konnte man sein Verhalten nennen. Und einige hatten das hinter vorgehaltener Hand auch deutlich gesagt. Aber dann feierten sie doch mit. Über sie ärgerte sich die Mutter am meisten.

Das mit der unwürdigen Haltung mochte ja noch angehen. Viel schlimmer – und da konnte sie ihren Lieblingssohn gut verstehen – war, dass der Vater sich dazu hinreißen ließ, dem Jüngeren seinen Siegelring an den Finger zu stecken. Er, der sonst so klug, überlegen und berechnend war, er setzte alles aufs Spiel. Der Ring, das bedeutete, er setzte ihn wieder ein in seine vollen Rechte als Sohn. Das war mehr als Leichtsinn. Man wusste doch, was in der Fremde gelaufen war.

Sein Erbe hatte er durchgebracht, mit vollen Händen hatte er das Geld zum Fenster hinausgeworfen. Aber so war er immer gewesen, nach außen lebenslustig und freundlich. Auf den ersten Blick waren alle in ihn vernarrt, bei allen war er beliebt, er stand immer im Mittelpunkt, so ein netter Bub war er. Immer waren viele Freunde um ihn. Aber die Freundschaften waren eher oberflächlich, sie hielten nicht lange. Richtige Freunde hatte er nie. Szenen aus der Kindheit fielen ihr ein. Er wollte immer nur haben, nie etwas hergeben.

Sie erinnerte sich noch genau an eine Begebenheit. Damals – er war gerade fünf Jahre alt geworden – hatte er von seiner Tante eine Melone geschenkt bekommen. Sie sagte: „Lass doch mal sehen." Da klammerte er sich ganz urplötzlich an die Melone und wollte sie nicht mehr loslassen. Als sie ihm zureden wollte, da fing er an zu schreien und er schrie immer nur: „Meines!" Er krallte sich richtig an der reifen Frucht fest und drückte sie an sich, schließlich warf er sich auf sie und zerdrückte sie. Er konnte sich gar nicht mehr beruhigen. So war er immer gewesen.

In der Fremde – so hatte man ihnen berichtet – warf er mit dem Geld um sich. Und er hatte viele Freunde und Freundinnen. Einer ihrer Nachbarn, der ihn getroffen hatte, als er auf einer Handelsreise war, hatte davon erzählt: Er habe den Eindruck, dass er sich seine Freundinnen und Freunde regelrecht kaufe. Und da war wohl etwas Wahres dran.

Denn als das Geld aus war, als er nicht mehr bezahlen konnte, waren auch die Freunde weg. Als er im Dreck lag, wollte niemand mehr etwas von ihm wissen.

Nein, sie konnte ihren Mann nicht verstehen, dass er so leichtsinnig war und ihn wieder ganz in seine Rechte als Sohn einsetzte. Ihn wieder aufzunehmen, war schon richtig. Ihm eine Chance zu geben, sich zu bewähren, das hätte sie verstanden. Aber so ganz ohne Bewährungszeit, nein, das war nach all den bitteren Erfahrungen der vergangenen Jahre mehr als leichtsinnig.

M 70 Smileys zum Gleichnis vom verlorenen Sohn

M 72 Bibelkuchen

Um dich einmal auf ganz originelle Weise mit der Bibel zu beschäftigen, kannst du versuchen, einen Bibelkuchen zu backen. Das Rezept kann dir dabei helfen, eifrig in der Bibel zu blättern. Und wo etwas nicht eindeutig ist, musst du nach bestem Wissen und Gewissen selbst entscheiden.

Man nehme:
1,5 Tassen 5. Mose 32,14
6 Stück Jeremia 17,11
2 Tassen Richter 14,18
4,5 Tassen 1. Könige 5,2
2 Tassen 1. Samuel 30,12
0,7 Tassen 1. Korinther 3,2
2 Tassen Nahum 3,2
1 Tasse 4. Mose 17,23
1 Prise 3. Mose 2,13
3 bis 4 Teelöffel Jeremia 6,20
3 Teelöffel Backpulver

Zubereitung:
Man befolge den Spruch Salomos: Sprüche 23,14a

Tipp:
Ein 500-g-Honig-Glas (das Volumen von 2 Tassen) braucht 1 Päckchen Backpulver. Der Teig ist ziemlich flüssig. Backzeit ca. 70-90 Minuten bei 175 Grad.

M 73 Jerusalem zur Zeit des Königs Salomo

Zur Zeit des Königs Salomo hat ein Hofschreiber die Geschichte Israels von der Schöpfung bis zur Einwanderung in das ihnen verheißene Land aufgeschrieben. Seinen Namen kennen wir nicht. Genannt wird er „Jahwist", weil er für Gott immer den Namen Jahwe gebraucht. Bis zu dieser Zeit hatte man die alten Geschichten immer wieder von Mund zu Mund weitergegeben. So könnte es gewesen sein:

Abia, ein Bauer aus dem Dorf Bethlehem, hat einen Korb der besten Früchte in den Tempel gebracht und sie dem Priester überreicht. Dabei hat er das alte Glaubensbekenntnis gesprochen:

„Unser Stammvater war ein heimatloser Aramäer.
Als er am Verhungern war, zog er mit seiner Familie nach Ägypten
und lebte dort als Fremder.
Mit einer Hand voll Leuten kam er hin,
aber seine Nachkommen wurden dort zu einem großen und starken Volk.

Die Ägypter unterdrückten uns und zwangen uns zu harter Arbeit.
Da schrien wir zum Herrn, dem Gott unserer Vorfahren, um Hilfe.
Er hörte uns und half uns aus Not, Elend und Sklaverei.
Er versetzte die Ägypter
durch seine mächtigen Wundertaten in Angst und Schrecken.

Er führte uns mit starker Hand und erhobenem Arm aus Ägypten heraus.
Er brachte uns an diese heilige Stätte
und gab uns dieses Land, in dem Milch und Honig fließen.
Und hier bringe ich nun
die ersten Früchte der Ernte,
die ich in dem Land eingebracht habe, das der Herr mir gegeben hat."

Das war das erste Mal, dass er die Früchte in den neu erbauten Tempel gebracht hatte. Es war auch das erste Mal, dass er einen Gottesdienst im neuen Tempel mitfeierte. Der Priester hatte die alte Geschichte erzählt vom Stammvater Abraham, der auf den Befehl Gottes hin aus seiner Heimat ausgezogen war.

Er hatte erzählt, dass die Nachkommen Abrahams nach Ägypten in die Sklaverei gerieten und wie Jahwe die Israeliten aus Ägypten herausgeführt und von der Knechtschaft befreit hat.

Als Abia aus dem Tempel kommt, gehen ihm noch die Worte des Priesters durch den Sinn. Sein Blick schweift hinüber zum Berg Zion, wo eine riesige neue Palastanlage entsteht. Männer schleppen schwere Steine. Es sind Fronarbeiter aus Moab. Der Aufseher ist ein Israelit.

Abia geht hinüber und sieht einen der Männer erschöpft zusammenbrechen. Sofort eilt einer der Aufseher hinzu und treibt den Moabiter mit Peitschenhieben zur Arbeit an. Entsetzt wendet sich Abia ab und geht zurück zum Tempel, wo er sich mit Ismael, seinem Sohn, treffen will. Ismael ist Hofschreiber bei König Salomo, und Abia ist stolz auf seinen Sohn.

Es dauert noch eine Weile, doch endlich eilt Ismael herbei. Abia erzählt sein schreckliches Erlebnis von dem peitschenden Aufseher. Er nimmt Ismael in den Arm und sagt zu ihm: „Haben denn die Leute hier in Jerusalem vergessen, dass Gott uns aus der Knechtschaft befreit hat? Haben sie vergessen, dass Gott Abraham gesegnet hat und ihn und seine Nachkommen beauftragt hat, zum Segen für alle Völker zu werden? Was hier geschieht, kann doch nicht Jahwes Wille sein. Du als der Einzige aus unserer Familie, der schreiben kann und Hofschreiber ist, musst die alten Geschichten aufschreiben. Von der Erschaffung der Erde, von den Vätern und vor allem, wie Jahwe die Sklaverei verabscheut und deshalb unser Volk aus Ägypten herausgeführt hat." Immer noch erregt fährt Abia fort: „Du musst das aufschreiben, zur Warnung für alle, weil Israel sich von Jahwe abwendet, wenn es mächtig sein will und selbst Fronarbeiter schindet."

Ismael ist still geworden. Er fühlt, dass sein Vater Recht hat. Kaum einer vertraut auf Jahwe, und die meisten bewundern nur noch die Macht des Königs. Das kann nicht der Wille Jahwes sein, der uns aus Ägypten geführt hat, so denkt auch Ismael. In ihm reift der Entschluss, die Geschichten der Väter aufzuschreiben. Er verspürt, dass es seine Aufgabe ist, seinen Landsleuten die Augen zu öffnen und sie zur Umkehr zu ermahnen.

M 74 Schnippelbogen: Die Entstehung der fünf Bücher Mose

Die fünf Bücher Mose sind nicht von einem Schreiber in einem Zuge verfasst worden. Sie entstanden in einem längeren Prozess. Am Anfang standen Menschen, die in ihrem Leben erfahren haben, dass Gott mit ihnen geht, Diese Geschichten wurden weitererzählt (1), dann von verschiedenen Schreibern aufgeschrieben (2) und später zu den 5 Büchern Mose zusammengefasst (3).
Die Bilder erzählen von den Erfahrungen der Menschen mit Gott. Erzählt euch gegenseitig die Geschichten und schreibt sie dann auf. Bringt die Geschichten in die richtige Reihenfolge.
Ihr könnt dann aus den Texten und Bildern eine kleine Buchrolle „Die fünf Bücher Mose" gestalten.

1

2

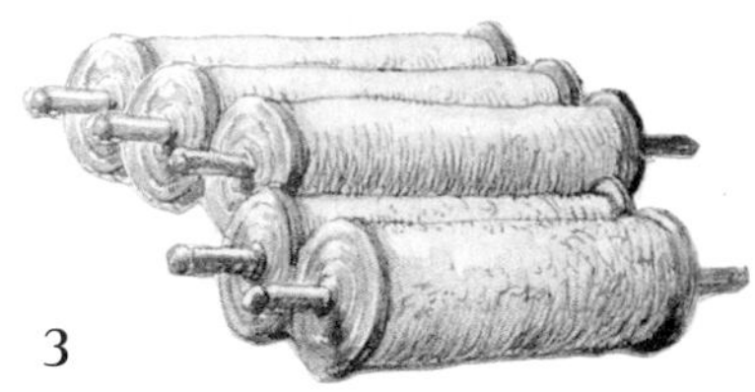
3

M 74 (Fortsetzung)

M 75 Textpuzzle: Vom Mirjamlied zur Schilfmeererzählung. Wie die hebräische Bibel entstand

Der Herr stürzte die Ägypter mitten ins Meer, sodass nicht einer von ihnen übrigblieb.

Hocherhaben ist der Herr.

Durch Gottes Schnauben türmten die Wasser sich auf.

Der Pharao mit seiner ganzen Streitmacht jagt den Israeliten nach.

Der Engel Gottes und die Wolkensäule stellen sich hinter das Volk.

Der Herr ist der rechte Kriegsmann.

Mose: „Der Herr wird für euch streiten."

So sah Israel die mächtige Hand Gottes. Das Volk glaubte ihm und seinem Knecht Mose.

Ross und Mann hat der Herr ins Meer gestürzt.

Erzählung vom Schilfmeerwunder

Die Tiefe hat sich bedeckt.

Lied der Mirjam

Das Volk schreit zum Herrn und beschimpft Mose.

Lied des Mose

2. Mose 15,1–10

2. Mose 15,21

2. Mose 14,1–31

Mose hebt seinen Stab und das Wasser teilt sich.

Ross und Mann hat er ins Meer gestürzt.

Das Volk Israel flieht aus Ägypten.

Schneidet die Kärtchen aus und bringt sie in drei Spalten in die richtige Reihenfolge.

M 76 Textvergleich: Vom Mirjamlied zur Schilfmeererzählung. Wie die hebräische Bibel entstand

Lied der Mirjam	Lied des Mose	**Erzählung vom Schilfmeerwunder**
2. Mose 15,21	2. Mose 15,1–10	**2. Mose 14,1–31**
		Das Volk Israel flieht aus Ägypten.
		Der Pharao mit seiner ganzen Streitmacht jagt den Israeliten nach.
		Das Volk schreit zum Herrn und beschimpft Mose.
Hocherhaben ist der Herr.		Mose: „Der Herr wird für euch streiten.“
		Der Engel Gottes und die Wolkensäule stellen sich hinter das Volk.
	Durch Gottes Schnauben türmten die Wasser sich auf.	Mose hebt seinen Stab und das Wasser teilt sich.
Ross und Mann hat er ins Meer gestürzt.	Ross und Mann hat der Herr ins Meer gestürzt.	Der Herr stürzte die Ägypter mitten ins Meer, sodass nicht einer von ihnen übrigblieb.
	Der Herr ist der rechte Kriegsmann.	So sah Israel die mächtige Hand Gottes. Das Volk glaubte ihm und seinem Knecht Mose.
	Die Tiefe hat sich bedeckt.	

M 77 Übersetzungsübung

Markus 10,13-16 in wörtlicher Übersetzung:
Und hinzu brachten sie (zu) ihm Kinder, damit er sie berührte. Aber die Jünger drohten ihnen. Wie aber Jesus (dies) sah, ward er unwillig und sprach (zu) ihnen: Lasst die Kinder zu mir gehen, hindert sie nicht! Denn der so Gearteten ist die Königsherrschaft Gottes. Amen, ich sage euch, wer immer nicht willkommen heißt die Königsherrschaft Gottes wie ein Kind, nie wird er hineinkommen in sie. Und in die Arme sie schließend sprach er den Segen, legte die Hände auf sie.

Übersetzt diese Verse in gutes Deutsch.

Matthäus 12,33-35 in wörtlicher Übersetzung:
Entweder setzt den Baum gut und seine Frucht gut oder setzt den Baum faul und seine Frucht faul. Aus der Frucht der Baum wird erkannt. Gezücht von Schlangen, wie könnt ihr Gutes reden, böse seiend? Denn aus der Überfülle des Herzens der Mund redet. Der gute Mensch, aus dem guten Schatz heraus holt er Gutes, und der böse Mensch, aus dem bösen Schatz heraus holt er Böses.

Übersetzt diese Verse in gutes Deutsch.

M 78 Psalm 63 in verschiedenen Übersetzungen

Luther 1524	**Luther 1531**	**heutige Lutherbibel**
		5 So will ich dich loben mein Leben lang und meine Hände in deinem Namen aufheben.
		6 Das ist meines Herzens Freude und Wonne, wenn ich dich mit fröhlichem Munde loben kann.
		7 wenn ich mich zu Bette lege, so denke ich an dich, wenn ich wach liege, sinne ich über dich nach.

Weil die erste Fassung kein Deutscher versteht, haben wir die hebräischen Worte ‚Schmalz' und ‚Fett' weggelassen und haben klar deutsch geredet. Mit ‚Schmalz' und ‚Fett' wird Freude bezeichnet. Denn ein gesundes und fettes Tier ist fröhlich und ebenso wird ein fröhliches Tier fett. Ein trauriges Tier aber nimmt ab und ein mageres Tier ist traurig. Deshalb haben wir übersetzt „meines Herzens Freude und Wonne".

Martin Luther 1531 über die Übersetzung der Psalmen

V ist manchmal als U, manchmal als F zu lesen.

Wenn ich deyn gedacht auff meym lager, So war meyn gesprech von dyr, ynn der wache.

Wenn ich mich zu Bette lege, so dencke ich an dich, Wenn ich erwache, so rede ich von dir.

Da selbs wolt ich dich gerne loben mein leben lang, Und meine hende in deinem Namen auffheben.

So will ich loben bey meynem leben, vnd meine hende ynn deynem namen auffheben.

Las meyne seele voll werden wie mit schmaltz vnd fettem, das meyn mund mit frölichen lippen rhume.

Das were meines hertzen freude vnd wonne, Wenn ich dich mit frölichem munde loben solte.

M 79 Schnippelbogen: Die Entstehung der Evangelien

➲ Die Bilder erzählen, wie die Evangelien entstanden und weitergegeben worden sind. Schneidet die Bilder aus, klebt sie in der richtigen Reihenfolge auf und erzählt zu jedem Bild die entsprechende Geschichte.

M 80 Die vier Evangelien und das ganze Neue Testament

M 81 Herstellung von Papyrus

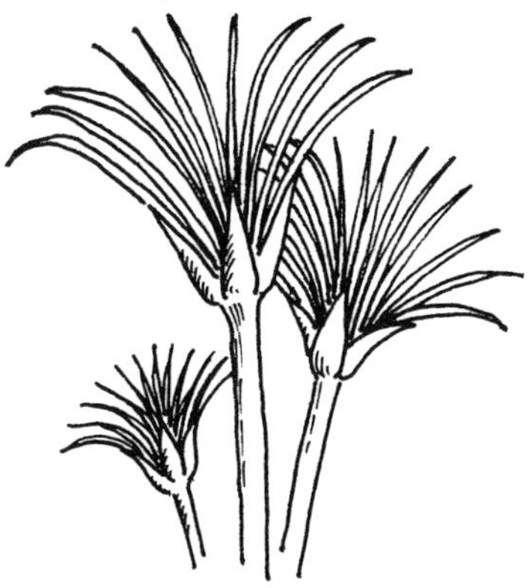

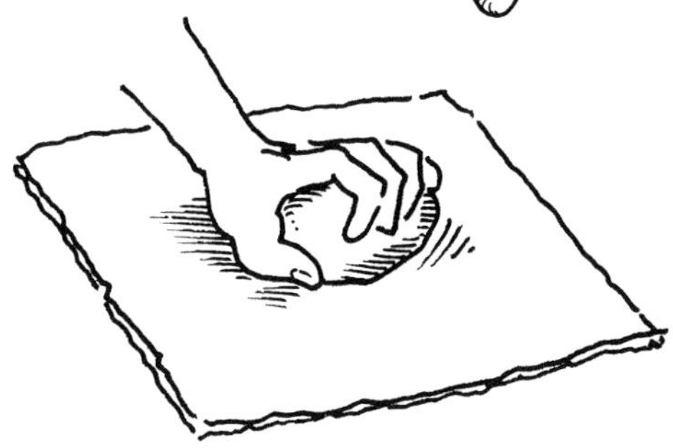

Schneide die Textstreifen und Bilder aus und gestalte ein Infoblatt oder ein Plakat, das über die Herstellung und die Verwendung von Papyrus informiert.

Die Streifen werden senkrecht und waagerecht übereinander gelegt.

Das Mark der Papyrusstängel wird in dünne Streifen geschnitten.

Fest angestellte Schreiber am Hof des Königs gibt es in Israel seit David und Salomo. Schreibfedern aus Schilfrohr und Tinte dienen als Schreibmaterialien.

Die Oberfläche wird geglättet. Es entsteht ein Papyrusblatt, das man beschriften kann.

Die Papyrusstaude wächst vor allem in warmen Sumpfgebieten in Ägypten und anderen Ländern des Vorderen Orients. Die Papyrusstängel werden mehrere Zentimeter dick.

Die Oberfläche wird mit einem Holzhammer geklopft, sodass die Streifen aus dem Mark miteinander verkleben.

Neben der Schriftrolle setzt sich seit dem 1. Jh. n. Chr. immer mehr der Codex durch. Hier werden die Papyrusblätter in Buchform übereinander gelegt und zusammengeheftet.

Die beschrifteten Papyrusblätter werden aneinander geklebt, sodass eine Schriftrolle entsteht.

M 82 Noten zum Bibelrap

Vereinfachtes Arrangement:

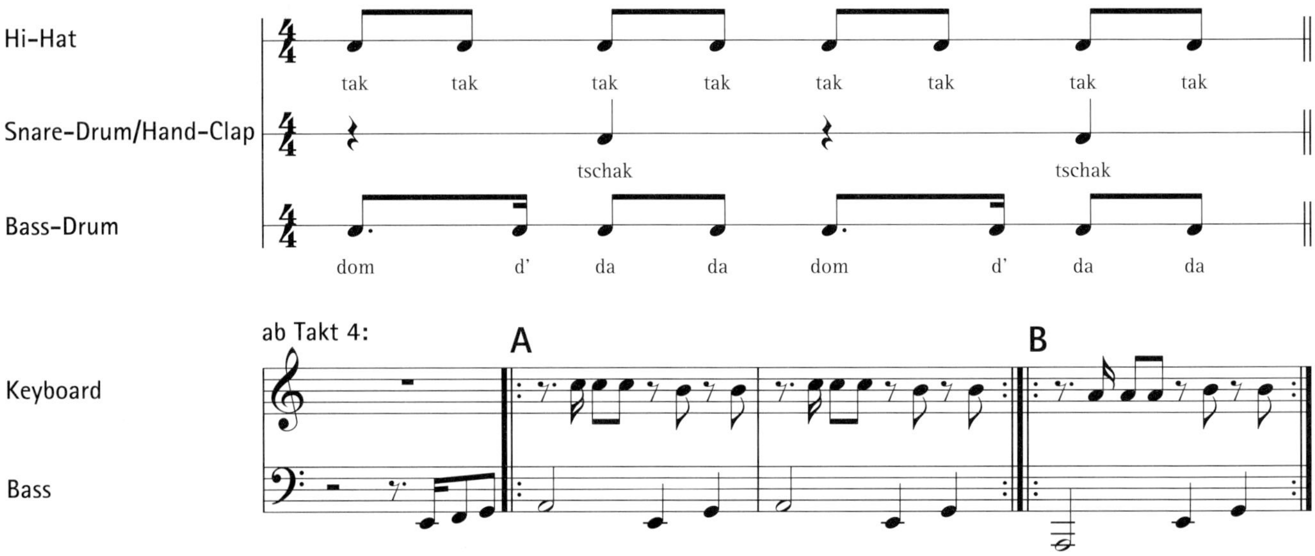

Hinweis: Teil A, B wird insgesamt sechsmal wiederholt, der Rap endet danach im Teil B.

Ein Bibelrap

M 82 (Fortsetzung)

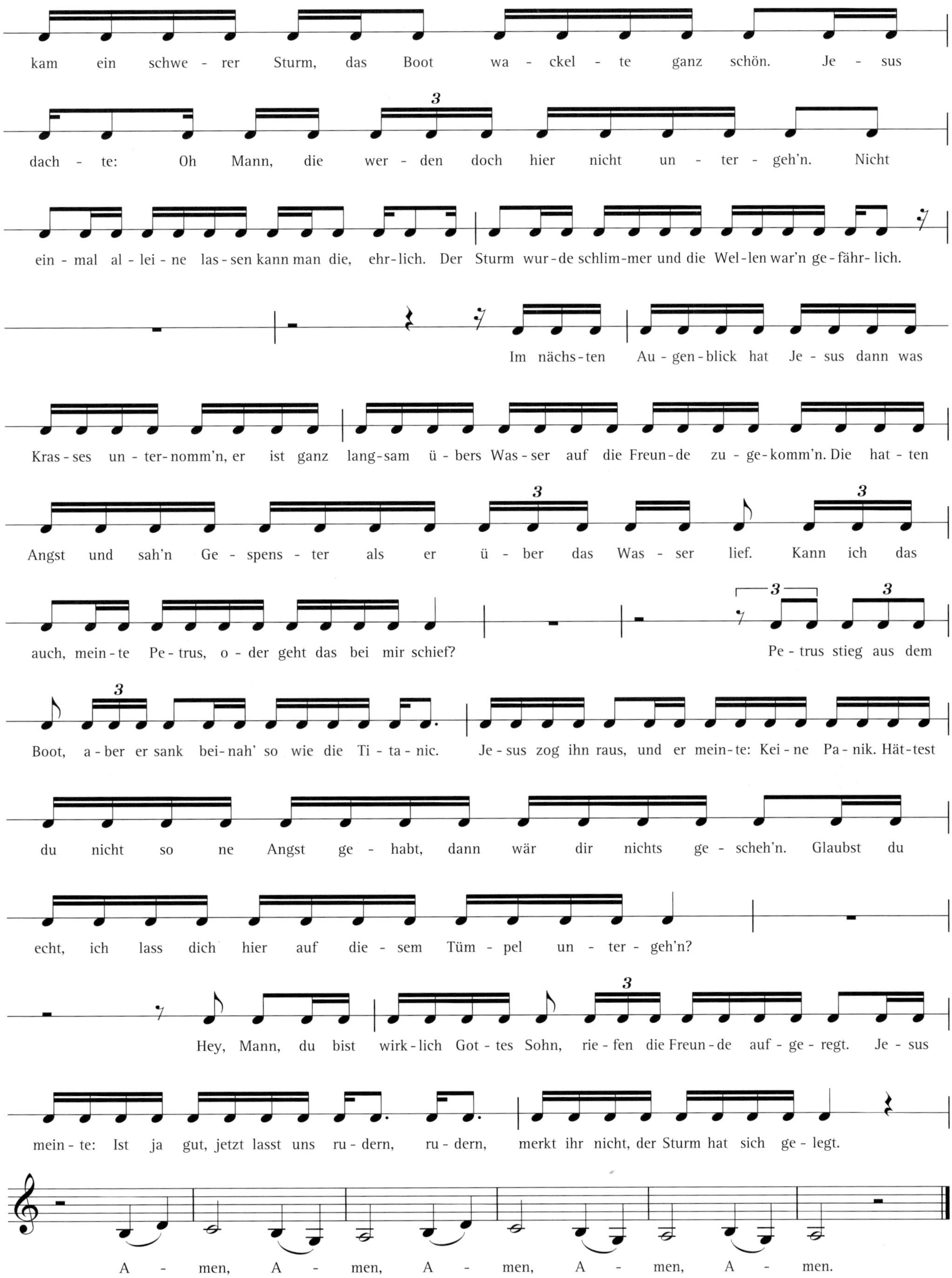

M 83 Julius Schnorr von Carolsfeld, Der sinkende Petrus

M 84 Auflösung zu „Streit im Fußballclub“

1 in die Wüste schicken: 3. Mose 16,6–10

2 Sündenbock: 3. Mose 16,6–10

3 zur Salzsäule erstarren: Mose 19,26

4 Ja und Amen zu etwas sagen: 5. Mose 27,15–26

5 Tanz um das Goldene Kalb: 2. Mose 32,4–6,19

6 Die Haare stehen zu Berge: Hiob 4,15

7 seine Hände in Unschuld waschen: Psalm 26,6; Matthäus 27,24

8 auf Herz und Nieren prüfen: Psalm 7,10

9 in Sack und Asche gehen: Ester 4,1

10 wie seinen Augapfel hüten: 5. Mose 32,10

11 ein zweischneidiges Schwert: Sprüche 5,4; Hebräer 4,12

12 Stein des Anstoßes: Jesaja 8,14; 1. Petrus 2,8

13 auf Treu und Glauben: 2. Könige 12,16

14 tauben Ohren predigen: Jesaja 6,10

15 Brief und Siegel geben: Jeremia 32,44

16 Himmel und Erde in Bewegung setzen: Haggai 2,6

17 die Spreu vom Weizen trennen: Matthäus 3,12

18 Wer Wind sät, wird Sturm ernten: Hosea 8,7

19 Denkzettel: Maleachi 3,16; Matthäus 23,5

20 ins Fäustchen lachen: Sirach 12,19

21 sein Licht unter den Scheffel setzen: Matthäus 5,15

22 Niemand kann zwei Herren dienen: Matthäus 6,24

23 die Zeichen der Zeit: Matthäus 16,3

24 sein Pfund vergraben: Matthäus 25,18; Lukas 19,20

25 sein Scherflein beitragen: Markus 12,42

26 barmherziger Samariter: Lukas 10,30–35

27 ein Herz und eine Seele: Apostelgeschichte 4,32

28 mit Menschen- und mit Engelszungen reden: 1. Korinther 13,1

29 wie Schuppen von den Augen: Apostelgeschichte 9,18

30 die Wurzel alles Übels: 1. Timotheus 6,10

31 seine Zunge im Zaum halten: Jakobus 1,26

32 den ersten Stein auf jemanden werfen: Johannes 8,7

Aus: Jetzt geht's rund. Das Kindermagazin zum Kinder-Kirchen-Jahr der Evangelischen Landeskirche in Baden.

M 86 Ausgießung des Heiligen Geistes

M 87 Aufgabenbereiche der Diakonie

Schuldnerberatung
Selbsthilfegruppen
Drogenberatung
Krankenseelsorge
Seniorenheime
Telefonseelsorge
Familienberatung
Ambulante Pflegedienste
Kurzzeitpflege
Aids-Beratung
Frühförderung
Arbeitslosenprojekte
Behindertenhilfe
Kleiderkammern
Hospizhilfe
Erziehungsberatung
Zivildienst
Behindertenfahrdienst

Obdachlosenhilfe
Sozialstation
Aussiedlerhilfe
Eheberatung
Griechen-Beratung
Hausaufgabenhilfe
Binnenschiffermission
Miniclubs
Flüchtlingsberatung
Lebensberatung
Hilfe im Haushalt
Schwangerschaftsberatung
Behindertenwerkstätten
Jugendwohnheime
Katastrophenhilfe
Straffälligenhilfe
Brot für die Welt
Mahlzeitendienste

Johanniter-Unfallhilfe
Gastgewerbe-Seelsorge
Sammlungen
Kindergärten
Familienerholung
Nachbarschaftshilfe
Häuser für Frauen in Not
Kinderheime
Arbeitslosenberatung
Krankenhäuser
Bahnhofsmission
Suchtkrankenberatung
Besuchsdienste
Therapeutische Wohngemeinschaft
Mutter-Kind-Kuren
Altentagesstätten
Dorfhelfer/-innen
Kindersachen-Tauschzentrale

Versuche, den Piktogrammen die Begriffe aus der Liste „Aufgabenbereiche der Diakonie" zuzuordnen.

M 88 Der Tempel von Baalbek

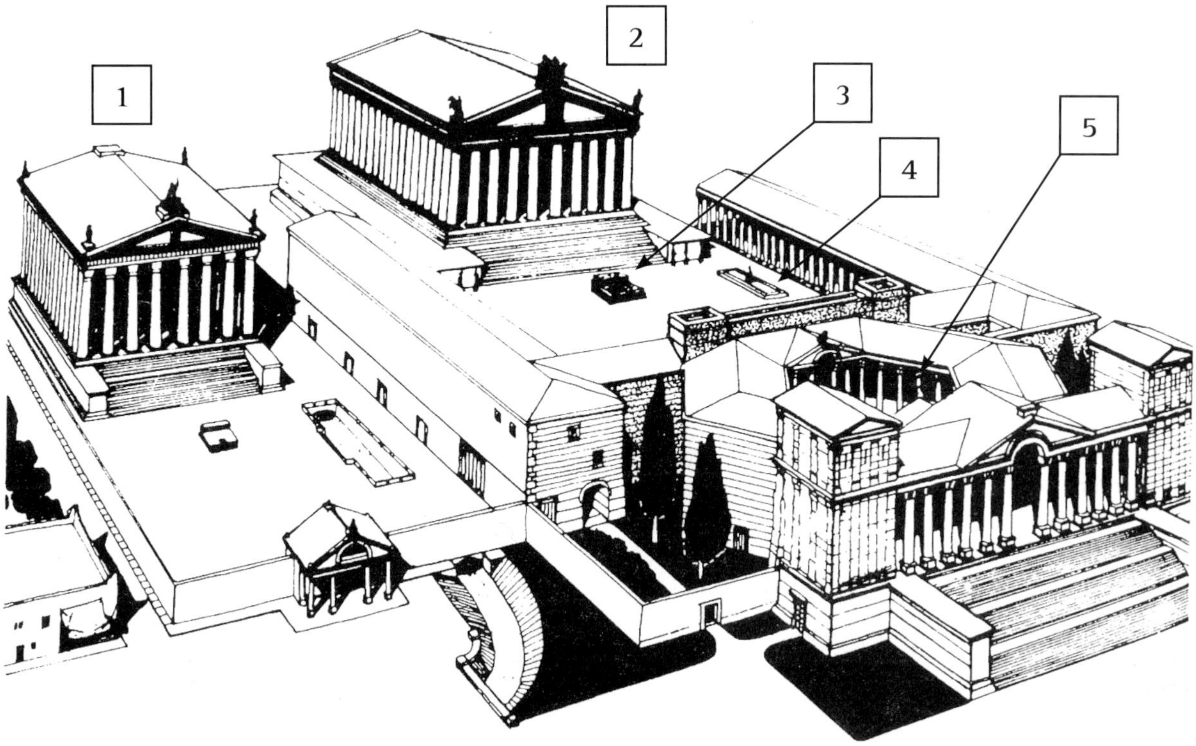

Der Jupitertempel von Baalbek ist der größte Tempel der römischen Kaiserzeit. Das zentrale Gebäude der Tempelanlage ist das Jupiter-Heiligtum; dazu gehören der Jupiter-Tempel und mehrere Vorhöfe. Auch der so genannte Bacchustempel ( ) ist nur wenig kleiner, aber immer noch größer als die Tempel in Rom.

Zum Jupitertempel

Auf einer breiten Freitreppe gelangte man zu dem etwa 7,3 m hohen Heiligtum. Durch einen breiten Torbau betrat man einen sechseckigen Hof ( ), der als Vorhof zum Altarhof diente. Der Altarhof mit zwei Altären (auf der Abbildung ist nur ein Altar zu erkennen) war neben dem eigentlichen Tempel das wichtigste architektonische Element des Heiligtums. Auf dem Altar ( ), also außerhalb des Tempels, wurden Schlachtopfer dargebracht. Im Altarhof befanden sich zwei Wasserbecken ( ), von denen auf der Skizze nur eines sichtbar ist. Es ist nicht ganz klar, welchem Zweck sie dienten, möglicherweise dienten sie zur Waschung der Opfertiere.

Der Tempel selbst ( ) enthielt im Inneren die Cella, einen dunklen Raum, in dem sich das Götterbild befand.

Über das verloren gegangene Götterbild von Baalbek geben erhaltene Statuen, die wohl in der Tempelanlage an Pilger verkauft wurden, Auskunft:

Der Jupiter von Heliopolis war ein jugendlicher Gott, in dem sich römische und vorderasiatische Elemente des Gottes Baal mischten. Auf seinem Gewand sind die sieben Planentengötter abgebildet. Zu ihnen gehörten in der Antike neben Saturn, Jupiter, Mars, Venus und Merkur auch Sonne und Mond.

➜ **Ergänze im Text die richtigen Zahlen entsprechend der Zeichnung oben.**

M 89 Die Christen in eigener und fremder Sicht

Der „Heide“ Cäcilius schreibt in der ersten Hälfte des 2. Jahrhunderts über die Christen:

Mag auch das Wesen und der Ursprung der Götter ungewiss sein, so herrscht doch über ihre Existenz bei allen Völkern eine feste Übereinstimmung. Daher kann ich es nicht zulassen, dass man, von Frechheit oder wer weiß was für einer „Wissenschaft“ aufgeblasen, darangeht, die althergebrachte, nützliche und heilsame Religion aufzulösen oder auch nur zu schwächen ... Es ist einfach bejammernswert, wenn Menschen, die einer kläglichen, verbotenen und verzweifelten Gesellschaft angehören, gegen die Götter losziehen. Diese Leute sammeln aus der untersten Schicht des Volkes Ungebildete und leichtgläubige Weiber ... und bilden eine gemeine Verschwörerbande. Sie treffen sich in nächtlichen Zusammenkünften, zu feierlichem Fasten und bei menschenunwürdiger Speise nicht zum Kult, sondern zum Verbrechen, ein duckmäusiges, lichtscheues Gesindel, stumm in der Öffentlichkeit, aber geschwätzig in den Winkeln. Die Tempel verachten sie als Gräber, die Götter bespeien sie, über die heiligen Opfer machen sie sich lustig! Obwohl selbst bemitleidenswert, bemitleiden sie die Priester, selbst halb nackt verschmähen sie öffentliche Ehrenämter und Purpurkleider. Welch eine abenteuerliche Dummheit und empörende Frechheit! Gegenwärtige Foltern verachten sie, weil sie zukünftige, himmlische, ungewisse fürchten. Vor dem Sterben haben sie keine Angst, weil sie Angst haben, nach dem Tode zu sterben. Es schmeichelt ihnen eine falsche Hoffnung mit dem Trost einer „Auferstehung“ und lässt sie die Furcht vergessen. Und da das Böse stets besonders üppig wuchert und die allgemeine Sittenverderbnis täglich um sich greift, so schießen auch die Kultstätten dieser widerlichen, gottlosen Gesellschaft in aller Welt aus der Erde. Ausrotten und verfluchen sollte man die ganze Bande! An geheimen Zeichen und Merkmalen erkennen sie einander und lieben sich schon, fast ehe sie sich kennen. Allenthalben feiern sie miteinander eine Art Kult der Unzucht und nennen sich gegenseitig Brüder und Schwestern ... Auf diese Weise rühmt sich ihr nichtiger und wahnsinniger Aberglaube.

Der christliche Schriftsteller Tertullian (um 115 bis 220) schreibt in seiner Schrift „Verteidigung des Christentums“:

Den Vorsitz führen jeweils Ältere, die sich bewährt und diesen Ehrenplatz nicht durch Geld, sondern das Zeugnis ihres Lebens erlangt haben; auch sonst ist ja nichts, was Gottes ist, für Geld feil. Wenn es auch eine Vereinskasse gibt, wird sie nicht etwa durch Eintrittsgelder gefüllt, so als wäre die Religion etwas Käufliches. Ein bescheidenes Scherflein steuert jeder Einzelne bei, an einem bestimmten Tag im Monat oder wann er will, und falls er überhaupt will und falls er überhaupt kann. Denn niemand wird gezwungen, sondern man zahlt aus freien Stücken. Das sind gewissermaßen Darlehen der Frömmigkeit. Denn dafür wird nichts für Schmausereien oder Trinkgelage oder unnütze Fresswirtschaften ausgegeben, sondern für den Unterhalt und das Begräbnis Armer, für Knaben und Mädchen, die kein Vermögen und keine Eltern mehr haben, und für ans Haus gefesselte Alte; ebenso für Schiffbrüchige und für jene, die in Bergwerken oder auf Inseln oder in Gefängnissen zu Pfleglingen ihres Bekenntnisses werden – vorausgesetzt, dass sie dort sind wegen ihrer Zugehörigkeit zur Gemeinde Gottes.
Doch eben solcher Liebe Werk drückt uns in den Augen vieler ein Mal auf: „Seht“, sagen sie, „wie sie einander lieben“ – sie selbst nämlich hassen einander – „und wie sie füreinander zu sterben bereit sind“ – und sie selbst wären einander umzubringen bereit. Auch dass wir einander Brüder nennen, macht sie, glaube ich, aus keinem anderen Grunde toll als deshalb, weil bei ihnen jeder Verwandtschaftsname nur geheuchelter Liebe entspringt. Brüder aber sind wir auch von euch, durch die Natur, unsere eine Mutter, wenn ihr auch kaum rechte Menschen seid, weil schlechte Brüder. Doch mit wie viel mehr Recht heißen und sind uns Brüder alle, die Gott als ihren einen Vater erkannt haben, die aus dem einen Leib der Unwissenheit zu dem einen Licht der Wahrheit schaudernd emporgestiegen sind!

➔ Ihr könnt aus den beiden Texten herausarbeiten, welche die Hauptvorwürfe sind, die die nichtchristlichen Römer erheben, und welche Hauptmerkmale der Christen Tertullian hervorhebt.

M 90 Ein Abendmahlslied aus dem 18. Jahrhundert

Das sollt ihr, Jesu Jünger, nie vergessen (EG 221)

1. Korinther 10,16.17

2. Wenn wir in Frieden beieinander wohnten,
Gebeugte stärkten und die Schwachen schonten,
dann würden wir den letzten heilgen Willen
des Herrn erfüllen.

3. Ach dazu müsse deine Lieb uns dringen!
Du wolltest, Herr, dies große Werk vollbringen,
dass unter einem Hirten eine Herde
aus allen werde.

Text: Johann Andreas Cramer 1780
Melodie: Lobet den Herrn und dankt ihm seine Gaben (Nr. 460)

M 91 Lucia und Antonius

Warum gerade Jesus?

Einmal unterhielten sich Lucia und Antonius über den Gottesdienst.
Antonius sagte: „Vieles habe ich nicht verstanden. Aber zwei Dinge haben mir besonders gefallen: Einmal die Lieder mit den schönen Melodien. Und dann war ich ganz beeindruckt davon, wie freundlich ihr Christen miteinander umgeht." Lucia meinte: „Ich verstehe nicht alles, was die Erwachsenen in unseren Gottesdiensten reden. Aber eines habe ich verstanden: Wer an Jesus glaubt, ist nicht einsam. Mir gefällt das, dass ich weiß: Ich bin nicht allein. Und das gilt auch über den Tod hinaus. Nach dem Tod bekommt jedes Mitglied der Gemeinde einen Grabplatz auf einem christlichen Friedhof. Auch die Sklaven werden nicht einfach verscharrt, wie das sonst oft üblich ist.
Paulus, von dem ich dir schon erzählt habe, hat in einem seiner Briefe geschrieben, dass jeder Mensch dieselbe Gesinnung haben soll, wie unser Herr Jesus Christus."
„Aber gerade das verstehe ich nicht, was an diesem Jesus so Besonderes sein soll."
„Jesus war ein armer Wanderprediger", erklärte Lucia. „Er erzählte von der neuen Welt Gottes, in der Liebe und Gerechtigkeit regieren; und er lebte auch danach. Er wurde von den römischen Soldaten gekreuzigt. Sie meinten, er sei ein politischer Aufrührer. Aber Gott hat ihn auferweckt – viele, denen er nach seinem Tod erschienen ist, können das bezeugen. Und wir glauben und hoffen, dass auch wir nach unserem Tod zu Gott kommen werden."
Antonius fiel wieder seine Großmutter ein: „Meinst du, dass diese Hoffnung auch für meine Großmutter gilt?"
„Ich weiß nicht so recht, sie war doch keine Christin. Aber vielleicht sollten wir Cornelius einmal danach fragen."

Verfolgung

Ein paar Tage später fiel Antonius auf, dass Lucia ganz verweinte Augen hatte. Als er sie darauf ansprach, wollte sie zuerst nicht mit der Sprache heraus. Doch dann erzählte sie, dass ihr Onkel, den sie sehr mochte, ins Gefängnis geworfen worden war.
„Was hat er denn angestellt?", fuhr es Antonius heraus.
„Weißt du", sagte Lucia, „mein Onkel ist kaiserlicher Beamter. Kürzlich gingen alle Beamten seiner Abteilung in den Tempel, um vor dem Bild des Kaisers zu opfern. Mein Onkel sagte: ‚Das kann ich nicht tun. Als Christ kann ich den Kaiser nicht als göttlich verehren; das geht gegen das erste Gebot.' Und dann haben sie ihn eingesperrt. Wir befürchten, dass er da nie wieder herauskommt."
„Das glaube ich nicht, wenn er sonst nichts verbrochen hat!"
„Aber mein Vater hat mir erzählt, wie das vor zehn Jahren war beim Brand von Rom."
„Ich habe auch von dem großen Brand in Rom gehört", warf Antonius ein, „aber was hat das mit den Christen zu tun?"
„Eigentlich gar nichts. Nero hat damals – so sagt mein Vater – Rom anzünden lassen, um Platz für seine prächtigen neuen Bauwerke zu schaffen. Und um den Zorn des Volkes von sich abzulenken, hat er die Christen beschuldigt, und die Volksmassen haben ihm geglaubt.
Damals mussten viele Christen in der Arena sterben; auch Paulus wurde damals umgebracht und Petrus, der gerade in Rom weilte. Und deshalb fürchtet mein Vater, dass wir Christen wieder verfolgt werden."
Beim nächsten Gottesdienst waren die Gemeindeglieder sehr beunruhigt: Was wird werden? Wird es wieder zu Verfolgungen kommen? Wer kann uns schützen?
Cornelius ergriff das Wort und sagte: „Einige von euch kennen die Geschichte von Daniel, wie es ihm erging damals im Zweistromland. Ich will sie euch vorlesen ..."

M 92 Konstantin

Der Großvater und sein Enkel Marcus gehen im Jahr 340 durch Rom. Sie sprechen darüber, was sich in den letzten 40 Jahren zugetragen hat.

Marcus: Was ist das für ein großes Gebäude auf der Straße?

Großvater: Das ist ein Triumphbogen. Die Stadt Rom hat ihn vor 25 Jahren für Kaiser Konstantin erbauen lassen, zur Erinnerung an seinen Sieg über den Mitkaiser Maxentius. Die Schlacht zwischen Konstantin und Maxentius fand drei Jahre vorher statt, hier in Rom bei der Milvischen Brücke. Auf dem Triumphbogen steht, Konstantin habe „auf Eingebung der Gottheit durch die Größe seines Geistes mit seinem Heer" gesiegt. Die Soldaten des Kaisers haben das Christuszeichen auf den Schilden getragen, weil Konstantin einen Traum hatte, in dem es hieß, er werde mit dem Christuszeichen siegen.

Marcus: Die Soldaten und der Kaiser haben also das Christuszeichen früher nicht getragen?

Großvater: Nein, früher haben uns die Kaiser verfolgt, weil wir den Staatsgöttern nicht geopfert und die Kaiser nicht als göttlich verehrt haben. Die Kaiser meinten deshalb, wir würden das Reich zerstören.

Marcus: Da hatten sie ja eigentlich recht. Der Kaiser ist doch die Spitze des Reiches. Ihn muss man ehren. Das Reich wird ja nur dadurch zusammengehalten, so sagt mein Lehrer, weil alle Völker eines gemeinsam haben: den Kaiser, das Heer und die Beamten. Wenn ihr da überall nicht mitgemacht habt, dann habt ihr euch ja gegen das Reich gestellt!

Großvater: So kann man das sehen. Die Kaiser hatten meist wirklich nichts gegen uns. Aber wir konnten eben vieles nicht mitmachen. Wir sagten, wir Christen könnten nur unseren Gott allein verehren, nicht aber dem Kaiser und den Staatsgöttern opfern. Und die Kaiser und ihre Beamten glaubten, die Staatsgötter würden zornig, wenn wir Christen ihnen nicht opferten.

Marcus: Da ist es doch klar, dass die Kaiser euch hin und wieder verfolgt haben. Ihr habt die Einheit des Reiches bedroht.

Großvater: Ja – so haben die anderen das gesehen. Manche von uns wurden aufgespürt, einige getötet oder als Sklaven in die Bergwerke geschickt. Viele Schriften wurden verbrannt, die Häuser zerstört.

Marcus: Das hast du noch alles erlebt?

Großvater: Das letzte Mal geschah dies vor knapp 40 Jahren. Aber dann erkannten die Kaiser, dass sie uns nicht vernichten konnten, und sie gewährten uns das Recht, als Christen zu leben und Gottesdienst zu halten.

Marcus: Und wann war die Schlacht mit dem Christuszeichen?

Großvater: Die Schlacht an der Milvischen Brücke war im Jahr 312. Und dann war es Konstantin, der uns Christen nicht nur gewähren ließ, sondern einer der Unsrigen wurde. Die alte Politik, uns immer wieder zu verfolgen, war am Ende. Konstantin dachte, dass er mit Hilfe der Christen den Staat besser erhalten könnte. Wir waren die geschlossenste Gruppe des Reiches. Konstantin sah auch, dass die Christen gute Staatsbürger sein wollten. Seit der Zeit arbeiten die Christen überall mit. Staat und Kirche gehören jetzt eng zusammen.

Marcus: Dann habt ihr eigentlich die Kaiser besiegt. Sie haben euch benötigt. Und nun werden die Christen im Staat bevorzugt ... Jetzt verstehe ich auch, warum unser Lehrer sagte: Es ist nicht mehr gefährlich, sondern bequem und hilft im Beruf, wenn man Christ ist.

Großvater: Ja, Marcus. Das ist richtig. – Aber sieh, früher hat der Kaiser uns Christen vorgeworfen, wir würden den Staat zerstören. Heute kommt es darauf an, bei der Verwaltung und Regierung mitzuhelfen. Wir sind keine kleine Minderheit mehr, die sich von allem fernhalten kann.

M 93 Spottkruzifix und Kreuz mit Lorbeerkranz

Spottkruzifix – Zeichnung aus der Zeit vor Konstantin, mit der ein heidnischer Junge seinen christlichen Mitschüler verspottete: „Anaxamenos betet seinen Gott an.“

Kreuz mit Lorbeerkranz – Um 350 entstand dieses Grabplatte. Ein römischer Soldat krönt Christus mit einem Lorbeerkranz.

➲ Zeigt an den beiden Bildern auf, was sich zwischen den Jahren 312 und 350 geändert hat.

M 94 Frauen im Priesteramt?

Argumente im Streit um die Zulassung von Frauen zum Priesteramt

Pro

- Im Lukasevangelium (8,1 ff.) werden Frauen in der Umgebung Jesu erwähnt.
- Frauen standen als Einzige unweit des Kreuzes Jesu und waren die ersten Zeuginnen der Auferstehung.
- Frauen wirkten in der Leitung der paulinischen Gemeinden; in Römer 16,7 wird die „Apostelin" Junia (nicht: Junias!) erwähnt.
- In den letzten Jahrzehnten entstand weithin ein geschärftes Bewusstsein für die Gleichberechtigung der Frau in allen Belangen.

Contra

- In 1. Korinther 14,34–36 ist davon die Rede, dass Frauen in der gottesdienstlichen Versammlung schweigen sollen.
- Die kirchliche Tradition kennt keine Priesterinnen.
- In der katholischen Kirche wird die Auffassung vertreten, nur der Priester repräsentiere bei der Eucharistiefeier Jesus Christus.
- Daher könnten Frauen *grundsätzlich* nicht zu Priesterinnen geweiht werden. Dies sei „katholisches Glaubensgut", also „unfehlbare Lehre" und damit nicht diskutierbar.

M 95 Das Symbol des Weltgebetstages

Dieses Zeichen symbolisiert die Welt im Gebet:

Die vier Ecken streben wie Pfeile auf den Mittelpunkt zu. Sie weisen darauf hin, dass wir aus allen Richtungen auf unsere gemeinsame Mitte zum Gebet zusammenkommen.

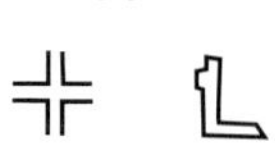

Jedes Viertel stilisiert die Figur einer Beterin.

Der Kreis, der uns alle verbindet, bedeutet die Welt, in der wir gemeinsam unterwegs sind. Dieser Kreis ist im Original grün: Die Farbe Grün steht hier für Gott, den Heiligen Geist und für Irland.

Aus diesen Elementen setzen sich die irischen Kreuze zusammen, denen man in Irland überall begegnet.

M 96 Panama

Im Gottesdienst zum Weltgebetstag berichten Frauen über ihr Land Panama:

Das Wort Panama weist hin auf eine Fülle von Fischen und Schmetterlingen. Die Vielfalt der Landschaften in Panama ist reizvoll mit ihrem großen Tier- und Pflanzenreichtum, mit ihren Wäldern, Stränden, Bergen und Flüssen. Reizvoll sind auch die kleinen Landstädte und die weiträumigen Großstädte, allen voran die Hauptstadt Panama City.
Sehenswert sind die Gebäude im Kolonialstil und in moderner Architektur, die Museen und Parkanlagen. Bedeutend ist vor allem der Panama-Kanal. Zum Bau des Kanals sind Menschen von den Westindischen Inseln ins Land gekommen, deshalb ist der Einfluss der Karibik überall spürbar. Panama ist überhaupt ein kosmopolitisches Land mit Menschen verschiedener Hautfarben, Religionen, Kulturen und Sprachen. Spanisch ist die offizielle Landessprache. Neben anderen Sprachen wird von vielen Englisch gesprochen. Diese Kontraste machen unser Land interessant, bunt und anziehend.

Aus dem Gottesdienstheft zum Weltgebetstag 2004

Meditationstexte zum Plakat „Aus dem Glauben gestalten Frauen die Zukunft“:

Das Erbe der Töchter
Gestaltende Hände umschließen die Welt. Es sind Frauenhände.
Verschieden farbig sind sie, wie die Menschen, die hier leben.
Gemeinsam nehmen sie das Recht in Anspruch,
an der Zukunft verantwortlich zu bauen.
Es ist schön, eine solche Erde zu sehen:
Ein Himmel voller Friedenstauben.
Ein Glaubensbaum, der tief wurzeln kann.
Ein Stamm und ausladende Äste.
Ein Kreuz – nicht drohend, es scheint leicht zu sein.
Zahlreiche Früchte schmücken den Querbalken.
Fische tummeln sich fröhlich im Wasser.
Schmetterlinge tanzen einen Sonnentanz.
(...)

Katharina Wehr

Der folgende Text ist im Blick auf Ostern formuliert:

Maria Magdalena am Gartengrab,
Voll Verzweiflung sucht sie Jesus, dem sie glaubt,
immer noch, trotz Karfreitag und Tod.
Sie sucht hier und dort. Sie findet den Gärtner –
da gehen ihr die Augen auf, als er sie anspricht.
Ihre Hoffnung hat ihrem Glauben zum Durchbruch verholfen.
Aus dem von der Macht der Römer aufgerichteten Kreuz
ist ein bunter Lebensbaum geworden,
der seine starken Äste in den blauen Himmel reckt,
in dessen Zweigen Friedenstauben nisten,
der mit seinen Wurzeln Gottes gute Erde trägt,
die sie in unsere Hände gelegt hat.
Gemeinsam werden wir es schaffen:
Frieden, Gerechtigkeit, Bewahrung der Schöpfung.
Nur gemeinsam: Braun, Weiß und Gelb zusammen
werden wir die Wunder der Schöpfung,
Fische und Schmetterlinge ohne Zahl, bewahren.

Angelika Haarmann

Beide Gedichte aus: Arbeitsheft zum Weltgebetstag 2004.

M 97 Selina erklärt den Weltgebetstag

„Mama, da kann ich doch hingehen!", sprudelt es aus Selina heraus. Ihre Mutter horcht auf, denn so lebhaft erzählt Selina sonst nicht von ihrem Reli-Unterricht. Nun singt Selina sogar spanisch: „Cantad al Senor ..." (Singt Gott unsrem Herrn ...), das hat sie heute gelernt. Es ist ein Lied des Weltgebetstags, wie fröhlich es klingt! Die Mutter, neugierig geworden, meint: „Nun erzähl mal der Reihe nach, ich komme gar nicht mit!" „Also", setzt Selina mit einem leisen Seufzer ein, „also endlich können Kinder nun auch jedes Jahr am ersten Freitag im März ihren Weltgebetstag feiern, so wie ihr Frauen das schon jetzt über 100 Jahre tun könnt. Weißt Du eigentlich, dass inzwischen auch Männer eingeladen sind?"

Die Mutter hat aufmerksam zugehört. Allmählich dämmert ihr, dass ihre eigene Mutter ihr mal was von einem Weltgebetstag erzählt hatte, lange muss das aber her sein. Sie selbst ist eine lebenskluge Frau, die mit Verstand und Sinn für Humor ihr Leben meistert, aber mit der Kirche nicht sehr verbunden ist. Alles „religiöse Getue" ist ihr fremd. Keineswegs möchte sie, dass sich Selina irgendwie „weltfremde Flausen" in den Kopf setzt. Deshalb hakt sie nach: „Für was soll so ein Weltgebetstag eigentlich gut sein?"

Wie kann Selina ihrer Mutter begreiflich machen, dass der Weltgebetstag etwas Gutes ist? Sie muss ihren Kopf gewaltig anstrengen, lange denkt sie nach: Natürlich ist es an sich schon schön zu feiern, mit anderen Jugendlichen und Kindern gemeinsam zu singen und zu beten, zu basteln, biblische Geschichten zu hören und daraus Rollenspiele zu machen. Und die leckeren Speisen aus den fremden Ländern, die es da immer gibt! Aber was ist eigentlich das ganz Besondere am Weltgebetstag?

Sie überlegt sich, was ihre Religionslehrerin heute gesagt hat. Selina erinnert sich: Jedes Jahr bereiten christliche Frauen eines anderen Landes die Feier vor, in den letzten Jahren kam die Liturgie mal aus Panama, mal aus Samoa – wo ist das eigentlich, irgendwo weit weg im Pazifik? –, dann aus Polen, das Jahr darauf aus Südafrika. – Wie die Frauen das wohl schaffen, sich weltweit zu organisieren? – Die Lehrerin meinte weiter: Es gibt ja nicht nur evangelische und katholische Frauen, da sind noch die methodistischen und viele andere christliche Kirchen in der Welt! Frauen aus den verschiedensten Kirchen setzen sich zusammen und verfassen einen gemeinsamen Text, der dann in alle Sprachen übersetzt wird. Dieser Text wird dann von christlichen Menschen rund um den Erdball an einem einzigen Tag gebetet und gefeiert – also 24 Stunden lang. Das ist unvorstellbar! Wie viele Millionen Menschen das wohl sind? – Die Lehrerin fuhr fort: Dabei lernt man jedes Jahr ein Land und seine Menschen besser kennen, z. B. das Land Panama. So erfährt man von der herrlichen Natur, den Menschen und Pflanzen dieses Landes, aber auch von dem, was die Menschen dort umtreibt, was sie glücklich oder traurig macht. Dafür kann man dann gemeinsam Gott danken oder auch um seine Hilfe bitten. Plötzlich versteht man die anderen Menschen und Kulturen besser und merkt, dass wir alle auf dieser Erde zusammengehören!

Selina wiederholt für ihre Mutter, was sich ihr eingeprägt hat. Das ist ganz schön schwierig, aber sie merkt, dass ihre Mutter irgendwie recht beeindruckt ist. Besonders gut gefällt ihrer Mutter, von anderen Menschen in anderen Ländern zu hören und diese dann besser verstehen zu können. Dass darüber hinaus rund um den Erdball gemeinsam gefeiert und gebetet wird, das ist etwas ganz Besonderes!

Die Mutter verspricht Selina, sich zu erkundigen, wann und wo der Weltgebetstag in ihrer Stadt gefeiert wird, so dass sie teilnehmen können: am 1. Freitag im März.

Elfriede Thierfelder

M 98 Martin Schongauer, Die Geburt Christi

M 99 Das Pfingstwunder – Apostelgeschichte 2

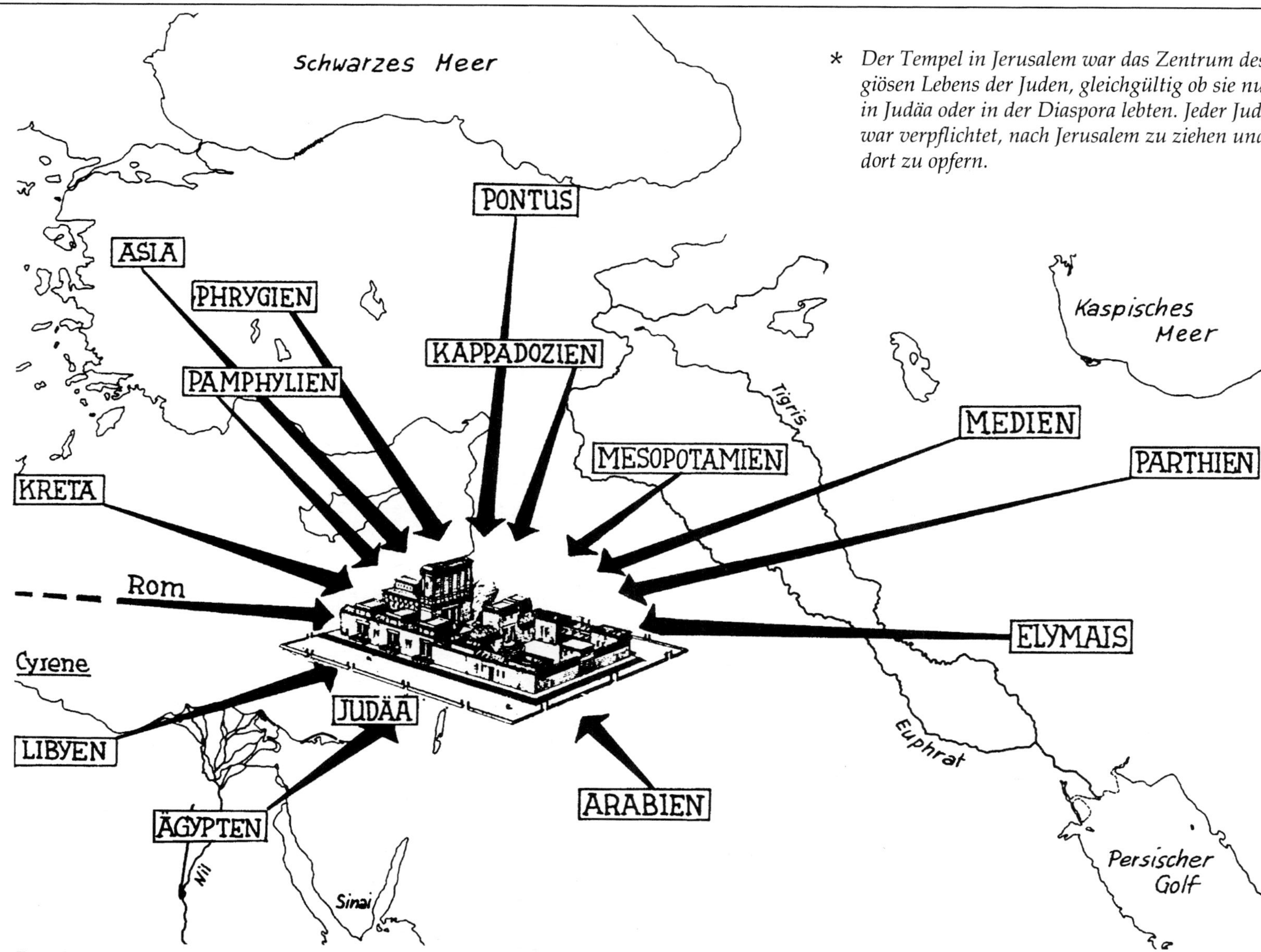

* *Der Tempel in Jerusalem war das Zentrum des religiösen Lebens der Juden, gleichgültig ob sie nun in Judäa oder in der Diaspora lebten. Jeder Jude war verpflichtet, nach Jerusalem zu ziehen und dort zu opfern.*

Apg 2,5–11: *In Jerusalem aber wohnten Juden, fromme Männer aus allen Völkern unter dem Himmel. Als sich das Getöse erhob, strömte die Menge zusammen und war ganz bestürzt, denn jeder hörte sie in seiner Sprache reden …: Parter, Meder und Elamiter, Bewohner von Mesopotamien, Judäa und Kappadozien, von Pontus und der Provinz Asien, von Phrygien und Pamphylien, von Ägypten und dem Gebiet Libyens nach Zyrene hin, auch die Römer, die sich hier aufhalten, Juden und Proselyten, Kreter und Araber …*

M 101 Fragebogen zum Judentum

1. Was ist mit der Bezeichnung „Jude" gemeint?

a) Bürger des Staates Israel	
b) Angehöriger der jüdischen Rasse	
c) Jemand, der sich zur Religion des Judentums bekennt	X
d) Jemand, der jüdischer Abstammung ist	X

2. Wer hat Jerusalem zur Königsstadt Israels gemacht?

a) Abraham	
b) Saul	
c) David	X
d) Salomo	

3. Wann beginnt die jüdische Woche?

a) Freitag	
b) Samstag	
c) Sonntag	X
d) Montag	

4. Wann beginnt der jüdische Tag?

am Abend bei Sonnenuntergang	X
um Mitternacht	
morgens bei Sonnenaufgang	

5. Was bedeutet „Tora"?

a) Prophetische Schrift	
b) Gesetz/Weisung	X
c) Pforte des Tempels in Jerusalem	
d) brotähnliche jüdische Speise	
e) die 5 Bücher Mose	X

6. Was ist der Sabbat?

a) wöchentlicher jüd. Ruhetag am Samstag	X
b) wöchentlicher jüd. Ruhetag am Freitag	
c) Der 7. Tag im Schöpfungswerk Gottes	X
d) wöchentlicher jüd. Ruhetag am Sonntag	
e) monatlicher jüdischer Feiertag am 13. eines Monats	

7. Was sind Tefillim?

a) jüd. Kopfbedeckung	
b) Räucherwerk im jüd. Gottesdienst	
c) jüd. Gebetsriemen	X
d) jüd. Türpfostenkapsel	
e) Getränk bei der jüdischen Hochzeitsfeier	
f) Weihrauch	
g) Siebenarmiger Leuchter	

8. Was ist eine Mesusa?

a) jüd. Kopfbedeckung	
b) Räucherwerk im jüd. Gottesdienst	
c) jüd. Gebetsriemen	
d) jüd. Türpfostenkapsel	X
e) Getränk bei der jüdischen Hochzeitsfeier	
f) Weihrauch	
g) Siebenarmiger Leuchter	

9. Was ist eine Kippa?

a) jüd. Kopfbedeckung	X
b) Räucherwerk im jüd. Gottesdienst	
c) jüd. Gebetsriemen	
d) jüd. Türpfostenkapsel	
e) Getränk bei der jüdischen Hochzeitsfeier	
f) Weihrauch	
g) Siebenarmiger Leuchter	

M 101 Fragebogen zum Judentum (Fortsetzung)

10. Was versteht man unter Menora?

a) jüd. Kopfbedeckung	
b) Räucherwerk im jüd. Gottesdienst	
c) jüd. Gebetsriemen	
d) jüd. Türpfostenkapsel	
e) Getränk bei der jüdischen Hochzeitsfeier	
f) Weihrauch	
g) Siebenarmiger Leuchter	X

11. Was ist Pessach?

a) Tier (Kamelart)	
b) jüd. Fest zur Erinnerung an den Auszug aus Ägypten.	X
c) Jüd. Fest zur Erinnerung an den Tempelbau	
d) Jüd. Fest zum Gedenken an den Empfang der 10 Gebote durch Mose	
e) Jüdisches Neujahrsfest	

12. Matzen sind

a) Brötchen aus Dinkel	
b) Das Sabbatbrot, auch Berches genannt	
c) Ungesäuerte Brote zur Erinnerung an den Auszug aus Ägypten	X
d) Bezeichnung für Spiele der Kinder am Passahfest	
e) Lieder am Sabbat	

13. Wer war der erste Jude?

a. Adam	
b. Noah	
c. Abraham	X
d. Mose	
e. David	

14. Beginn des jüdischen Jahres

a. im Januar / Februar	
b. im April / Mai	
c. im September / Oktober	X

15. Das Staatswappen Israels

a) Der Davidstern	X
b) Der Löwe von Juda	
c) Der siebenarmige Leuchter	
d) Zwei gekreuzte Gewehre	
e) Eine Friedenstaube	

16. Die Hauptstadt des Staates Israel?

a) Jerusalem	X
b) Bethlehem	
c) Tel Aviv	
d) Haifa	
e) Jaffa	

M 102 Das neue Jerusalem

Gestalte die Bildvorlage mit Farben.

Foto © Robert Häusser

M 103 Rezept für Sabbatbrot

Challah

Challah, das Zopfbrot für den Abend vor Schabbat, führt auf die „Hebe“ zurück, jenen Teil vom Brotteig, der nach religiösem jüdischen Gesetz beim Brotbacken weggenommen und geopfert werden musss.
Am Freitagabend, zu Beginn des Schabbat, liegen in jedem jüdischen Haushalt eine Challah oder zwei Challot auf dem Tisch. In strenggläubigen Familien erinnern die zwei Brote an das Manna, das in der Wüste an jedem Vortag eines Festes vom Himmel fiel. Challah-Rezepte sind vielfältig. Immer aber handelt es sich um einen Hefeteig, wie wir ihn für den sonntäglichen Zopf kennen.

40 g frische Hefe
1 EL Zucker
$1^1/_2$-2 Gläser lauwarmes Wasser
8-9 Gläser Mehl
2-3 Eier
1 TL Salz
2 EL Öl
1-2 Eigelb, verrührt mit ein paar Tropfen Wasser

Zum Bestreuen:
Sesam oder Mohn

Hefe und Zucker in wenig Wasser auflösen. Mehl in eine große Schüssel geben, auch Eier, Salz und Öl. Alle Zutaten vermengen. Die Hefe-Zucker-Lösung zur Masse gießen, nach und nach auch Wasser. Einen Teig kneten und ihn bearbeiten wie jeden guten Hefeteig. Aus dem geschmeidigen Teig eine Kugel formen und sie in eine mit wenig Öl ausgefettete Schüssel legen. Mit einem Tuch bedecken, eine Stunde aufgehen lassen.
Den Teig nochmals durchkneten, ihn jetzt in drei gleich große Stücke schneiden, diese auf einer bemehlten Tischplatte mit den Händen zu gleich langen Rollen formen. Aus den Teigrollen einen Zopf flechten. Die Enden gut unter den Zopf schieben. Ein Backblech einölen, den Zopf darauf legen, mit dem Eigelb bepinseln, reichlich mit Sesam oder Mohn bestreuen. Der Zopf sollte nochmals eine kleine Weile ruhen, bevor er in den vorgeheizten Backofen geschoben wird. Bei mittlerer Hitze wird er 45-60 Minuten gebacken, bis er gar ist und goldbraun aussieht.

M 104 Joko

Die Nacht über war Unruhe in der Stadt – diese Nacht, von der ich damals noch nicht wusste, dass sie einmal als „Reichskristallnacht“ in die Geschichtsbücher eingehen würde.
Schon beim Frühstück lag eine eigentümliche Atmosphäre im Raum, die noch von Mutters ernster Ermahnung: „Bleib nirgendwo stehen, geh schnell zur Schule“, unterstrichen wurde. Sie half mir, den Ranzen aufzusetzen, strich liebevoll mein Haar zurecht und entließ mich mit einem wehmütig schmerzlichen Lächeln in den Augen.
Unsere breite, sonst so ruhige Hüttenstraße empfing mich betriebsamer und hektischer als sonst. Auffallend die vielen SA-Leute in ihren Uniformen, auffallend die schnellen und mit gesenktem Kopf dahineilenden Leute. Ich blieb stehen und betrachtete verwundert das Haus gegenüber. Hier standen SA-Leute vor der Haustür, leutselig plaudernd, zufrieden gestikulierend, Genugtuung in Stimmen und Gebärden. Plötzlich zuckte ich zusammen: Aus dem Fenster der zweiten Etage flog ein Stuhl scheppernd auf die Straße, es folgte, begleitet von lautem Freudengebrüll, ein zweiter, ein dritter. „Das ist doch Goldbergers Wohnung“, schoss es mir durch den Kopf. „Oma und Opa Goldberger, wie ich sie liebevoll nannte, weil sie immer so freundlich mit uns Kindern waren.“ Alle anderen Fenster des Hauses blieben verriegelt und verschlossen.
Der Trupp der Leute vor dem Haus nahm Haltung an, und einer brüllte laut: „Hier-wohnt-ei-ne-Ju-den-sau!“ Und alle fielen in den Staccato-Rhythmus ein: „Hier-wohnt-ei-ne-Ju-den-sau.“
Ich zuckte zusammen, als eine alte Frau mich antippte und freundlich meinte: „Musst du nicht zur Schule?“ Ich schaute sie nur kurz an und starrte weiter auf die ungewöhnliche Szene vor mir: Auch Blumenständer, Ecktischchen, Bett- und Tischwäsche landeten in groteskem Wirrwarr von zersplitterndem Holz und bunten Stofffetzen auf der Straße. Ich konnte die Augen nicht abwenden von diesem Fensterloch in der dunklen Häuserwand, in dem immer wieder ein SA-Mann erschien und mit frohem Aufruf ein Möbelstück nach dem anderen hinausbeförderte.
Wieder und wieder zeigte er sich – und auf einmal erkannte ich den Gegenstand in seinen Händen: Mir blieb das Herz stehen – es war der Vogelbauer, „Jokos“ Bauer, Joko, den ich bei Besuchen drüben so oft gestreichelt und so gerne mein Eigen genannt hätte. Bevor ich schreien konnte, zerbarst der Käfig mit lautem Geknirsche auf dem Asphalt. Ein gelbes, kleines Knäuel darin rührte sich nicht. „Joko“, schrie ich, „Joko“ und rannte auf die Straße auf den Trümmerhaufen zu. Ich streckte schon die Hand aus, als ich plötzlich mit energischem Zugriff am Schulranzen zurückgehalten wurde. Ein Arm hielt mich, ein riesiger schwarzer Stiefel schob sich vor. Ich schaute hoch, sah in ein fast mitleidig wirkendes SA-Gesicht und hörte wie aus weiter Ferne eine sanfte Stimme: „Nicht doch, nicht doch, mein Junge, das Vieh ist doch von einer Judensau“, und gleichzeitig krachte und splitterte es unter mir. Der riesige schwarze Stiefel und noch ein zweiter stampften immer heftiger und heftiger werdend auf das bis dahin von kleinen Gitterstäben gehaltene Leben herum.
Tränen schossen mir hoch – mit einer wilden Gebärde riss ich mich los und rannte blind vor Schmerz und bis dahin nie gekannten Gefühlen der Ohnmacht in die Halskestraße. Hier, in der Schule, in meiner 3. Klasse, weinte ich, konnte nicht sprechen über das, was ich erlebt hatte. Mein Lehrer, der zunächst noch versuchte, mich mit munterem Schulterschlag: „Ein deutscher Junge weint doch nicht!“ zu beruhigen, verlor gegen Ende der Unterrichtszeit doch die Geduld mit dem jammernden und immer wieder „Joko“ stammelnden Jungen. „Vielleicht“, sagte er beim letzten Klingelzeichen und schaute mich fest an, „vielleicht bringt dich das wieder zur Vernunft: Du schreibst zu Hause zwanzigmal: Ein deutscher Junge ist flink wie ein Windhund, zäh wie Leder und hart wie Krupp-Stahl.“

Ingeborg Wolf

M 105 Die Geschichte der Hilde Hoffmann aus Frankfurt

Das Westend und das Ostend treffen sich in Tel Aviv

Hilde Hoffmann und ihre Vereinigung ehemaliger Frankfurter bauen Brücken von Israel an den Main

Hilde Hoffmann war ein normales Frankfurter Mädchen – bis die braunen Machthaber dekretierten, dass Frankfurt nicht länger ihre Vaterstadt sei und Deutschland nicht mehr ihre Heimat. Über Nacht war aus der jungen Frankfurterin eine Heimatlose geworden, ohne Rechte, am Geburtsort nicht geduldet.
Die Vertreibung Hilde Hoffmanns aus Frankfurt ist den Nationalsozialisten physisch gelungen, doch nicht psychisch. Alle Verbrechen des Dritten Reiches, sei es die Enteignung jüdischen Besitzes, sei es der Entzug der Bürgerrechte für „Nichtarier", die Plünderung jüdischer Geschäfte, Wohnungen und Synagogen während der Pogromnacht vom 9. November 1938 und zuletzt der Holocaust: Sie haben Hilde Hoffmann nicht ihrer geistigen Heimat, also der deutschen Sprache und Kultur, berauben können.
57 Jahre nach ihrer überstürzten Flucht aus Frankfurt sitzt Hilde Hoffmann in ihrem Wohnzimmer in Tel Aviv, erzählt in gepflegtem Deutsch von ihrer Zeit als Schülerin in Bockenheim, zeigt ihre Bibliothek deutscher Autoren und Frankofortensien und berichtet von „meinen Leuten", womit sie alte Frankfurter meint, die wie sie die Mainmetropole hatten verlassen müssen.
Das Leid und der Schmerz, die ihr und ihren Angehörigen damals angetan worden sind, stehen Hilde Hoffmann noch heute vor Augen: die Einlieferung ihres Vaters nach der Pogromnacht ins Konzentrationslager Buchenwald; das „Wunder" seiner Freilassung, das Hilde Hoffmanns Mutter unter Hinweis auf das Eiserne Kreuz aus dem Ersten Weltkrieg und die Kriegsverletzung des Ehemannes erreichen konnte; der heimliche Grenzübertritt der Familie nach Holland in der Zwischenwand eines Pferdetransporters; die Auswanderung nach Palästina; das Leiden des Vaters, der es nie verwinden konnte, dass sein geliebtes Deutschland ihn derart brutal verstoßen hatte.
Doch haben die schlimmen Erfahrungen Hilde Hoffmann nicht davon abhalten können, wieder eine Brücke in die alte Heimat zu schlagen. Als Vorsitzende der „Vereinigung ehemaliger Frankfurter in Israel" hat sie wesentlich dazu beigetragen, dass sich freundschaftliche Beziehungen und Kontakte zwischen Deutschland und Israel, zwischen ihrer neuen Heimatstadt Tel Aviv und Frankfurt, zwischen den Vertriebenen und den heutigen Frankfurtern herausgebildet haben.
Leicht ist es Hilde Hoffmann nicht gefallen, die ihr angetanen Verletzungen hintanzustellen und freundschaftliche Kontakte mit Deutschen zu suchen. Als sie und ihr Mann kurz nach Aufnahme diplomatischer Beziehungen zwischen Israel und der Bundesrepublik im Jahr 1965 vom Außenministerium gefragt wurden, ob sie den deutschen Botschafter Rolf Pauls zum Sederabend zu sich nach Hause einladen wollten, ist es ihr schwer gefallen, „Ja" zu sagen. Wäre nicht ihr Mann, Akiba Hoffmann, gewesen, der sich als einer der ersten in Israel um eine Verständigung mit Deutschland bemüht und sich als engagierter Vermittler hervorgetan hatte – Hilde Hoffmann hätte nicht zugelassen, dass bei einem Familienfest ein Fremder, und noch dazu einer aus Deutschland, hätte teilnehmen können. Das ganze Viertel wurde damals übrigens von der Polizei abgeriegelt, um Botschafter Pauls vor Demonstranten zu schützen. Denn eine freundschaftliche Verbindung mit Deutschen erschien jenen Israelis, die in den Bürgern der Bundesrepublik allesamt Judenhasser und -mörder sahen, als Provokation.
Selbst Juden aus Deutschland, die längst israelische Staatsbürger geworden waren, wurden lange scheel angesehen, sofern sie die deutsche Kultur und die deutsche Sprache weiter pflegten. Hilde Hoffmann hat selber erlebt, dass sie im Autobus angepöbelt wurde, weil sie sich mit ihrer Tochter auf Deutsch unterhielt: „Man spricht hier nicht die Sprache der Nazis", wurde ihr vorgehalten. Nur in der Ben-Jehuda-Straße, wo Hilde Hoffmann damals wohnte, fiel sie mit ihrem Hochdeutsch nicht auf, weil jedermann Deutsch redete.
Hier lebten vorwiegend Jeckes, wie die aus Deutschland stammenden Juden in Israel genannt wurden. Nicht anders als die Polen oder Rumänen blieben auch die deutschstämmigen Juden lange unter sich. Man hielt am alten Le-

M 105 Die Geschichte der Hilde Hoffmann aus Frankfurt (Forts.)

bensstil, an den gewohnten Formen fest. Abends, nach der Arbeit, habe man sich in der Ben-Jehuda-Straße „in Schale geworfen" und gemeinsam klassische Musik gehört, erinnert sich Hilde Hoffmann an jene Zeit: „Der Jecke hat sich angezogen." Wegen ihrer Förmlichkeit, ihrer Korrektheit und nicht zuletzt wegen ihrer Liebe zur Kultur wurden die „Deutschen" allgemein als Sonderlinge, wenn nicht gar als Verrückte angesehen. Jene Geschichte von den beiden deutschen Bauarbeitern, die sich jeden einzelnen Stein mit der Bemerkung „Vielen Dank, Herr Professor" und „Bitte schön, Herr Doktor" reichten, wirft ein Licht auf die Art, wie die Jeckes miteinander verkehrten.

In der Ben-Jehuda-Straße in Tel Aviv konnte freilich zuweilen zusammenkommen, was in der alten Heimatstadt nicht zusammengehört hatte: Assimilierte aus dem Frankfurter Westen wie Hilde Hoffmann und Orthodoxe aus dem Frankfurter Osten wie ihr späterer Mann. Ursprünglich hatte Hilde Hoffmann, Tochter eines patriotisch gesinnten Schuhgroßhändlers, sich kurz nach ihrer Ankunft in Israel beim Rechtsanwalt Akiba Hoffmann, Sohn eines Rabbiners an der Frankfurter Börneplatz-Synagoge, um eine Stelle als Sekretärin beworben. Wegen ihrer mangelhaften Hebräisch-Kenntnisse wurde nichts aus einem Arbeitsverhältnis; dafür kam es zu einer Liebesverbindung, die zu einer glücklichen Ehe führte.

Akiba Hoffmann war es, der ehemalige Frankfurter in einem Verein zusammenführte und ihnen damit in einer oft als fremd empfundenen Umgebung ein Gefühl der Zusammengehörigkeit verschaffte. Er hat auch dazu beigetragen, dass seit etwa zwei Jahrzehnten Ehemalige auf Einladung der Stadt Frankfurt ihren Geburtsort oder früheren Wohnort besuchen können. „Anfangs war es schwer für beide Seiten", erinnert sich Hilde Hoffmann. Die Offiziellen der Stadt Frankfurt wie auch die Gäste hätten nicht recht gewusst, wie sie sich verhalten sollten. Inzwischen sei die Befangenheit gewichen und auch die Skepsis, die viele der nach Israel Emigrierten gegenüber Frankfurt gehegt hätten.

Nach dem Tod ihres Mannes vor etwa zehn Jahren hat Hilde Hoffmann dafür gesorgt, dass das Band unter den Frankfurtern dort wie auch das zwischen ihnen und den Bürgern des heutigen Frankfurt weiter fest geknüpft blieb. Für die Ehemaligen ist sie eine Art israelische „Mutter Frankfurt", die Tradition und alte Kultur hochhält; für die Stadt Frankfurt ist sie eine Art Frankfurter Botschafterin, bei der man Rat sucht, wenn es um Fragen der Städtepartnerschaft geht. Freilich verliert die Vereinigung der ehemaligen Frankfurter, der zeitweise mehr als 600 Mitglieder angehörten, langsam an Bedeutung. Das liegt nicht an Hilde Hoffmann, deren Elan ungebrochen ist, sondern am natürlichen Alterungsprozess der Menschen. „Meine Leute werden nicht jünger", sagt Hilde Hoffmann. Einer nach dem anderen aus der Generation der alten Frankfurter stirbt hinweg, neue Mitglieder kommen nicht hinzu, denn die Kinder der Ehemaligen fühlen sich der Heimat ihrer Eltern nur noch schwach, die Enkelkinder fast gar nicht mehr verbunden.

Hilde Hoffmann empfindet dies keinesfalls als Scheitern. Sie weiß, dass ihre Arbeit in anderer Weise Früchte getragen hat. Zum einen sind die deutsche Sprache und die deutsche Kultur in Israel nicht länger verpönt. Zum anderen treten neue Brückenbauer an ihre Stelle. Nicht Ehemalige wie Hilde Hoffmann werden künftig den Kontakt mit Frankfurt halten, sondern junge Leute, die sich beim Schüleraustausch oder bei Jugendtreffen kennen lernen. Von den Israelis dieser Generation werde Deutschland nicht mehr so sehr als das Land der Konzentrationslager, sondern als ein demokratischer Industriestaat wahrgenommen, weiß Hilde Hoffmann. „Mir ist das sehr recht", kommentiert sie, die aus der Ferne Frankfurterin geblieben ist.

Hans Riebsamen

M 106 Das Achtzehn-Bitten-Gebet (in Auszügen)

Herr, öffne meine Lippen, und mein Mund verkünde deinen Ruhm.
Gepriesen seist du, Ewiger, unser Gott und Gott unserer Väter, Gott Abrahams, Gott Isaaks und Gott Jakobs, großer, mächtiger und furchtbarer Gott, höchster Gott! der Gnade und Güte erweist und erschuf das All und denkt der Liebe der Väter, und bringt den Erlöser ihren Kindeskindern um seines Namens willen in Liebe. ... Gepriesen seist du, Ewiger, der die Toten belebt.
Du bist heilig, dein Name ist heilig, und die Heiligen loben dich jeden Tag. Gepriesen seist du, Ewiger, heiliger Gott. ...
Bring uns zurück, unser Vater, zu deiner Lehre, und nähere uns, unser König, deinem Dienst. Und führe uns zurück in vollkommener Rückkehr zu dir. Gepriesen seist du, Ewiger, dem die Rückkehr gefällt.
Vergib uns, unser Vater, denn wir haben gesündigt, verzeih uns, unser König, denn wir haben uns verschuldet; denn vergebungsvoll bist du und verzeihst. Gepriesen seist du, Ewiger – Gnädiger, der so oft vergibt.
Sieh unsre Armut und streite unsern Streit und erlöse uns bald um deines Namens willen, denn ein starker Erlöser bist du. Gepriesen seist du, Ewiger, der Israel erlöst.
Heile uns, Gott, so sind wir geheilt, hilf uns, so ist uns geholfen! und bring vollkommene Heilung all unsern Leiden. Denn du, Gott, König, bist ein treuer und erbarmungsvoller Arzt. Gepriesen seist du, Ewiger, der die Kranken seines Volkes Israel heilt.
Segne uns, Herr unser Gott, dieses Jahr und alle Arten seines Ertrags zum Guten, gib Segen auf die Erde und sättige uns mit deinem Gut, und segne unser Jahr wie die guten Jahre. Gepriesen seist du, Ewiger, der die Jahre segnet. ...
Gib Frieden, Gutes und Segen, Gnade, Liebe und Erbarmen uns und deinem ganzen Volk Israel. Segne uns, unser Vater, uns alle zusammen mit dem Licht deines Angesichts, denn im Licht deines Angesichts gabst du uns, Herr unser Gott, eine Lehre des Lebens, Liebe voll Gnade und Milde und Segen und Erbarmen und Leben und Frieden. Es gefalle dir, dein Volk Israel zu segnen zu jeder Zeit und zu jeder Stunde mit deinem Frieden. Gepriesen seist du, Ewiger, der sein Volk Israel segnet mit Frieden.

Vaterunser	Kaddisch	Achtzehn-Bitten-Gebet
Vater unser im Himmel		Bring uns zurück, **unser Vater**, zu deiner Lehre
Geheiligt werde Dein Name	Verherrlicht und **geheiligt werde sein erhabener Name** in der Welt. **Sein erhabener Name sei gepriesen** immerdar in Ewigkeit.	Du bist heilig, dein Name ist heilig
Dein Reich komme	Er lasse **sein Reich kommen**, so dass ihr alle mit dem ganzen Haus Israel in unseren Tagen, bald und in naher Zeit es erleben möget.	
Dein Wille geschehe wie im Himmel so auf Erden	Darauf sprechet Amen.	
Unser tägliches Brot gib uns heute		Segne uns, Herr unser Gott, dieses Jahr und alle Arten seines Ertrags zum Guten, gib Segen auf die Erde und **sättige uns** mit deinem Gut
Und vergib uns unsere Schuld Wie auch wir vergeben unsern Schuldigern		Vergib uns, unser Vater, denn wir haben gesündigt, verzeih uns, unser König, **denn wir haben uns verschuldet**
Und führe uns nicht in Versuchung, sondern erlöse uns von dem Bösen	Sieh unsere Armut und streite unseren Streit und **erlöse uns** bald um deines Namens willen, denn ein starker Erlöser bist du.	
Denn Dein ist das Reich und die Kraft und die Herrlichkeit in Ewigkeit. Amen	Gepriesen und gelobt, verherrlicht und erhoben, verehrt und gerühmt, gefeiert und besungen werde der Name des Allmächtigen, gelobt sei er hoch über alles Lied und Preis und Trost	

M 107 Lückentext

Als gemeinsamer Stammvater für Juden, Muslime und auch für Christen gilt ________________.

Judentum, Christentum und Islam sind Buchreligionen. Im Judentum heißt das heilige Buch

______________, im Christentum ____________________, im Islam _________________.

Die arabische Bezeichnung für Gott ist ________________. Arabische Christen nennen Gott

_________________.

Mose gilt im Islam als ____.

Jesus ist für Christen _________________. Im Islam gilt er als ____________________________________

________________.

Gegenüber den anderen Propheten wird Mohammed im Islam dadurch herausgehoben, dass er

____

_____________.

Dem jüdischen Sabbat und dem christlichen _______________ entspricht im Islam der

_____________. Das Gottesdienstgebäude im Islam heißt _________________. Im Christentum ist dies die _

_____________, im Judentum die ________________.

Zur christlichen Kirche gehört ein Kirchturm, zur muslimischen ____________________ ein oder

mehrere ________________. Im Islam gibt es keine Glocken, die zum Gottesdienst rufen. Dies tut der

________________ vom _______________ aus. Beim muslimischen Gotteshaus gibt es einen Gebäudeteil,

den es so in der christlichen Kirche und auch bei den Juden nicht gibt: ______________

Die Gotteshäuser von Juden, Christen und Muslimen sind je in eine bestimmte Himmelsrichtung

ausgerichtet. Das jüdische Gotteshaus zeigt mit dem __________________________ in Richtung

______________________. In dieselbe Richtung ist der Chor einer christlichen Kirche ausgerichtet.

Die ______________________ des muslimischen Gotteshauses zeigt in Richtung _____________________.

Die heiligste Stadt der Muslime ist _________________. Das Heiligtum dieser Stadt, die __________

wurde nach muslimischer Überlieferung von ________________ zusammen mit seinem Sohn

________________ erbaut. Die Stadt ______________________ ist für Juden und Christen, aber

auch für Muslime heilig. Für Juden, weil dort der _________________ stand, für Christen, weil dort

Jesus von Nazareth _________________________________ und __________________. Für Muslime ist

diese Stadt heilig, weil dort Mohammed ____, um den

Koran zu empfangen.

Für Christen ist die ______________________ die Fastenzeit, für Muslime der Monat

__________________. Das muslimische Fest, bei dem es Süßigkeiten gibt, ist das

______________________. Der Anlass dieses Festes ist ____.

Christen feiern an Weihnachten _______________________________. Das jüdische Channukkafest heißt

auch _________________. Es erinnert an die ____.

Bei den Muslimen werden die Jungen durch die ____________________ in die Gemeinschaft der

Muslime aufgenommen. Die ___________________ gibt es auch bei den Juden, dort ist sie das

Zeichen des Bundes Gottes mit seinem Volk. Christliche Kinder werden durch die _______________

in die Gemeinde aufgenommen.

Der christlichen Konfirmation oder Firmung entspricht im Judentum die ______________________________.

M 108 Die fünf Säulen des Islam

2. Die fünf täglichen rituellen Gebete: Morgengebet, Mittagsgebet, __________, Abendgebet und __________

3. Das __________: Es ist die Pflicht der __________ den __________ gegenüber

4. Das __________ im Monat __________

5. Die __________ nach __________

1. Das Glaubensbekenntnis, die __________

Setze die folgenden Wörter richtig in die Lücken ein:

Wallfahrt – Nachmittagsgebet – Schahada – Almosengeben – Armen – Nachtgebet – Fasten – Ramadan – reichen Muslime – Mekka

M 109a Wer wird zuerst Hadschi (Spielplan)

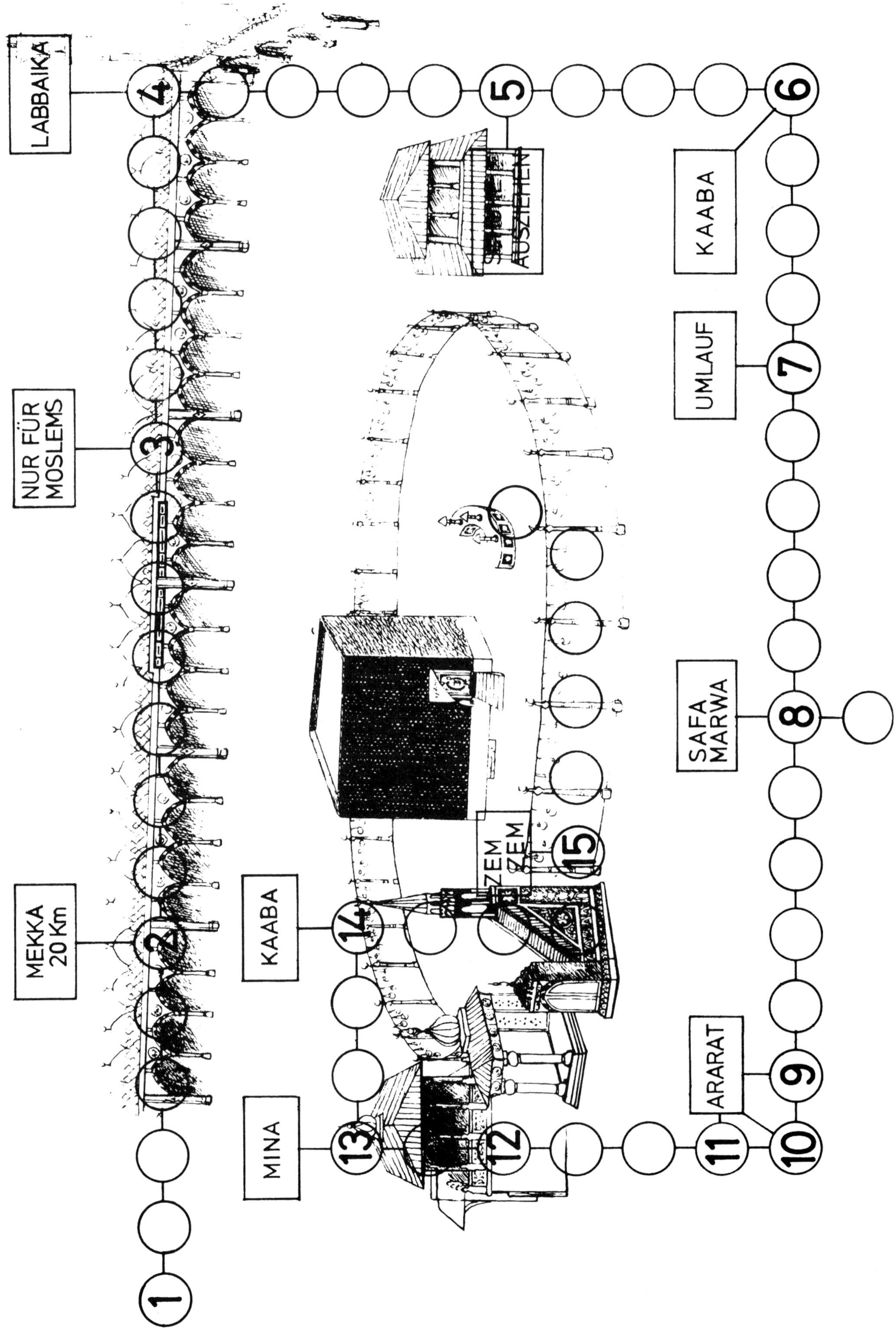

M 109b Wer wird zuerst Hadschi (Spielanleitung)

Während der Wallfahrt nach Mekka verpflichten sich die Muslime, keinem Lebewesen ein Leid zuzufügen. Sie fühlen sich dabei wie eine große Familie und behandeln sich gegenseitig mit großer Ehrerbietung. Wir wollen das in unserem Spiel auch zum Ausdruck bringen.
Immer wenn eine Spielfigur auf ein schon besetztes Feld vorrückt, darf die Figur, die schon auf dem Feld stand, auf das nächste freie Feld vorrücken.

1. Einmal in seinem Leben soll ein Muslim, eine Muslima den Hadsch (Wallfahrt) nach Mekka ausführen. Wer eine Eins gewürfelt hat, darf anfangen.

2. 20 Kilometer vor Mekka reinigt sich der Pilger und legt das aus zwei ungesäumten weißen Tüchern bestehende Pilgergewand an. Von nun an befindet er sich für die Dauer der Wallfahrt im Zustand der kultischen Reinheit und darf sich daher nicht mehr waschen, rasieren und kämmen. Du hast das alles richtig erfüllt. Rücke 5 Felder vor.

3. Mekka darf nur von Muslimen betreten werden. In der Nähe der Stadt stehen Wachtposten, die jeden zurückweisen, der nicht Muslim ist. Bis jetzt ist es erst sehr wenigen Christen geglückt, heimlich die heilige Stadt zu betreten. Du wirst entdeckt und musst daher noch einmal von vorn anfangen.

4. Tausende von Pilgern ziehen jetzt auf der staubigen Straße nach Mekka. Überall hört man den typischen Wallfahrtsruf: „Labbaika" (zu Diensten, zu Befehl). Du stimmst in diesen Ruf ein und darfst so viele Felder, wie das Wort Silben hat, vorrücken.

5. Endlich stehst du vor den Toren der großen Moschee. Im Hof siehst du schon das große Heiligtum, die würfelförmige Kaaba. Du bist äußerst gespannt und vergisst dabei, dir die Schuhe auszuziehen. Die Moscheewächter schicken dich zurück. Rücke auf Feld zwei zurück.

6. Einer der Höhepunkte der Wallfahrt ist das Küssen des schwarzen Steines in einer Ecke der Kaaba. Dir ist es geglückt, trotz des großen Andrangs bis zu diesem Stein vorzudringen. Rücke um 7 Felder vor.

7. Zu den Pflichten der Wallfahrt gehört es, sieben Mal um die Kaaba herumzulaufen. Du hast dich verzählt und musst daher auf Feld 5 zurück.

8. Die Muslime verehren als ihren Stammvater Ismael, einen Sohn Abrahams. Ismaels Mutter Hagar suchte einmal im Tal Mekka nach Wasser für ihren verdurstenden Sohn. Auf ihr Gebet hin entsprang die Quelle Sem-Sem in der Nähe der Kaaba. Zur Erinnerung an das verzweifelte Suchen der Hagar läuft der Pilger sieben Mal zwischen den Bergen Safa und Marwa hin und her. Du bist von der Hitze, dem Gedränge und von dem Laufen so erschöpft, dass du dich jetzt etwas ausruhen musst. Hole dir zur Gesellschaft die Figur eines Mitspielers auf dein Feld. Es ist egal, ob er vor oder hinter dir stand.

9.–11. Am achten Tag der Wallfahrt ziehen die Pilger zur Ebene Ararat. Dort lagern sie vom Mittag bis zur Abenddämmerung am Fuße eines Hügels, auf dem Mohammed seine letzte Predigt gehalten hat. Du setzt einmal mit dem Würfeln aus.

12. Die letzte Station der Wallfahrt ist in Mina. Auf dem Wege dorthin haben die Pilger kleine Steinchen gesammelt, mit denen sie die drei Satanssäulen bewerfen. Einer alten islamischen Legende zufolge soll Abraham an dieser Stelle den Teufel mit Steinwürfen vertrieben haben. Du hast deine sieben Steinchen geworfen und darfst sieben Felder vorrücken.

13. In Mina findet auch das einzige Schlachtopfer des Islam statt. Für jeden Festpilger wird ein Stück Kleinvieh oder für je sieben Personen zusammen ein Stück Großvieh geschlachtet. Nach dem Schlachtopfer wird das Pilgergewand abgelegt und das Haar wieder geschnitten. Der Zustand der kultischen Reinheit ist hiermit beendet. Du bringst es nicht übers Herz, ein Tier für dich schlachten zu lassen. Würfle noch einmal und rücke die entsprechende Anzahl der Felder zurück.

14. Die Pilger kehren nach Mekka zurück und besuchen noch einmal die Kaaba. Du schließt dich ihnen an. Rücke drei Felder vor.

15. Du verweilst noch etwas am heiligen Brunnen Sem-Sem und füllst eine Flasche mit dem wunderkräftigen Wasser, das du deinen Freunden in Deutschland mitbringen willst. Du kannst erst weiter, wenn du eine Sechs gewürfelt hast.

Wer zuerst durchs Ziel gekommen ist, darf sich Hadschi nennen und hat das Recht, einen grünen Turban zu tragen.

Das Ziel ist erst dann erreicht, wenn die gewürfelte Zahl in der Kaaba endet. Bei höheren Würfen muss vom Ziel aus wieder entsprechend zurückgesetzt werden.

M 110 Gebetshaltungen im Islam

Aufrecht stehend, die Hände in Schulterhöhe nach vorn geöffnet (mit den Daumen hinter den Ohrläppchen), spricht der Gläubige: „Allahu Akbar" (Gott ist groß).

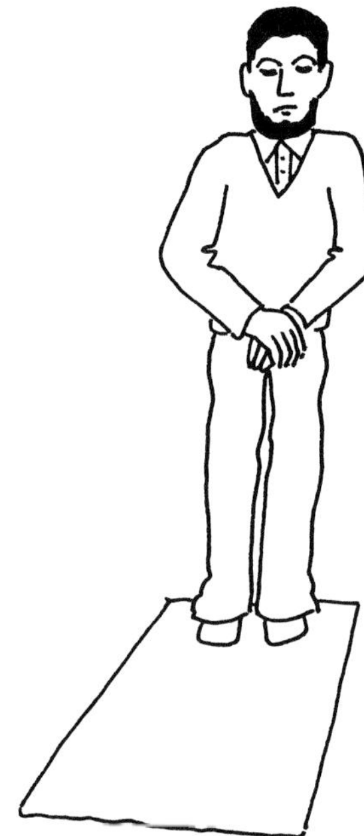

Weiterhin aufrecht stehend, mit herabhängenden Armen oder die rechte Hand etwa in Körpermitte über die linke gelegt, spricht er die erste Koransure (Fatikha) und danach weitere Suren oder Verse.

Mit einer Verbeugung, die Hände auf die Knie gestützt, spricht er Lobpreisungen Allahs.

Es folgen weitere Lobpreisungen, wobei die Stirn den Boden berührt.

Nach jedem zweiten und nach dem letzten Gebetsteil spricht er, am Boden kniend, das Glaubensbekenntnis mit auf dem Knie ausgestrecktem Zeigefinger der rechten Hand.

Zum Abschluss des Gebets grüßt der Gläubige, weiterhin kniend, über die rechte und linke Schulter blickend, die Schutzengel bzw. die anderen Mitbetenden.

M 111 Gemeinsamkeiten und Unterschiede

➲ Zeichne die Symbole ein und formuliere einen Satz oder Stichworte

	Judentum Davidstern	**Christentum** Kreuz	**Islam** Halbmond	Beschreibung
Taufe		✝		
Jerusalem als heilige Stadt	✡	✝	☽	
Gebet, Almosen, Fasten				
Kreuz als Symbol				
Koran als heiliges Buch				
Das Alte Testament				
Das Neue Testament				
Weihnachten				
Jesus als wichtige Person				
Moschee				
Abraham als Vater des Glaubens				
Kirche				
Ramadan				

M 111 Gemeinsamkeiten und Unterschiede (Fortsetzung)

	Judentum Davidstern	**Christentum** Kreuz	**Islam** Halbmond	Beschreibung
Ostern				
Synagoge				
Gott hat die Welt erschaf-fen				
Passahfest				
Sonntag ist der Feiertag der Woche				
Pilgerfahrt nach Mekka				
Beschneidung				
Samstag ist der Feiertag der Woche				
Gott richtet die Menschen am Ende der Tage				
Turm beim Gotteshaus				
Bethlehem eine wichtige Stadt				
Freitag ist der Feiertag der Woche				
Warten auf den Messias				
Jesus ist Sohn Gottes				

M 112 Aus dem Koran: Sure 2

2,127 Und erinnert euch, als Abraham mit Ismael die Grundmauern des (heiligen) Hauses in Mekka errichtete (beteten sie): „Unser Herr, nimm (es) von uns an; denn wahrlich, Du bist der Allhörende, der Allwissende.

2, 128 Und gib, Herr, dass wir Dir ergeben sind und mache Leute aus unserer Nachkommenschaft zu einer Gemeinde, die Dir ergeben ist. Und zeige uns, wie wir Dich anbeten sollen und wende uns Deine Gnade wieder zu; denn wahrlich, Du bist der Gnädige und Barmherzige.

2,129 Und sende, Herr, zu unseren Nachkommen einen Gesandten aus ihrer Mitte, der ihnen Deine Worte verliest und sie das Buch und die Weisheit lehrt und sie läutert; denn wahrlich, Du bist der Allmächtige, der Allweise."

2,130 Und wer verschmäht den Glauben Abrahams außer dem, der sich selbst zum Toren macht? Denn wir hatten ihn bereits im Diesseits auserwählt, und im Jenseits wird er gewiss unter den Rechtschaffenen sein.

2,131 Und (denkt daran) als sein Herr zu ihm sagte: „Sei ergeben!" da antwortete er: „Ich habe mich dem Herrn der Welten ergeben."

2,132 Und Abraham befahl es seinen Söhnen an, wie (später auch) Jakob: „Meine Söhne! Allah hat euch eine auserwählte Religion gegeben, deshalb sterbt nicht anders als (Allah) ergeben zu sein."

- Unterstreicht die Worte „ergeben".
- Unterstreicht die Formulierungen, die auf die Bedeutung Abrahams und auf Mohammed hinweisen. Inwiefern wird hier begründet, dass Abraham der erste Muslim war?

Die Bedeutung Abrahams im	
Judentum	vgl. 1. Mose 12,1-3
Christentum	Galater 3,6-9
Islam	Koran, Sure 2

M 113 Vergleich Bibel – Koran

Kriterien	Bibel		Koran
	Altes Testament	Neues Testament	
Sprache	Hebräisch	Griechisch	Arabisch
Wann entstanden?	1000 v. Chr. –200 v.Chr.	50–150 n.Chr.	610–632 (22 Jahre des Wirkens Mohammeds)
Verkündigt durch	viele Gottesboten	Jesus; Evangelisten und Apostel	durch den Engel Gabriel an Mohammed
Wichtige Inhalte	Schöpfung, Der Weg Gottes mit seinem Volk, religiöse und weltliche Regeln für die Menschen	Jesu Wirken, Verkündigung des Reiches Gottes, Briefe der Apostel Grundregeln für das Verhalten der Menschen untereinander	Geschichten von gläubigen Menschen und Propheten, z. B. Mohammed und Jesus, Jenseits, Auferstehung, Jüngstes Gericht, religiöse Regeln und Regeln für das alltägliche Leben
Bedeutung für die Anhänger	Der Wille Gottes für den Alltag	Frohe Botschaft	Wort Gottes (wörtlich)
Einteilung	Bücher, Kapitel	Bücher, Kapitel	Suren (der Länge nach geordnet)
Umfang	39 Bücher	27 Bücher	114 Suren

M 114 Jesus im Koran

3,49 (Jesus sprach als Gesandter zu den Söhnen Israels): „... ich heile Blinde und Aussätzige und mache Tote wieder lebendig mit Gottes Erlaubnis; ich tue euch kund, was ihr esst und in euren Häusern aufspeichert. Darin ist für euch ein Zeichen, so ihr gläubig seid.

50 Und (ich komme), das zu bestätigen, was von der Tora vor mir vorhanden war, und um euch einiges von dem zu erlauben, was euch verboten wurde. So komme ich zu euch mit einem Zeichen von eurem Herrn. Daher fürchtet Gott und gehorchet mir.

51 Gott ist mein Herr und euer Herr, so dienet Ihm! Das ist ein gerader Weg."

5,78 Verflucht wurden diejenigen von den Kindern Israels, die ungläubig waren, durch den Mund Davids und Jesu, des Sohnes Marias. Dies dafür, dass sie ungehorsam waren und immer wieder Übertretungen begingen.

5,72 Ungläubig sind diejenigen, die sagen: „Gott ist Christus, der Sohn Marias", wo doch Christus gesagt hat: „O ihr Kinder Israels, dienet Gott, meinem Herrn und eurem Herrn." Wer Gott (andere) beigesellt, dem verwehrt Gott das Paradies. Seine Heimstätte ist das Feuer. Und die, die Unrecht tun, werden keine Helfer haben.

73 Ungläubig sind diejenigen, die sagen: „Gott ist der dritte von dreien", wo es doch keinen Gott gibt außer einem einzigen Gott. Wenn sie mit dem, was sie sagen, nicht aufhören, so wird diejenigen von ihnen, die ungläubig sind, eine schmerzhafte Pein treffen.

74 Wollen sie sich denn nicht reumütig Gott zuwenden und Ihn um Vergebung bitten? Gott ist voller Vergebung und barmherzig.

75 Christus, der Sohn Marias, ist nichts anderes als ein Gesandter; vor ihm sind etliche Gesandte dahingegangen.

Übersetzung von Adel Theodor Khoury

M 116 Stilleübung

Ich richte meinen Blick auf das Bild vor mir.
Ich erkenne die Fußspuren. Wem mögen sie gehören?
Sie unterscheiden sich.
Manche sind kräftig, andere nur schwach zu sehen.
Woher mögen sie kommen?

Welche Spuren habe ich heute schon hinterlassen,
zu Hause, auf meinem Schulweg, in der Schule?
Mit welchen Spuren haben sich meine gekreuzt?
Bestimmt mit vielen im Schulhof.

Wohin führen die Spuren auf dem Bild?
Welche Richtung zeigen sie an?
Gehen sie linksherum oder rechtsherum?
Immer im Kreis, da kann einem ja schwindelig werden.
Haben sie ein Ziel?

Wenn ich meinen Blick nicht auf die einzelnen Fußtritte richte,
sondern auf das ganze Bild, dann wirkt es beruhigend.
Es könnte eine große Blume sein,
ein Höhleneingang.
Vielleicht ist es auch ein Gesicht.

Ich schließe die Augen
und sehe, dass die Spuren weiterführen.

M 117 Ein Wegelied

Mögen sich die Wege

Freie Übertragung eines altirischen Reisesegens:
"May the road rise to meet you,
may the wind be always at your back,
the sun shine warm upon your face,

the rain fall soft upon your fields,
and until we meet again, may God hold you
in the palm of his hand."

Text: Altirischer Reisesegen. Deutscher Text: mündlich überliefert.
Musik: Günter Schwarze.

M 118 Und Jesus fasste sie bei der Hand

Rachel ist elf Jahre alt. Sie wohnt zusammen mit ihren drei Geschwistern, ihren Eltern und ihrer Großmutter in Kapernaum. Großvater ist vor zwei Jahren gestorben. Im Haus nebenan wohnt Tante Rut, Mutters Schwester, mit ihrem Mann, Onkel Simon, und ihren Kindern. Meistens spielt Rachel draußen mit den Kindern aus der Nachbarschaft.

Fast jeden Abend setzt sie sich im Innenhof zu Großmutter auf die Bank, hält ihre Hand und hört zu, was Großmutter von früher erzählt. Großmutter ist schon sehr alt. Früher einmal hatte sie sehr geschickte Hände. Beim Backen, Kochen, Weben oder bei der Getreideernte war sie so flink, dass sogar die Jüngeren staunten. Besonders gefragt war Großmutter beim Flicken der Fischernetze. In letzer Zeit saß sie allerdings oft ganz versonnen auf der Bank im Hof und hatte die Hände in den Schoß gelegt. „Sie wollen nicht mehr so wie früher!“, hörte Rachel sie ein paar Mal leise sagen. Ihre Töchter und Schwiegersöhne mussten ihr immer öfter zur Hand gehen.

Dehalb war Großmutter auch traurig, als Onkel Simon mit einem Rabbi namens Jesus mitzog. Er war vor einiger Zeit nach Kapernaum gekommen. Man erzählte sich von ihm, dass er Kranke wieder gesund machen konnte. Etliche waren von ihm so begeistert, dass sie alles stehen und liegen ließen und ihm nachfolgten.

Und jetzt hatte Großmutter auch noch hohes Fieber bekommen. Hatte der Tod schon seine Hand nach ihr ausgestreckt?

Die Mutter nimmt Rachel an der Hand und führt sie an Großmutters Bett. „Sei leise, Rachel“, sagte sie, „du kannst Großmutters Hand streicheln. Das wird ihr gut tun!“ Zärtlich streichelt Rachel über die kalten Hände der Großmutter.

Die Stunden zerrinnen, es wird merkwürdig still im Haus. Plötzlich treten Simon, seine Freunde und Rabbi Jesus in den Hof. „Gut, dass du da bist!“, sagt Tante Rut zu Onkel Simon. „Mutter hat immer wieder nach dir gefragt. Sie will dich unbedingt noch einmal sehen, bevor sie stirbt.“ Rachel läuft auf Jesus zu, fasst ihn an der Hand und ruft: „Du kannst doch Kranke wieder gesund machen. Bitte, mach meine Großmutter gesund. Ich möchte, dass ich mit ihr wieder an den See gehen und ihr zusehen kann, wie sie die Netze wäscht.“ Und Jesus sagt: „Ja, Gott kann deine Großmutter gesund machen.“ Dann geht er in den Raum, in dem die Großmutter liegt, und macht die Tür hinter sich zu. Im Hof herrscht atemlose Stille. Rachel weiß nicht, wie lange sie so dagesessen hat. Als sie aufschaut, sieht sie Jesus aus dem Haus kommen. Sie hört ihn zu Onkel Simon sagen: „Deine Schwiegermutter ist wieder gesund.“

Später erzählt Großmutter Rachel, dass Jesus sie bei der Hand genommen und aufgerichtet hat, und wie durch ein Wunder war das Fieber verschwunden. Großmutter betrachtet dabei immer wieder ihre Hände, die Jesus berührt hat, und sie sagt zu Rachel: „Als Jesus mich bei der Hand nahm, hat mich ein ganz tiefes Vertrauen auf Gott durchströmt. Ich habe gespürt, dass ich eine geliebte Tochter Gottes bin. Und auch du, Rachel, bist eine Tochter Gottes und trägst einen kostbaren Glauben in dir. Lass diesen Glauben wachsen. Wem Gott seine helfende Hand reicht, der kann an denen, die ihre Hände ausstrecken, nicht vorübergehen, an den Hilflosen, Bettlern und Kranken.“

Rachel konnte an diesem Abend lange nicht einschlafen. Sie spürte den Ring an ihrer Hand, dachte an die Großmutter, an die Hand Jesu, an Gottes Hand, die wie ein schützender Mantel alle Menschen umgibt.

M 119 Ein koptischer Mönch in der Wüste

„Seit 10 Jahren, also von meinem 17. Lebensjahr an, lebe ich hier in diesem Wüstenkloster mit 60 Mitbrüdern. Um uns gibt es nur Sand, nur Wüste, zum nächsten Wüstendorf sind es zwei Autostunden zu fahren. Junge Leute fragen mich dann: „Wie kannst Du hier bloß leben?“, und ich antworte: „Das will ich dir zeigen. Ab und zu kommen Menschen wie ihr vorbei und bringen etwas mit. Doch das Wichtigste hier, schau, das ist diese kleine Quelle am Rande unseres Klosters. Seit acht Jahren hat es hier in der Wüste nicht mehr geregnet. Aber diese Quelle gibt uns jeden Tag das Wasser, das wir zum Überleben brauchen. Heute strömt sie – ob morgen noch, weiß Gott allein – aber Gott wird uns sicher führen – darauf vertrauen wir und das lässt uns hier in der Wüste sicher und froh leben – Inschallah!“

(Inschallah ist ein arabischer Ausruf, der bedeutet „wenn Allah will!“ Er wird nicht nur von Muslimen gebraucht, sondern auch von christlichen Arabern.)

Foto: Katja Baur, Ludwigsburg

M 120 Ein Wassertanz aus Israel (Maijim, Maijim)

Nach jeder Strophe kann eine gestaltete Kerze angezündet und betrachtet werden (z. B. Schwimmkerzen im Wasser).
Maijim ist einer der verbreitetsten Tänze in Israel. Er symbolisiert die Bewegung des Wassers, der Wellen und kostet das Gehen zum Brunnen aus. Ein Vorgang, der in einem trockenen Land trotz aller Mühe mit Hoffnung und Freude verbunden ist. Das hebräische Wort für Wasser („Mayim", sprich: Maijim) soll den Sch. nahe gebracht werden. Interessant ist dabei auch die lautmalerische Komponente: Wasser heißt Mayim – Himmel heißt Schammayim.

Tanzablauf:
Ausgangsposition: Die Gruppe steht Hand in Hand (Hände unten) im Kreis mit Blick zur Mitte.

Teil 1:
1. Rechten Fuß vor linken nach vorne kreuzen;
2. linken Fuß neben rechten stellen;
3. rechten Fuß hinter linken kreuzen;
4. linken Fuß neben rechten stellen.

Teil 2:
Alle gehen vier Schritte, mit dem rechten Fuß beginnend, in Richtung Mitte. Dabei werden die Hände schrittweise emporgehoben. Der erste Schritt wird betont durch eine Tiefbewegung in die Knie. Danach wieder vier Schritte zurück. Die Hände sinken schrittweise. Wiederum wird der erste Schritt durch eine Tiefbewegung betont. Das Ganze noch einmal wiederholen.

Teil 3:
Alle sehen nach links. Vier schnelle Schritte nach links (der rechte Fuß beginnt). Der vierte Schritt bleibt leicht und unbetont, der Blick wendet sich wieder zur Mitte.

Teil 4:
Während man auf dem rechten Fuß hüpft, tippt der linke rechts neben den rechten Fuß kurz auf und geht zurück auf die linke Seite (viermal).

Teil 5:
Wie Teil 4, nur mit dem anderen Fuß. Wenn der rechte Fuß links neben dem linken auftippt, klatscht man jedes Mal in die Hände (wieder viermal).
Der gesamte Ablauf wird beliebig oft wiederholt.

Hebräischer Text:
Ush'avtem mayim besasson
Mimaynai haveshua
Mayim mayim mayim mayim (dieser Wasserruf sollte im deutschen Text erhalten bleiben!)
Hoi mayim be sasson
Ha ha ha ha
Mayim mayim mayim mayim
Mayim mayim besasson.

M 17 Adolf A. Osterider, Die Schöpfung

M 40 David in der Kunst

Der Anfang von Psalm 1 in einer bebilderten mittelalterlichen hebräischen Bibel

Michelangelo, David

Herbert Sandberg, David und Goliath. © VG Bild-Kunst, Bonn 2005

M 43 Alfred Manessier, die Wächter am Grabe

M 55 Marc Chagall, Die weiße Kreuzigung

M 67 Hans Baldung Grien: Kreuzigung Jesu (um 1515)

M 71 Marc Chagall, Jude mit Torarolle

M 100 a Pieter Brueghel, Der Turmbau zu Babel

M 100 b Salvador Dalí, Turmbau zu Babel

M 115 Carita Schmidt, Jesus sagt: Ich bin ...

Quellenverzeichnis

Lernkarten

Die meisten Bilder auf den Lernkarten stammen aus alten Bibeln oder sind freie Bilder der Kunstgeschichte, die auch im Schülerband verwendet wurden.

Nachweis der Fotografien:
Lernkarten 2, 23-25, 27, 28, 43, 49, 56, 119, 121: MEV Verlag, Augsburg
Lernkarten 4, 21, 29, 42, 53-55, 57, 58, 85-87, 89, 90, 92, 94, 97, 101, 109-111: Dieter Petri, Bietigheim-Bissingen
Lernkarte 6: Christoph Engel/Kindernothilfe
Lernkarten 8, 30, 113, 114, 118: Alfred Drossel, Bietigheim-Bissingen
Lernkarte 33: M. Diestel, © M. Frischkorn

Illustrationen der Lernkarten:
Dorothea Layer-Stahl, Winnenden
Peter Knorr, Ingelheim
Lutz-Erich Müller, Leipzig
Jörg Peter, Wetter
Hans-Georg Schmaderer, Herne

Materialien

Leider war es nicht möglich, alle Urheber zu ermitteln. Betroffene Inhaber/-innen von urheberrechtlichen Ansprüchen bitten wir, sich bei einem der beiden Verlage zu melden.

M 1-2: © Calwer Verlag/Diesterweg
M 3: Foto: © CORBIS/Caroline Penn
M 4: © Mona Manson, Duisburg
M 5 a/b: Ballonspiel: © Diakonisches Werk der Evangelischen Kirche in Deutschland, Stuttgart 2002. Aus: Kinder haben Rechte. Hg. von der Hauptgeschäftsstelle des Diakonischen Werkes der Evang. Kirche in Deutschland für die Aktion „Brot für die Welt", Stafflenbergstr. 76, 70184 Stuttgart. 1. Aufl. 2002, S. 49f.
M 6: Lied der Kinderrechte: mündlich überliefert, Quelle unbekannt.
M 7: © Calwer Verlag/Diesterweg
M 8: Die Geschichte von den Brüllstieren. Aus: Ursula Wölfel, 28 Lachgeschichten, Thienemann Verlag, Stuttgart/Wien 1993, S. 25.
M 9: Wie ein Fest nach langer Trauer (So ist Versöhnung) Text Jürgen Werth, Melodie: Johannes Nitsch © 1988 Hänssler Verlag, 71087 Holzgerlingen.
M 10: © Calwer Verlag/Diesterweg
M 11: Aus: Jamie Walker, Gewaltfreie Konfliktlösung im Klassenzimmer, hg. vom Pädagogischen Zentrum Berlin 1991.
M 12: © VG Bild-Kunst, Bonn 2005
M 13: Wölfel, Ursula, In der Zwickmühle. Aus: Dies., Du wärst der Pienek, Anrich Verlag Kevelaer 1985, S. 124-129.
M 14: © Calwer Verlag/Diesterweg
M 15, 16: Quelle unbekannt
M 17: © VG Bild-Kunst, Bonn 2005
M 18-22: © Calwer Verlag/Diesterweg
M 23: Aus: Philippinische Märchen, nacherzählt von Josef Genzor, deutsch von Anna Falova, Verlag Werner Dausien, Hanau/Main 1978. Zitiert nach: Dietrich Steinwede, Wo die Sonne übernachtet, Gütersloher Taschenbuch, Gütersloher Verlagshaus Gerd Mohn, Gütersloh 4. Aufl. 1990.
M 24: Aus: Der Koran. Übersetzung von Adel Theodor Khoury. © by Gütersloher Verlagshaus, Gütersloh in der Verlagsgruppe Random House GmbH, München.
M 25: Gott gab uns Atem: Text: Eckart Bücken, Melodie: Fritz Baldruweit. Rechte für Melodie bei tvd, Düsseldorf; Rechte für Text bei: Strube Verlag, München.
M 26: Peterson, Hans, Der zerhackte Garten, aus: Mathias und das Eichhörnchen. © Verlag Friedrich Oetinger, Hamburg.
M 27: Schöpfungsbild aus der Lutherbibel (1534)
M 28: Phantasiereise Apfel: Quelle unbekannt
M 29-31: © Calwer Verlag/Diesterweg
M 32: Heckmann, Herbert, Pit kommt zu einem Hund (gekürzt), aus: G. Lohschütz, Das Einhorn sagt zum Zweihorn, 1974 © Gertraud Middelhauve Verlag, Köln.
M 33: Christoph Ludwig, Ein kleiner Hund als große Hilfe, in: Evangelisches Gemeindeblatt für Württemberg 44/2003, S. 16f. Rechte beim Autor.
M 34 a/b: Ein Kind an der Hand © Hans-Georg Anniès, Moritzburg
M 35: Foto: Dieter Petri, Bietigheim-Bissingen
M 36-37: © Calwer Verlag/Diesterweg
M 38: © Calwer Verlag/Diesterweg
M 39: © Elisabeth Haack-Österle, Esslingen
M 40: unten: Herbert Sandberg, David und Goliath © VG Bild-Kunst, Bonn 2005
M 41: Calwer Verlag/Diesterweg
M 42: © Josef Koranda, Ravensburg
M 43: © VG Bild-Kunst, Bonn 2006
M 44: Karte aus: Arbeitsfolien Religion Teil 1. © 2. Auflage 1989 by Calwer Verlag, Stuttgart.
M 45: © Werner Laubi. Ursprünglich in: Geschichten zur Bibel Bd. 3. Verlag Ernst Kaufmann, Lahr/Patmos Verlag, Düsseldorf.
M 46-47: © Calwer Verlag/Diesterweg
M 48-49: Nach Adolf Ermann, Die Literatur der Ägypter, Leipzig 1923, S. 123-125 (gekürzt).
M 50: © Calwer Verlag/Diesterweg
M 51: Quelle unbekannt
M 52-54: © Calwer Verlag/Diesterweg
M 55: © VG Bild-Kunst, Bonn 2006
M 56: God is a girl. Engl Text Axel Benjamin Konrad, Ole Wierk, Par Hakan Gessle, David Lubega. Rechte bei Unicade Publ E.K./Supreme Edition, Hiphappy; A la Carte Music Verlags GmbH, Hennef; Roba Music Verlags GmbH, Hanburg, EMI Music Publishing (Germany GmbH)
M 57: © Calwer Verlag/Diesterweg
M 58: Die Legende von König Abgar: Festlegende für den 16. August aus „Zitia Svetih" (Leben der Heiligen), Belgrad 1961, übers. J. Peylo.
M 59-61: © Calwer Verlag/Diesterweg
M 62: Abbildung aus: St. Loffreda, Ein Besuch in Kapernaum, © Franciscan Printing Press, Jerusalem o.J., S. 24.

M 63-64: © Calwer Verlag, Stuttgart
M 65: Aus: Flavius Josephus, Jüdische Altertümer, Band 2, XVIII 1,2-5.
M 66: Calwer Verlag/Diesterweg
M 67: Hans Baldung Grien, Kreuzigung Jesu
M 68: © Calwer Verlag/Diesterweg
M 69: © Dieter Petri, Bictigheim-Bissingen/Jörg Thierfelder, Denkendorf
M 70: Calwer Verlag/Diesterweg
M 71: © VG Bild-Kunst 2006
M 72: Quelle unbekannt
M 73: © Calwer Verlag/Diesterweg
M 74: Bilder aus Elementarbibel © Verlag Ernst Kaufmann, Lahr
M 75-79: © Calwer Verlag/Diesterweg
M 80: Aus: Spätmittelalter am Oberrhein. Maler und Werkstätten 1450-1525. Hrsg: Staatliche Kunsthalle Karlsruhe. Jan Thorbeke Verlag Stuttgart 2001, S. 380.
M 81: © Calwer Verlag/Diesterweg
M 82: Arrangement: © Angela Knapp
M 83: Julius Schnorr von Carolsfeld: Der sinkende Petrus. Aus: Die Bibel in Bildern.
M 84: © Calwer Verlag, Stuttgart
M 85: Miriam und Mose, Zeichner: Rüdiger Pfeffer, aus: Jetzt geht's rund. Das Kindermagazin zum Kinder-Kirchen-Jahr der Evangelischen Landeskirchen in Baden, herausgegeben vom Evangelischen Oberkirchenrat, Blumenstr. 1-7, 76133 Karlsruhe, S. 13.
M 86: © Calwer Verlag/Diesterweg
M 87: Aus: Bejick, Urte/Thierfelder, Jörg/Zeilfelder-Löffler (Hg.), Vom Armenspital zur Selbsthilfegruppe. Diakonie in Vergangenheit und Gegenwart am Beispiel Badens. Evangelischer Presseverband für Baden, Karlsruhe 1998, S. 187f.
M 88: © Calwer Verlag/Diesterweg
M 89: Cäcilius zitiert aus: Gutschera, Herbert/Thierfelder, Jörg, Brennpunkte der Kirchengeschichte, Paderborn 1976, S. 21. Tertullian zitiert aus: Stupperich, M u. a., Zweitausend Jahre Christentum Band I, Göttingen 1984, S. 24f.
M 90: EG 221
M 91-92: © Calwer Verlag/Diesterweg
M 93: Quelle unbekannt
M 94: Aus: Becker, Ulrike u.a., Projekt Ökumene. Auf dem Weg zur Einheit. Arbeitsbuch Religion Sekundarstufe I. Erarbeitet von Ulrike Becker, Gerhard Büttner, Herbert Gutschera und Jörg Thierfelder, © Patmos Verlag, Düsseldorf/Calwer Verlag, Stuttgart 1997, S. 79.
M 95: © Calwer Verlag/Diesterweg
M 96: Text oben: Aus dem Gottesdienstheft zum Weltgebetstag 2004, Gedichte Mitte und unten aus: Arbeitsheft zum Weltgebetstag 2004. © Weltgebetstag der Frauen - Deutsches Komitee e.V.
M 97-98: © Calwer Verlag/Diesterweg
M 99: Aus: Petri, Dieter/Thierfelder, Jörg (Hg.), Grundkurs Judentum Teil 2, S. 57. © 2., völlig neu bearbeitete Aufl. 2002, by Calwer Verlag Stuttgart.
M 100a: Pieter Brueghel, Der Turmbau zu Babel. Foto © Artothek
M 100b: Salvador Dali, Turmbau zu Babel © Salvador Dali. Foundation Gala-Salvador Dali/VG Bild-Kunst, Bonn 2006
M 101: Nach Petri, Dieter/Thierfelder, Jörg (Hg.), Grundkurs Judentum Teil 2, S. 185-187. © 2., völlig neu bearbeitete Aufl. 2002, by Calwer Verlag Stuttgart.
M 102: Foto: © Robert Häusser
M 103: © Jutta Radel, Altendorf, Schweiz. Ursprünglich in: Radel, Jutta, Zu Gast in Israel. Eine kulinarische Reise mit Bildern von Dan Rubinstein. Kunstverlag Weingarten, Weingarten 1984, S. 25f., 28.
M 104: Aus: Petri, Dieter/Thierfelder, Jörg (Hg.), Vorlesebuch Drittes Reich. Von den Anfängen bis zum Niedergang. © Ernst Kaufmann Verlag, Lahr, S. 128-130.
M 105-106: Quelle unbekannt
M 107-108: © Calwer Verlag/Diesterweg
M 109: © Udo Kelch, Berlin
M 110: © Calwer Verlag/Diesterweg
M 111-112: © Calwer Verlag/Diesterweg
M 112: Koran-Text: Quelle unbekannt
M 113: © Calwer Verlag/Diesterweg
M 114: Aus: Der Koran. Übersetzung von Adel Theodor Khoury unter Mitwirkung von Muhammad Salim Abdullah. © by Gütersloher Verlagshaus, Gütersloh in der Verlagsgruppe Random House, München.
M 115: Carita Schmidt, Jesus sagt: Ich bin ...
M 116: Aus: Büttner, Gerhard u.a., Spuren Lesen 5/6, S. 4. © by Calwer Verlag, Stuttgart 1996.
M 117: Text: Altirischer Reisesegen. Deutscher Text: mündlich überliefert. Musik: Günter Schwarze. © Strube Verlag München-Berlin
M 118: © Calwer Verlag/Diesterweg
M 119: Foto: Katja Baur
M 120: © Calwer Verlag/Diesterweg

Illustrationen der Materialien, sofern nicht anders vermerkt:
Angelika Guckes, Leinfelden-Echterdingen
Peter Knorr, Nierstein
Dorothea Layer-Stahl, Winnenden
Hans-Georg Schmaderer, Herne

Literaturverzeichnis

Becker, Jürgen, Paulus. Der Apostel der Völker, UTB 2014, Tübingen 3. Aufl. 1998 (Calwer Verlag).

Betz, Otto, Messias, in: Calwer Bibellexikon, Bd. 2, Stuttgart 2003, S. 906-909.

Bieritz, K.-H., Kirchenjahr I. Allgemein und geschichtlich, in: RGG 4. Aufl., Sp.1302f.

Bühlmann, Walter, Wie Jesus lebte, Luzern 1994 (Rex).

Bock, Ulrich, Höllenfahrt Christi, in: Schnüttgen-Museum Köln (Hg.), Neues und ostkirchliches Kultgerät aus rheinischem Kulturbesitz, Köln 1990.

Böttge, Bernhard u.a., Absolutheit, Toleranz, Mission. Studienbrief V/2 des Fernstudienlehrgangs für evangelische Religionslehrer, Tübingen 2. Aufl. 1978.

Büttner, Gerhard/Kresse, Ursula/Thierfelder, Jörg (Hg.), Medienpaket Einfälle statt Abfälle, Offenbach 1993 (Jünger).

Calwer Bibellexikon, Bd. 1 u. 2, Stuttgart 2003 (Calwer).

Conolly, Peter, Das Leben zur Zeit des Jesus von Nazareth, Nürnberg 1994 (Tessloff).

Crüsemann, Frank, Der Widerstand gegen das Königtum. Die antiköniglichen Texte des Alten Testaments und der Kampf um den frühen israelitischen Staat, Neukirchen 1978 (Neukirchener).

Doedens, Volker/Lange, Günter/Zacharias, Thomas, Farbholzschnitte zur Bibel. Interpretationen und Unterrichtspraxis mit bildnerischer Kunst, München 1973 (Kösel).

Donner, Herbert, Geschichte des Volkes Israel und seiner Nachbarn in Grundzügen, Göttingen 1987 (Vandenhoeck & Ruprecht).

Ebach, Jürgen, Das Erbe der Gewalt. Eine biblische Realität und ihre Wirkungsgeschichte, GTB 378, Gütersloh 1980 (Gütersloher).

Elger, Ralf (Hg.), Kleines Islam-Lexikon. Geschichte - Alltag - Kultur, Bundeszentrale für Politische Bildung, Bonn 2004.

Evangelische Haupt-Bibelgesellschaft (Hg.), Die Bibel mit Erklärungen. Berlin/Altenburg 2. Aufl. 1990.

Feiner, Johannes/Vischer, Lukas, Neues Glaubensbuch, Freiburg/Zürich 8. Aufl. 1973 (Herder/TVZ).

Fetzner, Jochen, In der 5th-Avenue-Kirche, in: Beck, Susanne (Hg.), Vorlesebuch Ökumene, Lahr 1991, S. 251ff. (Kaufmann).

Fikenscher, Konrad, Glaube und Gewalt, in: entwurf. Religionspädagogische Mitteilungen 2/2002, S. 11f.

Freudenberger-Lötz/Büttner, Gerhard/Thierfelder, Jörg, Was tat Jesus am Karsamstag?, in: entwurf. Religionspädagogische Mitteilungen 3/2002, 25-29.

Frevel, Christian, Das Buch Rut, Stuttgart 1992 (Katholisches Bibelwerk).

Frieling, Reinhard, Katholisch und Evangelisch. Informationen über den Glauben. Bensheimer Hefte 46, Göttingen 8. Aufl. 1999 (Vandenhoeck & Ruprecht).

Goldmann, Christoph, Bild-Zeichen bei Marc Chagall, Band 1: Alphabetische Enzyklopädie der Bild-Zeichen; Band 2: Enzyklopädie zu den Bildern der „Biblischen Botschaft", Göttingen 1995 (Vandenhoeck & Ruprecht).

Goldmann, Christoph, Das Gelb auf Davids Harfe. Radierungen zur Bibel von Marc Chagall mit meditativen Texten von Christoph Goldmann, Stuttgart 2004 (Katholisches Bibelwerk).

Goldmann, Christoph, Kinder entdecken Gott mit Chagall, Göttingen/Freiburg i. Br. 1978. (Vandenhoeck & Ruprecht/Christophorus).

Goldmann, Christoph, Ursprungsituationen biblischen Glaubens. Eine Einführung in das Alte Testament für die religionspädagogische Praxis, Göttingen 2. Aufl. 1976 (Vandenhoeck & Ruprecht).

Gressmann, Hugo, Altorientalische Texte zum Alten Testament, Berlin 1970 (de Gruyter).

Grethlein, Christian, Taufe und Tauferinnerung. Plädoyer für ein (vergessenes) Sakrament, DtPfBl 96 (1996), S. 322-326.

Grollenberg, Lucas Hendricus, Bildatlas zur Bibel, Gütersloh 1957 (Gütersloher).

Gutschera, Herbert/Maier, Joachim/Thierfelder, Jörg, Geschichte der Kirchen, Freiburg 2003 (Herder).

Haas, Dieter, Der Bibel anders begegnen, Spiel- und Handlungsideen für Schule und Gemeinde, Lahr 1994 (Kaufmann).

Haenchen, Ernst, Die Apostelgeschichte, 13., durchgesehene und erweitete Auflage, Göttingen 1961 (Vandenhoeck & Ruprecht).

Hanisch, Helmut, Die zeichnerische Entwicklung des Gottesbildes bei Kindern und Jugendlichen. Eine empirische Vergleichsuntersuchung mit religiös und nicht-religiös Erzogenen im Alter von 7-16 Jahren, Stuttgart 1996 (Calwer).

Hermisson, Hans-Jürgen, Altes Testament (alttest. Erzählungen, Sagen und Märchen), in: Ranke, Kurt (Hg.), Enzyklopädie des Märchens, Berlin 1975 ff. (de Gruyter).

Herrmann, Inger, Heimweh nach der Sonntagsschule, in: Beck, Susanne (Hg.), Vorlesebuch Ökumene, Lahr 1991, S. 251 ff. (Kaufmann).

Hillenbrand, R., Images of Muhammad in al-Biruni's Chronology of Ancient Nations, in: Persian Painting from the Mogols to the Qajars, hg. v. R. Hillenbrand, London-New York, 126-146.

Hoekstra, Hidde, Rembrandt, Bilder zur Bibel, Düsseldorf 1990 (Pattloch).

Hoffmann, Ginette/Sethus, Michel, Zur Zeit der Pharaonen, Fellbach 1990 (Union).

Kliemann, Peter, Das Haus mit den vielen Wohnungen. Eine Einführung in die Religionen der Welt, Stuttgart 2004 (Calwer).

Kolatch, Alfred J., Jüdische Welt verstehen, Sechshundert Fragen und Antworten, Wiesbaden, 4. Aufl. 1999 (Fourier).

Kruhöffer, Gerald, Grundlinien des Glaubens. Ein biblisch-theologischer Leitfaden, Göttingen 1993 (Vandenhoeck & Ruprecht).

Lau, Israel Meir, Wie Juden leben. Glaube - Alltag - Feste, Gütersloh 4. Aufl. 1997 (Gütersloher).

Lähnemann, Johannes, Weltreligionen im Unterricht, Teil 2: Islam, Göttingen 2. Aufl. 1996 (Vandenhoeck & Ruprecht).

Lessing, Erich, Das Heilige Land. Landschaften, Archäologie, Religion. Bilder von Erich Lessing. Mit Beiträgen von Franz Kardinal König, Reiner Albertz, Frank Crüsemann, Jürgen Ebach, Manfred Görg, München 2000 (Orbis).

Lohrbächer, Albrecht, Was Christen vom Judentum lernen können, Freiburg 1994 (Herder), Neuauflage 2006 (Kohlhammer).

Metzger, Martin, Grundriss der Geschichte Israels, Neukirchen 10. Aufl. 1998 (Neukirchener).

Neef, Heinz-Dieter, Ismael, Ismaeliter, in: Calwer Bibellexikon, Bd. 1, Stuttgart 2003, S. 607.

Noth, Martin, Das zweite Buch Mose, ATD 5, Göttingen 1961 (Vandenhoeck & Ruprecht).

Patti, Emilio, Die Islamische Verehrung, in: 3000 Jahre Jerusalem, Welt und Umwelt der Bibel, Heft 1, Stuttgart 1996 (Katholisches Bibelwerk).

Petri, Dieter/Thierfelder, Jörg, Grundkurs Judentum, 2. Bände, Stuttgart 2. Aufl. 2002 (Calwer).

Rad, Gerhard von, Theologie des Alten Testaments, Band I: Die Theologie der geschichtlichen Überlieferungen Israels, München 1961 (Chr. Kaiser).

Rendle, Ganzheitliche Methoden im RU, München, S. 17-19 (Kösel).

Ritter, Werner H., Mission/Absolutheitsanspruch/Theologie der Religionen, in: Lachmann, R./Adam, G./Ritter, W. H., Theologische Schlüsselbegriffe, Göttingen 1999, S. 240-254 (Vandenhoeck & Ruprecht).

Röhm, Eberhard/Thierfelder, Jörg, Juden, Christen, Deutsche, Bd. 1: 1933-1935, Stuttgart 1990 (Calwer).

Roose, Hanna, „Deine ganze Schuld habe ich dir erlassen, und du ...?" Die Parabel vom gnadenlosen Schuldner, in: entwurf. Religionspädagogische Mitteilungen 4/2004, S. 21ff.

Rotermund, Hans-Martin (Hg.), Rembrandts Handzeichnungen und Radierungen zur Bibel, Berlin 3. Aufl. 1975 (Ev. Hauptbibelgesellschaft zu Berlin).

Schmidt, Werner H., Alttestamentlicher Glaube in seiner Geschichte, Neukirchen 6. Aufl. 1987 (Neukirchener).

Schmidt, Werner H., Einführung in das Alte Testament, Berlin 5. Aufl. 1995, S. 76-85 (de Gruyter).

Theißen, Gerd/Merz, Annette, Der historische Jesus, Göttingen 1996 (Vandenhoeck & Ruprecht).

Weiser, Alfons, Was die Bibel Wunder nennt. Ein Sachbuch zu den Berichten der Evangelien, Stuttgart 4. Aufl. 1980 (Katholisches Bibelwerk).

Westermann, Claus, Schöpfung, Themen der Theologie Band 12, Stuttgart 2. Aufl. 1976 (Kreuz).

Zenger, E., Ruth/Ruthbuch, in: RGG, 4. Aufl. Bd. 7, Sp. 705f.

Zimmer, Siegfried, Stellenwert und Merkmale einer psychisch gesunden christlichen Erziehung, in: Pfeifer, Samuel, Psychotherapie und Seelsorge im Spannungsfeld zwischen Wissenschaft und Intuition, Moers 1996, S. 203f. (Brendow).

Zink, Jörg, Bildwerk zur Bibel-Geschichte und Umwelt (Dia-Serien), Gelnhausen/Freiburg 1980 (Burckhardthaus-Laetare/Christophorus).

Zwickel, Wolfgang, Die Welt des Alten und Neuen Testaments. Ein Sach- und Arbeitsbuch, Stuttgart 1997 (Calwer).